AF238025

ACCESO GRATIS a la Lectura en la Nube

Para visualizar el libro electrónico en la nube de lectura envíe junto a su nombre y apellidos una fotografía del código de barras situado en la contraportada del libro y otra del ticket de compra a la dirección:

ebooktirant@tirant.com

En un máximo de 72 horas laborales le enviaremos el código de acceso con sus instrucciones.

LOS DERECHOS FUNDAMENTALES DEL CONTRIBUYENTE.

Su protección en la Constitución española, el Convenio Europeo de Derechos Humanos y la Carta de Derechos Fundamentales de la Unión Europea y su interpretación por los respectivos Tribunales de Justicia

TIRANT TRIBUTARIO

Procedimiento de selección de originales, ver página web:

www.tirant.net/index.php/editorial/procedimiento-de-seleccion-de-originales

LOS DERECHOS FUNDAMENTALES DEL CONTRIBUYENTE.

Su protección en la Constitución española, el Convenio Europeo de Derechos Humanos y la Carta de Derechos Fundamentales de la Unión Europea y su interpretación por los respectivos Tribunales de Justicia

José Luis Bosch Cholbi
Universidad de Valencia
(Director)

Benjamín Sevilla Bernabeu
Ana María Vera Ivars
Universidad de Valencia
(Coordinadores)

Grupo ETICCs

tirant lo blanch
Valencia, 2023

En caso de erratas y actualizaciones, la Editorial Tirant lo Blanch publicará la pertinente corrección en la página web www.tirant.com.

Esta obra está ha sido financiada con el Proyecto SECOTAX: 620108-EPP-1-2020-1-ES-EPPJMO-PROJECT, del Ministerio de Ciencia, Innovación y Universidades, "Globalización, multilateralismo y modulación de las garantías y derechos de los contribuyentes" (DER2017-88731-R), así como con el Proyecto de excelencia "La necesaria actualización de los sistemas tributarios ante los retos del S. XXI", otorgado por la Consellería de Innovación, Universidades, Ciencia y Sociedad Digital (PROMETEO/2021/041)

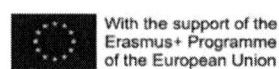

© Sus Autores

© TIRANT LO BLANCH
EDITA: TIRANT LO BLANCH
C/ Artes Gráficas, 14 - 46010 - Valencia
TELFS.: 96/361 00 48 - 50
FAX: 96/369 41 51
Email:tlb@tirant.com
www.tirant.com
Librería virtual: www.tirant.es
DEPÓSITO LEGAL: V-2743-2023
ISBN: 978-84-1169-006-5
MAQUETA: Disset Ediciones

Si tiene alguna queja o sugerencia, envíenos un mail a: *atencioncliente@tirant.com*. En caso de no ser atendida su sugerencia, por favor, lea en *www.tirant.net/index.php/empresa/politicas-de-empresa* nuestro procedimiento de quejas.

Responsabilidad Social Corporativa: http://www.tirant.net/Docs/RSCTirant.pdf

AUTORES

(POR ORDEN DE APARICIÓN)

José Luis Bosch Cholbi

Juan Martín Queralt

Luis Jimena Quesada

Cristobal J. Borrero Moro

Esther Bueno Gallardo

María Esther Sánchez López

Nicolás Díaz Ravn

Bernardo D. Olivares Olivares

Mª del Mar de la Peña Amorós

Daniel Santiago Marcos

Jesús Ramos Prieto

Joaquín Moreno Grau

Carlos Cuervo Fernández

Julia López Espejo

María Magnolia Pardo López

Vicente Sanz Torró

Francisco José Navarro Sanchis

Ernesto Eseverri

Carmen Uriol Egido

Enrique de Miguel Canuto

Carlos Pedrosa López

Antonio José Ramos Herrera

Aurora Ribes Ribes

Ana Isabel González González

Leonor Toribio Bernárdez

Benjamín Sevilla Bernabéu

Joaquin Huelin Martínez de Velasco

Mercedes Navarro Egea

Eva Mª Gil Cruz

Alejandro Jiménez López

Carolina Montalbán Ramírez

María Teresa Martínez-Escribano Serrano

ÍNDICE

SEGUNDA PARTE. LA PROTECCIÓN DEL DERECHO FUNDAMENTAL A LA VIDA PRIVADA, LA INVIOLABILIDAD DEL DOMICILIO, EL SECRETO DE LAS COMUNICACIONES Y LA PROTECCIÓN DE DATOS DE CARÁCTER PERSONAL.

11.- EL DERECHO A NO AUTOINCRIMINARSE EN EL ÁMBITO TRIBUTARIO. IMPACTO DE LA JURISPRUDENCIA DEL TRIBUNAL DE JUSTICIA DE LA UNIÓN EUROPEA 261

Joaquín Moreno Grau

12.- LA DIALÉCTICA ENTRE EL ARTÍCULO 25.1 CE Y LA SANCIONABILIDAD DEL CONFLICTO EN APLICACIÓN DE LA NORMA TRIBUTARIA. ¿UN NUEVO GOLPE A LA SEGURIDAD JURÍDICA? 279

CARLOS CUERVO FERNÁNDEZ

13.- LA EVOLUCIÓN DEL *NON BIS IN IDEM* EN LA JURISPRUDENCIA EUROPEA A PROPÓSITO DE LAS SENTENCIAS DEL TRIBUNAL DE JUSTICIA DE LA UNIÓN EUROPEA, CASOS *BPOST* Y *NORDZUCKER*: ASPECTOS CRÍTICOS 295

JULIA LÓPEZ ESPEJO

14.- SANCIONAR O NO SANCIONAR DOS VECES, ESA ES LA CUESTIÓN. CONSIDERACIONES SOBRE EL PRINCIPIO DE *NON BIS IN ÍDEM* EN EL ÁMBITO DEL DERECHO TRIBUTARIO SANCIONADOR

María Magnolia Pardo López

15.- SANCIONES TRIBUTARIAS IMPROPIAS: SITUACIÓN TRAS LA REFORMA DE LA LEY 14/2022, DE 8 DE JULIO DEL IMPUESTO SOBRE GASES FLUORADOS DE EFECTO INVERNADERO Y LA PROHIBICIÓN DE REPERCUSIÓN DEL TRIBUTO EN SUPUESTOS DE ACTAS DE INSPECCIÓN. 345

VICENTE SANZ TORRÓ

CUARTA PARTE. EL DERECHO A UNA BUENA ADMINISTRACIÓN Y LA RESPONSABILIDAD PATRIMONIAL DEL LEGISLADOR.

17.- EL PRINCIPIO DE BUENA ADMINISTRACIÓN Y SUS LIMITACIONES 387

ERNESTO ESEVERRI

18.- ALGUNAS PROPUESTAS DE APLICACIÓN DEL DERECHO A UNA BUENA ADMINISTRACIÓN EN MATERIA TRIBUTARIA. 401

CARMEN URIOL EGIDO

19.- RESPONSABILIDAD PATRIMONIAL DEL LEGISLADOR ESPAÑOL POR VULNERACION DEL DERECHO DE LA UNION: DISLOCACION JURISPRUDENCIAL 429

ENRIQUE DE MIGUEL CANUTO

QUINTA PARTE.- EL DERECHO A LA DEFENSA Y A LA PRUEBA Y LOS EFECTOS DE LA PRUEBA ILÍCITAMENTE OBTENIDA; LA RETROACCIÓN DE LIQUIDACIONES TRIBUTARIAS ANULADAS EN VÍA JUDICIAL Y EL DERECHO A UN JUICIO SIN DILACIONES INDEBIDAS.

24.- REQUISITOS DE VALIDEZ DE LA ORDEN DE RETROACCIÓN DE ACTUACIONES EN SUPUESTOS DE ANULACIÓN DE UNA LIQUIDACIÓN TRIBUTARIA 539

Leonor Toribio Bernárdez

25.- LA INVERSIÓN DE LA CARGA DE LA PRUEBA EN LAS NORMAS TRIBUTARIAS ANTIABUSO Y EN LA JURISPRUDENCIA 557

Benjamín Sevilla Bernabéu

SEXTA PARTE.- LA PROTECCIÓN DEL SECRETO PROFESIONAL DEL ABOGADO Y ASESOR FISCAL Y OTROS DERECHOS

26.- EL SECRETO PROFESIONAL DE LOS ABOGADOS Y LA TRANSPOSICIÓN DE LA DAC-6 579

Joaquin Huelin Martínez de Velasco

31.- EL MULTILINGÜISMO COMO ARMA DE DOBLE FILO: DERECHO FUNDAMENTAL O LÍMITE A LOS PRINCIPIOS DE LEGALIDAD, PROPORCIONALIDAD Y SEGURIDAD JURÍDICA. 669

María Teresa Martínez-Escribano Serrano

INTRODUCCIÓN

Estas líneas pretender aportar unas pinceladas que justifiquen el porqué de una obra colectiva que tiene por objeto el análisis de diversas cuestiones atinentes a la protección de los derechos fundamentales del contribuyente en España.

Entendemos que el momento es especialmente propicio, y que el fruto de las aportaciones científicas puede resultar de suma utilidad, tanto desde un punto de vista doctrinal como práctico.

La lucha contra el fraude fiscal es un objetivo con anclaje constitucional en el art. 31 de la Carta Magna, pues se trata de "una de las modalidades más perniciosas y reprochables de la insolidaridad en un sistema democrático", en palabras de la STC 50/1995, de 23 de febrero. Y de dicho precepto constitucional se sigue «la necesidad de una actividad inspectora especialmente vigilante y eficaz, aunque pueda resultar a veces incómoda y molesta», pues, de otro modo, «se produciría una distribución injusta en la carga fiscal» (STC 110/1984, de 26 de noviembre, FJ 3).

Pero también es una verdad con respaldo constitucional que el ejercicio administrativo de tan incisivas potestades de gestión, inspección, recaudación e, incluso, sancionadoras debe llevarse a cabo "dentro del respeto debido a los principios y derechos constitucionales" (STC 76/1990, de 26 de abril, FJ 3).

En España, la Constitución establece una cierta gradación que atribuye una condición sustancial de derechos "fundamentales" a los protegidos en los arts. 14 a 29 CE, confiriéndoles una posición preferente en nuestro engranaje normativo que se plasma en una serie de privilegios jurídicos.

Por una parte, su posición preferente en el Estado democrático y social de Derecho y su cualidad de derechos inviolables inherentes a la persona (art. 10.1 C.E.) impone la inexcusable necesidad de tutelarlos en todo caso, y ello provoca, de suyo, la nulidad de todo acto jurídico contrario a los mismos (STC 239/1999, de 20 de diciembre, FJ 4).

Por otra parte, esa "cualidad" de derechos fundamentales comporta la aplicación inexcusable del principio 'in dubio, favor libertatis', que debe presidir la regulación -legal o reglamentaria- y cualquier decisión judicial o actuación administrativa restrictiva que les afecte, favoreciendo su respeto, eficacia y protección (por todas, STC 159/1986, de 16 de diciembre, FJ 6); incluso, aquellas dirigidas a lograr la efectividad del deber constitucional de contribuir.

No se puede, pues, apelar a la necesidad de lograr un equilibrio entre la efectividad de cualquier derecho fundamental y el ejercicio de una potestad por la Administración tributaria. No están en el mismo plano. Así lo puso de relieve, con la claridad con la que nos tenía acostumbrados, Lozano Serrano: "si se parte de un conflicto entre estos derechos y el deber de contribuir, no hay precepto en el ordenamiento que anteponga este último a los primeros, cuando sí hay, en cambio, una posición preeminente y prioritaria de los derechos fundamentales, como fundamento y base del ordenamiento".

Y, en esta tesitura, la consecuencia práctica debe estar clara: la necesidad de protegerlos *ex ante*; de extremar las precauciones para evitar su violación; y, en su caso, de adoptar todas las medidas necesarias para que se restablezca al titular en su disfrute, hasta tal punto de que, en caso de duda razonable, se debe optar por salvaguardar el derecho fundamental, aun a costa de la hipotética afectación negativa a la efectividad del deber de contribuir.

Pero no sólo eso; que no es poco. También es voluntad constitucional que su regulación legal respete, en todo caso, su contenido esencial -art. 53 CE- y que su desarrollo quede reservado a una Ley orgánica -art. 81 CE-, cuya aprobación requiere mayoría absoluta del Congreso de los Diputados.

Y, además, los derechos fundamentales reciben, protección judicial preferente y sumaria mediante el recurso contencioso-administrativo de protección de derechos fundamentales -arts. 114 a 122 de la Ley 29/1998, de la Jurisdicción contencioso-administrativa-, y, en su caso, a través del recurso de amparo ante el Tribunal Constitucional -art. 161.1.a CE-.

Pues bien, teniendo presentes estos referentes, se ha realizado una aproximación a la relación entre la doctrina del Tribunal Constitucional, del TEDH y del TJUE en relación con los derechos del contribuyente en España desde el punto de vista de su eficacia, prestando atención a las posibles convergencias y divergencias. Y, con posterioridad, se ha llevado un análisis dogmático de algunos de los derechos protegidos tanto en la Constitución española, como en el Convenio Europeo de Derechos Humanos y en la Carta de Derechos fundamentales de la Unión Europea. Obviamente, también se ha considerado necesario atender a la interpretación que, de los mismos, han realizado los correspondientes Tribunales de Justicia, tanto nacionales (Tribunal Constitucional y Tribunal Supremo, de manera destacada), como el Tribunal Europeo de Derechos Humanos y el Tribunal de Justicia de la Unión Europea, pues su doctrina constituye -*ex* art. 10.2 CE- un relevante elemento hermenéutico en la determinación del sentido y alcance de los derechos fundamentales que la Constitución Española proclama [por todas, SSTC 155/2019, de 28 de noviembre, FJ 15 B; 97/2020, de 21 de julio, FJ 5 D, y 70/2021, FJ 3 B]. Todo ello, sin desconocer las numerosas reflexiones y propuestas doctrinales.

Siendo ésta la finalidad de la obra -contribuir al esfuerzo de dilucidar el contenido, alcance y ámbito de protección de algunos de los derechos fundamentales ante actuaciones de la Administración tributaria, tratando de compaginar la doctrina de los diferentes Tribunales de Justicia, nacionales e internacionales-, su oportunidad es más que evidente. No parecen buenos tiempos para los derechos fundamentales.

Un Legislador que bendice acríticamente los textos remitidos desde la propia Administración, siempre preocupados por ahondar en un reforzamiento de sus potestades bajo el maleable sayo de esa necesaria persecución del fraude fiscal, olvidando introducir, siquiera sea aisladamente, alguna previsión que refuerce los derechos y garantías de los contribuyentes. En ocasiones, se aprecia una dejación absoluta del Legislador a desarrollar, mediante Ley orgánica, la protección de algunos de los derechos fundamentales, abocando a una incertidumbre ciertamente censurable. Y, otras veces, se llevan a cabo apresuradas modificaciones normativas introducidas, vía enmienda, en tramitaciones parlamentarias cercanas a su conclusión, evitando el pronunciamiento de los órganos consultivos (v.gr. CGPJ, Consejo de Estado, etc.), con una finalidad preclara: arrumbar con las decisiones de los Tribunales de Justicia que censuraban interpretaciones o comportamientos administrativos -cfr. lo sucedido con la doctrina fijada por las Sentencia del Tribunal Supremo, de 1 de octubre de 2020, Rec. nº 2966/2019 y la precipitada modificación normativa introducida, en el último momento, por la Ley 11/2021, de 9 de julio, estableciendo, mediante Ley ordinaria, previsiones que inciden directamente en la protección de ese derecho fundamental más allá de meros ajustes procedimentales -.

El Tribunal Constitucional, salvo contadas ocasiones, ni está ni se le espera, nos atreveríamos a decir. Viene echándose en falta su función como Tribunal de garantías, protector de los derechos fundamentales, resultando llamativo los escasísimos recursos de amparo que, en esta materia, admite a trámite por no apreciar en ellos la malhadada especial trascendencia constitucional. Situación remediada, en parte, por la sensibilidad mostrada, en ocasiones, por la Sala de lo contencioso-administrativo, Sección Segunda, del Tribunal Supremo -a pesar de que el ínclito "interés casacional objetivo para la formación de jurisprudencia" deja en el camino muchos recursos, sin saber por qué-, y, asimismo, por algunos Tribunales Superiores de Justicia. Todos ellos, a golpe de Sentencia, han ido aportando un importante poso de jurisprudencia para dotar de contenido y aclarar los perfiles de esos derechos fundamentales ante actuaciones de la Administración tributaria.

Todas estas causas y motivos se hallan en el origen primigenio de esta obra, pues nos movieron a organizar el Congreso "Los derechos fundamentales del contribuyente. Su protección en la Constitución española, el Convenio Europeo de Derechos humanos y la Carta de derechos fundamentales de la Unión Europea y su interpretación por los respectivos Tribunales de Justicia", celebrado en la Facultad de Derecho de la Universidad de Valencia -y también telemáticamente-, los días 22 y 23 de septiembre de 2022.

Dicho Congreso ha sido organizado por el Grupo de Investigación ETICCs (Grupo de Estudios Tributarios Internacionales, Constitucionales y Comparados) de la Universitat de València con la subvención del proyecto PROMETEO/2021/041, XXITAX, de la Consellería de Innovación, Universidades, Ciencia y Sociedad Digital, el Proyecto del Ministerio de Ciencia, Innovación y Universidades Globalización, multilateralismo y modulación de las garantías y derechos de los contribuyentes (DER2017-88731-R) y el programa Ayudas para la realización de actividades culturales, académicas y deportivas 2022 de la Facultat de Dret de la Universitat de València. A todos ellos, y especialmente a los ponentes y a quienes presentaron comunicación en el Congreso, debemos rendir expreso agradecimiento.

Fruto de las ponencias y comunicaciones presentadas en el Congreso -seleccionadas por el Comité científico-, y del enriquecedor debate científico generado entre los conferenciantes y los asistentes, se consideró conveniente profundizar en diversas cuestiones allí tratadas. Gracias a este intercambio de sinergias entre miembros de la Universidad, la Administración de Justicia, la Administración tributaria y la Abogacía, y como culminación de la investigación allí iniciada, se presenta esta obra.

JOSÉ LUIS BOSCH CHOLBI.

Universidad de Valencia.

PRIMERA PARTE.
LA DOCTRINA DEL TC, DEL TEDH Y DEL TJUE EN RELACIÓN CON LOS DERECHOS DEL CONTRIBUYENTE EN ESPAÑA: EFICACIA, CONVERGENCIAS Y DIVERGENCIAS.

1.- LA PROTECCIÓN JURISDICCIONAL DE LOS DERECHOS FUNDAMENTALES EN EL ORDENAMIENTO INTERNO.

JUAN MARTÍN QUERALT

Catedrático de Derecho Financiero y Tributario. Abogado.

Dos son los procedimientos que ante Tribunales españoles están específicamente encaminados a la protección de los derechos fundamentales , tal como prevé el art. 53.2) CE : a) el *procedimiento para la protección de los derechos fundamentales de la persona* (arts. 114 a 122 quáter LJC-A) , sustanciado ante la jurisdicción ordinaria en vía contencioso administrativa , mediante un procedimiento basado en los principios de preferencia y sumariedad , y b) *el recurso de amparo constitucional* (art. 161.1.b) CE y arts. 41 a 58 de la LOTC), cuya resolución es competencia del Tribunal Constitucional.

Los derechos fundamentales susceptibles de esta tutela son los comprendidos en los **arts. 14 a 29 de la Constitución**. En el recurso de amparo constitucional también es susceptible de **amparo** la **objeción de conciencia** reconocida en el **art. 30 CE**.

El **recurso de amparo constitucional** estaba llamado a convertirse en la pieza esencial de la protección de los derechos fundamentales. La atribución de la competencia al Tribunal Constitucional estaba absolutamente justificada. La tutela de los derechos fundamentales debía andar de consuno con la doctrina que el propio Tribunal fuera elaborando en torno a los conceptos esenciales sobre los que reposaba el texto constitucional. Tarea en la que el Tribunal debía partir necesariamente de la inexistencia de una tradición constitucional propia de un Estado de Derecho. Precisamente por ello parecía necesario que la pila bautismal estuviera donde tenía que estar, en el mismo Tribunal Constitucional. Era la única forma de ir formulando una doctrina unitaria, armónica y carente de equívocos.

Es lo cierto, sin embargo, que el transcurso del tiempo puso de relieve la necesidad de superar determinadas dificultades que dificultaban sensiblemente el funcionamiento del Tribunal Constitucional, dificultades que pretendieron superarse con la reforma llevada a cabo por la **L.O. 6/2007, de 24 de mayo.**

La **Exposición de Motivos** de dicha Ley lo declara abiertamente:

> "La experiencia acumulada tras más de 25 años de actividad del Tribunal Constitu-
> cional desde su creación ha puesto de manifiesto la existencia de una serie de situacio-
> nes y circunstancias en la realidad práctica que con el transcurso del tiempo han llegado
> a convertirse en **problemas para el mejor resultado del trabajo del Tribunal.** Entre ellas
> destaca, por un lado, el **crecimiento del número de recursos de amparo hasta el punto
> de ocupar casi todo el tiempo y los medios materiales y personales del Tribunal.** Por otro
> lado, la realidad de los hechos ha permitido también constatar la **lentitud de los pro-
> cedimientos que se desarrollan ante este Alto Tribunal,** cuestiones todas ellas respecto
> de las que es el momento de dar respuesta legislativa. En este sentido, esta ley orgánica
> intenta dar solución a todo este conjunto de problemas, y para ello procede a adecuar la
> normativa para dar respuesta a los problemas y exigencias que se derivan de la realidad
> práctica del funcionamiento y organización del Tribunal Constitucional."

Los cauces por los que se trata de solucionar tales problemas pueden ser varios. Básicamente dos:

* establecer una nueva regulación de la admisión del recurso de amparo y
* otorgar a los tribunales ordinarios más posibilidades para revisar las violaciones de derechos fundamentales a través de una nueva regulación de
  la nulidad de los actos procesales ex artículo 241.1 de la Ley Orgánica
  6/1985, de 1 de julio, del Poder Judicial.

Se trata, en suma, y así lo reconoce la propia Exposición de Motivos, de adoptar

> *"medidas encaminadas a lograr que la tutela y defensa de los derechos fundamen-
> tales por parte del Tribunal Constitucional sea realmente subsidiaria de una adecuada
> protección prestada por los órganos de la jurisdicción ordinaria"*

Entre esas medidas hay una que destaca por encima de todas: la **configuración
del trámite de admisión del recurso de amparo**:

> *"frente al sistema anterior de causas de inadmisión tasadas, la reforma introduce un
> sistema en el que el recurrente debe alegar y acreditar que el contenido del recurso jus-
> tifica una decisión sobre el fondo por parte del Tribunal en razón de su especial trascen-
> dencia constitucional,* dada su importancia para la interpretación, aplicación o general
> eficacia de la Constitución. Por tanto, *se invierte el juicio de admisibilidad,* ya que *se pasa
> de comprobar la inexistencia de causas de inadmisión a la verificación de la existencia de una rele-
> vancia constitucional en el recurso de amparo formulado.* Esta modificación sin duda agilizará
> el procedimiento al transformar el examen de admisión actual en la comprobación en las
> alegaciones del recurrente de la existencia de relevancia constitucional en el recurso."

De otra parte, **se incrementan sensiblemente las competencias de la jurisdicción ordinaria para la tutela de los derechos fundamentales.**

También sobre ello se pronuncia la **Exposición de Motivos**:

> *"La protección y garantía de los derechos fundamentales no es una tarea única del Tribunal
> Constitucional, sino que los tribunales ordinarios desempeñan un papel esencial y crucial en ella.*

Por ello, y *con la intención de aumentar las facultades de la jurisdicción ordinaria para la tutela de los derechos fundamentales se modifica el incidente de nulidad de actuaciones del artículo 241.1 de la Ley Orgánica 6/1985, de 1 de julio.* De este modo se introduce una configuración del incidente de nulidad de actuaciones mucho más amplia, porque se permite su solicitud con base en cualquier vulneración de alguno de los derechos fundamentales referidos en el artículo 53.2 de la Constitución en lugar de la alegación de indefensión o incongruencia prevista hasta el momento. Esta ampliación del incidente de nulidad de actuaciones previo al amparo busca otorgar a los tribunales ordinarios el papel de primeros garantes de los derechos fundamentales en nuestro ordenamiento jurídico."

Modificar el sistema de admisión, exigiendo que el recurrente justifique **su «especial trascendencia constitucional» (art. 49.1 y 50.1.b LOTC)**, conlleva **probar no sólo que se ha producido una violación de derechos fundamentales,** sino, sobre todo, que el recurso resulte **especialmente trascendente en términos constitucionales.** Lo que se producirá atendiendo a:

- **su importancia para la interpretación de la Constitución.**
- **para su aplicación o para su general eficacia, y**
- **para la determinación del contenido y alcance de los derechos fundamentales.**

El problema que se plantea tras la reforma de 2007 es doble : de una parte, los porcentajes de admisión son alarmantemente reducidos y, de otra, la inadmisión se articula mediante una providencia no recurrible, salvo por el Ministerio Fiscal, que incorpora una sucinta motivación que, en la práctica, se identifica con la ausencia de especial trascendencia constitucional. (art. 50.3 LOTC).

" *Las providencias de inadmisión , adoptadas por las Secciones o las Salas, especificarán el requisito incumplido y se notificarán al demandante y al Ministerio Fiscal. Dichas providencias solamente podrán ser recurridas en súplica por el Ministerio Fiscal en el plazo de tres días. Este recurso se resolverá mediante auto, que no será susceptible de impugnación alguna.* "

La conclusión de cuanto antecede es muy clara : la **inadmisión del amparo** se motiva y ancla, sin más, en la *ausencia de especial trascendencia constitucional.*

Esto es lo que ha acontecido – y sigue aconteciendo – con el recurso de amparo constitucional.

El **Auto del Tribunal Constitucional 149/2020, de 26 de noviembre de 2020 (** Sala Primera. FJ 2) es bien expresivo de ello :

" Como este tribunal ha tenido ocasión de recordar, la entrada en vigor de la Ley Orgánica 6/2007, de 24 de mayo, supuso una importante modificación del régimen jurídico del trámite de la *admisión del recurso de amparo* por la inclusión de nuevos requisitos de procedibilidad (STC 10/2018, de 5 de febrero, FJ 2, y 27/2018, de 5 de marzo, FJ 2). Entre ellos, diferenciada de la exigencia impuesta al recurrente por el art. 49.1 *in fine* LOTC de alegar y acreditar que el contenido del recurso justifica una decisión sobre el fondo por parte del tribunal en razón de su especial trascendencia constitucional

(STC 17/2011, de 28 de febrero, FJ 2), destaca como caracterización más distintiva el enunciado en el artículo 50.1 b) LOTC, que **exige que el contenido del recurso justifique una decisión sobre el fondo por parte del Tribunal Constitucional por su especial trascendencia constitucional**, la cual se apreciará atendiendo a su importancia para la interpretación de la Constitución, para su aplicación o para su general eficacia, y para la determinación del contenido y alcance de los derechos fundamentales (ATC 47/2018, de 25 de abril, FJ 2).

En lo que atañe a esta exigencia material, se trata de un *requisito que solo corresponde valorar a este tribunal* atendiendo a los tres criterios que en el precepto legal se enuncian (SSTC 17/2011, de 28 de febrero, FJ 2, y 96/2012, de 7 de mayo, FJ 4).

Hemos afirmado también que *la citada reforma ha eliminado la dimensión subjetiva del recurso de amparo para dotarlo, exclusivamente, de un significado objetivo*. De este modo, «*la mera lesión de un derecho fundamental o libertad pública tutelable en amparo ya no será por sí sola suficiente para admitir el recurso*» (STC 155/2009, FJ 2). Así, para que este tribunal pueda admitir el recurso de amparo y, en su caso, otorgar la tutela del derecho fundamental que se estima vulnerado, ya no basta (frente a lo que sucedía con anterioridad a la reforma introducida por la Ley Orgánica 6/2007) que se haya producido la lesión subjetiva del derecho fundamental, sino que *la admisión y tutela solo procederá si a esa lesión subjetiva se une el indispensable requisito objetivo de que el problema planteado en el recurso posea una «especial trascendencia constitucional» [art. 50.1 b) LOTC]. De tal manera que, si no concurre ese requisito sustantivo, aunque resulte verosímil la existencia de lesión subjetiva del derecho fundamental y sea cual sea la gravedad de la misma, este tribunal no admitirá el recurso de amparo (AATC 29/2011, de 17 de marzo, FJ 3, y 47/2018, de 25 de abril, FJ 2)*."

La especial trascendencia constitucional se produce cuando:

I.   plantea un problema o una faceta de un derecho fundamental susceptible de amparo sobre el que no hay doctrina del Tribunal Constitucional;

II. da ocasión al Tribunal Constitucional para aclarar o cambiar su doctrina, como consecuencia de un proceso de reflexión interna o por el surgimiento de nuevas realidades sociales o de cambios normativos relevantes para la configuración del contenido del derecho fundamental, o de un cambio en la doctrina de los órganos de garantía encargados de la interpretación de los tratados y acuerdos internacionales a los que se refiere el art. 10.2 CE ; y

III. el órgano judicial incurre en una negativa manifiesta del deber de acatamiento de la doctrina del Tribunal Constitucional [art. 5 de la Ley Orgánica del Poder Judicial (LOPJ).

En suma, puede haber **lesión de un derecho fundamental** pero **no concurre una especial trascendencia constitucional**, en cuyo caso... **se inadmite el amparo**.

En este caso, se trataba de admitir o no como gastos unas partidas que podían justificarse mediante distintos medios – licencias de obras, pagos bancarios, pagos de tasas por licencia de obras...–, pero carentes de facturas. La Administración había fijado un valor catastral en el que sí se incluían esas inversiones carentes de facturas, pero no reconoció valor alguno a esos gastos a efectos de calcular el incremento de patrimonio derivado de su enajenación. Lo que es lo mismo: un mismo bien tenía un valor a efectos de un impuesto y otro valor a efectos de otro impuesto.

Esta incongruencia es la que explica y justifica el **voto particular** formulado por el **Magistrado A. Montoya**, que entendió debía haberse concedido el amparo constitucional, frente al criterio mantenido por los otros dos Magistrados: González Rivas y Conde – Pumpido.

El razonamiento del voto particular es convincente. En el apartado 2 del voto particular, bajo el epígrafe de–**La lesión del derecho fundamental a la tutela judicial efectiva (art. 24.1 CE), en conexión con el principio de capacidad económica y con la prohibición de confiscatoriedad (art. 31.1 CE)**–se razona:

> "... a mi juicio, se ha efectuado una ilógica valoración jurídica, pues al margen de que se haya acreditado con mayor o menor fortuna el coste de la controvertida construcción, lo cierto es que *tanto la administración tributaria como el órgano judicial reconocen la existencia de una construcción «de notables características» para proceder a renglón seguido a afirmar que se hizo «gratuitamente», por lo que debía asignársele un valor de cero euros.* Con su decisión, *no solo desconocen la documentación aportada por la parte actora para intentar acreditar el coste de la construcción, sino que contradicen la valoración de mercado efectuada por la propia administración tributaria a efectos fiscales. Tanto la conducta de la administración tributaria como la del órgano judicial, consistente en negar cualquier valor a una construcción cuya existencia reconocen, so pretexto de no haber sido justificado con facturas, puede calificarse como manifiestamente irrazonable o arbitraria* (SSTC 11/2020, de 28 de enero, FJ 8; 1/2020, de 14 de enero, FJ 9, y 38/2020, de 25 de febrero, FJ 6). Sabido es por todos que *la factura no es, en derecho tributario, el único medio para justificar los gastos en la materia,* ... De hecho, «*no constituye un medio de prueba privilegiado respecto de la existencia de las operaciones, por lo que una vez que la administración cuestiona fundadamente su efectividad, corresponde al obligado tributario aportar pruebas sobre la realidad de las operaciones*» (art. 106.4 citado, párrafo segundo); *pruebas que, una vez aportadas, no pueden rechazarse, sin más, con fundamento en que no son «facturas».* ... Si la base imponible del tributo no puede estimarse directamente, deberá estimarse indirectamente mediante la «aplicación de los datos y antecedentes disponibles que sean relevantes al efecto» [art. 53.2 a) LGT], y/o mediante la «utilización de aquellos elementos que indirectamente acrediten la existencia de los [...] costes» [art. 53.2 b) LGT].

Como tiene señalado este tribunal, en la realidad jurídica, unos mismos hechos no pueden existir y dejar de existir al mismo tiempo para los órganos del Estado ... *Es ilógico admitir que existe una construcción, que cuenta con un alto «valor», a efectos de un impuesto, para luego atribuirle un valor de cero euros, a efectos de otro. Carece, entonces, de toda justificación razonable entender que un mismo bien (una construcción) existe y no existe a efectos tributarios. Las decisiones administrativa y judicial de privar de todo valor probatorio a la documentación presentada para acreditar el coste de la construcción ha provocado el gravamen de una renta inexistente en contra del principio de capacidad económica y de la prohibición de confiscatoriedad (STC 126/2019, de 31 de octubre, FJ 4).*

> ... sucede que *la base imponible, tal y como ha sido calculada en el caso de autos, conduce al «gravamen ilícito de una renta inexistente en contra del principio de capacidad económica y de la prohibición de confiscatoriedad que deben operar, en todo caso, respectivamente, como instrumento legitimador del gravamen y como límite del mismo (art. 31.1 CE)» (STC 126/2019, de 31 de octubre, FJ 4).* Con ello, *la deuda tributaria reclamada, al incidir en la prohibición de confiscatoriedad (gravamen de una renta inexistente) viola el derecho de propiedad consagrado tanto en el art. 33.1 CE como en el art. 1 del Protocolo adicional al Convenio europeo de derechos humanos.* "

Y concluye – ap. 3 – que, existiendo abundante doctrina constitucional sobre el derecho a la tutela judicial efectiva, es lo cierto

> "...en contra de lo señalado por la resolución de la que se discrepa, que *la perspectiva del art. 31.1 CE añade una faceta que hasta la fecha no ha sido escrutada por este tribunal, como es la de que los actos de todos los poderes públicos, y no solo los del poder legislativo, «en ningún caso» pueden tener un «alcance confiscatorio» (arts. 31.1 CE).* Hay que tener presente que *el resultado confiscatorio constitucionalmente prohibido no solo puede derivar de los postulados de la ley sino también de su aplicación administrativa y judicial.* Por este motivo es importante subrayar que la contrapartida del «deber» de contribuir al sostenimiento de los gastos públicos «de acuerdo» con la capacidad económica es el «derecho» a tributar exclusivamente «de acuerdo» con esa capacidad económica y «en función de» la misma. *Si la necesidad de la existencia de una capacidad económica susceptible de ser sometida a imposición es el prius lógico que legitima el gravamen, el respeto al contenido esencial del derecho de propiedad y, por tanto, a la prohibición de confiscatoriedad, es el límite a todo gravamen...*"

Y añade:

> " ...en la reciente **STC 141/2020,** de 19 de octubre, la Sala Segunda de este tribunal ha apreciado, como faceta novedosa del derecho a la tutela judicial efectiva (art. 24.1 CE), el control judicial de las medidas cautelares adoptadas por la administración tributaria (*ex* art. 81.8 LGT) para asegurar las eventuales responsabilidades derivadas del delito de defraudación (FJ 3). Y la previa **STC 67/2020,** de 29 de junio, también de la Sala Segunda, ha descubierto, como faceta sin doctrina del derecho a un proceso con todas las garantías (art. 24.2 CE), las posibilidades de utilización en el marco de un procedimiento administrativo sancionador por parte de la inspección de los tributos de las pruebas obtenidas en un proceso penal. No puede afirmarse, por tanto, que la perspectiva del art. 31.1 CE no añade al derecho invocado facetas necesitadas de una intervención por parte de este tribunal, que garantice la correcta aplicación de los mandatos constitucionales ante el deber de contribuir. *En suma, el asunto controvertido poseía, según mi parecer, una evidente trascendencia constitucional porque hubiese permitido a este tribunal precisar el control de las decisiones de aplicación de los tributos que, por su*

manifiesta irrazonabilidad, incurren en un «alcance confiscatorio» contrario al deber/ derecho de contribuir única y exclusivamente «de acuerdo con» la capacidad económica realmente manifestada (arts. 24.1 CE, en conexión con los arts. 9.3, 31.1 y 33.1, todos ellos de la CE)."

Las cosas no han cambiado mucho en el ámbito de la **jurisdicción ordinaria**. También en este caso una reforma – concretada en la Ley Orgánica 7/2015, de 21 de julio, que modifica la Ley Orgánica 6/1985, de 1 de julio, del Poder Judicial – introduce un cambio sustancial en el recurso de casación, exigiendo para su admisión la concurrencia del **interés casacional objetivo**. Exigencia que *impide que se otorgue amparo a quienes resulten afectados por violaciones de los derechos en los que ya exista una jurisprudencia consolidada*.

Lo que en el ámbito del **recurso de amparo constitucional** despliega la exigencia de que exista una *"especial trascendencia constitucional"*, en el marco del **recurso de casación** se identifica con el *"interés casacional objetivo"*.

La **Exposición de Motivos** aclara el por qué del cambio :

"En este ámbito, y con la finalidad de intensificar las garantías en la protección de los derechos de los ciudadanos, *la ley opta por reforzar el recurso de casación como instrumento por excelencia para asegurar la uniformidad en la aplicación judicial del derecho.* De esta forma, el recurso de casación podrá ser admitido a trámite cuando, invocada una concreta infracción del ordenamiento jurídico, tanto procesal como sustantiva, o de la jurisprudencia, la Sala de lo Contencioso-administrativo del Tribunal Supremo estime que el recurso presenta interés casacional objetivo para la formación de jurisprudencia.

Con la finalidad de que la casación no se convierta en una tercera instancia, sino que cumpla estrictamente su función nomofiláctica, se diseña un mecanismo de admisión de los recursos basado en la descripción de los supuestos en los que un asunto podrá acceder al Tribunal Supremo por concurrir un interés casacional. Así, la Sala de casación podrá apreciar que en determinados casos existe interés casacional objetivo, motivándolo expresamente en el auto de admisión. El recurso deberá ser admitido en determinados supuestos, en los que existe la presunción de que existe interés casacional objetivo.

La reforma tuvo el indiscutible mérito de modificar el recurso de revisión, incluyendo las sentencias del TEDH como motivo bastante para la interposición del mismo, colmando un vacío procesal que confinaba en la nada las sentencias del TEDH.

La **Exposición de Motivos** precisa el alcance de esta modificación :

*"Se incluye, también, una previsión respecto de las **sentencias del Tribunal Europeo de Derechos Humanos** que declaren la vulneración de alguno de los derechos reconocidos en el Convenio Europeo para la protección de los Derechos Humanos y Libertades Fundamentales y en sus Protocolos, estableciéndose que serán motivo suficiente para la interposición del recurso de revisión*

exclusivamente de la sentencia firme recaída en el proceso «a quo». Con ello se incrementa, sin lugar a dudas, la seguridad jurídica en un sector tan sensible como el de la protección de los derechos fundamentales, fundamento del orden político y de la paz social, como proclama el artículo 10.1 de nuestra Constitución."

La exigencia de la ***especial trascendencia constitucional*** como *conditio sine que non* para la admisión del recurso de amparo limita sensiblemente el alcance del recurso, que deviene inadmisible en todos aquellos casos en los que, aun existiendo manifiestas violaciones de derechos fundamentales, las mismas no alcancen la especial trascendencia constitucional exigible. Circunstancia que concurre – y ello es especialmente paradójico–en todos aquellos casos en los que la violación , a fuer de repetida, carece de esa especial trascendencia constitucional.

En estos casos, pese a que el **art. 13 del CEDH** establece el derecho de toda persona a disponer de un ***recurso efectivo*** cuando sus derechos y libertades reconocidos en el mismo Convenio hayan sido violados, es lo cierto que en nuestro ordenamiento interno ese recurso efectivo no existe, como han puesto de relieve recientes pronunciamientos del TEDH.

> Parece razonable concluir que, dada la carga de trabajo del TC , debiera ser la jurisdicción ordinaria la competente para pronunciarse con carácter general sobre las violaciones de los derechos fundamentales, bien mediante la creación de tribunales ordinario cuyo objeto sea el amparo constitucional, bien mediante la atribución a *salas específicas para asumir amparos constitucionales ordinarios. En este ámbito, el Tribunal Constitucional debiera ser la última ratio en la unificación de doctrina . Los arts. 53.2 y 161.1.b) CE* permiten una solución que propiciaría la existencia de ese recurso efectivo que exige el art. 13 del CEDH.

Algunas sentencias del TEDH han corroborado las deficiencias de nuestro ordenamiento interno en la protección de los derechos fundamentales. Una de ellas es de **19 de enero de 2021 (asunto Klopstra c. Reino de España) .**

El Sr. Klopstra, residente fuera de España, había adquirido una vivienda en la localidad de Denia, cuya compra financió con un crédito bancario y garantía hipotecaria. La entidad bancaria planteó una demanda contra el Sr. Klopstra de la que nunca tuvo noticias por ciertos contratiempos en la notificación en el domicilio señalado en Denia. No obstante conocerse el domicilio del Sr. Klopstra fuera de España, no se intentó la **notificación personal** en ese domicilio. El procedimiento se siguió sin la intervención del demandado y concluyó con la ejecución y transmisión de la vivienda a terceros. El Sr. Klopstra tuvo conocimiento de todo lo acontecido el día que retornó a Denia y se encontró la vivienda ocupada por sus actuales propietarios.

Se había infringido el art. 24 CE , al seguir un procedimiento judicial sin el debido emplazamiento personal del demandado cuando no se habían agotado las posibilidades para que ese emplazamiento tuviese lugar. El Juzgado no declaró la nulidad de sus actuaciones. El TC tampoco admitió a trámite el recurso

de amparo, conclusión que tuvo que reafirmar con su **Auto 107/2016, de 12 de mayo,** con el que **rechazó el recurso que el Ministerio Fiscal planteó contra la primera providencia de inadmisión** .

El **TEDH** concluyó :

- **el Reino de España ha violado el derecho del Sr. Klopstra a un juicio equitativo que reconoce el art. 6.1 del CEDH ;**
- **al Sr. Klopstra se le debe reparar el perjuicio producido mediante la revisión de la sentencia en los términos previstos en nuestro ordenamiento procesal (recurso de revisión de sentencia).**
- **el § 24 de la sentencia** concluye que *el TC no reparó la violación de los derechos humanos de un ciudadano porque esa violación,* con ser común y contar con jurisprudencia, *carecía de «especial trascendencia constitucional».*

Otra sentencia, de **14 de septiembre de 2021(asunto Inmobilizados y Gestiones SL c. Reino de España) abunda en la materia.** . Una entidad mercantil, propietaria de cinco parcelas en el municipio de San Lorenzo del Escorial (Madrid), fue expropiada de esas parcelas por el Ayuntamiento de la localidad. La compañía presentó **cinco recursos contencioso-administrativos idénticos ante el TSJ de Madrid** para discutir el **justiprecio** pagado por el Ayuntamiento. Recursos idénticos, porque:

- **el expropiado era la misma compañía,**
- **el expropiante era el mismo Ayuntamiento,**
- **las parcelas se encontraban en el mismo municipio y tenían las mismas características.**

El **TSJ de Madrid** dictó cinco sentencias de contenido similar y la compañía las recurrió en casación ante el TS. Se presentaron **cinco recursos de contenido sustancialmente idéntico,** porque el problema planteado en las sentencias recurridas era el mismo: precisar la norma aplicable a la valoración en atención a la fecha que debía tenerse en cuenta. **Pese a todas las identidades, el TS admitió y estimó dos de los recursos e inadmitió los otros tres. Después rechazó el incidente de nulidad planteado por la compañía y el TC inadmitió su recurso de amparo.**

El **TEDH** dicta sentencia y concluye que:

- *el Tribunal Supremo español ha sido arbitrario al negar el acceso a un recurso previsto en la Ley,* **porque el recurso carecía de «especial trascendencia constitucional». ($ 17).**
- *el TS español ha violado el derecho de la compañía a acceder a un Tribunal en los términos previstos en la Ley que reconoce el art. 6.1 del CEDH.*
- *la forma de reparar el perjuicio producido es que la compañía pueda contar con la sentencia sobre el fondo del asunto que le negó el TS y el TC.*

En ese camino, tendente a reforzar los cauces para la protección jurisdiccional de los derechos fundamentales, deben agotarse las posibilidades que conduzcan a ello. Una de ellas está en la respuesta dada por el Tribunal Supremo al resolver el recurso de casación admitido por **Auto del Tribunal Supremo 9131/2021, de 30 de junio (rec. 7298/2020. Ponente : D. T. Berberoff)**, por el que se entiende que presenta interés casacional objetivo para la formación de la jurisprudencia el

> " *Determinar si las sentencias dictadas en los procedimientos especiales para la protección de los derechos fundamentales de la persona que anulen liquidaciones o sanciones tributarias por vulneración de derechos fundamentales pueden considerarse dictadas en materia tributaria y, en su caso, si pueden ser susceptibles de extensión de efectos*" .

El ATS tiene su origen en un Auto de la Sala de lo Contencioso Administrativo del TSJ de Andalucía (Málaga) por la que se inadmitió extender los efectos de una Sentencia por la que la misma Sala había fallado a favor del contribuyente en el proceso especial de protección de los derechos fundamentales.

Entiende el TS que

> "... la cuestión presenta interés casacional objetivo para la formación de jurisprudencia, porque en la sentencia recurrida se han aplicado normas que sustentan la razón de decidir sobre las que *no existe jurisprudencia del Tribunal Supremo* [artículo 88.3.a) LJCA], y porque *esta cuestión planteada afecta a un gran número de situaciones* [artículo 88.2.c) LJCA], lo que hace conveniente un pronunciamiento del Tribunal Supremo que las esclarezca, en beneficio de la seguridad jurídica y de la consecución de la igualdad en la aplicación judicial del Derecho (artículos 9.3 y 14 CE).

En efecto este **Tribunal Supremo** ha declarado en la *sentencia de 27 de noviembre de 2009 (Procedimiento especial para la protección de los derechos fundamentales nº 649/2008; ECLI:ES:TS:2009:7587)* que el procedimiento previsto en los artículos 114 y siguientes de la LJCA tiene por objeto exclusivamente la tutela preferente y sumaria de los derechos fundamentales reconocidos en la Constitución a los que se refiere su artículo 53.2 y que no son otros que los contenidos en el artículo 14 y en la Sección primera del Capítulo II de la Carta Magna. Los demás derechos e intereses legítimos, ciertamente, son también objeto de tutela por los Tribunales de lo Contencioso Administrativo, pero por los cauces del procedimiento ordinario u abreviado contemplados en la LJCA.

La interpretación de la Sala a quo limita la posibilidad de extensión de efectos a las sentencias dictadas en los procedimientos ordinarios o abreviados por lo que conviene, por lo tanto, un pronunciamiento del Tribunal Supremo que, cumpliendo su función uniformadora, sirva para dar respuesta a la cuestión nuclear que suscita este recurso de casación a fin de fijar criterio que sobre la cuestión suscitada.

Esta es la cuestión que ha de tratarse al descansar en ella la ratio decidendi de las resoluciones impugnadas, más allá de si concurren o no las circunstancias que el artículo 110.1 LJCA establece para que pueda tener lugar la extensión de efectos, circunstancias que, dado el sentido de las resoluciones impugnadas no llegaron a ser examinadas.

Es obvio que una respuesta positiva fortalecería los cauces por los que llegar a la tutela jurisdiccional de los derechos fundamentales, en tanto se llega a una revisión de la legislación que tenga en cuenta las carencias que han quedado apuntadas.

Y la respuesta positiva se ha dado por la **Sentencia del Tribunal Supremo 3741/2022, de 14 de octubre**, de la que ha sido Ponente D. Berberoff (rec. 7298/2020), que ha fijado con precisión (FD cuarto) la siguiente **doctrina** :

"A efectos del procedimiento de extensión de efectos del art. 110 LJCA, ha de interpretarse que, una sentencia se entiende dictada "en materia tributaria", cuando tenga por objeto la revisión de un acto administrativo de naturaleza tributaria, con independencia de la naturaleza, especial o no, del procedimiento contencioso administrativo en que haya sido pronunciada."

Precisa el **TS** que *"Efectivamente, el procedimiento especial de protección de los derechos fundamentales, previsto en los artículos 114 y ss. LJCA, responde a los principios de preferencia y sumariedad enunciados por el artículo 53.2 CE, para que cualquier ciudadano pueda recabar la tutela de las libertades y derechos reconocidos en el artículo 14 y la Sección primera del Capítulo segundo ante los Tribunales ordinarios."*

Y añade, en la línea que apuntábamos:

> "No debe obviarse, por lo demás, que *la Ley Orgánica 6/2007, de 24 de mayo, según se infiere de su Exposición de Motivos, persigue otorgar a los tribunales ordinarios más posibilidades para revisar las violaciones de derechos fundamentales con la finalidad de lograr que su tutela y defensa por parte del Tribunal Constitucional sea realmente subsidiaria de una adecuada protección prestada por los órganos de la jurisdicción ordinaria, reforzando su papel de primeros garantes de los derechos fundamentales en nuestro ordenamiento jurídico…"*

Como es obvio, y el **TS** pone el acento en ello, a efectos de calificar lo que constituye "**materia tributaria**" a los efectos del art.110 LJCA, *" lo concluyente no es el procedimiento en sí (ordinario, abreviado o especial) sino el objeto de este y… no parece que existan muchas dudas de que una liquidación y sanción, derivadas de un procedimiento de inspección, se integran dentro de la "materia tributaria."*

En conclusión, *"resulta indiferente que la constatación y consiguiente proclamación del derecho fundamental tenga lugar a través del proceso contencioso-administrativo, regulado en el Título IV de la LJCA que, mediante un procedimiento especial, como el de protección de los derechos fundamentales, previsto en el Título V.*

Más gráficamente, una cosa es el escenario procedimental (continente) y otra distinta la declaración de la infracción del derecho fundamental (contenido) que, como es natural, puede apreciarse en uno u otro procedimiento.

Además, se utilice una u otra vía procedimental, lo cierto es que, *mantener la conclusión contraria supondría hacer de peor condición a quien combate la nulidad de un acto aduciendo la vulneración de un derecho fundamental, que a quien persigue esa nulidad invocando la simple infracción de la legalidad ordinaria.* "

2.- LOS DERECHOS FUNDAMENTALES DEL CONTRIBUYENTE EN LA JURISPRUDENCIA EUROPEA: INFORMACIÓN FISCAL, PROTECCIÓN DE DATOS Y POTESTAD SANCIONADORA (CONVERGENCIAS, DIVERGENCIAS Y SU IMPACTO EN EL ORDENAMIENTO CONSTITUCIONAL ESPAÑOL)[1]

LUIS JIMENA QUESADA

Catedrático de Derecho Constitucional
Universidad de Valencia.

SUMARIO:
I. La incidencia de la jurisprudencia europea en materia tributaria: breve acercamiento a las vías de protección propiciadas por el TEDH y por el TJUE: 1. Derechos fundamentales del contribuyente en la jurisprudencia del TEDH. 2. Derechos fundamentales del contribuyente en la jurisprudencia del TJUE. II. Cuestiones específicas sobre ámbitos convergentes y divergentes en Estrasburgo y en Luxemburgo: 1. Información fiscal *versus* protección de datos personales. 2. *Ne bis in ídem* y doble sanción administrativa-penal. III. La problemática de la potencial divergencia (*favor libertatis* y armonización para protección de los intereses financieros de la UE) en el orden constitucional nacional y europeo (en Estrasburgo y en Luxemburgo). IV. Reflexiones finales: el papel de la asesoría fiscal y la defensa de los derechos fundamentales del contribuyente a la luz de la jurisprudencia europea.

I. LA INCIDENCIA DE LA JURISPRUDENCIA EUROPEA EN MATERIA TRIBUTARIA: BREVE ACERCAMIENTO A LAS VÍAS DE PROTECCIÓN PROPICIADAS POR EL TEDH Y POR EL TJUE

De entrada, no parece necesario extenderse en justificar que la materia tributaria y los derechos fundamentales de las personas afectadas (físicas y/o jurídicas) se ven impregnados de instrumentos europeos básicos que, como el Convenio Europeo de Derechos Humanos (CEDH) y la Carta de los Derechos Fundamentales de la Unión Europea (CDFUE), forman parte del ordenamiento interno y, consecuentemente proyectan un impacto constitucional nada desdeñable. En

---

[1] El presente estudio se ha elaborado en el contexto de los proyectos de investigación que han financiado esta obra colectiva y el Congreso del que trae su causa, así como en el marco del proyecto del Ministerio de Ciencia e Innovación PID2021-128309NB-I00.

particular, con relación a esta última y sin necesidad ahora de incidir en los principios de primacía y efecto directo del ordenamiento comunitario europeo, es cierto que la CDFUE tiene la virtualidad añadida prevista en la Ley Orgánica por la que se autoriza la ratificación del Tratado de Lisboa[2], que da fuerza vinculante a dicha Carta[3] y enfatiza el mandato interpretativo establecido en el artículo 10.2 de la Constitución Española (CE)[4].

Cabalmente, la remisión al artículo 10.2 CE (seguramente innecesaria, pero evita equívocos) significa reafirmar la CDFUE como *canon constitucional interno* (*como parámetro interpretativo*)[5]. Desde esta perspectiva, como afirmación de principio, la interpretación de la CDFUE llevada a cabo por el Tribunal de Justicia de Luxemburgo (TJUE), lo mismo que la del CEDH operada por Tribunal Europeo de Derechos Humanos (TEDH), deberán ser asumidas en España cuando sean más favorables (principio *favor libertatis*)[6] que la interpretación elaborada por el

---

[2]   Ley Orgánica 1/2008, de 30 de julio, por la que se autoriza la ratificación por España del Tratado de Lisboa, por el que se modifican el Tratado de la Unión Europea y el Tratado Constitutivo de la Comunidad Europea, firmado en la capital portuguesa el 13 de diciembre de 2007 (BOE n.º 184, de 31 de julio de 2008).

[3]   El instrumento de ratificación del Tratado de Lisboa se publicó en el BOE n.º 286, de 27 de noviembre de 2009.

[4]   El artículo 2 de dicha Ley Orgánica 1/2008 (cuya intitulado es *Carta de los Derechos Fundamentales de la Unión Europea*) dispone: "A tenor de lo dispuesto en el párrafo segundo del artículo 10 de la Constitución española y en el apartado 8 del artículo 1 del Tratado de Lisboa, las normas relativas a los derechos fundamentales y a las libertades que la Constitución reconoce se interpretarán también de conformidad con lo dispuesto en la Carta de los Derechos Fundamentales publicada en el «Diario Oficial de la Unión Europea» de 14 de diciembre de 2007, cuyo texto íntegro se reproduce a continuación: (…)".

[5]   Esta impresión se desprende asimismo de la *Declaración del Tribunal Constitucional de 13 de diciembre de 2004* (FJ 6º): "el Tratado [constitucional] asume como propia la jurisprudencia de un Tribunal cuya doctrina ya está integrada en nuestro Ordenamiento por la vía del artículo 10.2 de la Constitución, de manera que no son de advertir nuevas ni mayores dificultades para la articulación ordenada de nuestro sistema de derechos. Y las que resulten, según se ha dicho, sólo podrán aprehenderse y solventarse con ocasión de los procesos constitucionales de que podamos conocer. (…) claramente se advierte que la Carta se concibe, en todo caso, como una garantía de mínimos, sobre los cuales puede desarrollarse el contenido de cada derecho y libertad hasta alcanzar la densidad de contenido asegurada en cada caso por el Derecho interno".

[6]   Dicho principio ha sido puesto de relieve tanto en la jurisprudencia constitucional española (entre otras, STC 274/1993, de 23 de septiembre) como en la jurisprudencia europea (por ejemplo, ya en las SSTEDH dictadas en el caso *Tyrer c. Reino Unido* de 25 de abril de 1978 o en el caso *Marckx c. Bélgica* de 13 de junio de 1979). Por su lado, la Corte Interamericana de Derechos Humanos también se ha ocupado de dicho principio (verbigracia, *Opinión Consultiva n.º 16 de 1 de octubre de 1999* relativa al derecho a la información sobre la asistencia consular en el marco de las garantías del debido proceso legal). El caso es que dicho principio (también conocido como "*pro personae*") interpela a los operadores jurídicos a hacer valer de buena fe el efecto útil de los diversos niveles de protección, lo que incluye el seguimiento y articulación de las reglas de interpretación en el sentido más favorable al disfrute de los derechos, como ha enfatizado SALVIOLI, F., *Introducción a los derechos humanos. Concepto, fundamentos, características, obligaciones del Estado y criterios de interpretación jurídica*, Valencia, Tirant lo Blanch, 2020, p. 429.

Tribunal Constitucional español (TC) respecto a los mismos derechos reconocidos en el texto constitucional.

Dicho lo cual, la problemática (exponente obvio asimismo de una clara inflación normativa en el ámbito tributario derivada de los diversos focos de producción normativa, nacional e internacional) presenta una mayor dimensión en términos de "Derecho jurisprudencial", puesto que naturalmente las disposiciones de la CDFUE y del CEDH (y sus Protocolos) no poseen concreción, como es lógico en Tratados generales como los acabados de mencionar, siendo la jurisprudencia respectiva del TJUE y del TEDH la que dota de contenido a esas cláusulas convencionales haciendo de tales tratados instrumentos "vivos" de derechos humanos. Se impone, consecuentemente, un repaso a esa jurisprudencia sobre derechos fundamentales del contribuyente elaborada por los Tribunales Europeos de Estrasburgo y de Luxemburgo[7].

1. Derechos fundamentales del contribuyente en la jurisprudencia del TEDH

Para los operadores jurídicos internos, especialmente quienes se dedican al ejercicio de la Abogacía, el desafío con respecto al CEDH no radica tanto en llegar a Estrasburgo ante el TEDH (con la vigencia del Protocolo n.º 15, el plazo de interposición de la demanda se ha reducido de seis a cuatro meses desde la notificación de la resolución judicial interna definitiva) después de un peregrinaje judicial interno (más del noventa por ciento de demandas individuales son inadmitidas, como sucede aproximadamente con respecto al recurso de amparo ante el TC), sino en hacer valer ante los órganos de la Administración tributaria y del Poder Judicial la jurisprudencia emanada del TEDH. A este respecto, resumiré algunas líneas jurisprudenciales trazadas por el TEDH susceptibles de ser tomadas en consideración en el terreno tributario y en supuestos de fraude fiscal.

En general, el TEDH tiene declarado en una jurisprudencia consolidada sobre la duración razonable de los procedimientos (sobre la base del artículo 6 CEDH) que, para verificar tal carácter razonable, debe atenderse fundamentalmente a tres criterios, a saber: a la actuación de las autoridades nacionales competentes, al comportamiento de las partes procesales y a la complejidad del asunto (por todas, la STEDH *Frydlender c. Francia*, Gran Sala, de 27 de junio de 2000, § 43). Y tal interpretación la ha extendido no solamente a los procedimientos judiciales[8]

---

[7]   Para un análisis de la jurisprudencia europea en materia tributaria (con especial énfasis en la aplicación de los tributos y su impacto en el disfrute de los derechos fundamentales, así como en la protección de la igualdad y no discriminación en el ordenamiento tributario), acúdase a las diversas contribuciones de la obra de GARCÍA BERRO, F. (dir.), *Derechos fundamentales y hacienda pública. Una perspectiva europea*, Cizur Menor, Civitas, 2015.

[8]   El TEDH ha entendido en múltiples supuestos que la duración de la actuación de los órganos jurisdiccionales internos (tanto ordinarios como eventualmente constitucionales –STEDH *Trickovic c.*

sino asimismo a los administrativos (verbigracia, STEDH *Donnadieu c. Francia* de 7 de febrero de 2006, §§ 45-47), particularmente, en el terreno que nos ocupa, cuando dichos procedimientos presentan implicaciones de carácter patrimonial y, en el supuesto de los procedimientos tributarios, especialmente cuando revisten naturaleza sancionadora en el ámbito administrativo[9] y, por supuesto, en el campo del fraude fiscal con implicaciones penales (por ejemplo, STEDH *Stanclik c. Polonia*, de 15 de enero de 2008).

En un asunto más reciente, la STEDH (Gran Sala) *Vegotex International S.A. c. Bélgica*, de 3 de noviembre de 2022, se ha fallado asimismo que hubo conculcación del artículo 6.1 CEDH a causa de la duración excesiva del procedimiento de regularización fiscal en el que se vio envuelto el demandante, considerándose que trece años y más de seis meses habían superado el plazo razonable.

Con el mismo espíritu de satisfacción del derecho a la tutela judicial efectiva, el Tribunal de Estrasburgo ha desarrollado su jurisprudencia referente a la vertiente de tal derecho consistente en que esa eventual resolución fundada sea además cumplida o ejecutada sin demora irrazonable (STEDH *Xynos c. Grecia*, de 9 de octubre de 2014, violación del artículo 6 CEDH por período de más de catorce meses empleado por la Administración para ejecutar una decisión del Tribunal de Cuentas griego favorable al demandante).

Eslovenia de 12 de junio de 2001–) era excesiva, declarando la violación del artículo 6§1 CEDH en casos contra España (entre otras, STEDH *Ruiz Mateos* de 23 de junio de 1993, o STEDH *Díaz Aparicio* de 14 de octubre de 2001) y frente a otros países (verbigracia, STEDH *Naus contra Alemania* de 17 de septiembre de 2008 –duración global del proceso ocho años y seis meses–, §§ 59-60 y 68, STEDH *Alexandre c. Portugal* de 20 de noviembre de 2012 –seis años, cinco meses y veinticuatro días–, §§ 51-61, STEDH *Armando Iannelli c. Italia* de 12 de febrero de 2013 –ocho años y dos meses–, §§ 45-48, STEDH *Ioannis Anastasiadis y otros c. Grecia* de 18 de abril de 2013 –doce años y cinco meses–, §§ 26-32, o STEDH *Międzyzakładowa Organizacja Związkowa NSZZ Solidarność de Świdnica c. Polonia* de 28 de febrero de 2012 –catorce años y nueve meses–, §§ 15-29).

[9]   Véase la decisión de admisibilidad del TEDH de 20 de abril de 1999 en los casos *Vidacar SA c. España* y *Opergrup SL c. España*. Por lo demás, diversas instituciones y organismos del Consejo de Europa, además del TEDH, han mostrado preocupación y prestado atención a la problemática de la buena administración y justicia dentro de un plazo razonable: puede leerse en este sentido el punto de vista expresado por el anterior Comisario Europeo de Derechos Humanos, Thomas Hammarberg, sobre "La longueur excessive des procédures judiciaires menace l'état de droit" (http://www.coe.int/t/commissioner/Viewpoints/071015_fr.asp), el informe de la Comisión de Venecia sobre la eficacia de los recursos nacionales titulado *Rapport sur l'effectivité des recours internes en matière de durée excessive des procédures (CDL-AD(2006)036rev, diciembre 2006)*, o los dos estudios publicados asimismo en diciembre de 2006 por la Comisión europea para la eficacia de la justicia (CEPEJ) sobre la misma problemática: *Analyse des délais judiciaires dans les Etats membres du Conseil de l'Europe à partir de la jurisprudence de la Cour Européenne des Droits de l'Homme (CEPEJ(2006)15)*, y *La gestion du temps dans les systèmes judiciaires: une étude sur l'Europe du Nord (CEPEJ(2006)14)*.

Por otra parte, los derechos a la tutela judicial y a recursos efectivos (artículos 6 y 13, respectivamente, del CEDH)[10], así como a la legalidad penal del artículo 7 CEDH (incluidas las vertientes de accesibilidad y previsibilidad de la norma) se encuentran estrechamente conectados con lo que constituye la base de los procedimientos tributarios y relativos a fraude fiscal, a saber, con los eventuales bienes de las personas afectadas, es decir, con el derecho de propiedad reconocido en el artículo 1 del Protocolo n.º 1 al CEDH[11]: así, en la STEDH *Plechkov c. Rumanía*, de 16 de septiembre de 2014, se declaró la violación de dichas disposiciones (artículo 7 CEDH y artículo 1 del Protocolo n.º 1) como consecuencia de la detención de un capitán de navío acusado de pesca fraudulenta sin base legal para dicha imputación y de la incautación de dicho navío, de las herramientas y de la carga a bordo.

Por otro lado, es obvio que la presunción de inocencia (artículo 6.2 CEDH) y el juego de la culpabilidad despliegan un papel fundamental en los procedimientos sancionadores tributarios. A tal efecto, resulta de interés la jurisprudencia del TEDH sobre los posibles efectos de los procesos penales en el terreno sancionador administrativo. Así, aunque no exactamente en el campo tributario, podría ser trasladable a él la doctrina establecida en la STEDH *Vassilios Stavropoulos c. Grecia*, de 30 de junio de 2007: el demandante había sido acusado penalmente (por fraude y declaración falsa de bienes inmuebles) de obtener una vivienda de promoción pública y, pese a haber sido absuelto de ello por falta de pruebas, las jurisdicciones administrativas confirmaron los actos de la Administración competente en materia de vivienda tendentes a revocar la atribución de dicha vivienda; los órganos jurisdiccionales contencioso-administrativos entendieron que el demandante no había sido absuelto tras ser declarado totalmente inocente, sino por falta de pruebas y, por tanto, que ello comportaba que existían dudas y que, en última instancia, la omisión de declarar bienes inmuebles habría sido intencionada. Para el TEDH, por el contrario, el principio *in dubio pro reo* comporta

---

[10]   Una ilustración de violación de ambas disposiciones (artículos 6 y 13 CEDH, en conjunción con el artículo 1 del Protocolo n.º 1), aunque no estrictamente en el ámbito tributario (se trataba de reclamación de cantidad por salarios dejados de percibir por parte de antiguos empleados municipales frente a empresas públicas insolventes), la ofrece la STEDH *Liseytseva y Maslov c. Russia*, de 9 de octubre de 2014.

[11]   En otro supuesto interesante (STEDH *N.K.M. c. Hungría*, de 14 de mayo de 2013), se declaró contraria al artículo 1 del Protocolo n.º 1 la disposición tributaria nacional que establecía un tipo impositivo del 98% sobre las indemnizaciones por despido de ciertos empleados públicos que superasen determinada cantidad. Sobre este asunto, véase el comentario de ROZAS VALDÉS, J.A., "El TEDH estima que una determinada carga tributaria sobre ciertas rentas de un contribuyente constituye una vulneración del derecho fundamental de propiedad (STEDH de 4 de noviembre de 2013, n.º 66529/11)", *Estudios Financieros. Revista de Contabilidad y Tributación*, n.º 373, 2014, pp. 186: "en definitiva –y más allá del anecdótico tipo impositivo del 98% del extravagante gravamen húngaro– (…) se apuntan interesantes consideraciones sobre los límites de la tributación, y su razón de proporcionalidad en relación con el contenido esencial del derecho de propiedad".

que, para apreciar el alcance de la presunción de inocencia del artículo 6.2 CE-DH, "no debe existir ningún diferencia cualitativa entre una absolución por falta de pruebas y una absolución derivada de la constatación de la inocencia de la persona sin duda alguna" (§ 39)[12].

Otro asunto más reciente se planteó, no bajo el ángulo de la presunción de inocencia del artículo 6.2, sino del derecho a no auto inculparse a la luz del artículo 6.1 CEDH. En concreto, en la STEDH *De Legé c. País Bajos*, de 4 de octubre de 2022, se dirimió el alcance convencional de las multas impuestas al demandante, de nacionalidad neerlandesa, por no haber facilitado toda la información pertinente a efectos de recaudación de impuestos (información sobre una cuenta bancaria de la que era titular en Luxemburgo), lo que el requerido consideraba una violación de ese derecho a no auto incriminarse en virtud del principio *nemo tenetur*. Ahora bien, el TEDH desestimó el recurso, sosteniendo que la utilización de los documentos bancarios y de los resúmenes de cartera relativos a la cuenta bancaria del demandante en el extranjero, que habían sido obtenidos por orden judicial, no entraba bajo el manto protector del derecho a no contribuir a su propia incriminación como parte integrante del derecho a un proceso equitativo (artículo 6.1 CEDH).

Desde una óptica diversa, los aspectos procedimentales y sustanciales se hallan imbricados nuevamente cuando se trata de analizar la previsibilidad y el carácter razonable o proporcionado de los procedimientos tributarios, en clave asimismo de no discriminación. Así, en la STEDH *Asociación Testigos de Jehová c. Francia*, de 30 de junio de 2011, se estimó que hubo una violación de la libertad religiosa (artículo 9 CEDH) al considerarse desproporcionada e imprevisible la actuación tributaria de las autoridades francesas consistente en efectuar una interpretación extensiva de la normativa fiscal que gravaba las donaciones a las asociaciones "comunes" (por no tener el reconocimiento formal a efectos de exoneración fiscal atribuido a asociaciones culturales y congregaciones reconocidas) aplicándola a

---

[12]   Y prosigue así el TEDH en el mismo § 39 y en los §§ 40-41: "En efecto, las sentencias absolutorias no se diferencian en función de los motivos que sirvan de fundamento en cada ocasión al juez penal. Al contrario, en el marco del artículo 6.2 del Convenio, el fallo de una sentencia de absolución debe ser respetado por cualquier otra autoridad que se pronuncie de manera directa o indirecta sobre la responsabilidad penal del interesado. En el caso de autos, el Tribunal observa que las jurisdicciones administrativas se han basado, explícitamente y sin reserva alguna, en el hecho de que el demandante había sido absuelto por el beneficio de la duda, para justificar la conclusión de que la omisión de aquél había sido intencionada. Así, tanto el Consejo de Estado como el Tribunal Administrativo de Apelación han utilizado términos que superaban el marco administrativo del litigio y no albergaban margen alguno de duda sobre la supuesta intención del demandante de no incluir en su declaración todos los bienes inmuebles de los que disponía. A la vista de lo que precede, el razonamiento del Consejo de Estado y del Tribunal Administrativo de Apelación se revela incompatible con el respeto de la presunción de inocencia. Por consiguiente, ha habido violación del artículo 6.2 del Convenio".

los donativos "manuales" u ofrendas de los fieles (principal fuente de ingresos de la asociación demandante) tras inspección de sus libros de contabilidad[13].

2. Derechos fundamentales del contribuyente en la jurisprudencia del TJUE

En una primera aproximación a la jurisprudencia del TJUE, cabe observar con carácter previo que el mayor juego potencialmente desplegable ante la Administración tributaria y ante los órganos jurisdiccionales del orden contencioso-administrativo deriva de las cuestiones prejudiciales susceptibles de ser planteadas por dichos órganos o equiparables a estos efectos (por ejemplo, recuérdese que el Tribunal de Luxemburgo admitió esa posibilidad en el caso de los Tribunales Económicos-Administrativos en España[14] –con la ventaja que ello comportaría, para casos de dudas significativas de interpretación del Derecho de la UE, en términos de evitar eventualmente procesos contencioso-administrativos ulteriores y, consiguientemente, demoras judiciales irrazonables–[15] o equivalentes en otros países[16]).

En este sentido, conviene efectuar un somero repaso de la jurisprudencia tributaria más relevante del TJUE derivada de dichos planteamientos, que se condensa en los derechos a una buena administración (artículo 41)[17] y a una "buena justicia" o tutela judicial efectiva (artículo 47) de la CDFUE[18], así como en otros perfiles conexos de los derechos de defensa (artículos 48 a 50 CDFUE).

---

[13]   Por el contrario, en la STEDH *Iglesia de Jesucristo de los Santos de los Últimos Días* [conocida como "Iglesia Mormona"] *c. Reino Unido*, de 4 de marzo de 2014, se declaró que no hubo violación del principio de igualdad (artículo 14 CEDH) en conjunción con la libertad religiosa (artículo 9 CEDH) por el hecho de no incluirse por parte de las autoridades británicas algunos de los edificios de la entidad demandante entre los lugares públicos de culto beneficiarios de exenciones fiscales.

[14]   Por ejemplo, STJUE de 21 de marzo de 2000 (asuntos C-110/98 a C-147/98, *Gabalfrisa y otros*), que tiene su origen en las peticiones de decisión prejudicial planteadas por el TEAR de Cataluña en torno al ejercicio del derecho a la deducción del IVA soportado.

[15]   Véase la STJUE de 20 de marzo de 2014 (asunto C-139/12, *Caixa d'Estalvis i Pensions de Barcelona*). Lo interesante habría sido, seguramente, que el TEAR de Cataluña o el TEAC hubieran planteado directamente la cuestión prejudicial ante el TJUE, evitándose seguramente con ello el proceso contencioso-administrativo.

[16]   Una ilustración de la posición del TJUE al respecto en su Sentencia de 12 de junio de 2014 (asunto C-377/13, *Ascendi*) que tiene su origen en la cuestión prejudicial planteada por el "Centro de Arbitragem Administrativa" en Portugal (Tribunal Arbitral Tributario) acerca de la interpretación de diversas disposiciones de la Directiva 69/335/CEE del Consejo, de 17 de julio de 1969, relativa a los impuestos indirectos que gravan la concentración de capitales (en su versión modificada por la Directiva 85/303/CEE del Consejo, de 10 de junio de 1985).

[17]   Para un exhaustivo estudio acúdase, por todas, a la obra de TOMÁS MALLÉN, B., *El derecho fundamental a una buena administración*, Madrid, INAP, 2004.

[18]   Así lo denominó, en el ámbito de la CDFUE, haciendo un paralelismo con el derecho a una buena administración, BRAYBANT, G., *La Charte des droits fondamentaux de l'Union européenne*, Paris, Éditions du Seuil, 2001, p. 235. También apuntaron esta relación entre la buena administración y la buena justicia en la entonces Carta de Niza FERRARI BRAVO, L., DI MAJO, F., y RIZZO, A., *Carta*

Desde la perspectiva de una buena administración, en la STJUE de 29 de septiembre de 2011 (asunto C-521/09, caso *Elf Aquitaine, SA,* apartado 118) se mantiene que "en relación con el respeto de un plazo razonable, el Tribunal de Justicia ha declarado, en esencia, que la apreciación del origen de la eventual vulneración del ejercicio eficaz del derecho de defensa no debe limitarse a la fase contradictoria del procedimiento administrativo, sino que debe extenderse al conjunto de este procedimiento y debe tener en cuenta su duración total".

En conexión con ello, desde el prisma de la seguridad jurídica, la STJUE de 18 de octubre de 2012 (asunto C-402/11 P, caso *Jager & Polacek GmbH/Oficina de Armonización del Mercado Interior -Marcas, Dibujos y Modelos-,* apartado 59) afirma que "de la jurisprudencia del Tribunal de Justicia se desprende que, en principio, la revocación de un acto ilícito está permitida, si bien *los principios de seguridad jurídica y protección de la confianza legítima exigen que esta revocación se produzca en un plazo razonable* y que se tenga en cuenta hasta qué punto el interesado ha podido eventualmente confiar en la legalidad del acto (véase, en esa línea, la sentencia de 4 de mayo de 2006, Comisión/Reino Unido, C508/03, Rec. p. I3969, apartado 68 y jurisprudencia citada)".

Pero, sobre todo, la STJUE de 29 de marzo de 2012 (asunto C-500/10, caso *Ufficio IVA di Piacenza y Belvedere Costruzioni Srl*) ofrece una meridiana respuesta directa a la cuestión planteada en el marco de un litigio sobre recaudación del IVA y terminación de procedimientos de exigencia tributaria debido a su larga duración, debiendo prevalecer la efectividad del derecho fundamental a la tutela judicial dentro de un plazo razonable frente y pese a la necesidad de asegurar la eficiencia en la percepción de los recursos de la UE. En particular, en el fundamental apartado 23 de la *ratio decidendi* el TJUE afirma de modo contundente: "*la necesidad de garantizar que los recursos de la Unión se perciban de forma eficaz no puede ir en contra del respeto del principio del plazo razonable que, con arreglo al artículo 47, párrafo segundo, de la CDFUE, se impone a los Estados miembros cuando éstos aplican el Derecho de la Unión y cuya protección se impone igualmente en virtud del artículo 6, apartado 1, del CEDH*"[19].

---

dei diritti fondamentali dell'Unione europea commentata con la giurisprudenza della Corte di giustizia CE e della Corte europea dei diritti dell'uomo e con i documenti rilevanti, Milano, Giuffrè Editore, 2001, p. 178.

[19]   Realmente, el fallo del TJUE adopta una solución garantista, y no meramente recaudatoria o "anti-crisis", al dotar de vigencia a la CDFUE y perseguir asimismo una loable convergencia del estándar de la UE con el del Consejo de Europa (el CEDH), en estos términos: "En virtud de todo lo expuesto, el Tribunal de Justicia (Sala Cuarta) declara: El artículo 4 TUE, apartado 3, y los artículos 2 y 22 de la Directiva 77/388/CEE del Consejo, de 17 de mayo de 1977, Sexta Directiva en materia de armonización de las legislaciones de los Estados miembros relativas a los impuestos sobre el volumen de negocios – Sistema común del impuesto sobre el valor añadido: base imponible uniforme, deben interpretarse en el sentido de que no se oponen a la aplicación, en materia del impuesto sobre el valor añadido, de una disposición nacional excepcional, como la controvertida en el litigio principal, que establece la terminación automática de los procedimientos pendientes

En este panorama jurisprudencial, al menos en el terreno tributario (pero también en otros, especialmente en el ámbito de los derechos sociales[20]), el TJUE ha preferido seguir acudiendo a la vía de los principios generales del Derecho (por ejemplo, la ya citada STJUE de 12 de junio de 2014, asunto C-377/13, *Ascendi*[21]) en lugar de extraer consecuencias aplicativas directas de la CDFUE[22]: así, por ejemplo, en el año 2014 sólo en un asunto tributario utilizó explícitamente el canon de la CDFUE, concretamente el principio de igualdad consagrado en su artículo 20, para llegar a la conclusión de que no había sido vulnerado (Sentencia de 17 de septiembre de 2014, asunto 3/13, *Baltic Agro AS*), mientras en otro asunto (Sentencia de 15 de octubre de 2014, C-331/13, *Ilie Nicolae Nicula*) el TJUE eludió pronunciarse sobre la CDFUE pese a haber sido invocadas expresamente algunas de sus disposiciones por el órgano jurisdiccional nacional remitente de la cuestión prejudicial[23].

---

ante el órgano jurisdiccional tributario de casación cuando dichos procedimientos se iniciaron mediante un recurso interpuesto en primera instancia más de diez años –en la práctica más de catorce años– antes de la entrada en vigor de la citada disposición y se desestimaron las pretensiones de la Administración tributaria en las dos primeras instancias, terminación automática en virtud de la cual la resolución de segunda instancia adquiere fuerza de cosa juzgada y se extingue el crédito reivindicado por la Administración tributaria".

[20]   Véanse, especialmente, las SSTJUE *Association de médiation sociale* (15 de enero de 2014, asunto C-176/2012) y *Victor Manuel Julian Hernández y otros* (10 de julio de 2014, asunto C-198/13), sobre los artículos 27 y 20, respectivamente, de la CDFUE. Como contrapeso, se atisbó un cierto cambio de tendencia en la posterior STJUE *Vera Egenberger* (17 de abril de 2018, asunto C-414/16), a propósito de la conciliación entre la igualdad de trato en el acceso a un puesto de trabajo y la autonomía contractual de una entidad bajo el ángulo del artículo 21 CDFUE.

[21]   El núcleo de la *ratio decidendi* de la STJUE *Ascendi* se encuentra en el apartado 50, en donde incluso se elude hablar de seguridad jurídica o confianza legítima.

[22]   Por el contrario, la vigencia de la CDFUE, junto al principio de "no desviación" con respecto al CEDH y a la interpretación del TEDH, debería forjar en el seno de la UE un modelo de "derechos constitucionales" ampliable comparable al de la mayor parte de los Estados Miembros: CRUZ VILLALÓN, P., "The 'added value' of the Charter 'in relation to' the European Convention on Human Rights", en VV.AA., *Igualdad y democracia: el género como categoría de análisis jurídico. Estudios en Homenaje a la Profesora Julia Sevilla*, Valencia, Corts Valencianes, 2014 p. 214.

[23]   La petición de decisión prejudicial tenía por objeto la interpretación de los artículos 6 TUE y 110 TFUE, de los artículos 17, 20 y 21 CDFUE, así como de los principios de seguridad jurídica y de prohibición de la *reformatio in peius*. Dicha petición fue presentada en el marco de un litigio entre el Sr. Nicula, por una parte, y la *Administraţia Finanţelor Publice a Municipiului Sibiu* (Administración de Hacienda de Sibiu) y la *Administraţia Fondului pentru Mediu* (Administración del fondo para el medio ambiente), por otra parte, con motivo de la denegación, por estas últimas, de la solicitud del Sr. Nicula para obtener la devolución del impuesto sobre la contaminación de vehículos automóviles percibido en contra del Derecho de la Unión. En su fallo, el TJUE concluye (sin aludir a la CDFUE) que "el Derecho de la Unión debe interpretarse en el sentido de que se opone a un sistema de devolución de un impuesto percibido en contra del Derecho de la Unión como el controvertido en el litigio principal".

Trasladados a la época más reciente, por ejemplo, en el año 2022, parece que ya se atisba una tendencia creciente a combinar la salvaguarda de los principios generales del Derecho de la Unión con la eficacia explícita y directa de algunos derechos fundamentales consagrados en la CDFUE, especialmente en el título VI relativo a la Justicia (artículos 47 a 50). Buen botón de muestra lo ofrece la STJUE de 10 de noviembre de 2022 (*Delta Stroy*, asunto C-203/21), cuyo punto litigioso principal tuvo que ver con el respeto de los derechos de defensa y de los principios de presunción de inocencia, de legalidad y de proporcionalidad de los delitos y las penas, a propósito de la imposición de una sanción pecuniaria a una persona jurídica por infracción penal paralela derivada del impago de deudas tributarias (correspondientes al IVA) en la que incurrió el representante de esa persona jurídica[24]. En tales condiciones, el TJUE consideró que la normativa penal controvertida era contraria a la presunción de inocencia y al derecho de defensa reconocidos en el artículo 48 CDFUE[25].

II. CUESTIONES ESPECÍFICAS SOBRE ÁMBITOS CONVERGENTES Y DIVERGENTES EN ESTRASBURGO Y EN LUXEMBURGO

1. Información fiscal versus protección de datos personales

Un ámbito especialmente delicado y de gran actualidad en lo que concierne a los derechos fundamentales del contribuyente radica en la difícil conciliación entre la información fiscal requerida por la eficiencia de la Administración tributaria y la protección de los datos personales de las personas involucradas en

---

[24] Véanse los apartados 19 a 27 de la STJUE para conocer los pormenores del litigio principal.

[25] En la parte dispositiva de la Sentencia el TJUE resuelve que dicha disposición de la CDFUE "debe interpretarse en el sentido de que se opone a una normativa nacional en virtud de la cual el juez nacional puede imponer a una persona jurídica una sanción penal por una infracción de la que sea responsable una persona física facultada para obligar o representar a esa persona jurídica, en el supuesto de que esta última no haya podido impugnar la existencia real de esa infracción". Es interesante asimismo la STJUE de 24 de febrero de 2022 (*SC Cridar Cons SRL*, asunto C-582/2020) acerca de la suspensión del procedimiento relativo a una reclamación administrativa presentada contra una liquidación tributaria mediante la que se deniega el derecho a la deducción, a la espera del resultado de un proceso penal; el Tribunal de Luxemburgo concluye que esa suspensión prevista por la normativa nacional no es contraria al artículo 47 CDFUE, "a condición de que, primero, tal suspensión no demore el resultado de dicho procedimiento de reclamación administrativa más allá de un plazo razonable; segundo, la motivación de la resolución por la que se acuerda dicha suspensión aporte los hechos y los fundamentos de Derecho y pueda ser objeto de control jurisdiccional, y, tercero, si finalmente resultara que se denegó el derecho a la deducción vulnerando el Derecho de la Unión, dicho sujeto pasivo pueda obtener la devolución del importe correspondiente en un plazo razonable y, en su caso, percibir los intereses de demora que se devenguen".

procedimientos tributarios. La compatibilidad de ambas vertientes ha sido analizada en casos concretos por parte de ambas instancias europeas, tanto la Corte de Estrasburgo como el Tribunal de Luxemburgo, habiendo aflorado incluso contenciosos paralelos.

En uno de esos interesantes supuestos resueltos en Estrasburgo, concretamente en la STEDH *Bernh Larsen Holding AS y otros c. Noruega,* de 14 de marzo de 2013, se consideró que la administración tributaria había ordenado legítimamente a unas empresas que le entregaran la copia de los datos almacenados en un servidor informático que compartían con otras compañías, pese a contener datos de otros contribuyentes no afectados por la inspección de hacienda, en la medida en que habría habido una justa ponderación de los intereses particulares y colectivos (bienestar económico del país) en juego, así como garantías frente a una posible actuación administrativa abusiva, no produciéndose consiguientemente violación del artículo 8 CEDH al hallarse justificada la injerencia en el domicilio y la correspondencia de las empresas demandantes. La información tributaria requerida por la Administración prevalecía sobre la protección del *habeas data* de las personas demandantes y de las afectadas (jurídicas o físicas).

Más difícil se reveló la resolución de otro asunto que no pudo eludir el entrecruzamiento de ambas instancias jurisprudenciales europeas y que, a la sazón, se saldó con interpretaciones divergentes. Me refiero a la STEDH *Satakunnan Markkinapörssi Oy y Satamedia Oy c. Finlandia* (Gran Sala) de 27 de junio 2017: el fondo del asunto trae su origen de la prohibición impuesta a las dos empresas demandantes por parte de las autoridades finlandesas (las judiciales, a petición de las encargadas de la protección de datos) de continuar publicando datos fiscales de carácter personal relativos a más de un millón de contribuyentes (personas físicas), por entender que semejante publicación masiva de esos datos de carácter personal era ilegal a la luz de la normativa nacional en la materia. Las sociedades afectadas alegaron, sustancialmente, la violación del derecho a la libertad de expresión del artículo 10 CEDH. Sin embargo, la Gran Sala concluyó, por quince votos contra dos, que no se había conculcado dicha disposición; sí que confirmó en cambio, la constatación (ya efectuada por la Sala en la sentencia previa de 21 de julio de 2015) de violación del derecho a un proceso equitativo del artículo 6 CEDH al considerar que, pese a tomar en consideración la complejidad del asunto, la duración del procedimiento interno (seis años y seis meses) había sido excesiva y no respondió a la exigencia de "plazo razonable".

En el litigio principal, una empresa (*Markkinapörssi*) se dedicaba a la recogida de datos públicos de la administración fiscal finlandesa para publicar cada año extractos de dichos datos en las ediciones regionales de un periódico nacional (*Veropörssi*). Esos datos comprendían el nombre y apellido de alrededor de 1.200.000 personas físicas cuyos ingresos superaban determinados umbrales, los datos relativos a las rentas derivadas de sus rendimientos del trabajo y del capital, así como indicaciones relativas a la imposición de su patrimonio; la información se clasificaba por municipio y por tipo de renta y se hacía constar por orden alfabético. *Markkinapörssi* transmitió a *Satamedia*, de cuyo capital social eran titulares las mismas personas, varios CD-ROM con los datos personales publicados en *Veropörssi* para su publicación por un sistema de mensajes de texto (SMS). A estos efectos, las dos sociedades firmaron un acuerdo con una operadora de telefonía móvil que, por cuenta de Satamedia, estableció un servicio de mensajes de texto que permitía a los usuarios de teléfonos móviles recibir en su teléfono, por el pago de unos 2 euros, los datos publicados en el *Veropörssi*. A instancia del interesado, los datos personales se eliminaban de dicho servicio.

A raíz de denuncias de particulares que alegaban la violación de su intimidad, se produjo un litigio entre el mediador encargado de la protección de datos (*tietosuojavaltuutettu*) y la comisión de protección de datos (*tietosuojalautakunta*), al no acceder esta comisión a la petición del encargado de prohibir a las empresas (demandantes ante el TEDH) que continuaran las actividades relativas al tratamiento de datos personales controvertido. Ante esa negativa, el encargado de la protección de datos interpuso un recurso ante el Tribunal de lo Contencioso-Administrativo de Helsinki, que desestimó el recurso. El encargado formuló entonces un nuevo recurso ante el Tribunal Supremo Administrativo, que sí acogió esa pretensión de hacer prevalecer la protección de datos personales tras obtener la respuesta prejudicial del TJUE mediante la Sentencia de 16 de diciembre de 2008, *Satakunnan Markkinapörssi y Satamedia*, asunto C-73/07[26].

---

[26]   Así dice el fallo de dicha STJUE: "1) El artículo 3, apartado 1, de la Directiva 95/46/CE del Parlamento Europeo y del Consejo, de 24 de octubre de 1995, relativa a la protección de las personas físicas en lo que respecta al tratamiento de datos personales y a la libre circulación de estos datos, debe interpretarse en el sentido de que debe considerarse «tratamiento de datos personales» en el sentido de dicha disposición una actividad consistente en:
–recoger de los documentos públicos de la administración fiscal datos relativos a los rendimientos del trabajo y del capital y al patrimonio de las personas físicas y tratarlos para su publicación,
–publicarlos por orden alfabético y por tipos de rentas, en listas pormenorizadas clasificadas por municipios,
–cederlos en discos CD-ROM para que sean utilizados con fines comerciales,
–tratarlos en un servicio de mensajes de texto (SMS) que permita a los usuarios de teléfonos móviles, enviando el nombre y el municipio en el que reside una persona física, recibir información relativa a los rendimientos del trabajo y del capital, así como al patrimonio de esa persona.
2) El artículo 9 de la Directiva 95/46 debe interpretarse en el sentido de que las actividades mencionadas en la primera cuestión, letras a) a d), relativas a datos procedentes de documentos públicos según la legislación nacional, han de considerarse actividades de tratamiento de datos personales efectuadas «exclusivamente con fines periodísticos» en el sentido de dicha disposición, si tales actividades se ejercen exclusivamente con la finalidad de divulgar al público información, opiniones o ideas, siendo esta apreciación competencia del órgano jurisdiccional remitente.
3) Las actividades de tratamiento de datos personales como las que son objeto de la primera cuestión, letras c) y d), relativas a los ficheros de la Administración pública que contienen datos personales, que únicamente tengan por objeto información ya publicada tal cual en los medios de comunicación, están comprendidas dentro del ámbito de aplicación de la Directiva 95/46".

Concretamente, en lo que nos atañe, la Gran Sala del TEDH apreció que la prohibición había constituido una injerencia en el ejercicio de la libertad de expresión de las empresas demandantes. Por el contrario, entendió que dicha injerencia estaba prevista por la ley y, sobre todo, perseguía un fin legítimo de protección de la vida privada de los individuos y establecía un justo equilibrio o ponderación equilibrada entre el derecho a la vida privada y la libertad de expresión. De este modo, el TEDH avaló la conclusión de las jurisdicciones internas según la cual la publicación y la difusión de los datos fiscales controvertidos no había contribuido a un debate de interés general, al no haberse actuado con mera finalidad periodística[27].

El pronunciamiento del TEDH haciendo ceder la libertad de expresión suscita gran interés, por cuanto durante el agotamiento de los recursos internos el asunto fue objeto de la referida cuestión prejudicial (formulada por el Tribunal Supremo Administrativo de Finlandia), que fue resuelta mediante la citada STJUE de 16 de diciembre de 2008 (asunto C-73/07). En ella, el TJUE pareció decantarse más bien por la libertad de expresión haciendo valer la conocida como "excepción periodística", con una amplia noción de periodismo y medios de comunicación a estos efectos[28], remitiendo no obstante a la discrecionalidad del órgano judicial remitente. Este, como se ha avanzado, ponderó los intereses en juego procediendo a la limitación de la libertad de información.

Como balance de esta controversia, comprobamos el juego convergente y potencialmente divergente a las dos jurisdicciones europeas. Resta por saber si el propio TJUE otorgará mayor peso a la protección de datos frente a la libertad de

---

[27]   § 198: "El TEDH estima que, al apreciar las circunstancias sometidas a su examen, las autoridades internas competentes, en particular el Tribunal Supremo Administrativo, han tenido en cuenta debidamente los principios y criterios expuestos en su jurisprudencia relativos a la ponderación del derecho al respeto de la vida privada y del derecho a la libertad de expresión. Con tal proceder, el Tribunal Supremo Administrativo ha conferido una importancia particular a su constatación de que la publicación de los datos fiscales según las modalidades y a la escala en cuestión no había contribuido a un debate de interés general, y que las sociedades demandantes no podían pretender, en sustancia, que dicha actividad de publicación hubiera sido ejercida con fines únicamente periodísticos en el sentido de la legislación nacional y europea. El TEDH no ve razón alguna seria para que su criterio sustituya al de las jurisdicciones internas descartando el resultado de la ponderación efectuadas por éstas (véase Von Hannover n.° 2, precitado § 107, y *Perinçek*, precitado, § 198). Estima que los motivos invocados eran pertinentes y suficientes para demostrar que la injerencia litigiosa era 'necesaria en una sociedad democrática', y que las autoridades del Estado demandado han actuado dentro de los límites de su margen de apreciación y procedido a un justo equilibrio entre los intereses concurrentes en juego".

[28]   Ante la compleja conciliación entre el respeto de la vida privada y la denominada excepción periodística, máxime ante la fragmentación y la heterogeneidad de las normativas nacionales en la materia, ha pretendido poner coto armonizador el RGPD de 2016 en el ámbito de la UE, como ha destacado PAUNER CHULVI, C., "La libertad de información como límite al derecho a la protección de datos personales: la excepción periodística", *Teoría y Realidad Constitucional*, n.° 36, 2015, p. 393-394.

información tras la aprobación del Reglamento General de Protección de Datos (RGPD) en 2016[29], que no existía en el momento de la resolución de la cuestión prejudicial por el TJUE, y sí fue mencionado por el TEDH[30]. De todos modos, y por más que se aprecie una actitud de diálogo judicial con referencias cruzadas entre los Tribunales de Luxemburgo y Estrasburgo[31], lo cierto es que el peligro de resoluciones contradictorias no quedará totalmente conjurado hasta tanto se proceda a la adhesión de la UE al CEDH[32].

2. Ne bis in ídem y doble sanción administrativa-penal

En este terreno, conviene reflexionar sobre los derechos fundamentales del contribuyente ilustrándolo a través de dos asuntos relacionados con la posible concurrencia de doble sanción (administrativa y penal), ambos resueltos por el TEDH, si bien con pronunciamientos diversos.

En el primer caso (STEDH *A. y B. c. Noruega*, de 15 de noviembre de 2016) la Gran Sala concluyó que no hubo violación del artículo 4 (derecho a no ser juzgado o condenado dos veces) del Protocolo n.º 7. La demanda la habían interpuesto dos contribuyentes que afirmaban haber sido perseguidos y sancionados administrativa y penalmente, es decir dos veces, por la misma infracción. En

---

[29]   Recordemos que el RGPD, de conformidad con su artículo 99 (*entrada en vigor y aplicación*) entró en vigor a los veinte días de su publicación en el Diario Oficial de la Unión Europa (4 de mayo de 2016), siendo de aplicación "a partir del 25 de mayo de 2018".

[30]   Concretamente, en el § 159: "A la luz de las consideraciones que preceden, y a la vista de los fines de la Convención sobre la protección de datos [n.º 108 de 1981], que ha inspirado la Directiva 95/46 y, más recientemente, el Reglamento 2016/79 (§§ 59 a 67, *supra*), la injerencia en el ejercicio por las sociedades demandantes de su derecho a la libertad de expresión perseguía evidentemente el fin legítimo de 'la protección de la reputación o de los derechos ajenos' en el sentido del artículo 10.2 CEDH".

[31]   Véase, por ejemplo, el § 158 de la STEDH. Diversamente, la STJUE no cita expresamente jurisprudencia del TEDH (actitud que contrasta con la de la Abogada General Juliane Kokot en sus Conclusiones presentadas el 8 de mayo de 2008 en el asunto C-73/07, en las que sí se hizo eco de la doctrina del TEDH –apartados 37 a 41–).

[32]   Entre las muchas contribuciones doctrinales sobre esta problemática, un buen exponente de todas ellas se recoge en el trabajo de SÁNCHEZ PATRÓN, J.M., "La adhesión de la Unión Europea al Convenio Europeo de Derechos Humanos: principales obstáculos, posibles soluciones", *Revista General de Derecho Europeo*, n.º 43, 2017, pp. 58-99. Dicho autor apela a la voluntad positiva del TJUE para salvar los obstáculos (entre ellos, su propio Dictamen 2/13 de 18 de diciembre de 2014, y el previo Dictamen 2/94 de 28 de marzo de 1996), en estos términos: "No cabe duda que el TJUE deberá seguir cumpliendo con su papel de garante de la autonomía y la singularidad del ordenamiento jurídico comunitario. Tendrá que ejercer esa función con responsabilidad, pero también con flexibilidad. Sólo así, la adhesión de la UE al CEDH podrá llevarse a efecto prescindiendo de limitaciones y amputaciones que la conviertan en una operación sin más ventaja e interés que el de haber cumplido formalmente con un mandato proclamado convencionalmente, pero alejado de lo que constituye su justificación última: una mayor y mejor protección de los derechos fundamentales en el ámbito europeo" (pp. 98-99).

particular, alegaban que habían sido interrogados como acusados e investigados por el Ministerio Público, sancionados a pagar recargos impositivos por el fisco y después declarados culpables y sancionados en vía penal.

Para alcanzar su conclusión no violatoria, la Gran Sala observó preliminarmente que no había razón alguna para poner en duda los motivos por los que el legislador noruego había optado por reprimir, mediante un procedimiento mixto integrado, administrativo y penal, el comportamiento, perjudicial para la sociedad, consistente en no pagar impuestos. Tampoco puso en entredicho los motivos por los cuales las autoridades noruegas habían decidido tratar de manera separada el elemento del fraude, más grave y más reprochable socialmente, en el marco de un procedimiento penal en lugar de en un procedimiento administrativo. Por añadidura, la Gran Sala consideró que la tramitación de procedimientos mixtos, con una posibilidad de cúmulo de diferentes penas, era previsible para los demandantes, quienes desde el inicio no podían ignorar que la acumulación del recargo de impuestos con los procedimientos penales entraba dentro de lo posible, incluso probable, a la vista de sus expedientes.

Por lo demás, la Gran Sala observó que los procedimientos administrativo y penal habían sido tramitados en paralelo y se encontraban imbricados. Los hechos establecidos en el marco de uno de esos procedimientos habían sido retomados en el otro y, en lo que concierne a la proporcionalidad de la pena global, la sanción penal había tenido en cuenta el recargo impositivo. Por tanto, la Gran Sala concluyó que, aunque se hubieran dictado dos sanciones diferentes por parte de dos autoridades diferentes, en el marco de dos procedimientos diferentes, existía sin embargo entre éstos un nexo material y temporal suficientemente estrecho para considerarlas como inscritas en el mecanismo de sanciones previsto por el ordenamiento noruego.

El otro asunto relevante se resolvió mediante la STEDH *Johannesson y otros c. Islandia*, de 18 de mayo de 2017. Los demandantes eran dos personas físicas y una sociedad, que consideraban que habían sido perseguidos dos veces por los mismos hechos (a saber, inexactitudes en sus declaraciones de renta con el fin de alterar la base imponible respectiva), primero imponiéndoles recargos de impuestos, seguidos después por procesos y condenas penales por infracciones fiscales graves.

En este supuesto, el TEDH sí concluyó que se había producido una violación del artículo 4 del Protocolo n.º 7 con respecto a las dos personas físicas demandantes (mientras declaró inadmisibles los motivos impugnatorios introducidos por la persona jurídica actora), tras considerar que habían sido juzgadas y castigadas dos veces por el mismo comportamiento. Los dos procedimientos tenían naturaleza sancionadora, estaban basados esencialmente en los mismos hechos y no mediaba ninguna razón para que procediera la repetición de ambos procedimientos.

Sobre este punto, el TEDH razonó que, si bien el artículo 4 del Protocolo n.º 7 no excluye la tramitación de procedimientos administrativos y penales paralelos por los mismos hechos, uno y otro deben estar unidos por un nexo material y temporal suficiente para que no haya repetición. El TEDH juzgó que, en el caso de autos, los dos procedimientos litigiosos no estaban relacionas por semejante nexo.

III. LA PROBLEMÁTICA DE LA POTENCIAL DIVERGENCIA (*FAVOR LIBERTATIS* Y ARMONIZACIÓN PARA LA PROTECCIÓN DE LOS INTERESES FINANCIEROS DE LA UE) EN EL ORDEN CONSTITUCIONAL NACIONAL Y EUROPEO (EN ESTRASBURGO Y EN LUXEMBURGO)

La problemática sobre los diversos estándares (nacional e internacional) y la optimización de la tutela multinivel de los derechos fundamentales (especialmente, canon constitucional y canon europeo -del TJUE y del TEDH-) ha tenido su reflejo asimismo en materia tributaria como consecuencia de la conocida como "saga Taricco", es decir, la STJUE de 8 de septiembre de 2015 (*Taricco y otros,* asunto C105/14, "Taricco I") y la STJUE de 5 de diciembre de 2017 (*M.A.S., M.B.,* asunto C-42/17, "Taricco II").

En efecto, la STJUE *Taricco I* deriva de la cuestión prejudicial formulada con arreglo al artículo 267 TFUE por el *Tribunale di Cuneo* (Italia) en el marco de un procedimiento penal incoado contra el señor Taricco y otros investigados por haber constituido y organizado una asociación para delinquir en materia del impuesto sobre el valor añadido (IVA)[33]. Las preguntas formuladas por el Tribunal nacional de remisión perseguían conocer si el Derecho de la UE permitiría inaplicar una normativa nacional que establece plazos de prescripción absolutos

---

[33]   En los apartados 18 y 19 se condensan los hechos: "Los imputados se hallan procesados ante el Tribunale di Cuneo por haber constituido y organizado, durante los ejercicios fiscales de 2005 a 2009, una asociación ilícita para delinquir en materia de IVA. En efecto, se les imputa la realización de montajes jurídicos fraudulentos de tipo «carrusel del IVA», en particular mediante la constitución de sociedades instrumentales y la emisión de documentos falsos gracias a los cuales adquirieron bienes, concretamente botellas de champán, sin abonar el IVA. Esta operación permitía a Planet Srl (en lo sucesivo, «Planet») disponer de productos a un precio inferior al de mercado que podía revender a sus clientes, falseando de este modo dicho mercado. Planet recibió supuestamente facturas emitidas por dichas sociedades instrumentales por operaciones inexistentes. Sin embargo, estas sociedades no presentaron la declaración anual de IVA o, cuando sí la presentaron, no realizaron los pagos correspondientes. En cambio, Planet incluyó las facturas emitidas por las referidas sociedades instrumentales en su contabilidad, deduciendo indebidamente el IVA indicado en las mismas y, por consiguiente, presentó declaraciones anuales del IVA fraudulentas".

susceptibles de generar impunidad de los delitos y afectar a los intereses financieros de la UE.

En su respuesta, el TJUE se decanta por hacer prevalecer el cumplimiento de las obligaciones comunitarias europeas (previstas en el artículo 325 TFUE y concordantes, como la Directiva 2006/112/CE, del Consejo, de 28 de noviembre de 2006, relativa al sistema común del IVA) frente a la posible tutela del principio de legalidad penal (Código Penal y Ley de Enjuiciamiento Criminal italianos), habilitando al órgano jurisdiccional nacional para que, en virtud del principio de primacía del Derecho comunitario europeo, deje sin efecto todas aquellas disposiciones de Derecho nacional que puedan ser contrarias a esas obligaciones (apartado 52). Por añadidura, el TJUE trae a colación, en conexión con el artículo 49 CDFUE, jurisprudencia del TEDH relativa al artículo 7 CEDH, del que se desprendería que "la prórroga del plazo de prescripción y su aplicación inmediata no constituyen una vulneración de los derechos garantizados por el artículo 7 del referido Convenio, puesto que no puede considerarse que esta disposición impida la ampliación de los plazos de prescripción cuando los hechos imputados no han prescrito".

El caso es que, pese a esta incursión en la jurisprudencia del TEDH[34], la conclusión alcanzada (la cual se sintetiza en el apartado 58 y se reproduce en el fallo[35]) en la STJUE *Taricco I* no despejó todas las dudas acerca del impacto de esa primacía del Derecho de la UE con la consecuente armonización europea frente al alcance del principio de legalidad penal. Y son esas dudas las que originaron la STJUE *Taricco II* de 2017, derivada de una cuestión prejudicial formulada por

---

[34] El TJUE cita explícitamente, en ese mismo apartado 57: "las sentencias *Coëme y otros c. Bélgica*, nos 32492/96, 32547/96, 32548/96, 33209/96 y 33210/96, § 149, TEDH 2000-VII; *Scoppola c. Italia* (n.º 2), n.º 10249/03, § 110 y jurisprudencia citada, 17 de septiembre de 2009, y *OAO Neftyanaya Kompaniya Yukos c. Rusia*, n.º 14902/04, §§ 563, 564 y 570 y jurisprudencia citada, 20 de septiembre de 2011]".

[35] Este es el tenor literal del fallo: "1) Una normativa nacional en materia de prescripción de las infracciones penales como la establecida por el artículo 160, último párrafo, del Código Penal, en su versión modificada por la Ley n.º 251, de 5 de diciembre de 2005, en relación con el artículo 161 de dicho Código, que disponía, en el momento en que se produjeron los hechos del litigio principal, que la interrupción de la prescripción en el marco de un procedimiento penal relativo a fraudes graves en materia del impuesto sobre el valor añadido tenía como consecuencia ampliar el plazo de prescripción en tan solo una cuarta parte de su duración inicial, puede ser contraria a las obligaciones que el artículo 325 TFUE, apartados 1 y 2, impone a los Estados miembros, siempre que dicha normativa nacional impida imponer sanciones efectivas y disuasorias en un número considerable de casos de fraude grave que afecten a los intereses financieros de la Unión Europea, o establezca en el caso de fraudes que afecten a los intereses financieros del Estado miembro de que se trate plazos de prescripción más largos que en el caso de fraudes que afecten a los intereses financieros de la Unión Europea, extremo que corresponde verificar al órgano jurisdiccional nacional. Incumbe a éste garantizar la plena eficacia del artículo 325 TFUE, apartados 1 y 2, dejando si es preciso sin aplicación las disposiciones del Derecho nacional que impidan al Estado miembro de que se trate dar cumplimiento a las obligaciones que le impone dicho artículo (…)".

la Corte Constitucional italiana[36] tendente a pedir justamente una aclaración acerca de la STJUE *Taricco I* de 2015 (concretamente, del citado apartado 58 y del punto dispositivo 1)[37] en aras de una conciliación de la armonización comunitaria con las exigencias de seguridad jurídica derivadas del principio de legalidad penal, las cuales sitúa el Alto Tribunal italiano como parte integrante de la identidad constitucional del país, del *jus commune* que reflejaría el CEDH en la interpretación del TEDH y de las propias tradiciones constitucionales comunes de los Estados miembros que se recogen como principios generales del Derecho de la UE[38].

Así las cosas, la STJUE *Taricco II* de 2017 se hace eco de esas preocupaciones de la Jurisdicción Constitucional italiana, haciendo un guiño al diálogo y a la cooperación judiciales (apartados 22 y 23)[39] y operando un giro más atento a las exigencias de la legalidad de los delitos y las penas frente al mayor peso que hizo inclinar la balanza a favor de la armonización en la STJUE *Taricco I*. Así, en el apartado 51 de la STJUE *Taricco II* se recuerda "la importancia que reviste, tanto en el ordenamiento jurídico de la Unión como en los ordenamientos jurídicos nacionales, el principio de legalidad de los delitos y las penas, en sus exigencias relativas a la previsibilidad, la precisión y la irretroactividad de la Ley penal aplicable" (apartado 51), añadiendo a renglón seguido una referencia a los artículos

---

[36]   A su vez, interpelado por la Corte de Casación italiana y el Tribunal de Apelación de Milán mediante sendas cuestiones de inconstitucionalidad. La Corte Constitucional, por tanto, opera correctamente ante esa doble prejudicialidad, para cuestionar antes al TJUE con objeto de no dar lugar a una sentencia constitucional potencialmente divergente. Con ello se articulaba una propuesta de aplicación más "dúctil" y "mesurada" del principio de los contra-límites, como ha observado ROMBOLI, S., "Los contra-límites en serio y el caso *Taricco*: el largo recorrido de la teoría hasta la respuesta contundente pero abierta al diálogo de la Corte Constitucional italiana", *Revista de Derecho Constitucional Europeo*, n.º 28, 2017, p. 16. Con tal proceder se pretendía, por tanto, evitar de algún modo incómodos precedentes de cortes constitucionales que, para algunos autores, han operado un "auténtico desafío al acervo comunitario", como señaló GAMBINO, S.; "Identidad constitucional nacional, derechos fundamentales e integración europea", *Revista de Derecho Constitucional Europeo*, n.º 18, 2012, p. 57.

[37]   Véase apartados 40 y 41 de la STJUE *Taricco II* de 2017.

[38]   MARTÍNEZ LÓPEZ-SÁEZ, M., "A la búsqueda de la identidad constitucional: una aproximación al caso español y europeo en clave de pluralismo constitucional y diálogo judicial", *Revista de Derecho Político*, n.º 105, 2019, pp.315-358, especialmente pp. 342-345.

[39]   A tenor de dichos apartados: "22. Es preciso recordar que el procedimiento prejudicial previsto en el artículo 267 TFUE establece un diálogo de juez a juez entre el Tribunal de Justicia y los órganos jurisdiccionales de los Estados miembros que tiene como finalidad garantizar la unidad de interpretación del Derecho de la Unión, así como su coherencia, su plena eficacia y su autonomía [véase, en este sentido, el Dictamen 2/13 (Adhesión de la Unión al CEDH), de 18 de diciembre de 2014, EU:C:2014:2454, apartado 176]. 23. El procedimiento establecido por el artículo 267 TFUE funciona por tanto como un instrumento de cooperación entre el Tribunal de Justicia y los órganos jurisdiccionales nacionales, por medio del cual el primero aporta a los segundos los elementos de interpretación del Derecho de la Unión que precisan para la solución del litigio que deban dirimir (véase, en este sentido, la sentencia de 5 de julio de 2016, Ognyanov, C614/14, EU:C:2016:514, apartado 16)".

49 y 51 CDFUE en conexión con "la necesidad de garantizar que los recursos de la Unión se perciban de forma eficaz no puede ir en contra del respeto de este principio (véase, por analogía, la sentencia de 29 de marzo de 2012, Belvedere Costruzioni, C500/10, EU:C:2012:186, apartado 23)" (apartados 52 a 54), completando el marco protector (los requisitos de accesibilidad y previsibilidad en las infracciones penales) por referencia a la jurisprudencia del TEDH (apartados 55) y a la propia jurisprudencia comunitaria europea (apartados 56 a 62).

Con estos parámetros, la STJUE *Taricco II* de 2017 matiza el fallo previo aclarando que la eventual no aplicación de disposiciones que puedan afectar a los intereses financieros de la UE se mantiene como principio, "a menos que la mencionada inaplicación implique una violación del principio de legalidad de los delitos y las penas, debido a la falta de precisión de la ley aplicable o debido a la aplicación retroactiva de una legislación que impone condiciones de exigencia de responsabilidad penal más severas que las vigentes en el momento de la comisión de la infracción". Semejante matización fue posible al asumir el TJUE, como elemento más novedoso, la conciencia de que "la primacía del Derecho de la Unión no permite invadir los ordenamientos estatales prescindiendo de las competencias de los Estados de la Unión"[40].

IV. REFLEXIONES FINALES: EL PAPEL DE LA ASESORÍA FISCAL Y LA DEFENSA DE LOS DERECHOS FUNDAMENTALES DEL CONTRIBUYENTE A LA LUZ DE LA JURISPRUDENCIA EUROPEA

Llegados a este punto, la jurisprudencia europea en materia tributaria ofrece elementos que ponen en tensión los intereses financieros del conjunto de la sociedad y los intereses fiscales particulares, lo cual comporta no únicamente una difícil conciliación entre las obligaciones y los derechos fundamentales en juego, sino asimismo un reto profesional y deontológico nada desdeñable de estrategias (públicas y privadas) que se mueven "al límite" y que se desenvuelven entre la maximización de las medidas antifraude y la optimización de los derechos fundamentales afectados. Ilustraré la tenue frontera en la que se sitúan esas estrategias contrapuestas por referencia a diversos asuntos en los que, de nuevo, se plantean las convergencias y divergencias entre el canon constitucional y el canon europeo (del TEDH y del TJUE) y su posible impacto en el ordenamiento constitucional español.

---

[40]   DE MIGUEL CANUTO, E., "El Tribunal de Justicia de la Unión Europea como garante de derechos constitucionales en los Estados: la doctrina Taricco", *Revista de Derecho Político*, n.º 110, 2021, p. 368.

Un conocido caso difícil ya "clásico" fue resuelto mediante la STEDH *Michaud c. Francia*, de 6 de diciembre de 2012, en el que se cuestionó la obligación de los abogados franceses de informar sobre sus sospechas de posibles actividades de blanqueo de capitales por parte de sus clientes. El demandante, inscrito en el Colegio de Abogados de París, consideraba que dicha obligación, derivada de la transposición de directivas de la UE[41] y validada por el propio Tribunal de Justicia de Luxemburgo mediante Sentencia de 26 de junio de 2007 (*Ordre des barreaux francophones et germanophone et autres contre Conseil des ministres*, asunto C-305/05)[42], estaba en contradicción con el artículo 8 CEDH al proteger la confidencialidad de los intercambios entre los abogados y sus clientes.

Por el contrario, el TEDH concluyó que no hubo violación del artículo 8 CEDH. Efectivamente, tras subrayar la importancia de la confidencialidad de los intercambios entre los abogados y sus clientes y del secreto profesional de dichos profesionales, consideró no obstante que la obligación de comunicar las sospechas perseguía el objetivo legítimo de la defensa del orden y de la prevención de las infracciones penales, en la medida en que se encaminaba a la lucha contra el blanqueo de capitales y las infracciones penales conexas, y que era necesaria para alcanzar dicho objetivo. Sobre este último punto, el TEDH entendió que, tal y como se aplicaba en Francia, la obligación de denunciar las sospechas no vulneraba de forma desproporcionada el secreto profesional de los abogados, por cuanto no estaban obligados a hacerlo cuando ejercían su misión de defensa de los justiciables y, adicionalmente, la ley establecía un filtro para salvaguardar el secreto profesional al prever que los abogados no comunicaran directamente sus declaraciones a las administración, sino a la presidencia de su Colegio profesional.

Resulta interesante hacer notar que, sin perjuicio de la convergencia de soluciones entre los Tribunales de Luxemburgo y de Estrasburgo, el contencioso paralelo podría haber generado divergencias dado que, pese a entender el TEDH que la injerencia estaba prevista por la ley al contemplarse en Directivas comunitarias transpuestas al ordenamiento jurídico francés[43], no aceptó en cambio que la cobertura normativa de la UE gozara de una presunción de protección equivalente (o sea, no se asumió de manera automática la conocida como "doctrina *Bosphorus*")[44]. A este respecto, se ha podido señalar que, tomando en consideración la doctrina del TEDH en el asunto *Michaud*, sería posible una interpretación del Ordenamiento jurídico español que logre sortear la aparente situación de permanente colisión de deberes en la que se habría instalado al letrado, obligado

---

[41]   Ver §§ 9 y 20 a 26 de la STEDH.
[42]   Ver §§ 27 a 29 de la STEDH.
[43]   Ver § 94 de la STEDH.
[44]   Ver §§ 112 a 116 de la STEDH. La referencia a dicha doctrina viene dada por la STEDH (Gran Sala) *Bosphorus Hava Yollari Turzim ve Ticaret Anonim Sirketi c. Irlanda*, de 30 de junio de 2005

por un lado a guardar el secreto profesional, pero por otro, apremiado a comunicar las operaciones sospechosas de blanqueo de capitales que pudiera conocer en el ejercicio de su profesión[45].

Un segundo asunto de temática conexa viene ilustrado por la STJUE de 16 de mayo de 2017, *Berlioz*, C-682/15, con origen en una cuestión prejudicial planteada por el Tribunal Supremo de lo Contencioso-Administrativo de Luxemburgo a propósito de un litigio entre una empresa (Berlioz Investment Fund SA) y la agencia tributaria luxemburguesa en relación con una sanción pecuniaria impuesta por dicha administración a la citada compañía por haberse negado a responder a un requerimiento de información en el marco de un intercambio con la administración tributaria francesa (previsto por la Directiva 2011/16/UE del Consejo, de 15 de febrero de 2011, relativa a la cooperación administrativa en el ámbito de la fiscalidad) con objeto de evitar la evasión y el fraude fiscal[46]. Como quiera que Berlioz se mostró reticente a responder a dicho requerimiento en lo relativo a los nombres y direcciones de sus socios, el importe del capital poseído por cada uno de ellos y su porcentaje de participación (por considerar que dicha información no era previsiblemente pertinente en el sentido de la citada Directiva 2011/16), ello motivó que la agencia tributaria luxemburguesa le impusiese una sanción de 250.000 euros por su negativa a facilitar tal información[47].

Pues bien, sobre entender el TJUE que "para garantizar el efecto útil de la citada Directiva, tales medidas deben incluir dispositivos, como la sanción pecuniaria de que se trata en el litigio principal, que garanticen la existencia de una incitación suficiente al administrado para responder a las peticiones de las autoridades tributarias y, de este modo, permitan a la autoridad requerida cumplir sus obligaciones con respecto a la autoridad requirente" (apartado 38), no

---

[45] COCA VILA, I., "El abogado frente al blanqueo de capitales: ¿Entre Escila y Caribdis?, *Indret. Revista para el análisis del Derecho*, n.º 4, 2013, pp. 1-28. Para el encuadre de la problemática, más ampliamente, CÓRDOBA RODA, J., *Abogacía, secreto profesional y blanqueo de capitales*, Madrid, Marcial Pons, 2006, así como URIOL EGIDO, C., "El abogado y el asesor fiscal ante el blanqueo de capitales", *Tribuna Fiscal. Revista Tributaria y Financiera*, n.º 211, 2008, pp. 8-25.

[46] Ese objetivo de lucha contra el fraude y la evasión fiscal, que realmente tiene alcance mundial, ha sido impulsado e intensificado por organismos e internacionales, especialmente desde que en julio de 2013 se presentó por parte de la OCDE (con el auspicio del G20) el Plan de acción contra la erosión de la base imponible y la deslocalización de beneficios (BEPS: *Base Erosion and Profit Shifting*): sobre dicho proyecto y sus manifestaciones en el ordenamiento español y europeo, véase PATÓN GARCÍA, G., "La posición del legislador español ante el Proyecto BEPS y los avances del Plan de acción de la Unión Europea", *Documentos*, Madrid, Instituto de Estudios fiscales, n.º 20, 2016, pp. 1-56.

[47] Como problemática conexa puede leerse HERNANDEZ GUIJARRO, F., "La firmeza de la resolución sancionadora como requisito para su divulgación en Internet: el caso de la publicación del listado de deudores de la hacienda pública", en GARCÍA MAHAMUT, R., y TOMÁS MALLÉN, B. (eds.), *El Reglamento General de Protección de Datos: Un enfoque nacional y comparado. Especial referencia a la LO 3/2018 de protección de datos y garantía de los derechos digitales*, Valencia, Tirant lo Blanch, 2019, pp. 487-502.

obstante, "esta circunstancia no implica que un administrado en la situación de Berlioz no pueda, conforme al artículo 47 CDFUE, defender su causa ante un tribunal en el marco de la aplicación de la Directiva 2011/16", (apartado 48). De tal suerte que un administrado (Berlioz) en la situación litigiosa "puede impugnar la legalidad de esa decisión" (apartado 59), con el objetivo de verificar si los Estados miembros están o no "en condiciones de emprender investigaciones aleatorias o solicitar información que probablemente no sea pertinente para los asuntos fiscales de un contribuyente dado" (apartado 66), puesto que "si bien la autoridad requirente dispone a este respecto de un margen de discrecionalidad, no por ello puede solicitar información sin ninguna pertinencia para la investigación en cuestión" (apartado 71). En otras palabras, no cabe conculcar el principio de proporcionalidad a la hora de articular las obligaciones derivadas de dicha cooperación[48].

Por último, reviste interés asimismo traer a colación un tercer asunto reciente y de temática conexa que, en esta ocasión, ha implicado a España. Se trata de la STJUE de 27 de enero de 2022, *Comisión/España*, asunto C-788/19, que trae su causa del recurso por incumplimiento interpuesto por la Comisión Europea tras entender que determinados aspectos de la obligación de los residentes fiscales en España de declarar sus bienes o derechos situados en el extranjero (por medio de un formulario denominado «modelo 720») incurrían en incompatibilidad con el Derecho de la UE al establecer consecuencias desproporcionadas de dicha obligación para alcanzar los objetivos perseguidos (garantizar la eficacia de los controles fiscales y luchar contra el fraude y la evasión fiscales). Realmente, voces cualificadas en el ámbito de la academia y de la asesoría fiscal habían denunciado (y llevado dicha denuncia ante la Comisión) la legislación nacional controvertida, a tenor de la cual los residentes en España que no declararan o declararan de manera imperfecta o extemporánea los bienes y derechos que poseyeran en el extranjero se exponían a la regularización del impuesto adeudado por las cantidades correspondientes al valor de dichos bienes o derechos, incluso cuando estos hubiesen sido adquiridos durante un período ya prescrito, así como a la imposición de una multa proporcional y de multas de cuantía fija específicas[49].

En su sentencia, el TJUE señaló que la normativa española controvertida, además de producir un efecto de imprescriptibilidad, permitía también a la Administración tributaria cuestionar una prescripción ya consumada en favor del contribuyente, lo que vulneraba la exigencia fundamental de seguridad jurídica,

---

[48]   Al respecto, ROZAS VALDÉS, J.A. y M. VILLAR EZCURRA, "La asistencia mutua a la luz del principio de proporcionalidad", *Noticias de la Unión Europea*, n.º 254, 2006. pp.73-92.

[49]   Por todos, la monografía de ALARCÓN GARCÍA, E., *La obligación de información sobre activos en el extranjero*, Madrid, Ediciones Francis Lefebvre, 2016.

además de comportar la imposición de multas pecuniarias que acarreaban una restricción desproporcionada de la libre circulación de capitales (tanto por sus cuantías, como por no guardar proporción alguna con las sanciones previstas para infracciones similares en un contexto puramente nacional). La ejecución de dicha sentencia ha pretendido efectuarse mediante una legislación adoptada con premura[50], que no está exenta de nuevas críticas[51].

Sea como fuere, y para concluir, la defensa de los derechos fundamentales del contribuyente a la luz de la jurisprudencia europea y su impacto en el ordenamiento constitucional español, significa todo un reto deontológico-profesional para quienes se desempeñan en el ámbito de la asesoría y la justicia fiscal. En tal desempeño no deberá perderse de vista la importancia crucial del uso y conocimiento del funcionamiento de los cánones de protección multinivel, para hacer efectivos los estándares más acordes con el principio *favor libertatis* que se desprenden en el ámbito europeo, entre otros, de los artículos 52.3 y 53 CDFUE y del artículo 53 CEDH[52]; cánones y coherencia con el principio *favor libertatis* que, por lo demás, vienen impuestos por mandato constitucional (interpretativo y aplicativo de los arts. 10.2 y 93 a 96 CE, respectivamente)[53] y son susceptibles

---

[50] Véanse disposiciones adicionales cuarta y quinta de la Ley 5/2022, de 9 de marzo (BOE n.º 59 de 10 de marzo de 2022).

[51] De nuevo, ALARCÓN GARCÍA, E., "Análisis de la obligación española de suministrar información sobre bienes y derechos en el extranjero tras la Sentencia del TJUE de 27 de enero de 2022 (asunto C-788/19). Una restricción desproporcionada a la libre circulación de capitales", *Revista General de Derecho Europeo*, n.º 57, 2022, pp. 592-593: "En cumplimiento de la sentencia objeto de análisis, el legislador español ha llevado a cabo un acelerado cambio normativo que ha eliminado de raíz el tridente penalizador que el TJUE ha considerado contrario al derecho de la Unión, devolviendo la situación a la previa a la entrada en vigor de la Ley 7/2012, salvo en lo que se refiere a la obligación informativa que, no solo se mantiene en vigor, sino que continúa incluyendo un nuevo activo en el extranjero declarable: las criptomonedas. Debe lamentarse cierto cortoplacismo en el quehacer legislativo, porque una lectura concienzuda de la sentencia hubiera permitido que, además de cumplir los estrictos términos de la resolución del Tribunal de Justicia, el cambio normativo hubiera permitido penalizar las inversiones en bienes o derechos en el extranjero en países no sometidos a acuerdos de intercambio de información o que, por su propia naturaleza, quedaran extramuros del flujo de información entre las autoridades fiscales de los diversos países". En análogo sentido, ha abundado con una interesante crítica constructiva LITAGO LLEDÓ, R., "Cuestiones sobre la pervivencia de la obligación formal de declarar bienes y derechos situados en el extranjero tras el fallo del TJUE", *Revista de Técnica Tributaria*, n.º 138, 2022, pp. 141-175.

[52] Véase BORRERO MORO, C., *Claves en el sistema europeo de protección del contenido de los derechos fundamentales: ordenadores de los procedimientos tributarios*, Valencia, Tirant lo Blanch, 2019, pp. 98-99: el autor analiza audazmente el criterio de interrelación entre los estándares europeos y, así, alude a la condición del CEDH de contenido mínimo de la CDFUE (artículo 53.2); de modo que "se neutralizan teóricamente los posibles conflictos entre la Carta y el Convenio en materia de protección de derechos fundamentales y además se determina un mínimo de unidad iusfundamental entre la Carta y el Convenio".

[53] Un excelente ejercicio de esa articulación al alza entre los diversos niveles de proyección, teniendo presentes los pronunciamientos de las instancias europeas (TEDH y TJUE) y de las instancias supremas españolas (TC y TS) con relación a las actuaciones potencialmente lesivas de los derechos

de articulación precisamente a través de mecanismos diversos (interpretativos y aplicativos)[54].

---

fundamentales por parte de la Administración tributaria, en BOSCH CHOLBI, J.L., "La tutela judicial del derecho a la intimidad, a la inviolabilidad del domicilio y al secreto de las comunicaciones ante las actuaciones de la Administración tributaria", *Civitas. Revista Española de Derecho Financiero*, n.º 192, 2021, pp. 39-106.

[54] Sobre dichas alternativas de coherencia con los estándares europeos avaladas por mandato constitucional, véase JIMENA QUESADA, L., "Interés de ley *versus* desinterés constitucional y europeo: a propósito de la STS de 19 de noviembre de 2012 sobre reiteración de actuaciones tributarias", en VV.AA., *La Justicia. ¿Un valor en decadencia?,* Madrid, Ediciones Francis Lefebvre, 2013, pp. 37-48.

3.- CLAVES DE REALIZACIÓN EFECTIVA DE LOS DERECHOS FUNDAMENTALES EN MATERIA TRIBUTARIA EN UN ESCENARIO DE MULTIESPACIOS JURÍDICOS

CRISTÓBAL J. BORRERO MORO[55]

Catedrático de Derecho Financiero y Tributario
Universitat de València

Sumario:
Introducción. I. La protección de los Derechos fundamentales en el Sistema europeo: notas definidoras. II. La protección de los Derechos fundamentales en España en un escenario de multiespacios jurídicos. Planteamiento. 1. La especificidad de la Unión Europea como límite a la plena tutela de los Derechos fundamentales. a) Preámbulo. b) La determinación del contenido de los Derechos fundamentales exclusivamente por la Carta en los supuestos de aplicación del DUE reglado. c) La aplicación exclusiva de la Carta en los supuestos de DUE no reglado con base en su especificidad. 2. Claves de realización efectiva de los Derechos fundamentales en el Derecho interno fuera del ámbito de aplicación del DUE. III. Reflexiones conclusivas. IV. Bibliografía.

INTRODUCCIÓN.

Los Derechos fundamentales se erigen, en nuestro Ordenamiento Jurídico, en "el fundamento del orden jurídico y de la paz social" –art. 10.1 de la Constitución Española (en adelante CE)-. De lo que se colige la trascendencia de su efectiva tutela para la realización de los valores superiores del Ordenamiento jurídico: igualdad, libertad y justicia –art. 1.1 CE-, como presupuesto de la materialización de un cabal Estado de Derecho, propugnado en la CE. Exigiendo, por tanto, a los poderes públicos, que están vinculados por ellos (art. 53.1 CE), conforme a su dimensión axiológica -que se extiende más allá de su vertiente subjetiva-[56], garantizar su efectividad, en tanto que "componentes estructurales básicos, tanto del conjunto

---

[55] El presente trabajo se ha realizado en el marco del Proyecto de Investigación PROMETEO 2021-041 de la Generalitat Valenciana "La necesaria actualización de los sistemas tributarios ante los retos del S. XXI (XXITAX)".

[56] La dimensión axiológica de los Derechos fundamentales, superadora de su naturaleza estrictamente subjetiva, anclada tanto en su propia dimensión constitucional, como en la vinculación de todos los poderes públicos –art. 53.1 CE-, impone, tal como ha instaurado el TC, la interpretación, tanto de las normas, como de los propios derechos fundamentales, más favorable a la efectividad de los mismos (principio de *favor libertatis*) –SSTC 220/2003/4°; 106/2008/6°; 133/2009/4°-, ya que éstos inciden "sobre los valores esenciales y trascendentes de un sistema democrático que se configura como Estado de Derecho, con el norte simultáneo de la libertad y la justicia para el respeto de la dignidad de la persona" –STC 50/95/7°-. Efectividad que acarrea la exigencia de reducción al mí-

del orden jurídico objetivo como de cada una de las ramas que lo integran" (STC 53/1983/4º); entre ellas la financiera y tributaria.

En este sentido, la celebración del Congreso "Los Derechos fundamentales del contribuyente" (Valencia, 22 y 23 de septiembre del 2022) nos ha permitido seguir profundizando en esta materia; en el marco de un tema, que ya abordamos en su día: la articulación de las claves jurídicas determinantes del contenido de los derechos fundamentales -ordenadores de la aplicación, sanción y revisión de los tributos-, en el Sistema europeo de protección[57]; cuyas importantes aristas vidriosas siguen justificando su tratamiento jurídico.

En efecto, en primer lugar, el carácter estructural de los Derechos fundamentales para el Ordenamiento jurídico español explica la voluntad constituyente -explicitada en un conjunto de artículos: 10.2, 93 y 96.1 CE- de abrirlo al orden jurídico internacional, señaladamente europeo, en materia de Derechos fundamentales[58]. Materializada, por un lado, en el establecimiento constitucional del principio de interpretación conforme en materia de Derechos fundamentales; esto es, en el establecimiento de la eficacia interpretativa de los tratados y acuerdos internacionales en materia de Derechos fundamentales y libertades, ratificados por España, a la luz del artículo 10.2 CE; y, por el otro, tanto en la adhesión de España, vía artículo 96.1 CE, al Convenio Europeo para la protección de los Derechos Humanos -en adelante Convenio-, en el seno del Consejo de Europa, en tanto que organización internacional; como en su integración, vía artículo 93 CE, en la Comunidad Económica Europea (hoy Unión Europea —en adelante UE-), que es una organización supranacional. Acarreando la integración como Derecho interno, con diferente grado de eficacia, de los tratados y acuerdos internacionales en materia de derechos fundamentales y libertades públicas —arts. 93 y 96.1 CE-. Circunstancia determinante de la "creciente importancia" de las normas jurídicas provenientes de fuentes convencionales o supranacionales en la configuración del Ordenamiento jurídico interno[59]; señaladamente en materia de Derechos fundamentales y libertades públicas. En definitiva, de la tutela de los Derechos fundamentales en España mediante el Sistema europeo de protección; que implementa una protección multinivel de los mismos.

---

nimo indispensable de las medidas restrictivas de los derechos fundamentales; siempre adoptando las cautelas necesarias para garantizar su contenido; y, en su caso, bajo la tutela de un juez.

[57]   Trabajo que se plasmó en nuestra obra *Claves en el Sistema europeo de protección del contenido de los Derechos fundamentales. Ordenadores de los procedimientos tributarios*, Tirant lo Blanch, Valencia, 2019.

[58]   *Vid.* SAIZ ARNAIZ, A.: *La apertura constitucional al Derecho Internacional y Europeo de los Derechos Humanos. El art. 10.2 de la Constitución española*, Consejo General del Poder Judicial, Madrid, 1999.

[59]   *Vid.* PÉREZ TREMPS, P.; "Las fuentes internacionales y supranacionales", en LÓPEZ GUERRA, L.; y otros: *Derecho Constitucional I. El ordenamiento constitucional. Derechos y deberes de los ciudadanos*, Tirant lo Blanch, 10ª edición, Valencia, 2016, pág. 128.

En segundo lugar, sin embargo, la aplicación del Sistema europeo de protección de los Derechos fundamentales no garantiza, conforme a su trascendencia para la cabal realización del Estado de Derecho, en todas las situaciones jurídicas de ordenación, aplicación y control jurídico, de los Derechos fundamentales en España, su proyección más favorable a la efectividad de los mismos (principio de *favor libertatis*).

Así, la directa y prevalente aplicación del Derecho de la Unión Europea (en adelante DUE) en España, genera multiespacios jurídicos: espacios jurídicos ajenos a la aplicación del DUE; espacios jurídicos de aplicación exclusiva del DUE; así como espacios jurídicos de aplicación acumulada del DUE y del Derecho nacional. Operando en su seno, diferentes claves jurídicas, determinantes del contenido de los Derechos fundamentales, en función del espacio jurídico interno en el que se establezca, aplique o controle jurídicamente, los Derechos fundamentales. Claves que han sido establecidas unilateralmente por las fuentes iusfundamentales integrantes del Sistema; que, a su vez, se ha configurado por acumulación de dichos catálogos en un espacio jurídico; excluyendo su construcción a la luz de una idea de racionalidad jurídica; que se va abriendo paso, fundamentalmente, a la luz de la jurisprudencia y sus substratos jurídicos. Con la consecuencia de que, la aplicación de dichas claves, no siempre garantizan la aplicación del mayor estándar de protección de los Derechos fundamentales tutelados en dicho Sistema. Circunstancia que no casa cabalmente con la trascendencia de éstos para la configuración de un Estado de Derecho, como propugna nuestra Carta magna.

De ahí la importancia de analizar las posibilidades y límites de articular construcciones jurídicas -claves jurídicas-, que, haciendo operativos en este campo principios e institutos jurídicos, presenten aptitud para superar estas *fallas* jurídicas del pretendido Sistema europeo de protección de los Derechos fundamentales; coadyuvando a la consecución de la mayor efectividad de los Derechos fundamentales en su establecimiento, aplicación y control jurídico, en el seno de los multiespacios jurídicos, generados en el Ordenamiento jurídico español.

Todo ello con la finalidad tanto de aumentar la seguridad jurídica en este vidrioso tema; como de incrementar la efectiva tutela de los Derechos fundamentales -en nuestro caso, reconocidos en el ámbito de la aplicación, sanción y revisión de los tributos-, en un marco de equilibrio y ponderación con la sustancial aplicación del deber de contribuir, en tanto que presupuesto de la existencia del Estado de Derecho.

Metodológicamente, la determinación de dichas claves jurídicas, aptas para garantizar la mayor efectividad del contenido de los Derechos fundamentales aplicables en España, en un marco de multiespacios jurídicos, exige atender, a partir del estudio de la configuración jurídica de los catálogos de protección de los Derechos fundamentales, así como de sus problemas de articulación, a las reglas de interconexión entre tablas iusfundamentales; conforme se definen por sus máximos intérpretes –Tribunal de Justicia de la Unión Europea –en adelante TJUE- y Tribunal Europeo de Derechos Humanos –en adelante TEDH-. Apareciendo ambos planos íntimamente imbricados; al implicarse mutuamente; hasta el punto de que las dificultades de articulación entre fuentes de protección iusfundamental determinan las dificultades de articulación de dichas claves. Y ello porque éstas, en unos casos, y conforme a la idea de Sistema, aparecen configuradas en los propios catálogos de tutela de los Derechos fundamentales; mientras que, en otros, dichas claves deben articularse a la luz del propio Sistema o, en general, del Ordenamiento jurídico propio conforme a sus fuentes nacionales, supranacionales e internacionales. Presentando, en este marco, especial interés analizar el grado de materialización de dichas claves jurídicas por la doctrina constitucional y por la jurisprudencia.

En todo caso, la articulación de estas claves jurídicas, encaminadas a garantizar la efectividad de los Derechos fundamentales en el seno de los multiespacios jurídicos, creados por la aplicación del DUE, encuentra en el Derecho, y, señaladamente, en su capacidad de integración a la luz de los valores y principios que lo conforman, el marco de su realización; por su capacidad para expresar "ideas de justicia universalmente aplicables para una comunidad pluralista"[60]; esto es, por su capacidad para formular configuraciones de justicia, sintetizadas en forma de valores y principios, jurídicos, aptas para materializar una ordenación iusfundamental del deber de contribuir, superadora de las limitaciones impuestas por los multiespacios jurídicos.

I. LA PROTECCIÓN DE LOS DERECHOS FUNDAMENTALES EN EL SISTEMA EUROPEO: NOTAS DEFINIDORAS.

El Sistema europeo de protección de los Derechos fundamentales en España –y en todos los Estados miembros- se caracteriza por su naturaleza multinivel[61];

---

[60]   VOSSKUHLE, A.: "«La integración europea a través del derecho». La contribución del tribunal constitucional federal (alemán)", UNED. Teoría y Realidad Constitucional, núm.39/2017, págs. 104 y 120.

[61]   GARCÍA ROCA habla de constitución en red; esto es, de "[u]n modelo integrado por diversos ordenamientos jurídicos autónomos, pero interdependientes, dada la transferencia de competencias a la Unión y de jurisdicción al TEDH, donde los derechos de las personas tienen distintos niveles jurisdiccionales de garantía y los tribunales deben cooperar en la solución de los conflictos", GARCIA ROCA, J.; "El diálogo entre el Tribunal Europeo de Derechos Humanos y los Tribunales Constitucionales en la construcción de un orden público europeo", Teoría y Realidad Constitucional, núm. 30/2012, pág. 193. Teóricamente, un mismo sujeto puede gozar de diversos marcos de protección normativa traducibles en diferentes niveles de tutela, DE VERGOTTINI, G.: "El diálogo entre tribunales", UNED. *Teoría y Realidad Constitucional*, núm. 28/2011, pág. 347.

al converger[62] en el mismo espacio jurídico-político diferentes catálogos de protección de los Derechos fundamentales: las Constituciones nacionales, en nuestro caso la CE, la Carta de Derechos Fundamentales de la Unión Europea (en adelante CDFUE o la Carta) y el Convenio; así como, sobre todo, y de forma paralela, sus máximos órganos de tutela: los Tribunales constitucionales nacionales, en nuestro caso el Tribunal Constitucional –en adelante TC-, el TJUE y el TEDH; que desempeñan una función de interpretación y control autorizado de Aquéllos.

Ahora bien, el carácter multinivel del Sistema europeo de protección no implica que todos los niveles de protección iusfundamental, integrados en el mismo, tengan similar eficacia jurídica. En este sentido, el DUE; en tanto que Ordenamiento jurídico autónomo -STJCE de 15 de julio de 1964; *asunto 6/64 Costa/ENEL*-[63]; y, desde la incorporación de España a las Comunidades Europeas, integrado en el Ordenamiento español[64], presenta "un régimen de aplicabilidad específico" (DTC 1/2004, de 13 de diciembre, FJ 4; y STC 100/2012, de 8 de mayo, FJ 7; y en sentido parecido, STC 26/2014, de 13 de febrero, FJ 3)." -STC 215/2014/3-[65]; caracterizado por su efecto directo y primacía sobre el Derecho nacional; del que pasa a formar parte en su ámbito de aplicación. Erigiéndose la primacía; desde un primer momento; por obra de la jurisprudencia comunitaria, al no haber tenido acogida expresa en los Tratados[66], en "técnica o principio normativo" de la UE "destinado a asegurar su efectividad" –SSTC 145/2012/5°; 215/2014/3°-; mediante el expediente de ordenar las relaciones entre el DUE y el Derecho nacional con base en una aplicación prevalente de aquél; tanto de los Tratados –Derecho originario-; como del Derecho adoptado por la Unión con base en los mismos –Derecho derivado-; frente a las normas internas contradictorias, que deben quedar desplazadas e inaplicadas en la resolución del conflicto.

Consecuencia de lo cual, en el seno del Ordenamiento jurídico español se generan diversos espacios jurídicos; caracterizados por una ordenación

---

[62]　*Vid.* RUBIO LLORENTE, F.: "DIVIDE ET OBTEMPERA? Una reflexión desde España sobre el modelo europeo de convergencia de jurisdicciones en la protección de los Derechos"; *REDC,* núm. 67/2003, pág. 51. Así lo sostuvo, en su día, RODRÍGUEZ ARRIBAS afirmando que, con el proyecto de Tratado Constitucional Europeo, luego materializado, en lo relativo a la tabla de derechos, en la Carta, se establece una "Carta de Derechos Fundamentales de la Unión Europea", antes inexistente, lo que provoca que converjan derechos fundamentales reconocidos en la Constitución Española, en el Convenio europeo y en la Carta de la Unión; Voto Particular emitido por dicho Magistrado a la Declaración TC 1/2004.

[63]　Con anterioridad ya sostenido en la Sentencia del Tribunal de las Comunidades Europeas de 5 de febrero de 1963, *asunto 26/62, Van Gend and Loos.*

[64]　STJCE de 15 de julio de 1964; *asunto 6/64 Costa/ENEL.*

[65]　Ciertamente, la cesión del ejercicio de competencias a la Unión europea acarrea, consiguientemente la integración del Derecho comunitario en el nuestro propio –DTC 1/2004/4°-.

[66]　Hoy se recoge expresamente en la Declaración número 17 del Tratado de Lisboa "Declaración relativa a la primacía".

iusfundamental conformada con base en diferentes regímenes jurídicos. Determinando un Sistema europeo de protección de los Derechos fundamentales caracterizado por la existencia de multiespacios jurídicos de geometría jurídica variable. En este sentido, se originan espacios jurídicos determinados por la no aplicación del DUE; espacios jurídicos caracterizados por la aplicación del DUE; y dentro de éstos; espacios jurídicos en los que la Carta se aplica de forma exclusiva, por la aplicación reglada de Éste; y espacios jurídicos en los que el DUE no se aplica de forma reglada; produciéndose una aplicación acumulada del DUE y de los Derechos fundamentales constitucionalizados. Aplicándose en todos los espacios, con el alcance jurídico correspondiente, el Convenio.

El carácter multinivel del Sistema europeo de protección, generador de multiespacios jurídicos, determina una tercera característica de Éste: el carácter vidrioso y complejo de la tutela de los Derechos fundamentales en España[67]. Consecuentemente, la configuración del contenido de los Derechos fundamentales, en un escenario de multiespacios jurídicos en el que operan regímenes jurídicos diferentes en función de la aplicación y alcance de las diversas fuentes iusfundamentales convergentes, presenta aristas vidriosas; que no sólo dificultan la articulación de su contenido; sino la proyección más favorable a la efectividad de los mismos (principio de *favor libertatis*).

En efecto, la configuración del contenido de un determinado Derecho fundamental en el Derecho interno exige, en primer lugar, determinar, conforme a los principios, ordenadores del espacio jurídico en el que se inserte aquél, de primacía, efecto directo, subsidiariedad, control de convencionalidad, etc., la fuente iusfundamental reguladora del supuesto: la CE, la Carta o el Convenio; determinación especialmente vidriosa en el ámbito interno de aplicación del

---

[67]   Al respecto nos dice LÓPEZ GUERRA, que "esta pluralidad de sistemas plantea los lógicos problemas que resultan de la presencia de normativas no idénticas y de órganos jurisdiccionales con ámbitos competenciales superpuestos; problemas que muestran la necesidad de medidas de coordinación que aseguren un funcionamiento armónico y sin contradicciones de los mecanismos de protección de los derechos humanos", LÓPEZ GUERRA, L.: "Los Protocolos de reforma nº 15 y 16 al Convenio Europeo de Derechos Humanos", *Revista Española de Derecho Europeo* 49/2014, pág. 4.

DUE[68]; ya que el Convenio se aplica conforme al principio de subsidiariedad[69]; y ello porque la Carta opera, con primacía y efecto directo, sobre un espacio jurídico "ya ocupado" por los Derechos fundamentales constitucionalizados, dando lugar a fricciones jurídicas interordinamentales[70]. Fuente iusfundamental que, ordenando la configuración del contenido del Derecho fundamental aplicable al caso, puede no determinar el concreto contenido del mismo; al proceder su articulación, conforme a la regulación de la fuente prevalente, con base en la ordenación iusfundamental de otro catálogo distinto; en orden a garantizar el mayor estándar de protección iusfundamental vigente en el seno del Sistema. Además, dicha selección de la fuente iusfundamental aplicable al supuesto jurídico acarrea la del órgano jurisdiccional o constitucional competente para tutelar, en última instancia, la aplicación del Derecho fundamental afectado. En segundo

---

[68]   Sobre todo, a partir del momento en el que la Carta adquiere fuerza originaria, preeminente y directa. Ciertamente, en dicho ámbito se produce una zona de fricción jurídica interordinamental, asentada sobre las normas reguladoras de los Derechos fundamentales en ambos catálogos: CE y Carta; que confluyen en el ámbito de aplicación interno del DUE; aunque protagonizada por sus órganos supremos de garantía, en su afán por resolver las cuestiones jurídicas controvertidas con base en los contenidos iusfundamentales establecidos en el catálogo por ellos tutelado; dando lugar a soluciones no siempre pacíficas, en el marco de la vidriosa articulación de ambas fuentes de protección de los Derechos fundamentales en el sistema europeo de protección. Como nos dice la Magistrada ROCA TRÍAS, "[l]a prioridad del Derecho europeo abre unos nuevos problemas cuando se trata de la aplicación de los derechos fundamentales" –Voto Particular a la STC 26/2014, FJ 3°-.

[69]   Dicho principio impone la aplicación prevalente de la normativa nacional. No obstante, el Derecho nacional establece que "[l]as normas jurídicas contenidas en los tratados internacionales válidamente celebrados y publicados oficialmente prevalecerán sobre cualquier otra norma del ordenamiento interno en caso de conflicto con ellas, salvo las normas de rango constitucional" -artículo 31, "Prevalencia de los tratados", de la Ley 25/2014, de 27 de noviembre, de Tratados y otros Acuerdos Internacionales, BOE núm. 288, de 28 de noviembre de 2014-. Normas constitucionales que prevalecen sobre las normas convencionales; que no alcanzan el rango de parámetro de constitucionalidad en materia de Derechos fundamentales en los procesos constitucionales. Hay que recordar que los tratados internacionales no forman parte del "bloque de la constitucionalidad"; no pudiéndose esgrimir como parámetro para determinar la constitucionalidad de las normas legales -STC 207/2013/4°-. Erigiéndose, tan sólo, en elementos hermenéuticos a considerar en la interpretación de las normas constitucionales relativas a los Derechos fundamentales. "Por eso, desde sus primeras sentencias este Tribunal ha reconocido la importante función hermenéutica que, para determinar el contenido de los derechos fundamentales, tienen los tratados internacionales sobre derechos humanos ratificados por España (SSTC 38/1981, de 23 de noviembre, 78/1982, de 20 de diciembre y 38/1985, de 8 de marzo) y, muy singularmente, el Convenio Europeo para la Protección de los Derechos Humanos y las Libertades Públicas, firmado en Roma en 1950, dado que su cumplimiento está sometido al control del Tribunal Europeo de Derechos Humanos, a quien corresponde concretar el contenido de los derechos declarados en el Convenio (SSTC 36/1984, de 14 de marzo, 114/1984, de 29 de noviembre, 245/1991, de 16 de diciembre, 85/1994, de14 de marzo y 49/1999, de 5 de abril)." –STC 91/2000/7°-. Ahora bien, en aquellos supuestos en los que la regulación constitucional y convencional no ordenen contenidos iusfundamentales similares, en los que opera el desempeño hermenéutico de ésta, parece procedente defender la aplicación directa del Convenio, en tanto que Derecho interno a la luz del artículo 96 CE.

[70]   CRUZ VILLALÓN, P.: "El valor de posición de la carta de derechos fundamentales en la *comunión* constitucional europea"; UNED. *Teoría y Realidad Constitucional*, núm. 39/2017, págs. 93-94.

lugar, como se ha anticipado, la fijación de la norma reguladora del contenido del Derecho fundamental implicado; que podrá determinarse, según los casos, bien directamente, deducida de la tabla de Derechos fundamentales aplicable al supuesto; bien indirectamente, fruto de la comparación del contenido ius-fundamental de las normas, reguladas en los diferentes catálogos, aplicables al caso; con base en el criterio del mayor estándar de protección. En tercer lugar, finalmente, en aquellos supuestos en los que el Sistema europeo de protección de los Derechos fundamentales presenta *fallas* jurídicas, fruto de la existencia de multiespacios jurídicos, la determinación del contenido del Derecho fundamental afectado; puede configurarse elevándose respecto de la fuente iusfundamental y la norma, aplicables al supuesto, mediante el expediente de aplicar claves jurídicas, formuladas como principios o institutos, que posibiliten la proyección de contenidos iusfundamentales, obtenidos del seno del Sistema europeo de protección; más allá de las claves jurídicas normativizadas en el seno del mismo; como podría ser, por ejemplo, el principio de interpretación conforme.

II. LA PROTECCIÓN DE LOS DERECHOS FUNDAMENTALES EN ESPAÑA EN UN ESCENARIO DE MULTIESPACIOS JURÍDICOS.

Planteamiento.

La mecánica de funcionamiento del Sistema europeo de protección de los Derechos fundamentales, ocasionada como consecuencia de la aplicación directa y prevalente de la Carta en el Derecho interno en aquellos supuestos en los que los Estados miembros apliquen el DUE –art. 51.1 primer párrafo Carta-[71], genera multiespacios jurídicos, determinantes de distintas regulaciones jurídicas y, consecuentemente, de diferentes mecanismos jurisdiccionales, de tutela iusfundamental. Originando un escenario jurídico de protección de los Derechos fundamentales complejo y vidrioso. Complejidades del Sistema europeo de protección de los Derechos fundamentales, que tratan de superarse, por parte de los propios catálogos de protección iusfundamental integrantes del mismo, con el establecimiento unilateral de criterios jurídicos ordenadores de dicha convergencia jurídica; esto es, con el establecimiento de claves de interconexión entre catálogos, que aspiran a encauzar las fricciones jurídicas ocasionadas en un

---

[71]   En palabras del TJUE "[l]a aplicabilidad del Derecho de la Unión implica la aplicabilidad de los derechos fundamentales garantizados por la Carta" -SSTJUE de 26 de febrero de 2013, C 617/10, asunto Akerberg, apartado 21º; de 30 de abril de 2014, Pfleger, C-390/12, apartados 33º-34º-; y, además, de una forma integral; de modo que "no existe ningún supuesto comprendido en el Derecho de la Unión en el que no se apliquen dichos derechos fundamentales" -STJUE asunto Akerberg, apartado 21º-.

escenario de convergencia de catálogos de tutela iusfundamental en un mismo espacio jurídico, caracterizado por su fragmentación.

Estos criterios o claves de interconexión o interrelación entre catálogos se erigen en las "directrices jurídicas que, propugnando y encauzando las ósmosis jurídica entre catálogos[72], deben presidir la determinación del contenido de los derechos fundamentales en los supuestos de concurrencia, vidriosa o no, de dos o más tablas iusfundamentales"[73].

Dichas claves de interconexión se articulan a la luz de su configuración normativa en las fuentes iusfundamentales; de las interpretaciones constitucionales o jurisprudenciales de las mismas; así como, en general, de los principios, Derechos e institutos, ínsitos en el Sistema de protección iusfundamental[74]; encaminándose a fijar los parámetros jurídicos configuradores del contenido de los Derechos fundamentales, aplicables en aquellos supuestos de convergencia de fuentes de tutela iusfundamental; con la finalidad de garantizar la cabal protección de los Derechos fundamentales. Siendo las más relevantes: el principio de interpretación conforme en materia de Derechos fundamentales constitucionalizados –art. 10.2 CE–; que determina el valor hermenéutico de los tratados y acuerdos internacionales en materia de Derechos fundamentales, ratificados por España, en orden a la determinación jurídica del contenido de los Derechos fundamentales constitucionalizados; el Convenio como estándar mínimo de protección de los Derechos fundamentales tutelados en la Carta, siempre que éstos se correspondan con los tutelados en el Convenio, ya que en caso de darse dicha correspondencia entre los Derechos fundamentales de ambos catálogos, los tutelados en la Carta tendrán, como mínimo, idéntico sentido y alcance que los del Convenio –art. 52.3 Carta–; sin que, en ningún caso, el Convenio, conforme al art. 53. del Convenio, pueda restringir el contenido de los Derechos con los que concurra; ya que dicho precepto impide que los Derechos humanos, tutelados en el Convenio, se apliquen, en concurrencia con Derechos fundamentales reconocidos por las Constituciones de los Estados miembros o por la Carta, restringiendo su contenido; y la interpretación armónica con las tradiciones constitucionales,

---

[72]   Y es que, como nos dice ALONSO GARCÍA, "determinar la pautas de cómo resolver esta encrucijada es clave para iluminar la elección por el juez de un estándar de protección mayor o menor aplicable al caso", ALONSO GARCÍA, R.: *El Juez nacional en la encrucijada europea de los Derechos Fundamentales*, Civitas, 2014, pág. 16. Existiendo la necesidad de coordinar la forma de activar tales instrumentos y la conexión entre diferentes jurisdicciones, DE VERGOTTINI, G.: "El diálogo entre tribunales", ob. cit., pág. 347.

[73]   *Vid.* nuestra obra *Claves en el Sistema europeo de protección del contenido de los Derechos fundamentales...*, ob. cit., pág. 76.

[74]   Fruto tanto de la construcción dogmática; como de las sinergias en materia de configuración de los Derechos fundamentales, operadas por la interacción del conjunto de Tribunales competentes para la defensa y control de los catálogos de tutela de los Derechos fundamentales en el marco de un diálogo de tribunales.

de los Derechos fundamentales, tutelados por la Carta, que tengan su origen en las tradiciones constitucionales comunes a los Estados miembros; al exigirse que configuren su contenido interpretándose "en armonía con las citadas tradiciones" –art. 52.4 Carta-.

Sin embargo, la realidad jurídica demuestra que dichas claves de interconexión no garantizan cabalmente la efectividad de los Derechos fundamentales en todas las situaciones suscitadas en los distintos multiespacios jurídicos; suscitándose disfunciones jurídicas en el normal desarrollo del Sistema en orden a la cabal tutela de los Derechos fundamentales: bien porque no posibilitan la aplicación de todas las tablas iusfundamentales a determinadas situaciones jurídicas; bien porque no en todos los casos dichas claves tutelan el mayor estándar de protección vigente en los catálogos convergentes en el supuesto dado. Y ello, fundamentalmente, por la prevalencia de la especificidad de los Ordenamientos jurídicos en cuyo seno se integran dichas tablas iusfundamentales.

En este sentido, son reseñables tres situaciones jurídicas en las que la aplicación del Sistema europeo de protección de los Derechos fundamentales no garantiza una protección plena de los Derechos fundamentales a la luz de los propios contenidos tutelados en su seno. La primera, el ámbito de aplicación interno del DUE con carácter reglado; en el que se aplica exclusivamente la Carta, con independencia de que existan mayores estándares de protección iusfundamental en el seno del Sistema; la segunda, el ámbito de aplicación interno del DUE con carácter no exclusivo, sino acumulado junto con la aplicación de los Derechos fundamentales constitucionalizados, siempre que éstos presenten un estándar superior de protección, cuando se impide esta aplicación para salvaguardar la primacía, unidad o efectividad del DUE; la tercera, y última, aunque es a la que dedicaremos más atención por su mayor relevancia práctica jurídicotributaria, el ámbito interno ajeno a la aplicación del DUE; en el que la clave de interconexión de interpretación conforme -art. 10.2 CE- tan sólo garantiza la configuración del contenido de los Derechos fundamentales constitucionalizados a la luz de la hermenéutica de los tratados y acuerdos internacionales en materia de Derechos fundamentales, pero no su aplicación directa; aunque articulen contenidos superiores de tutela iusfundamental. En definitiva, situaciones jurídicas todas en las que las claves de interconexión no posibilitan o, simplemente, no pretenden, garantizar la aplicación del mayor estándar de protección iusfundamental.

De ahí nuestro empeño en analizar las posibilidades jurídicas en este campo de determinados principios, Derechos e institutos jurídicos, propios del Ordenamiento jurídico, en orden a coadyuvar a la realización efectiva en España del Sistema[75] europeo de protección de los Derechos fundamentales; esto es, en orden a articular, a la luz de dichos principios, Derechos e institutos jurídicos, claves de interconexión entre catálogos que posibiliten la plenitud del Sistema; reduciendo sus lagunas y antinomias, y favoreciendo la aplicación del mayor estándar de protección iusfundamental articulado en su seno.

Aspirando, en el marco de un Sistema europeo de protección iusfundamental de carácter multinivel y generador de multiespacios jurídicos, a acentuar la aplicación integrada de las fuentes iusfundamentales configuradoras de aquél; mediante el expediente de articulación, dentro del marco jurídico conformado por el Ordenamiento jurídico, de nuevas claves de interconexión que coadyuven a garantizar en España la aplicación del mayor estándar de protección iusfundamental articulado en el seno del Sistema. El tema lo abordaremos, metodológicamente, dividiendo su estudio en dos apartados; en función del encuadre del análisis dentro o fuera de la aplicación interna del DUE. Y dentro de la aplicación interna del DUE, trataremos los supuestos de su aplicación reglada y no reglada. Todo ello como consecuencia del diferente escenario jurídico en un ámbito y en otro, derivado de la aplicación interna, o no, del DUE[76]; cuya cabal integración dista de ser pacífica; dada su naturaleza de injerto jurídico prevalente en el seno del Derecho interno conforme al artículo 93 CE.

1. La especificidad de la Unión Europea como límite a la plena tutela interna de los Derechos fundamentales.

a) Preámbulo.

En el ámbito de aplicación interna del DUE, la Carta, tal como se interpreta por el TJUE, ordena la tutela de los Derechos fundamentales afectados por dicha aplicación[77]; en tanto que, *ex* artículo 93 CE, es Derecho interno con eficacia directa y primacía.

Diferenciándose, en este ámbito, dos espacios jurídicos en función de la disposición, o no, por parte de los poderes públicos internos que ejecutan el DUE, y

---

[75]　Es cuestionable que, por su origen y actual configuración, pueda ser calificado cabalmente de Sistema, BORRERO MORO, C.J.: *Claves en el Sistema europeo de protección del contenido de los Derechos fundamentales…; ob. cit., pág. 116.*

[76]　En efecto, el ámbito de aplicación del DUE, en tanto que espacio jurídico en el que se aplica la Carta, determina el ámbito de convergencia iusfundamental entre el Derecho nacional y Ésta; ocasionando un escenario jurídico específico de protección de los Derechos fundamentales.

[77]　En este sentido, nos dice el TJUE "que los derechos fundamentales garantizados por la Carta deben ser respetados cuando una normativa nacional esté incluida en el ámbito de aplicación del Derecho de la Unión"; de forma que "no existe ningún supuesto comprendido en el Derecho de la Unión en el que no se apliquen dichos derechos fundamentales" –STJUE de 26 de febrero de 2013, asunto C-617-10, Akerberg, apartado 21º-.

conforme a su regulación, de margen de discrecionalidad para su aplicación; esto es, según los poderes públicos internos tengan que ejecutar DUE reglado o no reglado. En palabras del propio TJUE, se diferencian las situaciones en las que "la acción de los Estados miembros no esté totalmente determinada por el Derecho de la Unión" –STJUE de 26 de febrero de 2013, asunto C-617/10, Akerberg, apartado 29°-; dándose, igualmente, "cuando un acto del Derecho de la Unión requiere medidas nacionales para su ejecución" —STJUE de 26 de febrero de 2013, asunto C-399/11, Melloni, apartado 60°-; de aquellas otras situaciones en las que la ordenación del DUE "no atribuye a los Estados miembros la facultad de denegar la ejecución" del mismo –STJUE, asunto Melloni, apartado 61°-; al llevar "a cabo una armonización de las condiciones de ejecución" del mismo –STJUE, asunto Melloni, apartado 62°-.

Determinando, cada uno de dichos espacios jurídicos, un diferente régimen jurídico aplicable; consecuencia del concreto resultado del juego de convergencia jurídica de las fuentes iusfundamentales implicadas en dicho espacio. Así, metodológicamente cabe diferenciar los supuestos de aplicación interna del DUE reglado de los supuestos no reglados; conforme a la diversa ordenación iusfundamental aplicable en cada caso. De ahí su análisis separado.

b) La determinación del contenido de los Derechos fundamentales exclusivamente por la Carta en los supuestos de aplicación del DUE reglado.

La aplicación interna, por parte de los poderes públicos, de actos del DUE armonizado, reglado, incondicional, sin margen de discrecionalidad, en las condiciones de ejecución, implica la tutela exclusiva de los Derechos fundamentales afectados con base en el contenido iusfundamental establecido en el acto del DUE; siempre que el mismo se presente plenamente conforme con la Carta; aunque el estándar de protección iusfundamental constitucionalizado presente un nivel superior –STJUE, asunto Melloni, apartados 58°-64°-[78]. Arrumbando la interpretación del artículo 53 de la Carta como estándar mínimo de protección

---

[78]   Y ello, aunque el TC no lo asuma abiertamente, ya que en la recepción constitucional, materializada en la Sentencia 26/2104, Melloni, de la Sentencia prejudicial, dictada por el TJUE en dicho asunto, el TC resuelve el recurso de amparo planteado, referido a un supuesto de aplicación reglada del DUE, enjuiciando, sustancialmente, la situación jurídica controvertida en el proceso constitucional con base en un canon de control iusfundamental, definido al dictado de la jurisprudencia del TJUE, plasmada en la Sentencia Melloni y vinculada jurídicamente por la Carta; esto es, incardinando la Sentencia en el asunto Melloni en unos parámetros de respeto absoluto a la primacía del DUE en un supuesto de ejecución interna reglada; aunque resuelva la Sentencia Melloni sin aplicar directamente la Carta, *ex* artículo 93 CE, como canon de control iusfundamental; procediendo a resolver el recurso de amparo, pretendidamente, con base en la interpretación, *ex* artículo 10.2 CE, del Derecho fundamental constitucionalizado implicado en la aplicación interna del DUE reglado, conforme al correspondiente Derecho fundamental tutelado en el acto del DUE, tal como se configura autorizadamente en la STJUE Melloni; en un exceso respecto de las posibilidades constitucionales de la interpretación conforme –art. 10.2 CE-.

de los Derechos fundamentales en los supuestos de aplicación interna del DUE reglado; pese a que dicho artículo contempla genéricamente la posibilidad de ordenar dichas situaciones con base en un Derecho fundamental constitucionalizado, siempre que su estándar de protección fuese superior al establecido en la Carta, para evitar así su vulneración en el supuesto de aplicación interna del DUE; tal como había planteado el TC en el Auto 86/2011 de planteamiento de la cuestión prejudicial en el asunto Melloni[79]; y se sostiene en las Explicaciones del artículo 53 de la Carta; en la que se afirma que el objeto de la misma "es mantener el nivel de protección que ofrecen actualmente en sus respectivos ámbitos de aplicación... el Derecho de los Estados miembros"[80]. Y ello, alega el TJUE, porque dicha interpretación "menoscabaría el principio de primacía del Derecho de la Unión"; al permitir a España, o a cualquier otro Estado miembro, restringir –poner "obstáculos" a- "la aplicación de actos del Derecho de la Unión plenamente conformes con la Carta, si no respetaran los derechos fundamentales garantizados por la Constitución de ese Estado" –apartado 58°-; además de cuestionar la uniformidad del nivel de protección de los Derechos fundamentales garantizados por el DUE; comprometiendo, consiguientemente, su efectividad; posibilitando una dispar aplicación del acto en función de los diferentes niveles de protección de los Derechos fundamentales asumidos en los distintos Estados miembros; contraviniendo, en definitiva, los principios de confianza y de reconocimiento mutuo que han permitido adoptar el acto, como expresión de armonización y consenso alcanzado entre los Estados miembros –STJUE, asunto Melloni, apartado 63°-.

Esta posición, guiada por la salvaguarda de la primacía, uniformidad y efectividad del DUE, introduce una disfunción jurídica en el resultado del juego de convergencia de las fuentes iusfundamentales europeas implicadas; materializada, en este caso, en la inaplicación, en situaciones de ejecución interna del DUE reglado, del mayor estándar de protección iusfundamental vigente en el Sistema, que coincidiría con el establecido en la declaración de Derechos

---

[79] Al "equiparar el art. 53 CDFUE a una cláusula de estándar mínimo de protección característica de los instrumentos internacionales de protección de los derechos humanos, como la contenida en el propio art. 53 CEDH", que "permitiría a un Estado miembro... evitar una interpretación limitativa o lesiva de los derechos humanos y libertades fundamentales reconocidos por su Constitución, sin que, por lo demás, ese mayor nivel de protección característico de un determinado sistema nacional tenga necesariamente que generalizarse mediante su asunción por parte del Tribunal de Justicia" –FJ 7°-. Para ALONSO GARCÍA la interpretación constitucional del artículo 53 de la Carta es "deseable y defendible", *El juez nacional...*, ob. cit., pág. 186. En la misma línea, GOROSPE OVIEDO sostiene que "la CDFUE consagra la idea de aplicar el nivel más alto de protección posible", *vid.*, GOROSPE OVIEDO, J.I.: "Las garantías del contribuyente en los Tratados Internacionales europeos (Carta de Derechos Fundamentales y Convenio Europeo de Derechos Humanos), *CT*, núm. 153/2014, pág. 167.

[80] Explicaciones sobre la Carta de los Derechos fundamentales, C 303/17, DOUE de 14.12.2007.

constitucionalizados; mediante el expediente de aplicar el acto del DUE reglado con un contenido iusfundamental, respetuoso de la Carta, inferior al constitucionalizado. Disfunción jurídica que plantea una reflexión, mucho más trascendente, acerca de las posibilidades jurídicas de superarla.

Al respecto, aunque el principio de confianza mutua entre los Estados miembros, como principio de la UE, exija a Éstos, cuando apliquen el DUE, "presumir que los demás Estados miembros respetan los derechos fundamentales"; impidiéndoles "exigir a otro Estado miembro un nivel de protección nacional de los derechos fundamentales superior al garantizado por el Derecho de la Unión… [dictamen 2/13 (Adhesión de la Unión al CEDH), de 18 de diciembre de 2014, EU:C:2014:2454, punto 192]" -STJUE (Gran Sala), de 25 de julio de 2018, asunto C-216/18 PPU, LM, apartado 37°-; se abre paso, en la aplicación interna del DUE reglado, la lógica de los Derechos fundamentales; al contemplarse limitaciones, siquiera sea "en circunstancias excepcionales", fundadas en los Derechos fundamentales tutelados en la Carta -apartado 43°-.

Lógica de los Derechos fundamentales que se sigue, igualmente, en materia tributaria; concretamente en un supuesto de pretensión de cobro, por parte de un Estado miembro, de un crédito, en concepto de multas y sanciones administrativas, impuestas por una Oficina de Aduanas de aquél, en otro Estado miembro; en el que, con base en el artículo 12.1 de la Directiva 2010/24/UE del Consejo de 16 de marzo de 2010, sobre la asistencia mutua en materia de cobro de los créditos correspondientes a determinados impuestos, derechos y otras medidas, "el cobro del crédito en el Estado miembro requerido se basa en el «instrumento uniforme» por el que la autoridad requirente transmite a la autoridad requerida los datos que figuran en el instrumento inicial que permiten la adopción de medidas de ejecución en el Estado miembro requirente"; sin que dicho documento esté "sujeto a acto alguno de reconocimiento, adición o sustitución en el Estado miembro requerido" –STJUE (Sala Segunda) de 26 de abril de 2018, asunto C-34/17, Donnellan, apartado 42°-; hasta el punto de que con base en dicha Directiva "lejos de conferir a las instancias del Estado miembro requerido la facultad de controlar los actos del Estado miembro requirente, limita expresamente en su artículo 14, apartado 2, la facultad de control de dichas instancias a los actos del Estado miembro requerido" –apartado 44°-. Sin embargo, el TJUE contempla la posibilidad de que, "con carácter excepcional, la autoridad requerida esté facultada para denegar la asistencia a la autoridad requirente"; pudiéndose, por tanto, denegar la ejecución de la solicitud de cobro del crédito; "si resulta que esta ejecución es contraria al orden público del Estado miembro en el que tiene su sede la autoridad requerida" –apartado 47°-. En este sentido, el TJUE sostiene que el artículo 14, apartados 1 y 2, de la Directiva 2010/24, leído a la luz del artículo 47 de la Carta, posibilita "que una autoridad de un Estado miembro deniegue la ejecución de una petición de cobro de un crédito relativo a una sanción pecuniaria impuesta en otro Estado miembro,…, por no haberse notificado debidamente al interesado la resolución por la que se impone dicha sanción antes de presentar la petición de cobro a la referida autoridad en aplicación de la citada Directiva –apartado 62º-; admitiendo, en definitiva, que en "determinadas circunstancias excepcionales", contrarias al orden público del Estado miembro requerido, siempre que aquél se enmarque jurídicamente en la protección iusfundamental de la Carta, el órgano judicial del Estado miembro requerido puede denegar la ejecución de una petición de cobro reglada -apartado 37º-.

Lógica de los Derechos fundamentales, seguida en la ejecución de la ordenación armonizada de la asistencia mutua en materia de cobro de un crédito; con base en la tutela iusfundamental dispensada por la Carta; que se erige en el camino a seguir para configurar un cabal Sistema europeo de protección de los Derechos fundamentales, también en éste espacio jurídico presidido por el DUE reglado; que exigiría admitir la posibilidad, en dichas situaciones de definición reglada de la aplicación de los Derechos fundamentales, de tutelarlas con base en los Derechos fundamentales constitucionalizados; cuando presenten un contenido de protección superior.

c) La aplicación exclusiva de la Carta en los supuestos de DUE no reglado con base en su especificidad.

En aquellos supuestos en los que los poderes públicos internos disponen, conforme al DUE, de margen de discrecionalidad para su ejecución; o en otras palabras, en aquellas situaciones "en la[s] que la acción de los Estados miembros no esté totalmente determinada por el Derecho de la Unión" –STJUE, asunto Akerberg, apartado 29º-, el artículo 53 de la Carta debe ser interpretado, nos dice el TJUE, en el sentido de que los poderes públicos internos están facultados "para aplicar estándares nacionales de protección de los derechos fundamentales, siempre que esa aplicación no afecte al nivel de protección previsto por la Carta", que se erige así en estándar mínimo de protección iusfundamental, "según su interpretación por el Tribunal de Justicia, ni a la primacía, la unidad y la efectividad del Derecho de la Unión" –STJUE asunto Melloni, apartado 60º; STJUE asunto Akerberg, apartado 29º-.

Lo cual garantiza, en términos generales, la tutela del Derecho fundamental afectado con base en el mayor contenido iusfundamental articulado en el seno del Sistema europeo de protección; al posibilitar que las autoridades y tribunales internos puedan operar conforme a la configuración jurídica, realizada por el TC, de los Derechos fundamentales constitucionalizados; siempre que dicho contenido tutele el Derecho fundamental implicado con un estándar de protección superior al garantizado por la Carta, conforme a la interpretación dada por el TJUE; y, en su caso, esto es, siempre que exista correspondencia entre los

Derechos fundamentales tutelados por ambos catálogos, al garantizado, en tanto que estándar mínimo en dicho marco iusfundamental, por el Convenio[81].

Ahora bien, la aplicación, en estas situaciones, del contenido de los Derechos fundamentales constitucionalizados se supedita a no afectar a la primacía, la unidad y la efectividad del DUE. De modo que dichos principios se erigen en obstáculos a la aplicación del mayor estándar nacional de protección de los Derechos fundamentales en los supuestos de aplicación interna del DUE no reglado. De ahí, la trascendencia, en estas situaciones jurídicas, del alcance de dichos principios de primacía, unidad y efectividad del DUE.

En este sentido, debe apuntarse que dichos límites a la aplicación del mayor estándar de protección garantizado por el Derecho fundamental constitucionalizado en el ámbito de aplicación interno del DUE no reglado se establecen por el TJUE con base en una interpretación del artículo 53 de la Carta, que supera la propia literalidad del precepto; a la par que apuesta por una cláusula principialista de salvaguarda de los intereses jurídicos anudados a la pretendida pervivencia política de la Unión. Obviando que, en estas situaciones, por un lado, se respeta el principio de primacía, al ordenarse las mismas con arreglo a la Carta, que es la que impone, *ex* art. 53, la aplicación del contenido iusfundamental constitucionalizado, exclusivamente, en aquellos supuestos de protección superior; y, por el otro, no hay mayor efectividad del DUE en estas situaciones que la cabal aplicación del artículo 53 de la Carta, que impone la aplicación del mayor estándar de protección de los Derechos fundamentales, aunque sean los constitucionalizados; en tanto que valores reconocidos y promocionados por el propio DUE –art. 2 TUE-[82].

Así, el TJUE sostiene que "la autonomía de que goza el Derecho de la Unión con respecto a los Derechos de los Estados miembros y con respecto al Derecho internacional exige que esos derechos fundamentales se interpreten en el marco de la estructura y de los objetivos de la Unión (véanse, en este sentido, las sentencias Internationale Handelsgesellschaft, EU:C:1970:114, apartado 4, y Kadi y Al Barakaat International Foundation/Consejo y Comisión, EU:C:2008:461,

---

[81]   En los supuestos de aplicación interna del DUE, procederá la aplicación de la Carta, interpretada, en su caso, a la luz del Convenio; excluyendo, en sentido estricto, la aplicación directa del Convenio; al limitarse su papel al de criterio hermenéutico de la Carta. *Vid.* ALONSO GARCÍA, R.: *El juez nacional...*, ob. cit., pág. 120.

[82]   Ante esta priorización de la efectividad del DUE frente a la aplicación del mayor estándar de tutela de los derechos fundamentales vigentes; el Profesor ALONSO GARCÍA aboga por la "superación de este "discurso del <<efecto útil>> del Derecho de la Unión", restrictivo del margen de apreciación de los Estados miembros a la hora de aplicar el DUE, por "un discurso propio y *sui generis* de derechos fundamentales", *El juez nacional...*, ob. cit., pág. 49. Dicho autor manifiesta seguir "encontrando dificultades en la lógica de un discurso de derechos fundamentales enmarcada en los parámetros de <<la primacía, la unidad y la efectividad del Derecho de la Unión>>, sobre todo si manejamos éstos de manera en exceso estricta", *ibídem*, pág. 90.

apartados 281 a 285)"[83]. Y ello porque, por una parte, el TJUE se erige en garante de la Carta, pero no como objeto jurídico único, sino en cuanto que una pieza más, aunque importante, de la efectividad del DUE; a la que, a ésta sí, se supedita prevalentemente el control jurisprudencial[84]; y, por la otra, porque en la materialización del objetivo de proteger los Derechos fundamentales debe, a juicio del TJUE, evitarse una protección diferente, conforme al Derecho nacional aplicado, que afecte a la primacía, la unidad y la efectividad del DUE –STJUE (Sala Décima), de 6 de marzo de 2014, asunto C-206/13, Siragusa, apartado 32º-. Frente a lo cual, cabe afirmar, ante una jurisprudencia que no acaba de acomodarse cabalmente a la trascendencia axiológica de los Derechos fundamentales; que exigen su tratamiento como fines en sí mismo, y no como instrumentos funcionales de política institucional; que no hay mayor objetivo para la pervivencia de la Unión que configurarla como un espacio jurídico de valores; señaladamente de respeto a los Derechos fundamentales; en tanto que valor fundamental de la UE –art. 2 TUE-[85].

2. Claves de realización efectiva de los Derechos fundamentales en el Derecho interno fuera del ámbito de aplicación del DUE.

En el Derecho interno, fuera del ámbito de aplicación del DUE, la tutela de los Derechos fundamentales se lleva a cabo con base en su contenido constitucional; interpretado, por el TC, conforme a los tratados y acuerdos internacionales

---

[83] Dictamen 2/13 del Tribunal de Justicia de la Unión Europea, de 18 de diciembre de 2014, –apartado 170º-. La razón estriba en el hecho de que la Carta "viene a integrarse en un marco jurídico mucho más amplio, que tiene por objeto materias de muy distinta índole (sociales, económicas, de relación exterior) y que pretende constituirse como un ordenamiento jurídico autónomo, y no como un mero resultado de acuerdos interestatales", de forma que en el DUE "[l]a ordenación relativa al reconocimiento y defensa de derechos fundamentales aparece así como un sector parcial (subsistema) dentro de ese ordenamiento, y, en consecuencia, estrechamente relacionado con los objetivos y principios básicos que a éste inspiran", LÓPEZ GUERRA, L.: "El Tribunal Europeo de Derechos Humanos, el Tribunal de Justicia de la UE y «le mouvement nécessaire des choses»", UNED. *Teoría y Realidad Constitucional*, núm.39/2017, pág. 164.

[84] "El Tribunal de Luxemburgo se define pues como un tribunal encargado de velar por la aplicación e interpretación del Derecho de la Unión en su conjunto, incluyendo desde luego la Carta de Derechos Fundamentales en cuanto texto vinculante, pero sin que agote ahí su función. La efectividad del Derecho de la Unión aparece así, como el mismo Tribunal se ha encargado de subrayar, como el contexto forzoso en que la actuación del Tribunal debe desarrollarse", LOPEZ GUERRA, L.: "El Tribunal Europeo de Derechos Humanos, el Tribunal de Justicia de la UE y «le mouvement nécessaire des choses»", ob. cit., pág. 177.

[85] Como siempre ha defendido el Profesor RUBIO LLORENTE, se trata "de hacer de la plena vigencia de los Derechos una de las finalidades de la Unión, o para ser más precisos, la finalidad principal", RUBIO LLORENTE, F.: "MOSTRAR LOS DERECHOS SIN DESTRUIR LA UNIÓN (Consideraciones sobre la Carta de Derechos Fundamentales de la Unión Europea), *REDC*, núm. 64/2002, pág. 51.

en materia de Derechos fundamentales, a los que se remite el artículo 10.2 CE; los cuales "constituyen valiosos criterios hermenéuticos del sentido y alcance de los derechos y libertades que la Constitución reconoce" –SSTC 292/2000/8°; 53/2002/3°; 248/2005/2°-.

Así, fuera del ámbito de aplicación interna del DUE, los contenidos iusfundamentales constitucionalizados, tal como se interpretan autorizadamente por el TC, son los cánones de garantía iusfundamental; mientras que la Carta y el Convenio operan como cánones de interpretación conforme, ex artículo 10.2 CE[86]. Lo cual erige al TC como máximo responsable de la determinación del contenido de los Derechos fundamentales aplicables en dicho ámbito; correspondiéndole ponderar, en última instancia, el sentido y alcance de cada contenido iusfundamental con base en su ordenación constitucional, interpretada conforme a la Carta y al Convenio.

En el seno de este espacio jurídico, ajeno a la aplicación del DUE, la realidad aplicativa de los tributos genera, igualmente, disfunciones jurídicas consecuencia del diferente régimen jurídico iusfundamental aplicable al mismo respecto del ámbito de aplicación interno del DUE; al desarrollarse ambos espacios jurídicos de forma paralela y simultánea por los mismos poderes públicos internos y respecto de los mismos sujetos; pero con diferentes reglas. En este sentido, podríamos citar dos ejemplos[87], por una parte, aquellos supuestos de desarrollo de un procedimiento de aplicación de los tributos cuyo objeto se enmarque dentro y fuera, del ámbito de aplicación interno del DUE; esto es, supuestos de desarrollo, por ejemplo, de un procedimiento de inspección que tuviese por objeto tanto el IVA, en tanto que impuesto armonizado; y por tanto enmarcado dentro del ámbito interno de aplicación del DUE; como el IRPF o el IS, en tanto que impuestos no armonizados; y por tanto no enmarcados dentro del ámbito interno de aplicación del DUE[88]; y por la otra, aquellos supuestos de desarrollo, respecto

---

[86]   Hay que recordar que los tratados internacionales no forman parte del "bloque de la constitucionalidad"; no pudiéndose esgrimir como parámetro para determinar la constitucionalidad de las normas legales -STC 207/2013/4°-.

[87]   Aunque cabría plantearse muchos más supuestos; por ejemplo, los desarrollados en relación con obligaciones tributarias conexas.

[88]   Supuesto ya planteado en nuestra obra *Claves en el Sistema europeo de protección del contenido de los Derechos fundamentales. Ordenadores de los procedimientos tributarios*, ob. cit.; en la que afirmábamos que "[e]n buena lógica, cabría defender su regulación en materia de derechos fundamentales, con base tanto en la Carta, al tratarse de actuaciones administrativas internas, fundadas en una Ley, la General Tributaria, encaminada a la cabal aplicación del IVA; como en la tabla de derechos constitucionalizados, en tanto que aplicación de un tributo no armonizado. Aunque dicha lógica cuestiona el principio de seguridad jurídica –art. 9.3 CE-. En efecto, con independencia de su objeto múltiple, el procedimiento tributario es uno", pág. 148. Y que no era sino una reproducción del ya planteado en el Proyecto investigador presentado, en fecha 20 de octubre de 2017, al Concurso de promoción interna para la provisión de la plaza de Catedrático de Universidad de Derecho Financiero y Tributario, con el título "Claves del contenido de los Derechos fundamentales en el Sistema europeo de

de dos obligados tributarios distintos, y de forma paralela, de dos procedimientos inspectores diferentes; uno que tuviese por objeto el IVA y el otro el IRPF o el IS; enmarcándose jurídicamente cada uno de ellos en un espacio jurídico diverso: dentro del ámbito de aplicación interno del DUE, el primero; fuera de dicho ámbito, el segundo.

Planteamiento avalado por el hecho de que el DUE "no ha armonizado las normas de los Estados miembros en materia de controles fiscales", en cuyo ámbito cabe ubicar el procedimiento inspector; y, por lo tanto, "no puede considerarse que estas normas, como tales, apliquen el Derecho de la Unión"[89]. Ahora bien, "según el Tribunal de Justicia,... las investigaciones por fraude fiscal en materia del impuesto sobre el valor añadido constituyen una aplicación del Derecho de la Unión, en el sentido del artículo 51, apartado 1, de la Carta, habida cuenta de que son la ejecución por parte de los Estados miembros de su obligación de adoptar todas las medidas que permitan garantizar la percepción de la totalidad de un impuesto que alimenta los recursos propios de la Unión (véase, en este sentido, la sentencia de 26 de febrero de 2013, Åkerberg Fransson, C617/10, EU:C:2013:105, apartados 26 y 27)[90], [aunque] este no es el caso... de los procedimientos tributarios en materia del impuesto sobre sociedades [ni del IRPF][91], ya que dicho impuesto no forma parte del sistema de recursos propios de la Unión"[92].

A la luz de lo cual, cabría sostener que la inspección del IVA exigiría una ordenación iusfundamental prevalente conforme a la Carta[93]; mientras que, por

---

protección. Implicaciones tributarias"; en el ya apostábamos por la aplicación a dichas situaciones de los Derechos fundamentales constitucionalizados, además de la Carta, pág. 66.

[89]   STJUE de 13 de enero de 2022, Marcas, C-363-20, apartado 37º.

[90]   En efecto, con independencia de la autonomía de que disponen los Estados miembros, con base en el principio de autonomía de procedimiento, para organizar sus procedimientos administrativos –STJUE de 9 de noviembre de 2017, asunto C-298/16, Ispas, apartado 28º-; sujetar a un contribuyente a un procedimiento de inspección tributaria en orden a dar cumplimiento a la obligación, establecida en el DUE, de adoptar todas las medidas legales y reglamentarias necesarias para garantizar la percepción de la totalidad del IVA adeudado en su territorio y luchar contra el fraude, se considera aplicación del DUE –apartado 27º-.

[91]   En efecto, la cuestión que tiene por objeto el "impuesto sobre la renta de las personas físicas [concretamente, una rectificación de sus declaraciones], no está comprendida en el ámbito de aplicación del Derecho de la Unión", STJUE de 24 de octubre de 2019, IN JM, C-469/18, apartado 17º. Ni siquiera puede considerarse que la utilización de unas pruebas, obtenidas en un procedimiento penal, incoado en relación con ciertos fraudes del IVA, en un procedimiento de "rectificación de las declaraciones del impuesto sobre la renta de las personas físicas constituya una aplicación del Derecho de la Unión en el sentido del artículo 51, apartado 1, de la Carta...", ya que "no presenta un vínculo de conexión con el Derecho de la Unión" –apartado 18º-.

[92]   Apartado 38º.

[93]   Ya que, "según jurisprudencia reiterada, los derechos fundamentales garantizados en el ordenamiento jurídico de la Unión deben ser aplicados en todas las situaciones reguladas por el Derecho de la Unión (véase, en este sentido, la sentencia Åkerberg Fransson, C617/10, EU:C:2013:105, apartado 19º y jurisprudencia citada)", STJUE de 17 de diciembre de 2015, asunto C-419/14, WebMindLicenses (ECLI:EU:C:2015:832), apartado 66º.

su parte, la comprobación e investigación del IRPF o del IS exigiría la aplicación de los Derechos fundamentales constitucionalizados[94]. Aplicándose, además, el Convenio, por una parte, en el ámbito de aplicación interno del DUE –IVA-, en todos aquellos aspectos en los que su ordenación iusfundamental coincida con la contenida en la Carta, como contenido mínimo; mientras que en dicho ámbito, y en los supuestos en los que sean aplicable, conforme a la Carta, los Derechos fundamentales constitucionalizados, como criterio hermenéutico; y, por la otra, fuera del ámbito de aplicación del DUE -IRPF o IS- como criterio hermenéutico conforme al principio de interpretación conforme –art. 10.2 CE-[95].

Paleta de ordenaciones jurídico-iusfundamentales diversa, resultante del juego jurídico de la convergencia de las distintas tablas de Derechos en un mismo espacio jurídico; proyectada, en nuestros supuestos, tanto sobre el desarrollo del procedimiento inspector; como sobre el desarrollo de los dos procedimientos inspectores simultáneos; que suscita cuestiones jurídicas merecedoras de reflexión y, en su caso, de respuesta jurídica en orden a su superación: en primer lugar, la imposibilidad, en el ámbito de aplicación interno ajeno al DUE, de tutelar los Derechos fundamentales afectados con base en el mayor estándar de protección disponible, cuando el mismo se garantiza en la Carta; en segundo lugar, el acomodo de dichos supuestos a las exigencias del principio de seguridad jurídica –art. 9.3 CE-; al proyectarse bien sobre un mismo procedimiento; bien sobre dos procedimientos inspectores simultáneos, dos regímenes iusfundamentales diferentes; en tercer lugar, y por las mismas razones, el cumplimiento del mandato constitucional de sujeción a un Ordenamiento jurídico único –art. 9.1 CE-, concebido desde una perspectiva material, ya que ciertamente el DUE, que

---

[94] Conforme a la jurisprudencia general del TJUE, el DUE no se aplica fuera de su ámbito de aplicación. En efecto, "las disposiciones de la Carta se dirigen a los Estados miembros únicamente cuando apliquen el Derecho de la Unión", STJUE (Sala 3ª) de 16 de diciembre de 2021, de Varios contra varios, asunto C-203/20, ECLI:EU:C:2021:1016, apartado 37°; así "los derechos fundamentales garantizados en el ordenamiento jurídico de la Unión deben ser aplicados en todas las situaciones reguladas por el Derecho de la Unión, pero no fuera de ellas (sentencia de 14 de enero de 2021, Okrazhna prokuratura -Haskovo y Apelativna prokuratura- Plovdiv, C-393/19, EU:C:2021:8, apartado 31° y jurisprudencia citada)" apartado 38°.

[95] Ciertamente, como remarca el Presidente del TJUE, LENAERTS, "fuera del ámbito de aplicación del Derecho de la Unión, dicho vínculo *no* existe, de modo que los derechos fundamentales no están protegidos por la Carta, sino por las constituciones nacionales y, en su caso, por el Convenio EDH"; al respecto véase la sentencia de 15 de noviembre de 2011, Dereci y otros, C-256/11, EU:C:2011:734, apartado 72", LENAERTS, K.: "La protección de los Derechos fundamentales en el Ordenamiento jurídico de la UE: un diálogo entre el Tribunal de Justicia y los Tribunales Constitucionales de los Estados Miembros", Conferencia Magistral del Presidente del TJUE impartida en su visita institucional al Tribunal Constitucional de España, Madrid, 6 de mayo de 2022, pág. 4. En efecto, la jurisprudencia sostiene de forma reiterada que aquellas situaciones jurídicas internas controvertidas, incardinadas en el marco de IRPF y, por tanto, fuera del IVA, estarían desvinculadas del DUE; siendo ajenas a la competencia del TJUE. Ordenándose "a la luz del Derecho nacional, tomando asimismo en consideración el Convenio…, del que son parte todos los Estados miembros -STJ de 17 de enero de 2013 (C-23/13), *asunto Zakaria*, apartado 41°-.

se aplica en España por la atribución, prevista constitucionalmente *ex* artículo 93, del ejercicio de competencias constitucionales a una organización supranacional, es un Ordenamiento jurídico autónomo; en cuarto lugar, y por las razones expuestas, el respeto al Derecho fundamental a la igualdad en la aplicación de la ley –art. 14 CE-; referido no a la aplicación de la norma iusfundamental en sí, que evidentemente se aplica individualizadamente en su ámbito de aplicación; sino al propio desarrollo, en materia de protección de Derechos fundamentales, jurídico-procedimental diverso; en quinto y último lugar, y en esta misma línea, aunque referido al primero de los supuestos expuestos, el acomodo al propio principio, de construcción jurisprudencial, de procedimiento inspector único.

En definitiva, podría calificarse, entendemos, de disfunción jurídica tanto el desarrollo de un procedimiento inspector en cuyo seno proceda la aplicación de diferentes contenidos iusfundamentales de un mismo Derecho fundamental afectado por su desarrollo; como el desarrollo de dos procedimientos inspectores simultáneos, respecto de dos obligados tributarios diferentes, en los que se apliquen diferentes contenidos iusfundamentales de un mismo Derecho fundamental afectado por sus desarrollos; a la luz del principio de seguridad jurídica, del mandato de sujeción a un Ordenamiento jurídico único, del Derecho fundamental a la igualdad en la aplicación de la ley y del principio de procedimiento único. Además, de imposibilitar, en determinados supuestos, la aplicación del mayor estándar de tutela iusfundamental vigente en el seno del Sistema. "Y esto [nos dice el Profesor RUBIO LLORENTE] no sólo ni principalmente porque en la práctica la aplicación estatal de las normas comunitarias vaya mezclada de manera más o menos inextricable con la de normas exclusivamente internas, sino sobre todo porque dentro de un mismo ordenamiento es imposible mantener dos concepciones distintas de un mismo Derecho"[96]; ya que sería "la misma legitimidad de ese orden lo que se vería amenazada si unos mismos derechos, en principio de valor universal, se vieran definidos e interpretados en forma diversa o contradictoria"[97]. Reflexión que puede vislumbrarse en la Sentencia del TS de 11 de julio de 2014[98]; cuando ocupándose del ámbito de aplicación del Derecho a la buena administración –art. 41 de la Carta- defiende su "proyección general,

---

[96]   Afirmación realizada respecto del ámbito de sujeción a la jurisdicción del TJUE y a los Tribunales nacionales, pero plenamente aplicable al tema que tratamos, RUBIO LLORENTE, F.: "MOSTRAR LOS DERECHOS SIN DESTRUIR LA UNIÓN (Consideraciones sobre la Carta de Derechos Fundamentales de la Unión Europea), ob. cit., pág. 47.

[97]   LÓPEZ GUERRA, L.: "El Tribunal Europeo de Derechos Humanos, el Tribunal de Justicia de la UE y «le mouvement nécessaire des choses»", ob. cit., págs. 165-166. Aunque el autor lo refiere a la interrelación TJUE y TEDH, entendemos que puede trascenderse dicha brillante reflexión a los supuestos de aplicación de los Derechos fundamentales.

[98]   Recogida por la Sección Quinta de la Sala Tercera del Tribunal Supremo en su Sentencia de 20 de noviembre de 2015; citada por el Profesor MARÍN-BARNUEVO FABO, D., "El principio de buena administración en materia tributaria", *Civitas*, REDF, núm. 186/2020, pág. 36.

no obstante lo establecido también por el artículo 51 de dicha Carta, porque [y esta reflexión es la verdaderamente interesante] resulta difícil establecer y explicar un distinto nivel de enjuiciamiento, según se aplique o no el Derecho de la Unión Europea por los operadores en el ámbito interno)" –FD° 8°-[99].

Lógica jurídica cuya materialización exige la aplicación de principios, Derechos e institutos jurídicos, con aptitud para garantizar la tutela de los distintos Derechos fundamentales afectados, en nuestro caso, en el desarrollo del procedimiento inspector, conforme a un mismo contenido iusfundamental; que propenda hacia el mayor estándar de protección iusfundamental configurado, respecto de cada uno de dichos Derechos fundamentales afectados por el desarrollo del procedimiento inspector, en el seno del Sistema. Al respecto, cobra interés estudiar diferentes supuestos jurisprudenciales sobre la materia como banco de prueba de nuestra reflexión.

En este sentido, tiene interés analizar la jurisprudencia –Sentencias núm. 446/2020, de 18 de mayo y núm. 676/2022, de 6 de junio-; en la que el TS dirime el respeto al Derecho de defensa –art. 24 CE-, tanto en "situaciones en las que se han iniciado simultáneamente procedimientos de inspección respecto de las distintas partes vinculadas"; "en cuyo seno se realizan las actuaciones de determinación del valor normal de mercado de las operaciones vinculadas" en materia de Impuesto sobre sociedades; como respecto a "las vías de reclamación o recurso que el ordenamiento tributario reconoce a aquéllas"; sosteniendo que "lo relevante es garantizar la integridad del derecho de defensa previsto en el art. 24 CE y art. 47 de la Carta de los Derechos Fundamentales de la Unión Europea (2000/ C 364/01) a través del pleno acceso a la totalidad de la documentación procedente de otro procedimiento, así como la plenitud de medios de impugnación y posibilidad de revisión por parte del Tribunal ante el que pueda ser recurrido el acto que concierne al contribuyente, tal y como hace ver la STJUE de 16 de octubre de 2019 (ECLI:EU:C-2019:861) en un supuesto que, aún relativo al Impuesto sobre el Valor Añadido, guarda analogía con la problemática de procedimientos separados con hechos y apreciaciones vinculadas". Es decir, el TS configura el contenido del Derecho fundamental de defensa –art. 24 CE-; en orden a su proyección en un supuesto jurídico ajeno al ámbito interno de aplicación del DUE; de forma integral; tutelando dicho Derecho fundamental con base en el mayor contenido iusfundamental articulado respecto del mismo en el seno del Sistema; concretamente, aplicando directamente la Carta, tal como se

---

[99]   En este sentido, pese a la literalidad del artículo 51 CDFUE, sostiene el Profesor MARÍN-BARNUE-VO, "totalmente procedente y conveniente la invocación del artículo 41 CDFUE en la resolución de conflictos de Derecho nacional"; y ello por distintos motivos; entre el que destaca la afirmación de que "sería difícilmente justificable que los tribunales aplicaran exigencias de actuación procedimental distintas en función del impuesto que aplican, como expresamente ha reconocido la jurisprudencia del Tribunal Supremo"

interpreta por el TJUE en la STJUE de 16 de octubre de 2019 (Glencore Agriculture Hungary, C-189/18, ECLI:EU:C:2019:861); con independencia de que dicha jurisprudencia del TJUE no sea aplicable directamente en dicho ámbito, salvo como criterio hermenéutico –art. 10.2 CE-; cosa que no acontece en este supuesto, al garantizarse dicho Derecho fundamental con base, no en ninguna interpretación, sino en la aplicación directa del contenido iusfundamental de la Carta, obtenido de la jurisprudencia del TJUE en materia de IVA.

Afirmación que se corrobora si se analiza dicha STJUE; ya que en la misma se articula el contenido del Derecho de defensa, regulado en el artículo 47 de la Carta, en relación con un supuesto de comprobación del Derecho a deducción del IVA ejercido por un sujeto pasivo; afirmándose que "la Administración tributaria está vinculada por las apreciaciones de hecho y las calificaciones jurídicas que haya realizado en procedimientos administrativos conexos incoados contra los proveedores de dicho sujeto pasivo, en las que se basan las resoluciones firmes que declaran la existencia de un fraude del IVA cometido por esos proveedores, siempre que, en primer lugar, tal normativa o práctica no exima a la Administración tributaria de informar al sujeto pasivo acerca de los elementos de prueba —incluidas las pruebas procedentes de procedimientos administrativos conexos— sobre cuya base se propone adoptar una decisión, y el sujeto pasivo no se vea así privado del derecho a impugnar eficazmente, en el procedimiento seguido contra él, tales apreciaciones de hecho y calificaciones jurídicas; que, en segundo lugar, el sujeto pasivo pueda tener acceso durante este último procedimiento a todos los elementos de prueba obtenidos en los mencionados procedimientos administrativos conexos o en cualquier otro procedimiento en el que la Administración pretenda basar su resolución o que puedan ser útiles para el ejercicio del derecho de defensa, a menos que la restricción de tal acceso esté justificada por objetivos de interés general, y que, en tercer lugar, el tribunal que conoce de un recurso contra dicha resolución pueda comprobar la legalidad de la obtención y utilización de tales pruebas, así como las apreciaciones efectuadas en las resoluciones administrativas adoptadas en relación con dichos proveedores, que son decisivas para la resolución del recurso" –apartado 69º-.

Y el TS fundamenta la tutela del Derecho de defensa –art. 24 CE-, en un supuesto jurídico ajeno al ámbito interno de aplicación del DUE, conforme a un contenido integral, derivado de la aplicación directa de la Carta –art. 47-, tal como ha sido interpretada por el TJUE en su Sentencia de 16 de octubre de 2019; aunque no sea de aplicación directa en dicho ámbito; mediante la aplicación del expediente del instituto de la analogía. Así, el TS configura el contenido del Derecho fundamental a tutelar en el supuesto concreto, relativo al IS, a partir de la aplicación directa de la jurisprudencia del TJUE en materia de IVA con base en la existencia de una analogía material; concretamente "con la problemática de procedimientos separados con hechos y apreciaciones vinculadas", entre el supuesto enjuiciado y el ventilado en la STJUE; que fundamenta, a su juicio, la aplicación directa de la Carta, tal como se interpreta por el TJUE, fuera del ámbito interno de aplicación del DUE; garantizando la integridad del Derecho de defensa –art. 24 CE-, más allá del contenido constitucionalizado y sin acudir a la interpretación conforme.

Igualmente presenta interés sobre la materia la STC núm. 67/2020; en la que el TC resuelve la demanda de amparo interpuesta contra los acuerdos de liquidación y de resolución de procedimiento sancionador, de la Dependencia regional de inspección de la Delegación Especial de la AEAT, de Andalucía, y contra las resoluciones administrativas y judiciales, revisoras, que las ampararon; en materia de IRPF; conforme a la pretendida infracción del Derecho fundamental a la protección de los datos personales (artículo 18.4 CE), en conexión con el Derecho a un proceso con todas las garantías (artículo 24.2 CE); al haberse utilizado una prueba documental, obtenida en el marco de un procedimiento penal, en un procedimiento administrativo tributario como base para dictar la liquidación e imponer la sanción[100]. Habiéndose vulnerado, pretendidamente, el Derecho a un proceso con todas las garantías (art. 24.2 CE) como consecuencia del traslado, y uso, de una prueba documental, obtenida en el procedimiento penal, al procedimiento administrativo tributario; que se reputa por ello ilegal, y lesiva también del artículo 18.4 CE, al no estar prevista, se afirma en la demanda, en la ley dicha medida (FDº 4º); alegando la recurrente en defensa de sus pretensiones la STJUE de 17 de diciembre de 2015, asunto C-419/14, WebMindLicenses (ECLI:EU:C:2015:832), dictada en el ámbito del IVA[101].

---

[100]   Prueba consistente en un documento de hoja de cálculo (programa Excel), titulado "Beneficio real", obtenida en uno de los archivos en soporte informático contenidos en un ordenador incautado en un registro judicial practicado en el domicilio de uno de los abogados comuneros titulares del despacho en el que trabajaba la recurrente en amparo; en el marco de un proceso penal por blanqueo de capitales. Documento que fue solicitado por la Dependencia regional de inspección de Andalucía, con base en el art. 94.3 LGT y utilizado, como prueba de los ingresos reales obtenidos por la recurrente en su desempeño profesional, para dictar acuerdo de liquidación del IRPF y acuerdo de resolución del procedimiento sancionador.

[101]   Sentencia en la que al TJUE se le cuestiona si "la administración tributaria pueda utilizar, con el fin de determinar la existencia de una práctica abusiva en materia de IVA, pruebas obtenidas en el marco de un procedimiento penal paralelo aún no concluido, sin conocimiento del sujeto pasivo, por medio de, por ejemplo, interceptaciones de telecomunicaciones e incautaciones de correos electrónicos" (apartado 61º); sosteniendo el TJUE en dicha Sentencia que el DUE no se opone a que la Administración tributaria pueda utilizarlas "siempre que la obtención de esas pruebas en el marco de dicho procedimiento penal y la utilización de éstas en el marco del procedimiento administrativo no vulneren los derechos garantizados por el Derecho de la Unión. (apartado 90º). Circunstancia que acontece, en primer lugar, "si las intercepciones de telecomunicaciones y la incautación de correos electrónicos eran medios de investigación previstos por la ley y necesarios en el marco del procedimiento penal y, por otra parte, si la utilización por dicha administración de las pruebas obtenidas por esos medios estaba también autorizada por la ley y era necesaria"; y en segundo lugar, "si, con arreglo al principio general del respeto del derecho de defensa, el sujeto pasi-

Sin embargo, el TC rechaza el amparo con base, en primer lugar, en la licitud de la obtención de la prueba documental mediante auto judicial de entrada y registro; y, en segundo lugar, en el respeto al proceso con todas garantías del artículo 24.2 CE, ya que, por una parte, el traslado de la prueba documental a la inspección de los tributos está previsto en la ley (art. 94.3 LGT)[102]; y, por la otra, la demandante tuvo entonces la oportunidad de ejercer su Derecho de defensa, formulando las alegaciones pertinentes (FD° 4°).

Apuntalando su doctrina constitucional con base en la aplicación del estándar de protección iusfundamental, deducido, en un tema similar en el ámbito del IVA, de los artículos 7, 47 y 52.1 de la Carta, tal como se interpretan por el TJUE en la Sentencia de 17 de diciembre de 2015, WebMindLicenses[103]; al caso expuesto, con independencia de que se enmarque, al referirse a un supuesto

---

vo tuvo la posibilidad, en el marco del procedimiento administrativo, de tener acceso a esas pruebas y de ser oído en relación con éstas"; de forma que el "órgano jurisdiccional nacional debe inadmitir esas pruebas y anular la referida resolución si, por este motivo, queda privada de fundamento"; esto es, "[si] constata que el sujeto pasivo no tuvo esa posibilidad o que dichas pruebas se obtuvieron en el marco del procedimiento penal o se utilizaron en el del procedimiento administrativo con infracción del artículo 7 de la Carta" o si el órgano jurisdiccional "no puede al menos asegurarse, basándose en un control ya ejercido por un órgano jurisdiccional penal en un procedimiento contradictorio, de que dichas pruebas se obtuvieron de conformidad con ese Derecho." (apartado 91°).

[102] Así, sostiene el TC que "en el ámbito de un procedimiento administrativo en materia tributaria son admisibles todas las pruebas que, en general, sean incorporadas de acuerdo con las normas que sobre medios y valoración de la prueba se contienen en el Código civil y en la Ley 1/2000, de 7 de enero, de enjuiciamiento civil, a las que se remite expresamente el art. 106.1 LGT" -STC 57/2020/4°-. Encontrándonos, en este caso, "ante un hallazgo o descubrimiento casual, pero no en el sentido y con los efectos que esta figura produce en el ámbito de la investigación penal", ya que "no se ha constatado la existencia de otra figura delictiva distinta de la que justificó la medida de investigación acordada. El archivo encontrado indicaba una posible infracción tributaria que, como tal, debe ser puesta en conocimiento de la administración competente, según dispone el art. 94.3 LGT. En este caso, además, el objeto de la entrada domiciliaria autorizada mediante auto por el órgano judicial estaba constituido por la necesidad de recabar pruebas documentales en un procedimiento de blanqueo de capitales. Sigue a ello lógicamente que un documento contable se encuentra dentro del ámbito de la búsqueda de pruebas." -STC 57/2020/4°-.

[103] Al respecto, el tema dirimido en dicha Sentencia se enmarca dentro del DUE, ya que "una liquidación complementaria del IVA a raíz de la constatación de una práctica abusiva, ..., constituye una aplicación... de la Directiva IVA y del artículo 325 TFUE, y por lo tanto del Derecho de la Unión en el sentido del artículo 51, apartado 1, de la Carta (véase, en este sentido, la sentencia Åkerberg Fransson, C617/10, EU:C:2013:105, apartados 25 a 27)" (apartado 67°); y, señaladamente, del DUE no reglado, al atribuirse a los Estados miembros margen de regulación normativa "para garantizar la percepción de la totalidad del IVA adeudado en su territorio y combatir el fraude y la evasión fiscales", recabando y utilizando la Administración tributaria "tales pruebas en el marco de un procedimiento administrativo" -apartado 62°-. Aunque dichas normas en materia probatoria del Derecho nacional "no deben amenazar la eficacia del Derecho de la Unión (véase, en este sentido, la sentencia Halifax y otros, C255/02, EU:C:2006:121, apartado 76)" (apartado 65°) y "los derechos fundamentales garantizados en el ordenamiento jurídico de la Unión deben ser aplicados en todas las situaciones reguladas por el Derecho de la Unión (véase, en este sentido, la sentencia Åkerberg Fransson, C617/10, EU:C:2013:105, apartado 19 y jurisprudencia citada)." -apartado 66°-.

de IRPF, fuera del ámbito de aplicación interno del DUE. Sosteniendo el TC, a la luz de dicha STJUE, la admisibilidad de la utilización por parte de la Administración tributaria de "pruebas que han sido obtenidas en el marco de un procedimiento penal paralelo incluso si no ha concluido, siempre que se hayan recabado con respeto de los derechos y garantías, su utilización esté prevista en la ley, y el órgano judicial compruebe que "con arreglo al principio general del respeto del derecho de defensa, el sujeto pasivo tuvo la posibilidad, en el marco del procedimiento administrativo, de tener acceso a esas pruebas y de ser oído en relación con estas" -STC 67/2020/4º-. En definitiva, el TC tutela el Derecho fundamental, afectado por el caso en materia de IRPF: el Derecho a un proceso con todas garantías del artículo 24.2 CE, con arreglo al contenido iusfundamental del Derecho de defensa derivado de la Carta, tal como se interpreta por el TJUE en la Sentencia citada.

El tema se aborda igualmente, si quiera sea de modo indirecto, con ocasión del enjuiciamiento por parte del TJUE de su competencia, o no, para resolver cuestiones prejudiciales planteadas, relativas a la interpretación del DUE a aplicar, como consecuencia de su remisión por parte de los poderes públicos internos[104], en supuestos de Derecho nacional, fuera del ámbito de aplicación de Aquél[105]. En palabras del TJUE, "el Derecho nacional las ha hecho [a las disposiciones del DUE] directa e incondicionalmente aplicables a tales situaciones [las no comprendida dentro del ámbito de aplicación del DUE e incluidas en el Derecho nacional], con el fin de garantizar un tratamiento idéntico de esas situaciones y las comprendidas en el ámbito de aplicación de dichas disposiciones"[106]; acreditando que la situación interna presenta un elemento de conexión con el DUE[107].

---

[104]   STJUE de 24 de octubre de 2019, Belgische Staat, C-439/18, apartado 21º.

[105]   En este sentido, por ejemplo, la obtención de pruebas en un procedimiento penal en materia de fraude de IVA "no implica en sí mismo, …, que su uso a efectos de una rectificación de las declaraciones del impuesto sobre la renta de las personas físicas constituya una aplicación del Derecho de la Unión en el sentido del artículo 51, apartado 1, de la Carta"; ya que "no presenta un vínculo de conexión con el Derecho de la Unión", STJUE de 24 de octubre de 2019, Belgische Staat, C-439/18, apartado 18º.

[106]   STJUE de 24 de octubre de 2019, Belgische Staat, C-439/18, apartado 23º. Superando una reiterada jurisprudencia, en virtud de la cual "cuando una situación jurídica no está comprendida en el ámbito de aplicación del Derecho de la Unión, el Tribunal de Justicia no tiene competencia para conocer de ella y las disposiciones de la Carta eventualmente invocadas no pueden fundar por sí solas tal competencia (véanse los autos de 17 de julio de 2014, Yumer, C505/13, no publicado, EU:C:2014:2129, apartado 26 y jurisprudencia citada, y de 6 de mayo de 2021, PONS Holding, C703/20, no publicado, EU:C:2021:365, apartado 16)", STJUE de 13 de enero de 2022, Marcas, C-363-20, apartado 35º.

[107]   STJUE de 24 de octubre de 2019, Belgische Staat, C-439/18, apartado 24º. Conexión que no se ve en un supuesto de DUE no reglado, como el relativo a "la práctica de prueba en materia de fraude de IVA", en el que corresponde "a los Estados miembros establecer esas normas respetando el

En estos casos, con independencia de que el TJUE valore el interés de la Unión en dicha interpretación prejudicial "con el fin de evitar futuras divergencias de interpretación, [y que] las disposiciones o los conceptos tomados del Derecho de la Unión reciban una interpretación uniforme, cualesquiera que sean las condiciones en que tengan que aplicarse"[108]; nuestro interés se anuda a la justificación jurídica, dada por el TJUE, de la aplicación del DUE fuera de su ámbito de aplicación. En este sentido, en el asunto Belgische Staat, por ejemplo, por una parte, el órgano jurisdiccional nacional plantea cuestión prejudicial, consciente de que un litigio sobre el impuesto sobre la renta es ajeno al ámbito de aplicación del DUE, en orden a obtener una interpretación del mismo, concretamente del alcance del artículo 47 de la Carta en relación con la utilización de pruebas obtenidas contrariamente a Derecho a efectos de la aplicación del IVA, que permita apreciar si se da desigualdad de trato injustificable, desde el punto de vista del principio de igualdad, "entre el contribuyente del que se recauda el impuesto sobre la renta de las personas físicas y el contribuyente del que se recauda el IVA"[109]; mientras que, por la otra, el TJUE, cuando refiere el interés de la Unión en resolver la cuestión prejudicial planteada fruto de la remisión de los poderes públicos internos al DUE en supuestos de Derecho nacional, fuera, por tanto, del ámbito de aplicación de aquél, sostiene, como razones que explican dicha remisión, y en ello reside nuestro interés, que dicha normativa nacional se atiene al DUE con el objeto "de evitar la aparición de discriminaciones de nacionales propios o de eventuales distorsiones de la competencia, o incluso de garantizar un procedimiento único en situaciones comparables"[110].

En la misma línea, cabe citar la jurisprudencia del TJUE en el asunto CF; sociedad mercantil rumana, sometida a un procedimiento de inspección con objeto IVA e IS -STJUE de 4 de junio de 2020, CF, C-430/19, apartado 12°-. Asunto que plantea un supuesto en el que, como el referido *supra*, una parte del objeto del procedimiento de inspección se enmarca dentro del ámbito de aplicación del DUE: el IVA; y la otra no: el IS. Y en el que, cuando se dirime la competencia del TJUE para resolver la cuestión prejudicial, se plantea, por parte del Gobierno rumano, su inadmisibilidad "por la falta de normativa pertinente del Derecho de la Unión en lo que atañe a la vertiente del litigio principal relativa al impuesto de sociedades" -apartado 21°-; que es rechazada por el TJUE, porque "existe un interés de la Unión manifiesto" -apartado 25°- en interpretar disposiciones del DUE a aplicar en situaciones de Derecho nacional; consecuencia de que "el Derecho nacional las ha hecho directa e incondicionalmente aplicables a tales situaciones

---

principio de efectividad del Derecho de la Unión y los derechos garantizados por ese Derecho", apartado 25°.

[108] STJUE de 24 de octubre de 2019, Belgische Staat, C-439/18, apartado 22°.
[109] STJUE de 24 de octubre de 2019, Belgische Staat, C-439/18, apartados 14° y 20°.
[110] STJUE de 24 de octubre de 2019, Belgische Staat, C-439/18, apartado 22°.

con el fin de garantizar un tratamiento idéntico a las situaciones internas y a las reguladas por el Derecho de la Unión" -apartado 26°-.

Siendo relevante para nuestro análisis tanto las razones por la que los poderes públicos internos se remiten al DUE para resolver cuestiones jurídicas planteadas en el seno del Derecho nacional, fuera del ámbito de aplicación del DUE; en palabras del TJUE: para "evitar la aparición de discriminaciones de nacionales propios o... eventuales distorsiones de la competencia, o incluso... garantizar un procedimiento único en situaciones comparables" -apartado 25°-; como "la relación" que, conforme a la jurisprudencia del TJUE, debe explicitarse por el órgano jurisdiccional nacional entre las disposiciones del DUE y el supuesto regulado por el Derecho nacional -apartado 23°-. Relación entre ambos espacios jurídicos, justificativa de la aplicación del DUE al Derecho nacional ajeno al ámbito de aplicación del mismo, que, en el presente caso, al plantearse el conflicto jurídico como consecuencia de la calificación por parte de la Administración tributaria rumana de ficticias de las transacciones comerciales realizadas entre CF y determinados proveedores; con base en que ésta no podía presentar justificantes distintos de las facturas; negándosele, consecuentemente, el ejercicio del derecho a deducir dichas cantidades tanto en el IVA, como en el IS, aun cuando sólo se exige legalmente para ello la factura -apartado 18°-; se produce como consecuencia de encauzarse en el seno de un procedimiento tributario único[111] -de inspección- el acomodo a Derecho, o no, del ejercicio del Derecho a deducir tanto en el ámbito del IVA, como en el del IS[112]. De ahí que se plantee como cuestión prejudicial tercera si "¿[e]s conforme con el Derecho de la Unión una práctica nacional que supedita el ejercicio del derecho a la deducción, en el ámbito del IVA y del impuesto de sociedades, a la posesión de documentos justificantes aparte de la factura...? -apartado 20°.3-.

III. REFLEXIONES CONCLUSIVAS.

Los Derechos fundamentales integran "los valores esenciales y trascendentes de un sistema democrático que se configura como Estado de Derecho, con el norte simultáneo de la libertad y la justicia para el respeto de la dignidad de la persona" –STC 50/95/7°-; garantizando su estatus jurídico –STC 25/1981/5°-. Trascendencia jurídica que exige apostar decididamente, en un escenario de

---

[111] Sobre la operatividad de dicho principio de procedimiento tributario único como criterio de superación de las disfunciones jurídicas generadas como consecuencia de los multiespacios jurídicos, vid. BORRERO MORO, C.J.: *Claves en el Sistema europeo de protección del contenido de los Derechos fundamentales. Ordenadores de los procedimientos tributarios*, ob. cit.; pág. 148.

[112] La conexión del IVA y del IS en el mismo procedimiento justificaría la proyección del DUE, y la interpretación del TJUE.

multiespacios jurídicos, caracterizados por diferentes ordenaciones iusfundamentales en función de la aplicación y alcance de las diversas tablas de Derechos convergentes en los mismos, por la aplicación de todos aquellos principios, Derechos e institutos, jurídicos, deducidos, en forma de claves jurídicas, de los valores e ideas de justicia que informan nuestro Ordenamiento jurídico, en orden a superar las disfunciones y fallas, jurídicas, generadas por dichos multiespacios en un marco de protección iusfundamental multinivel, materializando la proyección más favorable a la efectividad de los Derechos fundamentales (principio de *favor libertatis*), que permita el Ordenamiento jurídico.

En este sentido, al igual que el principio de efectividad hace de zapador o de "arn" mensajero para garantizar la eficacia del DUE en el Derecho nacional; en orden a tutelar los Derechos reconocidos a los ciudadanos por el DUE o los intereses financieros de la Unión; con respeto a los Derechos fundamentales de la Carta (STJUE Taricco II); el principio de seguridad jurídica; el Derecho de igualdad en la aplicación de la ley; el mandato constitucional de sujeción a un Ordenamiento jurídico único; el principio de procedimiento tributario único; así como el criterio constitucional de interpretación de los Derechos fundamentales de la forma más respetuosa para la efectividad de los mismos; son principios, Derechos e institutos, jurídicos aptos para tutelar, superando las disfunciones jurídicas, generadas en materia de Derechos fundamentales, en el espacio jurídico interno ajeno a la aplicación del DUE, el mayor contenido iusfundamental articulado en el seno del Sistema europeo de protección. Como, dentro del ámbito interno de aplicación del DUE reglado, el propio TJUE apuesta por superar las restricciones a la aplicación del mayor estándar de protección iusfundamental con base en el orden público interno enmarcado jurídicamente en la protección dispensada por la Carta.

Lógica de los Derechos fundamentales que se va materializando, con base en el diálogo de tribunales, como revela la jurisprudencia, en institutos como la analogía; en Derechos como la igualdad en la aplicación de la ley o en principios como el de procedimiento único; fundamentando la admisibilidad de la ósmosis jurídica entre las diferentes ordenaciones iusfundamentales de los multiespacios jurídicos internos; en orden a materializar la realización efectiva de los Derechos fundamentales aplicables en España; tutelándolos con base en el estándar superior de protección admisible por el Ordenamiento jurídico. Encontrado un ejemplo paradigmático en dicha lógica, y de gran potencialidad en orden a superar dichas fallas jurídicas, en la abundante jurisprudencia emanada de la Sala de lo Contencioso-administrativo, Sección Segunda, del Tribunal Supremo, con base en principios como el de buena administración y otros principios generales del Derecho, en tanto que esencia del Ordenamiento jurídico –STS de 18 de febrero de 1992, FD 4º–.

En este sentido, defendemos que el contenido jurídico reseñado presenta aptitud para posibilitar la osmosis jurídica en materia iusfundamental entre las diferentes ordenaciones vigentes en los espacios jurídicos internos con base en la naturaleza de los Derechos fundamentales de fundamento del orden jurídico.

IV. BIBLIOGRAFÍA

ALONSO GARCÍA, R.: El Juez nacional en la encrucijada europea de los Derechos Fundamentales, *Civitas*, 2014.

BORRERO MORO, C.J.: *Claves en el Sistema europeo de protección del contenido de los Derechos fundamentales. Ordenadores de los procedimientos tributarios*, Tirant lo Blanch, Valencia, 2019.

CRUZ VILLALÓN, P.: "El valor de posición de la carta de derechos fundamentales en la comunión constitucional europea"; *UNED. Teoría y Realidad Constitucional*, núm. 39/2017.

DE VERGOTTINI, G.: "El diálogo entre tribunales", *UNED. Teoría y Realidad Constitucional*, núm. 28/2011.

GARCIA ROCA, J.; "El diálogo entre el Tribunal Europeo de Derechos Humanos y los Tribunales Constitucionales en la construcción de un orden público europeo", *UNED. Teoría y Realidad Constitucional*, núm. 30/2012.

GOROSPE OVIEDO, J.I.: "Las garantías del contribuyente en los Tratados Internacionales europeos (Carta de Derechos Fundamentales y Convenio Europeo de Derechos Humanos), *CT*, núm. 153/2014.

LENAERTS, K.: "La protección de los Derechos fundamentales en el Ordenamiento jurídico de la UE: un diálogo entre el Tribunal de Justicia y los Tribunales Constitucionales de los Estados Miembros", Conferencia Magistral del Presidente del TJUE impartida en su visita institucional al Tribunal Constitucional de España, Madrid, 6 de mayo de 2022.

LÓPEZ GUERRA, L.: "Los Protocolos de reforma nº 15 y 16 al Convenio Europeo de Derechos Humanos", *Revista Española de Derecho Europeo*, núm. 49/2014.

LÓPEZ GUERRA, L.: "El Tribunal Europeo de Derechos Humanos, el Tribunal de Justicia de la UE y «le mouvement nécessaire des choses»", *UNED. Teoría y Realidad Constitucional*, núm.39/2017.

MARÍN BARNUEVO, D., "El principio de buena administración en materia tributaria", *Civitas, REDF*, núm. 186/2020.

PÉREZ TREMPS, P.; "Las fuentes internacionales y supranacionales", en LÓPEZ GUERRA, L.; y otros: *Derecho Constitucional I. El ordenamiento constitucional. Derechos y deberes de los ciudadanos*, Tirant lo Blanch, 10ª edición, Valencia, 2016.

RUBIO LLORENTE, F.: "DIVIDE ET OBTEMPERA? Una reflexión desde España sobre el modelo europeo de convergencia de jurisdicciones en la protección de los Derechos"; *REDC*, núm. 67/2003.

RUBIO LLORENTE, F.: "MOSTRAR LOS DERECHOS SIN DESTRUIR LA UNIÓN (Consideraciones sobre la Carta de Derechos Fundamentales de la Unión Europea), *REDC*, núm. 64/2002, pág. 47.

SAIZ ARNAIZ, A.: La apertura constitucional al Derecho Internacional y Europeo de los Derechos Humanos. El art. 10.2 de la Constitución española, Consejo General del Poder Judicial, Madrid, 1999.

VOSSKUHLE, A.: "«La integración europea a través del derecho». La contribución del tribunal constitucional federal (alemán)", *UNED. Teoría y Realidad Constitucional*, núm.39/2017.

SEGUNDA PARTE.
LA PROTECCIÓN DEL DERECHO FUNDAMENTAL A LA VIDA PRIVADA, LA INVIOLABILIDAD DEL DOMICILIO, EL SECRETO DE LAS COMUNICACIONES Y LA PROTECCIÓN DE DATOS DE CARÁCTER PERSONAL.

4.- UNA VEZ MÁS, SOBRE LA DELIMITACIÓN DEL DERECHO A LA INTIMIDAD Y EL CARÁCTER ÍNTIMO DE LOS DATOS ECONÓMICOS

ESTHER BUENO GALLARDO

Profesora Contratada Doctora de Derecho Financiero y Tributario
Acreditada a Titular de Universidad
Universidad de Córdoba

SUMARIO: 1.- INTRODUCCIÓN 2.- APROXIMACIÓN AL CONTENIDO CONSTITUCIONAL DEL DERECHO A LA INTIMIDAD Y, EN PARTICULAR, AL DENOMINADO DERECHO A LA INTIMIDAD ECONÓMICA. 2.1.- Delimitación *negativa*: el derecho a la intimidad no puede configurarse como una prohibición *absoluta* de injerencias en la intimidad constitucionalmente protegida (ni siquiera *en el reducto más íntimo* de la vida privada del individuo). 2.2.- Delimitación *positiva* del derecho a la intimidad frente a los poderes públicos: la exigencia de *legitimidad* de la injerencia. 3.- SOBRE EL CARÁCTER ÍNTIMO DE LOS DENOMINADOS "DATOS ECONÓMICOS". 3.1.- Consideraciones previas: la concreción material-objetiva de la intimidad protegida, su equiparación al concepto de vida privada y la existencia de varios grados de intimidad. 3.2.- La doctrina sentada por nuestro Tribunal Constitucional y por el Tribunal de Estrasburgo en relación con el carácter íntimo/privado de los datos económicos. 3.3.- El flujo patrimonial personal de que es titular un sujeto es intimidad constitucionalmente protegida. 4.- EPÍLOGO.

1.- INTRODUCCIÓN

Desde la puesta en funcionamiento del Tribunal Constitucional en 1980, son innumerables los pronunciamientos dictados por este órgano en relación con el derecho a la intimidad personal reconocido en el art. 18.1 de la Constitución española (en adelante, CE). Y, más numerosas aún, son las Sentencias emanadas del Tribunal de Estrasburgo en la interpretación y aplicación del art. 8 del Convenio Europeo de Derechos Humanos (en lo sucesivo, CEDH), precepto en el que, como es sabido, y en lo que aquí interesa, se reconoce el derecho al respeto de la vida privada[1].

---

[1] Obviamente, no son exclusivamente estos preceptos ni aquellos Tribunales los únicos que han reconocido el derecho a la intimidad o a la vida privada. Este derecho se establece, asimismo, en el art. 12 de la Declaración Universal de Derechos Humanos; en el art. 17 del Pacto Internacional de Derechos Civiles y Políticos; o, en fin, por citar algunos de los textos más relevantes, en el art. 7 de la Carta de los Derechos Fundamentales de la Unión Europea (CDFUE), preceptos todos ellos en los que se garantiza el derecho "a la vida privada". Con todo, en nuestro país, ha sido la jurisprudencia del Tribunal Constitucional y, por imperativo del art. 10.2 CE, del Tribunal de Estrasburgo las que, en nuestra opinión, más han contribuido a la construcción del derecho que nos ocupa; especialmente, en las últimas dos décadas.

Pues bien, pese a que son legión los pronunciamientos dictados por ambos Tribunales en relación con el derecho a la intimidad y la vida privada, respectivamente, a nuestro juicio, la exégesis y aplicación de esta garantía sigue adoleciendo todavía hoy de dos importantes carencias: de una parte, buena parte de los operadores jurídicos no ha interiorizado -o, al menos, no plenamente- el contenido que tanto los Tribunales internos como los supranacionales -y, señaladamente, el Tribunal de Estrasburgo- le han atribuido al derecho a la intimidad, en general, y, por lo que a nosotros nos interesa, al derecho a la intimidad frente a la Administración tributaria; y, de otra parte, en la determinación del contenido del derecho siguen existiendo algunas cuestiones irresueltas. Y ello, fundamentalmente, cuando la injerencia en el ámbito de intimidad constitucionalmente protegido proviene de la Administración tributaria (más acabada, sin embargo, se encuentra la construcción del derecho cuando las medidas restrictivas de la intimidad se producen en el ámbito penal).

A tratar de subsanar la *primera* de estas carencias -esto es, la insatisfactoria comprensión y aplicación del derecho a la intimidad por buena parte de los operadores jurídicos- se orienta el presente trabajo en el que, dada la limitada extensión de las aportaciones que pueden efectuarse en una obra colectiva como la presente, se da respuesta, exclusivamente, a dos cuestiones relacionadas con el contenido constitucional del derecho reconocido en el art. 18.1 CE: (1) en primer lugar, y pese a lo que, en ocasiones, se afirma, ¿equivale el derecho a la intimidad a un *derecho al secreto* sobre *ciertos* ámbitos o datos íntimos?, o, lo que es lo mismo, ¿existe algún ámbito, dato o información íntima que no sea susceptible de afectación por el poder público, en general, y por la Administración tributaria, en particular?; y, (2) en segundo lugar, los denominados "datos económicos" que son el objeto de las actuaciones de la Administración tributaria en procedimientos de comprobación o investigación y de obtención de información, ¿son intimidad tutelada por el art. 18.1 CE?

Iniciaremos nuestro estudio dando respuesta en las páginas que siguen al primero de los interrogantes planteados.

2.- APROXIMACIÓN AL CONTENIDO CONSTITUCIONAL DEL DERECHO A LA INTIMIDAD Y, EN PARTICULAR, AL DENOMINADO DERECHO A LA INTIMIDAD ECONÓMICA

2.1.- Delimitación negativa: el derecho a la intimidad no puede configurarse como una prohibición absoluta de injerencias en la intimidad constitucionalmente protegida (ni siquiera en el reducto más íntimo de la vida privada del individuo)

Efectuando un notable esfuerzo de síntesis, es posible concluir que *tradicionalmente* han sido fundamentalmente tres las posiciones doctrinales mantenidas en torno a la inclusión de los datos económicos en el ámbito de intimidad constitucionalmente protegido y una misma concepción del derecho garantizado en el art. 18.1 CE. Concretamente:

- Un primer grupo de autores –minoritario, tenemos que decir- ha descartado que los datos económicos merezcan la calificación de íntimos a tenor del art. 18.1 CE[2]. Excluida la información económica del ámbito de intimidad constitucionalmente protegido, existirá –según esta primera

---

[2]   Se inscriben, claramente, en este primer grupo de autores FERNÁNDEZ CUEVAS, A.: «Nota breve sobre el llamado secreto bancario y el derecho a la intimidad», *Crónica Tributaria*, núm. 34, 1980, pág. 50; y SOLANA VILLAMOR, F: «El deber de colaboración en la Ley General Tributaria», *Crónica Tributaria*, núm. 50, 1984, pág. 244. Asimismo, entre los autores que han negado que los datos económicos formen parte de la intimidad constitucionalmente protegida en la medida en que, implícita o explícitamente, defienden una concepción restringida de la intimidad destacan PARADA VÁZQUEZ, quien tras preguntarse sobre cuáles pueden ser los datos íntimos (en concreto, «los documentos que contengan datos referentes a la intimidad de las personas» a que se refería el art. 37 de la derogada Ley 30/1992), respondía lo que sigue: «no se me ocurre más ejemplo que el que puedan ofrecer los datos sanitarios (enfermos de SIDA, por ejemplo, o de otras enfermedades que obren en centros sanitarios o derivados de campañas sanitarias de prevención o curación), pero no tienen por qué serlo los datos fiscales que son datos sencillamente económicos (…). Es decir –concluía-, en nuestra opinión, datos referentes a la intimidad personal y familiar son tan reservados, jurídicamente tan protegidos y tan irrelevantes para la actividad administrativa que ni podrán ni serán normalmente objeto de los procedimientos administrativos» [PARADA VÁZQUEZ, J. R.: *Régimen Jurídico de las Administraciones Públicas y del Procedimiento Administrativo Común (Estudio, comentarios y texto de la Ley 30/1992, de 26 de noviembre)*, Marcial Pons, Madrid, 1993, págs. 157- 158]. Ha sido el caso también de VIDAL MARTÍNEZ para quien el derecho a la intimidad «no cubre el área patrimonial». Los asuntos «no personales, de índole rigurosamente patrimonial, quedan –a juicio de este autor- cubiertos por el secreto de las comunicaciones» mientras que «no quedan cubiertos por el derecho a la intimidad en línea de principio» [VIDAL MARTÍNEZ, J.: «Manifestaciones del derecho a la intimidad personal y familiar (Conclusión)», *Revista General de Derecho*, Tomo II, 1980, págs. 1172, 1175-1176, y 1184]; o, en fin, de MANTERO SÁENZ cuando afirma que «todas las personas están obligadas a respetar el ámbito protegible del honor y la intimidad de los demás, pero para la Hacienda pública, este ámbito se reduce a los datos privativos (es decir protegibles en principio) no patrimoniales» (MANTERO SÁENZ, A.: *Procedimiento en la inspección tributaria*, Escuela de Hacienda Pública, Ministerio de Economía y Hacienda, 3ª ed., Madrid, 1987, pág. 423).

corriente doctrinal- el deber de aportarla a la Hacienda Pública sin más limitaciones que las que se derivan de los principios que rigen el ejercicio de las potestades administrativas o, en su caso, la salvaguarda de otros derechos y libertades garantizados en la Carta Magna.

–   A diferencia de esta primera posición doctrinal, un segundo grupo de profesores ha incluido en la esfera íntima exclusivamente aquellos datos económicos a través de los cuales pueden llegar a conocerse aspectos pertenecientes a la estricta privacidad del sujeto. La información relativa a la situación económica del individuo –mantienen estos autores- resultará tutelada por el art. 18.1 CE en la medida en que rebase el ámbito de lo estrictamente económico y ponga al descubierto –o, lo que es lo mismo, revele- hechos o circunstancias concernientes a las facetas más reservadas de la vida personal o familiar del titular de la información[3].

–   Y, en fin, un tercer grupo de tributaristas que es, sin duda, el más numeroso, parte de la inclusión de la totalidad de los datos económicos en el ámbito de protección del derecho a la intimidad[4].

---

[3]   En esta línea, véanse LÓPEZ MARTÍNEZ, J.: *La información en poder de la Hacienda Pública: observación y control*, Cuadernos Fiscales 2, Edersa, Madrid, 2000, págs. 71-73; y GONZÁLEZ MÉNDEZ, A.: *La protección de datos tributarios y su marco constitucional*, Tirant lo blanch, Valencia, 2002, pág. 52. E, implícitamente, esta concepción está presente también en los trabajos publicados en su día por CERVERA TORREJÓN, F.: «La colaboración en la gestión tributaria: la investigación de las cuentas corrientes», en AA.VV.: *Estudios sobre Tributación Bancaria*, Madrid, 1985, pág. 247; DÍAZ-ARIAS, J. M.: «Análisis de la controversia suscitada sobre la investigación de las cuentas corrientes: una opinión a favor del contribuyente», *Gaceta Fiscal*, núm. 6, 1983, págs. 95-96; ARSUAGA NAVASQUÉS, J. J.: «La Sentencia del Tribunal Constitucional sobre investigación de las cuentas corrientes», *Gaceta Fiscal*, núm. 19, 1985, pág. 117; PETIT MASANA, J.: «Jurisprudencia sobre el secreto bancario: notas críticas», *Crónica Tributaria*, núm. 51, 1984, pág. 324; o, en fin, por BUJIDOS GARAY, P.: «La doctrina de los tribunales sobre el deber de información», *Revista Técnica Tributaria*, núm. 25, 1994, pág. 138.

[4]   Se han mostrado, *v. gr.*, abiertamente partidarios de la inclusión de la información económica en la intimidad tutelada por el art. 18.1 CE, ESCRIBANO LÓPEZ: «el ámbito de lo económico –afirmaba, abiertamente, el profesor de Sevilla- está integrado en el núcleo de lo protegido por el derecho a la intimidad» (ESCRIBANO LÓPEZ, F.: «Acceso judicial a datos en poder de la Administración tributaria», *Quincena Fiscal*, núm. 4, 1998, pág. 10); MEILÁN GIL, para quien «ha de reconocerse que en la "realidad social", elemento de interpretación de las normas (art. 3º, 1, del Código Civil), puede tener mucha mayor trascendencia, como intromisión ilegítima en la intimidad, la revelación de una serie de datos económicos que pueden provocar el hundimiento de una actividad económica, empresarial, financiera, que el aireamiento de "detalles de la vida personal o familiar", pasto de las llamadas "revistas del corazón"» (MEILÁN GIL, J. L.: «El deber de información de los profesionales a la Administración tributaria», *REDF-Civitas*, núm. 54, 1987, pág. 243); ARIAS VELASCO, según el cual, «hay también un ámbito de vida económica tan protegible, en principio, constitucionalmente como el de la intimidad sexual, (…). En principio, tan íntimas, son las preferencias inversoras de una persona, como sus tendencias eróticas» (ARIAS VELASCO, J.: «Investigación de las cuentas corrientes y derecho a la intimidad», *Tribuna Fiscal*, núm. 54, 1995, pág. 43); VERGARA BLANCO, quien sitúa el fundamento del secreto bancario «en el resguardo de la intimidad de los aspectos económicos de cada uno» (VERGARA BLANCO, A.: «Sobre el fundamento del secreto

Ahora bien –y es este desacierto sobre el que nos interesa poner el acento porque es el que, fundamentalmente, *persiste en nuestros días-*, con independencia de que se postule la protección por el art. 18.1 CE de la totalidad de la información económica de que es titular un sujeto o sólo de aquellos datos económicos que pongan al descubierto las facetas más reservadas de la vida privada del individuo, muchos autores y operadores jurídicos han venido: (i) identificando el ámbito de intimidad constitucionalmente protegido y el contenido del derecho reconocido en el art. 18.1 CE o, lo que es lo mismo, equiparando la *intimidad* con el *derecho a la intimidad*; (ii) defendiendo una misma concepción del derecho, en concreto, una concepción *absoluta*: el derecho a la intimidad se define por la mayoría de los autores –explícita o implícitamente- como la facultad de preservar del conocimiento de la Hacienda Pública aquellos datos económicos que merecen la calificación de íntimos, ya sean todos o sólo algunos de ellos; y (iii) manteniendo, en fin, que cada vez que la Administración reclama de un obligado tributario información económica perteneciente a la esfera de privacidad, se produce una *colisión o confrontación* entre el derecho a la intimidad y el deber de contribuir al sostenimiento de los gastos públicos en que se fundamenta la actividad de comprobación o investigación de la Administración y de obtención de información. Y para resolver dicha colisión se efectúa, de ordinario, una ponderación de los intereses implicados, decantándose algunos autores por la preeminencia del derecho a la intimidad y otros -la mayoría- por la cesión o sacrificio de la garantía constitucional en aras de la realización del interés fiscal que, por tanto, prevalece[5].

---

bancario», *RDFHP*, núm. 194, 1988, pág. 387); o, entre otros muchos, BARCELÓ RICO-AVELLO, G.: «La protección de la intimidad personal y la publicidad de las declaraciones fiscales», *Crónica Tributaria*, núm. 37, 1981, pág. 19. Recientemente, se ha pronunciado, entre otros, a favor de que los datos económicos formen parte de la vida privada constitucionalmente tutelada, GARCÍA NOVOA, C.: «Algunas novedades de la Ley de Medidas de Prevención y Lucha contra el Fraude Fiscal. Software de doble uso, lista de morosos y prohibición de amnistías fiscales», *Quincena Fiscal*, núm. 17, 2021, pág. 40.

[5]   Esta comprensión ha estado presente, tradicionalmente, en la literatura científica y pervive en nuestros días. En este sentido, afirma GIL CRUZ que «el derecho a la intimidad personal, (…), tiene sus restricciones y así, *su esfera de protección sucumbirá en aquellos supuestos en los que se manifiesta la existencia de un interés constitucionalmente prevalente* al interés de la persona en mantener la privacidad de determinada información. En otras palabras -prosigue diciendo esta autora-, como resultado de que el derecho a la intimidad no es absoluto, *el mismo habrá de ceder ante intereses constitucionalmente superiores,* (…)» (GIL CRUZ, EVA Mª.: «Derecho a la intimidad y *big data* tributarios», *Revista Técnica Tributaria*, núm. 134, 2021, pág. 84). Asimismo, en relación con la "*colisión* entre el derecho a la intimidad y el deber constitucional de contribuir a los gastos públicos", señala DORADO FERRER que la «cuestión, pues, consiste en dilucidar si los datos con trascendencia tributaria que legitiman su tratamiento pueden ser coincidentes con aquellos reservados al núcleo del derecho a la intimidad personal y familiar protegidos en el art. 18 CE. Y, llegados al caso, *si debe prevalecer el derecho fundamental o, por el contrario, el deber de contribuir a los gastos públicos*» (DORADO FERRER, X.: «Redes sociales, metadatos y derecho a la intimidad en los procedimientos tributarios», *Quincena Fiscal*, núm. 12, 2021, pág. 100). La cursiva en las citas es nuestra.

A nuestro juicio, sin embargo, ni el derecho a la intimidad puede concebir-se, con carácter general, como la facultad de preservar del conocimiento ajeno aquellos ámbitos, datos o informaciones que merezcan la calificación de íntimos, ni el derecho a la intimidad económica, en particular, se concreta en la facultad del obligado tributario de no aportar información económica con trascendencia tributaria frente a la Hacienda Pública. Y ello, principalmente, por tres razones:

- Lo impide, por una parte, la *consagración constitucional explícita tanto del derecho a la intimidad como del deber de contribuir al sostenimiento de los gastos públicos*. Y es que resulta obvio que la constitucionalización expresa tanto de aquel derecho fundamental -en el art. 18.1 CE- como de este deber constitucional -en el art. 31.1 CE- resulta difícilmente compatible con cualquier construcción doctrinal que comporte el sacrificio o el cercenamiento de cualquiera de ellos en aras de la realización del otro.

- Por otra parte, obstan a la concepción del derecho a la intimidad como la facultad de preservar del conocimiento de la Hacienda Pública la totalidad o parte de la información económica individual los criterios que rigen la interpretación del texto constitucional, en concreto, los *principios de unidad de la Constitución y de concordancia práctica*[6]. Definir, en efecto, el derecho a la intimidad como la facultad de preservar del conocimiento de la Hacienda Pública datos o informaciones económicas con trascendencia tributaria: (i) aboca irremediablemente a la existencia de contradicciones entre normas constitucionales (entre los arts. 18.1 y 31.1 CE); (ii) conlleva inexorablemente el cercenamiento de alguno de los bienes enfrentados: el derecho a la intimidad o el deber de contribuir al sostenimiento de los gastos públicos; y, (iii) en última instancia, desoye el mandato de optimización que imponen las reglas que presiden la hermenéutica constitucional. Y es, por ende, una construcción que, a nuestro entender, no puede ser mantenida *desde la Constitución*.

- Finalmente, las posiciones doctrinales que, partiendo del carácter íntimo de la información económica –de algunos datos económicos o de todos- defienden que, ante la inevitable colisión que se produce entre esta garantía constitucional y el deber de contribuir al sostenimiento de los gastos públicos, el derecho individual habrá de ceder o sacrificarse en favor de la

---

[6]   De acuerdo con estos principios el texto constitucional ha de ser comprendido e interpretado *como una unidad* de manera que *en ningún caso podrá contemplarse sólo la norma aislada* sino siempre en el conjunto en el que debe ser situada; todas las normas constitucionales han de ser interpretadas de tal manera que *se eviten contradicciones* con otras normas constitucionales; los bienes jurídicos constitucionalmente protegidos deben ser coordinados de tal modo que *todos ellos conserven su entidad*; y, en fin, se hace preciso establecer los límites de ambos bienes a fin de que *ambos alcancen una efectividad óptima* [*Cfr.* HESSE, K.: *Escritos de Derecho Constitucional (Selección, traducción e introducción Pedro Cruz Villalón)*, Centro de Estudios Constitucionales, 2ª ed., Madrid, 1992, págs. 45-46].

efectiva realización del interés fiscal, *pasan por alto la exigencia de respetar la garantía del contenido esencial* de los derechos fundamentales que en todo caso ha de ser preservada de conformidad con el art. 53.1 CE.

En definitiva, por tanto, y esta es la primera de las ideas que queremos enfatizar en estas páginas, *el derecho a la intimidad no puede concebirse ex Constitutione como un derecho al secreto* o, lo que es igual, no puede configurarse como una prohibición *absoluta* de intromisiones en el ámbito de intimidad constitucionalmente protegido o de cesión de datos o informaciones íntimas; *ni su contenido esencial equivale a una interdicción absoluta de injerencias en el reducto más íntimo de la vida privada* del individuo.

2.2.- Delimitación positiva del derecho a la intimidad frente a los poderes públicos: la exigencia de legitimidad de la injerencia

Como defendimos en un trabajo que publicamos hace ya algunos años, desde nuestro punto de vista, a la luz de nuestra Constitución y los principios que han de presidir su interpretación, del Convenio Europeo de Derechos Humanos, y de la jurisprudencia dictada, respectivamente, por nuestro Tribunal Constitucional y el Tribunal Europeo de Derechos Humanos en relación con los arts. 18.1 CE y 8 CEDH, el derecho a la intimidad puede definirse como la *prohibición de intromisiones o cesiones ilegítimas en el ámbito de intimidad constitucionalmente protegido*[7].

Yendo directamente al meollo del contenido del derecho, de esta definición se infiere que son dos los extremos que integran el contenido de la garantía que nos ocupa: el "ámbito de intimidad constitucionalmente protegido" y "la prohibición de intromisiones o cesiones ilegítimas". De manera que para que el derecho a la intimidad resulte aplicable se precisa:

– Primeramente, la afectación del *ámbito de intimidad constitucionalmente protegido*, esto es, que las actuaciones de los poderes públicos -en nuestro caso, de la Administración tributaria-, incidan en aquellos ámbitos o espacios, datos o informaciones que merezcan la calificación de íntimos. A este conjunto de ámbitos, datos o informaciones cuya afectación constituye el «presupuesto inexcusable» o «presupuesto fáctico indispensable» para que el derecho reconocido en el art. 18.1 CE resulte aplicable, lo denominamos *aspecto material* de la garantía constitucional.

---

[7] Un análisis exhaustivo tanto de la definición del derecho a la intimidad como de su contenido constitucional puede encontrarse en nuestro trabajo *La configuración constitucional del derecho a la intimidad. En particular, el derecho a la intimidad de los obligados tributarios*, Colección Estudios Constitucionales, Centro de Estudios Políticos y Constitucionales, Madrid, 2009.

– El contenido, empero, del derecho a la intimidad no está integrado exclusivamente por la esfera de intimidad constitucionalmente protegida, sino que junto con el aspecto material se hace necesario introducir un segundo aspecto, que calificamos como *aspecto jurídico*. Y entendemos por aspecto jurídico -por contraposición al aspecto material- el haz de facultades o poderes jurídicos que el derecho confiere a su titular, haz de facultades que se concreta en la facultad de impedir que, en ausencia de consentimiento, se produzcan intromisiones o cesiones *ilegítimas* en el aspecto material del derecho. Y la *legitimidad* de la intromisión depende, a su vez, de la observancia de cuatro exigencias, a saber: (a) que exista un fin constitucionalmente legítimo que justifique la afectación de la intimidad constitucionalmente protegida; (b) que la intromisión en el aspecto material de la garantía esté prevista en la ley; (c) *en ciertos casos*, que la práctica de la injerencia sea acordada por la autoridad judicial mediante una resolución debidamente motivada (a diferencia, empero, de las previsiones contenidas en los apartados 2 y 3 del art. 18 CE, en el art. 18.1 CE no existe monopolio jurisdiccional para la afectación de la intimidad); y (d) que la medida adoptada sea respetuosa con el principio de proporcionalidad concebido en sentido amplio (esto es, que sea idónea, necesaria y proporcionada en sentido estricto para la consecución del contravalor constitucional que justifica la afectación de la intimidad del titular del derecho).

Conectando aspecto material y aspecto jurídico resulta que para que sea posible apreciar la vulneración del derecho a la intimidad se requiere, primero, que como consecuencia de la actuación de los poderes públicos -o de los particulares-, *se incida en el aspecto material de la garantía*; segundo, que *se constriñan alguna o algunas de las facultades o poderes jurídicos* en que el derecho consiste o se exterioriza; y, tercero, que la constricción de estas facultades se realice *sin las debidas garantías* o, más exactamente, *de forma ilegítima*.

Esta configuración del derecho -conviene advertirlo- no responde exclusivamente a una construcción personal efectuada a la luz de nuestra Carta Magna y de los principios que rigen su exégesis, sino que está presente -y lo está invariablemente y de forma continuada en el tiempo- tanto en la jurisprudencia dictada por nuestro Tribunal Constitucional en la interpretación del art. 18.1 CE como en los numerosos pronunciamientos emanados del Tribunal de Estrasburgo en aplicación del derecho al respecto de la vida privada establecido en el art. 8 CEDH.

En efecto, constituye doctrina reiterada del máximo intérprete de nuestra Constitución que «el derecho fundamental a la intimidad, al igual que los demás derechos fundamentales, no es absoluto, sino que se encuentra delimitado por los restantes derechos fundamentales y bienes jurídicos constitucionalmente protegidos" (STC 156/2001, de 2 de julio, FJ 4, *in fine*), razón por la cual en aquellos casos en los que, a pesar de producirse una intromisión en la intimidad, ésta no puede considerarse ilegítima, no se producirá una vulneración del derecho consagrado en el art. 18.1 CE (SSTC 115/2000, de 5 de mayo, FJ 2; 156/2001, de 2 de julio, FJ 3; y 83/2002, de 22 de abril, FJ 4)» (por todas, STC 233/2005, de 26 de septiembre, FJ 4).

Y, a mayor abundamiento, ha especificado que «para que la afectación del ámbito de intimidad constitucionalmente protegido resulte conforme con el art. 18.1 CE, es preciso que concurran cuatro requisitos: en primer lugar, que exista un fin constitucionalmente legítimo; en segundo lugar, que la intromisión en el derecho esté prevista en la ley; en tercer lugar (sólo como regla general), que la injerencia en la esfera de privacidad constitucionalmente protegida se acuerde mediante una resolución judicial motivada; y, finalmente, que se observe el principio de proporcionalidad, esto es, que la medida adoptada sea idónea para alcanzar el fin constitucionalmente legítimo perseguido con ella, que sea necesaria o imprescindible al efecto (que no existan otras medidas más moderadas o menos agresivas para la consecución de tal propósito con igual eficacia) y, finalmente, que sea proporcionada en sentido estricto (ponderada o equilibrada por derivarse de ella más beneficios o ventajas para el interés general que perjuicios sobre otros bienes o valores en conflicto) [SSTC 207/1996, de 16 de diciembre, FJ 4; y 70/2002, de 3 de abril, FJ 10 a)]» (por todas, STC 233/2005, de 26 de septiembre, FJ 4, *in fine*).

Y el mismo canon de enjuiciamiento sigue el Tribunal de Estrasburgo en la exégesis del art. 8 CEDH. En la aplicación de este precepto el Tribunal determina, en primer lugar, si la queja del demandante se encuentra dentro del alcance del artículo 8 (o, lo que es igual, si la actuación del Estado ha incidido en la vida privada del recurrente); en segundo lugar, examina si se ha producido una injerencia en el contenido del derecho; y, en tercer lugar, en fin, constata que la citada injerencia cumpla con las condiciones establecidas en el apdo. 2 del art. 8 CEDH, a saber: (a) que persiga un fin legítimo ("*further a legitimate aim*"), esto es, que sea necesaria para la seguridad nacional, la seguridad pública, el bienestar económico del país, la defensa del orden y la prevención de las infracciones penales, la protección de la salud o de la moral, o la protección de los derechos y las libertades de los demás; (b) que la intromisión en cuestión esté prevista por la ley ("*in accordance with the law*"); y (c) sea necesaria en una sociedad democrática ("*necessary in a democratic society*") por la concurrencia de una necesidad social acuciante ("*pressing social need*") tendente a la protección de los fines *supra* citados. Y para evaluar el criterio de "necesidad de la intromisión en una sociedad democrática", normalmente, el Tribunal verifica que exista un equilibrio entre los intereses del demandante protegidos por el artículo 8 y los intereses de terceros garantizados por otras disposiciones del Convenio (o de sus Protocolos)[8].

Trazado este sucinto esbozo del contenido constitucional del derecho a la intimidad, analizamos a continuación la segunda de las cuestiones a las que pretendemos dar respuesta en este trabajo. A saber: si los datos de naturaleza económica forman parte de la intimidad tutelada por el art. 18.1 CE.

3.- SOBRE EL CARÁCTER ÍNTIMO DE LOS DENOMINADOS "DATOS ECONÓMICOS"

3.1.- Consideraciones previas: la concreción material-objetiva de la intimidad protegida, su equiparación al concepto de vida privada y la existencia de varios grados de intimidad

Para dilucidar si los datos económicos de que es titular un sujeto forman parte de la intimidad constitucionalmente protegida -del que hemos calificado como *aspecto material* del derecho- es preciso responder previamente a dos interrogantes que constituyen dos constantes en todas las obras en las que se estudia con cierta profundidad el derecho a la intimidad: en primer lugar, la delimitación de la esfera íntima protegida, ¿debe efectuarse conforme a parámetros *materiales-objetivos* o de acuerdo con un criterio *formal-subjetivo* producto de lo que el titular del derecho considere que es íntimo?; y, en segundo lugar, una vez establecida la naturaleza -objetiva o subjetiva- del parámetro delimitador del aspecto material del derecho, ¿qué amplitud debe conferírsele a la intimidad tutelada por el art. 18.1 CE? ¿La propia de la acepción gramatical del término -esto es, una acepción restringida de intimidad- o un contenido más amplio equivalente al concepto de vida privada al que alude el apartado 1 del art. 8 CEDH? De la respuesta que demos a estas cuestiones previas dependerá -lo adelantamos ya- que proceda o no la inclusión de los datos de naturaleza económica en el ámbito material de protección del art. 18.1 CE.

a) La intimidad ha de delimitarse conforme a parámetros *objetivos*

Desde la STC 134/1999, de 15 de julio (conocida como caso Sara Montiel II), el máximo intérprete de nuestra Constitución ha aludido a un concepto

---

[8]   Véase, a este respecto, la guía de jurisprudencia relativa al art. 8 CEDH que anualmente publica el Tribunal de Estrasburgo: *Guide on Article 8 of the European Convention on Human Rights* (actualizada a 31 de agosto de 2022), pág. 7 (disponible en https://www.echr.coe.int/documents/guide_art_8_eng.pdf.).

tendencialmente formal de la intimidad cuyo ámbito viene determinado por el propio sujeto titular del derecho. En el citado pronunciamiento, en efecto, y en otros dictados con posterioridad, se realizan ciertas afirmaciones que, permitirían inferir *a priori* y en abstracto, que corresponde al titular del derecho acotar la esfera íntima protegida por el art. 18.1 CE: «[e]l derecho a la intimidad –se afirma en la STC 134/1999- atribuye a su titular el poder de resguardar ese ámbito reservado por el individuo para sí y su familia de una publicidad no querida. El art. 18.1 CE no garantiza una "intimidad" determinada, sino el derecho a poseerla, a tener vida privada, disponiendo de un poder de control sobre la publicidad de la información relativa a la persona y su familia, *con independencia del contenido de aquello que se desea mantener al abrigo del conocimiento público. Lo que el art. 18.1 garantiza es un derecho al secreto*, a ser desconocido, a que los demás no sepan qué somos o lo que hacemos, vedando que terceros, sean particulares o poderes públicos, decidan cuáles sean los lindes de nuestra vida privada, pudiendo cada persona reservarse un espacio resguardado de la curiosidad ajena, *sea cual sea lo contenido en ese espacio*» (FJ 5)[9].

Pese a las aseveraciones transcritas, de un estudio sosegado de la jurisprudencia constitucional se colige que esta doctrina se formula siempre *obiter dicta*; nunca constituye la verdadera *ratio decidendi* de los fallos en cuya motivación se formula[10]. Es más, de dicho estudio puede alcanzarse justamente la conclusión contraria, a saber: la concretización por el Tribunal de lo que sea íntimo se efectúa conforme a parámetros *exclusivamente objetivos* y, en particular, de acuerdo a los parámetros socioculturales imperantes en cada momento histórico. Y ello, al menos, por dos razones:

a) De una parte, permite inferir esta conclusión el hecho irrefutable de que nuestro Tribunal Constitucional ha acudido *al contenido material objetivo*

---

[9]   La cursiva es nuestra. En idénticos o parecidos términos, véanse, entre otras, las SSTC 144/1999, de 22 de julio, FJ 8; 115/2000, de 5 de mayo, FJ 4; 83/2002, de 22 de abril, FJ 5; 99/2002, de 6 de mayo, FJ 6; 121/2002, de 20 de mayo, FJ 2; 185/2002, de 14 de octubre, FJ 3; 127/2003, de 30 de junio, FJ 7; 89/2006, de 27 de marzo, FJ 5; 173/2011, de 7 de noviembre, FJ 2; 93/2013, de 23 de abril, FJ 8; 115/2013, de 9 de mayo, FJ 5; 199/2013, de 5 de diciembre, FJ 6 a); o, en fin, 99/2019, de 18 de julio FJ 4 b).

[10] Abordan también la cuestión que nos planteamos, esto es, si en la jurisprudencia constitucional se ha evolucionado desde una «concepción objetiva a otra subjetiva de la intimidad», PARDO FALCÓN, F.: «Art. 18.1. Los derechos al honor, a la intimidad personal y familiar y a la propia imagen», en AA.VV. (*Dirs.* RODRÍGUEZ-PIÑERO Y BRAVO FERRER, M.; CASAS BAAMONDE, Mª. E.): *Comentarios a la Constitución Española (Conmemoración del XL Aniversario de la Constitución)*, Tomo I, Fundación Wolters Kluwer, BOE, Tribunal Constitucional y Ministerio de Justicia, Madrid, 2018, págs. 519-520; VILLAVERDE MENÉNDEZ, I.: «Los datos de la propiedad y la propiedad de los datos», en AA.VV. (*Coord.* BASTIDA FREIJEDO, F. J.): *Propiedad y Derecho Constitucional*, Colegio de Registradores de la Propiedad y Mercantiles de España, Madrid, 2005, pág. 328; y OCÓN, J.: «Derecho a la intimidad y registro de dispositivos informáticos: a propósito del asunto *Trabajo Rueda c. España*», *Revista Española de Derecho Constitucional*, núm. 113, 2018, págs. 330-331.

de la intimidad como criterio diferenciador entre el aspecto material del derecho que nos ocupa y los ámbitos materiales de las garantías previstas en los apartados 3 y 4 del art. 18 CE, esto es, de los derechos al secreto de las comunicaciones y a la protección de datos personales.

Fue la STC 114/1984, de 29 de noviembre, la primera en la que se puso de manifiesto la distinción existente entre la intimidad y el secreto tutelados por el art. 18.1 y 3 CE, respectivamente. Mientras que lo secreto –explicó la Sala Segunda del Tribunal en el citado pronunciamiento- es producto exclusivo de la voluntad, de la libre determinación del individuo o individuos de mantener reservada y oculta cierta cosa con independencia de cuál sea su contenido, la intimidad añade al secreto un contenido material objetivo, una "dimensión material", al decir de la Sala Sentenciadora, que se explicita en la esfera íntima que examinamos. El «concepto de "secreto" en el art. 18.3 –explicó la Sala- *tiene un carácter "formal"*, en el sentido de que se predica de lo comunicado, *sea cual sea su contenido y pertenezca o no el objeto de la comunicación misma al ámbito de lo personal, lo íntimo o lo reservado*». Por el contrario, sobre «los comunicantes no pesa tal deber, sino, en todo caso, y ya en virtud de norma distinta a la recogida en el art. 18.3 de la Constitución, un posible "deber de reserva" que –de existir- *tendría un contenido estrictamente material, en razón de cuál fuese el contenido mismo de lo comunicado* (un deber que derivaría, así del derecho a la intimidad reconocido en el art. 18.1 de la Norma fundamental)». Y concluía: «[s]i se impusiera un genérico deber de respeto a cada uno de los interlocutores o de los corresponsables ex art. 18.3, se terminaría vaciando de sentido, en buena parte de su alcance normativo, a la protección de la esfera íntima personal ex art. 18.1, *garantía ésta que, "a contrario", no universaliza el deber de secreto, permitiendo reconocerlo sólo al objeto de preservar dicha intimidad* (dimensión *material* del secreto, según se dijo)»[11]. Pues bien, cuando la Sala Sentenciadora califica la esfera íntima como la "dimensión material del secreto" está excluyendo implícitamente que ésta pueda ser acotada conforme a parámetros subjetivos. Los individuos podrán considerar íntimo el objeto de la comunicación (haciendo coincidir así lo íntimo con lo secreto), pero a menos que el contenido de lo comunicado pertenezca efectivamente al ámbito de lo íntimo, constatación que hay que deducir que deberá efectuarse según parámetros objetivos –sólo así tienen sentido las distinciones introducidas por la Sala en las afirmaciones que hemos

---

[11]   Para todas las citas transcritas, *vid.* FJ 7 de la Sentencia que comentamos. La cursiva en todos los casos es nuestra.

reproducido-, no existirá intromisión alguna en el ámbito material tutelado por el art. 18.1 CE.

De forma más sintética, el Tribunal ha vuelto a incidir en esta comprensión de los ámbitos protegidos por los arts. 18.1 y 18.3 CE mediante la siguiente argumentación que constituye una constante en la jurisprudencia constitucional: la «noción de intimidad constitucionalmente protegida -ha puntualizado repetidamente- *es un concepto de carácter objetivo o material, mediante el cual el ordenamiento jurídico designa y otorga protección al área que cada uno se reserva para sí o para sus íntimos* [...]. Muy al contrario, el secreto de las comunicaciones, [...], *es un concepto rigurosamente formal, en el sentido de que "se predica de lo comunicado, sea cual sea su contenido"* (SSTC 114/1984, FJ 7; y 34/1996, FJ 4). Dado su fundamento, *no se dispensa el secreto en virtud del contenido de la comunicación, ni se garantiza el secreto porque lo comunicado sea necesariamente íntimo, reservado o personal* (STC 114/1984, FJ 7)» [por todas, SSTC 170/2013, de 7 de octubre, FJ 4 a); 99/2021, de 10 de mayo, FJ 3].

Y, al igual que ha sucedido en la delimitación de los ámbitos protegidos por el derecho a la intimidad y al secreto de las comunicaciones, en la distinción entre aquel derecho y el derecho a la protección de datos, el máximo intérprete de nuestra Constitución «ha perfilado las singularidades del derecho a la protección de datos indicando expresamente que "su objeto es más amplio que el del derecho a la intimidad" (SSTC 292/2000, FJ 6; y 96/2012, FJ 6), puesto que "el derecho fundamental a la protección de datos amplía la garantía constitucional a aquellos de esos datos que sean relevantes para o tengan incidencia en el ejercicio de cualesquiera derechos de la persona, sean o no derechos constitucionales *y sean o no relativos* [...] *a la intimidad personal y familiar*" (SSTC 292/2000, FJ 6; y 96/2012, FJ 6)» (STC 151/2014, de 25 de septiembre, FJ 7).

a) De otra parte, más recientemente -en particular, en los pronunciamientos constitucionales dictados en la última década-, por influencia de la jurisprudencia dictada por el Tribunal Estrasburgo[12], nuestro Tribunal Cons-

---

[12]   Antes que en la jurisprudencia constitucional la expresión "expectativa razonable de intimidad" ("*reasonable expectation of privacy*") aparece en la jurisprudencia del Tribunal Europeo de Derechos Humanos; en particular, en las SSTEDH de 25 de junio de 1997, asunto *Halford c. Reino Unido*, § 45; de 24 de junio de 2004, asunto *Von Hannover c. Alemania*, § 51; y, entre las últimas, SSTEDH de 5 de septiembre de 2017 (Gran Sala), asunto *Bărbulescu c. Rumanía*, § 73; y de 12 de enero de 2021, asunto *L.B. c. Hungría*, § 21. Y antes aún que el Tribunal de Estrasburgo, el Tribunal Supremo de los Estados Unidos en la exégesis de la Cuarta Enmienda a la Constitución de los Estados Unidos ya había acuñado el test de la expectativa razonable de intimidad ("*Reasonable Expectation of Privacy Test*"). El primero en hacerlo fue el Juez HARLAN en un voto concurrente en el asunto *Katz v. United States* [389 U.S. 347 (1967)] en el que argumentó que el citado test, cuya realización resultaba necesaria para acotar los intereses dignos de protección por la Cuarta Enmienda, constaba de dos

titucional ha venido considerando que lo que protege el art. 18.1 CE son las denominadas "*expectativas razonables de intimidad*" entendiendo por tales las «expectativas razonables que la propia persona, *o cualquier otra en su lugar en esa circunstancia*, pueda tener de encontrarse al resguardo de la observación o del escrutinio ajeno» [SSTC 12/2012, de 30 de enero, FJ 5; y 25/2019, de 25 de febrero, FJ 4 a)][13].

Es evidente que si lo que el derecho a la intimidad garantiza son las expectativas de encontrarse al resguardo de la observación o del escrutinio ajeno, no solo del titular del derecho, *sino de cualquier otra persona en su lugar*, el que venimos calificando como aspecto material del derecho no puede ser el producto de las concepciones o creencias personales del titular del derecho de lo que sea íntimo. No acudir a estándares generales –objetivos- en la concreción de lo íntimo comporta inexorablemente alimentar "patologías de la intimidad"[14], esto es, aceptar como válidas reclamaciones de afectación del derecho provenientes de individuos que pudieran tener una concepción distorsionada -en particular, exacerbada- de lo que se integre en este ámbito. Y huelga decir que la percepción distorsionada de la intimidad que pueda padecer un sujeto no puede servir a los Tribunales como punto de partida en la resolución de las reclamaciones de vulneración del derecho garantizado por el art. 18.1 CE.

Finalmente, en la misma línea de nuestra jurisprudencia constitucional, el Tribunal de Estrasburgo ha hecho uso, asimismo, de un criterio objetivo en la delimitación de la vida privada tutelada por el art. 8 CEDH. Así se desprende inequívocamente del *iter* argumentativo que viene empleando en la resolución de los recursos interpuestos por vulneración del art. 8 del CEDH, que ya hemos puesto de manifiesto en estas páginas. En concreto, ante una supuesta violación del

---

fases: una primera en la que resultaba necesario constatar que el demandante hubiera demostrado una expectativa real (subjetiva) de privacidad; y un segundo estadio de análisis en el que debía verificarse que la expectativa en cuestión fuera una expectativa *que la sociedad estuviera dispuesta a reconocer como razonable*. Esta opinión presente, como decimos, inicialmente, en el voto del Juez HARLAN la hizo suya la mayoría del Tribunal en numerosos asuntos posteriores. Concretamente, de conformidad con los pronunciamientos dictados por la *Supreme Court*, el recurrente podrá considerar como íntimos –se traduzca o no esa concepción en actuaciones concretas- los ámbitos, datos o informaciones que se dicen afectados por la actuación del poder público, que a menos que el conjunto de la sociedad reconozca esa expectativa subjetiva de intimidad *como objetivamente razonable* no será objeto de protección por la Cuarta Enmienda. Específicamente sobre esta jurisprudencia, véase, BUENO GALLARDO, E.: *La configuración constitucional del derecho a la intimidad…*, cit., págs. 113 y ss.

[13]   La cursiva es nuestra.

[14]   En conocida expresión de GABRIEL MARCEL. A esta misma circunstancia se refieren FARIÑAS MATONI, L. Mª.: *El derecho a la intimidad*, Trivium, Madrid, 1983, pág. 307; y NOVOA MONREAL, E.: *Derecho a la vida privada y libertad de información*, siglo XXI editores, Madrid, 1981, pág. 52.

derecho a la vida privada, el Tribunal constata, en primer lugar, la aplicabilidad del art. 8 ("*applicability of Article 8*") de manera que sólo cuando la información afectada por la actuación de terceros es susceptible de incluirse en el ámbito de la vida privada, tal y como este espacio ha sido delimitado por el Tribunal, se pasa a un segundo estadio de enjuiciamiento consistente en dilucidar si dicha intromisión es o no legítima y, por ende, acorde con el apartado 2 del art. 8 CEDH[15].

Pues bien, si la concreción del ámbito de la vida privada protegida por el Convenio pudiera realizarse subjetivamente (según las concepciones personales del titular del derecho), como defiende cierto sector doctrinal, este primer paso del enjuiciamiento resultaría innecesario (o, a lo sumo, se circunscribiría a la verificación de si el demandante había adoptado medidas encaminadas a la salvaguarda de su privacidad)[16]. Interpuesta una demanda por vulneración del derecho al respeto de la vida privada, la afectación de esta última se apreciaría en la práctica totalidad de los supuestos -sería prácticamente automática- y sólo correspondería al Tribunal dilucidar si la injerencia en el art. 8.1 CEDH resultaba acorde con las exigencias que establece el art. 8.2 CEDH para calificar la intromisión como legítima (conformidad con la ley, concurrencia de un fin legítimo y necesidad de la injerencia en una sociedad democrática). Y esta es una forma de proceder que, a todas luces, no está presente en los pronunciamientos del intérprete del CEDH.

En nuestra opinión, por tanto, la esfera íntima ha de delimitarse conforme a parámetros *objetivos*. Para nada interesa qué piense el titular de la garantía que forma parte de su esfera de privacidad. De su voluntad exclusivamente dependerá que podamos calificar o no como "reservada" -o no divulgada- dicha esfera, no la afectación *stricto sensu* de los ámbitos, datos o informaciones que la conforman.

Esto sentado, conviene añadir que los parámetros de naturaleza objetiva que han de emplearse en la concreción de la intimidad protegida han de determinarse atendiendo a las características que son consustanciales a este concepto. La intimidad es eminentemente un concepto sociocultural y, por ende, determinable exclusivamente en relación a un grupo social concreto. Y como concepto social que es, profundamente enraizado en las concepciones o criterios socioculturales compartidos por los miembros de una determinada colectividad, es

---

[15]   Véanse, entre otras muchas, las SSTEDH de 27 de septiembre de 1999, asunto *Smith and Grady c. Reino Unido*, §§ 70 y ss; de 25 de septiembre de 2001, asunto *P.G. and J.H. c. Reino Unido*, §§ 56 y ss; de 31 de julio de 2000, asunto *A.D.T. c. Reino Unido*, §§ 21 y ss; de 28 de enero de 2003, asunto *Peck c. Reino Unido*, §§ 53 y ss; de 22 de julio de 2003, asunto *Y.F. c. Turquía*, §§ 29 y ss; de 27 de noviembre de 2003, asunto *Worwa c. Polonia*, §§ 80 y ss; de 9 de marzo de 2004, asunto *Glass c. Reino Unido*, §§ 70 y ss; de 24 de junio de 2004, asunto *Von Hannover c. Alemania*, §§ 50 y ss; o, en fin, de 27 de julio de 2004, asunto *Sidabras and Diautas c. Lituania*, §§ 43 y ss.

[16]   En alguna que otra ocasión, incluso, el Tribunal de Estrasburgo ha llegado a afirmar explícitamente, en la línea de lo que aquí defendemos, que «la expectativa de privacidad de una persona *puede ser significativa*, aunque *no necesariamente un factor concluyente*» (SSTEDH de 20 de diciembre de 2005, asunto *Vetter c. Francia*, § 25; y, de la misma fecha, asunto *Wisse c. Francia*, § 25).

esencialmente *mutable, dinámico, flexible o, en fin, proteico*. Cambia de contenido en función del espacio (mutabilidad *espacial*) y, lo que es aún más relevante desde una perspectiva constitucional, en función del tiempo (mutabilidad *temporal*). Esta mutabilidad material determina su mutabilidad *jurídica* y, en última instancia, la necesidad de adecuar el método jurídico interpretativo a las características de la realidad que se trata de acotar.

Pues bien, en la medida en que nos encontramos ante una realidad netamente social, extraordinariamente flexible y dinámica, camaleónica, en suma, que requiere de permanente actualización, de su constante concretización a tenor de las coordenadas de tiempo y lugar en que en cada caso se alega su afectación, la identificación de lo íntimo debe efectuarse *conforme a los criterios culturales dominantes en nuestra sociedad en este concreto momento histórico,* correspondiendo a los tribunales de justicia y, en última instancia, al Tribunal Constitucional, la determinación de los ámbitos, datos o informaciones que merecen el apelativo de íntimos.

b) La necesaria equiparación de la "intimidad" y la "vida privada" a efectos del art. 18.1 CE y la existencia de diversos grados de intimidad protegida

Conforme a los criterios socioculturales imperantes y a la interpretación que del derecho al respeto de la vida privada (art. 8.1 CEDH) ha venido efectuando el Tribunal de Estrasburgo -y es este segundo extremo el que ahora nos interesa enfatizar-, que *ex* art. 10.2 CE resulta vinculante en la interpretación del art. 18.1 CE, la esfera íntima constitucionalmente protegida *debe equipararse a la noción de vida privada*, en los términos en los que la misma ha sido interpretada por el Tribunal Europeo de Derechos Humanos.

A pesar de que, al decir del Tribunal de Estrasburgo, el concepto de vida privada es un concepto amplio, no susceptible de definición exhaustiva, el máximo intérprete del Convenio ha efectuado la delimitación -tanto positiva como negativa- de esta noción sobre la base, fundamentalmente, de las cuatro premisas siguientes [por todas, SSTEDH de 16 de diciembre de 1992, asunto *Niemietz c. Alemania*, § 29; de 24 de junio de 2004, asunto *Von Hannover c. Alemania*, § 51; de 5 de septiembre de 2017 (GS), asunto *Bārbulescu c. Rumanía*, §§ 70-71; o, en fin, entre las más recientes, de 12 de enero de 2021, asunto *L.B. c. Hungría*, § 21]:

- El concepto de vida privada tutelado por el art. 8.1 CEDH no se circunscribe a un "círculo íntimo" (en conocida expresión del Tribunal, no se limita al denominado "*inner circle*" del individuo).

- No excluye, en principio, las actividades de carácter profesional o empresarial.

- Existe una zona de interacción de una persona con otras, incluso en un contexto público, que forma parte del concepto de vida privada. La protección de la vida privada se extiende, así, más allá del círculo familiar privado y puede alcanzar también a otros ámbitos de interacción social o, lo que es igual, a la "vida privada social" ("*private social life*").

– Ahora bien, «no hay nada en la jurisprudencia consolidada del Tribunal que sugiera que el ámbito de la vida privada se extienda a las actividades "que son de naturaleza esencialmente pública"».

Ha sido esta doctrina jurisprudencial la que ha llevado -insistimos, *ex* art. 10.2 CE- a nuestro Tribunal Constitucional a afirmar en la última década que la «intimidad protegida por el art. 18.1 CE no se reduce necesariamente a la que se desarrolla en el ámbito doméstico o privado»[17] y, en fin, la que permite concluir, a nuestro modo de ver, que la intimidad tutelada por el art. 18.1 CE *debe equipararse al concepto de vida privada o de esfera privada* entendiendo como tal el ámbito o espacio -y, claro está, la información inherente a él- que *se contrapone a la esfera pública*, esto es, a la que se ejecuta de cara a la sociedad o al público en general.

Esto sentado, conviene precisar -y hacerlo, además, a renglón seguido- que no todos los ámbitos, datos o informaciones que forman parte de la esfera privada constitucionalmente protegida son igualmente íntimos o, lo que es lo mismo, la calidad de la intimidad que se dice afectada por la actuación de los poderes públicos -o de los particulares- no es idéntica cualquiera que sea el ámbito, dato o información en el que se incida. Es posible identificar diversos niveles o grados de intimidad. Concretamente, atendiendo a la calidad de la intimidad de los diversos extremos que conforman la esfera privada protegida, en nuestra opinión, es posible diferenciar entre una intimidad *de calidad máxima*, una intimidad *de calidad media* y una intimidad *de calidad mínima*.

De manera que, haciendo uso de una comprensión topográfica de la esfera íntima tutelada por el art. 18.1 CE, resulta posible afirmar que integran el concepto constitucional de intimidad tres círculos concéntricos: el más exterior o externo estaría constituido por la intimidad *de calidad mínima*; en una posición intermedia, entre el círculo más exterior y el más interior, se situaría la intimidad *de calidad media*; y, en fin, el círculo más interior se correspondería con la intimidad *de calidad máxima*. Abundando en esta gradación de la intimidad protegida -pero sin ánimo de desarrollarla *in extenso* en estas páginas- resulta, a nuestro juicio, posible afirmar que:

– Son intimidad *de calidad mínima* aquellos datos o informaciones que, formando parte de la vida privada del sujeto, más relación guardan con el mundo exterior. Existe una zona de interacción de una persona con otras incluso en un contexto público que forma parte del ámbito de la vida

---

[17]   En este sentido, SSTC 12/2012, de 30 de enero, FJ 5; 170/2013, de 7 de octubre, FJ 5 a); 7/2014, de 27 de enero, FJ 4.b); 18/2015, de 16 de febrero, FJ 5; o, en fin, 25/2019, de 25 de febrero, FJ 4.a).

privada. Es esta zona de la vida privada que más conexión tiene con el mundo exterior la que constituye intimidad de calidad mínima y la que integra, fundamentalmente, el círculo más exterior o externo de la esfera íntima constitucionalmente protegida. Se trata de aquellos aspectos vitales que, de ordinario, se llevan a cabo en un contexto público, bien en soledad, bien en compañía de terceros, y que, normalmente, son conocidos por sujetos ajenos al titular del derecho, aunque no por la colectividad en su conjunto. Forman parte de este círculo más exterior o externo de la vida privada y, por ende, constituyen intimidad de calidad mínima, entre otros aspectos, las relaciones interpersonales del individuo o, lo que es lo mismo, su vida social; ciertas actividades de naturaleza profesional (en ningún caso, cuando se trate de actividades que por su propia naturaleza se realicen de cara al público, esto es, que formen parte de la vida pública); o, en fin, los actos o actividades de la vida diaria que se llevan a cabo en lugares públicos (*v. gr.*, dar un paseo, hacer la compra, practicar deporte, etc.).

— La intimidad *de calidad media* está constituida por aquellos datos o informaciones que sin ser los que más relación guardan con el mundo exterior tampoco constituyen las facetas más reservadas del ser humano. Se inscriben en esta categoría *v. gr.*, buena parte de los hábitos o aficiones que se desarrollan en el ámbito doméstico; y, como posteriormente explicaremos, algunos de los datos o informaciones relativos al flujo patrimonial personal de que es titular un sujeto.

— Finalmente, son intimidad *de calidad máxima* aquellos ámbitos, datos o informaciones pertenecientes al reducto más íntimo de la vida privada del individuo o, en palabras recientes de nuestro Tribunal Constitucional, al "núcleo más profundo de la intimidad" (STC 30/2022, de 7 de marzo, FJ 4). Se inscriben en este reducto más reservado de la vida privada del individuo, *v. gr.*, la intimidad corporal, la orientación y vida sexual, ciertos estados psíquicos, anímicos o situaciones personales (tales como los momentos de dolor y postración); los datos médicos y el padecimiento de ciertas enfermedades; o, en fin, las adicciones (al alcohol, drogas, etc.) del titular del derecho.

Ahora bien, pese a la gradación de la intimidad que acabamos de efectuar -lo reiteramos una vez más-, no existe intimidad alguna, cualquiera que sea su calidad -incluso máxima-, que no sea susceptible de afectación por los poderes públicos en general. La calidad de la intimidad afectada será relevante, no para excluir *a radice* la injerencia del Estado, sino única y exclusivamente *para graduar la mayor o menor intensidad con la que operan las exigencias que dimanan del requisito constitucional de legitimidad de la injerencia.* Y es que, en función *de la calidad de la intimidad* afectada -en nuestro caso, por la Administración tributaria-, así será la *gravedad de la intromisión* en el contenido del derecho a la intimidad, y, en última instancia, la *mayor o menor intensidad* con la que se aplicarán las *exigencias que derivan de la legitimidad* de la injerencia impuestas por el art. 18.1 CE (y, entre ellas, del principio de proporcionalidad).

3.2.- La doctrina sentada por nuestro Tribunal Constitucional y por el Tribunal de Estrasburgo en relación con el carácter íntimo/privado de los datos económicos

Equiparados los conceptos de intimidad y vida privada en la exégesis del art. 18.1 CE, procede preguntarse a continuación si los denominados datos económicos se inscriben en el concepto constitucional de intimidad y, en consecuencia, cuentan con la protección que dispensa el art. 18.1 CE. Ante todo, expondremos sucintamente la posición adoptada a este respecto por nuestro Tribunal Constitucional.

Como explicamos parcialmente hace ya algunos años[18], la jurisprudencia dictada por el máximo intérprete de nuestra Constitución en relación con el carácter íntimo de la información económica ha seguido una trayectoria zigzagueante. Tanto es así que, tras un análisis en profundidad de la citada jurisprudencia, y con la perspectiva que aportan los años de estudio de los pronunciamientos constitucionales relativos al art. 18.1 CE, es posible establecer cuatro etapas sobre la comúnmente denominada "intimidad económica". A saber:

– Una primera etapa caracterizada por la *exclusión o la inclusión matizada* de los datos económicos en el aspecto material del derecho a la intimidad (art. 18.1 CE). Producto de una comprensión restringida de la intimidad tutelada por la Carta Magna, el máximo intérprete de nuestra Constitución negó en sus primeros pronunciamientos que los extractos de las cuentas corrientes y las declaraciones de renta o patrimonio fueran intimidad protegida por el art. 18.1 CE (STC 110/1984, de 26 de noviembre, FJ 5) o que se incardinaran en el aspecto material de la garantía los intereses de todo tipo de cuentas, imposiciones y depósitos (AATC 642/1986, de 23 de julio, FJ 3; y 982/1986, de 19 de noviembre, FJ 2).

Se inscriben, asimismo, en esta primera época de la jurisprudencia constitucional, la STC 45/1989, de 20 de febrero, en la que, a diferencia de lo

---

[18] La exposición contenida en nuestro trabajo "*La configuración constitucional del derecho a la intimidad...*", cit., abarcaba el análisis de la jurisprudencia constitucional relativa a la intimidad económica hasta la fecha de publicación de la obra en 2009 (de ahí el carácter *parcial* del análisis al que nos referimos). Con posterioridad, sin embargo, se han seguido sucediendo pronunciamientos del Tribunal Constitucional que se inscriben -ya sin titubeos- en la senda iniciada por la STC 233/2005, de 26 de septiembre. A continuación, lo explicaremos.

afirmado en la previa STC 110/1984, se aceptó que los datos económicos contenidos en la declaración de renta fueran intimidad, aunque lo eran, al decir del Pleno, "en el ámbito de la relación conyugal" (FJ 9), de ahí la supuesta inclusión *matizada* de dichos datos en el ámbito de privacidad; o la STC 142/1993, de 22 de abril, en la que el Tribunal efectuó, seguramente, una de sus aseveraciones más conocidas -y repetidas por la doctrina- en relación con la posibilidad -empero, *muy limitada*- de extender la intimidad a la esfera económica de las personas: «la protección constitucional de la reserva de esos datos económicos como "íntimos" -señaló en el FJ 8 de este último pronunciamiento-, *está en función de la protección de la privacidad*, que es también protección de la libertad y de las posibilidades de autorrealización del individuo.- Lo decisivo para determinar la licitud o ilicitud de esta circulación no es un incondicionado y absoluto derecho a la preservación de la reserva sobre los datos económicos *sino la aptitud de éstos para, en un análisis detallado y conjunto, acceder a informaciones ya no atinentes a la esfera económica de la persona sino relativas directamente a su vida íntima personal y familiar.* Este fenómeno ha sido destacado en nuestra STC 110/1984 en la que se ha advertido la posibilidad de que, en una sociedad tecnológicamente avanzada, a través del estudio sistemático de las actuaciones económicas de un determinado sujeto, pueda llegarse a reconstruir *no ya su situación patrimonial sino el desarrollo de su vida íntima en el sentido constitucional del término»*[19]. Aseveración ésta del Pleno del Tribunal de la que se colige, inequívocamente, que los datos económicos en sí mismos no constituyen intimidad (en el sentido constitucional del término) pero en la medida en que *revelen* o, lo que es lo mismo, sea *aptos para poner al descubierto* información relativa directamente a la vida íntima personal y familiar de su titular, darán lugar a la aplicación del art. 18.1 CE[20].

– Una segunda etapa en la que, operando una mutación constitucional *implícita*, se afirma -y se hace sin ambages- que los datos económicos *son intimidad constitucionalmente protegida*. En esta segunda fase de la doctrina constitucional se enmarcan las SSTC 233/1999, de 16 de diciembre, y 47/2001, de 15 de febrero. En efecto, en estos pronunciamientos, a diferencia de lo que se había establecido precedentemente se llega a la conclusión (con cierta prudencia en el primero y abiertamente en el segundo)

---

[19]   La cursiva en la cita siempre es nuestra.

[20]   En contra de la exclusión de los datos económicos de la esfera íntima constitucionalmente protegida se pronunció el Magistrado D. José Gabaldón López en un voto particular formulado a la Sentencia. El magistrado disidente, en contra de la opinión del resto de los miembros del Pleno, entendió que los datos retributivos, en sí mismos, son intimidad: «el contrato de trabajo –afirmó– no sólo contiene los datos relativos a la retribución del trabajador, que por sí mismos ya constituyen una parte de lo que es esfera de su intimidad reservada para otras personas particulares».

de que los datos económicos son intimidad. No se trata ya de que unos no sean intimidad –los estrictamente económicos- y otros resulten protegidos por el art. 18.1 CE en la medida en que permitan la reconstrucción de los avatares personales o familiares del titular de la información. Simplemente, a tenor de estos pronunciamientos los datos económicos, en sí mismos considerados, forman parte de la esfera íntima constitucionalmente protegida: «no hay dudas -se afirma en el FJ 7 de la STC 233/1999- de que, en principio, los datos relativos a la situación económica de una persona, (…) entran dentro de la intimidad constitucionalmente protegida» (FJ 7); y, de forma indubitada se asevera en el FJ 8 de la posterior STC 47/2001 lo siguiente: la «resolución de esta queja debe partir necesariamente del reconocimiento de que en las declaraciones del IRPF se ponen de manifiesto datos que pertenecen a la intimidad constitucionalmente tutelada de los sujetos pasivos».

Con todo, lo más sorprendente de estas Sentencias no es la modificación que se opera en la doctrina sentada en los pronunciamientos anteriores en los que se había sido extremadamente cauteloso a la hora de concretar la información económica que encontraba protección en el art. 18.1 CE y la que no. Lo más llamativo, a nuestro juicio, es que la inclusión de la información económica en la intimidad constitucionalmente protegida se plantea como si de una mera aplicación de doctrina se tratase, esto es, como si en ellas no se hiciera más que reiterar lo que se había establecido previamente, cuando de un recorrido por la jurisprudencia dictada hasta 1999 se extrae, justamente, la conclusión contraria.

– Pese a la contundencia de esta jurisprudencia, en un momento ulterior -esto es, en una tercera etapa-, se produce una *involución de la doctrina constitucional precedente*. Concretamente, en los AATC 197/2003, de 16 de junio, y 212/2003, de 30 de junio, la Sección Tercera del Tribunal afirma con rotundidad que la comunicación de información de naturaleza tributaria no vulnera la garantía constitucional que examinamos en la medida en que esta información, con carácter general, no forma parte de la intimidad constitucionalmente protegida: «resulta cuestionable en abstracto -se dice- que la transmisión de información de naturaleza tributaria pueda vulnerar el derecho a la intimidad de los contribuyentes, sobre todo cuando se trata de actividades que tienden a desarrollarse en el ámbito de relación con terceros y que están sometidas a fórmulas específicas de publicidad e información» (FFJJ 2). Y, en fin, por si pudiera subsistir alguna duda de la involución a la que nos referimos (en la medida en que las resoluciones citadas son Autos dictados por una Sección), en la posterior STC 99/2004, de 27 de mayo, la Sala Primera del Tribunal rechazó que el dato relativo a la titularidad de cuentas bancarias constituya intimidad a tenor del art. 18.1 CE, en la medida en que la información aportada al respecto tampoco se corresponde con «los aspectos más básicos de la autodeterminación personal» a los que el máximo intérprete de nuestra Constitución circunscribe, en ciertos momentos de su trayectoria, la intimidad objeto de tutela constitucional[21].

–   Finalmente, es posible identificar una cuarta etapa jurisprudencial que se extiende hasta nuestros días en la que ya con absoluta claridad -y sin retroceso o titubeo alguno- se establece en las Sentencias constitucionales que *no es dudoso que los datos relativos a la situación económica de un sujeto son intimidad.*

Esta cuarta y última etapa se inicia con la STC 233/2005, de 26 de septiembre, en la que la Sala Segunda del Tribunal, en la resolución de un recurso de amparo, se pronunció sobre la compatibilidad con el art. 18.1 CE de los requerimientos de información dirigidos por la Administración tributaria a una determinada entidad de crédito para que aportara fotocopias de los cheques emitidos por el recurrente con cargo a una cuenta corriente en la que aparecía formalmente como autorizado y a los tomadores de dichos cheques, al objeto de investigar el destino de los gastos en los que había incurrido el demandante y, en última instancia, la verdadera titularidad de los fondos depositados en la cuenta. A diferencia de lo que había sucedido en la etapa anterior, la Sala Sentenciadora declaró, sin ambages, que «los *datos económicos,* en principio, *se incluyen en el ámbito de la intimidad*»[22], esto es, y haciendo uso de la terminología que proponemos, en el aspecto material de la garantía. Es más, llegó incluso a reconocer que, sin perjuicio «de que los datos relativos a la situación económica de una persona entra[ran] dentro del ámbito de intimidad constitucionalmente protegido», «la información concerniente al gasto en que incurre un obligado tributario, no sólo forma parte de dicho ámbito, sino que a través de su investigación o indagación *puede penetrarse en la zona más estricta de la vida privada o, lo que es lo mismo, en "los aspectos más básicos de la autodeterminación personal" del individuo*»[23]. Se diferenciaba así implícita, pero nítidamente, en la línea de lo que proponemos más adelante, entre datos económicos

---

[21]   La afirmación textual de referencia es, en concreto, la siguiente: «cuando se trata de actividades –se afirma en la STC 99/2004- que, contra lo que afirma la recurrente, no son propiamente públicas (así, la "titularidad de cuentas bancarias"), las informaciones aportadas al respecto tampoco se corresponden con "los aspectos más básicos de la autodeterminación personal" (…), es decir, con aspectos que en modo alguno puedan considerarse como parte del "ámbito propio y reservado frente a la acción y el conocimiento de los demás necesario –según las pautas de nuestra cultura- para mantener una calidad mínima de la vida humana» (FJ 13).

[22]   FJ 4 (la cursiva es nuestra).

[23]   FJ 4 (la cursiva en la cita, asimismo, es nuestra).

con trascendencia tributaria más íntimos y menos íntimos y se llegaba a la conclusión –acertada, sin duda- de que la información concerniente al gasto personal no sólo forma parte del ámbito de la vida privada, sino que constituye uno de los extremos más íntimos de la privacidad individual. Con posterioridad a este pronunciamiento se han dictado otros cuya doctrina podría sintetizarse como sigue:

a) Los «datos económicos con trascendencia tributaria forman parte del contenido propio y reservado frente a la acción y el conocimiento de los demás que garantiza el art. 18.1 CE (…)]» [SSTC 111/2006, de 5 de abril, FJ 5; 113/2006, de 5 de abril, FJ 6; 65/2020, de 18 de junio, FJ 11 d); y, en la misma línea, implícitamente, STC 97/2019, de 16 de julio, FJ 6 c)], «además de constituir datos de carácter personal protegidos también por el derecho fundamental que deriva del art. 18.4 CE» [STC 65/2020, FJ 11 d)].

b) Ahora bien, pese a que la intimidad económica resulta protegida por el art. 18.1 CE, es posible diferenciar -y así lo hace, en concreto, la STC 97/2019 (*caso Falciani*) en su FJ 6 c)- entre datos correspondientes *al ámbito más periférico de la intimidad económica -v. gr.*, la información relativa a la mera existencia de una cuenta bancaria o al importe depositado en la misma- y *otros que pueden llegar a poner al descubierto aspectos pertenecientes al reducto más íntimo de la vida privada* del individuo como pueden ser, por ejemplo, «los concretos movimientos de cuentas, que puedan revelar o que permitan deducir los comportamientos o hábitos de vida del interesado» [FJ 6 c); y se reproduce, asimismo, esta doctrina en la posterior STC 16/2021, de 28 de enero, FJ 9 d)][24].

c) Y, en fin, puede quedar también amparada por el aspecto material del derecho a la intimidad la *información relativa al patrimonio inmobiliario* de que es titular un sujeto. Así se infiere de la STC 16/2021, de 28 de enero, en la que el Pleno del Tribunal Constitucional, al pronunciarse en relación con el registro catalán de viviendas vacías y de viviendas ocupadas sin título habilitante, y, en particular, sobre la información que se requiere a las

---

[24]   La argumentación completa del Tribunal en la STC 97/2019 es la que a continuación transcribimos: a «la misma conclusión se llega si se examina, también desde el punto de vista interno, el "resultado" de la violación consumada en el derecho a la intimidad. Puede advertirse que los datos que son utilizados por la hacienda pública española se refieren a aspectos periféricos e inocuos de la llamada "intimidad económica". No se han introducido dentro del proceso penal datos, como podrían ser los concretos movimientos de cuentas, que puedan revelar o que permitan deducir los comportamientos o hábitos de vida del interesado (SSTC 142/1993, de 22 de abril, FJ 7, y 233/2005, de 26 de septiembre, FJ 4). Los datos controvertidos son, exclusivamente, la existencia de la cuenta bancaria y el importe ingresado en la misma. El resultado de la intromisión en la intimidad no es, por tanto, de tal intensidad que exija, por sí mismo, extender las necesidades de tutela del derecho sustantivo al ámbito del proceso penal, habida cuenta que, como ya se ha dicho, éste no tiene conexión instrumental alguna con el acto de injerencia verificado entre particulares» [FJ 6 c)].

personas jurídicas para la creación del citado registro -en particular, datos
relativos a la titularidad actual y pasada de las citadas viviendas, ubicación,
superficie, fecha de adquisición o transmisión, medio de adquisición, importe, ocupación o, en su defecto, fecha y circunstancias de la desocupa-
ción, cédula de habitabilidad, ejecución de obras que justifiquen la des-
ocupación, y otros- concluyó que «datos de naturaleza económica como los
requeridos por el registro pueden también quedar amparados por el art.
18.1 CE» [FJ 9 d)].

Que la intimidad económica resulta protegida por el aspecto material del
derecho a la intimidad no es solo una conclusión que en los últimos años ha
alcanzado nuestro Tribunal Constitucional en la exégesis del art. 18.1 CE. Es,
asimismo, un corolario al que, antes que él, habían llegado sin vacilación los órganos de Estrasburgo en la aplicación del art. 8 CEDH: en la década de los 80, la
ya desaparecida Comisión[25], y desde las SSTEDH de 25 de febrero de 1993, asuntos *Funke c. Francia*, *Cremiex c. Francia*, y *Miailhe c. Francia*, el Tribunal Europeo
de Derechos Humanos, pronunciamientos estos últimos en los que el Tribunal
calificó los datos económicos -y no exclusivamente los gastos en los que incurre
un sujeto- como privados y, en consecuencia, protegidos por el art. 8.1 CEDH[26].

Más recientemente, profundizando en la doctrina sentada en los asuntos citados, el Tribunal de Estrasburgo ha efectuado, al menos, cuatro declaraciones de
innegable interés en la exégesis específicamente del derecho al respeto *de la vida
privada* (no de la protección de datos personales) tutelada por el art. 8 CEDH:

–   En primer lugar, aunque no necesariamente en este orden temporal, ha
    señalado que los datos relativos a la situación económica en la que se en-
    cuentra un sujeto forman parte de la vida privada tutelada por el art. 8

---

[25]   La Comisión se pronunció por primera vez en favor de la inclusión de la esfera económica –en
       concreto, de los gastos en los que incurre un sujeto- en el ámbito de protección del derecho al
       respeto de la vida privada en la Decisión de 7 de diciembre de 1982, asunto *X c. Bélgica* (conocida
       también como asunto *Hardy- Spirlet*), en la que enmarcó las quejas planteadas por los recurrentes
       en el ámbito del art. 8.1 CEDH del siguiente modo: la Comisión «considera, sin vacilación, que el
       hecho de que la autoridad tributaria esté legitimada para requerir al recurrente la aportación de un
       listado de sus gastos personales, susceptible de ser sometido a imposición, constituye una injerencia
       en su vida privada.- Debe, por tanto, examinarse ahora la cuestión de si la injerencia resulta acorde
       con el párrafo 2 del Artículo 8.- A este respecto…la Comisión tiene que establecer si la injerencia
       resulta "acorde con la ley", se justifica en uno de los fines legítimos previstos en el apartado 2 y
       "resulta necesaria en una sociedad democrática" para la consecución de dichos fines» (la cursiva es
       nuestra).
[26]   En concreto, en el caso *Funke c. Francia* -que es, seguramente, el que sienta una doctrina más clara
       sobre el tema que nos ocupa- se consideró que la investigación de extractos de cuentas corrientes
       en entidades crediticias extranjeras, talonarios de cheques y documentación relativa a la financia-
       ción de un apartamento, suponía una afectación de la vida privada del recurrente tutelada por el
       art. 8 CEDH.

CEDH. A este respecto, en relación con la publicación por el Estado húngaro de un listado de grandes defraudadores tributarios, ha puesto de manifiesto que: teniendo en cuenta «que dichos datos [los incluidos en el listado de grandes defraudadores tributarios] proporcionaban información sobre la situación económica del demandante, y sobre la base de la jurisprudencia del Tribunal en relación con el artículo 8, el Tribunal considera que los datos publicados por la Administración Tributaria se referían a la vida privada del demandante (…). En este contexto -ha añadido y la puntualización no es baladí-, es irrelevante que los datos publicados se refieran a impuestos no pagados por actividades de carácter profesional» (STEDH de 12 de enero de 2021, asunto *L.B. c. Hungría*, § 23).

- En segundo lugar, ha puesto de relieve -y lo ha hecho en más de un pronunciamiento- que los ingresos imponibles y el patrimonio neto imponible constituyen "vida privada" en los términos del art. 8 CEDH, afirmación esta segunda de innegable interés en el ámbito tributario, máxime cuando la aseveración proviene, como sucedió en la primera ocasión en la que se formula, de la Gran Sala: el hecho -se afirma- «de proporcionar detalles sobre los ingresos imponibles ganados y no ganados de los individuos, así como sobre su patrimonio neto imponible, afecta claramente a su vida privada a pesar de que, con arreglo al Derecho finlandés, el público podía acceder a estos datos, de acuerdo con determinadas normas» [STEDH de 27 de junio de 2017 (Gran Sala), asunto *Satakunnan Markkinapörssi Oy and Satamedia Oy c. Finlandia*, § 138; y, en los mismos términos, posteriormente, SSTEDH de 12 de enero de 2021, asunto *L.B. c. Hungría*, § 21; y de 14 de diciembre de 2021, asunto *Samoylova c. Rusia*, § 62).

- En tercer lugar, los datos bancarios son objeto de protección *ex* art. 8 CEDH: en este sentido, claramente, entre las más relevantes, SSTEDH de 7 de julio de 2015, asunto *M. N. y otros c. San Marino*, § 51; y de 22 de diciembre de 2015, asunto *G.S.B. c. Suiza*, § 93.

- Y, en cuarto lugar, en fin, aunque todos los datos bancarios gozan de la protección que les dispensa el art. 8 CEDH, pueden diferenciarse –a los efectos de las garantías previstas en el apdo. 2 del art. 8 CEDH- dos tipos de datos bancarios protegidos por el art. 8 CEDH: los que constituyen mera información financiera y los que revelan detalles íntimos o datos estrechamente vinculados a la identidad del sujeto. Claramente, en esta línea, se afirma en la STEDH de 22 de diciembre de 2015, asunto *G.S.B. c. Suiza*, que la «divulgación impugnada sólo se refería a (…) datos bancarios, es decir, a información puramente financiera; por lo tanto, no implicaba en modo alguno la transmisión de detalles íntimos o datos estrechamente vinculados a su identidad, que habrían merecido una protección reforzada. De ello se desprende que Suiza disponía de un amplio margen de apreciación» (§ 93).

A la luz de esta jurisprudencia, por tanto, podemos concluir, una vez más, que en relación con la información económica de que es titular un sujeto resulta posible diferenciar entre distintos niveles o grados de intimidad, diferenciación que es de vital importancia a la hora de determinar la intensidad con la que operan las garantías que conforman el que hemos calificado como aspecto jurídico del derecho.

3.3.- El flujo patrimonial personal de que es titular un sujeto es intimidad constitucionalmente protegida

Una vez sistematizada la jurisprudencia dictada tanto por nuestro Tribunal Constitucional como por el Tribunal de Estrasburgo en relación con la denominada intimidad económica, procede pronunciarnos sobre el discutido carácter íntimo de los datos económicos, cuestión que algunos autores consideran todavía hoy polémica o irresuelta[27].

A nuestro juicio, la información económica de que es titular un sujeto forma parte del aspecto material del derecho que examinamos: *es intimidad.* Ahora bien, aunque hasta el momento nos hemos venido refiriendo, con carácter general, a la inclusión de los datos económicos o de la información económica en el ámbito de intimidad constitucionalmente protegido, conviene ser más precisos. Lo que, en puridad, forma parte de la esfera íntima tutelada por el art. 18.1 CE es *el flujo patrimonial personal,* tanto en su vertiente estática como dinámica. Y, desde nuestro punto de vista, conforman el flujo patrimonial personal: (i) el *flujo de ingresos o rentas* –cualquiera que sea su naturaleza- que percibe un sujeto; (ii) su *flujo de gastos,* teniendo tal consideración la *inversión* y el *consumo;* y (iii) el *patrimonio neto* (activo-pasivo) del que es titular un individuo.

La inclusión del flujo patrimonial personal en la esfera íntima constitucionalmente protegida no sólo resulta acorde con la jurisprudencia consolidada

---

[27] La existencia de posiciones doctrinales y jurisprudenciales enfrentadas sobre el carácter íntimo de los datos económicos ha sido puesta de relieve recientemente por DE LA PEÑA AMORÓS, Mª. del M.: *El deber de información,* Dykinson, Madrid, 2020, págs. 92-100; SANMARTÍN GARCÍA-OSORIO, Mª. E.: «El precinto cautelar de las cajas de seguridad en el seno de un procedimiento de inspección tributaria. Derechos fundamentales afectados y conveniencia de recabar autorización judicial previa», *Revista Técnica Tributaria,* núm. 135, 2021, pág. 42. Asimismo, a la «discusión sobre si los datos económicos con trascendencia fiscal se incluyen en el ámbito de intimidad» se ha referido también BOSCH CHOLBI, J. L.: «La tutela judicial del derecho a la intimidad, a la inviolabilidad del domicilio y al secreto de las comunicaciones ante las actuaciones de la Administración tributaria», *REDF-Civitas,* núm. 192, 2021, págs. 57-58.

y mantenida en el tiempo del Tribunal de Estrasburgo y, según hemos visto, de nuestro Tribunal Constitucional a partir de la STC 233/2005, sino que estamos convencidos -y lo estamos desde hace años- de que responde *a los parámetros socioculturales imperantes*. Bastan unos cuantos ejemplos para demostrarlo. ¿Quién de nosotros, *v. gr.*, no consideraría una intromisión en su intimidad la divulgación por terceros de la cuantía a que asciende su sueldo o salario? ¿O la puesta en conocimiento de terceros de las rentas que obtiene en concepto de alquileres o de la ganancia obtenida como consecuencia de la venta de un inmueble? ¿Alguno de nosotros estaría dispuesto, en principio, a que una fotocopia de su declaración de renta o patrimonio o de los extractos de sus cuentas corrientes se insertara en un diario de difusión nacional? ¿Quién no considera una intromisión en su intimidad la investigación por terceros de los productos financieros en los que invierte (*v. gr.*, adquisición de valores mobiliarios o activos financieros o participación en fondos de inversión)? En nuestra sociedad, y en este concreto momento histórico, las deudas contraídas por un sujeto ¿no forman parte de su intimidad? ¿Y la investigación del gasto? ¿Para quién no constituye una intromisión en su privacidad la divulgación –o la mera indagación- de cuánto y en qué gasta su dinero? No tenemos la menor duda de que la información referida a la capacidad económica de un sujeto, con carácter general, forma parte de la esfera íntima tutelada por el art. 18.1 CE.

Cuestión distinta, sin embargo, es *cómo de íntima sea la información relativa al flujo patrimonial personal* de que es titular un sujeto o, lo que es lo mismo, y volviendo, nuevamente, a la gradación de la intimidad que establecíamos en líneas anteriores, si la misma forma parte de la intimidad que hemos calificado como de calidad máxima, media o mínima. Y ello por cuanto que con los datos que integran el flujo patrimonial personal sucede lo mismo que con el resto de ámbitos, datos o informaciones que forman parte de la esfera íntima constitucionalmente protegida, a saber: no todos ellos son igualmente íntimos o, lo que es lo mismo, la calidad de la intimidad que se dice afectada por la actuación de los poderes públicos o de los particulares no es idéntica cualquiera que sea el ámbito, dato o información en el que se incida.

Pues bien, atendiendo a la gradación que ya hemos expuesto de la intimidad, a nuestro juicio, es posible concluir que los diversos extremos que conforman el flujo patrimonial personal:

- (1) *En ningún caso*, constituyen *en sí mismos* intimidad de calidad *máxima*. Lo que no significa que entre los datos requeridos por la Administración a los obligados tributarios no se cuente, en ocasiones, información perteneciente al reducto más interior o interno de la vida privada. En estos supuestos, empero, no puede hablarse propiamente de intimidad económica sino exclusivamente de datos privados no patrimoniales cuya trascendencia tributaria -esto es, cuya relevancia a los efectos del deber de contribuir al sostenimiento de los gastos públicos que establece el art. 31.1 CE- justifica que, en ciertos casos, sean objeto de requerimiento por parte de la Administración.

– (2) Serán intimidad de calidad *mínima* o *media* cuando se trate de datos *estrictamente económicos*. Y es que, conforme a los parámetros socioculturales imperantes, no se percibe, seguramente, como igualmente íntima (a) la información concerniente a la *mera titularidad* de una cuenta bancaria o de un contrato de arrendamiento de una caja de seguridad en una entidad bancaria, o a la *simple adquisición* de valores mobiliarios de renta variable o fija, de participaciones en fondos de inversión o de activos financieros, las cesiones de créditos, etc., extremos todos ellos que podrían calificarse como intimidad de calidad *mínima*, y (b) la información relativa al salario y demás rentas que percibe un sujeto (provenientes del alquiler de inmuebles, de la cesión a terceros de capitales propios, de la transmisión de inmuebles, etc.), al importe de las deudas pendientes (préstamos personales, hipotecarios, etc.), o, en fin, al valor neto del patrimonio personal, extremos estos últimos que en la sociedad actual se conciben, seguramente, por la inmensa mayoría de los individuos, no como aspectos meramente periféricos o inocuos de la intimidad económica, sino como aspectos pertenecientes a una capa más interior o interna de la intimidad: la que venimos calificando como intimidad de calidad *media*.

– (3) Y, en fin, existen datos económicos, *a priori* de calidad media, *que revelan o ponen al descubierto intimidad de calidad máxima* cuya afectación -toma de conocimiento o cesión- por la Administración tributaria comportará *ex* art. 18.1 CE una intensificación de las garantías que integran el requisito constitucional de legitimidad de la injerencia y, a la postre, de la observancia del principio de proporcionalidad. Es lo que sucede cuando la Administración tiene conocimiento de la información concerniente al gasto en el que incurre un sujeto (cargos efectuados en cuenta corriente, en una tarjeta de débito o crédito, investigación del destino de cheques u otras órdenes de pago, etc.) cuya indagación puede poner al descubierto creencias, adicciones, patologías físicas o psíquicas, extremos relativos a la vida u orientación sexual del titular de la información, aspectos todos ellos, qué duda cabe, pertenecientes al reducto más interior o interno de la vida privada del individuo (esto es, a la que hemos calificado como intimidad de calidad máxima).

4.- EPÍLOGO

Hasta aquí las consideraciones y reflexiones orientadas a subsanar la primera de las carencias detectadas en la exégesis y aplicación del derecho a la intimidad por los operadores jurídicos, a saber: la incorrecta comprensión del contenido constitucional de la garantía establecida en el art. 18.1 CE y las dudas persistentes en relación con el carácter íntimo de los datos económicos.

Ahora bien, como apuntábamos al comienzo de este trabajo, además de estas cuestiones que consideramos resueltas, pero insatisfactoriamente interiorizadas por los operadores jurídicos, persisten no pocos temas pendientes en relación con el derecho a la intimidad. Entre los más notorios, -pero, desde luego, no los únicos-, si el acceso por la Administración tributaria al que se viene denominando entorno digital del contribuyente o "garantía de la intimidad informática" (dispositivos electrónicos -ordenadores portátiles, tabletas, discos duros externos, etc.-, servidores, y espacios de almacenamiento virtual o "nubes") cuenta o no con la debida cobertura legal en la LGT (y/o en su caso resultan "aplicables" analógicamente los preceptos introducidos en la LECrim por la Ley Orgánica 13/2015, reguladora de las medidas de investigación tecnológica) o en qué casos precisa la Administración tributaria de autorización judicial para incidir en la intimidad de los obligados tributarios.

Estas cuestiones -y alguna otra- serán objeto de estudio detenido en un trabajo de investigación que estamos ultimando y, en breve, publicaremos.

5.- LA REACCION LEGISLATIVA FRENTE A LA JURISPRUDENCIA DEL TRIBUNAL SUPREMO RELATIVA AL DERECHO A LA INVIOLABILIDAD DEL DOMICILIO

MARÍA ESTHER SÁNCHEZ LÓPEZ

Profesora Titular de Derecho Financiero y Tributario. UCLM/CIEF

SUMARIO. 1. INTRODUCCION. 2. SOLICITUD DE ENTRADA Y AUTORIZACION JUDICIAL. 2.1 Presupuesto: la necesidad de un procedimiento ya iniciado. 2.2 La necesaria proporcionalidad entre la solicitud de entrada y la motivación del auto judicial. 2.2.1 Petición de entrada por parte de la Administración tributaria. 2.2.2 El auto judicial de entrada y registro en el domicilio: requisitos y consecuencias de su eventual anulación. 3. LA LEY 11/2021, DE 11 DE JULIO. 4. REFLEXIONES Y PROPUESTAS

1. INTRODUCCION

La *delimitación* del derecho a la inviolabilidad del domicilio y, por tanto, su *protección*, se encuentra lejos de ser un tema cerrado, tal como se pone de manifiesto en las últimas Sentencias en las que el Tribunal Supremo ha tenido ocasión de pronunciarse sobre el derecho mencionado con ocasión de la entrada en el domicilio constitucionalmente protegido por parte de la Inspección de los Tributos.

Nos estamos refiriendo, en concreto, a las Sentencias del Tribunal Supremo de 10 de octubre de 2019, de 1 de octubre de 2020 y de 23 de septiembre de 2021, que serán objeto de comentario en el presente trabajo en referencia, en particular, tanto a la existencia de un procedimiento inspector ya iniciado y notificado al obligado tributario como a los requisitos que debe observar tanto la solicitud de entrada como la autorización judicial que, como prescribe el art. 113 de la LGT[28], debe solicitarse necesariamente por parte de los órganos de la Administración tributaria en caso de ausencia de consentimiento del obligado tributario y que, como se verá, plantean importantes problemas de compleja solución, a los que pensamos que no ha dado respuesta adecuada la reforma "reactiva" llevada a cabo en relación con este aspecto por parte de la Ley 11/2021, de 9 de julio,

---

[28] En línea con la previsión incluida en los arts. 8.6 de la Ley 29/1998, de 13 de julio, reguladora de la Jurisdicción Contencioso-administrativa y 91.2 de la Ley Orgánica 6/1985, de 1 de julio, del Poder Judicial.

de medidas de prevención y lucha contra el fraude fiscal, de transposición de la Directiva (UE) 2016/1164, del Consejo, de 12 de julio de 2016, por la que se establecen normas contra las prácticas de elusión fiscal que inciden directamente en el funcionamiento del mercado interior, de modificación de diversas normas tributarias y en materia de regulación del juego, a la que se dedicará una parte del presente estudio.

Efectivamente, en un escenario marcado por la excesiva ambigüedad y parquedad de la normativa reguladora del derecho a la inviolabilidad del domicilio, que se acentúa en el ámbito tributario en relación con las entradas que lleva a cabo la Inspección de los tributos, "el juzgador ha de decidir casos no siempre nítidos"[29], debiéndose insistir en la necesidad de una regulación más *concreta* y *completa*[30] que no solamente suponga una salvaguarda adecuada (suprimir adecuada) de este derecho fundamental sino que permita, al mismo tiempo, la adecuada *ponderación* del mismo con el interés fiscal a la realización del deber de contribuir, que debe servir de *fundamento* y *justificación* del acceso a dichos lugares protegidos constitucionalmente por parte de la Inspección tributaria. Juicio de proporcionalidad que, como ha señalado el Tribunal Constitucional, "juega con el máximo rigor" en los supuestos de entrada y reconocimiento del domicilio, exigiendo "una relación ponderada de los medios empleados con el fin perseguido, para evitar el sacrificio innecesario o excesivo de los derechos fundamentales, cuyo contenido es intangible"[31].

Se trata, por tanto, de una *construcción necesaria* que, más allá del inevitable "casuismo" jurisprudencial, debe ser abordada por el legislador, no mediante modificaciones "parciales", como la mencionada anteriormente, sino de manera *integral* a través de la Ley orgánica correspondiente.

2. SOLICITUD DE ENTRADA Y AUTORIZACION JUDICIAL. UNA RELACIÓN NECESARIA

Siendo cada vez más infrecuente que, con anterioridad a la entrada en el domicilio constitucionalmente protegido se solicite autorización al contribuyente, la realidad es que, en la actualidad, en la mayoría de las actuaciones de registro y entrada, los funcionarios de la Inspección acuden a los domicilios de los

---

[29]   STS de 1 de octubre de 2020 (F.J. 2°).
[30]   Vid. ALONSO MURILLO, F., "La inviolabilidad del domicilio frente a las actuaciones de la inspección de los tributos: análisis de tres pronunciamientos recientes del tribunal supremo", *Revista Española de Derecho Financiero*, núm. 189/2021, Apartado I, autor que se hace eco de las palabras vertidas, en este sentido por parte de la STS de 1 de octubre de 2020 (F.J. 3°).
[31]   STC 50/1995, de 23 de febrero de 1995.

obligados tributarios "con la autorización judicial ya expedida"[32]. Auto de entrada en los domicilios protegidos constitucionalmente así como en los restantes edificios o lugares cuyo acceso requiera el consentimiento de su titular que, a tenor de lo previsto en el art. 91.2 de la LOPJ, (añadir coma) corresponde emitir a los Juzgados de lo Contencioso-administrativo "cuando ello proceda para la ejecución forzosa de actos de la Administración", siendo éstos apelables a un solo efecto, el devolutivo, sin que suponga la suspensión del mismo, según dispone el art. 80.1 de la LJCA.

Circunstancia esta última de "especial trascendencia" dado que "los órganos de la inspección de los tributos podrán penetrar en el respectivo domicilio sin necesidad de esperar para ello a la resolución del recurso interpuesto frente al Auto autorizante" y que, en principio, parece lógica debido a que la atribución, en estos casos, "de efectos suspensivos al recurso de apelación vendría a poner en serio peligro la propia eficacia de la actuación administrativa, y ello hasta el extremo de llegar a frustrar, en la inmensa mayoría de los supuestos, la consecución del objetivo perseguido por los órganos de la Inspección de los tributos a través de la entrada domiciliaria, al haber desaparecido el denominado efecto sorpresa"[33]. Y ello, sin perjuicio, de que, como se verá, la anulación del auto de entrada conlleve la vulneración del derecho fundamental a la intimidad debido a la falta de la cobertura legal necesaria para la obtención de los datos por parte de la Administración tributaria.

En consecuencia, y antes de adentrarnos en el estudio de las cuestiones mencionadas, cabe comenzar sentando como premisa y "marco" de las ideas que se van a exponer, que la resolución judicial que autoriza, en su caso, la entrada domiciliaria encarna "*una idea de justicia material*", dirigida a la "proscripción de todo sacrificio del derecho inútil, innecesario y desproporcionado"[34], lo que impide al juez competente "actuar con una suerte de automatismo formal"[35] o sin

---

[32]   Vid. LLOPIS NADAL, S. y FAUBEL MARTÍNEZ-BÁGUENA, D., *La entrada y registro domiciliario por la Inspección de los Tributos*, Francis Lefebvre, Madrid, 2019, pp. 58 y 59.

[33]   Vid. ÁLVAREZ MARTÍNEZ, J., "La inviolabilidad del domicilio tributario", en *Derechos Fundamentales y Ordenamiento tributario*, ALMUDÍ CID, J.M., MERINO JARA, I. y UGARTEMENDIA ECEIZABARRENA, J.I. (Dirs.), *European Inklings*, núm. 14/2018, p. 182.

[34]   DELGADO SANCHO, C.D., "Entrada y registro en el domicilio del contribuyente", *Revista Técnica Tributaria*, núm. 122/2018, p. 47.
        Sentido en que se declara en la STS de 1 de octubre de 2020, que "la posición del juez de garantías lleva consigo el deber de poner en entredicho, como método que forma parte esencial de su control, los datos o indicios que se le proporcionen, a fin de adoptar la decisión que proceda sin dejar en manos del órgano administrativo fiscal una encomienda vaga y general respecto de la cual el auto de autorización sea una especie de *nihil obstat*, de respaldo rutinario y complaciente" (F.J. 2°).

[35]   Idea a la que hace ya algunos años se refirió en el ámbito tributario, y entre otros autores, JUAN LOZANO, A.M., *La Inspección de Hacienda ante la Constitución*, Instituto de Estudios Fiscales-Marcial Pons, Madrid, 1993, p. 164, al afirmar que "la resolución del juez no se convierte en un automatismo formal" porque lo que a éste le corresponde es valorar "si lo que se solicita está en consecuencia

realizar ningún tipo de control[36]. Auto judicial cuya adecuada motivación, fundada en el necesario juicio de proporcionalidad *depende*, a nuestro juicio, y según se analizará, de la existencia de un acto administrativo previo, necesario de ejecutar (tal como exigen los arts. 91.2 de la LOPJ y 8.6 LJCA) que debe servir, además, de fundamento a la solicitud administrativa.

Dicho de otro modo, el rigor de la motivación, basada en el equilibrio proporcionado de los intereses protegidos, en la solicitud de entrada en el domicilio, es lo que va a determinar, en buena medida, el contenido de la autorización judicial en términos de justicia y proporcionalidad (según se reclama, respectivamente, por parte de los artículos 552 y 558 de la Ley de Enjuiciamiento Criminal -LECrim.-). Planteamiento que, inevitablemente, lleva a concluir la *necesaria conexión* entre la solicitud de entrada en el domicilio y el auto judicial, tal como corrobora la afirmación del Tribunal Supremo, contenida en la Sentencia de 23 de septiembre de 2021, cuando declara que "no puede decirse -sin ulteriores matizaciones-" que la comprobación cuidadosa de que concurren las circunstancias justificativas de la entrada en el domicilio "es imputable solo al Juez: si la Administración obtiene una autorización de entrada en domicilio insuficientemente motivada, lo diligente sería, antes de hacer uso de ella, hacerle ver la posible deficiencia al Juez" (F.J. 9º).

2.1 Presupuesto: la necesidad de un procedimiento ya iniciado

La cuestión que más debate suscitó la STS de 1 de octubre de 2020, y que debe analizarse con carácter previo al estudio tanto de la solicitud de entrada como de la autorización judicial, para el caso de ausencia de consentimiento en relación con la entrada en el domicilio constitucionalmente protegido, fue la relativa a la afirmación de que "la autorización de entrada debe estar conectada con la existencia de un procedimiento inspector ya abierto y cuyo inicio se haya notificado al inspeccionado" (F.J. 5º), siendo precisa la existencia de un acto administrativo previo, susceptible de ser ejecutado, aunque el afectado se niegue a autorizar la intromisión domiciliaria (F.J. 2º). Cuestión que recorre la interpretación del derecho a la inviolabilidad del domicilio en relación con el interés fiscal que sirve de fundamento a la entrada por parte de la Inspección de los Tributos, manifestándose también en este sentido la STS de 10 de octubre de 2019, a la que el pronunciamiento mencionado sigue prácticamente en todos sus términos,

---

y se ajusta a los fines del acto cuya ejecución se pretende" línea en que también se sitúa nuestro Tribunal Constitucional, entre otras, en las Sentencias 22/1984, de 17 de febrero y 139/2004, de 13 de septiembre).

[36]   Vid. STS de 1 de octubre de 2020, F.J. 2º, la cual se hace eco de lo dispuesto, en este mismo sentido, por parte del Tribunal Constitucional, en Sentencia de 17 de febrero de 1984.

habiéndose reiterado este criterio recientemente por parte de la STS de 23 de septiembre de 2021 (F.J. 3°), mediante *remisión* a la primera sentencia citada.

Doctrina jurisprudencial, que como ha indicado CASADO OLLERO, "puso término al que, largamente alimentado por la experiencia, vino siendo el *modus operandi* de la Inspección de los tributos en los procedimientos de comprobación e investigación iniciados con la autorización judicial, de entrada y registro"[37] y que algún autor ha entendido dirigida a "colmar una laguna legal (…) para permitir el inicio del procedimiento inspector mediante personación, sin previo aviso, en un domicilio constitucionalmente protegido"[38] orientándose, más bien, a nuestro juicio, a *clarificar la interpretación* de las normas que regulaban esta cuestión en el seno de nuestro ordenamiento tributario teniendo en cuenta la imprecisión y ambigüedad de las mismas en orden a garantizar la seguridad jurídica de todos los sujetos implicados. Ello, sin perjuicio de la necesidad, ya indicada, de una *regulación legal suficiente* que, no solamente permita la garantía de este derecho fundamental, sino el equilibrio necesario entre el mismo y el deber de contribuir al sostenimiento de los gastos públicos.

Escenario, en efecto, en que, por una parte, los términos *imprecisos* que emplea la redacción de los arts. 113 y 142 de la LGT (preceptos a los que el Tribunal Supremo parece darles una interpretación unívoca en los pronunciamientos objeto de estudio que, sin embargo, no se presenta tan clara como pone de manifiesto el debate que dicho tema ha suscitado[39]), junto al hecho de que la iniciación del procedimiento inspector mediante personación únicamente se encuentra prevista para aquellos lugares que carecen de la consideración de domicilio en términos constitucionales (cuestión no reformada por la Ley 11/2021), y, por otra,

---

[37] Vid. CASADO OLLERO, G., "La deriva de las entradas domiciliarias de la inspección de los tributos tras la Ley 11/2021, de 9 de julio", en Comentarios a la Ley 11/1021, de 9 de julio, de medidas de prevención y lucha contra el fraude fiscal", CHICO DE LA CÁMARA, P. y GALÁN RUIZ, J. (Dirs.) Thomson-Reuters, Aranzadi, Cizur Menor, Navarra, 2022, p. 590.

[38] BOSCH CHOLBI, J.L., "La reforma de la LGT y la LJCA en relación con la entrada y registro en el domicilio por parte de la AEAT: visos de inconstitucionalidad", *Paper* núm. 18/2021, p. 40.

[39] De hecho, en la Sentencia de 23 de septiembre de 2021, se afirma que "la necesidad de un procedimiento inspector abierto y notificado (…) la imponen sin duda los artículos 113, 142 y 145 LGT, el primero de los cuales alude a los *procedimientos de aplicación de los tributos* y los dos últimos están sistemáticamente ubicados en el capítulo referido a las *actuaciones inspectoras*". Declaración que "contrasta" con la contenida en la STS de 7 de julio de 2020, en la que se había indicado que, "atendiendo a los propios términos del art. 142.2 de la LGT, en relación con el 145 del mismo texto, se comprueba que se están regulando las facultades de la inspección de los tributos, entre las que se encuentra la entrada en el domicilio, y la propia dicción del art. 142 permite colegir que se refiere tanto a una posible entrada en domicilio durante la sustanciación del procedimiento de inspección, como a actos preparatorios del procedimiento inspector; actuaciones separadas, reconociendo en estas actuaciones preparatorias sustantividad propia en tanto que necesariamente estando en juego derechos constitucionales debe de preservarse los mismos mediante la observancia de las garantías dispuestas al efecto, y será en el curso de esta diligencia cuando deberá entenderse iniciado el procedimiento mediante su comunicación al obligado tributario en legal forma".

la finalidad de otorgar una mayor garantía al derecho fundamental mencionado sustentada, en esencia, en la necesaria proporcionalidad y subsidiariedad de la entrada, son las razones que fundamentan la posición del Tribunal Supremo en referencia a la necesaria existencia de un procedimiento ya iniciado, *ratificada*, en la Sentencia de 23 de septiembre de 2021, e incluso, *implícitamente*, en la STS de 27 de septiembre de 2021. Pronunciamiento este último que alude a que "en el presente caso, nadie discute que la AEAT actuó en el marco de un procedimiento tributario en curso" (F.J. 6°), dando a entender más adelante que la existencia de dicho procedimiento se considera como el "presupuesto" necesario para conceder, en su caso, la autorización de entrada en el domicilio (F.J. 8°)[40]. En consecuencia, y como se verá, podría intuirse que el Tribunal Supremo está rechazando de *facto* la aplicación práctica de la nueva redacción del artículo 113 de la LGT para evitar que las entradas domiciliarias se realicen con carácter previo a la notificación formal al obligado tributario del inicio de un procedimiento de comprobación[41].

En efecto, y sin perjuicio de la reforma llevada a cabo por la Ley 11/2021, parece claro que el tenor de los artículos 113 y 142.2 de la LGT *no permitía inferir con claridad* si la autorización judicial debía insertarse necesariamente en un procedimiento inspector ya iniciado. De este modo, dispone el art. 142.2 de la LGT, en su párrafo tercero, que "*Cuando para el ejercicio de las actuaciones inspectoras* sea necesario entrar en el domicilio constitucionalmente protegido del obligado tributario, se aplicará lo dispuesto en el artículo 113 de esta Ley…". Norma esta última que señala, asimismo, que "*Cuando en los procedimientos de aplicación de los tributos* sea necesario entrar en el domicilio constitucionalmente protegido de un obligado tributario o efectuar registros en el mismo, la Administración tributaria deberá obtener el consentimiento de aquél o la oportuna autorización judicial"[42]. Términos que, como se ha señalado, son, precisamente los que tanto la jurisprudencia del Tribunal Supremo como la Ley 11/2021 han pretendido *clarificar*, si bien, como es conocido, en sentidos distintos.

Marco normativo, por tanto, que interpretado tanto en conexión con el contenido de los arts. 91.2 de la LOPJ y 8.6 de la LJCA, según los cuales corresponde a los Juzgados de lo Contencioso-administrativo autorizar, mediante el auto

---

[40]   A mayor abundamiento, la sentencia de la sala de lo Contencioso-Administrativo del Tribunal Superior de Justicia de La Rioja, de 19 de marzo de 2020, que se impugna ante el Tribunal Supremo y que es objeto de dicho recurso, desestima el recurso contencioso-administrativo por considerar que "la solicitud de autorización de entrada en domicilio se produjo en el marco de un procedimiento tributario en curso", no existiendo, en este sentido, "vía de hecho" (F.J. 1°).

[41]   Vid., en este sentido, CAMPANÓN GALIANA, L., "La AEAT vs el Tribunal Supremo en materia de entradas domiciliarias", (La AEAT vs el Tribunal Supremo en materia de entradas domiciliarias (politicafiscal.es)). Fecha de consulta: 10 de octubre de 2022.

[42]   El subrayado es nuestro.

correspondiente, la entrada en los domicilios y en los restantes edificios o lugares cuyo acceso requiera el consentimiento de su titular, cuando ello proceda para la ejecución forzosa de *actos* de la Administración, como en referencia a la *función* que cumple la autorización judicial en los supuestos de entrada en el domicilio protegido constitucionalmente, sirve de *sustento y justificación* a los motivos que condujeron a nuestro Alto Tribunal a entender que dicha autorización debía encontrarse conectada con la existencia de un procedimiento inspector ya abierto y cuyo inicio se hubiera notificado al inspeccionado (según creemos deducir del análisis de las Sentencias mencionadas). Y ello, porque de la existencia de un acto administrativo previo, necesario de ejecutar *depende* tanto el *juicio de proporcionalidad* como la *motivación* misma que debe llevar a cabo el juez con anterioridad a la emisión de la autorización judicial, así como el *fundamento o razones* de la petición de entrada por parte de los órganos inspectores, según se analizará más adelante[43].

Posición, no obstante, que no es pacífica, a día de hoy en el seno de nuestra doctrina. De modo particular, son varios los motivos o interrogantes aducidos en contra de la misma, que pasamos a desgranar brevemente.

En primer lugar, se ha afirmado que las actuaciones inspectoras "no son propiamente hablando ejecución de ningún acto administrativo"[44], habiéndose indicado en este sentido que el art. 113 de la LGT "no dice que el procedimiento deba estar previamente constituido formalmente", siendo cuestión distinta que, en el momento de la entrada, los obligados tributarios deban ser informados acerca de su naturaleza o alcance, así como de sus derechos y obligaciones[45]. Posición a la que cabría objetar que tampoco se infiere del tenor de dicho precepto que el procedimiento inspector, en los supuestos de entrada en el domicilio, pueda (añadir: o deba) iniciarse formalmente en dicho momento.

---

[43]   Posición que suscribe BOSCH CHOLBI, J.L., "La reforma de la LGT y la LJCA en relación con la entrada y registro en el domicilio por parte de la AEAT: visos de inconstitucionalidad", cit., p. 33, afirmando categóricamente que "solo si existe procedimiento tributario iniciado formalmente respecto del obligado tributario y, durante su tramitación quiere llevarse a cabo una entrada domiciliaria, puede acudirse al juez para pedirle que, ejecutando un acto previo, autorice esa concreta intromisión domiciliaria que permita al órgano administrativo llevar a cabo, con garantías, su tarea inspectora". Solución a la que se llega también "si se efectúa una interpretación gramatical y garantista de los preceptos aplicables".

[44]   ALONSO MURILLO, F., "La inviolabilidad del domicilio frente a las actuaciones de la inspección de los tributos: análisis de tres pronunciamientos recientes del tribunal supremo", cit., Apartado I.

[45]   Vid., MARTÍN FERNÁNDEZ, J. y RODRÍGUEZ MÁRQUEZ, J., *Medidas de prevención y lucha contra el fraude fiscal (Ley 11/2021)*, Claves Prácticas, Francis Lefebvre, Madrid, 2021, p. 39, quienes añaden, a lo expuesto en el texto que, no obstante, "la Administración tributaria debe utilizar la entrada en el domicilio únicamente en supuestos excepcionales", debiendo "fundamentar su petición", la cual deberá ser debidamente valorada por el Juez.

Punto, por otra parte, en relación con el que TANDAZO RODRÍGUEZ y HE-RRERA MOLINA se han preguntado acerca de los "argumentos" en que se basa la Sentencia del Tribunal Supremo de 1 de octubre de 2020 para sostener que los arts. 113 y 142 de la LGT exigen "la previa notificación de un procedimiento inspector" para que pueda solicitarse al juez la entrada domiciliaria, fundando su posición en contra de la posición sustentada en dicho pronunciamiento, por una parte, en el contenido del art. 177.2 del Real Decreto 1065/2007, de 27 de julio, por el que se aprueba el Reglamento General de las actuaciones y los procedimientos de gestión e inspección tributaria y de desarrollo de las normas comunes de los procedimientos de aplicación de los tributos (RGAT), que no menciona expresamente el domicilio constitucionalmente protegido, si bien se afirma por parte de dichos autores que "este puede coincidir con la sede de la *empresa* o con el domicilio de una persona física donde exista *alguna prueba de la obligación tributaria*". Interpretación que, a nuestro juicio, parece *exceder* el conte-nido mismo de la norma, no debiendo olvidar, además, su rango reglamentario. Asimismo, señalan que las actuaciones inspectoras "no se limitan al desarrollo del *procedimiento inspector* en sentido estricto, sino que abarcan también el ejerci-cio de otras funciones, como las «actuaciones de obtención de información»"[46], cuestión de la que nos ocupamos más adelante al hilo del análisis de la Sentencia del Tribunal Supremo de 27 de septiembre de 2021.

Por consiguiente, la posición esgrimida, al margen de otras consideraciones ulteriores, creemos que se opondría a la previsión contenida tanto en el art. 91.2 de la LOPJ (antes de la reforma realizada por la Ley 11/2021) como en el art. 8.6 de la LJCA (precepto este último no reformado por dicha Ley), que aluden expresamente a "*la ejecución forzosa de actos de la Administración*", habiendo incidi-do, precisamente, la doctrina administrativa en la necesidad de la existencia de un acto administrativo cuya ejecución forzosa exige la entrada en el domicilio protegido constitucionalmente[47]. Más aun, y dejando sentado que la legislación

---

[46]   Vid. TANDAZO RODRÍGUEZ, A. y HERRERA MOLINA, P.M., "¿Es necesaria la previa notificación de un procedimiento inspector para que el juez autorice la entrada en domicilio? (Análisis de la STS de 1 de octubre de 2020, rec. 2966/2019)", *Revista de Contabilidad y Tributación*, núm. 455/2021, pp. 120 y ss., quienes, en consecuencia, mantienen que "la entrada en domicilio (mejor dicho, la solicitud al juez para que la autorice) no debe venir precedida necesariamente de la notificación de un acto de inicio del procedimiento inspector. Tal exigencia no deriva de la ley y no parece te-ner tampoco apoyo en la construcción que han realizado el TC" así como el Tribunal Europeo de Derechos Humanos o el Tribunal de Justicia de la Unión Europea (p. 122).

[47]   Vid., entre otros autores, MACÍAS CASTAÑO, J.M., "El desahucio administrativo. La problemática de su ejecución: la entrada en un domicilio y la jurisprudencia constitucional", *Revista Española de Derecho Administrativo*, núm. 127/2005, p. 506 y GARCÍA MARTÍNEZ, G., "La construcción doctri-nal y jurisprudencia del concepto de domicilio como límite a la autotutela ejecutiva de la Adminis-tración", *Revista de Estudios Jurídicos*, núm. 20/2020, pp. 143 y 146, quien señala que "la autorización judicial de entrada *una vez iniciado el proceso contencioso-administrativo* en el que se discute sobre la legalidad y sobre la ejecución o suspensión de un acto administrativo, compete al juez de lo conten-

tributaria no deja clara esta cuestión, cabe afirmar, siguiendo a BOSCH CHOL-BI, que parece evidente que la AEAT no debería dirigirse al contribuyente en caso de no haberse iniciado "formalmente" el "correspondiente procedimiento de aplicación del tributo en cuyo seno se inserta la actuación administrativa que se pretende"[48]. Inicio del procedimiento inspector mediante personación, y sin aviso previo, que, por lo demás, actualmente *únicamente* se encuentra prevista reglamentariamente, en el art. 177.2 del RGAT, excediendo, por tanto, el contenido del art. 151.2 de la LGT[49], que nada señala al respecto, sin que la Ley 11/2021, los haya modificado. Argumentos estos últimos que ponen de relieve cómo la reforma llevada a cabo por parte de la Ley mencionada, en lo que ahora nos interesa, es producto de una "aprobación apresurada" que, como cabe apreciar, nos ha traído más dudas que certezas en relación con la cuestión reformada.

Posiciones, de otra parte, que no comparte otro sector importante de la doctrina, habiéndose afirmado que sin la existencia de un procedimiento inspector ya iniciado formalmente "la AEAT no puede dirigirse al juez, porque éste carece de competencia para autorizar" la entrada[50]. Posición esta última que desde la

---

cioso-administrativo quien viene obligado a otorgar su tutela efectiva, incluida la autorización de entrada en domicilio contemplada en el art. 18.2 CE" (el subrayado es nuestro).

[48] BOSCH CHOLBI, J.L., "La reforma de la LGT y la LJCA en relación con la entrada y registro en el domicilio por parte de la AEAT: visos de inconstitucionalidad", cit., p. 39.

[49] Vid. CÁMARA BARROSO, M.C., "La inviolabilidad del domicilio constitucionalmente protegido por la inspección de los tributos: un análisis jurisprudencial", en *La protección de los derechos fundamentales en el ámbito tributario,* La Ley, Wolters Kluwer, MERINO JARA, I. (Dir.), VÁZQUEZ DEL REY, A. y SUBERBIOLA GARBIZU, I. (Coords.), Madrid, 2021, p. 118. Sentido en que ha señalado SEVILLA BERNABEU, B., "La entrada en el domicilio constitucionalmente protegido por la inspección de los tributos y la propuesta de reforma reactiva", Apartado IV, p. 10, que el art. 151.2 de la LGT "establece que la inspección podrá personarse sin previa comunicación en las empresas, oficinas, dependencias, instalaciones o almacenes del obligado tributario; pero en ningún momento se pone de manifiesto que esas inspecciones sin previo aviso podrían dar lugar al inicio de un procedimiento inspector", añadiendo que "una interpretación en este sentido excedería del espíritu de la ley, en tanto en cuanto, porque si el legislador hubiese querido otorgar expresamente esta facultad a la Administración tributaria, lo hubiese hecho".

[50] Vid., entre otros, BOSCH CHOLBI, J.L., "La reforma de la LGT y la LJCA en relación con la entrada y registro en el domicilio por parte de la AEAT: visos de inconstitucionalidad", cit., p. 11. Línea en que, entre otros autores, se sitúa también SEVILLA BERNABEU, B., "La entrada en el domicilio constitucionalmente protegido por la inspección de los tributos y la propuesta de reforma reactiva" (BIB 2021\3913), *Quincena Fiscal,* núm. 13/2021, Apartado IV, al mostrarse conforme con la doctrina vertida en este sentido por el Tribunal Supremo, en la Sentencia de 1 de octubre de 2020 y CASADO OLLERO, G., "La deriva de las entradas domiciliarias de la inspección de los tributos tras la Ley 11/2021, de 9 de julio", cit., pp. 582 y 586, afirmando concretamente en este último lugar que tratándose de un supuesto en el que tanto la Constitución (art. 18.2 CE) como las leyes (art. 91.2 LOPJ, art. 8.6 LJCA y art. 113 LGT) exigen "*la intervención de los Tribunales*" para "*la ejecución forzosa de los actos administrativos*" (art. 99 LPAC), se requerirá la oportuna autorización judicial para que, en el marco de una actuación o procedimiento de aplicación de los tributos, la Administración Tributaria pueda entrar en el domicilio constitucionalmente protegido de un obligado tributario o efectuar registros en el mismo, *inaudita parte* o sin el consentimiento de aquél; siendo, en cualquier

"máxima" perspectiva garantista que debe dirigir la autorización de entrada en el domicilio constitucionalmente protegido, "de rigurosa excepcionalidad", en palabras del Tribunal Supremo[51], entendemos que, como se analizará más adelante, es la más adecuada.

2.2. La necesaria proporcionalidad entre la solicitud de entrada y la motivación del auto judicial

La Sentencia del Tribunal Supremo, de 1 de octubre de 2020, identificó dos cuestiones de interés casacional, con el objetivo de sentar jurisprudencia, que vienen a coincidir, en esencia, con los dos temas objeto de examen en el presente apartado. En primer lugar, "determinar el grado de concreción de las solicitudes de autorización de entrada en domicilio -o en la sede social de la empresa- formuladas por la Administración Tributaria, así como el alcance y extensión del control judicial de tales peticiones de autorización" y, en segundo término, "precisar los requisitos para que la autorización judicial de entrada y registro en un domicilio constitucionalmente protegido a efectos tributarios, pueda reputarse necesaria y proporcionada, a la vista de los datos suministrados en su solicitud por la Agencia Tributaria".

2.2.1 Petición de entrada por parte de la Administración tributaria

El estudio de la primera cuestión conecta directamente con lo expuesto en el apartado anterior, debiendo traer a colación de nuevo la necesaria existencia de un procedimiento ya iniciado y notificado al obligado tributario. Y ello, en base a que "tanto en la solicitud de entrada y registro como en el auto autorizatorio deben figurar -dentro de su contenido mínimo- la finalidad de la entrada, con expresión de la actuación inspectora a llevar a cabo, la justificación y prueba de su necesidad, de que es absolutamente indispensable o imprescindible", siendo el único medio posible para conseguir el fin, debido a que "existen concretos, precisos y objetivos indicios que permitan conocer su gravedad, seriedad y entidad…" (SSTC 31 enero 1985, 24 junio y 18 julio 1996), siendo ello consecuencia del *principio de subsidiariedad* y *proporcionalidad*, que impone la constatación

---

caso, de sentido común que la autotutela ejecutiva de la Administración como el complemento necesario de la resolución judicial autorizante de la injerencia domiciliaria requerirán, como presupuesto habilitante, la existencia de un acto administrativo formal que ha de ejecutarse para lo que, naturalmente, habrá de gozar de fuerza ejecutiva".

[51]   STS de 23 de septiembre de 2021, F.J. 3º.

adecuada de que "no hay otras medidas menos incisivas o coercitivas que afecten a un derecho fundamental para lograr la misma finalidad..."[52].

Autorización judicial, en efecto, que, constituyendo una excepción al principio de autotutela administrativa, no es preciso, a nuestro juicio, que se emita *en defecto* del consentimiento del titular del domicilio. Opinión que, siendo sustentada por la mayor parte de la doctrina pensamos que, al margen de otras interpretaciones, encuentra *fundamento esencialmente* en el tenor del art. 18.2 de la CE, al prever expresamente que "...Ninguna entrada o registro podrá hacerse en él sin consentimiento del titular o resolución judicial" (tal como confirma el propio Tribunal Constitucional, en su Sentencia de 22/1984, de 17 de febrero[53]). Precepto cuya literalidad deja claro que la solicitud de autorización judicial "no queda supeditada" a la petición de consentimiento previo, del mismo modo que el art. 113 de la LGT, cuando alude, como no podía ser de otra manera, a que "...la Administración Tributaria deberá obtener el consentimiento de aquél o la oportuna autorización judicial", en que no detectamos ninguna ambigüedad[54]. Disposiciones a las que cabe añadir lo previsto en el art. 100.3 de la Ley 39/2015, de 1 de octubre, de Procedimiento Administrativo Común de las Administraciones Públicas a cuyo tenor, para proceder a la entrada en el domicilio del afectado o en los restantes lugares que requieran la autorización de su titular, "las Administraciones Públicas deberán obtener el consentimiento del mismo o, en su defecto, la oportuna autorización judicial" así como en el art. 545 de la LECrim., según la cual "nadie podrá entrar en el domicilio de un español o extranjero residente en España sin su consentimiento, excepto en los casos y en la forma expresamente previstos en las leyes".

Artículo 113 de la LGT de cuya lectura cabe concluir, por tanto, que la interpretación de la norma tributaria desde un punto de vista literal no solamente coincide con el tenor del art. 18.2 de la CE, sino que, además, este es, precisamente, el *contexto interpretativo* en que se inscribe, tal como se deduce con claridad de las Sentencias del Tribunal Supremo objeto de análisis[55].

---

[52]   STS de 1 de octubre de 2020, F.J. 2°.

[53]   Pronunciamiento en que se afirma que el art. 18.2 de la CE, "establece un doble condicionamiento a la entrada y al registro, que consiste en el consentimiento del titular o en la resolución judicial" (F.J. 5°).

[54]   Falta de claridad a que sí aluden, sin embargo, HERRERA MOLINA, P.M. y TANDAZO RODRÍGUEZ, A., "¿Es subsanable la falta de motivación en un auto de autorización de entrada en domicilio?. Análisis de la STS de 1 de octubre de 2020, rec. 2966/2019)", cit., p. 150.

[55]   Posición que no comparten HERRERA MOLINA y TANDAZO RODRÍGUEZ, quienes afirman, siguiendo a MORENO FERNÁNDEZ, que las leyes mencionadas en el texto "prevén que se intente la solicitud del consentimiento antes de que se utilice el auto judicial obtenido previamente", debiendo reconocerse, al mismo tiempo, "que tal exigencia no suele respetarse", ya que "en la práctica es frecuente esgrimir el auto judicial al mismo tiempo que se solicita la entrada en el domicilio" (Op. cit., p. 151).

En efecto, y siendo cada vez más frecuentes las entradas en domicilios constitucionalmente protegidos por parte de la Inspección de los tributos en los que éstos acuden *directamente* a la obtención de la preceptiva autorización judicial, cabe aludir, como apoyo de la idea anterior, a que tampoco resulta necesaria "la audiencia previa y contradictoria de los titulares de los domicilios o inmuebles concernidos por la entrada", teniendo en cuenta que la posible autorización judicial ni es el resultado de un proceso jurisdiccional, ni dicha audiencia previa viene exigida expresamente por los arts. 18.2 de la CE, 91.2 de la LOPJ, 8.6 de la LJCA ni 142.2 de la LGT[56].

Consideraciones, a partir de las que no alcanzamos a entender las palabras del Alto Tribunal, vertidas en la Sentencias de 1 de octubre de 2020 y de 23 de septiembre de 2021, cuando señala que "si se trata de una entrada *inaudita parte* -como es el caso- se tiene que solicitar expresamente el consentimiento -bien informado- del titular del derecho, y dejar referencia a la posibilidad de su revocación en cualquier momento" (F.J. 3º)[57], si bien es cierto que, más adelante, en este último pronunciamiento se afirma, de modo algo "contradictorio", que "la posibilidad de adopción de la autorización de entrada *inaudita parte* se refiere a la eventualidad de no anunciar la diligencia de entrada con carácter previo a su práctica, situación, de rigurosa excepcionalidad, que ha de ser objeto de expresa fundamentación sobre su necesidad en el caso concreto", tanto en la solicitud de la Administración como en el auto judicial sin que sea posible "presumir en la mera comprobación un derecho incondicionado o natural a entrar en el domicilio" (F.J. 5º)[58]. Y ello debido a que, como ha afirmado ÁLVAREZ MARTÍNEZ, siguiendo la jurisprudencia del Tribunal Constitucional[59] en este punto, no existe una "relación de subsidiariedad de la autorización judicial respecto de la previa

---

[56] Vid. STS de 1 de octubre de 2020, cuya afirmación se apoya expresamente en los Autos del TC 129/1990, de 26 de marzo y 85/1992, de 30 de marzo, así como en la STC de 27 de mayo de 1993.

[57] Afirmación también contenida en la Sentencia del Alto Tribunal de 10 de octubre de 2019, a la que dichos pronunciamientos *siguen* en la exposición de sus argumentos.

[58] Idea en la que se incide en el F.J. 6º de la Sentencia mencionada al afirmarse "si existe la posibilidad de apartar al titular del derecho fundamental de las actuaciones, la justificación para hacerlo debe extremarse en la solicitud y, muy en especial, en el auto, para no convertir una estricta excepción, vinculada al caso concreto en una norma de eficacia administrativa general. La motivación, pues, debe alcanzar por fuerza este extremo, esto es, la justificación singular y razonada de por qué, en un asunto dado, la finalidad de la entrada sería vana de darse conocimiento al interesado, sustrayéndole así no sólo su derecho al domicilio inviolable, sino el conexo de exclusión o consentimiento; y, además, poniendo en riesgo la tutela judicial efectiva (art. 24.1 CE), que no consiente que el titular de un derecho fundamental sea un mero espectador pasivo de lo que pide la Administración y acuerda un juez". Aspecto, por otra parte, en que resulta cuando menos curioso que, en una Sentencia de dicho Tribunal, de 27 de septiembre de 2021, muy cercana por tanto en el tiempo, se aluda expresamente a "...la previa autorización judicial -o, en su caso, del titular-...", no dejando dudas, pues, de la *alternativa* entre ambos, en coherencia con lo previsto en el art. 18.2 de la CE.

[59] Así, por ejemplo, en el ATC de 26 de marzo 1990, se declara que la autorización judicial opera en defecto de consentimiento, no en contra del mismo.

solicitud del consentimiento al titular domiciliario y la subsiguiente denegación de éste", teniendo como finalidad evitar la negativa, más que probable, del obligado tributario o la imposibilidad, incluso, de obtener el consentimiento, que conllevaría el peligro de una demora en la realización de las actuaciones, que frustraría la propia finalidad y eficacia de las mismas[60].

Cuestión distinta, a nuestro juicio, es el *debate* acerca de la necesidad o no de conceder *audiencia* al obligado tributario y que, según hemos destacado en otro lugar[61], siendo evidente que, si bien la misma supone una mayor protección del derecho a la inviolabilidad del domicilio, también lo es que entorpecería la necesaria celeridad y eficacia exigibles en estos casos permitiendo, por ejemplo, la ocultación o destrucción de información por parte del obligado tributario[62]. En cualquier caso, la exclusión de audiencia al interesado tendría su base fundamental en su falta de exigencia en la legalidad vigente[63], debido a que no nos encontramos en un proceso, pues de lo único que se trata es de "apoderar a la Administración para ejecutar una concreta actuación, por lo que el obligado tributario no puede ser considerado parte formal de la actuación judicial"[64]. A partir de lo expuesto, quizá la posición más acertada sería aquélla que, sin dar una respuesta general a la cuestión, estima que lo más adecuado es dejar en manos del juez la decisión acerca de la concesión de la audiencia, en función de las circunstancias concurrentes en el caso concreto[65], debiendo considerarse como "algo excepcional", según ha declarado el Tribunal Europeo de Derechos

---

[60] ÁLVAREZ MARTÍNEZ, J., *La inviolabilidad del domicilio ante la Inspección de los Tributos*, cit., p. 233 y ss.

[61] SÁNCHEZ LÓPEZ, M.E., "Reflexiones acerca de la inviolabilidad del domicilio, al hilo de la STS de 1 de octubre de 2020" (BIB 2021\2783), *Quincena Fiscal*, núm. 9/2021, Apartado IV.

[62] Vid., en este sentido, ÁLVAREZ MARTÍNEZ, J., *La inviolabilidad del domicilio ante la Inspección de los Tributos*, cit., p. 273 y LLOPIS NADAL, S. y FAUBEL MARTÍNEZ-BÁGUENA, D., *La entrada y registro domiciliario por la Inspección de los Tributos,* cit., p. 65, quienes traen a colación la STSJ de Castilla-La Mancha de 11 de febrero de 2014, en que se afirma que, para garantizar el éxito de la intervención de la Administración, era necesario adoptar la medida de entrada *inaudita parte*, por el riesgo que existía de que se eliminase la documentación que la Administración buscaba, si con carácter previo se hubiese informado al interesado de tal intención.

[63] Idea a que se alude expresamente en la STS de 23 de septiembre de 2021 (F.J. 2º), al indicar que no resulta necesaria "en principio y en todo caso, la audiencia previa y contradictoria de los titulares de los domicilios o inmuebles concernidos por la entrada"

[64] ÁLVAREZ MARTÍNEZ, J., *La inviolabilidad del domicilio ante la Inspección de los Tributos*, cit., p. 272. Sentido en que se ha pronunciado, entre otras, la STS de 10 de octubre de 2019, al afirmar que "no resulta necesario, en principio y en todo caso, la audiencia previa y contradictoria de los titulares de los domicilios o inmuebles concernidos por la entrada, habida cuenta que la posible autorización judicial ni es el resultado de un proceso jurisdiccional (…) ni dicha audiencia previa viene tampoco exigida expresamente" por parte de los arts. 18.2 de la CE, 91.2 LOPJ, 8.6 de la LJCA ni 113 y 142.2 de la LGT.

[65] Vid., entre otros, ÁLVAREZ MARTÍNEZ, J., op. cit., p. 275. Línea en que, en el seno de la jurisprudencia, se sitúan, entre otras, las Sentencias de los TSJ de Asturias, de 31 de junio de 2015 y de Cataluña, de 31 de mayo de 2012 y 4 de diciembre de 2015.

Humanos -TEDH- (Sentencia de 21 de febrero de 2008, Caso *Ravon y otros contra Francia*).

Así pues, partiendo de que la autorización judicial debe contar con *un presupuesto propio* en orden a su ejecución, o dicho de otro modo, con un acto o procedimiento tributario iniciado formalmente "en cuyo seno se hayan conocido por la Administración los datos e indicios que hagan, previa ponderación, imprescindible la entrada en un domicilio inviolable, como máxima medida invasiva"[66], cabría deducir que los *actos preparatorios o de trámite* no suponen justificación suficiente para la emisión del auto judicial[67]. Como ha señalado BOSCH CHOLBI, "si no se ha iniciado ninguno de esos concretos procedimientos de aplicación del tributo -o ejercicio de una actuación inspectora como tal-, podrá haber actividades preparatorias o indagatorias que permitan adverar la necesidad del inicio del correspondiente procedimiento, pero no hay actuación ni acto de trámite cualificado que ejecutar"[68]. Y ello, porque la "ausencia de ese acto de decisión (…) impide el ejercicio de la competencia judicial, pues decae la finalidad explícita que justifica, en la ley, la autorización a la Administración a entrar en el domicilio de las personas cuyo acceso requiera consentimiento del titular".

De la existencia, en definitiva, de un acto administrativo previo, necesario de ejecutar (tal como exigen los arts. 91.2 de la LOPJ y 8.6 LJCA) *depende* tanto el *juicio de proporcionalidad* como la *motivación* misma que debe llevar a cabo el juez con anterioridad a la emisión de la autorización judicial, tal como se afirma en la STSJ de Madrid, de 22 de julio de 2015 (F.J. 1º). Más aun, la exigencia de un procedimiento inspector ya iniciado, en el que ubicar la solicitud administrativa de autorización judicial, "como acto que justifica los sucesivos posteriores, debe considerarse anudada a la propia concepción garantista del procedimiento

---

[66]   STS de 23 de octubre de 2021, F.J. 3º.

[67]   Y ello, a pesar de cierta doctrina "contradictoria" incluida, en este sentido, en la STS de 7 de julio de 2020, en la que se señala, como ya se ha indicado más arriba, que, "atendiendo a los propios términos del art. 142.2 de la LGT, en relación con el 145 del mismo texto, se comprueba que se está regulando las facultades de la inspección de los tributos, entre las que se encuentra la entrada en el domicilio, y la propia dicción del art. 142 permite colegir que se refiere tanto a una posible entrada en domicilio durante la sustanciación del procedimiento de inspección, como a actos preparatorios del procedimiento inspector; actuaciones separadas, reconociendo en estas actuaciones preparatorias sustantividad propia en tanto que necesariamente estando en juego derechos constitucionales debe de preservarse los mismos mediante la observancia de las garantías dispuestas al efecto, y será en el curso de esta diligencia cuando deberá entenderse iniciado el procedimiento mediante su comunicación al obligado tributario en legal forma" y que, sin embargo, *no se ha reiterado* en ninguna de las Sentencias de dicho Tribunal examinadas en el presente trabajo. Pronunciamiento en relación con el que ha señalado CÁMARA BARROSO, M.C., "La inviolabilidad del domicilio constitucionalmente protegido por la inspección de los tributos: un análisis jurisprudencial", cit., p. 119, que "su interpretación literal" permite entender que, de alguna manera, se está permitiendo "la realización de estas actuaciones con anterioridad al inicio del procedimiento de inspección".

[68]   Vid. BOSCH CHOLBI, J.L., "La reforma de la LGT y la LJCA en relación con la entrada y registro en el domicilio por parte de la AEAT: visos de inconstitucionalidad", cit., p. 34.

administrativo"[69]. Consideraciones que nos llevan a poner en duda que "la razón más sólida para situar el informe justificativo de la solicitud de autorización judicial de entrada y registro domiciliario fuera del procedimiento de inspección que se inicie con esa entrada y registro judicialmente autorizada" estribe en que no depende de la Inspección tributaria "el plazo que consuma el Juez de lo Contencioso-administrativo para autorizar la entrada y registro domiciliario solicitado, no encontrándose un plazo concreto para que el juez competente adopte su decisión[70].

En efecto, no existiendo plazo legal para que el juez de respuesta a la autorización solicitada, estamos de acuerdo con ÁLVAREZ MARTÍNEZ cuando señala que ello no puede implicar "una demora indefinida carente de justificación", por lo que, en la práctica dicha solicitud debería ser resuelta, en la medida de lo posible y sin perjuicio del respeto debido al derecho fundamental en juego "en un plazo razonablemente breve" que, dejando al margen situaciones excepcionales, oscilaría entre las 48 y las 96 horas siguientes a la formulación de la petición[71].

En otros términos, la *justificación* aportada por parte del órgano competente de la Administración tributaria a la hora de realizar la petición de entrada en el domicilio constitucionalmente protegido, en la que destaca la *finalidad* y *necesidad* de la misma, pensamos que únicamente pueden realizarse correctamente si la misma se encuentra *anudada* a un procedimiento previo, que actúa, al mismo tiempo, como fundamento necesario de la autorización judicial. De ahí, el carácter "instrumental"[72] que con acierto otorga el propio Tribunal Constitucional a esta clase de actuaciones cuya realización debe encontrar sustento necesario en la existencia de fundamentación suficiente.

Razones por las que la petición de autorización no puede basarse en meros *indicios* o *presunciones de fraude*, tal como aconteció en la Sentencia del Tribunal Supremo de 1 de octubre de 2020[73] o en la necesidad de entrar en el domicilio de un tercero para solicitar información en relación con *otro* obligado tributario respecto del que ya se habían iniciado actuaciones inspectoras, supuesto de hecho de la Sentencia de 23 de septiembre de 2021. Actuación esta última que, como con acierto señala el Alto Tribunal, ni siquiera analógicamente puede su-

---

[69] Vid. BOSCH CHOLBI, J.L., op. cit., p. 35.
[70] Vid. ALONSO MURILLO, F., "La inviolabilidad del domicilio frente a las actuaciones de la inspección de los tributos: análisis de tres pronunciamientos recientes del tribunal supremo", cit., Apartado II.
[71] ÁLVAREZ MARTÍNEZ, J., "La inviolabilidad del domicilio tributario", cit., p. 182.
[72] STC 22/1984, de 17 de febrero, F.J. 5º.
[73] Pronunciamiento que se refiere a un contribuyente, titular de un establecimiento de hostelería, en que la petición de autorización de entrada en el domicilio se basa en que los datos declarados en la cuota por el mismo resultan ser inferiores "a la media de rentabilidad del sector a nivel nacional", desconociéndose en qué informes o documentos oficiales, con cita del organismo correspondiente, se basa dicho "concepto indeterminado de *media del sector*" y a qué clase de negocios comprende (siendo éstas, entre otras, las razones esgrimidas por parte del órgano juzgador).

poner la ejecución forzosa de un acto administrativo, teniendo en cuenta que hubiese bastado con requerir a dicho obligado tributario, de conformidad con lo previsto en el art. 93 de la LGT. Medida, obviamente, menos invasiva, no pudiéndose amparar la Administración tributaria "en la mera suposición o conjetura de que el requerimiento se va a incumplir" (F.J. 3°).

2.2.2. El auto judicial de entrada y registro en el domicilio: requisitos y consecuencias de su eventual anulación

El adecuado contenido de la autorización de entrada en el domicilio constitucionalmente protegido en orden a la realización de la función encomendada a la misma debe contar, necesariamente, según se ha indicado ya, con una petición previa que *justifique* correctamente la *finalidad* pretendida con dicho acceso. Sentido en que cabe afirmar, siguiendo al Tribunal Supremo, que, sin perjuicio de la existencia de un procedimiento en que "integrar" dicha autorización, el auto de entrada no es únicamente "un acto judicial, en sentido propio y estricto, debido a que se deja en manos del juez la garantía de un derecho fundamental", sino que, *al mismo tiempo*, es también "un *trámite o acto-condición* incrustado en un procedimiento administrativo"[74]. En efecto, pensamos que constituiría una vulneración flagrante del derecho contenido en el art. 18.2 de la CE, dejando, además, sin objeto la autorización judicial, si el inicio del procedimiento inspector se "condicionara" al resultado obtenido tras la entrada domiciliaria, tal como sucede en los supuestos en que la misma se lleva a cabo en base a la existencia de indicios o presunciones de fraude, con una finalidad meramente "preventiva"; supuestos que, como se ha indicado acertadamente, cabría calificar como "expediciones de pesca"[75].

Asimismo, y no siendo "el juez de la legalidad de la actuación administrativa necesitada de ejecución -juez del proceso- sino el juez encargado de la ponderación previa de los derechos e intereses en conflicto", cumple la "*función de garante*"[76] del derecho fundamental previsto en el art. 18.2 de la CE, debiendo realizar una *correcta ponderación* de los intereses en juego a partir del correspondiente *juicio de proporcionalidad*, que deberá quedar plasmado en una *motivación adecuada* de la restricción del derecho fundamental protegido[77]. Sentido en que

---

[74] STS de 23 de septiembre de 2021, F.J. 2°.

[75] TANDAZO RODRÍGUEZ, A. y HERRERA MOLINA, P.M., "¿Es necesaria la previa notificación de un procedimiento inspector para que el juez autorice la entrada en domicilio? (Análisis de la STS de 1 de octubre de 2020, rec. 2966/2019), cit., pp. 119 y 125.

[76] Vid. ÁLVAREZ MARTÍNEZ, J., "La inviolabilidad del domicilio tributario", cit., p. 178.

[77] Línea en que ha declarado el Tribunal Constitucional, en la Sentencia 22/1984, de 17 de febrero, que "la resolución judicial por la que se autoriza la entrada en un domicilio se encontrará debidamente motivada y, consecuentemente, cumplirá la función de garantía de la inviolabilidad del

ha declarado nuestro Tribunal Constitucional que "no se somete a su juicio una valoración de la acción de la Administración, pero sí la necesidad justificada de la penetración en el domicilio de una persona"[78], lo que no permite que el juez actúe con un "automatismo formal". Auto judicial en que se deberán especificar, además de determinados datos[79], tanto los *límites* como el *alcance* de la intromisión domiciliaria, tal como se infiere de la doctrina del TEDH[80].

Por consiguiente, siguiendo al Tribunal Supremo, en su Sentencia de 1 de octubre de 2020, es preciso que el auto judicial motive y justifique, tanto material como formalmente, la necesidad, adecuación y proporcionalidad de la entrada, "sometiendo a contraste la información facilitada por la Administración, que debe ser puesta en tela de juicio, en su apariencia y credibilidad, sin que quepan aceptaciones automáticas, infundadas o acríticas de los datos ofrecidos", siendo únicamente "admisible una autorización por auto tras el análisis comparativo de tales requisitos, uno a uno" (F.J. 5º).

Auto judicial que, en ausencia de alguno de estos requisitos, puede conducir a la apelación del mismo por parte del titular del derecho fundamental. Cuestión que traemos a colación con la finalidad de analizar la doctrina vertida en relación con este tema en la Sentencia del Tribunal Supremo de 23 de septiembre de 2021 en que, precisamente, se plantean los *efectos de la anulación de un acto de autorización de entrada en domicilio*, debida a falta de motivación concurriendo, además, la "inusual" circunstancia de que, mediante la correspondiente sentencia, se

---

domicilio que le corresponde, si a través de ella puede comprobarse que se ha efectuado la entrada tras efectuar una ponderación de los distintos derechos e intereses que pueden verse afectados y adoptando las cautelas precisas para que la limitación del derecho fundamental que la misma implica se efectúe del modo menos restrictivo posible".

[78]   Vid. STC 22/1984, de 17 de febrero, F.J. 2º.

[79]   Datos que, a falta de previsión normativa, han ido sido precisados por parte de nuestros Tribunales encontrándose, entre ellos, los siguientes: identificación del domicilio concreto a cuyo acceso se pretende; el nombre y apellidos del titular del domicilio, la autoridad que va a llevar a cabo las actuaciones y el número de personas que van a participar en su ejecución, así como el periodo de duración y el tiempo de entrada. Junto a lo anterior, y como se ha expuesto en el texto, es preciso indicar tanto la finalidad del acceso como la motivación del mismo, junto a la firma del juez autorizante. Finalmente, existe obligación de comunicar a este último los resultados obtenidos como consecuencia de dicha entrada (Vid., en relación con estas ideas, ÁLVAREZ MARTÍNEZ, J., "La inviolabilidad del domicilio tributario", cit., pp. 180-181)

[80]   En este sentido, y entre otras, en la STEDH de 9 de diciembre de 2004, Caso *Van Rossen contra Bélgica*, se afirma que "una orden de registro debe ir acompañada de ciertos límites", a fin de que la injerencia que se autoriza en los derechos garantizados por el art. 8 y, en concreto, el derecho a la inviolabilidad del domicilio "no sea potencialmente ilimitada y, por tanto, desproporcionada. En consecuencia, una orden de registro debe contener las menciones mínimas que permitan que el control se ejerza respetando por los agentes que lo ejecutan, el campo de investigación que determina". Pronunciamiento, junto al que cabe destacar, entre otros la STEDH de 9 de octubre de 2003, Caso *Slivenko contra Letonia*, en la que se afirma que la entrada en el domicilio debe producirse de manera excepcional, siempre que exista una "necesidad imperiosa", debiendo ser la medida proporcionada a la finalidad legítima perseguida.

ordenara al juez que dictara "nuevo auto, suficientemente motivado, resolviendo sobre la solicitud de la AEAT". Situación inusual, en efecto, porque, como razona el Tribunal, la entrada en el domicilio "ya se había producido", en el sentido de que "la actuación para la que se solicitaba la autorización estaba ya consumada" (F.J. 7°).

Así pues, son dos los interrogantes que se plantean en el asunto mencionado. En primer lugar, y ante la cuestión relativa a si la anulación de entrada en domicilio surte efectos *ex tunc*, privando de la cobertura necesaria a la incautación de documentos y otros materiales realizada durante el registro domiciliario (frente al argumento de que "la eliminación *a posteriori* de ese vicio invalidante" salva la actuación de entrada y registro domiciliario sustentada por el Abogado del Estado), el Tribunal Supremo es tajante al afirmar que "en materia de inviolabilidad del domicilio, el interrogante no puede ser si cabe corregir deficiencias de un expediente administrativo: lo crucial es acceder al domicilio con la única llave constitucionalmente idónea", esto es, el consentimiento o la autorización judicial", debido a que "sostener otra cosa, justificando la subsanación posterior de autorizaciones de entrada insuficientes o viciadas, conduciría a abrir la puerta a graves abusos" (F.J. 8°).

Cuestión distinta, a nuestro juicio, y que el Tribunal Supremo menciona, pero no resuelve (al no ser objeto de casación), es la referida a la violación del *derecho a la intimidad*, consagrada en el art. 18.2 de la CE, que supone la incautación de información sin contar con la cobertura legal suficiente, dada la anulación del auto judicial que había autorizado la entrada. Cuestión que, excediendo del objeto del presente estudio, únicamente queremos dejar apuntada en el sentido de entender que, aun cuando dichos datos o documentos, al carecer de la necesaria cobertura legal, no sean utilizados como prueba, desde el momento en que se ha accedido al domicilio y, por tanto, al conocimiento de los mismos, se ha producido la vulneración del derecho a la intimidad[81]. Razón por la que nos mostramos de acuerdo con la afirmación de que una de las cuestiones clave en relación con la entrada en el domicilio constitucionalmente protegido es la referida a la determinación del "grado de concreción que deben presentar los indicios de

---

[81]   Vid., en este sentido, ÁLVAREZ MARTÍNEZ, J., "La inviolabilidad del domicilio tributario", cit., p. 183, quien señala que la estimación posterior del recurso de apelación determinará, en primer lugar, "que la injerencia que haya podido practicarse en el correspondiente domicilio carezca de legitimación constitucional alguna", con la consiguiente vulneración del art. 18.2 CE", y, por otro lado, la repercusión directa "en la validez de las actuaciones inspectoras practicadas en el mismo", así como en la eficacia de las pruebas obtenidas a raíz de aquellas. Línea en que también indica CÁMARA BARROSO, M.C., "La inviolabilidad del domicilio constitucionalmente protegido por la inspección de los tributos: un análisis jurisprudencial", cit., p. 106, que "la vulneración del derecho fundamental contenido en el artículo 18.2 CE conllevaría la imposibilidad de utilización de las pruebas allí obtenidas para fundamentar una determinada regularización tributaria por la inspección de los tributos, pues las mismas son nulas de pleno derecho".

defraudación"[82] en orden a fundamentar la autorización de entrada así como las posibilidades de defensa del obligado tributario siendo, precisamente, uno de los aspectos fundamentales en que debería incidir una futura y necesaria reforma de la normativa reguladora de la entrada en el domicilio constitucionalmente protegido por parte de la Inspección de los tributos.

Constatación que, inevitablemente, nos conduce a incidir, de nuevo, en la necesidad de un procedimiento que justifique la finalidad de dicha entrada, de la forma más concreta y adecuada posible, erigiéndose, por tanto, en la última medida susceptible de llevar a cabo en orden a la realización del deber de contribuir respecto a un obligado determinado. Procedimiento sin el cual nos parece *muy difícil* fundamentar adecuadamente la finalidad de dicha entrada así como la aportación de datos o indicios que justifiquen la misma a fin de que el juez competente pueda llevar a cabo el juicio de ponderación correspondiente con las mayores garantías. En otros términos, tratándose de la protección de un derecho fundamental, y teniendo en cuenta la parquedad del procedimiento previsto en orden a la salvaguarda del derecho a la inviolabilidad domiciliaria, pensamos que, en orden a "completar" así como "reforzar" el mismo, existen importantes argumentos, a los que se ha aludido, y que fundamentan la posición expuesta.

El segundo asunto abordado se refiere a si la posible deficiencia de un auto de entrada, conducente a su anulación, "es siempre -por definición- imputable al juez que lo ha dictado". Cuestión que, a nuestro juicio, plantea interés, no solamente por nuestro objeto de estudio en el presente apartado sino por las "aclaraciones" que introduce el Alto Tribunal afirmando que el juez está "obligado a verificar cuidadosamente que concurren las circunstancias justificativas" de la entrada en el domicilio constitucionalmente protegido, añadiendo, en este caso concreto, que "no puede decirse -sin ulteriores matizaciones- que ello es imputable solo al Juez: si la Administración obtiene una autorización de entrada en domicilio insuficientemente motivada, lo diligente sería, antes de hacer uso de ella, hacerle ver la posible deficiencia al Juez" (F.J. 9º).

Observación, en efecto, que a nuestro juicio, podría conducir a afirmar que aporta un "plus" en relación con la conducta exigible a la Administración tributaria en relación con la entrada en el domicilio protegido constitucionalmente y que, no encontrándose prevista normativamente, pensamos que cabría conectar con la denominada "buena actuación administrativa", que como es conocido, encuentra particular proyección en los procedimientos de aplicación de los tributos, pudiendo ésta entenderse como un "estándar superior de proximidad,

---

[82]   TANDAZO RODRÍGUEZ, A. y HERRERA MOLINA, P.M., "¿Es necesaria la previa notificación de un procedimiento inspector para que el juez autorice la entrada en domicilio? (Análisis de la STS de 1 de octubre de 2020, rec. 2966/2019)", cit., p. 117.

transparencia y responsabilidad efectiva de las decisiones administrativas"[83]. Consideraciones que, en un escenario como el actual en que se pretende un mayor acercamiento entre Administración tributaria y obligados tributarios, creemos que, en lo que respecta a nuestro objeto de estudio, reclamaría que la protección del derecho fundamental a la inviolabilidad del domicilio no quedara únicamente en manos del juez competente, en los términos expuestos, sino que supusiera *la máxima implicación*, en clave garantista, de la Administración tributaria, no solamente en lo que respecta a la solicitud de autorización sino, incluso, en la *revisión* de la autorización judicial.

3. LA LEY 11/2021, DE 11 DE JULIO

Como es conocido, la Ley 11/2021, de 11 de julio, modificó el art. 113 de la LGT con la finalidad de permitir la entrada en el domicilio protegido constitucionalmente con *anterioridad al inicio formal* del procedimiento correspondiente. Sentido en que el último párrafo de dicho precepto señala que "Tanto la solicitud como la concesión de la autorización judicial podrán practicarse, aun con carácter previo al inicio formal del correspondiente procedimiento, siempre que el acuerdo de entrada contenga la identificación del obligado tributario, los conceptos y períodos que van a ser objeto de comprobación y se aporten al órgano judicial".

Redacción que, en una primera aproximación, podría interpretarse en el sentido de que el *inicio formal* del procedimiento inspector se puede producir en el momento mismo de la entrada en el domicilio protegido constitucionalmente; afirmación que conduciría a pensar, asimismo, que dicho procedimiento se habrá iniciado antes *materialmente;* supuesto en que los datos solicitados, esto es, tanto subjetivos (o dirigidos a la identificación del contribuyente investigado) como los referidos a obligaciones fiscales no declaradas, deben surgir de algún expediente comprobador previo referido a deberes concretos.

Idea, en efecto, que cabría deducir, por una parte, del tenor del precepto modificado cuando señala, en su último párrafo, que el *acuerdo de entrada y registro*, que deberá aportarse al órgano judicial, debe ir acompañado de un informe en que se identifique tanto al obligado tributario como los conceptos y periodos que van a ser objeto de comprobación. Y, por otro lado, a partir de lo dispuesto en el párrafo segundo del art. 113 de la LGT, el cual alude a que "la solicitud de autorización judicial para la ejecución del acuerdo de entrada en el mencionado

---

[83]   Vid. MELLADO RUIZ, P., "Principio de buena administración y aplicación indirecta del derecho comunitario: instrumentos de garantía frente a la «comunitarización» de los procedimientos", *Revista Española de Derecho Europeo*, núm. 27/2008, p. 36.

domicilio deberá estar debidamente justificada y motivar la finalidad, necesidad y proporcionalidad de dicha entrada". Modificación que, dicho sea de paso, es obvio que no tiene "un alcance exclusivamente procedimental", tal como se justificaba en la Exposición de Motivos, teniendo la misma una trascendencia evidentemente sustancial, en cuanto afecta directamente a la protección de los intereses en juego, ostentando uno de ellos carácter constitucional[84].

Reforma, asimismo, que, en una *interpretación amplia* del concepto de domicilio constitucionalmente protegido caracterizado por la ambigüedad y parquedad de la LGT en relación con este aspecto puede afirmarse, junto a CASADO OLLERO, que dicha norma ni "había previsto ni prohibido" dicho modo de inicio del procedimiento inspector pasando a convertirse en un "*tercer modo* de iniciación del procedimiento de inspección (…) de creación no legal" (esto es, por iniciativa de la Agencia Tributaria con la autorización preceptiva de los Juzgados de lo Contencioso-Administrativo)[85], que podría admitirse en el escenario normativo mencionado, cargado de indeterminación.

Ahora bien, una vez señalado lo anterior, cabe poner de manifiesto las dudas que nos asaltan en referencia a la interpretación mencionada y que se centran, sobre todo, en que dicho modo de iniciación del procedimiento impide hablar de la existencia de un acto previo susceptible de ser ejecutado así como de la competencia misma del órgano que debe emitir el auto correspondiente. Situación que, a nuestro juicio, y teniendo en cuenta la *interrelación* ya señalada entre el contenido de la solicitud de entrada y la autorización judicial, llevaría con carácter general a una "relajación" de las garantías que deben presidir la injerencia en el domicilio protegido constitucionalmente. Perspectiva, precisamente, que es la que nos conduce a pensar en la "dudosa" constitucionalidad del nuevo art. 113 de la LGT, a que ha aludido algún autor si bien desde el punto de vista del rango de la Ley modificadora[86].

Dicho de otro modo, al no dirigirse la reforma examinada al *desarrollo* del art. 18.2 de la CE (que, como sabemos, requiere Ley Orgánica), sino únicamente a la *precisión* de un aspecto concreto en relación con la entrada en el domicilio por parte de la Inspección de los Tributos, entendemos que desde este punto de vista

---

84   Vid., en este sentido, SEVILLA BERNABEU, B., "La entrada en el domicilio constitucionalmente protegido por la inspección de los tributos y la propuesta de reforma reactiva", cit., punto IV y CASADO OLLERO, G., "La deriva de las entradas domiciliarias de la inspección de los tributos tras la Ley 11/2021, de 9 de julio", cit., pp. 579 y 580.

85   CASADO OLLERO, G., op. cit., p. 582, quien señala más adelante que "la potestad de iniciar un procedimiento de inspección tributaria mediante personación de los funcionarios de la Inspección de los tributos, *inaudita parte*, sin el consentimiento de los interesados y con la autorización judicial, es un raro pero ilustrativo ejemplo de *ocupación de potestades administrativas*" (p. 583).

86   Vid., en este sentido, BOSCH CHOLBI, J.L., "La reforma de la LGT y la LJCA en relación con la entrada y registro en el domicilio por parte de la AEAT: visos de inconstitucionalidad", cit., p. 18.

es difícil mantener la inconstitucionalidad de la reforma siendo, sin embargo, *cuestión distinta,* según se viene insistiendo, que el contenido tanto de la solicitud de entrada como del auto judicial sea *suficiente* como para poder llevar a cabo con la *rigurosidad* adecuada, dada la excepcionalidad de la entrada domiciliaria, la ponderación de los intereses implicados en el supuesto de que el procedimiento se inicie con la entrada por parte de los órganos inspectores, lo que, como parece obvio, debería valorarse caso a caso. En definitiva, la posibilidad abierta por el nuevo tenor del art. 113 de la LGT creemos que conduce a una menor protección de los obligados tributarios en los supuestos de entrada en el domicilio constitucionalmente protegido.

Posición junto a la cual debemos indicar que siendo conscientes, como afirma CÁMARA BARROSO, "de que, innegablemente, la exigencia de la previa comunicación del inicio de un procedimiento inspector al obligado tributario (…) pudiera llevar aparejado" la desaparición de documentación o pruebas que pudieran frustrar las operaciones de comprobación e investigación, "una solución intermedia (que permitiría seguir respetando el derecho constitucional contenido en el artículo 18.2 CE) podría ser, junto con la necesidad de reforzar la necesidad de motivación del auto judicial que autoriza la entrada", lo que posibilitaría seguir llevando a cabo el juicio de proporcionalidad (a lo que añadiríamos nosotros el reforzamiento también de la motivación aportada por la Inspección tributaria), contemplar la posibilidad de establecer un precepto similar al contenido en el artículo 172.5 RGAT, que permitiera, en caso de que la concesión de la autorización quedara condicionada a la existencia previa de un procedimiento inspector ya iniciado, "la adopción de medidas cautelares, con el cumplimiento de todos los requisitos exigidos en el artículo 146 LGT, simultánea a la comunicación de inicio del procedimiento"[87]. Propuesta que se presenta interesante tras la nueva situación creada tras la entrada en vigor de la Ley 11/2021 y sobre la que pensamos que merece la pena reflexionar.

Escenario, pues, en que en aras a buscar un *punto de equilibrio* entre los intereses protegidos nos alineamos con la posición del Tribunal Supremo cuando afirma que "una cosa es *no anunciar la visita* -que es lo que aborda el ATC 129/1990, de 26 de marzo, de tan repetida cita en asuntos de esta naturaleza, cuando el conocimiento previo pudiera frustrar su eficacia- y otra bien distinta es *no dar noticia de un procedimiento inspector,* no solo no notificado sino no abierto aún, solo dentro del cual cabría la adopción de tal medida de instar la solicitud de entrada. Admitir lo contrario sería tanto como vulnerar a priori el derecho fundamental,

---

[87]   CÁMARA BARROSO, M.C., "La inviolabilidad del domicilio constitucionalmente protegido por la inspección de los tributos: un análisis jurisprudencial", cit., pp. 112 y 113.

dejando la decisión en las exclusivas manos de la Administración"[88], siendo esta la clave que, a nuestro juicio, debería permitir *conciliar* la necesidad de un procedimiento ya iniciado y, por ende, la existencia de un acto que ejecutar y la "preservación", al mismo tiempo, del denominado "efecto sorpresa". Más aun, y como señala el Alto Tribunal, precisamente, la adopción de la autorización de entrada *inaudita parte* conecta con la idea relativa a "la eventualidad de no anunciar la diligencia de entrada con carácter previo a su práctica"[89].

Por consiguiente, la posición esgrimida, al margen de otras consideraciones ulteriores, creemos que se opondría a la previsión contenida en el art 91.2 de la de la LOPJ que alude expresamente a "*la ejecución forzosa de actos de la Administración*" (dado que la Ley citada se ocupó de reformar el art. 8.6 de la LJCA en el mismo sentido que el art. 113 de la LGT), habiendo incidido, precisamente, la doctrina administrativa en la necesidad de la existencia de un acto administrativo cuya ejecución forzosa exige la entrada en el domicilio protegido constitucionalmente[90], en línea con lo estipulado por el art. 97 de la Ley 39/2015, de 1 de octubre, de Procedimiento Administrativo Común de las Administraciones Públicas, en el sentido de que dichas Administraciones "no iniciarán ninguna actuación material de ejecución de resoluciones que limite derechos de los particulares sin que previamente haya sido adoptada la resolución que le sirva de fundamento jurídico". Más aun, y dejando sentado que la legislación tributaria no deja clara esta cuestión, cabe afirmar, siguiendo a BOSCH CHOLBI, que parece evidente que la AEAT no debería dirigirse al contribuyente en caso de no haberse iniciado "formalmente" el "correspondiente procedimiento de aplicación del tributo en cuyo seno se inserta la actuación administrativa que se pretende"[91].

Por otro lado, y en conexión con la idea anterior, es conocida la polémica suscitada por la nota publicada por la Asociación de Inspectores de Hacienda del Estado, el 13 de octubre de 2020, en la que se señalaba que la necesaria existencia de un procedimiento inspector ya iniciado y notificado al obligado tributario

---

[88]   Sentencias del Tribunal Supremo, de 1 de octubre 2020, F.J. 3º, apartado 6 f), y de 23 de septiembre de 2021, F.J. 3º. El subrayado es nuestro.

[89]   STS de 23 de septiembre de 2021, F.J. 3º.

[90]   Vid., entre otros autores, MACÍAS CASTAÑO, J.M., "El desahucio administrativo. La problemática de su ejecución: la entrada en un domicilio y la jurisprudencia constitucional", *Revista Española de Derecho Administrativo,* núm. 127/2005, p. 506 y GARCÍA MARTÍNEZ, G., "La construcción doctrinal y jurisprudencia del concepto de domicilio como límite a la autotutela ejecutiva de la Administración", *Revista de Estudios Jurídicos,* núm. 20/2020, pp. 143 y 146, quien señala que "la autorización judicial de entrada *una vez iniciado el proceso contencioso-administrativo* en el que se discute sobre la legalidad y sobre la ejecución o suspensión de un acto administrativo, compete al juez de lo contencioso-administrativo quien viene obligado a otorgar su tutela efectiva, incluida la autorización de entrada en domicilio contemplada en el art. 18.2 CE" (el subrayado es nuestro).

[91]   BOSCH CHOLBI, J.L., "La reforma de la LGT y la LJCA en relación con la entrada y registro en el domicilio por parte de la AEAT: visos de inconstitucionalidad", cit., p. 39.

daría al traste con el "efecto sorpresa", perseguido por las actuaciones de entrada en el domicilio por parte de la Inspección de los tributos. En concreto, se afirma que "priva a la Inspección fiscal de la facultad esencial para el descubrimiento del fraude fiscal más grave e insolidario, pues obliga en todo caso a advertir previamente a un sujeto que va a ser inspeccionado de tal circunstancia, lo que convierte en ineficaz la posterior actuación *in situ*"[92]. Debate al que, si bien ha intentado otorgar solución la reforma citada, creemos que la respuesta idónea es la que persigue el *equilibrio* de los intereses en conflicto y no la que parece inclinar la balanza del lado de la Administración tributaria. Línea en que rubricamos la opinión del Tribunal Supremo, en su Sentencia de 1 de octubre de 2020, en el sentido, ya indicado, de que una cosa es *no anunciar la visita*, lo que a nuestro juicio, *impediría* la eventual ocultación o destrucción de información con relevancia tributaria, siendo considerada por dicho Tribunal esta circunstancia, no obstante, como "de rigurosa excepcionalidad" debiendo ser objeto de "expresa fundamentación sobre su necesidad en el caso concreto"[93] y, otra distinta, *no dar noticia de un procedimiento inspector*, no solo no notificado sino no abierto aún, únicamente dentro del cual cabría instar la solicitud de entrada, pues admitir lo contrario sería tanto como vulnerar *a priori* el derecho fundamental, dejando la decisión en las exclusivas manos de la Administración.

Finalmente, se ha hecho también alusión a que el Tribunal Supremo, tanto en la Sentencia de 1 de octubre de 2020 como en la de 10 de octubre de 2019, e incluso en la de 23 de septiembre de 2021, añadimos nosotros, *no* está incluyendo un *cambio de criterio* sino "complementando" los criterios sentados previamente "frente a una realidad surgida en los últimos años", en concreto, los denominados "Planes de Visita", que no encajarían en la regulación jurídica del procedimiento inspector. Por ende, "no puede solicitarse ni otorgarse una autorización judicial para proceder a una entrada domiciliaria de carácter «preventivo»" debiendo tener en cuenta, asimismo, que el Alto Tribunal advierte en los pronunciamientos comentados que, siendo la cuestión abordada de enorme amplitud, la misma se ciñe al "caso concreto", esto es, y como se ha afirmado, "nos encontramos con sentencias en las que pesa mucho el componente *ad casum*, lo cual conviene tener presente en orden a dimensionar y contextualizar el alcance de los criterios después fijados en el fallo"[94].

---

[92]   "Comentarios a la última sentencia del Tribunal Supremo acerca de las entradas a domicilios por órganos inspectores", 13 de octubre de 2020, (https://www.inspectoresdehacienda.org/doc/20201013_D_Comentarios a la última sentencia del TS.pdf inspectoresdehacienda.org). Fecha de consulta: 19 de octubre de 2022.

[93]   STS de 23 de octubre de 2021. F.J. 3º.

[94]   Vid., en relación con estas ideas, JUAN LOZANO, A.M., "El debate sobre la entrada domiciliaria y las actuaciones inspectoras. Una lectura personal de las sentencias del Tribunal Supremo de 10 de octubre de 2019 y 1 de octubre de 2020: ni tanto conflicto ni tanta urgencia" (El debate sobre la en-

Opinión, no obstante, que, a nuestro juicio, se "desvanece" en buena medida tras la Sentencia del Tribunal Supremo de 23 de septiembre de 2021, en la que se indica expresamente que "procede, por lo tanto, reafirmar nuestra reciente doctrina establecida en la sentencia de 1 de octubre de 2020 (...), en lo que concierne a la necesidad de procedimiento inspector previo, abierto y dado a conocer al interesado"[95] y que, como se ha indicado ya, parece acogerse de modo implícito en la Sentencia de dicho Tribunal de 27 de septiembre de 2021. Argumento al que debe añadirse que, cuando el Alto Tribunal alude a la solución *ad casum* en estos pronunciamientos lo hace desde la consideración de la dificultad estructural que implica que, "con apenas unas escasas normas de competencia y unas exiguas prevenciones de procedimiento, el juzgador ha de decidir casos no siempre nítidos", por lo que "el casuismo de las posibles situaciones", *inevitable*, a nuestro juicio, con posibles contradicciones jurisprudenciales, acarrea importante inseguridad jurídica a los jueces, a la Administración[96] y, por supuesto, al contribuyente. Palabras con las que no creemos que el Tribunal Supremo se esté refiriendo a la aportación de una respuesta a cada caso concreto y *únicamente* para dicho supuesto, sino, más bien, a la *dificultad* de sentar un *criterio jurisprudencial claro*, ante las carencias normativas indicadas e incluso las contradicciones jurisprudenciales.

Dicho de otro modo, y siguiendo el contenido de la Sentencia de 23 de septiembre de 2021, aun siendo las cuestiones planteadas en la misma de enorme amplitud (como sucede en sus antecesoras), ello *no obsta* para afirmar que, en ella, así como en el resto de pronunciamientos mencionados, se establecen los mimbres o principios básicos para su resolución y, por consiguiente, para fijar un *criterio jurisprudencial* que, como es lógico, debe *adaptarse* a cada caso en particular[97]. De hecho, en la Sentencia citada, se alude a que el Tribunal Constitucional, el Tribunal Europeo de Derechos Humanos y el mismo Tribunal Supremo "han creado un *cuerpo de doctrina* tanto sobre el alcance de las potestades del juez para autorizar la entrada solicitada por la Administración, como sobre las exigencias

---

trada domiciliaria y las actuaciones inspectoras: Una lectura personal de las sentencias del Tribunal Supremo de 10 de octubre de 2019 y 1 de octubre de 2020; ni tanto conflicto ni tanta urgencia–El Derecho–Fiscal). (Fecha de consulta: 21 de octubre de 2022).

95   STS de 23 de octubre de 2021, F.J. 3º. Cuestión en conexión con la que añade el Alto Tribunal en este mismo Fundamento Jurídico que, en relación con las cuestiones de interés casacional "es preciso que efectuemos una remisión integral a lo declarado en nuestra sentencia de 10 de octubre de 2019 (...) aun admitiendo las peculiaridades propias de cada caso, no obstante lo cual, la *doctrina general está ya establecida en la mencionada sentencia y se reitera plenamente ahora*". (El subrayado es nuestro).

96   STS de 23 de octubre de 2021, F.J. 3º.

97   Sentido en que señala el Tribunal Supremo en la Sentencia de 23 de septiembre de 2021 que "la medida en cuestión (...) sólo podrá reputarse necesaria y proporcionada si, analizada en concreto a tenor de las circunstancias del caso, *reúne esos requisitos*, sin que sea posible establecer aquí una doctrina general, esto es, válida y universal para cualesquiera supuestos, sobre la concurrencia de aquellas exigencias" (el subrayado es nuestro).

que dicha petición debe cumplir para que pueda considerarse constitucionalmente legítima la limitación de tan relevante derecho fundamental"[98].

A partir de lo expuesto, y a modo de conclusión, no nos queda más que suscribir las palabras de CASADO OLLERO cuando señala que, a la vista del articulado de la Ley 11/2021, no parece probable que "se alcance el establecimiento de ese *marco legal apropiado* que, al decir del Preámbulo, exige la prevención y lucha contra el fraude fiscal"[99]. Más aun, y como se ha venido reiterando, se trata de una reforma apresurada que, además de intentar "revertir" la situación creada a partir de la jurisprudencia del Tribunal Supremo, no solamente encaja difícilmente con algunas normas pertenecientes al Derecho Administrativo sino que conlleva, de modo inevitable, un *menor nivel de garantías* para el contribuyente titular del domicilio en que se realiza la entrada por parte de la Inspección de los Tributos. Aspecto este último que, como es obvio, es el que más nos preocupa.

4. REFLEXIONES Y PROPUESTAS

Tras las ideas expuestas, no cabe duda de que nos encontramos ante uno de los temas de "eterno retorno" en nuestra disciplina, como es la "tensión dialéctica existente entre el cumplimiento del deber de contribuir y el ejercicio de determinados derechos fundamentales", a que ya hace años se refirió SOLER ROCH[100] y que, en el supuesto examinado, ha propiciado la "reacción" del legislador como respuesta a las *importantes consecuencias prácticas* derivadas de la jurisprudencia reiterada por el Tribunal Supremo en sus últimos pronunciamientos en referencia a la entrada y registro del domicilio constitucionalmente protegido. Doctrina que, tras la Sentencia del Tribunal Supremo, de 23 de septiembre de 2021, cabe considerar como *criterio jurisprudencial* consolidado.

Cuestión que no puede solventarse con soluciones poco meditadas y destinadas, al menos en apariencia, a facilitar la labor de la inspección tributaria y, en último término, la recaudación tributaria, sino adoptando previsiones, que, con el rango normativo adecuado, se dirijan a la *conciliación* de los intereses en conflicto.

Ámbito, en que siendo conscientes de la dificultad que conlleva la regulación de esta materia, teniendo en cuenta su complejidad en buena medida condicionada por el grado de abstracción que debe revestir la misma y su necesaria

---

[98]   El subrayado es nuestro.
[99]   CASADO OLLERO, G., "La deriva de las entradas domiciliarias de la inspección de los tributos tras la Ley 11/2021, de 9 de julio", cit., p. 594.
[100]   SOLER ROCH, M.T., "Derechos fundamentales y derechos humanos", *Revista Técnica Tributaria*, núm. 30/1995, p. 102.

adecuación al caso concreto[101], creemos, sin embargo, que es preciso afrontarla por parte del legislador a través de una regulación *íntegra* de la misma. Afirmación que se basa no solamente en la parquedad y ambigüedad de que adolece la normativa actual[102] sino al hecho de que, a raíz de la modificación llevada a cabo por la Ley 11/2021, se han creado, si cabe, más interrogantes e incertezas en relación con la interpretación de este derecho fundamental, según ha quedado documentado en el presente trabajo[103].

---

[101] Así lo han señalado, entre otros autores, JUAN LOZANO, A.M., "El debate sobre la entrada domiciliaria y las actuaciones inspectoras. Una lectura personal de las sentencias del Tribunal Supremo de 10 de octubre de 2019 y 1 de octubre de 2020: ni tanto conflicto ni tanta urgencia", (El debate sobre la entrada domiciliaria y las actuaciones inspectoras: Una lectura personal de las sentencias del Tribunal Supremo de 10 de octubre de 2019 y 1 de octubre de 2020; ni tanto conflicto ni tanta urgencia–El Derecho–Fiscal). (Fecha de consulta: 29 de octubre de 2022), quien se refiere en concreto a que el alto grado de casuismo, destacado por el TS en relación con la entrada domiciliaria, "no permite, ni aconseja, un desarrollo normativo de la materia, porque las enormes dificultades que presenta la elevación de este juicio a la proposición general y abstracta propia de la ley pueden generar tanto una inoportuna litigiosidad de la propia norma como una indeseable lesión de los intereses públicos y privados en juego" y TANDAZO RODRÍGUEZ, A. y HERRERA MOLINA, P.M., "¿Es necesaria la previa notificación de un procedimiento inspector para que el juez autorice la entrada en domicilio? (Análisis de la STS de 1 de octubre de 2020, rec. 2966/2019)", p. 127, a cuyo juicio "parece difícil que una reforma legislativa sea capaz de solucionar los problemas que derivan de un control de proporcionalidad, pues este ha de atender necesariamente a las circunstancias del supuesto concreto".

[102] Necesidad de regulación a la que se ha referido la propia AIHE, al señalar que estamos de acuerdo con la Sentencia "en que urge un desarrollo legislativo del domicilio constitucionalmente protegido", "Comentarios a la última sentencia del Tribunal Supremo acerca de las entradas a domicilios por órganos inspectores", 13 de octubre de 2020, (https://www.inspectoresdehacienda. org/doc/20201013_D_Comentarios a la última sentencia del TS.pdf inspectoresdehacienda.org). Fecha de consulta: 29 de octubre de 2022. Opinión que encuentra también eco en seno de la doctrina. Así, entre otros, ALONSO MURILLO, F., "La inviolabilidad del domicilio frente a las actuaciones de la inspección de los tributos: análisis de tres pronunciamientos recientes del tribunal supremo", cit., Apartado I, señala que "una regulación más detallada podría suscitar fácilmente dudas de constitucionalidad, pese a ser notoriamente necesaria", añadiendo GARCÍA MARTÍNEZ, G., "La construcción doctrinal y jurisprudencial del concepto de domicilio como límite a la autotutela ejecutiva de la Administración", cit., p. 134, que "la intervención del poder público en el domicilio e intimidad del administrado, además de ser necesaria para conseguir una finalidad legal en una sociedad democrática, ha de estar regulada muy estrictamente por la ley, la cual debe fijar las modalidades y el alcance de las medidas a adoptar para que así el administrado pueda protegerse contra la arbitrariedad".

[103] Sentido en que ha señalado CASADO OLLERO, G., "La deriva de las entradas domiciliarias de la inspección de los tributos tras la Ley 11/2021, de 9 de julio", cit., p. 594, que no parece aventurado afirmar que la reforma llevada a cabo por parte de la Ley 11/2021 acabe "paradójicamente no por zanjar sino por acentuar, haciéndolos más visibles, algunos de los problemas existentes y reavivar cuestiones sobre el precario sistema de garantías de las intervenciones domiciliarias de la Inspección de los tributos hasta ahora deliberadamente orilladas o insatisfactoriamente resueltas por los Jueces y por las Salas de este orden jurisdiccional -incluida la del Tribunal Supremo- pero que con la normativa reformada aparecen recrudecidas y, seguramente, inesquivables. En definitiva, levantada la veda, el retorno por puro imperativo legal a la situación anterior se nos antoja ya inviable".

Punto en que, sentando como premisa el nuevo escenario de desenvolvimiento de las relaciones entre Administración tributaria y contribuyente, orientado hacia la configuración de un nuevo sistema de aplicación de los tributos basado en un mayor "acercamiento" y "entendimiento", pensamos que la nueva regulación de la entrada en el domicilio constitucionalmente protegido debe *traducir* la creación de dicho clima de *confianza* entre ambos sujetos. Consideración que, como es obvio, no es sencillo trasladar a la normativa reguladora de esta cuestión, si bien es cierto que ello necesariamente debería percibirse en la reducción de la litigiosidad, así como en un mayor y mejor cumplimiento voluntario por parte del contribuyente.

A partir de lo expuesto, es importante incidir, por tanto, en la necesidad de una norma que regule el *contenido* y *límites* del derecho a la inviolabilidad del domicilio, al menos en sus líneas esenciales, especificando, en concreto, y como *propuesta*, las circunstancias o indicios de defraudación que pueden llevar a la inspección a solicitar la entrada domiciliaria, así como los requisitos mínimos que debe cumplir la motivación de la misma, lo que evitaría la solicitud basada en meros indicios o presunciones de fraude sin suficiente justificación. De otra parte, el juez debería *extremar* la fundamentación del auto de entrada tanto desde el punto de vista formal como material, teniendo presente su función en relación con la efectividad de la "justicia material", debiendo establecerse expresamente, además, el plazo con que cuenta para responder, así como otorgándole la posibilidad de solicitar la personación del sujeto afectado en aquellos casos en que se estime conveniente. Y, todo ello, bajo la "garantía" de la *buena administración*, que involucra tanto a la Administración tributaria como al juez mismo, en el sentido de que la responsabilidad y transparencia tanto de la decisión de entrada en el domicilio como de las actuaciones llevadas a cabo sean las estrictamente necesarias, desde el punto de vista de los principios de proporcionalidad y subsidiariedad.

Afirmaciones que se realizan siendo conscientes de que la Ley que, en su caso, regulara el acceso domiciliario necesariamente debería tener un *carácter general*, con la finalidad de poder adaptarse al caso concreto, no siendo posible ignorar, en este sentido, la complejidad del casuístico análisis jurídico que los jueces de lo contencioso-administrativo deben realizar "a la hora de autorizar o denegar la entrada de los órganos de la Inspección en los domicilios constitucionalmente protegidos"104 (disminuir el tamaño de la nota a pie). Razón por la que compartimos la opinión de JUAN LOZANO cuando señala que "la norma por sí sola no puede ni debe ser el único elemento para sujetar a derecho la actuación administrativa". En efecto, el sistema actual debe, y puede integrarse a través de unas

---

104 ALONSO MURILLO, F., "La inviolabilidad del domicilio frente a las actuaciones de la inspección de los tributos: análisis de tres pronunciamientos recientes del tribunal supremo", cit., Apartado I.

"instrucciones jerárquicas que minimicen los riesgos de desproporción, o falta de razonabilidad, y que eviten que la multiplicación de entradas domiciliarias se convierta en un objetivo en sí mismo"105 (disminuir el tamaño de la nota a pie), salvaguardando así, en último término, el *derecho a la tutela judicial efectiva* del obligado tributario que, a nuestro juicio, se encuentra escasamente garantizado en la actualidad debido a la inexistencia de "procedimiento judicial contradictorio", siendo ello una "rareza", tal como se ha afirmado en la Sentencia del Tribunal Supremo de 23 de septiembre de 2021, debido a que "ese esquema *no contencioso* solo sería válido y aceptable cuando la falta de *litis* obedeciera a la naturaleza de los intereses suscitados, no contradictorios".

En definitiva, creemos necesaria, en aras de la salvaguarda de la seguridad jurídica, la elaboración de una Ley que, con el rango adecuado, fije con claridad los *principios básicos* que delimitan tanto la solicitud de entrada en el domicilio protegido constitucionalmente como el auto judicial correspondiente. Ley, cuyo inevitable grado de abstracción, no solamente debe venir *compensado* a través de otras disposiciones o instrucciones sino también mediante la actuación conjunta tanto de la Administración tributaria como del Juez de lo Contencioso-administrativo en cuanto constructores, ambos, de la *justicia material* en relación con cada supuesto concreto.

---

105   Vid. JUAN LOZANO, A.M., "El debate sobre la entrada domiciliaria y las actuaciones inspectoras. Una lectura personal de las sentencias del Tribunal Supremo de 10 de octubre de 2019 y 1 de octubre de 2020: ni tanto conflicto ni tanta urgencia", (El debate sobre la entrada domiciliaria y las actuaciones inspectoras: Una lectura personal de las sentencias del Tribunal Supremo de 10 de octubre de 2019 y 1 de octubre de 2020; ni tanto conflicto ni tanta urgencia–El Derecho–Fiscal). (Fecha de consulta: 30 de octubre de 2022).

6.- EL LISTADO DE DEUDORES CON LA HACIENDA PÚBLICA Y SU (IN)COMPATIBILIDAD CON EL DERECHO FUNDAMENTAL AL RESPETO DE LA VIDA PRIVADA

NICOLÁS DÍAZ RAVN

Universidad de Sevilla[106]

I. INTRODUCCIÓN.

Con la finalidad de luchar contra el fraude fiscal "*a través del fomento de todo tipo de instrumentos preventivos y educativos que coadyuven al cumplimiento voluntario de los deberes tributarios, en la promoción del desarrollo de una auténtica conciencia cívica tributaria así como en la publicidad activa derivada de la transparencia en la actividad pública en relación con la información cuyo conocimiento resulte relevante*",[107] la Ley 34/2015 introdujo un nuevo artículo 95.bis en la Ley General Tributaria (en adelante, LGT).

Este precepto facultaba a la Administración tributaria, en su redacción inicial, para publicar, de manera periódica, un listado de deudores a la Hacienda Pública siempre que se cumpliesen determinados requisitos (tratarse de deudas superiores a un millón de euros, no satisfechas en periodo voluntario de pago y no aplazadas o suspendidas).

Cumpliéndose lo anterior, la información a publicar comprendía datos tales como nombre, apellidos y NIF de la persona física (o razón social completa y NIF, en el caso de personas jurídicas) e importe conjunto de las deudas y sanciones pendientes de pago y que se hubieran tenido en cuenta a efectos de la publicación.

---

[106] El presente trabajo se enmarca en el Proyecto de Investigación PID2021-125061NB-I00 "Las difusas fronteras en la regulación de los distintos procedimientos tributarios. Mejoras técnicas necesarias en su delimitación. Seguridad jurídica versus litigiosidad". Ministerio de Ciencia e Innovación.

[107] Exposición de motivos de la Ley 34/2015, de 21 de septiembre, de modificación parcial de la Ley 58/2003, de 17 de diciembre, General Tributaria

Con carácter previo se contempla un trámite de audiencia, regulado en los siguientes términos:

– Se comunicará al deudor la propuesta de inclusión en el listado de deudores, ofreciéndole un plazo de 10 días para formular alegaciones. No obstante, tales alegaciones se limitan, con carácter exclusivo, a la existencia de errores materiales, de hecho o aritméticos.

– Es suficiente, para que este trámite se considere válidamente efectuado, con acreditar, por parte de la Administración, que se ha realizado un intento de notificación comprensivo del texto íntegro de su contenido en el domicilio fiscal del interesado.

La publicación del listado, que deberá realizarse por medios electrónicos e impidiendo la indexación de su contenido a través de motores de búsqueda en Internet, dejará de estar accesible después de transcurridos tres meses desde la fecha de publicación.

Llama finalmente la atención que, si bien la información contenida será la referida a 31 de diciembre de cada año, el hecho de que el deudor abonase su deuda (u obtuviese, en su caso, un aplazamiento o suspensión) con posterioridad a dicha fecha no impedía su aparición en el listado.

La regulación del listado de deudores se vio modificada en 2021, a través de la Ley 11/2021, de 9 de julio,[108] en el sentido de ampliar su contenido introduciendo los siguientes cambios:

a. Por un lado, reduciendo el importe a partir del cual una persona es susceptible de inclusión a los 600.000 euros.
b. Por otro lado, incluyendo en el listado a los responsables solidarios.

Adicionalmente, se introduce la posibilidad de eludir la inclusión en el listado a condición de abonar la totalidad de la deuda antes de la finalización del plazo para formular alegaciones.

En las siguientes líneas analizaremos si la regulación del listado de deudores, en los términos en que se encuentra configurada actualmente, puede colisionar con el derecho a la protección de la vida privada recogido en diferentes preceptos (artículo 8 del Convenio Europeo de Derechos Humanos – en adelante, CEDH – artículos 7 y 8 de la Carta de los Derechos Fundamentales de la Unión

---

[108] Ley 11/2021, de 9 de julio, de medidas de prevención y lucha contra el fraude fiscal, de transposición de la Directiva (UE) 2016/1164, del Consejo, de 12 de julio de 2016, por la que se establecen normas contra las prácticas de elusión fiscal que inciden directamente en el funcionamiento del mercado interior, de modificación de diversas normas tributarias y en materia de regulación del juego (BOE número 164, de 10 de julio).

Europea – en adelante, CDFUE – o artículo 18 de la Constitución Española – en adelante, CE –). Nos centramos, en todo caso, en el primero de ellos (CEDH), al ser el que posee el ámbito territorial más amplio.[109]

II. EL DERECHO A LA PROTECCIÓN DE LA VIDA PRIVADA.

El CEDH regula el derecho a la protección de la vida privada en los siguientes términos:

> *1. Toda persona tiene derecho al respeto de su vida privada y familiar, de su domicilio y de su correspondencia.*
>
> *2. No podrá haber injerencia de la autoridad pública en el ejercicio de este derecho sino en tanto en cuanto esta injerencia esté prevista por la ley y constituya una medida que, en una sociedad democrática, sea necesaria para la seguridad nacional, la seguridad pública, el bienestar económico del país, la defensa del orden y la prevención de las infracciones penales, la protección de la salud o de la moral, o la protección de los derechos y las libertades de los demás.*[110]

Si bien en el primer párrafo se especifica el alcance del derecho objeto de protección (vida privada, vida familiar, domicilio y correspondencia), en el segundo párrafo se contemplan los requisitos que deben concurrir para que pueda limitarse el mismo.

El Tribunal Europeo de Derechos Humanos (en adelante, TEDH) confiere a los diferentes conceptos contenidos en el Convenio un alcance autónomo, en general más amplio que el otorgado por los ordenamientos internos. Es habitual, en las sentencias del TEDH que tratan sobre posibles violaciones del artículo 8 CEDH, recordar que el concepto de "vida privada" es un término amplio no susceptible de una definición exhaustiva, y que abarca aspectos tales como el nombre o la fotografía e incluye, además, las actividades de carácter profesional.[111] No cabe duda de que los datos de carácter personal tienen su reconocimiento en este precepto como, en todo caso, se encargó de recordarnos en su sentencia de 27 de junio de 2017, asunto Satakunnan Markkinapörssi Oy y Satamedia Oy contra Finlandia. Con cita de una previa sentencia (asunto Amann contra Suiza), afirmó que:

---

[109]   Estados miembros del Consejo de Europa que, tras la salida de Rusia, han quedado en 46.
[110]   En términos similares se pronuncian los restantes preceptos que hemos señalado anteriormente. Así, el artículo 7 CDFUE reconoce el derecho de toda persona "*al respeto de su vida privada y familiar, de su domicilio y de sus comunicaciones*", mientras que el artículo 8 CDFUE contempla el derecho a la protección de los datos de carácter personal que conciernan a toda persona, datos que se tratarán (párrafo 2°) de modo leal, para fines concretos y sobre la base del consentimiento de la persona afectada o en virtud de otro fundamento legítimo previsto por la Ley.
[111]   Entre otras, sentencia del TEDH de 17 de octubre de 2019, asunto López Ribalda contra España.

El Tribunal recuerda, en primer lugar, que la conservación de datos correspondientes a la «vida privada» de una persona entra dentro del campo de aplicación del artículo 8, párrafo 1, del Convenio. A este respecto, subraya que el término de «vida privada» no debe interpretarse de modo restrictivo. [...]

El Tribunal recuerda acto seguido que la conservación por una autoridad pública de datos correspondientes a una persona constituye en sí misma una injerencia a tenor del artículo 8. La utilización posterior de los datos memorizados importa poco, y no corresponde al Tribunal especular sobre el carácter delicado o no de las informaciones recibidas, ni sobre los posibles inconvenientes sufridos por la persona afectada.

Y, en todo caso, siguiendo en el ámbito del Consejo de Europa, el Convenio para la Protección de las Personas con respecto al Tratamiento Automatizado de Datos de Carácter Temporal[112] señala como finalidad del mismo garantizar, en el territorio de cada Parte, a cualquier persona física sean cuales fueren su nacionalidad o su residencia, el respeto de sus derechos y libertades fundamentales, concretamente su derecho a la vida privada, con respecto al tratamiento automatizado de los datos de carácter personal correspondientes a dicha persona.

Sentado lo anterior, cualquier posible injerencia que se produzca en relación a este derecho debe de cumplir con los siguientes tres requisitos:

a) Encontrarse prevista por ley.

b) Perseguir la consecución de determinados objetivos.

c) Ser necesaria en una sociedad democrática.

Con esta breve referencia al marco normativo que vamos a analizar, nos encontramos en disposición de examinar el alcance del artículo 95 bis LGT desde el punto de vista del contenido y las limitaciones previstas en el artículo 8 CEDH.

III. LOS LISTADOS DE DEUDORES CON LA HACIENDA PÚBLICA EN DERECHO COMPARADO: EL CASO DE HUNGRÍA.

El listado de deudores con la Hacienda Pública que regula el artículo 95 bis LGT no constituye una creación original de nuestro legislador. Ya el propio Consejo de Estado, en su Dictamen al Anteproyecto de Ley de modificación parcial de la Ley 58/2003, de 17 de diciembre, General Tributaria[113], al analizar la introducción, por primera vez en nuestro ordenamiento, de una publicación de estas

---

[112]   Firmado en Estrasburgo el 28 de enero de 1981, y en vigor para España desde el 1 de octubre de 1985.
[113]   Expediente 130/2015.

características, se hacía eco de la existencia de medidas de similares características en otros ordenamientos de nuestro entorno.[114]

Así, por citar algunos ejemplos, en los siguientes países se contempla una
medida similar, pero con significativas diferencias respecto a la regulación contenida en la LGT:

–   Reino Unido: como su propio nombre indica, el List of Deliberate Tax
    Defaulter queda reservado a aquellos casos en los que la falta de pago de
    las deudas con la Administración tributaria deriva de un comportamiento
    doloso del obligado tributario. Para que una persona quede incluida en
    esta lista, es preciso que se cumplan dos condiciones: por un lado, que se
    haya iniciado una investigación sobre una persona y se le haya impuesto
    una sanción; por otro lado, que esa sanción afecte a impuestos por impor-
    te superior a 25.000 libras. En cuanto al contenido, no solo se identifica al
    deudor sino que, adicionalmente y entre otros datos, se incluye su domici-
    lio y el importe de la deuda.

–   Irlanda: la normativa actualmente vigente incluye a contribuyentes cuyas
    deudas excedan de 50.000 euros, exigiéndose de igual forma que se trate
    de conductas sancionables. En cuanto al contenido del listado, de manera
    similar al Reino Unido, se identifica al deudor, con especial mención a su
    domicilio, y el importe de la deuda, entre otros datos.

–   Finlandia: se establece un límite de 15.000 euros, cifra a partir de la cual
    la información se hará pública (información que incluye la identificación
    del deudor, su municipio de residencia y el importe de la deuda).

Con independencia de estos casos, nos centramos a continuación en el caso
de Hungría, por tratarse del único caso, hasta donde tenemos noticia, que ha
sido llevado ante el TEDH.[115]

Con una normativa muy similar a la que hemos visto de otros países, se faculta
a la Administración tributaria húngara a hacer públicos los incumplimientos más
relevantes, que quedan cuantificados en 10 millones de forintos húngaros (aproximadamente, 25.000 euros). Como principal elemento diferenciador respecto a
otros ordenamientos, se requiere que la deuda haya adquirido firmeza para que

---

[114]   *"La publicación de listados de esta naturaleza tiene algunos precedentes en el ámbito del Derecho comparado.
        Así, en el Tax collection practices Report elaborado en el marco del Programa Fiscalis (2013 y 2014), al exami-
        nar las medidas disuasorias (entre las que se incluyen aquellas que afectan a la reputación), se indica que han
        publicado listas de deudores tributarios países como Bulgaria, Irlanda, Estonia, Grecia, Finlandia, Hungría,
        Portugal, Rumanía, Eslovenia, Eslovaquia y Reino Unido. También hay que mencionar los casos de Noruega,
        Suecia y Australia, país en el que en 2013 se aprobaron diversas medidas para dar publicidad a determinados
        datos tributarios con la finalidad de desincentivar prácticas agresivas y de suministrar información y aumentar
        la transparencia y el debate en relación con la política fiscal".*

[115]   Asunto L.B. contra Hungría, resuelto mediante sentencia de fecha 12 de enero de 2021.

pueda ser objeto de publicación (además de excluir a deudores en situación concursal). Por lo tanto, habiéndose iniciado un procedimiento judicial para revisar la conformidad a Derecho de la liquidación o la sanción, será necesario esperar a su finalización para que esas deudas puedan incorporarse al listado.

Tras confirmar que, en un caso como el sometido a su conocimiento, el artículo 8 CEDH resultaba de aplicación y se había producido una injerencia en los derechos en él reconocidos, el Tribunal procedió a examinar los requisitos exigidos en orden a limitar los mismos:

- Previsión legal de la medida: este requisito no planteaba excesivos problemas, al estar la medida contemplada en la Ley de Administración Fiscal.
- Finalidad de la medida: en este segundo punto, por el contrario, el criterio de las partes era bien distinto. El Estado húngaro consideraba que la finalidad de la norma cuestionada no era otra que proteger el bienestar económico del país, mientras que el demandante entendía que su objetivo era, simplemente, humillar públicamente a las personas incluidas en la lista. El Tribunal zanjó la cuestión admitiendo una doble finalidad: por un lado, en línea con lo defendido por Hungría, proteger el bienestar económico del país; por otro lado, proteger los intereses particulares de terceros (que pueden relacionarse con las personas incluidas en el listado y, por ello, pueden estar interesados en conocer la situación financiera de los mismos).
- Proporcionalidad de la medida: en este punto (que es donde resulta más patente el riesgo de vulneración del Convenio) el Tribunal, como es habitual en sus sentencias, dejó constancia del criterio general establecido a través de sus pronunciamientos anteriores y, especialmente, del margen de apreciación que el Convenio confiere a los Estados. En este sentido, una medida se considera necesaria en una sociedad democrática para la consecución de un objetivo si responde a una presión social y, en particular, si resulta proporcionada al objetivo perseguido y las razones esgrimidas para su justificación son relevantes y suficientes. Respecto al margen de apreciación que poseen los Estados para implantar medidas legislativas que representen una injerencia con uno de los derechos o libertades fundamentales del Convenio, se reconoce que, en materia económica, el margen de apreciación es amplio. Tratándose de datos de carácter personal, su protección depende de un número de factores incluyendo la naturaleza del derecho o libertad aplicable, su importancia para la persona en cuestión y la naturaleza y finalidad de la medida adoptada. Mientras mayor importancia tenga para el individuo el derecho o libertad que se está restringiendo, menor será el margen de apreciación del que dispone el Estado.

Analizando en particular la normativa húngara, el Tribunal afirmó que "*no encuentra descabellado que el Estado considere necesario proteger su interés económico general en la recaudación de ingresos públicos mediante el escrutinio público tendente a disuadir a las personas del incumplimiento de sus obligaciones tributarias*". Es más, respecto al efecto que pudiera tener este tipo de publicidad en terceros interesados en contratar con el deudor, se acepta que la divulgación de la lista de personas que tienen deudas con la Hacienda Pública tiene un valor informativo sobre un asunto de interés general. Con estas consideraciones, y otras adicionales, finaliza negando que exista una vulneración del artículo 8 CEDH.

IV. ANÁLISIS DEL ARTÍCULO 95 BIS LGT DESDE EL PUNTO DE VISTA DE LA PROPORCIONALIDAD DE LA MEDIDA.

Como ya hemos señalado anteriormente, el listado de deudores con la Hacienda Pública española, regulado en el artículo 95 bis LGT, autoriza a publicitar los casos más graves de incumplimientos de obligados tributarios con la Administración. Si comparamos la regulación nacional con la prevista en otros países, encontramos las siguientes diferencias:

a) En primer lugar, la cifra a partir de la cual una persona queda incorporada al listado ha quedado establecida en 600.000 euros (inicialmente, 1.000.000 de euros). Esta cifra nos parece excepcionalmente elevada si se compara con la que otros ordenamientos contemplan, inferior en todos los casos a 100.000 euros. De esta forma, se está limitando la información a, efectivamente, aquellos incumplimientos más graves y no a todos los supuestos de obligados tributarios con deudas. En este punto, pues, consideramos que la medida mejora lo establecido en otros países y resulta más respetuosa con el requisito de la proporcionalidad.

b) En segundo lugar, la información que sí se incluye se limita al nombre y apellidos (o, en su caso, razón social), NIF del deudor e importe de la deuda. Se omite, afortunadamente en nuestra opinión, toda referencia al domicilio, que podría dar lugar a situaciones no deseadas y distintas de las recaudatorias.

c) En tercer lugar, y a diferencia de lo que sucede en Reino Unido, por ejemplo, no se contempla un requisito subjetivo para figurar en el listado. Por lo tanto, basta el mero dato objetivo de adeudar más de 600.000 euros para ser incluido, con independencia de que la conducta del obligado tributario no sea constitutiva de infracción. En este extremo, la regulación contenida en la LGT resulta más exigente que la de otros ordenamientos. Habida cuenta la justificación que se daba para la adopción de esta medida,[116] somos de la opinión de que debiera de limitarse la publicidad de estas situaciones de incumplimiento a aquellos obligados que, con sus actos u omisiones, hayan puesto de manifiesto una conducta incívica (que, generalmente, coincidirá con aquellos supuestos de incumplimiento que traigan causa de una actuación susceptible de ser sancionada por haberse realizado mediando dolo o culpa en el obligado).

d) Finalmente, no se requiere la firmeza de la deuda, ni en vía administrativa ni, por lo tanto, judicial, para que la misma luzca en el listado objeto de publicación. En este sentido, por ejemplo, consideramos que la normativa húngara resulta mucho más respetuosa con el derecho a la protección de los datos de carácter personal al exigir el requisito de firmeza del acto por el que se aprueba la liquidación o se impone la sanción. En nuestra opinión, incluir deudas que pueden ser objeto de anulación, ya sea en vía administrativa o en vía judicial, resulta un exceso contrario al derecho recogido en el artículo 8 CEDH.

A todo lo anterior, añadimos dos datos más a tener en cuenta en nuestra valoración del artículo 95 bis LGT: por un lado, si bien se contempla un trámite de audiencia previo a la publicación del listado, los motivos de oposición de encuentran tasados. A nuestro juicio, esa limitación a errores materiales, de hecho o aritméticos no resulta justificada en absoluto, tratándose de una actuación que constituye una injerencia en un derecho de carácter fundamental. Si bien entendemos que en esta vía no se debiera admitir la formulación de alegaciones de fondo sobre la procedencia o no de la deuda (para lo cual el interesado ya habrá interpuesto el correspondiente recurso, en su caso), sí somos de la opinión de que otras alegaciones debieran ser objeto de admisión.[117]

Pues bien, una vez expuesto lo anterior, ofrecemos nuestra opinión sobre la compatibilidad del artículo 95 bis LGT con el derecho al respeto de la vida privada y, en particular, con la exigencia de que la medida sea proporcional al objetivo perseguido.

Y dicha opinión debe ser negativa por los siguientes motivos:

En primer lugar, como ya hemos adelantado, consideramos que no resulta ajustado al CEDH la publicación del listado en la medida en que incorpore deudas que no han adquirido firmeza, ni administrativa ni judicial. Y ello por cuanto

---

[116] El "*fomento de todo tipo de instrumentos preventivos y educativos que coadyuven al cumplimiento voluntario de los deberes tributarios, en la promoción del desarrollo de una auténtica conciencia cívica…*"

[117] No tiene excesivo sentido el hecho de que los motivos de oposición, tasados también, frente a una providencia de apremio sean mucho más generosos que los motivos de oposición a la inclusión en el listado de deudores, habida cuenta de que en este último caso, insistimos, lo que está en juego es una injerencia en un derecho de carácter fundamental.

que, en caso de que finalmente la deuda tributaria o la sanción objeto de publicación sean anuladas, no existe medida alguna que resarza al contribuyente de los negativos efectos derivados de su inclusión en la lista. A nuestro juicio, si la deuda finalmente resulta inexistente, el contribuyente se habrá visto sometido a una medida contraria al artículo 8 CEDH carente de fundamento (ya que no resultaba necesario, ni a efectos preventivos, ni a efectos educativos, incluir a un obligado tributario que no mantiene deudas con la Administración).

Pudiera corregirse esta, en nuestra opinión, deficiencia, de dos maneras: por un lado, añadiendo un dato más al listado: el carácter firme o no firme de la deuda; por otro lado, contemplándose la publicación de un listado de contribuyentes que, habiendo sido incorporados en algún momento en el listado de deudores, han visto posteriormente anulada la liquidación y/o sanción.

En segundo lugar, consideramos que la medida es desproporcionada al limitarse al dato objetivo del importe de la deuda, sin tomar en consideración el elemento subjetivo. Un contribuyente ha podido adoptar las debidas cautelas para cumplir con la normativa tributaria y, pese a ello, encontrarse con que la interpretación efectuada por la Administración no coincide con la suya, derivándose la correspondiente liquidación sin sanción. En casos como ese, ¿resulta necesario, a fin de proteger la estabilidad económica del país, poner en conocimiento público que un contribuyente de buena fe se ha visto sometido a una comprobación en la que, como consecuencia de una diferencia de criterio, se le ha practicado una liquidación tributaria? Entendemos que la respuesta a este último interrogante debe ser negativa.

En tercer lugar, siendo una medida que pretende, como fin último, mejorar la recaudación, se nos antoja contrario al derecho reconocido en el artículo 8 CEDH que el pago íntegro de la deuda con carácter previo a la publicación no permita evitar su aparición en la lista.

En cuarto lugar, y relacionado con el comentario anterior, también resulta contrario al requisito de la proporcionalidad el hecho de que la cantidad objeto de publicación sea la existente a 31 de diciembre de cada año, sin tener en cuenta posibles pagos posteriores a dicha fecha. En este sentido, de igual forma que, a efectos de obtener una fraccionamiento o aplazamiento de la deuda sin aportación de garantías es suficiente con reducir la deuda total a menos de, actualmente, 50.000 euros, en este caso debiera igualmente ser suficiente con reducir la deuda por debajo de los 600.000 euros para evitar la aparición en el listado.

Así pues, examinados los razonamientos empleados por el TEDH para considerar que la normativa húngara sobre publicación de situaciones de incumplimiento con la Hacienda Pública no representa una vulneración del artículo 8 CEDH, y tras comparar la citada normativa con la española, llegamos a la conclusión de que, en su redacción actual (al igual que en su redacción originaria) el artículo 95 bis LGT sí puede llegar a representar una vulneración del derecho al respeto de la vida privada contrario al artículo 8 CEDH.

En todo caso, sobre esta cuestión se ha pronunciado el Tribunal Supremo,[118] en el recurso de casación 465/2021, el que la cuestión con interés casacional se fijó en:

- — *Determinar si procede la inclusión en la lista comprensiva de deudores a la Hacienda Pública por incumplimiento relevante de las obligaciones tributarias, en el supuesto de que las deudas o sanciones tributarias que originen tal inclusión no sean firmes, al encontrarse impugnadas en sede judicial.*
- — *Esclarecer qué procedimiento ha de seguir el interesado que pretenda impugnar su inclusión en la relación definitiva de deudores a la Hacienda pública por incumplimiento relevante de las obligaciones tributarias, y si la impugnación abarca únicamente errores materiales o, por el contrario, alcanza igualmente a cuestiones de índole jurídica.*

La sentencia que resuelve dicho recurso, de fecha 25 de enero de 2023, tras afirmar que "*nada se descubre si afirmamos que la inclusión en una Lista de morosos, como las que nos ocupa, en general, supone, o puede suponer, al menos, un demérito y un descrédito del incluido, con afectación a su dignidad y fama de resultar a posteriori incorrecta la inclusión, con un quebranto reputacional y una valoración ciudadana negativa, de consecuencias no sólo morales sino también patrimoniales*" finaliza concluyendo que "*sólo procede la inclusión en la lista comprensiva de deudores a la Hacienda Pública por incumplimiento relevante de las obligaciones tributarias, en el supuesto de que las deudas o sanciones tributarias que originen tal inclusión sean firmes, por lo que de encontrarse impugnadas en sede judicial no podrá procederse a la inclusión de deudores o responsables en la Lista*".

V. CONCLUSIONES

Hemos concluido, en el punto anterior, mostrando nuestra opinión sobre la posible incompatibilidad del artículo 95 bis LGT con el derecho al respeto de la vida privada consagrado, entre otros, en el artículo 8 CEDH.

No pensamos que nuestra labor deba limitarse a esta crítica de la norma vigente. Antes bien, tomando como referencia las medidas adoptadas en otros países, y los razonamientos del TEDH, nos tomamos la libertad de efectuar propuestas de modificación del precepto que hemos analizado que permitan conciliar debidamente los intereses generales de la Hacienda Pública con el derecho

---

[118]   Auto de 30 de marzo de 2022, dictado en el recurso 465/2021 (ECLI:TS:2022:4740A).

particular de cualquier persona al respeto de su vida privada en general, y de sus datos personales en particular.

En este sentido, las propuestas que ofrecemos son las siguientes:

I.   Limitar la inclusión en el listado de deudores a aquellos obligados tributarios que mantengan deudas con la Hacienda Pública como consecuencia de acciones u omisiones que merezcan, al menos, sanción administrativa. De esta forma se evitaría someter a escrutinio público a contribuyentes con voluntad de cumplir con sus obligaciones y que se han visto sometidos a una interpretación de la normativa tributaria distinta de la aplicada por ellos, fruto de la cual se ha practicado una liquidación tributaria. De igual forma, se evita el agravio comparativo entre quien mantiene una deuda superior a 600.000 euros, pero sin ponerse en cuestión su voluntad de cumplir con sus obligaciones, y quien tiene una deuda inferior a dicho importe, pero fruto de una infracción tributaria. En definitiva, otorgar más relevancia al elemento subjetivo a la hora de determinar si se incluye o no a una persona en el listado de deudores.

II.   Limitar la inclusión en el listado de deudores a aquellas deudas que hayan adquirido firmeza. De esta forma, consideramos que se respeta de mejor manera la necesidad de conferir a los datos personales un tratamiento pertinente y exacto.[119] Podrían, en su caso, mantenerse las deudas susceptibles de anulación si: a) se añade un campo adicional que informe del importe de tales deudas que ha adquirido firmeza; b) se informa de la eventual estimación del recurso interpuesto por el contribuyente que determine la anulación o minoración de la liquidación y/o sanción.

III.   No limitar el contenido de las alegaciones que se pueden formular con carácter previo a las situaciones de mero error material, de hecho o aritmético. No obstante, sobre este particular el Tribunal Supremo ha rechazado la posibilidad de incluir alegaciones de índole jurídica en las alegaciones que se formulen contra la inclusión en el listado de deudores, sin perjuicio de la existencia de causa de nulidad del acto que da origen a la deuda.

IV.   Recordemos que la introducción del artículo 95 bis LGT se justificaba, entre otros motivos, en el fomento de instrumentos educativos que coadyuven al cumplimiento voluntario de los deberes tributarios y en la promoción del desarrollo de una auténtica conciencia cívica tributaria, como medidas para luchar contra el fraude fiscal. Centrándonos en este objetivo, podemos comprobar cómo, en los últimos años, las medidas de mayor calado adoptadas por el legislador han ido dirigidas a ampliar el ámbito del régimen sancionador tributario. A nuestro entender, esa no es la manera más eficiente de crear conciencia cívica

---

[119]   Artículo 5.1 del Reglamento General de Protección de Datos.

tributaria. En su lugar, consideramos más oportuno avanzar de manera decidida y eficaz en el ámbito del cumplimiento cooperativo. Los pasos dados hasta ahora, especialmente el contenido del Código de Buenas Prácticas Tributarias (CBPT), si bien representan un avance en la línea correcta, se nos antojan insuficientes. Una verdadera relación cooperativa debe implicar la asunción, por parte de la Administración, de obligaciones de mayor alcance que las contenida en el CBPT y, especialmente, el reconocimiento expreso, a través de norma de rango legal, de las consecuencias derivadas de la implantación de un sistema de cumplimiento normativo en el ámbito de las empresas, del mismo modo que, en el ámbito penal, prevé el artículo 31 bis del Código Penal. Avanzando en esta área, consideramos que no hay duda de que el listado de deudores se verá drásticamente reducido en el medio plazo, a la vez que el listado de contribuyentes acogidos al CBPT podrá verse incrementado (desde su aprobación, en 2010, el número de empresas que han comunicado su adhesión no supera los 200).

BIBLIOGRAFÍA.

ABERASTURI GORRIÑO, UNAI. "La lista de deudores de la Ley General Tributaria, ¿una medida sancionadora proporcional? *Revista de administración pública*, nº 203. 2017.

DÍAZ RAVN, NICOLÁS. *La jurisprudencia del Tribunal Europeo de Derechos Humanos en materia tributaria.* Aranzadi. 2016.

GONZÁLEZ MÉNDEZ, AMELIA. *La protección de datos tributarios y su marco constitucional.* Tirant Lo Blanch. Valencia, 2003.

HERNÁNDEZ GUIJARRO, FERNANDO. "La firmeza de la resolución sancionadora como requisito para su divulgación en Internet: el caso de la publicación del listado de deudores de la Hacienda Pública", en VV.AA. *El Reglamento General de Protección de Datos: un enfoque nacional y comparado. Especial referencia a la LO 3/2018 de Protección de Datos y garantía de los derechos digitales.* Tirant Lo Blanch. Valencia, 2019.

OLIVARES OLIVARES, BERNARDO. *La publicidad de los deudores tributarios desde la perspectiva del derecho a la protección de los datos personales.* Quincena fiscal, nº 11. 2015.

OLIVARES OLIVARES, BERNARDO. *La eficacia del listado de incumplidores relevantes a la Hacienda Pública.* Revista de Internet, Derecho y Política, nº 28. 2019.

7.- LA GEOLOCALIZACIÓN DE LOS USUARIOS Y SU ACCESO POR LA AGENCIA ESTATAL DE ADMINISTRACIÓN TRIBUTARIA, ¿UN TRATAMIENTO LÍCITO, LEAL Y TRANSPARENTE DE DATOS DE CARÁCTER PERSONAL?[120]

BERNARDO D. OLIVARES OLIVARES

Departamento de Derecho Mercantil, Financiero y Tributario
Universidad Complutense de Madrid

1. INTRODUCCIÓN

La normativa tributaria ha incorporado en su *modus operandi* la posibilidad de implementar un elenco de sistemas para la geolocalización de los dispositivos de los usuarios por parte de los obligados tributarios para la determinación y sujeción de los hechos imponibles al territorio de aplicación del Impuesto sobre Determinados Servicios Digitales (IDSD).[121]

Para alcanzar dicho fin se prevé la recopilación de datos por parte de los contribuyentes de los usuarios de sus servicios a través de distintos métodos: identificación basada en redes (Wifi, Ethernet u otras), geolocalización física por satélite (a través de GPS, GLONASS, Galileo o Beidou), por medio de información proporcionada por sistemas de comunicaciones inalámbricas terrestres (GSM y LPWAN) y por balizas (WiFi o Bluetooth).[122]

Este tratamiento masivo de información para la aplicación del sistema tributario, en cumplimiento del artículo 31.1 de la CE, tiene notables implicaciones

---

[120] La presente investigación se ha realizado en el marco del proyecto de investigación: «Gobierno corporativo y creación de valor compartido». Referencia: PID2020-112624GA-I00, dirigido por el Dr. Javier Megías López. Además, los resultados de investigación obtenidos han sido consecuencia de las estancias de investigación desarrolladas en el Institute for the Austrian and International Tax Law, de la Universidad Económica de Viena, financiada por las becas Ernst March (2019) y José Castillejo (2021). El trabajo está adscrito al Instituto de Derecho Europeo e Integración Regional (IDEIR) de la UCM y al Grupo de investigación n.º 970599 EQUILIBRIO Y DISCIPLINA PRESUPUESTARIA de la UCM.
[121] Véanse los artículos 7.4 y 7.5 de la LIDSD y 1 y 5 del RD 400/2021.
[122] Artículo 1.2 del RD 400/2021.

respecto del derecho fundamental a la protección de datos de carácter personal recogido en el artículo 18.4 de la CE[123] en aquellos casos en los que la localización de los dispositivos arroje información sobre la posición geográfica de personas físicas identificadas o identificables.[124]

La normativa de desarrollo que dota de contenido al derecho fundamental[125] exige a la AEAT el desarrollo de un tratamiento lícito, leal y transparente de la información de carácter personal y, al legislador, la incorporación de garantías adecuadas, acordes al nivel de riesgo y a la tipología del tratamiento.

El desarrollo normativo específico exigido ante supuestos altamente invasivos es un reflejo de la doctrina jurisprudencial sobre la teoría de las garantías adecuadas en materia de protección de datos que tiene su arraigo, entre otras, en la STJUE C-293/12 y C-594/12 en el ámbito de la UE y en la STC 76/2019, en el contexto español, en la que se ha llegado a afirmar en su fj. 6 que: "…el TC que su jurisprudencia exige al legislador que establezca las garantías adecuadas de tipo técnico, organizativo y procedimental, que prevengan los riesgos de distinta probabilidad y gravedad y mitiguen sus efectos pues solo así se procura el respeto del contenido esencial del derecho fundamental" y que (fj.8) "…ese establecimiento de medidas adecuadas y específicas solo puede ser expreso. Si la norma interna que regula el tratamiento de datos personales (…) no prevé esas garantías adecuadas, sino que, todo lo más, se remite implícitamente a las garantías generales contenidas en el Reglamento general de protección de datos, no puede considerarse que haya llevado a cabo la tarea normativa que aquel le exige".

Actualmente la LIDSD y su desarrollo reglamentario no contemplan expresamente qué garantías adicionales en materia de protección de datos de carácter personal deben ser aplicables para la recopilación masiva y almacenamiento de los datos de geolocalización de los usuarios y su posible acceso por parte de la AEAT.

Este capítulo tiene por objeto examinar cómo se proyectan los principios de licitud, lealtad y transparencia sobre los tratamientos que se producen.

---

[123]   Nuestro Tribunal Constitucional interpretó su autonomía a partir del artículo 18.4 de la CE en las SSTC 290/2000 y 292/2000 de 20 de noviembre. También se encuentra reconocido en el artículo 8 de la CDFUE y en el mismo precepto en la CEDH como parte del derecho a la vida privada.
[124]   Véase el artículo 4.1 del RGPD.
[125]   Esto es el RGPD 2016/679 y la LOPD-GDD 3/2018.

2. LOCALIZACIÓN DE LOS INTERESADOS Y TRATAMIENTO DE LA INFORMACIÓN DE CARÁCTER PERSONAL

La Ley 4/2020, de 15 de octubre, del Impuesto sobre Determinados Servicios Digitales (LIDSD) introduce en nuestro ordenamiento jurídico un impuesto que grava los «servicios digitales», los «servicios de publicidad en línea», los «servicios de intermediación en línea» y los «servicios de transmisión de datos»[126].

En este contexto son contribuyentes de este impuesto las personas jurídicas y entidades que estén establecidas en España, en otro Estado miembro de la Unión Europea o en cualquier otro Estado o jurisdicción no perteneciente a la Unión Europea que presten dichos servicios. Como se desprende de la LIDSD al inicio del periodo de liquidación: su importe neto de la cifra de negocios en el año natural anterior debe superar 750 millones de euros; y el importe total de sus ingresos derivados de prestaciones de servicios digitales sujetos en España debe superar los 3 millones de euros.[127]

Para determinar el lugar de realización de las prestaciones de servicios digitales, el artículo 7 de LIDSD establece que "Las prestaciones de servicios digitales se entenderán realizadas en el territorio de aplicación del impuesto cuando algún usuario esté situado en ese ámbito territorial, con independencia de que el usuario haya satisfecho alguna contraprestación que contribuya a la generación de los ingresos derivados del servicio".[128]

En concreto determina una serie de supuestos específicos de vinculación territorial con los usuarios[129]:

- En el caso de los servicios de publicidad en línea, si el usuario del dispositivo se encuentra en España.
- En el caso de los servicios de intermediación en línea en que exista facilitación de entregas de bienes o prestaciones de servicios, cuando el usuario lleva a cabo la operación a través de la interfaz digital de un dispositivo que en el momento de la conclusión se encuentra en España.
- En el caso de los servicios de transmisión de datos, cuando los datos transmitidos hayan sido generados por un usuario a través de una interfaz digital cuyo dispositivo esté sito en España.

Como podemos observar la localización de los usuarios se convierte en la piedra angular que sustenta la sujeción y el tratamiento de información con trascendencia tributaria para la correcta aplicación de la figura impositiva.

---

[126]   Véase el artículo 5 y el apartado IV de la Exposición de Motivos de la LIDSD.
[127]   Véase artículo 8 y el apartado V de la Exposición de Motivos de la LIDSD.
[128]   Véase el apartado 1 del mencionado precepto de la LIDSD.
[129]   Véase el apartado 2 del artículo 7 de la LIDSD.

En este sentido el Real Decreto 400/2021, de 8 de junio (RIDSD), por el que desarrollan las reglas de localización de los dispositivos de los usuarios y las obligaciones formales del IDSD establece en su artículo 1 que el lugar de localización del dispositivo viene dado por todos los detalles de la dirección que proporcione la tecnología de geolocalización empleada, entre ellos, en su caso, las coordenadas de latitud y longitud.

Se presumirá que el dispositivo se encuentra en el lugar que se determine conforme a la geolocalización basada en su dirección IP o del equipo a través del cual el dispositivo del usuario accede al servicio cuando se encuentra en una determinada red, salvo que pueda concluirse que dicho lugar es otro diferente mediante la utilización de otros medios de prueba.[130]

Para su localización el RIDSD establece que "podrá utilizarse la geolocalización basada en la identificación de redes (WiFi, Ethernet u otras), la geolocalización física por satélite (con sistemas tales como GPS-Sistema de Posicionamiento Global, GLONASS, Galileo o Beidou) o por medio de información proporcionada por sistemas de comunicaciones inalámbricas terrestres (como las del GSM-Sistema Global de Comunicaciones Móviles- o las de LPWAN), o por balizas (WiFi o Bluetooth), o cualquier otra combinación de tecnologías existentes o futuras."[131]

Por su parte, una vez cuantificada y determinada la base imponible del impuesto en relación con la localización mediante las normas mencionadas anteriormente, los contribuyentes a los que se refiere el artículo 8 de LIDSD deben consignar la información en el modelo de autoliquidación del IDSD (modelo 490), aprobado por Orden HAC/590/2021, de 9 de junio[132]. Es importante destacar que, en este modelo, no se recoge información de detalle de ningún usuario.

Sin embargo, el artículo 2.1 del RIDSD establece que los contribuyentes "… estarán obligados a la llevanza, conservación y puesta a disposición de la Administración tributaria de registros diferenciados por cada tipo de servicio y de una memoria descriptiva".

Dicha memoria contendrá según el artículo 4 del RIDSD, "…los procesos, métodos, algoritmos y tecnologías empleadas" para "…localizar la realización de la prestación de cada tipo de servicio y su atribución al territorio de aplicación del impuesto, teniendo en cuenta que la localización para cada prestación será la que se corresponda con la del dispositivo". Es decir, será necesario almacenar

---

[130]   Artículo 7.2 de la LIDSD.
[131]   Artículo 1 del RIDSD.
[132]   Véase https://www.boe.es/buscar/act.php?id=BOE-A-2021-9721.

información sobre los usuarios finales de los servicios para acreditar la cuantificación de la base imponible y la sujeción al tributo.

No sólo los contribuyentes podrán tratar y almacenar la información de los usuarios. La Administración tributaria bajo un requerimiento de información podrá acceder a dichos datos en virtud del artículo 2.2 del RIDSD, que establece que: "[l]os contribuyentes deberán aportar a la Administración tributaria los registros y la memoria cuando les sean requeridos".

Parte de estos tratamientos de información se rigen por la normativa de protección de datos de carácter personal, que busca proteger a toda persona de un tratamiento ilícito de su información y se aplica a todos los tratamientos de datos de carácter personal que recaigan dentro del ámbito de aplicación material y territorial que establece el RGPD. Me refiero a los artículos 2, 3 y 4 del RGPD.

Para determinar si se aplica dicha normativa, es preciso determinar previamente si nos encontramos ante información de carácter personal y si el RGPD y la LOPD-GDD son aplicables a los distintos sujetos territorialmente.

Un dato de carácter personal es según el artículo 4.1 del RGPD "toda información sobre una persona física identificada o identificable; se considerará persona física identificable toda persona cuya identidad pueda determinarse, directa o indirectamente, en particular mediante un identificador, como por ejemplo un nombre, un número de identificación, datos de localización, un identificador en línea o uno o varios elementos propios de la identidad física, fisiológica, genética, psíquica, económica, cultural o social de dicha persona".

Es evidente que en este contexto los datos de localización pueden ser información de carácter personal.

Por lo tanto, los sujetos protegidos en estas operaciones de tratamiento son los usuarios de los servicios digitales que se consideren personas físicas identificadas o identificables. Es decir, incluso en aquellos casos en los que no se identifique directamente al sujeto, si con el estado actual de la tecnología u otras informaciones en poder del responsable pudiera llegar a identificarse al interesado (usuario), éste debe quedar protegido y se aplican las garantías que contempla la normativa.

Aunque no es objeto del presente capítulo examinar todo el despliegue de protección que examina la normativa de protección de datos sobre los tratamientos, baste indicar que la legislación establece deberes a los responsables como mecanismo de control interno y reconoce derechos a los interesados como herramientas para controlar el adecuado tratamiento (externamente). Por ejemplo, los responsables del tratamiento deben desarrollar evaluaciones de impacto e implementar la privacidad desde el diseño en cada caso, así como cumplir con el deber de informar.

Ahora bien, a continuación, debemos abordar si en este contexto es aplicable territorialmente la normativa de protección de datos y quién es responsable del tratamiento.

Comenzado por este último punto, el artículo 4.7 del RGPD indica que es responsable del tratamiento toda persona "física o jurídica, autoridad pública, servicio u otro organismo que, solo o junto con otros, determine los fines y medios del tratamiento; si el Derecho de la Unión o de los Estados miembros determina los fines y medios del tratamiento, el responsable del tratamiento o los criterios específicos para su nombramiento podrá establecerlos el Derecho de la Unión o de los Estados miembros".

Nos encontramos por tanto ante dos responsables del tratamiento. Por un lado, la AEAT puesto que puede acceder a la información de carácter personal de los interesados (usuarios) para determinar su localización y vinculación al hecho imponible del impuesto y, por otro lado, los prestadores de servicios digitales que localizan a los usuarios (interesados) en cumplimiento de la obligación legal.

Ahora bien, ¿es aplicable la normativa desde un plano de vinculación territorial? El artículo 3.1 del RGPD establece expresamente que el RGPD es aplicable al tratamiento "de datos personales en el contexto de las actividades de un establecimiento del responsable o del encargado en la Unión, independientemente de que el tratamiento tenga lugar en la Unión o no".

Dicho precepto vincula a la Administración tributaria, en este caso, a la AEAT, que deberá cumplir con la normativa de protección de datos de carácter personal. También se incluyen en este caso los prestadores de servicios con establecimiento en la UE.

Por su parte el artículo 3.2. del RGPD vincula a todos los responsables del tratamiento (aun no gozando de un establecimiento en la UE) que: (i) ofrezcan bienes o servicios a interesados en la Unión, independientemente de si a estos se les requiere su pago; (ii) controlen su comportamiento, en la medida en que este tenga lugar en la Unión.

Este precepto es el anclaje que obliga a los contribuyentes de la LIDSD a cumplir con la normativa de protección de datos, aunque no gocen de un establecimiento sito en la UE. Establecimiento cuyo concepto difiere del establecimiento permanente que se regula en la normativa tributaria.

Como vemos, tanto la AEAT como los prestadores de servicios son (o pueden llegar a ser) responsables del tratamiento de la información de carácter personal de los interesados (usuarios), debiendo cumplir con los preceptos que emanan del RGPD y de la LOPD-GDD.

En este punto quiero traer a colación la respuesta de la AEAT y de la AEPD tras ejercer el derecho de acceso a la información pública en los expedientes n.º

001-070878 y 001-070876. Ambos expedientes fueron instados para obtener los resultados de investigación que se exponen en este capítulo.

En el primer caso, se solicitó el acceso a documentación técnica, informes de evaluación y protocolos o directrices adoptados en relación con el LIDSD, en virtud de lo dispuesto en el RGPD. En particular, la puesta en marcha de las obligaciones de los arts. 25 y 35 del RGPD.

La AEAT contestó que: "La Agencia Tributaria no es autora de dichas normas y, en cualquier caso, los arts. 25 y 35 del RGPD imponen cargas al responsable del tratamiento, sin que la Agencia Tributaria trate datos personales de los contribuyentes de dicho impuesto, pues son siempre personas jurídicas y entidades, no personas físicas, de acuerdo con el art. 8 de la Ley 4/2020".

"En este sentido, cabe señalar que tanto la Ley 4/2020, de 15 de octubre, del Impuesto sobre Determinados Servicios Digitales (LIDSD) como el Real Decreto 400/2021, de 8 de junio, por el que se desarrollan las reglas de localización de los dispositivos de los usuarios y las obligaciones formales del Impuesto sobre Determinados Servicios Digitales, no regulan de forma alguna la consignación ni la comunicación de datos desglosados por clientes o usuarios, por lo que no se plantea ninguna cuestión propia del RGPD y, por consiguiente, no se han tenido que elaborar los documentos mencionados".

"Por su parte, en el modelo de autoliquidación del IDSD (modelo 490), aprobado por Orden HAC/590/2021, de 9 de junio, donde también se determinan la forma y procedimiento para su presentación, tampoco se recoge información de detalle de ningún cliente o usuario, por lo que, en este sentido, tampoco se han llegado a plantear las cuestiones solicitadas en el escrito."

No comparto la posición de la AEAT. Como hemos examinado, el artículo 2.2 de RIDSD permite requerir información sobre la memoria en la que sí se pueden llegar a identificar a los usuarios mediante el acceso a los datos de localización para comprobar la sujeción al impuesto de los supuestos contenidos en el hecho imponible.

Como indicaba, también se solicitó en el marco de la investigación a la AEPD (ref. entrada: 001-070876) el informe emitido sobre el proyecto de ley sobre la valoración del Proyecto de Ley del Impuesto sobre Determinados Servicios Digitales y el impacto de la recopilación masiva de información de carácter personal y datos de geolocalización para el cumplimiento de las obligaciones tributarias por los distintos responsables del tratamiento.

A este respecto cabe informar que la normativa de protección de datos regula los informes de la AEPD sobre las iniciativas normativas en el artículo 5.3 del Estatuto de la Agencia Española de Protección de Datos, aprobado por el Real decreto 389/2021, de 1 de junio, establece que ésta: "colaborará con los órganos competentes en lo que respecta al desarrollo normativo y aplicación de las normas que incidan en materia propia del RGPD y la LOPD-GDD y a tal efecto: "… b) Informará preceptivamente cualesquiera anteproyectos de ley o proyectos de reglamento que incidan en la materia propia del Reglamento (UE) 2016/679 del Parlamento Europeo y del Consejo, de 27 de abril de 2016, y de la Ley Orgánica 3/2018, de 5 de diciembre."

Para sorpresa de quien elabora este capítulo, la respuesta de la AEPD es la que sigue: "…la AEPD *elabora los informes que de acuerdo con la normativa aplicable se le solicitan por los órganos competentes de los anteproyectos y proyectos normativos que afecten a la protección de datos.* En este caso, *no consta solicitud alguna de informe sobre el Anteproyecto de Ley del Impuesto sobre Determinados Servicios Digitales.* Tampoco consta solicitud de informe sobre el proyecto del *Real Decreto 400/2021,* de 8 de junio, por el que desarrollan las reglas de localización de los dispositivos de los usuarios y las obligaciones formales del Impuesto sobre Determinados Servicios Digitales y se modifica el Reglamento General de las actuaciones y los procedimientos de gestión e inspección tributaria y de desarrollo de las normas comunes de los procedimientos de aplicación de los tributos, aprobado por el Real Decreto 1065/2007, de 27 de julio, r*azón por lo que no se emitió ningún informe sobre el Anteproyecto y Proyecto, respectivamente, de dichos textos normativos*".

Es decir, la AEPD no ha tenido la oportunidad de valorar la adecuación y proporcionalidad de la normativa que habilita la localización masiva de los usuarios (interesados) con el objetivo del cumplimiento de las obligaciones tributarias de los prestadores de servicios.

En el siguiente apartado estudiaremos las principales implicaciones de los principios de licitud, lealtad y transparencia para los distintos responsables del tratamiento, incidiendo especialmente en los prestadores de los servicios que obtienen los datos de los interesados (usuarios).

3. LOS PRINCIPIOS DE LICITUD, LEALTAD Y TRANSPARENCIA

3.1. La licitud en la obtención y transmisión de información

Nuestro ordenamiento jurídico establece una pluralidad de presupuestos habilitantes para el tratamiento de la información de carácter personal (obtención, uso, cesión, interconexión, acceso, etc.). Con carácter general, los artículos 6-9 del RGPD regulan los presupuestos de legitimación necesarios para que, desde la perspectiva de la protección de datos, el tratamiento sea lícito[133].

Los supuestos contemplados en la LIDSD están amparados por el principalmente por el artículo 6.1.c) del RGPD, ya que el acceso por parte de la AEAT a la memoria elaborada por el contribuyente, a mi juicio, se basaría en el artículo 6.1.e).

La expresión "en cumplimiento de una obligación legal" contenida en el artículo 6.1.c) RGPD equivale, en la regulación española, a que la Administración tributaria o los contribuyentes, para estar legitimados, deben actuar en cumplimiento de una obligación establecida en una norma con rango de ley.

El artículo 6.2 del RGPD remite expresamente a que los aspectos relacionados con la protección de datos sean desarrollados por los Estados miembros, que *podrán* introducir "…disposiciones más específicas a fin de adaptar la aplicación de las normas del presente Reglamento (…) fijando de manera más precisa requisitos específicos de tratamiento y otras medidas que garanticen un tratamiento lícito y equitativo".

A fecha de la presente investigación, llama la atención que, al menos, en el ámbito de la que examinamos no se hayan desarrollado normas en cumplimiento de este mandato.

Que se puedan aprobar disposiciones específicas, no quiere decir que cada tratamiento individual se rija sólo por una norma. Una norma puede ser suficiente como base para varias operaciones de tratamiento de datos basadas en una obligación legal aplicable al responsable del tratamiento[134]. Y, evidentemente, una norma tributaria puede habilitar múltiples operaciones de tratamiento como sucede con las operaciones que hemos examinado en el LIDSD y su RIDSD.

Entre las medidas adicionales que pueden incorporarse y que están indicadas expresamente por el RGPD, se incluye: el desarrollo de disposiciones que establezcan la base legitimadora; los tipos de datos objeto de tratamiento⊠ los interesados afectados; las entidades a las que se pueden comunicar datos personales y los fines de tal comunicación; las garantías que sirvan para limitar la finalidad⊠ los plazos de conservación de los datos; y los procedimientos del tratamiento.

Recordemos que el artículo emplea el condicional *podrán* y, por lo tanto, normativamente no se obliga a que los Estados adopten dichas medidas (al menos respecto a la información que no esté en la categoría de datos especiales). Ahora bien, a lo que sí obliga es a que la finalidad del tratamiento deberá quedar

---

[133]   El artículo 9 del RGPD difiere respecto del 6 en que regula presupuestos habilitantes reforzados para información especialmente protegida como aquellas que revelen origen étnico o racial, opiniones políticas, convicciones religiosas o filosóficas, afiliación sindical, datos genéticos, datos biométricos, de salud o datos relativos a la vida sexual.

[134]   Véase el Considerando 40 del RGPD.

determinada en dicha base jurídica. El RGPD no indica que esta base jurídica deba ser una norma con rango de ley, como sí establece nuestra legislación[135].

Esta remisión del RGPD, al desarrollo de normas de garantía por parte del legislador nacional, ha encontrado su proyección en nuestra normativa general sobre protección de datos. El artículo 8.1 de la LOPD-GDD establece que el tratamiento de datos personales solo podrá considerarse fundado en el cumplimiento de una obligación legal exigible al responsable, cuando así lo prevea una norma de Derecho de la Unión Europea o una norma con rango de ley. La finalidad del tratamiento viene claramente definida en la LIDSD.

Como podemos observar, nuestro precepto se diferencia únicamente en la exigencia de que la obligación legal provenga de una norma con rango de ley. Ahora bien, recordemos que la legitimación *debe* de concretarse en esa norma, aunque la interpretación podría entenderse en sentido amplio. Basta que la operación tenga respaldo en la ley (finalidad del tratamiento) y que, posteriormente, una norma de carácter reglamentario regule cómo, en qué casos y sobre qué datos se realice el tratamiento de la información con trascendencia tributaria[136].

En la práctica, una de las dificultades que plantea la identificación de las bases jurídicas es la distinción entre el interés público y la obligación legal, ya que la frontera entre uno y otro presupuesto legitimador no siempre es nítida. Aunque el debate sobre esta cuestión pueda tener una importancia menor, ya que al final, con carácter general, la Administración tributaria va a encontrarse legitimada a través de una de las dos bases indicadas, es necesario precisar conceptualmente cuándo debería optarse por una o por otra.

El criterio que está asumiendo la AEPD es el de vincular sistemáticamente el presupuesto legitimador de los tratamientos que realiza la Administración al interés público, salvo cuando la obligación legal es clara y precisa[137]. Esta posición viene aplicándose desde el Dictamen 06/2014 sobre el concepto de interés legítimo (en el que se diferencia del interés público) del Grupo de Trabajo del Artículo 29[138].

---

[135]   Véase el Considerando 10 del RPGP: "…para el cumplimiento de una obligación legal, para el cumplimiento de una misión realizada en interés público o en el ejercicio de poderes públicos conferidos al responsable del tratamiento, los Estados miembros deben estar facultados para mantener o adoptar disposiciones nacionales a fin de especificar en mayor grado la aplicación de las normas del presente Reglamento".

[136]   Ya tuvimos la ocasión de revisar esta cuestión en profundidad en OLIVARES OLIVARES, B. D., *La protección de los datos tributarios de carácter personal durante su obtención en España*, Aranzadi, Cizur Menor, 2017.

[137]   Véase el Informe 2018-0175, disponible en: https://www.aepd.es/es/documento/2018-0175.pdf (visitado el 30/11/2020).

[138]   Véase https://www.aepd.es/sites/default/files/2019-12/wp217_es_interes_legitimo.pdf (visitado el 30/11/2020).

Para que sea aplicable la obligación legal como presupuesto legitimador en el contexto de la Administración tributaria, deben de concurrir las siguientes características:

- La obligación debe estar prevista en la ley. Dicha ley debe cumplir todas las condiciones pertinentes para que la obligación sea válida y vinculante, y debe también cumplir la legislación de protección de datos, incluidos especialmente, los principios de minimización y limitación de la finalidad del RGPD. Precisamente en este caso, el principio de minimización es el que en la práctica puede plantear un mayor conflicto.
- El responsable del tratamiento no debe poder elegir si cumple o no dicha obligación. Debe ser de obligado cumplimiento.
- La propia obligación legal debe estar suficientemente clara en lo que respecta al tratamiento de los datos personales que se requiere, cumpliendo el principio de transparencia del RGPD. El responsable del tratamiento no debe tener un grado indebido de discreción sobre cómo cumplir con dicha obligación jurídica.

Desde mi punto de vista, la obligación legal puede proyectarse sobre normas de desarrollo reglamentario que concreten estos aspectos (por ejemplo, tipología de información requerida)[139]. Sería un sinsentido obligar a que, mediante una norma con rango de ley, se regularan todos y cada uno de los datos personales que se requieren para el cumplimiento de la obligación tributaria. Un ejemplo de ello puede examinarse del supuesto que regula la LIDSD, donde el RIDSD y la Orden HAC/590/2021 (modelo 490) prevén exhaustivamente qué información ha de transmitirse y cómo.

La interpretación más garantista es a mi juicio una interpretación mixta, como sucede en este caso, en la que la norma con rango de ley convive con el desarrollo reglamentario, como sucede en nuestro ámbito prácticamente para todas las obligaciones tributarias de carácter formal y/o material. Ambas normas gozan de publicidad y legitimidad, por lo tanto, ambas normas permiten ponderar la gradiente de transparencia y lealtad en el tratamiento.

En el ámbito tributario el tratamiento de los datos personales con trascendencia tributaria de los ciudadanos se fundamenta en la existencia de los deberes de información y colaboración con la Administración tributaria que tiene sustento en el artículo 31.1 CE. Como indican el TC y el TS, la obtención de los datos con

---

[139]   Ya defendimos esta posición en el trabajo OLIVARES OLIVARES, B. D., *La protección de los datos tributarios de carácter personal durante su obtención en España*, ob. cit. Esta postura ha sido reconocida posteriormente por la doctrina del TC a través de la aplicación de la teoría de las garantías adecuadas y la adecuación reglamentaria de algunos aspectos esenciales del tratamiento. Véase la STC 76/2019, fj.6.

relevancia tributaria es una obligación impuesta a la generalidad de los sujetos de derecho, en manifestación de la "colaboración social en la aplicación de los tributos", que "hunde sus raíces en el deber general de contribuir del artículo 31.1 de la Constitución"[140].

Además, este deber de colaboración entre los ciudadanos y la Administración tributaria también encuentra su fundamentación en el sometimiento a la Constitución y al resto del Ordenamiento Jurídico, a través del artículo 9.1 de la CE[141], tanto de los poderes públicos como de los ciudadanos.

En el supuesto que examinamos tanto la AEAT, como los prestadores de servicios estarían amparados para desarrollar las operaciones de tratamiento que examinamos en el segundo epígrafe, ya que emanan de una obligación legal clara y precisa regulada en la normativa de la LIDSD y sus reglamentos de desarrollo.

Ahora bien, para la observancia completa de las exigencias del RGPD no basta que la operación sea lícita. Los responsables han de cumplir a su vez con los mandatos de transparencia y la lealtad durante el tratamiento de la información.

3.2. Las obligaciones vinculadas a la transparencia

Son diversos los deberes en el contexto del principio de transparencia que deben cumplir los responsables del tratamiento. Para este supuesto vamos a examinar las dos que, a mi juicio, resultan más relevantes: el deber de informar a los interesados (usuarios) (arts. 13-14 del RGPD) y la elaboración de un Registro de Actividades del Tratamiento (art. 30 del RGPD).

El deber de informar garantiza al ciudadano conocer aspectos esenciales del tratamiento[142]. Para las personas físicas debe quedar totalmente claro que se están recogiendo, utilizando, consultando o tratando los datos personales que les conciernen, así como la medida en que dichos datos son o serán tratados[143]. En España, por ejemplo, esta obligación forma parte del *derecho a saber* que ha sido considerado por nuestro Tribunal Constitucional como parte del contenido esencial del derecho fundamental[144].

---

[140]   Sobre la configuración constitucional de los deberes y las potestades de la obtención de información tributaria en la jurisprudencia, véase a SESMA SÁNCHEZ, B., *La obtención de información tributaria*, Aranzadi, Navarra, 2001, pp.35-38.

[141]   Véase ORTIZ LIÑAN, J., "Régimen jurídico de la información en poder de la Hacienda Pública", ob. cit., p.27.

[142]   GT 29: "Opinion 15/2011 on the definition of consent", p. 8 y OCDE: "The OECD Privacy Framework", ob. cit., 99-101.

[143]   Considerando 39 del RGPD.

[144]   Véanse los fjs. 7 y 8 de la SSTC 290 y 292/2000 de 30 de noviembre.

Por lo tanto, debemos destacar que el deber no es un mero aspecto de carácter procedimental. Es una obligación material del responsable íntimamente relacionado con la exigencia de un tratamiento leal y transparente, que posibilita valorar el uso de los datos y ejercer todos los derechos reconocidos en el RGPD[145]. Por ello, debe convertirse en una garantía de control con aplicabilidad real durante la obtención de información por los prestadores de servicios y su posterior cesión a la AEAT.

El RGPD fija en sus artículos 13 y 14 el régimen normativo del deber. La regla general es que debe informarse a los interesados en el momento en que los datos son obtenidos directamente del titular y, en el plazo máximo de 1 mes, cuando éstos son facilitados por terceros[146].

En consecuencia, la regulación distingue un trato diferente en función de si la información ha sido obtenida del propio interesado o si, por el contrario, se transmite por parte de terceros. Esto afecta notoriamente a las exenciones que pueden establecerse posteriormente. En este supuesto si la AEAT accede posteriormente a la información mediante la cesión del contenido de la memoria y sus datos en el marco de un requerimiento de información, quedaría exonerada de tener que informar a los interesados en virtud del artículo 14.5.a) o 14.5.c) del RGPD.

Sobre el contenido de la obligación, el RGPD establece una mayor transparencia sobre el uso de los datos que la Directiva 95/46/CE[147]. Los responsables del tratamiento, en este caso los prestadores de servicios deberán facilitar: información sobre su identidad y detalles de contacto; las finalidades del tratamiento para las que los datos van a emplearse, así como su base legal; las categorías de información obtenida; los sujetos o categorías de sujetos a los que se comunicarán los datos; la intención del responsable del tratamiento de transferir los datos personales a un tercer país u organización internacional; el periodo de tiempo que la información será almacenada o el criterio empleado para determinarlo; la existencia de los derechos de acceso, rectificación, supresión y limitación del tratamiento; el derecho a presentar una queja ante la autoridad supervisora; la fuente de la que se obtuvieron los datos (en caso de que los proporcionaran terceros); y la existencia de decisiones automatizadas y de elaboración de perfiles[148].

---

[145]   Artículos 5.1.a) y 16-21 del RGPD.
[146]   Artículos 13 y 14 RGPD. Artículos 14.3.a) y 14.3.c) del RGPD. Ahora bien, este régimen tiene excepciones, por ejemplo, cuando el tratamiento de la información tenga la finalidad de contactar con el interesado o transmitirlos a otro sujeto. En estos deberá informarse al interesado cuando se contacte con éste o la primera vez que se comuniquen al otro destinatario.
[147]   Esto se debe a la presión del Parlamento Europeo durante el proceso de aprobación del Reglamento como puede observarse de las enmiendas interpuestas en la versión presentada por la Comisión Europea.
[148]   Artículos 13.1, 13.2, 14.1 y14.2 RGPD.

Esto implica que, cuando el prestador del servicio obtiene los datos directamente del interesado debe de informarle de lo indicado en el párrafo anterior, incluida la intención de transmitir los datos en cumplimiento de una obligación legal en su caso. Dicha información podrá ser mostrada por capas en virtud del artículo 11 de la LOPD-GDD.

Como hemos examinado en la práctica encontramos dos tipos de responsables del tratamiento. Por una parte, la AEAT cuando accede a la información de la memoria y los prestadores de servicios sujetos al tributo.

El artículo 30 del RGPD establece la obligación de desarrollar un registro de las actividades de tratamiento. Este registro es un elemento obligatorio en todo caso debido al tipo de tratamientos que se realizan en el supuesto que analizamos en virtud del presupuesto que contempla en artículo 30.5 del RGPD.

En cuanto al contenido, deberá de reflejar: el nombre y los datos de contacto del responsable y, en su caso, del corresponsable, del representante del responsable, y del delegado de protección de datos; (ii) los fines del tratamiento;(iii) una descripción de las categorías de interesados y de las categorías de datos personales; (iv) las categorías de destinatarios a quienes se comunicaron o comunicarán los datos personales, incluidos los destinatarios en terceros países u organizaciones internacionales; (v) en su caso, las transferencias de datos personales a un tercer país o una organización internacional; (vi) cuando sea posible, los plazos previstos para la supresión de las diferentes categorías de datos; (vii) cuando sea posible, una descripción general de las medidas técnicas y organizativas de seguridad a que se refiere el artículo 32, apartado 1.[149]

En el caso de la AEAT, dicho registro de actividades del tratamiento debe estar disponible en su página web. Así lo exige el artículo 31.2. de la LOPD-GDD, citamos textualmente: "Los sujetos enumerados en el artículo 77.1 de esta ley orgánica harán público un inventario de sus actividades de tratamiento accesible por medios electrónicos en el que constará la información establecida en el artículo 30 del Reglamento (UE) 2016/679 y su base legal".

En cambio, en el caso de los contribuyentes (prestadores de servicios), dicho registro deberá estar confeccionado y ser accesible en todo caso por la autoridad competente si lo requiriese.

3.3. El principio de lealtad

Como venimos examinando, los distintos responsables deben cumplir con los principios de protección de datos recogidos en el artículo 5 del RGPD. Las proyecciones que mayor incertidumbre pueden presentar para este supuesto

---

[149]   Extraído del artículo 30.1 del RGPD.

respecto del principio de lealtad podrían ser los principios de limitación de la finalidad y minimización de datos.

Además, en este contexto gozan de especial relevancia las obligaciones de incorporación de la privacidad desde el diseño (artículo 25 del RGPD) y la obligatoriedad de realizar una evaluación de impacto por parte del responsable del tratamiento (artículo 35 del RGPD), en particular, el contribuyente.

El principio de limitación de la finalidad viene recogido en el artículo 5.1.b) del RGPD y establece que los datos personales serán: "recogidos con fines determinados, explícitos y legítimos, y no serán tratados ulteriormente de manera incompatible…". En el presente supuesto existe una clara habilitación normativa para la obtención, reutilización y posterior cesión por parte de los prestadores de servicios sujetos a la AEAT a través del modelo 490 en cumplimiento de la normativa de desarrollo de la LIDSD y el resto de las obligaciones de información previstas expresamente en la normativa tributaria.

El principio de minimización de datos regulado en el artículo 5.1.c) establece que los datos recabados por los responsables deben ser "adecuados, pertinentes y limitados a lo necesario en relación con los fines para los que son tratados". En este aspecto, la trascendencia tributaria es un elemento imprescindible para conocer la legalidad de la operación del tratamiento.

Se pone de manifiesto la especial incidencia de la legislación sobre protección de datos en el contexto tributario y que por otra tiene, como consecuencia, que la AEPD venga aplicando un criterio restrictivo en la interpretación del concepto de trascendencia tributaria a diferencia de lo que viene sucediendo de manera habitual en la jurisprudencia del TS.

Es decir, se trata de determinar si la "identificación basada en redes (Wifi, Ethernet u otras), geolocalización física por satélite (a través de GPS, GLONASS, Galileo o Beidou), por medio de información proporcionada por sistemas de comunicaciones inalámbricas terrestres (GSM y LPWAN) y por balizas (WiFi o Bluetooth)"[150] es adecuada, pertinente y no excesiva en realización a la finalidad perseguida de localizar a los usuarios de los servicios sujetos.

En este punto, a mi juicio, lo ideal hubiera sido que la AEPD hubiera informado sobre la adecuación de las formas de obtención de los datos de carácter personal respecto de la LIDSD y su reglamento de desarrollo. Sin embargo, como explicamos al inicio del capítulo, la AEPD no ha emitido informe preceptivo sobre esta cuestión.

Por ello, la incorporación de la privacidad desde el diseño (artículo 25 del RGPD) y la obligatoriedad de realizar una evaluación de impacto por parte del

---

[150]   Artículo 1.2 del RD 400/2021.

responsable del tratamiento (artículo 35 del RGPD), en particular, el contribuyente, se tornan mecanismos esenciales para examinar la adecuación de cada una de las formas de obtención de la información con trascendencia tributaria.

4. A MODO DE REFLEXIÓN

Tras examinar el tratamiento de la información de carácter personal que se produce en aplicación de la LIDSD y su normativa de desarrollo, podemos concluir que:

(1)   La AEPD no ha sido consultada sobre la LIDSD y su normativa de desarrollo. Es decir, no ha podido valorar los medios contemplados en la normativa para la recogida de los datos de los usuarios por parte de los contribuyentes. Con la actual redacción, los distintos medios de obtención que se recogen podrían ser desproporcionados y plantear una injerencia en el principio de minimización de los datos.

(2)   La normativa para estos tratamientos no contempla garantías específicas en materia de protección de datos aplicables al caso a pesar de la escala y magnitud de los tratamientos que pueden producirse. Por ello, a mi juicio, no se siguen las orientaciones que derivan de la teoría de las garantías adecuadas, planteadas, entre otras, en las SS del TJUE C-293/12 y C-594/12 y del TC 76/2019.

(3)   La AEAT no se considera responsable de los tratamientos de datos que se producen, ni si quiera ante el posible acceso a la memoria técnica de los contribuyentes que contiene toda la información sobre la localización de los usuarios en los registros que, en su mayor parte, pueden concernir a personas físicas identificadas o identificables.

(4)   Como se ha probado, en la contestación al ejercicio del derecho de acceso, la AEAT ha indicado que ante los tratamientos que se producen en este contexto, al no ser responsable del tratamiento, no ha implementado la privacidad desde el diseño en las operaciones de tratamiento, no puede facilitar información técnica sobre dicho tratamiento porque no se ha elaborado. Ni si quiera en la recogida de la información a través del modelo 490, al considerar que no contiene información de carácter personal por encontrarse los datos totalmente desagregados.

(5)   Ante la escala de los tratamientos, es obligatorio que los contribuyentes implementen la privacidad desde el diseño, realicen una evaluación de impacto e informen a los interesados en el momento de la recogida de los datos de los aspectos informativos del artículo 13 del RGPD.

8.- ¿SON LOS DERECHOS FUNDAMENTALES UN LÍMITE AL DEBER DE INFORMACIÓN?

Mª DEL MAR DE LA PEÑA AMORÓS

Profesora Titular de Derecho Financiero y Tributario
Universidad de Murcia

1. CONSIDERACIONES GENERALES

Los deberes de información a los que están sometidos cada vez más los contribuyentes, así como las actuaciones de información llevadas a efecto por parte de la Administración tributaria, plantean dudas en cuanto a si es posible por parte de los contribuyentes alegar la vulneración de ciertos derechos fundamentales como la protección de datos, el derecho a la intimidad, … en el momento de cumplir o no con los requerimientos de información por parte de la Administración.

En estos supuestos nos encontramos con un intervencionismo por parte de la Administración tributaria derivado de la necesidad de intentar conseguir el interés general, que no es otro que lograr una contribución equitativa al sostenimiento de los gastos públicos de conformidad con los principios de justicia tributaria.

Analizaremos en este trabajo la aplicación de los derechos fundamentales como límites a la obtención de información, centrándonos en el derecho a la intimidad (artículo 18.1 CE), el derecho a no declarar contra uno mismo (artículo 24.2 CE), el secreto de las comunicaciones, el derecho a la inviolabilidad del domicilio, y en último término al reciente derecho a la protección de datos.

Con carácter general y antes de centrarnos en cada uno de ellos debemos afirmar que los derechos fundamentales son aquellos que se reconocen a todas las personas por el simple hecho de serlo, son inherentes pues a las mismas y además tienen carácter universal. Estos derechos sin embargo no son en ningún caso absolutos, y así en relación con el derecho a la intimidad, pudiendo aplicarse a los demás señala el Tribunal Constitucional, en Sentencia 143/1994, de 9 de mayo, que "este derecho no es absoluto, como no lo es ninguno de los derechos fundamentales pudiendo ceder ante intereses constitucionalmente relevantes".

2. EL DERECHO A LA INTIMIDAD

El artículo 18.1 CE establece que "se garantiza el derecho al honor, a la intimidad personal y familiar y a la propia imagen". El reconocimiento de este derecho a la intimidad personal y familiar lleva a cuestionarnos hasta qué punto puede la Administración tributaria solicitar información sobre datos económicos, y si esta solicitud no podría conllevar una vulneración de la intimidad personal y familiar.

Para dar solución a este interrogante debemos partir de qué se entiende por intimidad personal y familiar, y si los datos económicos del contribuyente forman parte, o no, del derecho a la intimidad reconocido en el artículo 18.1 de la CE. Es difícil dar un concepto preciso de intimidad, pues ni siquiera el legislador cuando desarrolla el mencionado artículo 18[151] la define, sino que opta por analizar aquellos supuestos que pueden considerarse transgresiones de la misma[152].

El problema radica en estudiar si los datos económicos forman parte, o no, del derecho a la intimidad reconocido en el artículo 18 CE, y por tanto si puede oponerse el derecho a la intimidad como un límite al deber de información que tienen tanto las personas físicas como las jurídicas. Este análisis lo haremos siguiendo lo establecido tanto por la doctrina del Tribunal Constitucional, que ha sido en ocasiones vacilante en este tema, como por los distintos autores que se han pronunciado sobre el mismo.

Existen básicamente dos corrientes doctrinales sobre la inclusión, o no, de los datos económicos en el derecho a la intimidad, si bien es cierto que una de ellas es matizada por algunos autores, lo que supone que existen tres posturas diferentes.

En primer lugar existen autores que parten de una concepción restringida del derecho a la intimidad, esta conlleva lógicamente la exclusión de los datos económicos de la esfera de protección de este derecho[153].

---

[151]   Ley Orgánica 1/1982, de 5 de mayo de protección civil del derecho al honor, a la intimidad personal y familiar y a la propia imagen.

[152]   Señala SERRANO ALBERCA (en "Comentario al artículo 18 CE" en GARRIDO FALLA *Comentarios a la Constitución Española*. Cívitas, Madrid, 1985, págs.358) que "la Ley Orgánica en cuanto al derecho a la intimidad, no establece su contenido y alcance, no define qué debe entenderse por intimidad como bien jurídico protegido, advirtiendo, no obstante que la definición y delimitación del derecho a la intimidad pueden conseguirse a través de las acciones prohibidas, de las intromisiones".

[153]   VIDAL MARTÍNEZ ("Manifestaciones del derecho a la intimidad personal y familiar". *Revista General de Derecho,* Tomo II, 1980, págs. 1175-1176) afirma que "los asuntos no personales de índole

Junto a estos hay otros que si bien tienen como base un concepto restringido del derecho a la intimidad, matizan en cierta forma esta postura, y señalan que partiendo de que los datos económicos no forman parte del derecho a la intimidad con carácter general, existen supuestos en los que los mismos si pueden incluirse en el ámbito de protección, ya que rebasan lo estrictamente económico, y ponen de manifiesto hechos o circunstancias relativos a las facetas más reservadas de la vida personal y familiar del titular de la información. Así, si bien la información económica en sí misma no se considera intimidad, en aquellos supuestos en los que sea posible la reconstrucción de la vida de una persona a través del examen de las operaciones económicas, éstas últimas resultaran amparadas por el tan mencionado derecho a la intimidad[154].

Finalmente hay una tercera postura que parte de un concepto amplio del derecho a la intimidad, considerándolo prácticamente sinónimo de vida privada, y de esta forma entienden que los datos económicos sí que se integran dentro de este derecho[155].

También los diferentes tribunales se han pronunciado a lo largo de los años sobre la inclusión, o no, de los datos económicos de los sujetos dentro del ámbito de la intimidad protegido por el artículo 18 CE, e incluso los pronunciamientos del Tribunal Constitucional en relación con esta cuestión no siempre van en la misma dirección. Y así, mientras en algunos supuestos parecen negar que los datos económicos formen parte del derecho a la intimidad, en otros los incluyen con ciertas condiciones, existiendo asimismo supuestos en los que reconocen expresamente la inclusión de los datos económicos dentro del derecho a la intimidad.

El primero de los pronunciamientos sobre esta cuestión se recoge en la Sentencia del Tribunal Constitucional 110/1984, de 26 de noviembre, en la que se plantea en qué medida el conocimiento de las cuentas bancarias por la

---

rigurosamente patrimonial quedan cubiertos por el secreto de las comunicaciones mientras no quedan cubiertos por el derecho a la intimidad en línea de principios). Asimismo, MANTERO SAEZ (*Procedimiento en la inspección tributaria*. Escuela de Hacienda Pública, Madrid, 1990, pág. 423) destaca que "todas las personas están obligadas a respetar el ámbito protegible del honor y la intimidad de los demás, pero para la Hacienda Pública, este ámbito se reduce a los datos privativos (es decir protegibles en principio) no patrimoniales".

[154]   LUCAS MURILLO DE LA CUEVA ("El derecho a la intimidad", en AAVV *Cuadernos de Derecho Judicial. Honor, intimidad y propia imagen*, CGPJ, Madrid,1993, págs 44 y 45). En el mismo sentido señala GONZÁLEZ MÉNDEZ (*La protección de datos tributarios y su marco constitucional*. Tirant lo Blanch, Valencia, 2003, pág. 52) que "la información tributaria, no entra por regla general, en el ámbito de la intimidad, salvo en los casos en que ella permita acceder a datos que si pueden calificarse de acuerdo con los usos sociales como íntimos".

[155]   ESCRIBANO LOPEZ ("Acceso judicial a datos en poder de la Administración Tributaria", *Quincena fiscal*, núm. 4, 1998, pág. 10) afirma que "el ámbito de lo económico está integrado en el núcleo de lo protegido por el derecho a la intimidad".

Administración a efectos fiscales debe entenderse comprendido en la zona de la intimidad constitucionalmente protegida, afirmando a continuación que "la respuesta ha de ser negativa, pues aun admitiendo como hipótesis que el movimiento de las cuentas bancarias esté cubierto por el derecho a la intimidad nos encontraríamos que ante el fisco operaría un límite justificado de ese derecho"[156]. Así podemos afirmar que los extractos de las cuentas corrientes y, más concretamente, la causa genérica de cada una de estas partidas que es lo que aparece en los citados documentos no forman parte de la esfera íntima constitucionalmente protegida[157]. El tribunal sin negar la relevancia que los datos económicos puedan tener para el derecho a la intimidad, se limita a destacar que en este caso concreto prevalece el deber de contribuir[158]. Nos encontramos pues con que dicho tribunal parece desde un inicio querer responder a la siguiente cuestión ¿en qué medida puede la Administración exigir los datos económicos relativos a un contribuyente?, y lo hace prácticamente otorgándole pleno poder a la Administración para solicitar información.

La mayor parte de la doctrina pondera dos derechos en conflicto, de una parte, el derecho que tiene el contribuyente a que se respete su intimidad, y de otra el deber de contribuir al que está obligado según lo previsto en el artículo 31 de la CE. Entre ambos parece optarse por el cumplimiento del deber de contribuir, y así señala expresamente que "aun admitiendo como hipótesis que el movimiento de las cuentas bancarias esté cubierto por el derecho a la intimidad nos encontraríamos que ante el fisco operaría un límite justificado de ese derecho"[159]. Sin

---

[156] En el mismo sentido encontramos los Autos del Tribunal Constitucional 642/1986, de 23 de julio y 982/1986, de 19 de noviembre. Así el primero de ellos vuelve a reiterar lo establecido en la sentencia 110/1984 al señalar que "la cuestión exige una clarificación en relación con los límites o contenido básico del derecho fundamental invocado, teniendo siempre presente, como es bien sabido, que no hay ni puede haber derechos ilimitados. La respuesta que se dio en la mencionada sentencia ha de reiterarse aquí: si no hay duda de que, en principio, los datos relativos a la situación económica de una persona, y, entre ellas, los que tienen su reflejo en las distintas operaciones bancarias en las que figura como titular, entran dentro de la intimidad constitucionalmente protegida, no puede haberla tampoco de que la Administración está habilitada, también desde el plano constitucional (art. 31.1 de la CE), para exigir determinados datos relativos a la situación económica de los contribuyentes"

[157] BUENO GALLARDO (*La configuración constitucional del derecho a la intimidad. En particular el derecho a la intimidad de los obligados tributarios*. Centro de Estudios Políticos y Constitucionales, Madrid, 2009: 185-186).

[158] Señala SANTAMARÍA PASTOR ("Sobre derecho a la intimidad, secreto y otras cuestiones innombrables", *Revista Española de Derecho Constitucional*, núm. 15, 1985, págs. 170 y 171) que "en la STC 110/1984 late un cierto escrúpulo a reconocer, sin ambages, un *privilegium fisci*, que se sobrepone incluso a un derecho fundamental: es ciertamente fuerte afirmar que las cuentas corrientes forman parte del derecho a la intimidad, pero que tal derecho no opera frente al Fisco. Y sin embargo, eso es justamente lo que la Sentencia, sin querer decirlo, dice".

[159] Destaca la Sentencia que "no siempre es fácil, sin embargo, acotar con nitidez el contenido de la intimidad. El primer problema es determinar en qué medida entran dentro de la intimidad constitucionalmente protegida los datos relativos a la situación económica de una persona y a sus

embargo en torno a esta cuestión afirma algún autor[160] que la razón de ser de la exclusión no es la satisfacción del interés fiscal, o la protección del deber de contribuir, sino la irrelevancia de estos datos para la intimidad personal y familiar del contribuyente, o más exactamente su falta de idoneidad para revelar hechos pertenecientes a la esfera de la estricta vida personal y familiar.

Posteriormente, es el propio Tribunal Constitucional el que en Sentencia 142/1993, de 22 de abril, parece incluir los datos económicos en el ámbito de este derecho siempre que los mismos revelen intimidad, esto es, siempre y cuando a través de un análisis detallado y conjunto de los mismos se pudiera acceder a informaciones relativas a la vida íntima, personal y familiar de su titular. Así la misma reconoce en su fundamento 8º que "la protección constitucional de la reserva de esos datos económicos como «íntimos», está en función de la protección de la privacidad, que es también protección de la libertad y de las posibilidades de autorrealización del individuo". Afirmando tras ello, "que lo decisivo para determinar la licitud o ilicitud de esta circulación no es un incondicionado y absoluto derecho a la preservación de la reserva sobre los datos económicos sino la aptitud de éstos para, en un análisis detallado y conjunto, acceder a informaciones ya no atinentes a la esfera económica de la persona sino relativas directamente a su vida íntima personal y familiar"[161].

A favor de la inclusión de los datos económicos en el derecho a la intimidad se pronuncia también la Sentencia del Tribunal Constitucional 233/2005, de 26 de septiembre, en la que incluso se afirma que "es doctrina consolidada de este Tribunal la de que los datos económicos, en principio, se incluyen en el ámbito de la intimidad"[162].

En sentido contrario, es decir negando que la información económica de la que es titular el sujeto forme parte de la intimidad constitucionalmente protegida, encontramos la Sentencia del Tribunal Constitucional 99/2004, de 27 de

---

vicisitudes. Y nos podemos cuestionar en relación a la Administración ¿en qué medida la misma puede exigir los datos relativos a la situación económica de un contribuyente? No hay duda de que en principio puede hacerlo. La simple existencia del sistema tributario y de la actividad inspectora y comprobatoria que requiere su efectividad lo demuestra. Es claro también que este derecho tiene un firme apoyo constitucional en el art. 31.1 de la norma fundamental, (…). Y parece inútil recordar que en el mundo actual la amplitud y la complejidad de las funciones que asume el Estado hace que los gastos públicos sean tan cuantiosos que el deber de una aportación equitativa para su sostenimiento resulta especialmente apremiante."

[160] AGUALLO AVILÉS ("Una vez más, acerca de la necesidad de hacer un verdadero análisis constitucional de las normas tributarias", *Revista Española de Derecho Constitucional*, núm. 68, 2003, págs..53 a 56).

[161] Esta posición es la que se mantiene por parte de las Salas de lo Contencioso- Administrativo del Tribunal Supremo, la Audiencia Nacional y los Tribunales de Justicia.

[162] En el mismo sentido Sentencias del Tribunal Constitucional 45/1989, de 20 de febrero, 233/1999, de 16 de diciembre y 47/2001, de 15 de febrero.

mayo, en la que se establece en relación con la titularidad de las cuentas bancarias que "las informaciones aportadas al respecto tampoco se corresponden con «los aspectos más básicos de la autodeterminación personal», es decir, con aspectos que en modo alguno puedan considerarse como parte del «ámbito propio y reservado frente a la acción y el conocimiento de los demás, necesario –según las pautas de nuestra cultura– para mantener una calidad mínima de la vida humana".

Frente a la postura mantenida por el Tribunal Constitucional que con determinados límites parece tender a incluir los datos económicos en el ámbito constitucional del derecho a la intimidad, el Tribunal Supremo mantiene de modo constante un concepto estricto de intimidad, negando que los datos de naturaleza patrimonial formen parte de dicho derecho[163].

Ahora bien, a la vista de todo lo mencionado, podemos cuestionarnos si es el derecho a la intimidad un límite al deber de información, o lo que es lo mismo, supondrían los requerimientos de información en algunos supuestos una posible violación del artículo 18 CE.

Con carácter general debemos afirmar, que si entendiéramos que todos los datos económicos de un sujeto están protegidos por el derecho a la intimidad, y por tanto pudiéramos alegar este derecho para no suministrar los mismos, estaríamos en cierta forma impidiendo la labor de comprobación e inspección que le corresponde a la Administración tributaria, dificultando pues el cumplimiento general del deber de contribuir previsto en el artículo 31.1. CE[164]. En este sentido

---

[163]   Así en la Sentencia de 2 de julio de 1991 (Recurso núm. 939/1986) se afirma que no entran dentro de la intimidad los datos puramente patrimoniales no atentando, por tanto, contra este derecho el que se excluya del secreto médico la identidad de los clientes y mucho menos los datos relativos a los honorarios satisfechos. En igual sentido la Sentencia de 22 de enero de 2015 (Recurso de Casación núm. 1889/2012), en la que se enjuicia si los datos facilitados por la dirección de un colegio a requerimiento de la Administración acerca de los hijos del contribuyente investigado, en relación a su escolarización, transporte comedor, actividades extraescolares,… se afirma que "las facturas de referencia contienen datos personales de los menores pero no todo dato personal es íntimo ni la protección que a la información personal fundamenta el artículo 18 de la Constitución puede erigirse en obstáculo para el cumplimiento del deber que la propia Constitución impone a todos de contribuir al sostenimiento de los gastos públicos"; así concluye en la misma sentencia que las referencias al colegio, lo que comían, las actividades extraescolares… "no forma parte, propiamente, del ámbito de la intimidad y, en ningún caso están excluidas del conocimiento de la Administración tributaria desde el momento que todas ellas tienen traducción económica, y por tanto son relevantes para la conocer la capacidad económica del padre".

[164]   Señala el Tribunal Constitucional en su Auto 642/1996, de 23 de julio que "el derecho a la intimidad constitucionalmente garantizado por el art. 18 en relación con un área espacial o funcional de la persona precisamente en favor de la salvaguarda de su privacidad, que ha de quedar inmune a las agresiones exteriores de otras personas o de la Administración Pública, no puede extenderse de tal modo que constituya un instrumento que imposibilite o dificulte el deber constitucionalmente declarado en el art. 31 de la Norma Fundamental de todo ciudadano de contribuir al sostenimiento de los gastos públicos a través del sistema tributario, de acuerdo con su capacidad económica".

señala MENESES VADILLO[165] que "no todos los datos relativos a la situación económica de una persona pueden formar parte de la intimidad constitucionalmente protegida", pues "afirmar esto supone asignar un ámbito extraordinariamente grande al derecho a la intimidad económica", lo que "chocaría frontalmente con la existencia misma de una actividad inspectora y comprobatoria".

La gran mayoría de los autores parten de la inclusión de la totalidad de los datos económicos en el ámbito de protección del derecho a la intimidad. Ahora bien, denuncian que esta circunstancia lleva consigo la existencia de un conflicto entre el derecho a la intimidad y el deber de contribuir recogido en el artículo 31, lo que obliga a ponderar entre los intereses afectados optando posteriormente por la prevalencia de uno u otro derecho.

La doctrina se pronuncia de manera mayoritaria por intentar lograr la protección del derecho a la intimidad, si bien es cierto que limitando el contenido de qué debemos entender por intimidad, y separando, tal y como hizo la doctrina alemana, entre intimidad propiamente dicha y vida privada. Así HERRERA MOLINA[166] distingue: una esfera de protección mínima en la que se encuentran los datos de naturaleza exclusivamente económica; una esfera de protección intermedia en la que se encontrarían aquellos datos económicos que afectan más directamente a la intimidad sin alcanzar su núcleo esencial; y una esfera de protección máxima que ni siquiera puede sacrificarse ante el deber de contribuir[167].

Por el contrario, ESCRIBANO LÓPEZ[168] considera que al ponderar el derecho a la intimidad y el deber de contribuir al sostenimiento de los gastos públicos habrá de prevalecer el segundo de los valores implicados, con la consiguiente cesión de la garantía constitucional, eso sí, el requisito imprescindible para que se incline la balanza a favor del interés general será la trascendencia tributaria de la información solicitada por el poder público.

Tras analizar los distintos planteamientos sobre el derecho a la intimidad como límite al deber de información , estamos de acuerdo con GARCÍA AÑOVEROS[169]

---

[165]   MENESES VADILLO, A. *El deber de colaboración de las entidades de crédito ante los requerimientos de información de la Administración Tributaria.* Cívitas, Madrid, 2000, pág. 152.

[166]   HERRERA MOLINA, P. *La potestad de información tributaria sobre terceros.* La Ley, Madrid, 1993, págs. 193 a197.

[167]   En igual sentido SÁNCHEZ LÓPEZ (*Los deberes de información tributaria desde la perspectiva constitucional.* Centro de Estudios Políticos y Constitucionales, Madrid, 2001, págs. 141 -142) afirma que el propio Tribunal Constitucional en Sentencia 142/1993, "parece situar el límite a cualquier posibilidad de conocimiento de datos económicos en el punto en que supusiera la reconstrucción de la vida íntima, personal y familiar".

[168]   ESCRIBANO LOPEZ, F. "Algunas propuestas metodológicas para la reconstrucción de un Derecho Financiero del siglo XXI". I Jornada "Jaime García Añoveros" sobre Metodología Académica y enseñanza del Derecho Financiero y Tributario, Madrid, 2002, pág. 42.

[169]   GARCÍA AÑOVEROS, J. "Una nueva Ley General Tributaria. Problemas constitucionales". *Revista Española de Derecho Financiero,* núm. 90, 1996, págs. 223.

cuando pone de manifiesto "el poco éxito del derecho a la intimidad como límite oponible frente a las potestades de obtención de información", y concluye afirmando tajantemente que "frente a la Administración tributaria, en cuanto se trata del ejercicio de su función de búsqueda de datos con trascendencia tributaria, el derecho a la intimidad personal y familiar no existe"[170].

3. EL DERECHO A LA NO AUTOINCRIMINACIÓN

El derecho a no declarar contra uno mismo es un derecho fundamental reconocido en el artículo 24.2 CE, así como en el artículo 6 del Convenio Europeo para la Protección de los Derechos Humanos[171].

Nos podemos plantear si este derecho puede ser invocado por parte de los sujetos cuando en el desarrollo de un procedimiento tributario, y teniendo en cuenta el deber de información recogido en el artículo 93 LGT, se le solicite al mismo la aportación de datos, antecedentes, informes o justificantes, pudiendo ser considerado por tanto un límite al citado deber de información.

Ante esta posibilidad debemos afirmar desde el inicio que la LGT no lo contempla en ningún momento como límite al deber de información. Con carácter general no creemos que pueda alegarse este derecho, salvo en el caso de los

---

[170] En el mismo sentido SESMA SÁNCHEZ (*La obtención de información tributaria*. Aranzadi, Pamplona, 2001, págs. 185 -186) afirma que "el principal problema de esta interpretación restrictiva del concepto de intimidad protegida ha sido, a la postre, el acceso sin límites a cualquier dato con contenido o relevancia económica, por más que en el confluyan aspectos personales o familiares, pues es evidente que un dato o información puede ser simultáneamente familiar o personal, y económico o patrimonial y en tal supuesto, se ha hecho prevalecer este contenido sobre el carácter personal y familiar".
Por su parte RUIZ GARCÍA (*Secreto bancario y Hacienda Pública*. Cívitas, Madrid, 1988, págs. 69 -70) considera que "el intento de aplicar el reconocimiento de la intimidad como límite al deber de colaboración no ha sabido sustraerse de un dilema: o bien se adopta un criterio estricto de lo que constituye la intimidad personal, de su protegido, con lo que el concepto se ve privado de operatividad. O se adopta un criterio amplio susceptible de abarcar en principio los datos a que se refiere el deber de colaboración, pero en este caso se concluye subordinando tal concepto a otros valores constitucionales, como el deber de contribuir al sostenimiento de los gastos públicos. En ambos casos, ya se adopte un criterio amplio o estricto, el resultado es el mismo: la insuficiencia del criterio de protección de la intimidad personal para constituir un límite eficaz frente a la intromisión o injerencia de la Administración tributaria".

[171] En el caso de este Convenio el reconocimiento no es expreso como en el caso de nuestra Constitución pero el mismo se puede entresacar del contenido del precepto. Así se afirma por gran parte de la doctrina, entre los que encontramos a LOZANO SERRANO ("El deber de colaboración tributaria sin autoincriminación", *Quincena Fiscal*, núm.8, 2015, pág.5), PALAO TABOADA ("El derecho a no autoinculparse en el ámbito tributario: una revisión", *Revista Española de Derecho Financiero*, núm. 159, 2013, págs. 3) y SANZ DIAZ-PALACIOS ("Elementos adicionales de análisis en materia de autoincriminación tributaria", *Crónica Tributaria*, núm. 133, 2009, pág. 219).

procedimientos sancionadores[172], pues de permitirse, conllevaría que el contribuyente tuviera libertad absoluta para no aportar la documentación que se le solicita por la inspección, amparándose en este derecho y en el posible uso que de la misma puede hacerse en un posterior procedimiento sancionador. Señala TRIGUEROS MARTÍN[173] que "no puede dicho derecho ser enarbolado por el contribuyente en un procedimiento comprobador e investigador, pues ello significaría tanto como vaciarlo de contenido y que, llegado el caso, no fuese posible regularizar la situación tributaria del obligado o se procediese a la misma pero de forma sesgada, considerando que la información que maneja la Administración se la han facilitado terceros obligados a ello por la norma, pero no el propio obligado tributario, que puede con los datos que maneja, complementar o corregir lo que otros hayan aportado".[174]

También el Tribunal Constitucional se ha pronunciado en relación con esta cuestión, y así en Sentencia 76/1990, de 26 de abril, afirma que "no existe un derecho absoluto e incondicionado a la reserva de los datos económicos del contribuyente con relevancia fiscal esgrimible frente a la Administración tributaria. Tal pretendido derecho haría virtualmente imposible la labor de comprobación de la veracidad de las declaraciones de los contribuyentes a la Hacienda Pública y, en consecuencia, dejaría desprovisto de toda garantía y eficacia el deber tributario que el art. 31.1 de la Constitución consagra; lo que impediría una distribución equitativa del sostenimiento de los gastos públicos en cuanto bien constitucionalmente protegido".

De este modo el derecho a no declarar contra uno mismo no puede alegarse en el supuesto de los procedimientos tributarios, salvo si nos encontramos ante un procedimiento sancionador. Así, tanto en el procedimiento inspector como en los de gestión y recaudación, al no ser de carácter punitivo, rige el deber de colaboración. Sin embargo el problema se puede producir en aquellos supuestos en los que como consecuencia de estos procedimientos se inicia posteriormente

---

[172]   En estos procedimientos rigen las mismas garantías para los contribuyentes que en los procesos penales, y así puesto de manifiesto desde el inicio por el propio Tribunal Constitucional en Sentencia 18/1991, de 31 de enero, en la que afirma que al ejercicio de la potestad administrativa sancionadora le son aplicables con ciertos matices los principios penales y procesales penales. En el mismo sentido el propio TEDH en Sentencia de 24 de febrero de 1994 (Asunto Bendenoum c. Francia) destaca que será aplicable el derecho a la no autoincriminación en los procedimientos administrativos sancionadores en materia tributaria.

[173]   TRIGUEROS MARTÍN, M.J. "Límites a las actuaciones de obtención de información realizadas por la inspección". *Estudios Financieros*, núm. 401-402, 2016, pág. 32

[174]   En igual sentido señala RUBIO MONTIEL ("El deber de colaboración con la inspección tributaria frente al derecho a no declarar contra sí mismo", *Estudios Financieros*, núm. 356, 2012, pág. 41) que "dejar en manos de los contribuyentes la libertad de someterse o no a cualquier diligencia de prueba o colaboración dejaría inermes a los poderes públicos en el desempeño de sus funciones de protección de la libertad y la convivencia y supondría un grave desequilibrio procesal contrario al interés público".

un procedimiento sancionador[175], pueden en este caso tenerse en cuenta los datos ya recopilados en los primeros, o por el contrario se debe en el sancionador prescindir de todos aquellos que supongan en cierta forma una vulneración del derecho a la no autoincriminación.

Es cierto que frente a lo que sucedía en nuestro país antes de la aprobación de la Ley 1/1998, de 26 de febrero, de Derechos y Garantías del Contribuyente, en la actualidad el procedimiento sancionador tiene con carácter general una tramitación separada. Sin embargo también lo es que el contribuyente puede renunciar a la tramitación separada[176], siendo además la misma siempre conjunta en el caso de las actas con acuerdo. Además aun en el supuesto de que los procedimientos se tramitaran separadamente señala el artículo 210.2 LGT que "los datos, pruebas o circunstancias que obren o hayan sido obtenidos en alguno de los procedimientos de aplicación de los tributos y vayan a ser tenidos en cuenta en el procedimiento sancionador deberán incorporarse formalmente al mismo antes de la propuesta de resolución"[177], por lo que al final es posible el uso de datos obtenidos en los procedimientos de gestión, inspección y recaudación en el posterior procedimiento sancionador[178], ya que se produce una incorporación casi automática de los datos de un procedimiento a otro. Así señala LOZANO

---

[175]   Así el TEDH en Sentencia de 5 de abril de 2012 (caso Chambaz c. Suiza) afirma que el derecho a la no autoincriminación también resulta exigible en procedimientos administrativos que no siendo exclusivamente sancionadores se dirigen conjuntamente a liquidar el tributo y a imponer sanciones, así como en los supuestos en los que la Ley nacional prevé procedimientos sancionadores conexos con otros, de forma que los datos obtenidos en estos puedan utilizarse en aquellos.

[176]   En este caso en el desarrollo reglamentario del procedimiento sancionador se incluye una norma claramente contraria al derecho a no autoincriminarse al señalar el artículo 27.1 del Reglamento General de Régimen Sancionador Tributario que en el caso de renuncia del obligado tributario al procedimiento sancionador separado, toda la información obtenida por la Administración en el curso de la comprobación quede integrada en ambos expedientes, el dirigido a la aplicación de los tributos y el que tiene por objeto sancionar".

[177]   Señala GARCÍA BERRO ("Derecho a no autoincriminarse de los contribuyentes y procedimiento sancionador separado: precisiones a la luz de la evolución jurisprudencial". *Quincena Fiscal,* núm. 19, 2010, pág. 13) que la única interpretación posible del artículo 210.2 LGT sería entender que "en su virtud pueden incorporarse al expediente sancionador solo aquella información susceptible de utilizarse con fines punitivos, siendo necesario a tal efecto un acto formal específico, y debiendo aplicarse en todo caso un filtro para que no acceda al procedimiento punitivo ningún dato o información cuya utilización se encuentre prohibida a tales efectos"

[178]   Destaca RUBIO MONTIEL ("El deber de colaboración con la inspección tributaria frente al derecho a no declarar contra sí mismo", *Estudios Financieros,* núm. 356, 2012, pág. 16) que la separación e incorporación automática de los datos en la práctica "se traduce en que, cuando se están finalizando las actuaciones inspectoras de comprobación el actuario propone el inicio del procedimiento sancionador con las pruebas obtenidas en el procedimiento inspector, así como la valoración de la culpabilidad del inspeccionado y elabora la propuesta de sanción. Si el Inspector jefe acuerda la apertura el actuario dará traslado de dichos acuerdos al obligado tributario para que este le presente las alegaciones, a la vista de las cuales resuelve".

SERRANO[179] que bastaría con que "la normativa tributaria eliminara dicha incorporación indiscriminada, regulando un procedimiento sancionador que aun trayendo causa de los de comprobación articulará las garantías procesales y no incorporara los datos que se consideraran autoincriminatorios y obtenidos para coerción del propio sujeto"[180].

Teniendo en cuenta lo antes reseñado en relación con la posible comunicación de datos de un procedimiento a otro podemos aplicar la Sentencia del TEDH de 17 de diciembre de 1996 (asunto Saunders c. Reino Unido) que consagra la prohibición de sustentar la condena del imputado en unas declaraciones realizadas por éste bajo coacción durante un procedimiento previo e independiente, y así se afirma en la misma que "si bien existe obligación de colaborar con las autoridades en el curso de actuaciones orientadas a la realización de intereses públicos carentes de naturaleza penal, los elementos probatorios facilitados por un sujeto en tales circunstancias no pueden ser utilizados más tarde como fundamento de la adopción de medidas punitivas contra él en el marco de un procedimiento penal ulterior"[181].

De esta forma podríamos llegar a cuestionarnos, a la vista de la jurisprudencia reseñada, la posibilidad de considerar el derecho a la autoincriminación como un límite al deber de información. Ahora bien, debemos tener en cuenta que el presupuesto esencial del derecho a no autoinculparse es que la información requerida u obtenida bajo coacción tenga carácter autoincriminatorio, tal y como se entiende el artículo 24.2 CE, es decir que constituya una declaración contra sí mismo. Tanto la doctrina como los tribunales han ido delimitando aquellos documentos que no se consideran declaración, por lo que el requerimiento de los mismos puede hacerse en todo caso sin vulnerar lo establecido en el artículo 24.2 CE.

---

[179]   LOZANO SERRANO, C. "El deber de colaboración tributaria sin autoincriminación", *Quincena Fiscal*, núm.8, 2015, pág. 12.

[180]   Asimismo, RIBES RIBES ("El derecho a no declarar contra sí mismo y el principio *non bis in idem* en materia tributaria, a la luz de la doctrina del tribunal constitucional y del tribunal europeo de derechos humanos", Ponencias del VI Congreso Tributario, Madrid, AEDAF, 2001,pág. 408) señala que sería necesaria una modificación normativa que viniera a consagrar una incomunicación total de datos entre uno y otro procedimiento, de tal forma, que en el primero actuaría eficazmente el deber de colaborar-contribuir, mientras que en el procedimiento sancionador se salvaguardaría el derecho a no autoincriminarse".

[181]   En el mismo sentido encontramos la Sentencia del TEDH de 3 de mayo de 2001 (asunto J.B. c. Suiza) y de 5 de abril de 2012 (Chambaz c. Suiza) en las que el Tribunal se posiciona a favor del ejercicio de este derecho en aquellos procedimientos en los que conjuntamente se liquida la deuda tributaria y se imponen las sanciones que corresponden por las infracciones cometidas.

MERINO JARA[182] señala que la obligación genérica de prestar verazmente las correspondientes declaraciones tributarias resulta ajena al contenido a no declarar contra sí mismo ni a declararse culpable, pues la misma no supone obligar a realizar una manifestación de voluntad cuyo contenido admita directamente la culpabilidad sobre un hecho ilícito. Por tanto, en relación con los requerimientos de datos susceptibles de declaración o autoliquidación no se puede oponer el derecho a la no autoincriminación en ningún tipo de procedimiento[183]. Tampoco se puede oponer dicho derecho en el supuesto de que lo que se solicite por parte de la Administración sean los justificantes y la documentación relativa a los datos susceptibles de declaración o autoliquidación, pues en este caso el mandato legal para el obligado tributario deriva del principio probatorio que le exige poder acreditar y justificar lo que ha declarado o hubiera debido declarar.

Por su parte el TEDH tanto en las sentencias Saunders c. Reino Unido, de 17 de diciembre de 1996, como en la J.B. c. Suiza, de 3 de mayo de 2001, introduce un factor de restricción del ámbito de incidencia del derecho a no autoincriminarse, al señalar que el mismo no ampara el derecho a no aportar datos que tengan una existencia independiente de la voluntad del sujeto al que se le soliciten[184]. En este sentido la contabilidad es independiente de la voluntad del obligado tributario, lo que ha llevado al Tribunal Constitucional, en Sentencia 76/1990, de 26 de abril, a afirmar que "la exhibición de la misma no sería equiparable a una declaración inculpatoria".

En tercer lugar en relación con los libros contables y registros de llevanza obligatoria, dicha obligatoriedad establecida por ley excluye el carácter autoincriminatorio de los mismos[185].

A la vista de lo reseñado creemos que una persona se autoincrimina cuando pone en conocimiento del órgano sancionador informaciones o datos que este desconocía y no tenía otra manera de averiguar, y en los cuales puede fundarse

---

[182]   MERINO JARA, I. "Autoinculpación y delitos contra la hacienda pública". *Jurisprudencia Tributaria,* núm. 4, 2005, pág. 2.

[183]   LOZANO SERRANO ("El deber de colaboración tributaria sin autoincriminación", *Quincena Fiscal,* núm.8, 2015, pág.8) considera que datos que existen o que el sujeto ha de suministrar independientemente de su voluntad no pueden ser considerados "declaración" en el sentido al que se alude en el artículo 24.2 CE. Ahora bien deben de ser datos para los que la ley ha impuesto al sujeto, ya de antemano y con carácter general, atendiendo a finalidades específicas distintas de la punitiva, tales deberes de producción, aportación o conservación.

[184]   Destaca GARCÍA NOVOA ("Una aproximación del Tribunal Constitucional al derecho a no autoinculparse ante la Inspección Tributaria en relación con los delitos contra la Hacienda Pública". *Jurisprudencia Tributaria,* núm. 53, 2005, pág. 3) que "la existencia independiente haría referencia a documentos elaborados por terceras personas que dejen constancia de determinados hecho o actos o que contengan declaraciones de voluntad de las mismas (facturas, contratos, ...)".

[185]   SANZ DIAZ-PALACIOS (*Derecho a no autoinculparse y delitos contra la Hacienda Pública,* Colex, Madrid,2004, pág. 60) considera que el material cuya existencia tiene carácter obligatorio *ex lege* no puede considerarse en ningún caso declaración a los efectos del artículo 24.2 CE.

su sanción o condena [186]. En el resto de supuestos no puede alegarse por parte del sujeto el derecho a la no autoincriminación, por lo que cuando la Administración dirige requerimientos de información no se puede alegar límite alguno al estar en estos casos obligados al deber de información y colaboración.

4. EL SECRETO DE LAS COMUNICACIONES

Frente a lo preceptuado en el artículo 18.3 CE donde se alude al secreto de las comunicaciones en general sin hacer precisión alguna, en el momento de establecer el límite a la obligación de información por parte de los funcionarios el artículo 93.4 LGT se refiere expresamente a una única comunicación, cual es la correspondencia. Sin embargo, debemos entender este límite en sentido amplio, y así los funcionarios podrían alegar el secreto a las comunicaciones en general, incluyéndose pues no únicamente las postales sino cualquier otro tipo de comunicación vía mail, teléfono.... Sería absurdo reducir la limitación a la comunicación postal que en el momento actual es cada vez más infrecuente siendo la misma sustituida en la mayor parte de los supuestos por comunicación vía mail.

Tampoco tiene sentido la restricción del uso del secreto de las comunicaciones como límite a la obligación de información únicamente en el caso de los funcionarios o profesionales oficiales, pues dicho secreto también debía poder alegarse por el resto de sujetos, como límite general previsto en el artículo 18.3 CE. Ahora bien, si los sujetos alegasen el derecho al secreto de las comunicaciones, la Administración tal vez entendería que el mismo no es oponible, tal y como sucede en el supuesto del derecho a la intimidad recogido en el artículo 18.1 CE, cuando el contenido de tales comunicaciones no es estrictamente personal, sino que contiene datos económicos, destacando que entre el secreto a las comunicaciones y el deber de contribuir debe prevalecer este último.

En último término, en cuanto al alcance del secreto de las comunicaciones debemos precisar que cuando se alude al mismo no se entiende referido únicamente al contenido recogido en ellas sino también a todas las circunstancias externas que las rodean. Así el TEDH, en Sentencia de 2 de agosto de 1984 (caso Malone) ha afirmado que "el concepto de secreto de la comunicación cubre, no sólo el contenido de la comunicación, sino también la identidad subjetiva de los interlocutores". También la Audiencia Nacional se ha pronunciado sobre este extremo en su Sentencia de 10 de octubre de 2010 (Recurso de casación para la unificación de doctrina núm. 36/2006), en la que señala que "la AEAT no puede, al amparo de las facultades derivadas del artículo 93 LGT, interesar de un

---

[186]   PALAO TABOADA, C. *El derecho a no autoinculparse en el ámbito tributario*. Civitas, Madrid 2008, pág.117.

operador de telecomunicaciones los datos externos de la conexión telefónica, entendidos éstos últimos como aquellos que revelan el momento, la duración y el destino de las llamadas realizadas o recibidas desde el correspondiente número de teléfono".

El acceso a estos datos externos, al igual que sucede con el contenido mismo de la comunicación requiere como regla general, también aplicable en el caso de la Administración tributaria, la correspondiente autorización judicial con una única excepción, que se produce cuando el secreto es levantado como consecuencia de la acción de uno de los dos intervinientes en la comunicación, que consiente o solicita del órgano competente la identificación del receptor o emisor de determinadas llamadas, supuesto en el que no existe la protección constitucional pues, en estos casos, "no hay vulneración del derecho al secreto de las comunicaciones" .

Así, en la medida en que los operadores de telecomunicaciones tienen la obligación legal de "garantizar el secreto de las comunicaciones", si no consta el consentimiento de alguno de los intervinientes en la comunicación para el suministro de los datos externos, al estar estos también protegidos por el secreto de las comunicaciones del artículo 18.3 CE, no puede la Agencia Tributaria, al amparo de las facultades derivadas del artículo 93 de la LGT, solicitar del operador de telecomunicaciones los datos externos de la conexión telefónica.

5. EL DERECHO A LA PROTECCIÓN DE DATOS

La protección de datos de carácter personal, tanto en el ordenamiento español como en el derecho comparado, es un derecho fundamental de reciente aparición, lo cual no es de extrañar si se tiene en cuenta la enorme relación que el mismo tiene con el desarrollo de la tecnología, especialmente con la informática, así como con la necesidad de reaccionar frente a los riesgos que tal intromisión supone tanto para la libertad como para la intimidad de los ciudadanos.

Es un derecho fundamental de creación jurisprudencial, pues no aparece expresamente entre los derechos fundamentales recogidos en la Constitución, sino que es un derecho de nuevo cuño, añadido al elenco de derechos tradicionales, fruto de la tarea interpretativa del Tribunal Constitucional y no de la modificación del articulado de la Norma Suprema para contemplarlo expresamente Así estamos ante un instituto de garantía de otros derechos, fundamentalmente el honor y la intimidad, pero también de un instituto que es, en sí mismo, un derecho o libertad fundamental, el derecho a la libertad frente a las potenciales agresiones a la dignidad y a la libertad de la persona provenientes de un uso ilegítimo del tratamiento mecanizado de datos, que la Constitución ha venido a llamar "la informática"[187].

El Tribunal Constitucional reconoce por primera vez este derecho en Sentencia 254/1993, de 20 de julio[188], afirmando que "nuestra Constitución ha incorporado una nueva garantía constitucional, como respuesta a un nuevo modo de amenaza concreta a la dignidad y a los derechos de la persona, de forma en último término no muy diferente a como fueron originándose e incorporándose históricamente los distintos derechos fundamentales"[189].

Esta construcción se apoya en lo preceptuado en el artículo 18.4 CE que señala que "la ley limitará el uso de la informática para garantizar el honor y la intimidad personal y familiar de los ciudadanos y el pleno ejercicio de sus derechos". Asimismo, en el momento de dictar esta sentencia hubo que tener en cuenta la aplicación inmediata en España del Convenio 108 del Consejo de Europa, de 28 de enero de 1981, para la protección de las personas respecto al tratamiento automatizado de datos de carácter personal. En consecuencia, a tenor de lo dispuesto en el citado Convenio, los datos de cualquier persona física deben ser tratados según las exigencias del principio de calidad –artículo 5, han de ser protegidos con medidas de seguridad–artículo 7– y cualquier persona tiene derecho a conocer la existencia de un fichero con sus datos junto con la identidad y localización de quien lo controla –artículo 8; así como a obtener la confirmación de tal circunstancia y a que se le indiquen cuáles son; a su rectificación o borrado cuando se hayan utilizado con infracción de los principios básicos; y, finalmente, a disponer de un recurso si no se atendieren sus peticiones[190].

---

[187] PARDO LÓPEZ ("No solo protección de datos personales en internet: conceptos jurídicos híbridos, las categorías mutantes y otras evoluciones en curso" en VALERO TORRIJOS, J. *La protección de los datos personales en internet ante la innovación tecnológica. Riesgos, amenazas y respuestas desde la perspectiva jurídica.* Aranzadi, Madrid, 2013, pág.103).

[188] En relación con esta sentencia destaca FERNÁNDEZ SALMERÓN (*La protección de los datos personales a las Administraciones Públicas.* Thomson-Cívitas, Madrid, 2003, pág.73) que "este decisivo pronunciamiento del Alto Tribunal no terminaba de deslindar, al menos en su esencia y definitivamente, la asimilación entre derecho a la intimidad y a la protección de datos personales.

[189] Posteriormente el mismo Tribunal en Sentencia 94/1998, de 4 de mayo, vuelve a aludir a este derecho señalando que es una garantía de otros derechos, fundamentalmente de los del honor y la intimidad. Así afirma expresamente que "la garantía de la intimidad adopta hoy un entendimiento positivo que se traduce en un derecho de control sobre los datos relativos a la propia persona; la llamada libertad informática es así derecho a controlar el uso de los mismos datos insertos en un programa informático (habeas data) y comprende, entre otros aspectos, la oposición del ciudadano a que determinados datos personales sean utilizados para fines distintos de aquel legítimo que justificó su obtención".

[190] VALERO TORRIJOS ("Las quiebras en Internet de la regulación legal del derecho a la protección de datos de carácter personal: la necesaria superación de un modelo desfasado" en VALERO TORRIJOS, J. *La protección de los datos personales en internet ante la innovación tecnológica. Riesgos, amenazas y respuestas desde la perspectiva jurídica.* Aranzadi, Madrid, 2013, pág. 29).

Es importante determinar cuál es el contenido esencial de este derecho fundamental, tarea esta que nunca es fácil. El propio Tribunal Constitucional delimita el mismo principalmente fundamentalmente en las Sentencias 290/2000 y 292/2000, ambas de 30 de noviembre, diferenciándolo del derecho a la intimidad con el que se confundía en un principio. Así, en la primera de ellas, afirma que este derecho fundamental garantiza a la persona un poder de control y disposición sobre sus datos personales, confiriendo a su titular un haz de facultades que son elementos esenciales del derecho fundamental a la protección de los datos personales. Corresponde pues al afectado consentir la recogida y el uso de sus datos personales y conocer los mismos. Para hacer efectivo ese contenido, además tiene derecho a ser informado de quién posee sus datos personales y con qué finalidad, pudiendo oponerse a esa posesión y uso y exigiendo a quien corresponda que ponga fin a la posesión y empleo de tales datos. En suma, afirma expresamente la sentencia "el derecho fundamental comprende un conjunto de derechos que el ciudadano puede ejercer frente a quienes sean titulares, públicos o privados, de ficheros de datos personales, partiendo del conocimiento de tales ficheros y de su contenido, uso y destino, por el registro de los mismos". De este modo es sobre dichos ficheros donde han de proyectarse, en última instancia, las medidas destinadas a la salvaguardia del derecho fundamental aquí considerado por parte de las Administraciones Públicas competentes.

Por su parte, la Sentencia 292/2000, de 30 de noviembre, afirma que "el contenido del derecho fundamental a la protección de datos consiste en un poder de disposición y de control sobre los datos personales que faculta a la persona para decidir cuáles de esos datos proporcionar a un tercero, sea el Estado o un particular, o cuáles puede este tercero recabar, y que también permite al individuo saber quién posee esos datos personales y para qué, pudiendo oponerse a esa posesión o uso. Estos poderes de disposición y control sobre los datos personales, que constituyen parte del contenido del derecho fundamental a la protección de datos se concretan jurídicamente en la facultad de consentir la recogida, la obtención y el acceso a los datos personales, su posterior almacenamiento y tratamiento, así como su uso o usos posibles, por un tercero, sea el Estado o un particular. Y ese derecho a consentir el conocimiento y el tratamiento, informático o no, de los datos personales, requiere como complementos indispensables, por un lado, la facultad de saber en todo momento quién dispone de esos datos personales y a qué uso los está sometiendo, y, por otro lado, poder oponerse a esa posesión y usos"[191].

---

[191] Concluye la propia Sentencia 292/2000, de 30 de noviembre, que "son elementos característicos de la definición constitucional del derecho fundamental a la protección de datos personales los derechos del afectado a consentir sobre la recogida y uso de sus datos personales y a saber de los mismos. Y resultan indispensables para hacer efectivo ese contenido el reconocimiento del derecho a ser informado de quién posee sus datos personales y con qué fin, y el derecho a poder oponerse a

Siguiendo la línea seguida por los pronunciamientos jurisprudenciales el desarrollo normativo del derecho a la protección de datos se recoge en el Reglamento 2016/679/UE, de 27 de abril, así como en la Ley Orgánica 15/1999, de 13 de diciembre. El propio Reglamento reconoce que la protección de las personas físicas en relación con el tratamiento de los datos personales es un derecho fundamental. Es importante determinar desde el inicio, al ser el objeto protegido por el derecho, qué debemos entender por tratamiento de datos y qué datos se consideran personales.

El artículo 4 del Reglamento establece estas definiciones y así, por lo que a nosotros nos interesa, se entiende por "tratamiento cualquier operación o conjunto de operaciones realizadas sobre datos personales o conjuntos de datos personales, ya sea por procedimientos automatizados o no, como la recogida, registro, organización, estructuración, conservación, adaptación o modificación, extracción, consulta, utilización, comunicación por transmisión, difusión o cualquier otra forma de habilitación de acceso, cotejo o interconexión, limitación, supresión o destrucción". En relación con el concepto de datos personales el mismo precepto señala que será "toda información sobre una persona física identificada o identificable"[192].

Existen diferencias de regulación[193] según el tratamiento de los datos se realice por el sector privado o por la Administración pública. Esta diferenciación no ha sido unánimemente compartida por todos los Estados.

Con carácter general el artículo 6.1.d) del Reglamento considera que el tratamiento de los datos será lícito cuando sea necesario para el cumplimiento de una misión realizada en interés público o en el ejercicio de los poderes públicos

---

esa posesión y uso requiriendo a quien corresponda que ponga fin a la posesión y empleo de los datos. Es decir, exigiendo del titular del fichero que le informe de qué datos posee sobre su persona, accediendo a sus oportunos registros y asientos, y qué destino han tenido, lo que alcanza también a posibles cesionarios; y, en su caso, requerirle para que los rectifique o los cancele".

[192]   Se considerará persona física identificable toda persona cuya identidad pueda determinarse, directa o indirectamente, en particular mediante un identificador, como por ejemplo un nombre, un número de identificación, datos de localización, un identificador en línea o uno o varios elementos propios de la identidad física, fisiológica, genética, psíquica, económica, cultural o social de dicha persona;

[193]   Señala OLIVARES OLIVARES (*La protección de los datos tributarios de carácter personal durante su obtención en España*. Aranzadi, Pamplona, 2017, págs. 100 y 101) algunas de estas diferencias a título de ejemplo entre las que aparecen, la no necesidad de consentimiento cuando el tratamiento se haga en ejercicio de las funciones propias de la Administración y en el ámbito de sus competencias, la prohibición de la comunicación de los datos entre Administraciones públicas para finalidades distintas, la limitación de los derechos de acceso, la rectificación y cancelación en determinados contextos, así como el establecimiento de un sistema específico de ficheros públicos frente a la declaración de los ficheros privados.

conferidos al responsable del tratamiento[194]. Por su parte la Ley de Protección de datos, 3/2018, de 5 de diciembre, dedica su artículo 8 al tratamiento de datos por obligación legal, interés público o ejercicio de poderes públicos, y señala que "el tratamiento de datos personales solo podrá considerarse fundado en el cumplimiento de una obligación legal exigible al responsable, cuando así lo prevea una norma de Derecho de la Unión Europea o una norma con rango de ley, que podrá determinar las condiciones generales del tratamiento y los tipos de datos objeto del mismo así como las cesiones que procedan como consecuencia del cumplimiento de la obligación legal. Dicha norma podrá igualmente imponer condiciones especiales al tratamiento, tales como la adopción de medidas adicionales de seguridad u otras establecidas en el capítulo IV del Reglamento".

Debemos asimismo matizar que nos encontramos con datos especialmente protegidos, que son los que el Reglamento recoge en su artículo 9 como "categorías especiales de datos personales". En relación con estos señala el apartado 1 del precepto que "quedan prohibidos el tratamiento de datos personales que revelen el origen étnico o racial, las opiniones políticas, las convicciones religiosas o filosóficas, o la afiliación sindical, y el tratamiento de datos genéticos, datos biométricos dirigidos a identificar de manera unívoca a una persona física, datos relativos a la salud o datos relativos a la vida sexual o la orientación sexual de una persona física".

Así, cuando la Administración tributaria requiere información a los sujetos, o bien cuando estos suministran la misma, lo hacen en cumplimiento de una obligación legal prevista en los artículos 93 y 94 de la LGT, por lo que en ningún caso se podrá oponer respecto a ese requerimiento la vulneración del principio de protección de datos, pues el tratamiento que de los mismos se hace por parte de la Administración es lícito, siempre y cuando nos encontremos ante datos con trascendencia tributaria y no ante cualquier tipo de dato[195], por lo que será el hecho de entender que tales datos tienen trascendencia tributaria lo que permita a la Administración poder solicitar determinada información.

Así en una reciente Resolución del TEAC de 4 de diciembre de 2018, se plantea un supuesto en el cual la Administración tributaria requiere a una Compañía de Seguros datos sobre los servicios facturados por la misma, encontrándose entre los mismos algunos relativos a prestaciones médicas recibidas por los

---

[194] La Sentencia del TJUE de 27 de septiembre de 2017 (asunto C-73/16) aclara que, a pesar de no necesitar el consentimiento del interesado para el tratamiento de sus datos, el tratamiento de los mismos se limite a los que sean necesarios y donde sean necesarios con los objetivos perseguidos, dando cumplimiento a los principios de calidad y proporcionalidad recogidos en el artículo 6 de la Directiva 95/46.

[195] Señala la Agencia de Protección de datos en su informe jurídico 0619/2009, que la Ley General Tributaria no otorga cobertura a la cesión de cualesquiera datos, sino simplemente de aquellos que revistan trascendencia tributaria, lo que deberá determinarse atendiendo al caso concreto".

asegurados. Disconforme con este requerimiento de información alega la Compañía que el mismo atenta contra la intimidad personal y familiar y podría suponen una vulneración por parte de la compañía de la normativa en materia de protección de datos, al afirmar que no cabe requerir datos de salud tales como: "el concreto servicio médico que se haya podido prestar a un concreto cliente, la identificación de quiénes en concreto ha prestado el servicio identificando la/s persona/s sanitaria que ha/n realizado el servicio y el centro médico en que este haya tenido lugar". En el presente caso el TEAC no aprecia la trascendencia tributaria de algunos datos requeridos tales como: identificación de la persona ingresada, fecha de la intervención o asistencia, tipo de servicio, identificación de si se trata de una consulta, intervención u otro tipo de servicio[196]. Por tanto, al no considerar el TEAC que concurra trascendencia tributaria estima parcialmente la reclamación anulando el requerimiento realizado.

6. BIBLIOGRAFIA

AGUALLO AVILÉS, A. (2003). "Una vez más, acerca de la necesidad de hacer un verdadero análisis constitucional de las normas tributarias", *Revista Española de Derecho Constitucional,* núm. 68.

BUENO GALLARDO, E. (2009), *La configuración constitucional del derecho a la intimidad. En particular el derecho a la intimidad de los obligados tributarios.* Centro de Estudios Políticos y Constitucionales, Madrid.

CALDERÓN CARRERO, J.M. (2004), "Inspección tributaria" en *Comentario sistemático de la nueva Ley General Tributaria.* CEF, Madrid, 2004: 280–297.

CALVO VÉRGEZ, J. (2017), "La obligación de facilitar información con trascendencia tributaria por parte de las entidades financieras", *Documentos de Trabajo IEF,* núm. 3.

(2019) "La entrada de la inspección tributaria en la sede de las empresas y en el domicilio constitucionalmente protegido (previa autorización judicial) a la luz de la jurisprudencia constitucional", Quincena Fiscal, núm.5, pág. 7 a 19.

ESCRIBANO LOPEZ, F. (1998), "Acceso judicial a datos en poder de la Administración Tributaria", *Quincena fiscal,* núm. 4, págs. 9 a 20.

---

[196] En el requerimiento, tal vez con el fin de no verse limitado por el derecho a la protección de datos en relación con determinadas categorías especiales de los mismos como son los datos sanitarios, se hace constar respecto a la información solicitada que no se requiere ningún dato de naturaleza médica en cuanto a tratamiento, historial o patología del paciente, ello no es así por cuanto se está solicitando: "tipo de servicio, identificación de si se trata de una consulta, intervención, y/u otro tipo de servicio".

(2002), "Algunas propuestas metodológicas para la reconstrucción de un De-
recho Financiero del siglo XXI". I Jornada "Jaime García Añoveros" sobre
Metodología Académica y enseñanza del Derecho Financiero y Tributario,
Madrid, págs. 28 a 42.

FERNÁNDEZ SALMERÓN, M. (2003), *La protección de los datos personales a las
Administraciones Públicas.* Thomson-Cívitas, Madrid.

GARCÍA AÑOVEROS, J. (1996), "Una nueva Ley General Tributaria. Problemas
constitucionales". *Revista Española de Derecho Financiero,* núm. 90, págs. 214 a
233.

GARCÍA BERRO, J. (2010), "Derecho a no autoincriminarse de los contribuyentes y procedimiento sancionador separado: precisiones a la luz de la evolución
jurisprudencial". *Quincena Fiscal,* núm. 19, págs. 6 a 18.

GARCÍA NOVOA, J. (2005), "Una aproximación del Tribunal Constitucional al
derecho a no autoinculparse ante la Inspección Tributaria en relación con los
delitos contra la Hacienda Pública". *Jurisprudencia Tributaria,* núm. 53, págs.
3 a 12.

GONZÁLEZ MÉNDEZ, J. (2003), *La protección de datos tributarios y su marco constitucional.* Tirant lo Blanch, Valencia.

HERRERA MOLINA, P. (1993), *La potestad de información tributaria sobre terceros.*
La Ley, Madrid.

LOZANO SERRANO, C. (2015), "El deber de colaboración tributaria sin autoincriminación", *Quincena Fiscal,* núm.8, págs3 a 14.

LUCAS MURILLO DE LA CUEVA, P. (1993), "El derecho a la intimidad", en
AAVV *Cuadernos de Derecho Judicial. Honor, intimidad y propia imagen,* CGPJ, Madrid, págs. 30 a 51.

MENESES VADILLO, A. (2000), *El deber de colaboración de las entidades de crédito ante los requerimientos de información de la Administración Tributaria.* Cívitas, Madrid.

MERINO JARA, I. (2005), "Autoinculpación y delitos contra la hacienda pública". *Jurisprudencia Tributaria,* núm. 4, págs. 2 a 7.

OLIVARES OLIVARES, B. (2017), *La protección de los datos tributarios de carácter
personal durante su obtención en España.* Aranzadi, Pamplona.

PALAO TABOADA, C. (1987), "La potestad de obtención de información de la
Administración tributaria y sus límites", en *Estudios de Derecho y Hacienda. Homenaje a Cesar Albiñana García Quintana.* Volumen II, Ministerio de Economía
y Hacienda, págs. 895 a 920.

(2008), El derecho a no autoinculparse en el ámbito tributario. Civitas, Madrid.

(2013), "El derecho a no autoinculparse en el ámbito tributario: una revisión", Revista Española de Derecho Financiero, núm. 159, págs. 3 a 25.

PARDO LÓPEZ, Mª M. (2013), "No solo protección de datos personales en internet: conceptos jurídicos híbridos, las categorías mutantes y otras evoluciones en curso" en VALERO TORRIJOS, J. *La protección de los datos personales en internet ante la innovación tecnológica. Riesgos, amenazas y respuestas desde la perspectiva jurídica.* Aranzadi, Madrid, pág. 80 a 104.

RIBES RIBES, A. (2011), "El derecho a no declarar contra sí mismo y el principio *non bis in idem* en materia tributaria, a la luz de la doctrina del tribunal constitucional y del tribunal europeo de derechos humanos", Ponencias del VI Congreso Tributario, Madrid, AEDAF, págs. 398 a 418.

RUBIO MONTIEL, J. (2012), "El deber de colaboración con la inspección tributaria frente al derecho a no declarar contra sí mismo", *Estudios Financieros,* núm. 356, págs. 20 a 47.

RUIZ GARCÍA, J. (1988), *Secreto bancario y Hacienda Pública.* Cívitas, Madrid.

SÁNCHEZ LÓPEZ, E. (2001), *Los deberes de información tributaria desde la perspectiva constitucional.* Centro de Estudios Políticos y Constitucionales, Madrid.

SANZ DIAZ-PALACIOS, M. (2004), *Derecho a no autoinculparse y delitos contra la Hacienda Pública,* Colex, Madrid.

(2009) "Elementos adicionales de análisis en materia de autoincriminación tributaria", Crónica Tributaria, núm. 133, págs. 205 a 229.

SESMA SÁNCHEZ, B. (2001), *La obtención de información tributaria.* Aranzadi, Pamplona.

TRIGUEROS MARTÍN, M.J. (2016) "Límites a las actuaciones de obtención de información realizadas por la inspección". *Estudios Financieros,* núm. 401-402, págs. 23 a 46.

VALERO TORRIJOS, J. (2013), "Las quiebras en Internet de la regulación legal del derecho a la protección de datos de carácter personal: la necesaria superación de un modelo desfasado" en VALERO TORRIJOS, J. *La protección de los datos personales en internet ante la innovación tecnológica. Riesgos, amenazas y respuestas desde la perspectiva jurídica.* Aranzadi, Madrid, págs. 12 a 39.

VIDAL MARTÍNEZ, P. (1980), "Manifestaciones del derecho a la intimidad personal y familiar". *Revista General de Derecho,* Tomo II, págs. 1150 a 1176.

9.- LOS DERECHOS DE LOS CONTRIBUYENTES ANTE UNA ADMINISTRACIÓN TRIBUTARIA DIGITAL

DANIEL SANTIAGO MARCOS

Investigador predoctoral FI_SDUR 2020 de Derecho Financiero y Tributario
Universidad de Girona

1. INTRODUCCIÓN

El uso de las herramientas tecnológicas, especialmente en los últimos años, ha aportado un enorme valor al cumplimiento de la función pública acometida a la Administración tributaria (en lo sucesivo, AT) española. Nuestra AT es una referencia internacional en cuanto a digitalización. Algunos informes y documentos prueban dichas palabras: el informe elaborado por PwC sobre *Paying Taxes*[197] y el de *Digitalización de la Economía* del Consejo Económico y Social[198] son tan solo unos ejemplos de ello.

El potencial que emerge de las aplicaciones informáticas; en especial, las basadas en sistemas de inteligencia artificial (en adelante, IA) y herramientas similares influyen en el aumento de la eficiencia y la eficacia de las potestades públicas atribuidas a la AT. La OCDE en su informe *Artificial Intelligence in Society* dispone que los países miembros están experimentando y poniendo en marcha estrategias basadas en sistemas inteligentes ya que, de esta forma, se asegura una mayor calidad en los servicios públicos prestados al ciudadano siempre y cuando, las mismas se diseñen correctamente[199].

---

[197] Véase, para más información, el informe en el siguiente enlace: https://www.pwc.com/gx/en/paying-taxes/pdf/pwc-paying-taxes-2020.pdf (Consultado por última vez en fecha 9 de septiembre de 2022).

[198] CONSEJO ECONÓMICO Y SOCIAL., *La digitalización de la Economía. Actualización del informe 3/2017,* núm. 1, 2021, p. 48.

[199] OECD., *Artificial Intelligence in Society,* OECD Publishing, Paris, 2019, p. 70.

Todo parece indicar que la AT cumple con su mandato constitucional establecido en los artículos 31 y 103.1 de la Constitución Española (en lo sucesivo, CE) con la ayuda de las nuevas tecnologías. En dichos preceptos se exige garantizar el deber de contribuir cumpliendo con determinados principios como el de capacidad económica, progresividad, no confiscatoriedad, etc. En paralelo, la actuación pública debe estar sujeta a la legalidad, que sirva a los intereses generales y que cumpla con su cometido público de forma eficaz. Sin embargo, no es sencillo hallar el justo equilibrio entre las tecnologías y los principios rectores de la justicia tributaria[200].

Se observa una actuación administrativa cada vez más precisa, pero menos interpretable. Cierto es que, el deber de contribuir se encuentra mucho más salvaguardado a la vista del aumento recaudatorio. Un aumento que se ha experimentado en los últimos años tras la puesta en marcha de planes de actuación tributaria con una fuerte presencia tecnológica[201].

Una parte de la doctrina muestra su preocupación por la ausencia de un adecuado marco normativo que positivice correctamente la AT digital[202]. Más aún, cuando nos encontramos ante un ejercicio de potestades públicas[203].

Actuaciones como el tratamiento de información procedentes de la economía digital y las redes sociales o la elaboración de perfiles de riesgos en base a determinados indicios no son ningún secreto. Tan solo hay que acudir a las directrices generales del Plan Anual de Control Tributario y Aduanero de 2022[204] o al Plan

---

[200] MORENO GONZÁLEZ, S. y GÓMEZ REQUENA, J. A., "La digitalización de la sociedad y el impacto de los sistemas tributarios", *Nuevas tecnologías disruptivas y tributación*, Thomson Reuters, Aranzadi, Navarra, 2021, p. 27.

[201] Si acudimos a los datos de la AEAT del año 2020 podemos observar un aumento de la recaudación de un 9,9% respecto del año 2019 lo cual, se traduce en unas cifras de 16.597 millones de euros. Véase en: https://www.hacienda.gob.es/Documentacion/Publico/GabineteMinistro/Notas%20 Prensa/2021/AEAT/08-07-21-PPT-Resultados-Control-AEAT-2020.pdf (Consultado en fecha 12 de septiembre del 2022).

[202] PÉREZ BERNABEU, B., "El principio de explicabilidad algorítmica en la normativa tributaria española: hacia un derecho a la explicación individual", *Revista española de Derecho Financiero*, núm. 192, 2021 (Versión electrónica [BIB 2021/557]).

[203] PALOMAR OLMEDA, A., "El acto administrativo dictado sobre bases tecnológicas o informáticas y las pautas de su revisión jurisdiccional", *Revista Aranzadi de Derecho y Nuevas Tecnologías*, núm. 7, 2005 (Versión electrónica [BIB 2005/475]).

[204] Resolución de 26 de enero de 2022, de la Dirección General de la Agencia Estatal de Administración Tributaria, por la que se aprueban las directrices generales del Plan Anual de Control Tributario y Aduanero de 2022. Vemos como en el texto aparecen unidades de control como las *High Net Worth Individuals* -HNWI- o las *Ultra High Net Worth Individual* -UHNWI- cuyo fin es: «*intensificar el control de este tipo de contribuyentes* -de grandes patrimonios- *y reforzar la utilización de nuevas herramientas informáticas basadas en el 'big data' y el análisis de riesgo avanzado*» según el Plan Estratégico 2020-2023, p. 107.

Estratégico 2020-2023[205] para conocer los ámbitos de actuación de la AT y, en algunas ocasiones, en base a qué datos pone en marcha todo su arsenal[206]. Este tipo de intervenciones, según DORADO FERRER, no hacen más que acrecentar las vulnerabilidades a las que están sometidos los obligados tributarios. El autor pone el ejemplo del artículo 142.1 sobre las *facultades de la inspección tributaria* que se pueden llevar a cabo a través de bases de datos informatizadas, programas, etc., lo cual no ampara posibles actuaciones en el marco de las redes sociales y ello, puede suponer el origen de una inseguridad jurídica[207].

La aplicación de sistema tributario -lo cual incluye el uso de las herramientas digitales- debe encontrar su frontera cuando está ante la presencia de los derechos y garantías de los obligados tributarios. Se trata de un postulado que, de forma parafraseada, establece el artículo 3.2 de la Ley 58/2003, de 17 de diciembre, General Tributaria (en adelante, LGT). Una posible directriz de cómo debería actuar AT ante los riesgos que acontecen con el uso de las tecnologías es señalado por la Agencia Española de Protección de Datos (en lo sucesivo, AEPD): «*la actitud correcta es conocer el riesgo, evaluar sus consecuencias, tomar medidas para minimizarlo y controlar su efectividad en un contexto cambiante[208]*». En consecuencia, y como veremos a lo largo del presente capítulo, las actuaciones de la AT deben hallar el justo equilibrio entre lo que son sus funciones junto con la protección de los derechos de los obligados tributarios frente a la digitalización de la propia AT.

2. EL MARCO JURÍDICO DE LA ADMINISTRACIÓN TRIBUTARIA ESPAÑOLA DIGITAL

La regulación del empleo de las tecnologías en la AT española se encuentra, principalmente, en el artículo 96 de la LGT. Tal precepto encuentra su desarrollo reglamentario en los artículos 82 a 86 del Real Decreto 1065/2007, de 27 de julio, por el que se aprueba el Reglamento General de las actuaciones y

---

[205]   Publicado en fecha 28 de enero de 2020. Véase completo en el siguiente enlace: https://www.agenciatributaria.es/static_files/AEAT/Contenidos_Comunes/La_Agencia_Tributaria/Planificacion/PlanEstrategico2020_2023/PlanEstrategico2020.pdf (Consultado en fecha 12 de septiembre de 2022).

[206]   Confróntese con la STJUE de 16 de octubre de 2016, Patrick Breyer vs Bundesrepublik Deutschland, C-582/14, en la cual, en su apartado 43, se señala que la información que pueda hallarse en Internet, aunque no estén a disposición plenamente de su titular, sigue siendo un "dato personal" y, por ende, amparado por la respectiva normativa de protección de datos de carácter personal con todo lo que ello representa.

[207]   DORADO FERRER, X., "Redes sociales, metadatos y derecho a la intimidad en los procedimientos tributarios", *Revista Quincena Fiscal*, núm. 12, 2021 (Versión electrónica [BIB 2021/3628]).

[208]   AGENCIA ESPAÑOLA DE PROTECCIÓN DE DATOS., *Tecnologías y Protección de Datos en las AA.PPP.*, Madrid, 2020, p. 8.

los procedimientos de gestión e inspección tributaria y de desarrollo de las normas comunes de los procedimientos de aplicación de los tributos (en adelante, RGGIT).

Asimismo, la Ley 39/2015, de 1 de octubre, del Procedimiento Administrativo Común de las Administraciones Públicas (en adelante, LPACAP) y la Ley 40/2015, de 1 de octubre, de Régimen Jurídico del Sector Público (seguidamente, LRJSP) también contienen referencias a las tecnologías y el tratamiento automatizado dentro de la actuación administrativa. La LPACAP expone en el artículo 13 los derechos que, en el marco de la actuación de las AAPP, deben regir ante los administrados. El precepto se encuentra influenciado por el impacto tecnológico, pues contiene numerosas alusiones a tal campo[209]. Por lo que respecta a la LRJSP, la innovación tecnológica se regula, básicamente, en dos partes: la primera, en los artículos 38 a 46 sobre el funcionamiento electrónico del sector público y, la segunda, se halla en los artículos 155 a 158 del texto legal indicado referido a las relaciones electrónicas entre las Administraciones.

Procede señalar que, con anterioridad al cuerpo legislativo mencionado, la antigua Ley 30/1992, de 26 de noviembre, de Régimen Jurídico de las Administraciones Públicas y del Procedimiento Administrativo Común devino pionera con su artículo 45 sobre la *incorporación de medios técnicos* en las AAPP para el desarrollo de su actividad, siempre y cuando se respeten los límites establecidos por la Constitución y las leyes. Mayor positivización se obtuvo con la Ley 11/2007, de 22 de junio, de Acceso Electrónico de los Ciudadanos a los Servicios Públicos (en lo sucesivo, LAECSP), pues con ella se reconoce el derecho de los ciudadanos a relacionarse con las AAPP a través de los medios electrónicos con mención a las garantías que se deben contemplar sobre sus derechos en paralelo, a la eficacia en la actividad administrativa que se logra con las tecnologías de la información[210].

El artículo 96.1 de la LGT precisa que las AT respetarán la CE y las leyes en el uso de las nuevas tecnologías. Un ejemplo de Ley que se erige como límite a las potestades públicas en dicha materia es la Ley Orgánica 3/2018, de 5 de diciembre, de Protección de Datos Personales y garantías de los derechos digitales (en

---

[209]   Se alude al Punto de Acceso General electrónico como plataforma de comunicación entre administrados y las diferentes AAPP; a la asistencia sobre cómo usar los medios electrónicos; al acceso a la información contenida en los archivos a disposición de las AAPP sobre los ciudadanos; a la protección de datos de carácter personal, etc.

[210]   Del articulado de la referida ley se manifiesta una necesidad por incorporar vías de defensa de los derechos de los administrados para preservar su completa integridad. Véase, a modo de ejemplo, el artículo 3, el cual señala como una de sus finalidades: «*crear las condiciones de confianza en el uso de los medios electrónicos, estableciendo las medidas necesarias para la preservación de la integridad de los derechos fundamentales, y en especial los relacionados con la intimidad y la protección de datos de carácter personal, por medio de la garantía de la seguridad de los sistemas, los datos, las comunicaciones, y los servicios electrónicos*». También, confróntese con los artículos 4 y 6 para observar el tratamiento que realiza sobre principios y derechos de los ciudadanos en un entorno telemático.

lo sucesivo, LOPD) en atención al artículo 82 del RGGIT[211]. El artículo 96.3 de la LGT se debe poner en conexión con el artículo 83 del RGGIT, pues se dispone en éstos preceptos que la AT actuante tendrá que identificarse a través de *sistemas de códigos o firmas electrónicas*. Y, en este punto, es donde aparece el concepto de *automatización*, pero la LGT no lo conceptualiza.

Se indica que, en el caso de estar ante una actuación automatizada habrá que identificar el órgano competente para su programación, así como, para resolver un posible recurso. El uso de la automatización requiere de una previa aprobación de los programas que las hagan posible (artículo 96.4 LGT) disponiendo el artículo 84 del RGGIT que, en dichos casos, habrá que indicarse el órgano encargado de la programación, el mantenimiento y control de la calidad de la información. Tales previsiones suponen, a mi juicio, una mera indicación de competencias, pues no se exige mayor especificación de las herramientas tecnológicas que se vayan a utilizar: sobre todo, a las que llevan a cabo un tratamiento automatizado. Consideramos que, habría sido adecuado establecer; aunque sea de forma reglamentaria, en el apartado 84.1 del RGGIT la obligación de publicar especificaciones de tales programas como, por ejemplo, dónde se obtendrá la información, cómo será tratada la misma y, en base a qué parámetros.

La informática decisional dispuesta en el artículo 96.3 de la LGT viene a mencionar una doble tipología de potestad pública. La primera, a través de *actuaciones automatizadas* al referirse, en el primer inciso del apartado, a "procedimientos y actuaciones" y, la segunda, en el segundo inciso del apartado, en referencia a "los recursos que puedan interponerse" que, a nuestro juicio, hacen alusión a los *actos automatizados resolutivos*. Sobre esta cuestión, el artículo 41 de la LRJSP no distingue entre acto o actuación automatizada, pues engloba ambos conceptos dentro del término *actuación automatizada administrativa* y la define como aquella realizada: «*íntegramente a través de medios electrónicos por una Administración Pública en el marco de un procedimiento administrativo y en la que no haya intervenido de forma directa un empleado público*».

La falta de claridad de las normas mencionadas provoca una importante inseguridad jurídica, pues no será lo mismo una *actuación* que un *acto resolutorio*. Las consecuencias jurídicas del segundo afectan directamente a los derechos y garantías de los obligados tributarios ante el uso de sistemas IA y otras herramientas tecnológicas. Más aún, si tenemos en cuenta, como bien señala RIBES RIBES que

---

[211] Debe tenerse en cuenta que el Reglamento hace mención a la Ley anterior -ya no vigente- de protección de datos. La mencionada en el presente artículo es la aplicable una vez se traspuso el Reglamento (UE) 2016/679 del Parlamento Europeo y del Consejo, de 27 de abril de 2016, relativo a la protección de las personas físicas en lo que respecta al tratamiento de datos personales y a la libre circulación de estos datos y por el que se deroga la Directiva 95/46/CE (en adelante, RGPD).

no existen derechos específicos que amparen a los contribuyentes frente a los abusos de la IA y sistemas similares[212].

Nos mostramos críticos con la imprecisión del artículo 41.2 de la LRJSP, pues a pesar de incluir -en el apartado primero- el concepto de *acto* y *actuación* dentro de un mismo término señala, como hemos indicado, en el apartado segundo, que para el exclusivo caso de estar ante una *actuación* administrativa automatizada deberá indicarse el órgano competente para la definición de los sistemas informáticos utilizados y, en su caso, la auditoría del sistema informático y del código fuente que pueda proceder. Junto con ello, *in fine*, se dispone que debe indicarse el órgano a los efectos de impugnación lo cual, a mi juicio, se asemeja más a un *acto* que a una *actuación*.

Todo este debate sobre actos o actuaciones automatizadas junto con la forma en que la LGT y el RGGIT desarrollan la cuestión respecto a cómo configurar las aplicaciones o herramientas tecnológicas acreditan la necesidad de especificar si se ve vulnerado algún derecho de los obligados tributarios.

3. LOS DERECHOS Y GARANTÍAS DE LOS CONTRIBUYENTES

En este punto indicaremos una serie de derechos que pueden verse socavados por la tendencia de la actual AT a una digitalización que, como ya hemos tenido ocasión de mencionar, conlleva riesgos que es preciso que atajemos. De esta forma, se analizarán los derechos que con más "sensibilidad" ostentamos como obligados tributarios, pero que, con el uso de las tecnologías y la falta de positivización, podrían ser vulnerados.

a. El derecho a la transparencia y al acceso a la información

La Ley 19/2013, de 9 de diciembre, de transparencia, acceso a la información pública y buen gobierno (en adelante, Ley de Transparencia) indica en su

---

212   RIBES RIBES, A., "La posición del contribuyente ante los Sistemas de Inteligencia Artificial utilizados por la Administración", *Revista Quincena Fiscal*, núm. 18, 2021 (Versión electrónica [BIB 2021/14910]) que señala que las actuaciones automatizadas hacen referencia a aquellas herramientas de apoyo como la gestión masiva de datos para que, posteriormente la AT pueda iniciar un procedimiento de verificación de datos en base a los errores identificados por el tratamiento de información previo. En cuanto a los actos resolutorios automatizados, suponen la última parte del proceso, es decir, la resolución final. Este último, aparecería establecido en el artículo 100.2 de la LGT el cual dice así: «*tendrán la consideración de resolución la contestación efectuada de forma automatizada por la Administración tributaria en aquellos procedimientos en que esté prevista esta forma de terminación*». Así mismo, mayores garantías necesitan los obligados tributarios respecto los *actos* frente a las *actuaciones* si atendemos a que el artículo 46.2 de la LRJSP para referirse a derecho o intereses de los particulares que puedan verse afectados utiliza el término *acto*.

exposición de motivos que cuando los ciudadanos son conocedores de cómo se toman las decisiones por parte de los responsables públicos se podrá concluir que existe una transparencia en la actividad pública. Esta parte del preámbulo de la Ley de Transparencia resulta, en cierta forma, lejana a la forma en la que la AT ejerce sus potestades públicas.

En el ámbito tributario existen motivos para limitar la transparencia. Para ello, hay que acudir al artículo 14 de la Ley de Transparencia sobre los límites de acceso a la información entre las que destaca -a modo de ejemplo- el posible perjuicio a: «*e) la prevención, investigación y sanción de los ilícitos penales, administrativos o disciplinarios; g) las funciones administrativas de vigilan, inspección y control; j) el secreto profesional y la propiedad intelectual e industrial*»[213]. El problema es que con el aumento de la automatización en la AT los obligados tributarios quedan desamparados al no poder conocer si la decisión que le afecta directamente ha sido tomada con o sin intervención humana, si los datos recabados son los correctos o si los parámetros determinados en el sistema inteligente de la AT son válidos para su concreto caso.

Existe, por mandato constitucional del artículo 105.b) de la Constitución, el derecho a acceder a la información pública[214]. Se menciona esto, pues muchas de las aplicaciones informáticas emplean algoritmos y sistemas similares (Hermes, Zújar, Teseo, Genio, Prometeo, etc.) no están ni, mínimamente, localizadas en la página web principal de la AT española. Se trata de un signo, en principio casi irrelevante, que no deja de ser el punto de partida de un conjunto de actos y actuaciones automatizadas que no manifiestan la transparencia exigida por la Ley de Transparencia.

Véase, por ejemplo, la Resolución 825/2019, de 13 de febrero de 2020 del Consejo de Transparencia y Buen Gobierno, en la que se expone el caso de un obligado tributario que solicitaba conocer con más detalle las aplicaciones que la AT utilizaba para el tratamiento de la información, pues en la página web no estaban indicadas -y si lo estaban, era de difícil acceso-. La postura de la AT puede dividirse en dos partes: la primera, sobre la publicidad de las aplicaciones y, la segunda, sobre los límites del artículo 14 de la Ley de Transparencia. Respecto la primera, la AT se justificó señalando que las aplicaciones que el reclamante solicita conocer, al ser herramientas de soporte a la actuación de la AT podían

---

[213] GARCÍA DE PABLOS, J. F., "La transparencia tributaria y el derecho al acceso a la información fiscal", *Revista Quincena Fiscal*, núm. 19, 2016 (Versión electrónica [BIB 2016/80456]) señala que la transparencia ha venido siendo más limitada bajo el argumento del secreto fiscal lo cual puede manifestar cierta arbitrariedad por parte de la Administración Sirva como ejemplo, el artículo 116 de la LGT sobre «Planes de control Tributario» o el artículo 170 del RGGIT dedicado a los «Planes de inspección».

[214] Se trata de un derecho establecido en los artículos 12, 14 y 15 de la Ley 19/2013. La LGT también lo contempla, en el artículo 34.1.a).

estar al margen de ser publicadas (artículo 85.1 del RGGIT). PÉREZ BERNABEU indica, al respecto, que: «*la norma está implícitamente distinguiendo entre sistemas algorítmicos de soporte a la decisión (…) también denominados modelos predictivos y sistemas algorítmicos de decisión (…) concediendo la publicidad únicamente a los segundos[215]*». En cuanto a la segunda, los límites al acceso a la información bajo la "excusa" de un posible peligro al resultado del procedimiento y el carácter reservado tal y como se dispone en el artículo 170.7 del RGGIT[216] y el indicado artículo 14 de la Ley de Transparencia están teniendo un efecto "expansión" sobre procedimientos de gestión tributaria por esa presunción *iure et de iure de fraude fiscal* que tiene la AT española[217].

Consideramos, en la línea a lo que argumenta GARCÍA-HERRERA BLAN-CO, que se deberían establecer medidas que den la posibilidad de los obligados tributarios de conocer cómo se han tomada las decisiones para formular una posible defensa[218], pues no somos conscientes si se ha podido formular un acto conforme a datos sesgados o, por una incorrecta configuración del sistema. El Consejo de Transparencia, en la Resolución indicada de fecha 13 de febrero de 2020, admitió parcialmente las reclamaciones del obligado tributario y la AT -en ejecución de la resolución- únicamente tuvo que mencionar la utilidad de las aplicaciones y describirlas de forma sucinta. Al final, esto entorpece la confianza mutua entre AT y obligados tributarios, pues como bien señala SÁNCHEZ LÓ-PEZ se exige, por la propia AT, transparencia a los obligados tributarios de forma constante sin dar el ejemplo ella misma[219].

La doctrina se pregunta si no sería procedente crear nuevos derechos para nuevas formas de aplicar las competencias conferidas a la AT. CAMPOS MARTÍ-NEZ considera que la enumeración que realiza la LGT en el artículo 34 se contextualiza en un momento en que las tecnologías no tenían un papel relevante lo cual conduce a una necesaria reinterpretación o la posible inclusión de nuevas garantías[220]. Sobre esta cuestión, RIBES RIBES propone el derecho de acceso

---

[215]   PÉREZ BERNABEU, B., "El principio de explicabilidad algorítmica en la normativa tributaria española: hacia un derecho a la explicación individual", *Op. cit.*, (Versión electrónica [BIB 2021/557]).

[216]   Véase junto con el artículo 116 de la LGT sobre el "carácter reservado" del Plan anual de Control Tributario y Aduanero.

[217]   STS 1231/2020, de 1 de octubre de 2020, FJ 3° (RJ 2020/3623).

[218]   GARCÍA-HERRERA BLANCO, C., "El uso del big data y la inteligencia artificial por las Administraciones tributarias en la lucha contra el fraude fiscal. Particular referencia a los principios que han de regirla y a los derechos de los contribuyentes", en SERRANO ANTÓN, F. (Dir.): *Fiscalidad e Inteligencia Artificial: Administración tributaria y contribuyentes en la era digital,* Madrid: Aranzadi- Thomson Reuters, p. 312.

[219]   SÁNCHEZ LÓPEZ, M. E., "La seguridad jurídica y el poliédrico concepto de transparencia. Un apunte en relación con las actuaciones de intercambio de información tributaria", en *Revista Quincena Fiscal*, núm. 1, 2021 (Versión electrónica [BIB 2021/10]).

[220]   CAMPOS MARTÍNEZ, Y. A., "Los derechos y principios digitales en la relación tributaria electrónica: ética o derecho", *Nuevas tecnologías disruptivas y tributación,* Thomson Reuters, Aranzadi, Navarra, 2021, p. 226.

algorítmico, pues en línea a lo que menciona el Consejo de Estado italiano en su Sentencia 2270 de fecha 8 de abril de 2019 los algoritmos utilizados por la Administración son decisiones administrativas robotizadas que deben ser conocidas tanto por los ciudadanos como por los jueces[221].

Al fin y al cabo, todo debe ser una cuestión de proporcionalidad. Si atendemos al artículo 4 de la LRJSP se establece que las AAPP en el ejercicio de sus competencias deben aplicar el principio de proporcionalidad y optar por la medida menos restrictiva si el ejercicio de sus potestades va a limitar los derechos de los administrados. Este principio es el que debe regir en toda intervención de la AT, pues una cosa es el riesgo que puede existir en un procedimiento de inspección tributaria si se informa de todos sus elementos y otra, bien distinta, es no tener unos mínimos de transparencia y de acceso a la información. El Dictamen 15/2011 del Grupo de Protección de datos sobre *«la definición del consentimiento»* dispuso que la accesibilidad y la visibilidad de la información implica que las personas deben tener *directamente* la información sin ser suficiente la simple *disponibilidad* de la misma[222]. En el caso de las aplicaciones informáticas que utiliza la AT el ciudadano *dispone* de dicha información; aunque para conocerla deberá acudir a un sinfín de fuentes como contratos de licitación o informes sobre jornadas realizadas para el propio personal de la AT para tener un mínimo de claridad acerca de su funcionamiento.

b. El derecho a la explicabilidad y a la motivación

La explicabilidad hace alusión al derecho a conocer qué datos y qué modelo utilizan los algoritmos para aprender y, posteriormente, decidir. Se ha utilizado según PÉREZ BERNABEU como un sinónimo de la llamada *transparencia algorítmica,* la cual a diferencia de la explicabilidad sólo se refiere a la puesta en conocimiento del funcionamiento técnico del algoritmo[223]. Siendo el primero un concepto mucho más amplio. La autora mencionada indica que la *explicabilidad* se compone de dos conceptos: la completitud, que pretende realizar una explicación íntegra a favor de los obligados tributarios y, de la interpretabilidad, en alusión a la capacidad de explicación en términos llanos para favorecer la comprensión.

---

[221]   https://www.medialaws.eu/wp-content/uploads/2019/11/Consiglio-di-Stato-sez.-VI-8-aprile-2019-n.-2270.pdf (Consultado en fecha 13 de septiembre de 2022).

[222]   GRUPO DE PROTECCIÓN DE DATOS DEL ARTÍCULO 29. (2011): *«Dictamen 15/2011 sobre la definición del consentimiento»*, de fecha 13 de julio, p. 22.

[223]   PÉREZ BERNABEU, B., "El principio de explicabilidad algorítmica en la normativa tributaria española: hacia un derecho a la explicación individual", *Op. cit.,* (Versión electrónica [BIB 2021/557]).

Se trata de un derecho que no se encuentra positivizado de forma suficiente. Habría que atender a normas como la Ley francesa 2016-1321, de 7 de octubre de 2016, *pour une République numérique* (más conocida como *Ley Lemaire*) la cual modifica algunos aspectos del *Code des relations entre le public et l'administration* (Código de relaciones entre el público y la administración). En concreto, se exige que aquellas decisiones tomadas en base a un tratamiento algorítmico contengan la referencia a tal automatización. Esta información tiene por objeto comunicar, entre otras cosas, el grado y contribución del procesamiento algorítmico en la toma de decisiones; los datos y fuentes que han servido para el tratamiento, los parámetros empleados, la ponderación y qué operaciones se han realizado con dicho tratamiento (art. R311-3-1-2). España no prevé este derecho. Es cierto que pueden encontrarse algunas características del mismo, de forma dispersa y vaga, en la normativa interna. En concreto, la LOPD en su artículo segundo señala que el ámbito de aplicación de la misma será aplicable, prácticamente en su totalidad, a *cualquier tratamiento total o parcialmente automatizado de datos personales.* Ni la LGT ni el RGGIT son claros, aluden a cuestiones de competencia a efectos de impugnación en caso de actuaciones automatizadas o sobre la aprobación de las aplicaciones. Sin embargo, a mi juicio, la explicabilidad no cumpliría su objetivo con estos preceptos, pues de una mera resolución por la que se aprueba una aplicación no contiene, de forma individualizada (ni incluso, genérica) los datos tratados, el modelo algorítmico seguido ni los objetivos que se pretenden conseguir con tal tratamiento. Un ejemplo, la Resolución de la Dirección General de la Agencia Estatal de la Administración Tributaria de 29 de diciembre de 2010, por la que se aprueban las aplicaciones informáticas para las actuaciones administrativas, se enumera todo un seguido de actuaciones que serán automatizadas, pero en referencia a los datos se realiza una remisión, generalista, al Sistema de información de la Agencia Tributaria. Lo que viene a ser nada.

Otra referencia sobre este principio lo podemos hallar en las «Directrices éticas para una IA fiable» elaboradas por la Comisión Europea. En base a este documento, el referido principio es una exigencia ética en la utilización de los sistemas IA *crucial* para promover la confianza de las personas respecto de la IA. Las decisiones deben poder explicarse según el referido documento y, cuando mayores dificultades haya para hacerlo -en especial, en el caso de cajas negras o *black boxes*[224]- mayor necesidad de explicabilidad habrá. Se tendrá que llevar

---

[224]   BOIX PALOP, A., "Los algoritmos son reglamentos: la necesidad de extender las garantías propias de las normas reglamentarias a los programas empleados por la administración para la adopción de decisiones", *Revista de Derecho Público: Teoría y Método,* vol. 1, 2020, pp. 230-231, se refiere a las mismas como aquellas que impiden a los propios programadores configurar el sistema y, por ende, parametrizan la información de forma totalmente opaca y autónoma. Para más información véase también SERRANO ANTÓN, F. "Fiscalidad y Robótica: funcionalidades disruptivas en el Derecho tributario", en SERRANO ANTÓN, F. (Dir.): *Fiscalidad e inteligencia artificial: Administración tributaria*

a cabo una trazabilidad, auditoría y continua comunicación de los datos. Unas circunstancias que fueron mencionadas por la indicada sentencia del Consejo de Estado italiano, pues aludió al derecho del ciudadano a poder "descifrar la lógica" del algoritmo utilizado por la Administración.

Se podría incluso manifestar que una correcta explicabilidad del tratamiento automatizado utilizado cumple un propósito de seguridad jurídica. El TJUE (en el momento de la sentencia Tribunal de Justicia de la Comunidad Europea -TJCE-) en el asunto *Francia/Comisión* señaló que la seguridad jurídica era una exigencia mucho más relevante en el ámbito financiero por las consecuencias que las mismas conllevan[225].

En conexión con el derecho a la explicabilidad está el derecho a la motivación, pues comprender e interpretar son dos elementos que también aparecen cuando una decisión está lo suficientemente fundamentada. Este derecho, sin embargo, no se encuentra lo suficientemente desarrollado en la normativa administrativa ni tributaria. Podemos encontrar algunos preceptos que aluden de forma genérica a ella: el artículo 35 de la LPAC sobre los actos que deberían ser motivados[226] o el artículo 103.3 de la LGT sobre la obligación de resolver. La jurisprudencia del Tribunal Supremo si alude a su importancia. La STS de 20 de septiembre de 2012 señala que la motivación es una forma de asegurar la imparcialidad de la Administración[227]. La motivación no es una cuestión formal; sino sustantiva, de ahí que no pueda ser un aspecto que pueda ser subsanado en posteriores actuaciones y, por ende, entraría en un supuesto de nulidad de pleno derecho como vicio invalidante de la resolución[228].

De modo que, la explicabilidad y la motivación van de la mano al objeto de exteriorizar las razones que sirvieron de base o fundamento del acto emitido por la AT. Conocer la voluntad de la AT en un determinado aspecto es imprescindible, en especial ante la IA y sistemas similares, pues de lo contrario puede verse afectado el posterior control jurisdiccional y la posición del obligado ante tal acto al desconocer buena parte de los hechos para argumentar una posible defensa[229].

---

y contribuyentes en la era digital, Thomson Reuters-Aranzadi, 2020, p. 22 y VIRTO AGUILAR, A. D., "El uso de la inteligencia artificial por las administraciones tributarias: el principio de transparencia y el derecho del contribuyente a recibir una resolución fundada y motivada", en SERRANO ANTÓN , F. (Dir.): *Inteligencia artificial y administración tributaria: eficiencia administrativa y defensa de los derechos de los contribuyentes,* Thomson Reuters-Aranzadi, 2021, p. 473.

[225] STJCE de fecha 15 de diciembre 1987, C-336/85, asunto *Francia/Comisión*, apartado 17.

[226] Aunque de forma "sucinta" como afirma la LPAC.

[227] STS de 20 de septiembre de 2012, FJ. 3º (RJ 2012/9205).

[228] STS de 24 de mayo de 2010, FJ 2º (RJ 2010/3674).

[229] Véase la STS de 15 de octubre de 1981, FJ 8º (ROJ: STS 3518/1981).

c. El derecho a la protección de datos de carácter personal

A raíz de lo dispuesto en el artículo 93 de la LGT en el cual se exige a los obligados tributarios a proporcionar a la Administración tributaria *«toda clase de datos, informes, antecedentes y justificantes con trascendencia tributaria relacionados con el cumplimiento de sus obligaciones tributarias o deducidos de sus relaciones económicas, profesionales o financieras con otras personas»*, la AT dispone de una base de datos de gran magnitud[230].

Este hecho sumado a la digitalización de la AT española puede generar un riesgo que pone de manifiesto el Libro Blanco sobre la inteligencia artificial: *«al analizar grandes cantidades de datos y detectar la conexión existente entre ello, la IA también puede utilizarse para rastrear y desanonimizar datos relativos a personas, y generar así nuevos riesgos en torno a la protección de los datos personales (...). El tratamiento de los datos, el modo en el que se diseñan las aplicaciones y la envergadura de la intervención humana pueden afectar a los derechos de libertad de expresión, protección de los datos personales* (etc.)[231]*»*. Todo tratamiento de datos personales implica la exigencia de cumplir con la normativa en dicha materia[232].

La información de carácter personal, en atención al artículo 4 del Reglamento (UE) 2016/679 del Parlamento Europeo y del Consejo, de 27 de abril de 2016, relativo a la protección de las personas físicas en lo que respecta al tratamiento de datos personales y a la libre circulación de estos datos y por el que se deroga la Directiva 95/46/CE (en adelante, RGPD)[233], se define como la información de una persona física relativa, por ejemplo, a un número de identificación, datos de localización, genética, económica, cultural o, incluso, social.

---

[230]   El cruce de información constituye una herramienta eficaz para determinar el cumplimiento de las obligaciones tributarias y el propio Plan de Control de 2022 dispone que las Administraciones tributarias intensifican el intercambio de información para mejorar la gestión de la recaudación. Señala que: *«para la adecuada implementación de la estrategia de control sobre este tipo de tráfico que representa el comercio electrónico, se han implementado diferentes herramientas de explotación de la información e identificación de contribuyentes que permitirán comprobar un importante número de declaraciones respecto de las cuales se han identificado riesgos, principalmente relacionados con el valor declarado. La información utilizada se nutrirá tanto de fuentes internas como externas, entre las que se encuentran las que la Agencia Tributaria pueda obtener directamente de las plataformas de comercio electrónico en virtud de requerimientos de información y demás mecanismos previstos en el ordenamiento jurídico».*

[231]   COMISIÓN EUROPA. (2020): *Libro blanco sobre la inteligencia artificial: un enfoque europeo orientado a la excelencia y la confianza*. Bruselas, COM (2020) 65 final, p. 14. Además, tal y como apunta OLIVARES OLIVARES, B. D. (2018): «Hacia un nuevo marco de transparencia durante los intercambios transnacionales de datos tributarios de carácter personal: el deber de informar», en *R.V.A.P,* núm. 10, p. 159: *«el hecho de que se lleve a cabo una transferencia de datos puede implicar que la información personal de los ciudadanos se extravíe, se modifique o sea utilizada para fines diferentes para los que fue recogida».*

[232]   AGENCIA ESPAÑOLA DE PROTECCIÓN DE DATOS (2020): *Tecnologías y Protección de Datos en las AA.PPP.,* Madrid, p. 6.

[233]   El desarrollo en la normativa española se produce con la Ley Orgánica 3/2018, de 5 de diciembre, de Protección de Datos Personales y Garantía de los Derechos Digitales (en lo sucesivo, LOPD).

Las AA.PP tienen la obligación de ser responsables en la evaluación, gestión y minimización de los riesgos para los derechos y garantías de los administrados[234]. De modo que, el foco de nuestra atención debe dirigirse a cómo se tratan los datos de carácter personal en un contexto automatizado. El RGPD señala que el tratamiento de la información debe atender a una serie de principios como la licitud, la lealtad y la transparencia. Los datos no podrán ser utilizados para finalidades distintas a la que originaron la obtención.

La conectividad de la información y la facilidad de poder conseguirla por la Agencia tributaria implica que, en muchas ocasiones, no sea el propio interesado quien haya consentido tal transmisión. Si acudimos al artículo 14 del RGPD se establece que en el caso de que los datos personales no se hayan obtenido del interesado, el responsable del tratamiento (la Agencia tributaria) tendrá que comunicarle, entre otras cosas, qué fin tienen los datos que ha obtenido -acompañado de una base jurídica sobre el mismo-[235], los destinatarios de esos datos, la fuente de la que proceden los datos -y, si proceden de fuentes de acceso público-.

Especialmente delicada es la cuestión de si nos encontramos ante actuaciones automatizadas cuyos resultados pueden plantear alguna limitación de los derechos y garantías de los obligados tributarios. Cabe también mencionar que el artículo 22 del RGPD señala que: «*todo interesado tendrá derecho a no ser objeto de una decisión basada únicamente en el tratamiento automatizado, incluida la elaboración de perfiles, que produzca efectos jurídicos en él o le afecte significativamente de modo similar*» lo cual constituye uno de los principales límites para las técnicas de *big data* -entre otras- aplicadas por la AT[236].

Según la Sentencia del Tribunal Constitucional 292/2000, de 30 de noviembre, el derecho a la protección de datos de carácter personal atribuye a su titular la facultad de imponer «*la realización u omisión de determinados comportamientos*[237]». Es decir, se trata de un derecho fundamental que: «*persigue garantizar a esa persona un poder de control sobre sus datos personales, sobre su uso y destino, con el propósito de impedir su tráfico ilícito y lesivo para la dignidad y derecho del afectado*[238]».

Es por ello por lo que el artículo 25 del RDPD exige una comprobación, en el momento de realizar el tratamiento de los datos, de las aplicaciones que se vayan a utilizar. GONZÁLEZ RUIZ señala al respecto que: «*la realización de análisis de riesgos cada vez más detallados puede actuar como un factor determinante para garantizar*

---

[234] Véase los artículos 23.2.g, 24.1, 25, 32, 33, 34, 35 y 36 del RGPD.
[235] El considerando 39 del RGPD dispone que los fines deben venir determinados en el momento de la recogida de los datos.
[236] OLIVER CUELLO, R., "*Big data* e inteligencia artificial en la Administración tributaria", en *Revista de Internet, Derecho y Política*, núm. 33, p. 10.
[237] F.J. 5º.
[238] F.J. 6º.

y promover la confianza de la población sobre el uso de estas tecnologías, un enfoque que puede completarse con la adopción de criterios de proporcionalidad y limitación del uso de estas soluciones»[239]. La misma posición encontramos por parte de la AEPD que propone, por ejemplo, el establecimiento de controles periódicos que asegurar la calidad de los sistemas para garantizar que las personas reciben un trato justo y no discriminatorio o realizar auditorías para comprobar que todos los componentes utilizados en los sistemas de toma automática de decisiones funcionan según lo previsto[240].

d. El derecho a la tutela judicial efectiva

¿Cómo se puede garantizar una correcta revisión, por parte de los tribunales, de aquellos actos emitidos por la AT basado en medios tecnológicos? ¿Condiciona de alguna forma a la actuación judicial la digitalización de la AT? ¿Podría verse vulnerado, a fin de cuentas, el art. 24.1 de la CE? La STC 196/2003, de 27 de octubre, en el Fundamento Jurídico sexto, apunta a que la motivación de las resoluciones deviene una garantía frente a la arbitrariedad e irrazonabilidad de los poderes públicos. Es imprescindible, arguye el TC, establecer qué elementos de juicio se han tenido en cuenta y, a su vez, fundamentarlos en Derecho.

En opinión de PALOMAR OLMEDA los elementos principales de la tutela efectiva -especialmente en el ámbito administrativo- es que: *«la pretensión que se dirija ante un órgano jurisdiccional sea realmente completa y permita el enjuiciamiento del fondo y la forma de los actos administrativo siempre que esta última cuestión se plantee por las partes o sea necesaria para que el juez pueda resolver adecuadamente la pretensión que le ha sido planteada*[241]*»*. Por su parte, RIBES RIBES considera que dentro del derecho a la tutela judicial debería incluirse el derecho a alegar contra el algoritmo[242] como manifestación del derecho de defensa. Señala que las tecnologías contienen riesgos que recaen sobre la eficacia del derecho de defensa o recurso, pues debido a las llamadas *cajas negras* no siempre es fácil conocer cómo se han adoptado las decisiones[243] y en base a qué fundamentos jurídicos.

---

[239]   GONZÁLEZ RUIZ, F. J., "Inteligencia artificial: implicaciones en materia de protección de datos", *Actualidad Jurídica Aranzadi,* núm. 950, 2019 (Versión electrónica [BIB 2019/2488]).

[240]   AGENCIA ESPAÑOLA DE PROTECCIÓN DE DATOS (2020): *Tecnologías y Protección de Datos en las AA.PPP.,* Madrid, p. 42.

[241]   PALOMAR OLMEDA, A., "El acto administrativo dictado sobre bases tecnológicas o informáticas y las pautas de su revisión jurisdiccional", *Op. cit.,* (Versión electrónica [BIB 2005/475]).

[242]   RIBES RIBES, A., "La posición del contribuyente ante los Sistemas de Inteligencia Artificial utilizados por la Administración", *Op. cit.,* (Versión electrónica [BIB 2021/14910]).

[243]   CAPDEFERRO VILLAGRASA, O., "La inteligencia artificial del sector público: desarrollo y regulación de la actuación administrativa inteligente en la cuarta revolución industrial", en *Revista de Internet, Derecho y Política,* núm. 30, p. 4

El Consejo de Estado italiano en la sentencia 2270 de 8 de abril de 2019 indica que los algoritmos utilizados no sólo deben ser comprensibles por sí sólo, sino que también debe poderse comprender por parte de un juez para su oportuna revisión. Según la sentencia lo comentado responde a : «*la necesidad irrenunciable de poder revisar cómo se ha ejercido concretamente la potestad, planteándose en última instancia como una declinación directa del derecho de defensa del ciudadano, al que no se le puede impedir conocer las modalidades (aunque sean automatizadas) con las que se ha ejercido la potestad*[244]». Pues solo existe, según el Consejo de Estado italiano, esa manera de poder conocer la legitimación de la decisión automatizada. La parte recurrente, por otra parte, también tendrá que comprender todos los extremos de la decisión tomada, pues como bien señala la STS de 20 de septiembre de 2012, el interesado debe ostentar la posibilidad de argumentar en la forma procedimental que se establezca[245], pues sin ella, no se podrá impugnar de forma adecuada[246].

4. REFLEXIÓN FINAL

La AT española mantiene una de las primeras posiciones, a nivel internacional, en el campo de la digitalización de sus funciones. La opinión acerca de que los sistemas basados en la IA -y de otras herramientas tecnológicas- han mejorado la eficacia y eficiencia de las potestades públicas a disposición de la AT española sigue manteniéndose, por la doctrina, intacta. La recaudación aumenta, disminuye el fraude fiscal y se mejora la asistencia e información de los obligados tributarios.

Ahora bien, a mayor tecnificación y digitalización de los actos y actuaciones administrativas, menor necesidad de intervención humana habrá. La automatización se erige como uno de los símbolos de nuestra AT lo cual deriva en riesgos importantes sobre los derechos y las garantías de los obligados tributarios. Que, por cierto, no se hayan correctamente positivizados en nuestro ordenamiento lo cual genera una sensación de falta de seguridad jurídica importante.

Lo indicado tiene un impacto directo en los derechos de los obligados tributarios. Como hemos podido aludir en las páginas anteriores, la opacidad es uno de los retos a los que hacer frente. A nuestro juicio, las reservas que existen a favor de una mayor publicidad no están justificadas. Más aún cuando la mayor parte de las actuaciones y actos automatizadas se incardinan en procedimientos

---

[244]   Apartado 8.4 de la sentencia. Traducción propia.
[245]   STS de 20 de septiembre de 2012, FJ. 3º (RJ 2012/9205).
[246]   COMISIÓN EUROPEA., *Directrices éticas para una IA fiable*. Grupo independiente de expertos de alto nivel sobre inteligencia artificial, Bruselas, 2018, p. 16.

de gestión y recaudación tributaria. Tales limitaciones debilitan derechos constitucionales a la par de que se generaliza la sensación o presunción de fraude fiscal por parte de nuestra AT.

En resumen, mantener el equilibrio entre el amparo de los derechos y la apuesta por las tecnologías no es fácil. Sin embargo, como se ha tenido ocasión de mencionar, todo debe basarse en una cuestión de proporcionalidad. Seguir apostando por sistemas IA -y similares-, sí. Pero con la adecuada auditabilidad, trazabilidad e información de todas las especificidades relacionadas con este tipo de nuevas herramientas. Esto debe ser una cuestión prioritaria.

5. BIBLIOGRAFÍA

AGENCIA ESPAÑOLA DE PROTECCIÓN DE DATOS., *Tecnologías y Protección de Datos en las AA.PPP.*, Madrid, 2020.

BOIX PALOP, A., "Los algoritmos son reglamentos: la necesidad de extender las garantías propias de las normas reglamentarias a los programas empleados por la administración para la adopción de decisiones", *Revista de Derecho Público: Teoría y Método*, vol. 1, 2020.

CAMPOS MARTÍNEZ, Y. A., "Los derechos y principios digitales en la relación tributaria electrónica: ética o derecho", en MORENO GONZÁLEZ, S. (Dir.) y GÓMEZ REQUENA, J. A. (Coord.): *Nuevas tecnologías disruptivas y tributación*, Thomson Reuters, Aranzadi, Navarra, 2021, pp. 201-262.

CAPDEFERRO VILLAGRASA, O., "La inteligencia artificial del sector público: desarrollo y regulación de la actuación administrativa inteligente en la cuarta revolución industrial", en *Revista de Internet, Derecho y Política*, núm. 30, 2020.

COMISIÓN EUROPA., *Libro blanco sobre la inteligencia artificial: un enfoque europeo orientado a la excelencia y la confianza.* Bruselas, COM (2020) 65 final, 2020.

COMISIÓN EUROPEA., *Directrices éticas para una IA fiable. Grupo independiente de expertos de alto nivel sobre inteligencia artificial*, Bruselas, 2018.

CONSEJO ECONÓMICO Y SOCIAL., *La digitalización de la Economía. Actualización del informe 3/2017*, núm. 1, 2021.

DORADO FERRER, X., "Redes sociales, metadatos y derecho a la intimidad en los procedimientos tributarios", *Revista Quincena Fiscal*, núm. 12, 2021 (Versión electrónica [BIB 2021/3628]).

GARCÍA DE PABLOS, J. F., "La transparencia tributaria y el derecho al acceso a la información fiscal", *Revista Quincena Fiscal*, núm. 19, 2016 (Versión electrónica [BIB 2016/80456]).

GARCÍA-HERRERA BLANCO, C., "El uso del big data y la inteligencia artificial por las Administraciones tributarias en la lucha contra el fraude fiscal. Particular referencia a los principios que han de regirla y a los derechos de los contribuyentes", en SERRANO ANTÓN, F. (Dir.): *Fiscalidad e Inteligencia Artificial: Administración tributaria y contribuyentes en la era digital*, Madrid: Aranzadi-Thomson Reuters, 2020, pp. 297-317.

GONZÁLEZ RUIZ, F. J., "Inteligencia artificial: implicaciones en materia de protección de datos", *Actualidad Jurídica Aranzadi*, núm. 950, 2019 (Versión electrónica [BIB 2019/2488]).

GRUPO DE PROTECCIÓN DE DATOS DEL ARTÍCULO 29., *Dictamen 15/2011 sobre la definición del consentimiento*, de fecha 13 de julio de 2011.

MORENO GONZÁLEZ, S. y GÓMEZ REQUENA, J. A., "La digitalización de la sociedad y el impacto de los sistemas tributarios", en MORENO GONZÁLEZ, S. (Dir.) y GÓMEZ REQUENA, J. A. (Coord.): *Nuevas tecnologías disruptivas y tributación*, Thomson Reuters, Aranzadi, Navarra, 2021, pp. 15-37.

OLIVARES OLIVARES, B. D., "Hacia un nuevo marco de transparencia durante los intercambios transnacionales de datos tributarios de carácter personal: el deber de informar", en *R.V.A.P*, núm. 10, 2018, pp. 157-193.

OLIVER CUELLO, R., "Big data e inteligencia artificial en la Administración tributaria", en *Revista de Internet, Derecho y Política*, núm. 33, 2021.

PALOMAR OLMEDA, A., "El acto administrativo dictado sobre bases tecnológicas o informáticas y las pautas de su revisión jurisdiccional", *Revista Aranzadi de Derecho y Nuevas Tecnologías*, núm. 7, 2005 (Versión electrónica [BIB 2005/475]).

PÉREZ BERNABEU, B., "El principio de explicabilidad algorítmica en la normativa tributaria española: hacia un derecho a la explicación individual", *Revista española de Derecho Financiero*, núm. 192, 2021 (Versión electrónica [BIB 2021/557]).

RIBES RIBES, A., "La posición del contribuyente ante los Sistemas de Inteligencia Artificial utilizados por la Administración", *Revista Quincena Fiscal*, núm. 18, 2021 (Versión electrónica [BIB 2021/14910])

SÁNCHEZ LÓPEZ, M. E., "La seguridad jurídica y el poliédrico concepto de transparencia. Un apunte en relación con las actuaciones de intercambio de información tributaria", en *Revista Quincena Fiscal*, núm. 1, 2021 (Versión electrónica [BIB 2021/10]).

SERRANO ANTÓN, F. "Fiscalidad y Robótica: funcionalidades disruptivas en el Derecho tributario", en SERRANO ANTÓN, F. (Dir.): *Fiscalidad e inteligencia artificial: Administración tributaria y contribuyentes en la era digital,* Thomson Reuters-Aranzadi, 2020, pp. 19-55.

VIRTO AGUILAR, A. D., "El uso de la inteligencia artificial por las administraciones tributarias: el principio de transparencia y el derecho del contribuyente a recibir una resolución fundada y motivada", en SERRANO ANTÓN , F. (Dir.): *Inteligencia artificial y administración tributaria: eficiencia administrativa y defensa de los derechos de los contribuyentes,* Thomson Reuters-Aranzadi, 2021, pp. 465-475.

TERCERA PARTE.

LOS DERECHOS DEL CONTRIBUYENTE ANTE EL PRINCIPIO DE LEGALIDAD PENAL Y LA IMPOSICIÓN DE SANCIONES TRIBUTARIAS, EL PRINCIPIO DE PROPORCIONALIDAD Y EL DERECHO A LA DOBLE INSTANCIA.

10.- EL PRINCIPIO DE PROPORCIONALIDAD Y EL EJERCICIO DE LA POTESTAD SANCIONADORA EN TRIBUTOS ARMONIZADOS COMO EL IVA

JESÚS RAMOS PRIETO

Catedrático de Derecho Financiero y Tributario
Universidad Pablo de Olavide de Sevilla
Miembro de AEDAF

1. LA PROPORCIONALIDAD COMO PRINCIPIO GENERAL DE ACTUACIÓN DE LOS PODERES PÚBLICOS Y LÍMITE ESENCIAL DE LA POTESTAD SANCIONADORA EN MATERIA TRIBUTARIA

La proporcionalidad es un principio que informa y limita la actuación de los poderes públicos en general y, de modo, particular la actividad de las Administraciones públicas en el ejercicio de sus competencias, en la medida en que esta sea susceptible de restringir, lesionar o limitar los derechos y libertades de los ciudadanos[1]. A esta dimensión de criterio genérico de intervención se refiere en nuestro ordenamiento jurídico el artículo 4 de la Ley 40/2015, de 1 de octubre, de Régimen Jurídico del Sector Público. Su apartado 1 impone la observancia de este principio por aquellas medidas derivadas de la actuación administrativa que limiten el ejercicio de derechos individuales o colectivos o exijan el cumplimiento de requisitos para el desarrollo de una actividad, exigiendo que se opte por la medida menos restrictiva, se motive su necesidad para la protección del interés público y se justifique su adecuación para lograr los fines que se persiguen.

Como tal principio general del Derecho la fuerza expansiva de la proporcionalidad se deja sentir en múltiples ámbitos del ordenamiento jurídico-tributario. A título de simple recordatorio, nos limitamos a indicar que la Ley 58/2003, de 17 de diciembre, General Tributaria (en adelante LGT) se hace eco de ella entre los principios de aplicación del sistema tributario (artículo 3.2), como un límite

---

[1] GARBERÍ LLOBREGAT, J., BUITRÓN RAMÍREZ, G., *El procedimiento administrativo sancionador*, 7.ª ed., Tirant lo Blanch, Valencia, 2021.

a las potestades administrativas de adoptar medidas cautelares (artículos 81.3 y 146) y de practicar el embargo de bienes y derechos en el curso del procedimiento de apremio (artículo 169), como un requisito que la Administración tributaria ha de motivar cuando solicite autorización judicial para acceder al domicilio constitucionalmente protegido de un obligado tributario (artículo 113) o, por supuesto, como un principio básico de modulación del ejercicio de la potestad sancionadora (artículo 178).

Es esa faceta de tope de contención a la actividad represiva de la Administración tributaria la que nos interesa tomar en consideración a efectos de este trabajo. La proporcionalidad adquiere aquí singular trascendencia en cuanto principio basilar del *ius puniendi* que goza de un triple nivel de reconocimiento normativo: el Convenio Europeo para la protección de los derechos humanos y de las libertades fundamentales (artículo 18 y protocolo n.º 1), la Carta de los derechos fundamentales de la Unión Europea (artículo 49.3)[2] y, claro está, nuestro ordenamiento interno, puesto que pese a no aparecer formulado de modo expreso en ningún precepto de la Constitución de 1978 ha sido construido por la jurisprudencia del Tribunal Constitucional a partir de diversos preceptos de nuestra norma fundamental[3].

En esta dimensión de límite esencial de la potestad sancionadora de las Administraciones Públicas la proporcionalidad incide tanto sobre la tipificación de las infracciones, demandando que la reparación del bien jurídico lesionado (en este caso el interés recaudatorio de la Hacienda Pública) no pueda producirse por otras vías con menor incidencia sobre los derechos y libertades, como en la fijación de las sanciones, exigiendo que estas guarden un equilibrio en su intensidad con la gravedad de la conducta ilícita cometida[4]. Así lo refleja el artículo 29.3 de la citada Ley 40/2015, de 1 de octubre, al imponer en ambos planos (determinación normativa del régimen sancionador e imposición de sanciones por la Administración) el deber de "observar la debida idoneidad y necesidad de la sanción a imponer y su adecuación a la gravedad del hecho constitutivo de la infracción". Para lograr la adecuación de la respuesta sancionadora a la entidad del comportamiento infractor cometido es preciso que la determinación de la

[2] "La intensidad de las penas no deberá ser desproporcionada en relación con la infracción".

[3] Conforme a una abundante jurisprudencia del Tribunal Constitucional, de la que puede tomarse como exponente la Sentencia 49/1999, de 5 de abril, se le considera integrado en el principio de legalidad penal (artículo 25.1), vinculado a la justicia como valor superior del ordenamiento jurídico (artículo 1.1), así como a la interdicción de la arbitrariedad de los poderes públicos (artículo 9.1) o, en general, como un principio que puede deducirse de la remisión del artículo 10.2 a los tratados y acuerdos internacionales en materia de derechos fundamentales o como un límite genérico a la restricción de derechos y libertades.

[4] RAMÍREZ GÓMEZ, S., "Principios constitucionales que rigen la potestad sancionadora tributaria", en *Derecho financiero constitucional. Estudios en Memoria del Profesor Jaime García Añoveros*, Civitas, Madrid, 2001, págs. 208-209.

cuantía de la sanción dependa de la concurrencia de determinados perfiles o circunstancias, denominados por un autorizado sector de la doctrina como criterios de dosimetría punitiva[5].

Tanto la Ley 40/2015 como la LGT marcan criterios genéricos de graduación de las sanciones, con el objetivo último, como gráficamente viene recalcando el Tribunal Constitucional, de que una disposición sancionadora no incurra en "un patente derroche inútil de coacción que convierte la norma en arbitraria y que socava los principios elementales de justicia inherentes a la dignidad de la persona y al Estado de Derecho"[6]. Ahora bien, más allá de casos flagrantes donde el exceso punitivo sea notorio (después veremos algún ejemplo), esa labor de vigilancia no está exenta de dificultades, dada la indeterminación y falta de concreción de este principio, que deja un amplio margen de apreciación subjetiva al intérprete y aplicador. Como ocurre con tantos otros principios generales, la frontera entre el equilibrio y la desproporción es difícil de trazar.

Dado que, como acabamos de indicar, el principio de proporcionalidad tiene en nuestro ordenamiento tributario una triple vía de entrada (Convenio de Estrasburgo, Derecho de la Unión Europea y Constitución Española), nos proponemos contrastar la doctrina sentada por el Tribunal de Justicia de la Unión Europea (TJUE), por un lado, y la seguida por nuestros Tribunales internos (Tribunal Supremo y Tribunal Constitucional), por otra parte, con respecto a la aplicación de sanciones en el campo de un tributo armonizado como es el IVA. Para ello, vamos a repasar las líneas maestras de la construcción jurisprudencial realizada por la Corte de Luxemburgo. Sobre esta base comprobaremos después en qué medida han sido asumidas esas directrices por el Tribunal Supremo y por el Tribunal Constitucional, al evaluar en fechas recientes la conformidad con este principio de dos tipos infractores contemplados con carácter general en la LGT pero que, sin duda, encuentran en dicho impuesto indirecto uno de los ámbitos más frecuentes de proyección: la infracción leve por falta de ingreso en plazo de cuotas regularizadas de forma encubierta en una autoliquidación correspondiente a otro periodo de liquidación (artículo 191.6) y la infracción grave por resistencia, obstrucción, excusa o negativa a las actuaciones de la Inspección por parte de personas o entidades que desarrollen actividades económicas (artículo 203.6.b.1.º).

---

[5] Garberí Llobregat, J., Buitrón Ramírez, G., *El procedimiento administrativo sancionador, op. cit.*, págs. 200 y siguientes.

[6] Sentencia 55/1996, de 28 de marzo. Esta máxima se viene repitiendo con frecuencia en pronunciamientos posteriores, siendo el más reciente la Sentencia 81/2022, de 27 de junio.

2. LA PROPORCIONALIDAD EN MATERIA DE SANCIONES TRIBUTARIAS COMO PRINCIPIO GENERAL DEL DERECHO DE LA UNIÓN EUROPEA

El principio de proporcionalidad resulta de aplicación al ejercicio de la potestad sancionadora de la Administración tributaria en general, incluyendo por tanto cualquiera de las figuras que conforman nuestro sistema fiscal. Sin embargo, el tema plantea peculiaridades cuando se proyecta sobre figuras tributarias armonizadas en el seno de la UE, como sucede con el IVA o los Impuestos Especiales. Al irrumpir en escena el Derecho europeo, con primacía sobre el Derecho interno, el tema adquiere inevitablemente un matiz diferenciado, dado que es necesario respetar las exigencias derivadas de la proporcionalidad no ya solo como un axioma del ordenamiento nacional, sino también como un principio general del Derecho de la UE y de la Carta de los derechos fundamentales. Por tanto, junto a la doctrina del Tribunal Constitucional y del Tribunal Supremo hay que atender a los criterios emanados de la jurisprudencia sentada por el Tribunal de Luxemburgo al interpretar y aplicar este principio, en su doble dimensión de garantía para los contribuyentes y de límite a la actuación de los legisladores y Administraciones tributarias nacionales.

2.1. Doctrina general sobre la proporcionalidad y las sanciones por incumplimiento del Derecho de la UE

Sobre la proporcionalidad en materia sancionadora como principio general del Derecho de la UE existe un abundante acervo jurisprudencial del TJUE, que parte en su doctrina de una premisa elemental: el reconocimiento de la competencia de los Estados miembros, en ausencia de normas de armonización en materia de sanciones por incumplimiento de las disposiciones europeas, para establecer las sanciones que consideren adecuadas, aunque con dos límites básicos:

1.º La obligación de ejercer esta competencia en el pleno respeto del ordenamiento europeo y sus principios generales.

2.º La exigencia de que los regímenes sancionadores nacionales no comporten limitaciones indebidas de las libertades fundamentales del Tratado de Funcionamiento de la Unión Europea (en adelante TFUE), ni de los derechos recogidos en la Carta, en especial del principio de proporcionalidad (artículo 49.3).

Sobre estas bases el TJUE ha formulado una serie de directrices genéricas en campos ajenos a la fiscalidad al objeto de poner coto a la libertad de los Estados miembros, en defecto de una legislación europea que armonice el régimen sancionador, para regular sanciones que castiguen conductas contrarias a la Derecho de la UE. En esencia, son las siguientes:

- Las medidas represivas de la normativa nacional no deben exceder de lo que resulte apropiado y necesario para lograr los objetivos legítimamente perseguidos (como, por ejemplo, el aseguramiento de la recaudación o la lucha contra el fraude fiscal), ni tampoco ir más allá de lo que resulte estrictamente indispensable para alcanzarlos.

- Cuando resulte factible elegir entre varias medidas adecuadas, debe recurrirse siempre a la menos onerosa, garantizando que las desventajas ocasionadas no sean desmedidas con respecto a los objetivos perseguidos.

- El principio de proporcionalidad incide tanto en la concreción de los elementos constitutivos de una infracción y de las normas relativas a la cuantía de las multas, como en la apreciación de los elementos que pueden tenerse en cuenta para fijar el montante de la multa.

- De esta forma, la intensidad de las sanciones que se impongan debe adecuarse a la gravedad de las infracciones castigadas, garantizando así un efecto realmente disuasorio. Y, adicionalmente, al determinar la sanción y fijar el importe de la multa han de tenerse en cuenta las circunstancias individuales del caso concreto.

- La imposición, para todo incumplimiento de determinadas obligaciones, de una multa a tanto alzado, que no module el importe en función de la gravedad de la infracción cometida por el sujeto, resulta desproporcionada respecto de los objetivos que se persiguen con la normativa UE.

Por lo que respecta a sectores ajenos al ámbito particular de la fiscalidad, son numerosos los pronunciamientos del Tribunal de Justicia en materia de sanciones aplicables por inobservancia de los requisitos fijados en un régimen establecido mediante la normativa armonizada de la UE. Entre los más significativos cabe citar los tres siguientes, donde aparecen enunciadas con mayor o menos grado de detalle las pautas hermenéuticas que acabamos de indicar:

- Sentencia de 5 de julio de 2007, C-430/05, *Ntionik y Pikoulas*, referente a sanciones en materia de publicación de información relativa a valores negociables con motivo de su admisión a cotización oficial[7].

---

[7]   Directiva 2001/34/CE del Parlamento Europeo y del Consejo, de 28 de mayo de 2001, sobre la admisión de valores negociables a cotización oficial y la información que ha de publicarse sobre dichos valores, y Directiva 2003/71/CE del Parlamento Europeo y del Consejo, de 4 de noviembre de 2003, sobre el folleto que debe publicarse en caso de oferta pública o admisión a cotización de valores, esta última derogada por el Reglamento (UE) 2017/1129 del Parlamento Europeo y del Consejo, de 14 de junio de 2017, sobre el folleto que debe publicarse en caso de oferta pública o admisión a cotización de valores en un mercado regulado. La competencia de los Estados miembros en materia de régimen sancionador aparece reconocida en el artículo 38 de este Reglamento.

– Sentencia de 20 de marzo de 2018, C-537/16, *Garlsson Real State y otros*, en materia de sanciones por vulneración de la normativa europea sobre operaciones con información privilegiada y manipulación del mercado[8].

– Sentencia de 8 de marzo de 2022, C-205/20, *Bezirkshauptmannschaft Hartberg-Fürstenfeld*, relativa a sanciones por incumplimiento de las disposiciones de armonización sobre el régimen de desplazamiento de trabajadores efectuado en el marco de una prestación de servicios[9].

2.2. Proyección de la doctrina general sobre la proporcionalidad de las sanciones al ámbito específico de la tributación

El Tribunal de Luxemburgo ha proyectado esa doctrina, sin introducir matices o recortes reseñables, cuando ha tenido que pronunciarse sobre sanciones aplicables en el ámbito específico de la fiscalidad. También aquí se asume como punto de partida el postulado de que, en ausencia de armonización de la legislación europea respecto de las sanciones aplicables por inobservancia de un régimen tributario establecido en dicha legislación, los Estados gozan de competencia para establecer las sanciones que les parezcan más idóneas, aunque de nuevo con sometimiento al Derecho de la Unión Europea y a sus principios generales, entre ellos el de proporcionalidad.

En esta línea cabe citar, en primer lugar, la Sentencia del Tribunal de Justicia de 22 de marzo de 2017, C-497/15, *Euro-Team*, que declaró contrario al principio de proporcionalidad el régimen de sanciones establecido por un Estado miembro (Hungría) respecto de las infracciones de las disposiciones nacionales adoptadas en aplicación de la Directiva 1999/62/CE del Parlamento Europeo y del Consejo, de 17 de junio de 1999[10], relativa a la aplicación de gravámenes a los

---

[8]   Artículo 14 de la Directiva 2003/6/CE del Parlamento Europeo y del Consejo, de 28 de enero de 2003, sobre las operaciones con información privilegiada y la manipulación del mercado (abuso del mercado), derogada por el Reglamento (UE) n.º 596/2014 del Parlamento Europeo y del Consejo, de 16 de abril de 2014, sobre el abuso de mercado (Reglamento sobre abuso de mercado), que regula ahora el régimen sancionador en su artículo 30.

[9]   Directiva 2014/67/UE del Parlamento Europeo y del Consejo, de 15 de mayo de 2014, relativa a la garantía de cumplimiento de la Directiva 96/71/CE, sobre el desplazamiento de trabajadores efectuado en el marco de una prestación de servicios, y por la que se modifica el Reglamento (UE) n.º 1024/2012 relativo a la cooperación administrativa a través del Sistema de Información del Mercado Interior. Su artículo 20 faculta a los Estados miembros para determinar el régimen de sanciones aplicable en caso de infracción de las disposiciones nacionales adoptadas con arreglo a la Directiva, exigiendo que tales sanciones establecidas sean efectivas, proporcionadas y disuasorias.

[10] En concreto, la legislación húngara establecía un régimen de sanciones que se traducía en la imposición de una multa a tanto alzado para todas las infracciones de las normas relativas a la obligación de pagar anticipadamente la tasa por la utilización de un tramo de carretera de peaje, independientemente de la naturaleza y la gravedad de la conducta. El único criterio de modulación de las

vehículos por la utilización de infraestructuras viarias[11]. El alcance de la proporcionalidad como límite del régimen sancionador por vulneración de las normas armonizadas sobre gravámenes a los vehículos pesados de transporte contenidas en esa Directiva 1999/62/CE se ha abordado igualmente en la Sentencia de 4 de octubre de 2018, C-384/17, *Link Logistic N&N*, donde se recuerda que este principio "forma parte de los principios generales del Derecho de la Unión, que constituyen la base de las tradiciones constitucionales comunes a los Estados miembros y que debe respetar una normativa nacional comprendida en el ámbito de aplicación del Derecho de la Unión o que aplique este último".

También ha tenido oportunidad de examinar el Tribunal las sanciones establecidas por infracción del régimen armonizado de importación temporal de determinados medios de transporte[12]. En la Sentencia de 12 de julio de 2001, C-262/99, *Louloudakis*, se pone el acento en que las medidas sancionadoras no vayan más allá de lo estrictamente necesario para alcanzar los objetivos perseguidos, al hilo del examen de la legislación nacional de un Estado miembro (Grecia) que preveía un conjunto de sanciones por importación irregular de automóviles con fines no comerciales; en particular, multas fijadas a tanto alzado exclusivamente en función del criterio de la cilindrada del vehículo, sin tomar en consideración su antigüedad, así como el pago de derechos por un importe de hasta el décuplo de los impuestos no satisfechos. Se estima que tal respuesta punitiva únicamente resulta compatible con el principio de proporcionalidad "en la medida en que resulte necesaria por imperativos de sanción y prevención, habida cuenta de la gravedad de la infracción". En cambio, en la posterior Sentencia de 7 de junio de 2007, C-156/04, *Comisión c/ Grecia*, se consideró desproporcionado con respecto al objetivo perseguido (el cobro de multas) que la normativa de ese mismo Estado miembro previese que, en caso de imponerse multas, los vehículos fueran objeto de inmovilización cautelar temporal y automática durante la tramitación del procedimiento de ejecución de la sanción, quedando su devolución supeditada al pago de las multas y de cualesquiera otras cantidades exigibles[13].

---

multas previsto en la normativa nacional era la categoría de los vehículos (establecida en función del número de ejes), pero sin contemplar ningún vínculo con el comportamiento de la persona que explota el vehículo o de su conductor.

[11] El artículo 9 bis de esta Directiva dice así: "Los Estados miembros implantarán los controles adecuados y determinarán el régimen de sanciones aplicable a las infracciones de las disposiciones nacionales adoptadas en aplicación de la presente Directiva. Los Estados miembros tomarán todas las medidas necesarias para garantizar su aplicación. Las sanciones establecidas deberán ser eficaces, proporcionadas y disuasorias."

[12] Directiva 83/182/CEE del Consejo, de 28 de marzo de 1983, relativa a las franquicias fiscales aplicables en el interior de la Comunidad en materia de importación temporal de determinados medios de transporte.

[13] El Tribunal estima que esta medida "puede privar al beneficiario del uso de su vehículo durante un período de tiempo que puede ser extenso, sobre todo si las multas impuestas son objeto de impugnación por vía judicial". A ello se suma la importancia que el propio Tribunal ha destacado

La misma línea jurisprudencial se observa en la Sentencia de 2 de junio de 2016, C-81/15, *Kapnoviomichania Karelia,* en cuanto a las sanciones en materia de incumplimiento de normativa europea sobre el régimen general, tenencia, circulación y controles de los productos objeto de impuestos especiales o accisas[14]. En ella se juzga desproporcionado un sistema de responsabilidad agravada, de carácter solidario y objetivo, que la normativa nacional (de nuevo de Grecia) hace recaer sobre el depositario autorizado por las sanciones pecuniarias impuestas como consecuencia de una infracción cometida durante la circulación de productos en régimen suspensivo de impuestos especiales, al ir más allá de lo necesario para preservar los derechos de la Hacienda Pública[15].

El TJUE ha dado un paso más allá en la modulación de la competencia de los Estados miembros para configurar regímenes sancionadores en materia tributaria a la luz del principio de proporcionalidad, extendiendo su doctrina a las sanciones previstas por el incumplimiento de tributos o normas tributarias nacionales no armonizadas por la Unión Europea en la medida en que puedan afectar a las libertades fundamentales previstas en el TFUE.

De esta forma, la Sentencia de 3 de marzo de 2020, C-482/18, *Google Ireland,* constata un choque claro con este principio en la normativa de un Estado miembro (Hungría) reguladora de un impuesto sobre la publicidad, figura impositiva que no cuenta con un marco regulador armonizado aprobado por las instituciones europeas. Dicha normativa contempla un severo régimen de sanciones por incumplir la obligación de información a efectos de su sujeción al referido gravamen, aunque de facto solo afecta realmente a aquellos sujetos pasivos que sean prestadores de servicios establecidos en otro Estado miembro y que no estén registrados ante la Administración tributaria nacional como contribuyentes en virtud de cualquier otro tributo[16]. Dada esta diferencia de trato entre los pres-

---

que supone el derecho de conducir un vehículo de motor para el ejercicio efectivo de los derechos que van unidos a la libre circulación de personas (Sentencia de 29 de febrero de 1996, C-193/94, *Skanavi y Chryssanthakopoulos*). De ahí que se aprecie falta de proporcionalidad con respecto al objetivo perseguido, pues el cobro de multas "puede alcanzarse por medios más conformes con la normativa comunitaria como, por ejemplo, mediante la prestación de una fianza".

[14] En la actualidad regulado por la Directiva 2008/118/CE del Consejo, de 16 de diciembre de 2008, relativa al régimen general de los impuestos especiales, y por la que se deroga la Directiva 92/12/CEE.

[15] Para el Tribunal resultó determinante que el depositario autorizado no pudiera liberarse de esa responsabilidad "aportando la prueba de que es totalmente ajeno a los actos de los autores de la infracción, aun cuando, según el Derecho nacional, dicho depositario no era propietario de los citados productos en el momento en el que se cometió la infracción ni estaba vinculado a los autores de ésta mediante una relación contractual que convirtiera a éstos en sus mandatarios."

[16] En efecto, a estos prestadores no establecidos se les imponen varias multas cuyo importe, a partir de la segunda, se triplica respecto del importe de la multa anterior en cada nueva declaración de incumplimiento de dicha obligación, pudiendo alcanzarse un importe acumulado de varios millones de euros, sin que dichos prestadores puedan cumplir tal obligación de información antes de

tadores de servicios publicitarios en función de si ya están o no registrados fiscalmente en Hungría, ese régimen sancionador constituye una restricción a la libre prestación de servicios, en principio prohibida en el artículo 56 del TFUE. A pesar de aceptar prima facie la necesidad de garantizar la eficacia de los controles fiscales y el cobro del impuesto como razones imperiosas de interés general susceptibles de justificar esta restricción, el Tribunal advierte a renglón seguido que esta normativa nacional va más allá de lo necesario para alcanzar esos objetivos legítimos, puesto que no obliga a la autoridad fiscal a evaluar la gravedad de la infracción. Además, el importe de las multas se impone sin considerar el volumen de negocio alcanzado por el sujeto pasivo que constituye la base imponible del impuesto que se pretende recaudar, por lo que existe el riesgo de que el importe acumulado de las sanciones exceda de dicho volumen de negocio. En definitiva, al no tener en cuenta la gravedad de la conducta de los obligados tributarios que incumplan su obligación de información este régimen sancionador incurre en vicio de desproporción.

Lo mismo ha sucedido con nuestra normativa interna referente a la obligación informativa sobre bienes y derechos situados en el extranjero a través de una declaración específica (el modelo 720)[17]. En sintonía con lo que ya habían denunciado la Comisión y la doctrina académica desde años atrás, la Sentencia de 27 de enero de 2022, C-788/19, *Comisión/España*, ha declarado que las sanciones por el incumplimiento o el cumplimiento imperfecto o extemporáneo de esta obligación formal de información se oponen a la libre circulación de capitales del artículo 63 del TFUE, en razón de su manifiesta desproporción. Recuérdese que la Ley 7/2012, de 29 de octubre, introdujo un modelo dual de sanciones muy elevadas, permitiendo la acumulación de una multa proporcional del 150 por 100 por imputación de una ganancia patrimonial no justificada en el IRPF y en el Impuesto sobre Sociedades (calculada sobre las cantidades correspondientes al valor de los elementos patrimoniales localizados en el extranjero) con multas de cuantía fija, por cada dato o conjunto de datos omitido, incompleto, inexacto o falso, sin marcar además ningún tope máximo a su importe total. El Tribunal admite una vez más la premisa de que nuestras autoridades fiscales, a falta de armonización en el Derecho de la UE, eran competentes para elegir las sanciones que les parecieran más adecuadas en caso de incumplimiento de las obligaciones establecidas en nuestro Derecho interno en materia de fiscali-

---

recibir la resolución en la que se establece definitivamente el importe acumulado de esas multas. Por el contrario, el importe de la multa que se impondría a un prestador establecido en Hungría por incumplir una obligación de información o de registro similar, conculcando disposiciones generales de la normativa tributaria nacional, es notablemente inferior y no se incrementa en caso de incumplimiento continuo de tal obligación, ni en las mismas proporciones ni necesariamente en plazos tan breves.

[17]   Disposición adicional decimoctava de la LGT y Orden HAP/72/2013, de 30 de enero.

dad directa. Pero advierte enseguida que en este caso se rebasó la línea roja del principio de proporcionalidad, menoscabando en exceso esa libertad fundamental. Por un lado, un tipo tan elevado de multa porcentual conlleva "un carácter extremadamente represivo" y, teniendo en cuenta su acumulación con las multas de cuantía fija, puede provocar que el importe total de las cantidades adeudadas por el contribuyente como consecuencia del incumplimiento de la obligación de información supere el propio valor de los bienes o derechos ubicados en el extranjero. Por otro lado, la imposición de multas fijas de cuantía igualmente muy elevada, ya que se aplican a cada dato o conjunto de datos, con previsión expresa de un importe mínimo, sin limitación de su importe máximo y sin guardar proporción con las sanciones que se establecen para infracciones similares de las obligaciones de información en un contexto puramente nacional[18], entraña asimismo una restricción desproporcionada.

2.3. Proporcionalidad y sanciones en un tributo armonizado como el IVA

Como cabe suponer, el IVA, joya de la corona de la armonización fiscal para lograr un mercado interior (junto a la unión aduanera y el arancel aduanero común), entra de lleno en el radio de acción de esta doctrina. En este tributo la competencia de cada Estado miembro para establecer las sanciones por incumplimiento del marco legislativo armonizado, pero con plena sujeción a la proporcionalidad como principio general del ordenamiento jurídico europeo, tiene su anclaje directo en el artículo 273 de la Directiva 2006/112/CE del Consejo, de 28 de noviembre de 2006.

En las cuestiones prejudiciales resueltas por el TJUE hasta la fecha este ha dejado sentado que corresponde al juez nacional la apreciación de que las sanciones no vayan más allá de los necesario para alcanzar los objetivos de garantizar la correcta recaudación del impuesto y prevenir el fraude que marca ese precepto, aunque subrayando a la par que esa valoración ha de venir presidida por dos pautas esenciales: la naturaleza y gravedad de la infracción que se penaliza con la sanción y el método para la determinación de la cuantía de la sanción. Queda así claro que para que una sanción no contradiga el principio de proporcionalidad resulta determinante atender tanto a la gravedad de la conducta ilícita que se pretenda castigar, en particular a su componente defraudatorio, como al mecanismo seguido para la fijación y graduación de la sanción correspondiente.

---

[18] Se trata de las infracciones tipificadas en la LGT por no presentar en plazo autoliquidaciones o declaraciones sin que se produzca perjuicio económico, por incumplir la obligación de comunicar el domicilio fiscal y por incumplir las condiciones de determinadas autorizaciones (artículo 198) y por presentar incorrectamente autoliquidaciones o declaraciones sin que se produzca perjuicio económico o contestaciones a requerimientos individualizados de información (artículo 199).

Haremos referencia a continuación a cuatro pronunciamientos destacados del Tribunal de Justicia en materia de IVA, en los que se valora la posible vulneración del Derecho de la Unión Europea a causa de sanciones aplicadas por las autoridades fiscales de varios Estados miembros de conformidad con la legislación nacional sobre el IVA.

2.3.1. Sentencia de 20 de junio de 2013, asunto C-259/12, *Rodopi-M91*

Por orden cronológico, el primero de esos *leading cases* es la Sentencia de 20 de junio de 2013, asunto C-259/12, *Rodopi-M91*. El litigio principal tiene su origen en una serie de irregularidades cometidas por una sociedad sujeta al IVA en la deducción del impuesto soportado por la adquisición de bienes y servicios. Al hilo de este asunto se examina la compatibilidad con el principio de proporcionalidad de la normativa nacional de un Estado miembro (Bulgaria), que permite sancionar a un sujeto pasivo que no ha cumplido en el plazo previsto su obligación de contabilizar y de declarar circunstancias que afectan al cálculo del IVA con una multa igual al importe de la cuota tributaria no satisfecha en dicho plazo (es decir, con una multa del 100 por 100 de dicha cuota), aun cuando se haya regularizado posteriormente y fuera de plazo el incumplimiento y se haya abonado la totalidad de la cuota adeudada, más los intereses correspondientes. La cuantía de esa sanción no era fija, sino progresiva, mediante un porcentaje creciente en función del retraso con que el contribuyente efectúe esa regularización (25 por 100 en caso de retraso de hasta un mes y 100 por 100 para demoras superiores).

La Corte admite que una sanción variable como esta puede incitar a los sujetos pasivos a regularizar la deuda tributaria lo antes posible, logrando así el objetivo de garantizar la correcta recaudación del impuesto, pero lo hace formulando al mismo tiempo una advertencia importante: "el pago con retraso del IVA no puede, *per se*, equipararse a un fraude". Con estas indicaciones, se remite al juez nacional la apreciación de si la sanción va más allá de lo necesario para garantizar la recaudación exacta del impuesto y prevenir el fraude, teniendo en cuenta las circunstancias del caso, de manera especial el plazo en que se ha rectificado la irregularidad, su gravedad y la existencia o no de fraude o elusión de la normativa aplicable imputable al sujeto pasivo.

2.3.2. Sentencia de 26 de abril de 2017, asunto C-564/15, *Farkas*

Este segundo precedente tiene su origen en una cuestión prejudicial sobre la posible vulneración del principio de proporcionalidad a causa de la normativa nacional del IVA de Hungría, que prevé la imposición de una sanción del 50 por 100 de la cuota no satisfecha por el adquirente de un bien, obligado al pago en calidad de sujeto pasivo por inversión, a pesar de que el impuesto devengado en la transmisión ha sido repercutido e ingresado íntegramente por el transmitente. Como puede apreciarse, en este supuesto la Administración tributaria magiar no había sufrido pérdida de recaudación fiscal ni tampoco existían indicios de fraude fiscal, ya que la irregularidad cometida consistía simplemente en una incorrecta aplicación de las reglas sobre la determinación del sujeto pasivo.

El TJUE vuelve a estimar que esta sanción resulta adecuada para inducir a los sujetos pasivos a regularizar lo antes posible las situaciones en que la cantidad ingresada sea inferior a la adeudada. En gran medida ello es debido a que en su regulación se prevé tanto un porcentaje incrementado de multa (200 por 100) como, sobre todo, una posible reducción de dicho porcentaje o incluso su condonación, de oficio o a instancia de parte, cuando concurran circunstancias excepcionales que permitan deducir que el sujeto pasivo (o su representante) ha actuado con el discernimiento o diligencia que cabía esperar de él. Tal reducción se vincula a una ponderación de las características de cada caso y, en particular, a los tres elementos siguientes: el importe de la deuda, las circunstancias de su nacimiento y gravedad y la frecuencia de la conducta ilícita.

En términos generales la Sentencia *Farkas* da por buena esa forma de determinación de la sanción, con aplicación de una posible reducción o condonación, desde el prisma del principio de proporcionalidad. Y aunque remite la valoración del caso concreto enjuiciado al órgano jurisdiccional que elevó la cuestión prejudicial, deja entrever que aplicar en él una multa del 50 por 100 de la cuota de IVA aplicable a la operación parece desproporcionado, dado que se trata de simple error de naturaleza administrativa sobre la aplicación del mecanismo del IVA (en concreto, sobre la regla de la inversión del sujeto pasivo), sin que la Hacienda Pública haya sufrido pérdida de ingresos ni existan indicios de fraude.

2.3.3. Sentencia de 8 de mayo de 2019, asunto C-712/17, *EN.SA*

Este pronunciamiento deriva de en una cuestión prejudicial acerca de la conformidad con los principios del Derecho de la UE en materia de IVA de varios aspectos de la legislación italiana, entre ellos la imposición de una sanción por la deducción ilegal de cuotas por parte de un sujeto con una multa igual al importe de la deducción efectuada.

En su análisis de la naturaleza y la gravedad de la infracción y del método para la fijación del importe de la sanción la Corte hace hincapié en el hecho de que esa multa no se calcule en función de la deuda tributaria del sujeto pasivo (es decir, atendiendo a la diferencia entre el impuesto debido por los bienes y servicios que vayan a ser entregados o prestados y el impuesto deducible correspondiente a los bienes y servicios que se adquirieron o recibieron), sino que equivalga simplemente al importe del impuesto deducido de modo indebido.

Pues bien, en el caso de autos el sujeto pasivo había comprado y vendido ficticiamente las mismas cantidades de electricidad y al mismo precio, por lo que al no existir valor añadido su deuda tributaria por dichas operaciones era igual a cero. Por este motivo, la conclusión a la que llegó el Tribunal era bastante predecible a la luz de su doctrina sobre el principio de proporcionalidad: "En esta situación, una multa igual al 100 % de la deducción indebida del impuesto soportado, impuesta sin tener en cuenta que se había pagado correctamente con posterioridad un mismo importe de IVA y que, como consecuencia, la Hacienda Pública no había registrado pérdida alguna de ingresos tributarios, constituye una sanción desproporcionada respecto del objetivo que persigue".

2.3.4. Sentencia de 15 de abril de 2021, asunto C-935/19, *Grupa Warzywna*

El último pronunciamiento a que nos referiremos enjuicia la normativa de un Estado miembro (Polonia) que castiga a un sujeto pasivo que ha calificado erróneamente una operación exenta de IVA como operación sujeta y no exenta con una sanción del 20 por 100 del importe de la sobrevaloración de la devolución de IVA indebidamente reclamada. Al no distinguir en atención a las causas del incumplimiento de la obligación de pago del impuesto, esta norma sancionadora era de aplicación incluso cuando la irregularidad derivase de un error de apreciación por las partes de la operación respecto a la sujeción al IVA, sin que hubiera realmente indicios de fraude ni pérdida de ingresos para la Hacienda Pública.

Aunque el sujeto pasivo rectificó su autoliquidación en el importe de la cuota indebidamente consignada, la Administración le impuso una sanción del 20 por 100 del exceso de devolución solicitado. Para la Corte de Luxemburgo este castigo resulta contrario al principio de proporcionalidad. Considera atendida la primera de las dos variables que es preciso evaluar al efectuar el test de proporcionalidad (la naturaleza y gravedad de la infracción), puesto que la norma incita a los sujetos pasivos a presentar sus declaraciones fiscales con exactitud y rigor y a regularizar posibles irregularidades lo antes posible. En cambio, concluye que incumple la segunda variable de esa prueba, relativa al método de determinación de la cuantía de la sanción, dado que esta se calcula mediante un porcentaje fijo que "no puede reducirse en función de las circunstancias concretas del caso, salvo en el supuesto de que la irregularidad resulte de errores menores". Se configura, en suma, como una sanción que "aplicada automáticamente, no permite a las autoridades tributarias individualizar la sanción impuesta, con el fin de garantizar que esta no va más allá de los necesario para alcanzar los objetivos consistentes en garantizar la correcta recaudación del impuesto y prevenir el fraude".

3. VALORACIÓN DE DOS SUPUESTOS DE SANCIONES TRIBUTARIAS DE NUESTRO DERECHO INTERNO APLICABLES AL IVA A LA LUZ DE LA DOCTRINA DEL TJUE

Una vez expuesta la doctrina del TJUE sobre el principio de proporcionalidad y las sanciones por incumplimiento de obligaciones materiales o formales en tributos sujetos a disposiciones de armonización de la Unión Europea, para cerrar este trabajo vamos a analizar en qué medida puede entrar en contradicción con dos supuestos de sanciones tributarias que nuestra LGT regula en sus artículos 191.6 y 203.6.b).1.º con carácter general, pero que precisamente hallan en el IVA uno de los tributos de más frecuente aplicación. Concurre, además, la circunstancia singular de que se trata de dos normas sobre las que han recaído en fechas recientes varios pronunciamientos del Tribunal Supremo y del Tribunal Constitucional descartando que exista colisión con este principio.

3.1. Sanción por la falta de ingreso en plazo de cuotas regularizadas de forma encubierta en una autoliquidación correspondiente a otro periodo de liquidación

El artículo 191.6 de la LGT tipifica como infracción tributaria la falta de ingreso en plazo de tributos o pagos a cuenta que hubieran sido incluidos o regularizados por el obligado tributario en una autoliquidación presentada de modo extemporáneo, pero sin cumplir los requisitos exigidos para la aplicación de los recargos por declaración fuera de plazo sin requerimiento previo del artículo 27.4.

Ese comportamiento se halla a medio camino entre dos conductas. Por un lado, se separa de la infracción tributaria tradicional por dejar de ingresar la totalidad o parte de la deuda tributaria que debiera resultar de la correcta autoliquidación de un tributo[19], regulada en el artículo 191.1 de la LGT y que presupone la inexistencia de regularización por parte del obligado tributario. Por otro lado, se diferencia también de la regularización voluntaria explícita o propia prevista en ese artículo 27 de la LGT, materializada en una autoliquidación presentada por el sujeto pasivo de forma tardía y espontánea y que origina el devengo de un recargo como obligación accesoria. La conducta típica se define como la ausencia de pago en plazo de cuotas tributarias que inicialmente no fueron declaradas,

---

[19]　Para SIMÓN ACOSTA, E., "La potestad sancionadora", en R. CALVO ORTEGA (Dir.) y J. M. TEJERIZO LÓPEZ (Coord.), *Comentarios a la Ley General Tributaria*, 2.ª ed., Civitas, 2009, pág. 880, se trata de una infracción leve "por conversión o disminución de la gravedad de la infracción inicialmente cometida", al producirse "una regularización incompleta de la infracción grave o muy grave cometida". LAMOCA PÉREZ, C., *Infracciones y sanciones tributarias*, Centro de Estudios Financieros, Madrid, 2005, pág. 292, la califica como un tipo específico y distinto del general, pues la conducta prevista es "ingresar voluntariamente bajo la apariencia formal de un ingreso correspondiente a un período que no le corresponde".

pero que con posterioridad son incluidas o regularizadas por el obligado tributario en otra autoliquidación, aunque sin cumplir el requisito formal de identificación expresa del periodo de liquidación al que se supedita la aplicación de los recargos por declaración espontánea y fuera de plazo. Tal anomalía provoca que no se borre por completo la antijuridicidad de una conducta que podemos caracterizar como regularización encubierta, tácita (calificativo usado en algunas Sentencias del Tribunal Supremo), implícita o impropia.

Este tipo infractor, calificado como leve, es sancionado con una multa pecuniaria proporcional del 50 por 100 de la cuantía no ingresada en plazo como consecuencia de no reflejar las cuotas tributarias en la autoliquidación que correspondía y de diferirlas a otra de un periodo posterior. No cabe ningún tipo de excepción o modulación de ese porcentaje (a la baja o al alza) atendiendo a elementos como la extensión del retraso, la cuantía del perjuicio económico causado a la Hacienda Pública o el grado de intencionalidad del sujeto infractor[20].

El IVA es, junto con los pagos a cuenta periódicos propios de la imposición sobre la renta, el tributo más propicio para la comisión de esta infracción. Así acontecerá cuando un sujeto pasivo deje de incluir cuotas devengadas y repercutidas a sus clientes en la autoliquidación correspondiente a un periodo de liquidación determinado (por ejemplo, del trimestre 1 del ejercicio X), trasladando esas cuotas no a una autoliquidación complementaria de ese mismo periodo que pudiera presentarse espontáneamente más tarde, con el consiguiente devengo de un recargo del artículo 27 de la LGT, sino a la autoliquidación de otro periodo posterior (por ejemplo, del trimestre 4 del mismo ejercicio X o del trimestre 1 o 2 del siguiente ejercicio Y).

Por ello, no es casualidad que haya sido en este impuesto indirecto donde se haya suscitado en sede judicial la posible contradicción entre esa sanción y el principio de proporcionalidad. Tras agotar las diversas instancias administrativas y judiciales, en febrero de 2021 el asunto acabó residenciándose ante el Tribunal Supremo, que admitió hasta cinco recursos por apreciar que había una cuestión de interés casacional objetivo para la formación de jurisprudencia[21]. Esos recursos de casación han sido resueltos por las Sentencias n.º 1227/2021, de 13 de octubre, 1266/2021, de 26 de octubre, 848/2022, de 29 de junio, 849/2022, de 29 de junio, y 1394/2022, de 31 de octubre, que no han apreciado que exista ninguna colisión con el principio de proporcionalidad. Los cinco pronunciamientos

---

[20]   Esta infracción "será siempre leve, cualquiera que sean las circunstancias que concurran en la conducta del sujeto infractor" (artículo 3.1 del Reglamento general del régimen sancionador tributario, aprobado por el Real Decreto 2063/2004, de 15 de octubre).

[21]   Autos de admisión n.º 1293/2021, de 11 de febrero (recurso de casación n.º 4746/2020), 4601/2021, de 24 de marzo (recurso de casación n.º 3691/2020), 16026/2021, de 1 de diciembre (recurso de casación n.º 5527/2020), 16135/2021, de 1 de diciembre (recurso de casación n.º 3617/2020) y 2646/2022, de 23 de febrero (recurso de casación n.º 5208/2021).

siguen al pie de la letra la línea marcada por la Sentencia 1227/2001[22], donde se fija la doctrina siguiente:

> "Ni el derecho de la Unión Europea –en particular, la normativa del IVA y los principios de neutralidad y proporcionalidad– ni los principios constitucionales que rigen el ejercicio de la potestad sancionadora en el ámbito tributario, quedan vulnerados por la posibilidad de la imposición de una sanción, la tipificada en el artículo 191.6 LGT , que castiga el diferimiento de la declaración de la cuota del IVA devengada y repercutida a un trimestre posterior, con inobservancia de los requisitos exigidos en el artículo 27.4 LGT , aunque el efecto de la aplicación de la norma sancionadora supone una multa por importe superior a lo que debería abonar el contribuyente por el recargo por declaración extemporánea sin requerimiento previo cuando, como es el caso, no resulta posible la aplicación de dicho recargo, por voluntad propia del sujeto pasivo, que no se ha ceñido a las exigencias legales."

No es objeto de este trabajo el análisis en clave de Derecho interno que lleva a cabo el Tribunal Supremo para confirmar la adecuación de la sanción de la infracción del artículo 191.6 de la LGT al principio de proporcionalidad. A pesar de las opiniones negativas manifestadas por un sector de la doctrina académica[23], el Alto Tribunal ha operado en este punto muy condicionado por el precedente de los Autos del Tribunal Constitucional 20/2015, de 3 de febrero, y 111/2015, de 23 de junio, que no apreciaron conflicto con ese principio.

Nuestro interés queda acotado a la perspectiva europea, puesto que la falta de adecuación al Derecho de la UE fue el argumento determinante que llevó a las cinco Sentencias de la Sala de lo Contencioso-Administrativo del Tribunal Superior de Justicia de Andalucía, recurridas en casación, a rechazar la validez de la sanción impuesta por la Administración tributaria a sujetos pasivos que habían regularizado encubiertamente cuotas de IVA en periodos de liquidación posteriores[24], al juzgarla desproporcionada en el ámbito del sistema común del IVA como tributo armonizado.

En las Sentencias del Tribunal Supremo n.º 1227/2021 y concordantes se invocan tres de los fallos del TJUE a que hicimos alusión en el apartado 2.3 respecto de sanciones previstas en la normativa nacional del IVA de otros Estados miembros. Se trata de las Sentencias de 20 de junio de 2013, asunto C-259/12, *Rodopi-M91*, de 26 de abril de 2017, asunto C-564/15, *Farkas*, y de 15 de abril de

---

[22]   De la Sentencia 1227/2021 es ponente el Magistrado F. J. Navarro Sanchís.

[23]   Véase Pedreira Menéndez, J., "Infracciones y sanciones tributarias", en C. Palao Taboada (Coord.), *Comentario sistemático a la nueva Ley General Tributaria*, Centro de Estudios Financieros, Madrid, 2004, págs. 554-555, y Sánchez López, M. E., "Artículo 191", en Garberí Llobregat, J. (Dir.), *Procedimiento sancionador, infracciones y sanciones tributarias*, t. I, Tirant lo Blanch, 2005, pág. 654.

[24]   Sentencias de la Sección Cuarta del Tribunal Superior de Justicia de Andalucía, sede de Sevilla, n.º 418/2020, de 7 de febrero (recurso n.º 526/2018), 582/2020, de 25 de febrero (recurso n.º 448/2018), 592/2020, de 27 de febrero (recurso n.º 142/2018), 393/2021, de 24 de febrero (recurso n.º 805/2019) y 892/2021, de 14 de mayo (recurso n.º 812/2019).

2021, asunto C-935/19, *Grupa Warzywna*, que se han tomado por la Sala Tercera como parámetro de contraste para dictaminar sobre la adecuación al principio de proporcionalidad de la sanción prevista para la regularización encubierta en nuestra LGT.

¿Cuál de estos precedentes guarda una mayor analogía con la infracción por regularización encubierta de las cuotas de IVA regulada en nuestro Derecho interno? Las Sentencias del Tribunal Superior de Justicia de Andalucía recurridas en casación aplicaron la doctrina emanada de Sentencia *Farkas* como fundamento directo de la anulación de la sanción por resultar desproporcionada. Sin embargo, para el Tribunal Supremo la situación examinada en ese litigio es distinta de la conducta penalizada en el artículo 191.6 de la LGT, pues no existía perjuicio económico para la Hacienda Pública (la deuda tributaria había sido indebidamente satisfecha por el transmitente, pese a ser el adquirente el sujeto pasivo por inversión) y se trataba, por tanto, de un incumplimiento más formal que material.

Como alternativa, el Tribunal Supremo vuelve la mirada hacia la Sentencia *Rodopi*, que estima de mayor similitud en los hechos, por cuanto la conducta que dio lugar a la sanción en ella discutida (indebida deducción por el sujeto pasivo de cuotas del IVA soportadas en la adquisición de bienes y servicios) sí ocasionaba un perjuicio económico para la Hacienda Pública. Después de una extensa transcripción literal de sus fundamentos de Derecho concluye que la sanción proporcional del 50 por 100 del artículo 191.6 de la LGT no va más allá de lo indispensable para lograr los objetivos de asegurar la recaudación del impuesto y la prevención del fraude, ya que consiste justamente en la mitad del límite máximo (100 por 100) de la sanción validada en este pronunciamiento.

En nuestra opinión, el examen de la doctrina del TJUE que lleva a cabo el Tribunal Supremo se queda en la superficie y presenta varias insuficiencias y contradicciones. Para empezar, obvia que la sanción tributaria examinada en esa Sentencia *Rodopi* no era una multa de porcentaje fijo (como sucede con la multa del artículo 191.6 de la LGT), sino variable dependiendo del retraso con que se produzca la regulación de la indebida deducción de cuotas del IVA (al igual que en los recargos del artículo 27 de la LGT).

Además, parece ignorar las prevenciones que el Tribunal de Luxemburgo formula en ese mismo pronunciamiento respecto de la improcedencia de una asimilación automática entre pago con retraso del IVA y fraude y de la necesidad de tomar en consideración las circunstancias de cada caso al graduar la sanción, en particular la demora en rectificar la irregularidad, la gravedad de la misma y la posible existencia de una conducta defraudatoria o elusoria.

En tercer lugar, el Tribunal Supremo pasa también por alto el llamamiento que la Sentencia *Farkas* realiza a adoptar métodos de determinación de la cuantía de la sanción en los que esta venga modulada en función de los elementos que concurran en cada supuesto y, de modo especial, en atención al importe de la deuda tributaria y la gravedad y la frecuencia del comportamiento ilícito del sujeto pasivo.

Finalmente, aunque el Tribunal Supremo menciona brevemente la Sentencia *Grupa Warzywna*, considera que sus orientaciones no son directamente aplicables al caso objeto de los recursos de casación. Y esta decisión, que no aparece bien justificada, le impide extrapolar a la sanción del 50 por 100 por regularización encubierta el rechazo que en este pronunciamiento del TJUE se expresa a la determinación de la sanción mediante un porcentaje fijo, por lo que ello implica de automatismo, sin posibilidad de modulación atendiendo a las circunstancias concretas del caso. A nuestro modo de ver, la sanción de esa infracción tributaria incurre justamente en esa deficiencia, al no permitir ningún tipo de individualización del castigo.

A nuestro juicio, el artículo 191.6 de la LGT es una norma alejada en buena medida de las directrices señaladas por el TJUE respecto del principio de proporcionalidad como límite a la competencia de los Estados miembros para establecer sanciones en un tributo armonizado como el IVA. El tratamiento de esta infracción por regularización tácita o encubierta es un buen ejemplo del desfase del régimen sancionador de la LGT ante la fuerza expansiva que ha adquirido este principio general del Derecho de la UE, de la mano de los pronunciamientos más recientes de la Corte de Luxemburgo. Este tipo infractor, cuyo régimen no ha experimentado ninguna variación desde 2003, refleja la propensión de la LGT a castigar mediante multas de cuantía predeterminada o de porcentaje fijo, sin emplear criterios de graduación o dosimetría punitiva. En aquel momento nuestro legislador no tuvo en cuenta una doctrina jurisprudencial que aún era incipiente, pero que en años posteriores ha ido asentando una exigencia de adecuación de la sanción a las circunstancias específicas de cada caso, evitando métodos de determinación de la cuantía de la multa automáticos y sin posibilidad de individualización. A nuestro juicio, en las Sentencias 1227/2021 y concordantes el Tribunal Supremo ha entablado un inevitable diálogo con la doctrina del TJUE, pero desgraciadamente no ha pasado de un diálogo a medias, sin extraer de dicha doctrina las consecuencias que hubieran sido deseables.

3.2. Sanción por resistencia, obstrucción, excusa o negativa a las actuaciones de la Administración tributaria por parte de una persona o entidad que desarrolle una actividad económica y esté siendo objeto de un procedimiento de inspección

La segunda sanción tributaria con virtualidad en la aplicación del IVA cuya compatibilidad con el principio de proporcionalidad ha sido puesta entredicho en fechas recientes se regula en el artículo 203 de la LGT, que tipifica una infracción tributaria grave por resistencia, obstrucción, excusa o negativa a las actuaciones de la Administración tributaria, que se produce cuando el sujeto infractor "debidamente notificado al efecto" haya realizado actuaciones tendentes a dilatar, entorpecer o impedir tales actuaciones en orden al control del correcto cumplimiento de sus obligaciones. Aunque la conducta ilícita se define de modo abierto y genérico, el apartado 1 de este precepto recoge un listado no exhaustivo que incluye hasta cinco variantes concretas:

a) No facilitar el examen de documentos, informes, antecedentes, libros, registros, ficheros, facturas, justificantes y asientos de contabilidad principal o auxiliar, programas y archivos informáticos, sistemas operativos y de control y cualquier otro dato con trascendencia tributaria.

b) No atender algún requerimiento debidamente notificado.

c) La incomparecencia, salvo causa justificada, en el lugar y tiempo que se hubiera señalado.

d) Negar o impedir indebidamente la entrada o permanencia en fincas o locales a los funcionarios de la Administración tributaria o el reconocimiento de locales, máquinas, instalaciones y explotaciones relacionados con las obligaciones tributarias.

e) Las coacciones a los funcionarios de la Administración tributaria.

Como resultado de la modificación efectuada en el artículo 203 por la Ley 7/2012, de 29 de octubre[25], se ha añadido un tipo cualificado (en razón del tipo de información o datos afectados) para castigar con mayor rigor (la exposición de motivos de ese texto legal se refería a una mejora de su efecto disuasorio) esta falta de colaboración con la Administración tributaria cuando afecta a las variantes indicadas en las letras a) a d) y se produce en el curso de un procedimiento de inspección tributaria. De conformidad con el apartado 6.b), si las acciones u omisiones que entorpecen las actuaciones administrativas las llevan cabo personas o entidades que desarrollen actividades económicas habrá que atender diversas reglas de cuantificación de la sanción. La primera de ellas, que es la que aquí nos interesa, dice así:

> "1.º Si la infracción se refiere a la aportación o al examen de libros de contabilidad, registros fiscales, ficheros, programas, sistemas operativos y de control o consista en el incumplimiento del deber de facilitar la entrada o permanencia en fincas y locales o el reconocimiento de elementos o instalaciones, consistirá en multa pecuniaria proporcional del 2 por ciento de la cifra de negocios correspondiente al último ejercicio cuyo plazo de declaración hubiese finalizado en el momento de comisión de la infracción, con un mínimo de 20.000 euros y un máximo de 600.000 euros."

---

[25]   Artículo 1, apartado doce, de la Ley 7/2012, de 29 de octubre, de modificación de la normativa tributaria y presupuestaria y de adecuación de la normativa financiera para la intensificación de las actuaciones en la prevención y lucha contra el fraude.

Las conductas infractoras que se describen en el párrafo transcrito son un reflejo directo de las facultades que el artículo 142 de la propia LGT atribuye a la inspección tributaria en sus apartados 1 (examen de documentos, libros, contabilidad principal y auxiliar, ficheros, facturas, justificantes, correspondencia con transcendencia tributaria, bases de datos informatizadas, programas, registros y archivos informáticos relativos a actividades económicas; inspección de bienes, elementos o explotaciones) y 2 (entrada en fincas, locales de negocio y demás establecimientos o lugares en que se desarrollen actividades o explotaciones sometidas a gravamen). Como es lógico, son comportamientos del obligado tributario que pueden darse en el curso de un procedimiento inspector que tenga por objeto el IVA.

La multa con que se castiga al empresario o profesional que incurra en este tipo de incumplimientos formales se cuantifica aplicando un porcentaje fijo (2 por 100) sobre la cifra de negocios (volumen de ventas), marcándose una límite mínimo y máximo de 20.000 y 600.000 euros, respectivamente. Este segundo tope implica que para una persona o entidad con cifra de negocios superior a 30 millones de euros la sanción ascenderá en todo caso a ese importe de 600.000 euros, salvo que resulte de aplicación la reducción del 50 por 100 prevista en el párrafo final del artículo 203.6 por cumplimiento tardío del requerimiento administrativo antes de la finalización del procedimiento sancionador o, si es anterior, de la finalización del trámite de audiencia del procedimiento de inspección.

En general, la doctrina académica ya había mostrado desde hace tiempo sus recelos sobre la proporcionalidad de las sanciones previstas en el artículo 203 de la LGT[26]. Pero la singular forma de sancionar estos supuestos específicos, en función de una magnitud que no guarda una relación directa e inmediata con el tipo infractor, acrecentó esas dudas sobre una posible incompatibilidad con ese principio de la potestad sancionadora. Ello llevó al Tribunal Supremo a elevar, mediante Auto de 25 de febrero de 2021[27], una cuestión de inconstitucionalidad contra la norma, por posible oposición a los artículos 25.1, en relación con los artículos 1.1 y 9.3, de la Constitución Española, aduciendo el carácter excesivamente aflictivo de la sanción y su fijación taxativa por la propia ley. En síntesis, los argumentos básicos que le impulsaron a dar este paso fueron el hecho de que se tratase del castigo por una infracción de obligaciones formales, la desproporción que podía apreciarse mediante la comparación de esta sanción con el importe de deuda tributaria, con la sanción por incumplir la obligación tributaria principal o con otras sanciones fijadas por la propia LGT, la ausencia de graduación o modulación de la sanción pese a ser un tipo abierto y, por último, la consideración

---

[26]   Aníbarro Pérez, S. y Sesma Sánchez, B., *Infracciones y sanciones tributarias*, Lex Nova, Valladolid, 2005, pág. 191.
[27]   Recurso de casación n.º 1481/2019.

exclusiva de la cifra de negocios como criterio de cuantificación, sin atender a la gravedad del daño causado ni proceder a una ponderación de la culpabilidad del sujeto.

En la Sentencia 74/2022, de 14 de junio, el Tribunal Constitucional ha desestimado la cuestión de inconstitucionalidad, descartando que el artículo 203.6.b).1.º de la LGT incurra en desproporción contraria al artículo 25 de nuestra norma fundamental. Aunque la Sentencia cuenta con un extenso e interesante voto particular de dos magistrados que disienten claramente del fallo, el Pleno ha dado por bueno que el legislador ha atendido al desvalor de la conducta y al reproche que merece el infractor por el incumplimiento intencionado de una obligación tributaria de naturaleza formal, formulando la siguiente conclusión:

> "A pesar de la severidad de la sanción legalmente prevista, no se observa la concurrencia de un desequilibrio patente y excesivo o irrazonable entre la sanción y la finalidad de la norma, ni cabe apreciar tampoco incoherencia o exceso en relación con la sistemática de la propia Ley general tributaria. La forma de cálculo de la sanción no puede calificarse como irrazonable y, además, se establecen determinados elementos correctores de la multa resultante, al fijarse un tope legal máximo a su cuantía y al permitir su minoración en caso de colaboración voluntaria del infractor antes de la culminación del procedimiento administrativo. No concurren, por lo tanto, tachas similares a las apreciadas por la STJUE de 27 de enero de 2022 respecto del ya referido «modelo 720»."

Sin entrar en los pormenores de los fundamentos jurídicos 3.º a 5.º de esta Sentencia, es importante poner de relieve que la argumentación desarrollada en ellos comienza, después de un recordatorio de la doctrina previa del propio Tribunal Constitucional, con un breve repaso de la doctrina del Tribunal Europeo de Derechos Humanos y del TJUE, cuyos criterios hermenéuticos vinculan en materia de derechos fundamentales en virtud del artículo 10.2 de la Constitución. Concretamente, en el fundamento 3.B), letra c), se invocan varias de las Sentencias del Tribunal de Luxemburgo (*Euro-Team, Link Logistik N&N, Farkas y Grupa Warzywna*) que, según hemos visto en páginas precedentes, insisten en que el preceptivo equilibrio entre la gravedad de la infracción y la intensidad de las consecuencias sancionadoras ha de valorarse atendiendo a la naturaleza y gravedad de la conducta penalizada y al método para determinar la cuantía de la sanción; o que exigen, asimismo, que no se imponga la misma consecuencia sancionadora a infracciones de desigual gravedad y que se tomen en consideración las circunstancias individuales de cada caso concreto. Esta síntesis jurisprudencial concluye con una apelación directa a la ya también citada Sentencia de 27 de enero de 2022, asunto C-788/19, sobre la obligación de informar sobre elementos patrimoniales localizados en el extranjero (modelo 720), cuyos criterios interpretativos el Tribunal Constitucional considera relevantes porque, aun existiendo diferencias relevantes entre los tipos infractores y la severidad de las sanciones, tienen el denominador común de ser disposiciones sancionadoras ligadas al incumplimiento de obligaciones tributarias de carácter formal.

Pues bien, al igual que vimos antes con la interpretación defendida por el Tribunal Supremo respecto de la sanción por regularización impropia del artículo 191.6 de la LGT, de nuevo la visión del principio de proporcionalidad que asume el Tribunal Constitucional no parece discurrir en plena sintonía con la que defiende el Tribunal de Justicia de la UE.

Esta discordancia no se aprecia con relación la supuesta ausencia total de graduación de la sanción en atención a las circunstancias del caso. Como bien argumenta el Tribunal Constitucional en el fundamento jurídico 4.º, está prevista una reducción de la sanción en determinados casos y, sobre todo, se trata de una sanción taxativamente definida y asociada a "un tipo infractor definido de manera restrictiva y cerrada, en tanto que en su descripción se incorporan varios elementos atinentes a la entidad de la conducta infractora y a la lesión del bien jurídico protegido que delimitan de manera estricta los supuestos en que procede la imposición de la correspondiente sanción". Esta afirmación resulta coherente con la jurisprudencia constitucional previa, en el sentido de que la inexistencia de margen de adaptación de la cuantía de la sanción o su atribución limitada al aplicador de la norma no resulta *per se* contrario al principio de proporcionalidad, siempre que la sanción no se vincule a tipos o descripciones muy abiertas de las conductas infractoras.

Por el contrario, los criterios que maneja el Tribunal Constitucional en el fundamento jurídico 5.º para desestimar que la sanción controvertida sea excesiva y tenga un carácter desmesurada e injustificadamente represivo y concluir, en consecuencia, que no existe derroche de coacción no parecen, en nuestra opinión, plenamente homologables a los que aplica el TJUE.

En orden a delimitar la naturaleza y gravedad de la infracción y a la forma de cálculo de la sanción, la Sentencia 74/2022 identifica el bien jurídico protegido como la salvaguarda de la eficacia de la actuación de la inspección tributaria, conectada con el mandato de lucha contra el fraude fiscal que hace derivar del artículo 31.1 del texto constitucional. Bajo esta premisa, el Tribunal Constitucional desliza varias afirmaciones que, a nuestro modo de ver, se alejan de los postulados básicos que señala la Corte de Luxemburgo.

En primer lugar, estima que no choca con el principio de proporcionalidad la decisión del legislador de atribuir un fuerte desvalor al incumplimiento de una obligación tributaria formal, como lo es la de facilitar la práctica de inspecciones y comprobaciones administrativas (artículo 29.2.g de la LGT), aun cuando "ello puedo resultar en sanciones más elevadas que el importe de las obligaciones materiales en su caso incumplidas o que el importe de las sanciones asociadas a su incumplimiento". Sin embargo, creemos que ambas equiparaciones y, en especial, la asimilación del incumplimiento de los dos tipos de obligaciones (materiales o de dar y formales o de hacer) carece de justificación, teniendo en cuenta el fin último (fiscal o contributivo) del sistema tributario y, sobre todo, el carácter instrumental de las obligaciones formales para el buen fin de las obligaciones materiales de pago[28]. Lo instrumental no ha de debe ser nunca considerado tanto o más importante que lo principal.

En segundo término, el Tribunal defiende que la infracción por resistencia, obstrucción, excusa o negativa a las actuaciones de la Administración tributaria presenta diferencias relevantes respecto de otros incumplimientos de obligaciones formales tipificados en los artículos 198 a 201 de la LGT. Pero lo hace sin ofrecer una mínima explicación acerca de cuáles son esas diferentes, que no percibimos en modo alguno como algo tan evidente e incontrovertido. Por ejemplo, incumplir las obligaciones contables y registrales, conducta contemplada en el artículo 200, puede ser tanto o más relevante y peligroso para los intereses de la Hacienda Pública en el supuesto de obligados tributarios que desarrollan una actividad empresarial o profesional sujeta al IVA.

Por último, respeto de la magnitud adoptada como parámetro de referencia para calcular la sanción (la cifra de negocios del sujeto infractor en el último ejercicio cuyo plazo de declaración hubiera concluido en el momento de comisión de la infracción) y su tope máximo (600.000 euros) el Tribunal insiste en que "no cabe derivar del art. 25.1 CE una exigencia general de que las infracciones tributarias referidas al incumplimiento de obligaciones «formales» (art. 29 LGT) sean sancionadas tomando como criterio de referencia el importe de las obligaciones materiales que, en su caso, hubieran resultado infringidas de manera conexa". De nuevo se da por bueno que el castigo por el incumplimiento de obligaciones formales pueda ser más aflictivo que el de obligaciones materiales, planteamiento con el que ya hemos mostrado nuestro desacuerdo[29]. Por otro lado, resulta innegable que fijar un tope máximo para la sanción puede aliviar el componente represivo de la misma, pero impide que se afine en atención a las circunstancias individuales de cada caso concreto; por ejemplo, la sanción será idéntica para una empresa con un volumen de facturación de 30 millones de euros que para otra que rebase ligera o ampliamente ese umbral.

---

[28]   BANACLOCHE PALAO, C., "El principio de proporcionalidad tributario: inconstitucionalidad de la sanción del art. 203.6.b) 1º LGT", *Tributos Locales*, n.º 152, 2021, pág. 89.

[29]   Tampoco comparte el Tribunal Constitucional la postura de un sector doctrinal (ANÍBARRO PÉREZ, S. y SESMA SÁNCHEZ, B., *Infracciones y sanciones tributarias*, op. cit., pág. 191) que critica la incoherencia entre la elección de ese parámetro como base de la sanción y la naturaleza de la obligación infringida, al mantener que la cifra de negocios "se encuentra relacionada con el volumen de la contabilidad no facilitada a la inspección tributaria –volumen que, a su vez, puede entenderse como expresivo de la complejidad del correspondiente procedimiento de inspección tributaria y, con ello, del perjuicio infligido a la eficacia de la actuación inspectora–".

4. CONCLUSIÓN

En un tributo armonizado en el seno de la UE como el IVA la protección que debe brindar el principio de proporcionalidad a los obligados tributarios como límite al ejercicio de la potestad sancionadora de la Administración tributaria despliega sus efectos a un doble nivel: como principio general del Derecho de la UE y como principio constitucional del ordenamiento interno.

Esta dualidad comporta que los criterios de interpretación desarrollados, en sus respectivos ámbitos, por el Tribunal de Justicia de la UE y por nuestros Tribunales internos deberían estar plenamente acompasados y acomodarse también, claro está, a la doctrina del Tribunal Europeo de Derechos Humanos (que no ha sido objeto de este estudio). Dicho con otras palabras, los aspectos a evaluar (naturaleza y gravedad de la infracción, método de cuantificación de la sanción, valoración de las circunstancias del caso, existencia o no de indicios de fraude, etc.) para determinar si una sanción por el incumplimiento de obligaciones materiales o formales del IVA resulta o no desproporcionada en orden a lograr los objetivos previstos en el artículo 273 de la Directiva 2006/112/CE (garantizar la correcta recaudación del IVA y prevenir el fraude) deberían ser homogéneos en ambas esferas judiciales europea e interna. Para que ello sea así resulta imprescindible un diálogo permanente y fluido entre nuestros Tribunales y la Corte de Luxemburgo, al servicio del cual la cuestión prejudicial se erige en una herramienta fundamental dada la primacía del ordenamiento de la UE.

Las recientes Sentencias del Tribunal Supremo y del Tribunal Constitucional sobre la proporcionalidad de las sanciones establecidas para reprimir las infracciones tipificadas en los artículos 191.6 (regularización encubierta de cuotas tributarias) y 203.6 (resistencia, obstrucción, excusa o negativa a las actuaciones de la inspección de los tributos) de la LGT son un claro exponente de que queda un largo camino por andar para perfeccionar ese diálogo judicial, que no puede limitarse a una invocación meramente retórica de pronunciamientos. A nuestro modo de ver, esos pronunciamientos internos han validado sendos regímenes sancionadores que no resulta descartable que hubieran merecido una evaluación bastante menos favorable en su aplicación al IVA por parte del TJUE de haberle sido planteada la cuestión.

BIBLIOGRAFÍA

Aníbarro Pérez, S. y Sesma Sánchez, B., *Infracciones y sanciones tributarias*, Lex Nova, Valladolid, 2005.

Banacloche Palao, C., "El principio de proporcionalidad tributario: inconstitucionalidad de la sanción del art. 203.6.b) 1º LGT", *Tributos Locales*, n.º 152, 2021.

Garberí Llobregat, J., Buitrón Ramírez, G., *El procedimiento administrativo sancionador*, 7.ª ed., Tirant lo Blanch, Valencia, 2021.

Lamoca Pérez, C., *Infracciones y sanciones tributarias*, Centro de Estudios Financieros, Madrid, 2005.

Pedreira Menéndez, J., "Infracciones y sanciones tributarias", en C. Palao Taboada (Coord.), *Comentario sistemático a la nueva Ley General Tributaria*, Centro de Estudios Financieros, Madrid, 2004.

Ramírez Gómez, S., "Principios constitucionales que rigen la potestad sancionadora tributaria", en *Derecho financiero constitucional. Estudios en Memoria del Profesor Jaime García Añoveros*, Civitas, Madrid, 2001.

Sánchez López, M. E., "Artículo 191", en Garberí Llobregat, J. (Dir.), *Procedimiento sancionador, infracciones y sanciones tributarias*, t. I, Tirant lo Blanch, 2005.

Simón Acosta, E., "La potestad sancionadora", en R. Calvo Ortega (Dir.) y J. M. Tejerizo López (Coord.), *Comentarios a la Ley General Tributaria*, 2.ª ed., Civitas, 2009.

11.- EL DERECHO A NO AUTOINCRIMINARSE EN EL ÁMBITO TRIBUTARIO. IMPACTO DE LA JURISPRUDENCIA DEL TRIBUNAL DE JUSTICIA DE LA UNIÓN EUROPEA

JOAQUÍN MORENO GRAU

Letrado del TJUE.
Magistrado de la sala de lo contencioso-administrativo del TSJ de Murcia

I. OBSERVACIONES PRELIMINARES

1. La influencia del derecho de la Unión en los ordenamientos jurídicos nacionales de los Estados miembros es evidente. Realmente, intentar separar el ordenamiento de la Unión de los ordenamientos nacionales resulta artificial. Ambos se funden en un sistema normativo único, de manera que, cuando una materia cae en el ámbito de competencia de la Unión, las facultades de regulación de los Estados miembros van a estar condicionadas en mayor o menor medida por ese derecho.

2. El derecho tributario no escapa de este influjo. Algunos sectores, como el del IVA o los impuestos especiales, están regulados por el derecho de la Unión y esa regulación, cuando ofrece problemas interpretativos, es objeto del análisis del Tribunal de Justicia a través, sobre todo, del mecanismo prejudicial.

3. La repercusión de la jurisprudencia del Tribunal de Justicia en el derecho nacional es enorme. Basta con observar un par de ejemplos españoles recientes. En el asunto Banco de Santander [30] se ha roto con una jurisprudencia que, desde la sentencia Gabalfrisa, [31] afirmó que los tribunales

---

[30] Sentencia de 21 de enero de 2020, Banco de Santander, C-274/14, EU:C:2020:17.

[31] Sentencia de 21 de marzo de 2000, Gabalfrisa y otros (C-110/98 a C-147/98, EU:C:2000:145). El convencimiento de la Administración tributaria de estar investida del poder de dialogar con el Tribunal de Justicia llegó al punto de que se dotase de un trámite para el planteamiento de cuestiones prejudiciales [artículo 237, apartado 3, de la Ley General Tributaria («LGT»), desarrollado por el artículo 58 *bis* del Real Decreto 520/2005] que, paradójicamente, no existe para los jueces más allá del huérfano artículo 4 *bis* de la Ley Orgánica del Poder Judicial.

económico-administrativos eran órgano jurisdiccional a efectos del planteamiento de la cuestión prejudicial. La sentencia Comisión/España, en este caso en un recurso de incumplimiento, [32] ha provocado el desmantelamiento de la estructura que rodeaba la obligación de declarar los bienes o derechos situados en el extranjero a través del «modelo 720».

4. En los asuntos resueltos por el Tribunal de Justicia que voy a examinar, el derecho fundamental en liza es el de no declarar contra sí mismo. Aunque no se trata de litigios tributarios, el pronunciamiento se produjo en contextos próximos en que se dan situaciones reconocibles en la LGT:

- Homogéneas. En las que en un procedimiento una persona física se ve compelida a suministrar una información que es utilizada como base para imputarle una infracción en un procedimiento sancionador. Dos variantes son posibles: i) la obligación de proporcionar información se conecta directamente con un procedimiento sancionador; ii) la información suministrada se enmarca en un proceso declarativo del que pueden desgajarse consecuencias sancionadoras en un procedimiento diferente.

- Heterogéneas. En cuyo caso la información se suministra por una persona jurídica, a través de su representante legal, y esa información es la base de una imputación de infracción en un procedimiento sancionador posterior contra ese representante en tanto que persona física.

5. La cuestión a dirimir es la de si el derecho a la no autoincriminación puede mitigar las consecuencias de la declaración en el origen, facultando a la persona conminada a no proporcionar información, o en la consecuencia, esto es, considerando que esa información obtenida coactivamente no puede ser utilizada como base de la declaración de la existencia de una infracción.

---

[32]   Sentencia de 27 de enero de 2022, Comisión/España (Obligación de información en materia tributaria), C-788/19, EU:C:2022:55. El cauce prejudicial también podía haber llevado el conocimiento del asunto al Tribunal de Justicia a través de una prejudicial de interpretación. Este mecanismo, en definitiva, viene a ser una vía indirecta para cuestionar ante el Tribunal de Justicia normas nacionales de aplicación el derecho de la Unión, supliendo así, en cierto modo, la limitada legitimación para el acceso al recurso directo de incumplimiento.

II. REGULACIÓN DEL DEBER DE INFORMACIÓN DEL CONTRIBUYENTE EN ESPAÑA

6. La LGT, con carácter general, dentro de la regulación de las obligaciones formales del artículo 29. 2, letras f) y g), impone al contribuyente el deber de aportar a la Administración tributaria la información que el obligado tributario deba conservar en relación con el cumplimiento de las obligaciones tributarias propias o de terceros, y cualquier dato, informe, antecedente y justificante con trascendencia tributaria, así como de facilitar la práctica de inspecciones y comprobaciones administrativas.

7. De manera más concreta, el artículo 93 de la LGT prevé la obligación de «proporcionar a la Administración tributaria toda clase de datos, informes, antecedentes y justificantes con trascendencia tributaria relacionados con el cumplimiento de sus propias obligaciones tributarias o deducidos de sus relaciones económicas, profesionales o financieras con otras personas» (completado por el Real Decreto 1065/2007, de 27 de julio, por el que se aprueba el Reglamento General de las actuaciones y los procedimientos de gestión e inspección tributaria y de desarrollo de las normas comunes de los procedimientos de aplicación de los tributos). De forma particular para la inspección tributaria, el artículo 142 de la LGT impone a los obligados tributarios el deber de prestar la debida colaboración a la inspección en el desarrollo de sus funciones.

8. El obligado tributario puede verse en la tesitura de que el cumplimiento de ese deber de información y de colaboración le aboque a consecuencias negativas. Dos escenarios se vislumbran:

   • Si no cumple, se activa la reacción sancionadora prevista en el artículo 203 de la LGT, que contiene un arsenal punitivo respecto de la resistencia, obstrucción, excusa o negativa a las actuaciones de la Administración tributaria. [33]
   • Si cumple, se expone a que la Administración tributaria practique una liquidación que puede llevar asociada una consecuencia sancionadora (normalmente, la llevará), incluso de naturaleza penal por delito fiscal.

---

[33]   El Tribunal Constitucional y el Tribunal Supremo no dudan en calificar de «coacción legal» la que deriva de la aplicación de este artículo.

9. El tema relativo al derecho fundamental de la persona a no declarar contra sí misma ha sido objeto de estudio y resolución por nuestros tribunales con diferente alcance.

III. POSICIÓN DE LA JURISPRUDENCIA ESPAÑOLA SOBRE EL DERECHO A NO AUTOINCULPARSE

A. *La jurisprudencia del Tribunal Constitucional*

10. Las STC 18/2005, 68/2006 y 54/2015 fundamentan jurídicamente el principio de no autoincriminación. [34] En la STC 18/2005 se utilizó ya el término «coacción legal» para referirse a la «amenaza con la imposición de sanciones por no colaborar con la Inspección de los tributos aportando pruebas y documentos contables» de acuerdo con lo establecido en la LGT.

11. La STC 54/2015, más completa en su fundamentación que las dos anteriores, tras referirse a la clásica asimilación, con ciertos matices, de los principios sustantivos derivados del artículo 25.1 CE, inspiradores del orden penal, al derecho administrativo sancionador, recuerda cómo el Tribunal Constitucional «ha proyectado sobre las actuaciones dirigidas a ejercer las potestades sancionadoras de la Administración las garantías procedimentales ínsitas en el art. 24.2 CE», enumerando el amplio abanico de garantías del artículo 24.2 que son trasladables al procedimiento administrativo sancionador.

12. «En lo relativo a la garantía de no autoincriminación», como hicieran la STC 18/2005 y la STC 68/2006, evoca la jurisprudencia del TEDH conforme a la cual, «aunque no se menciona específicamente en el art. 6 del Convenio [Europeo de Derechos Humanos], el derecho a guardar silencio y el privilegio contra la autoincriminación son normas internacionales generalmente reconocidas que descansan en el núcleo de la noción de proceso justo garantizada en el art. 6.1 del Convenio». «[P]resupone que las autoridades logren probar su caso sin recurrir a pruebas obtenidas mediante métodos coercitivos o de presión en contra de la voluntad de la

---

[34] Sentencia 18/2005, de 1 de febrero (ECLI:ES:TC:2005:18), FJ 2 y 3, sentencia 68/2006, de 13 de marzo (ECLI:ES:TC:2006:68), FJ 2, 3 y 4 y sentencia 54/2015 de 16 de marzo (ECLI:ES:TC:2005:18), FJ 7 y 8, con cita abundante de sentencias del Tribunal Europeo de Derechos Humanos (en adelante, «TEDH»)

"persona acusada". Proporcionando al acusado protección contra la coacción indebida ejercida por las autoridades, estas inmunidades contribuyen a evitar errores judiciales y asegurar los fines del artículo 6». «En este sentido —concluye el Tribunal de Estrasburgo— el derecho está estrechamente vinculado a la presunción de inocencia recogida en el artículo 6, apartado 2, del Convenio».

13. Específicamente, «en relación a la garantía de no autoincriminación en el ámbito tributario, el Tribunal Europeo de Derechos Humanos [...] advierte que, si de acuerdo con la legislación aplicable la declaración ha sido obtenida bajo medios coactivos, esta información no puede ser alegada como prueba en el posterior juicio de la persona interesada, aunque tales declaraciones se hayan realizado antes de ser acusado». [35]

14. «A diferencia del Convenio europeo para la protección de los derechos humanos y de las libertades fundamentales, nuestra Constitución sí menciona específicamente en su art. 24.2 los derechos a "no declarar contra sí mismos" y a "no confesarse culpables", que [...] están estrechamente relacionados con los derechos de defensa y a la presunción de inocencia, de los que constituye una manifestación concreta».

15. A pesar de que su fundamentación del principio de no autoincriminación sea más acabada, a los efectos de estos comentarios, la STC 54/2015 me parece la de menos interés, porque la razón de la decisión de otorgar el amparo se apoya en el reproche al órgano judicial de que estimara sanado un trámite conectado con un vicio de procedimiento. En esta situación, cuesta identificar una relación directa e inmediata con la lesión de derecho a no declarar contra sí mismo.

16. Más claras son, sin embargo, las STC 18/2005 y la STC 68/2006, pues hacen una aplicación concreta del principio de no autoincriminación en el sentido de estimar que no se produce su vulneración cuando la coacción para facilitar la información se ejerce sobre una sociedad en cuyo nombre actúa un administrador que, a la postre, va a ser quien soporte las consecuencias sancionadoras (penales en esos casos).

17. A pesar de ser desestimatorias del amparo, de sus fundamentos se extrae la conclusión implícita de que, si la información se obtiene coactivamente del mismo sujeto que va a ser objeto de un proceso sancionador, el principio de no autoincriminación impide que esa información sea utilizada para sustentar la acusación. Sin embargo, insisto, cuando no se da esa

---

[35] La cita que hace es de «las Sentencias de 17 de diciembre de 1996, caso Saunders c. Reino Unido, y de 19 de septiembre de 2000, caso I.J.L. y otros c. Reino Unido». Aunque las referencias que da son incompletas, se supone que la transcripción es literal.

identidad, como ocurre cuando un administrador, persona física, actúa en nombre de una persona jurídica, el principio resulta inoperante.

18. En resumen:

- El Tribunal Constitucional admitiría que, en una situación homogénea, la solución sea la de que la declaración obtenida coactivamente no sea tenida en cuenta para la calificación de la infracción. Lo llamaré «situación homogénea con solución en la consecuencia».

- La situación heterogénea en la que un administrador proporciona coactivamente una información que va a servir de fundamento de un procedimiento sancionador dirigido contra él en tanto que persona física no tiene solución. Es decir, ni se goza del derecho a no declarar en origen ni se evita la consecuencia punitiva.

B. La jurisprudencia del Tribunal Supremo

19. El Tribunal Supremo tuvo ocasión de salir al paso de esta problemática en su Sentencia núm. 1075/2020 de 23 julio, reiterada posteriormente. [36]

20. Siguiendo al TEDH, pone de relieve que «el derecho a no autoincriminarse […] puede manifestarse de dos formas distintas, en función de las circunstancias concurrentes»:

- «como el derecho de todo imputado en un procedimiento punitivo ("acusado en materia penal") a no aportar si no lo desea información autoincriminatoria que le reclame el poder público». La identificaré como «situación homogénea con solución en el origen».

- como «el derecho de toda persona a que la información que se ha visto obligada o inducida a aportar al poder público sin su consentimiento en el curso de cualquier procedimiento no se emplee para fundamentar ulteriormente contra ella una condena penal o una sanción administrativa». Lo que antes he llamado «situación homogénea con solución en la consecuencia».

21. Subraya cómo «a esta segunda manifestación del derecho a no autoincriminarse se ha referido nuestro Tribunal Constitucional en la STC

---

[36] ECLI:ES:TS:2020:2687, FJ quinto. La última, la sentencia núm. 70/2021 de 26 enero (ECLI:ES:TS:2021:265).

54/2015, de 16 de marzo», para el que, «si de acuerdo con la legislación aplicable la declaración ha sido obtenida bajo medios coactivos, esta información no puede ser alegada como prueba en el posterior juicio de la persona interesada, aunque tales declaraciones se hayan realizado antes de ser acusado». No duda, pues, de que el principio está reconocido en la jurisprudencia constitucional.

22. En conclusión, «la necesaria salvaguarda del derecho a no autoincriminarse [...] [r]eclama que la información que ha sido obtenida bajo medios coactivos -concurriendo la coacción legal que se deriva del artículo 203 LGT- en el procedimiento inspector no sea utilizada posteriormente en el seno del procedimiento tributario sancionador para enervar la presunción de inocencia del obligado tributario». [37]

VI. JURISPRUDENCIA DEL TJUE

A. *La sentencia Consob.* [38]

23. La primera referencia jurisprudencial que se ha de tomar en cuenta es la sentencia Consob (Comisión nacional del mercado de valores). Aunque se trata de una resolución que no está relacionada con un asunto tributario, los principios que sienta pueden extrapolarse a los procedimientos administrativos sancionadores tributarios.

24. El litigio se planteó en el marco de la regulación armonizada de la disciplina de los mercados financieros. [39] En desarrollo de la normativa de la Unión, el derecho italiano prevé que la negativa a cumplir con los requerimientos del Banco de Italia o de la Consob, así como la falta de cooperación, obstaculizando o retrasando el ejercicio de sus funciones, constituyan una infracción administrativa que lleva aparejada determinadas sanciones.

---

[37] FJ quinto, número 4.

[38] Sentencia de 2 de febrero de 2021, Consob, C-481/19, EU:C:2021:84, que busca apoyo en la jurisprudencia del TEDH de la que se hace cita frecuente.

[39] Directiva 2003/6/CE del Parlamento Europeo y del Consejo, de 28 de enero de 2003, sobre las operaciones con información privilegiada y la manipulación del mercado (abuso del mercado) (DO 2003, L 96, p. 16), y del Reglamento (UE) n° 596/2014 del Parlamento Europeo y del Consejo, de 16 de abril de 2014, sobre el abuso de mercado (Reglamento sobre abuso de mercado) y por el que se derogan la Directiva 2003/6 y las Directivas 2003/124/CE, 2003/125/CE y 2004/72/CE de la Comisión (DO 2014, L 173, p. 1).

25. El Tribunal de Justicia examina si las normas pertinentes del derecho de la Unión en materia de disciplina de los mercados financieros, «leídos a la luz de los artículos 47 y 48 de la Carta, deben interpretarse en el sentido de que permiten a los Estados miembros no sancionar a una persona física que, en el marco de una investigación a la que le someta la autoridad competente con arreglo a dicha Directiva o dicho Reglamento, se niegue a dar a esta respuestas de las que pueda resultar su propia responsabilidad por una infracción que conlleve sanciones administrativas de carácter penal». [40]

26. Su contestación es la de que estos preceptos «deben interpretarse en el sentido de que permiten a los Estados miembros no sancionar a una persona física que, en el marco de una investigación a la que le someta la autoridad competente con arreglo a dicha [normativa], se niegue a dar a esta respuestas de las que pueda resultar su propia responsabilidad por una infracción que conlleve sanciones administrativas de carácter penal o su responsabilidad penal». [41]

27. Para entender la respuesta, conviene examinar paso a paso el proceso lógico que sigue el Tribunal de Justicia, reparando en la delimitación de algún concepto que, desde nuestra percepción nacional del derecho, resulta chocante.

a. Proclamación de base: interdicción de la autoincriminación coactiva

28. El Tribunal de Justicia acude a la jurisprudencia del TEDH que señala «que, aunque el artículo 6 del CEDH no menciona expresamente el derecho a guardar silencio, este constituye una norma internacional generalmente reconocida, que conforma la base del concepto de proceso equitativo. Al proteger al acusado de la coacción indebida por parte de las autoridades, este derecho contribuye a evitar errores judiciales y a garantizar el resultado perseguido por dicho artículo 6». [42]

29. «Dado que la protección del derecho a guardar silencio pretende asegurar que, en una causa penal, la acusación fundamente sus argumentos sin recurrir a pruebas obtenidas por coacción o por fuerza, contra la voluntad del acusado […], este derecho se vulnera, en particular, en la situación en

---

[40] Sentencia de 2 de febrero de 2021, Consob (C-481/19, EU:C:2021:84), apartado 34.
[41] *Ibidem*, apartado 58 y parte dispositiva.
[42] *Ibidem*, apartado 38.

la que un sospechoso, bajo amenaza de ser sancionado si no confiesa, o bien confiesa, o bien es castigado por haberse negado a hacerlo».[43]

b. Alcance del derecho a guardar silencio

30. El Tribunal de Justicia tiene una perspectiva amplia respecto a la extensión del derecho a guardar silencio, pues «no puede limitarse razonablemente a la confesión de actos ilícitos o a las observaciones que inculpen directamente al interesado, sino que abarca también información sobre cuestiones de hecho que puedan utilizarse posteriormente en apoyo de la acusación y afectar así a la condena o sanción impuesta a dicha persona».[44]

c. Ámbito de aplicación del principio

31. Aquí es donde se maneja algún concepto que chirría con nuestra comprensión de derecho administrativo sancionador.
32. De acuerdo con el Tribunal de Justicia,[45] el derecho a guardar silencio «debe aplicarse en el contexto de procedimientos que pueden dar lugar a la imposición de sanciones administrativas de carácter penal».
33. Para saber qué son «sanciones administrativas de carácter penal» utiliza tres criterios: «el primero es la calificación jurídica de la infracción en el Derecho interno, el segundo afecta a la propia naturaleza de la infracción y el tercero es relativo a la gravedad de la sanción que puede imponerse al interesado». Corresponde al órgano jurisdiccional nacional apreciar, a la luz de estos criterios, si las sanciones administrativas controvertidas en el litigio principal tienen carácter penal.
34. En principio, muy generales y poco clarificadoras parecen estas orientaciones.
35. Al afirmar que «la necesidad de respetar el derecho a guardar silencio en el marco de un procedimiento de investigación […] también podría resultar de la circunstancia […] de que, con arreglo a la legislación nacional, las pruebas obtenidas en dicho procedimiento [puedan] utilizarse

---

[43] *Ibidem*, apartado 39.
[44] *Ibidem*, apartado 40.
[45] *Ibidem*, apartados 42 a 44.

en un proceso penal seguido contra esa misma persona para demostrar la comisión de una infracción penal», no aporta tampoco mucho. Parece algo obvio: si se desemboca en un proceso penal hay poca duda del carácter penal de las sanciones.

36. Los problemas se sitúan, pues, en el terreno de las sanciones administrativas y la concreción de ese «carácter penal». Sin embargo, puede que no sea una tarea tan complicada en relación con la normativa española. Lo que en abstracto resulta difícil, en el plano de lo concreto se antoja sencillo. Si se acude a la jurisprudencia del Tribunal de Justicia para buscar casos en que haya considerado que una sanción administrativa tiene carácter penal, se encuentran pautas clarificadoras cuando se ponen en conexión con el sistema de sanciones tributarias de la LGT.

37. Así, en la sentencia Menci, [46] específicamente en el ámbito tributario, aplicando el criterio de la gravedad de la sanción, el Tribunal de Justicia consideró que una multa del 30 % del IVA devengado «presenta[…] un grado de gravedad elevado que puede reforzar la tesis de que esta sanción es de carácter penal».

38. En España, la verdad, es que con ese solo criterio sobra. Si se acude al artículo 191 de la LGT se comprueba que la menor de las sanciones, la prevista para las infracciones leves, ya supera ese umbral, pues consistirá en multa proporcional del 50 % de la cuantía no ingresada en la autoliquidación. Con las graves y muy graves se dispara la cosa (50 % y 100 % al 150 %, respectivamente, más posibles incrementos, sin contar con las sanciones no pecuniarias que se pueden agregar conforme al artículo 186 de la LGT).

39. No creo que, en el contexto de este artículo, un juez contencioso-administrativo español tenga mucho margen para dudar de que las sanciones previstas en la LGT, examinadas a la luz de la jurisprudencia del TJUE, tienen «carácter penal».

d. Conclusión

40. Conforme al razonamiento del Tribunal de Justicia, «entre las garantías que se derivan de los artículos 47, párrafo segundo, y 48 de la Carta […] figura, en particular, el derecho a guardar silencio de una persona física "acusada" en el sentido de la segunda de estas disposiciones. Este derecho se opone, en particular, a que una persona física sea sancionada por su

---

[46] Sentencia de 20 de marzo de 2018, Menci (C-524/15, EU:C:2018:197), apartado 33.

negativa a dar a la autoridad competente [...] respuestas de las que pueda resultar su propia responsabilidad por una infracción que conlleve sanciones administrativas de carácter penal o su responsabilidad penal». [47]

41. En principio, no debería haber mucha dificultad teórica para extender esta doctrina a supuestos en que la actuación administrativa despliegue sus efectos sobre una relación jurídico tributaria que conecte con la aplicación del derecho de la Unión.

B. La sentencia *Adler Real Estate*. [48]

42. Este asunto se desarrolló, igualmente, fuera del campo tributario. Se trataba de la aplicación de normas relativas a la regulación de las ofertas públicas de adquisición por el derecho de la Unión. [49] El enfoque del Tribunal de Justicia es más amplio que en Consob, pues se extiende a otros derechos (presunción de inocencia y derecho a la tutela judicial efectiva). En cuanto al derecho a guardar silencio, baraja los mismos elementos tenidos en cuenta en la sentencia Consob, pero enfocados a las implicaciones que un procedimiento declarativo tenga en un posterior procedimiento sancionador.

43. La situación de partida es la de dos sociedades y un particular que se conciertan en relación con la adquisición de participaciones de una tercera sociedad. Se incoa un procedimiento declarativo en el que se constata (por las manifestaciones de los administradores sociales y de la persona física interesada) que deberían haber presentado una oferta pública de adquisición. Las apreciaciones fácticas de esta resolución (firme) sirven de base para la imposición de sanciones a las dos personas físicas intervinientes en nombre de las dos sociedades y a la que lo hizo a título individual.

44. La resolución administrativa declarativa va a proyectar sus efectos, por tanto, sobre procesos sancionadores posteriores en que se dan dos coyunturas diferentes: [50]

---

[47] Sentencia de 2 de febrero de 2021, Consob (C-481/19, EU:C:2021:84), apartado 45.

[48] Sentencia de 9 de septiembre de 2021, Adler Real Estate y Petrus Advisers, C-546/18, EU:C:2021:711.

[49] Directiva 2004/25/CE del Parlamento Europeo y del Consejo, de 21 de abril de 2004, relativa a las ofertas públicas de adquisición (DO 2004, L 142, p. 12), en su versión modificada por la Directiva 2014/59/UE del Parlamento Europeo y del Consejo, de 15 de mayo de 2014 (DO 2014, L 173, p. 190)

[50] Sentencia de 9 de septiembre de 2021, Adler Real Estate y Petrus Advisers (C-546/18, EU:C:2021:711), apartado 54.

- Una, la del «procedimiento administrativo sancionador [que] se refiere a personas que ya fueron parte en el procedimiento declarativo que dio lugar a la adopción de [la resolución administrativa]»: la misma persona física es parte en ambos procedimientos (situación homogénea).

- Otra, en «que el procedimiento administrativo sancionador se refiere a personas físicas que no fueron parte en dicho procedimiento declarativo, sino que meramente intervinieron en él como titulares de un órgano de representación de una persona jurídica parte en dicho procedimiento» (situación heterogénea).

45. En el primer supuesto, «los Estados miembros pueden reconocer a una resolución por la que se declare que unas personas han cometido una infracción efectos vinculantes que se desplegarán con ocasión de un procedimiento posterior dirigido a imponer a esas personas una sanción administrativa por la comisión de dicha infracción». Eso sí, siempre que ese procedimiento declarativo se configure «de forma que […] dichas personas hayan podido prevalerse concreta y efectivamente, […] del derecho a guardar silencio […] respecto de los hechos que se utilizarán posteriormente en apoyo de la acusación y que de esta forma repercutirán en la condena o la sanción que se imponga». [51]

46. Aunque no lo diga expresamente, si el derecho a guardar silencio no se pudo ejercer en el proceso declarativo, la consecuencia no puede ser otra que la de que la información obtenida no pueda usarse en el procedimiento sancionador posterior. Esto se ve más claramente en relación con la situación heterogénea.

47. Efectivamente, en el segundo supuesto, «aun cuando la persona física de que se trata en el asunto principal […] no participó [como parte] en el procedimiento que dio lugar a la adopción de la resolución declarativa […], pudo participar en él como titular de un órgano de representación». Sin embargo, «el derecho de defensa tiene carácter subjetivo de modo que son las propias partes afectadas las que deben poder ejercerlo efectivamente, con independencia de la naturaleza del procedimiento de que sean objeto. Ello es así *a fortiori* por cuanto, en el marco de un procedimiento administrativo que puede llevar a que se genere la responsabilidad personal de los directivos o de los titulares de los órganos de una sociedad por infracción de las normas relativas a las ofertas públicas de adquisición, imputable a esa sociedad, y a la imposición de sanciones

---

[51] *Ibidem*, apartados 56 y 57.

de carácter penal a dichos directivos o titulares, no puede excluirse la existencia de una divergencia entre los intereses personales de estos y los intereses de dicha sociedad». [52]

48. «De ello se sigue que la autoridad administrativa debe desechar, en el marco de un procedimiento administrativo sancionador seguido contra una persona física, los efectos vinculantes asociados a las apreciaciones que figuran en una resolución que declara la existencia de la infracción imputada a esa persona y que ha adquirido firmeza sin que dicha persona haya podido impugnar a título personal tales apreciaciones en el ejercicio de su propio derecho de defensa». [53]

49. «De igual manera, el derecho a guardar silencio se opone a que una persona física cuya responsabilidad personal por una infracción castigable con sanciones administrativas de carácter penal puede generarse en un procedimiento administrativo sancionador posterior no haya podido acogerse a este derecho respecto de los hechos que se utilizarán posteriormente en apoyo de la acusación y que de esta forma repercutirán en la condena o la sanción que se imponga». [54]

50. A mi modo de ver, esta sentencia tiene dos importantes implicaciones:

- Su solución es mucho más abierta que la alcanzada en Consob, pues, en todo caso, se trate de una situación homogénea o heterogénea, para el derecho de la Unión basta, alternativamente, con que se disfrute del derecho a guardar silencio en el proceso declarativo previo o que la información obtenida sin respeto de sus derechos deba desecharse en el procedimiento administrativo sancionador.

- El nivel de protección que establece guarda relación con un procedimiento declarativo en el que ni siquiera se ha recurrido a la coacción, por lo que su alcance es mucho mayor que el de la sentencia Consob.

---

[52] *Ibidem*, apartado 59.
[53] *Ibidem*, apartado 60.
[54] *Ibidem*, apartado 61

C. Impacto en España de la jurisprudencia del TJUE

a. Situación homogénea, ¿solución en el origen o en la consecuencia?

51. Las sentencias Consob y Adler Real Estate resultan interesantes, en primer lugar, en cuanto que pudieran dar apoyo argumental a la posibilidad de que el contribuyente se niegue justificadamente a suministrar información.

52. Sin embargo, no creo que enuncien un principio categórico. Dan más bien una alternativa para posibilitar el respeto del derecho a la no autoincriminación, pero la solución es lo suficientemente flexible como para adaptarse a la regulación de los específicos procedimientos nacionales y a sus características en cada caso concreto.

53. Personalmente, tengo la impresión de que, en España, esta jurisprudencia no va a poder fundar una negativa a cumplir con el deber de información.

54. En el caso Consob se puede apreciar que la estructura del procedimiento no se corresponde con el regulado en la LGT, pues la información suministrada enlazaba directamente con un procedimiento sancionador. En cambio, en el sistema tributario español la información facilitada desemboca en una actuación administrativa declarativa de la existencia de una deuda tributaria mediante la práctica de la correspondiente liquidación. Las consecuencias sancionadoras son, por tanto, mediatas. Incluso en el caso de que el expediente sancionador se incoe antes de que la liquidación sea definitiva, la resolución sancionadora estará siempre condicionada a la subsistencia de la liquidación.

55. Este razonamiento parece enturbiarse en relación con la sentencia Adler Real Estate porque en este caso la estructura es idéntica a la de la LGT: existe un acto declarativo previo que forma la base para una actuación sancionadora posterior. Sin embargo, puede que una visión amplia de sus fundamentos facilite la comprensión.

56. Me da la sensación de que lo que el Tribunal de Justicia ha querido, en coherencia con el carácter abstracto que han de tener sus pronunciamientos, es dejar las puertas abiertas a que esa difícil situación sea salvada, bien en el origen, bien en la consecuencia. Por tanto, para el Tribunal de Justicia resulta lícito mantener una negativa a declarar contra sí mismo frente al requerimiento de suministrar información, pero también lo es que se tenga el deber de informar y colaborar con la Administración en la colecta de información para el dictado de un acto declarativo, siempre que esa información, obtenida sin respeto del derecho a guardar silencio, no pueda fundamentar una actuación sancionadora.

57. El Tribunal Supremo, en la jurisprudencia antes citada (apartados 19 a 22), hace esa conexión con la situación particular del ordenamiento tributario español y se inclina por la segunda perspectiva. A su juicio, «defender lo contrario supondría desposeer a la Administración tributaria de una facultad que le corresponde en el seno del procedimiento inspector con fundamento en el deber constitucional establecido en el artículo 31.1 CE -a saber, la facultad de requerir al sujeto inspeccionado cuanta información con trascendencia tributaria sea necesaria para llevar a buen término las actuaciones de comprobación e investigación- en aras de la supuesta salvaguarda de un derecho fundamental del obligado tributario -el derecho a no autoincriminarse- que no surte efectos en el seno del procedimiento inspector y que nuestro Tribunal Constitucional ha considerado aplicable, en exclusiva, a los procedimientos que pueden concluir en su seno con la imposición de sanciones (tributarias o de cualquier otra naturaleza)». [55]

58. Por consiguiente, a mi modo de ver, en España sólo cabe sostener que la situación homogénea tenga solución en la consecuencia.

b. Situación heterogénea, ¿solución en el origen o en la consecuencia?

59. Los anteriores argumentos me parecen con mayor razón trasladables a la situación heterogénea para descartar una solución en el origen, pues la relación entre el proceso declarativo y el sancionador implica, formalmente, a diferentes sujetos.

60. El problema es que la solución en la consecuencia, a la vista de la jurisprudencia constitucional examinada (apartados 10 a 18), resulta dudosa. El contraste de esta jurisprudencia con la sentencia Adler Real Estate muestra la existencia de importantes fricciones porque, para el Tribunal Constitucional, el derecho a no declarar contra sí mismo no alcanza a proteger en el procedimiento sancionador a las personas físicas que hayan suministrado información en representación de una persona jurídica en la fase declarativa, mientras que para el Tribunal de Justicia sí que son acreedores de esa tutela. Además, no puede olvidarse que la apreciación del Tribunal Constitucional se hace en un contexto de «coacción legal» que está ausente en el asunto resuelto por el Tribunal de Justicia, lo que dificulta en mayor medida el encaje de ambas posiciones.

---

[55] Sentencia núm. 1075/2020 de 23 julio (ECLI:ES:TS:2020:2687), FJ quinto, punto 4.

61. Probablemente, se trate de un conflicto susceptible de ser dirimido por el Tribunal de Justicia mediante el planteamiento de una cuestión prejudicial. [56]

62. Podría objetarse que los supuestos de hecho no son los mismos debido a la condición de firmeza de la resolución declarativa de que parte el Tribunal de Luxemburgo.

63. A este respecto, creo necesario puntualizar que la circunstancia de que la resolución sea firme es importante en cuanto constituye el marco fáctico del litigio concreto en que se origina el proceso prejudicial Adler Real Estate. Sin embargo, no creo que sea esencial en la extrapolación de principios a otros entornos.

64. La firmeza provoca que los hechos constatados devengan intangibles, a salvo posibles cauces extraordinarios de revisión. Lo realmente transcendente es que esos hechos verificados en el proceso declarativo sirvan de base para la afirmación de la existencia de una infracción. La resolución declarativa sólo quedará definitivamente reflejada en la resolución sancionadora cuando sea firme. Es natural. Una declaración de nulidad de la resolución declarativa arrastrará a la resolución sancionadora. De hecho, lo más normal es que la liquidación y la sanción asociada se discutan en el mismo recurso contencioso-administrativo.

65. En cualquier caso, la diferencia entre los supuestos de hecho en la base de los litigios nacionales fundamentaría, aún más, la necesidad del planteamiento de una cuestión prejudicial. Ahora bien, para esto es necesario que sea aplicable el derecho de la Unión.

66. A esta importante exigencia, fuente de frecuentes errores, voy a dedicar, brevemente, la última parte de estos comentarios.

c. El necesario vínculo con el derecho de la Unión

67. Hay muchos campos del derecho tributario, particularmente el de la imposición directa, en que, salvo pequeñas excepciones, los Estados miembros han conservado sus competencias y el derecho de la Unión, en principio, no tiene espacio para la intervención. En los litigios sobre estas

---

[56]   Otra vía sería la de discutir la cuestión a nivel interno, con invocación de la jurisprudencia del TEDH, para intentar hacer variar al Tribunal Constitucional de criterio y forzando, en su caso, un pronunciamiento final del Tribunal de Estrasburgo en el que valorase la jurisprudencia constitucional.

materias lo normal será que se traten cuestiones puramente internas desconectadas del derecho de la Unión.

68. En supuestos como los de estos comentarios, en que se baraja la aplicación de derechos consagrados en la Carta de los derechos fundamentales de la Unión Europea debe hacerse especial hincapié en la necesidad de la existencia de vínculo para que la Carta pueda ser aplicada en un caso concreto, pues es frecuente que se busque apoyo en ella sin tener en cuenta la necesidad de que haya un enlace previo con el derecho de la Unión.

69. En efecto, de acuerdo con el artículo 51, apartado 1, de la Carta, sus «disposiciones [...] están dirigidas a las instituciones y órganos de la Unión [...], así como a los Estados miembros únicamente cuando apliquen el Derecho de la Unión». Así lo recoge la jurisprudencia del Tribunal de Justicia que, además, recuerda la precisión del artículo 6 del Tratado de la Unión Europea y del artículo 51, apartado 2, de la Carta de «que las disposiciones de esta no ampliarán en modo alguno las competencias de la Unión tal como se definen en los Tratados». [57] Así pues, «cuando una situación jurídica no está comprendida en el ámbito de aplicación del Derecho de la Unión, el Tribunal de Justicia no tiene competencia para conocer de ella y las disposiciones de la Carta eventualmente invocadas no pueden fundar por sí solas tal competencia». [58]

70. A nivel práctico, si se quiere acudir al mecanismo prejudicial de cooperación con el Tribunal de Justicia invocando la Carta, cuando haya normas de derecho derivado las dificultades serán mínimas, sin embargo, cuando se trate de situaciones internas en que puedan estar afectadas las libertades fundamentales recogidas en el Tratado de Funcionamiento de la Unión Europea («TFUE»), «la resolución de remisión debe poner de manifiesto los elementos concretos que permiten establecer un vínculo entre el objeto o las circunstancias de un litigio, en el que todos sus elementos están circunscritos al interior del correspondiente Estado miembro, y los artículos 49 TFUE, 56 TFUE o 63 TFUE». «Incumbe al órgano jurisdiccional remitente indicar al Tribunal de Justicia, de conformidad con lo exigido por el artículo 94 del Reglamento de Procedimiento del Tribunal de Justicia, en qué medida, a pesar de su carácter meramente interno, el litigio del que conoce presenta un elemento de conexión con las disposiciones del Derecho de la Unión relativas a las libertades

---

[57] Sentencia de 13 de enero de 2022, Marcas MC (C-363/20, EU:C:2022:21), apartados 33 y 34. Se trata de un supuesto de aplicación del impuesto sobre sociedades.

[58] *Ibidem*, apartado 35. El apartado 36 de esta sentencia se refiere a los principios generales del derecho que, igualmente, «deben ser respetados por una normativa nacional que entre en el ámbito de aplicación del Derecho de la Unión o aplique este último» [con cita de la sentencia de 6 de marzo de 2014, Siragusa (C-206/13, EU:C:2014:126), apartado 34].

fundamentales que hace necesaria una interpretación con carácter prejudicial para resolver dicho litigio». [59]

71. Lo dicho no impide que, aunque su aplicación no sea pertinente, el derecho de la Unión sea incorporado en las argumentaciones de un litigio
puramente interno. El órgano jurisdiccional nacional puede asumir esos
planteamientos y hacerlos propios. En no pocas ocasiones la utilidad de
la jurisprudencia del Tribunal de Justicia para un juez nacional puede
derivar de la resolución de supuestos de los que se extraen unos principios que guardan un paralelismo con otras situaciones diferentes. De
hecho, en la práctica judicial se aprecia cómo el Tribunal Supremo y el
Tribunal Constitucional se han apoyado en la jurisprudencia del Tribunal
de Justicia para dar solución a una controversia carente de vínculo con el
derecho de la Unión. [60]

72. Lo que el juez no podrá hacer, si tiene dudas, es dirigirse al Tribunal de
Justicia a título prejudicial, porque éste se declarará incompetente.

---

[59] Sentencia de 15 de noviembre de 2016, Ullens de Schooten (C-268/15, EU:C:2016:874), apartados
54 y 55.

[60] Así, por ejemplo, el Tribunal Supremo en sentencia de 18 de mayo de 2020 (ECLI:ES:TS:2020:951),
FJ quinto, cita «la STJUE de 16 de octubre de 2019 (ECLI:EU:C:2019:861) en un supuesto que, aún
relativo al Impuesto sobre el Valor Añadido, guarda analogía con la problemática de procedimientos separados con hechos y apreciaciones vinculadas». Por su parte el Tribunal Constitucional hizo
lo propio en la STC 67/2020 de 29 de junio (ECLI:ES:TC:2020:67), FJ 4.

12.- LA DIALÉCTICA ENTRE EL ARTÍCULO 25.1 CE Y LA SANCIONABILIDAD DEL CONFLICTO EN APLICACIÓN DE LA NORMA TRIBUTARIA. ¿UN NUEVO GOLPE A LA SEGURIDAD JURÍDICA?

CARLOS CUERVO FERNÁNDEZ

Contratado de Investigación predoctoral "Concepción Arenal" e Investigador del Santander Financial Institute (SANFI). Seminario de Derecho Financiero y Tributario. Universidad de Cantabria.

I. INTRODUCCIÓN.

1.1 La sancionabilidad del conflicto en aplicación de la norma tributaria.

La posibilidad de sancionar determinadas conductas calificadas como conflicto en aplicación de la norma tributaria, introducida con la reforma de la Ley General Tributaria del año 2015, no era una cuestión novedosa. Ya en el año 2003, el legislador tributario exploró las posibilidades que esta herramienta de aplicación de los tributos ofrecía en el campo del ordenamiento sancionador, proponiendo su punición de conformidad con los por entonces proyectados artículos 15, 185.1.d) y 190. No siendo este el lugar para entrar en los detalles de aquella normativa, que presentaba diferencias y similitudes con la que será objeto de estudio en este epígrafe, basta decir en este momento que la opción del proyecto fue orillada, fundamentalmente, por la crítica prácticamente unánime de la doctrina y el rechazo manifestado por el Consejo de Estado[61].

---

[61] Las críticas que el Consejo de Estado depuso en su Dictamen 1403/2003 de 22 de mayo de 2003 a la regulación de la sancionabilidad del conflicto en aplicación de la norma tributaria se encuentran en la Sección V.A.8). Dejando de lado las cuestiones de técnica jurídica, que no van a ser tratadas en este trabajo, el Consejo de Estado expresó algunas consideraciones de orden constitucional de interés. Así, focalizó el análisis del articulado desde la perspectiva del artículo 25.1 CE atendiendo a

La cuestión no volvió a suscitarse hasta la aprobación de la reforma de la LGT mediante la Ley 34/2015, de 21 de septiembre, de modificación parcial de la Ley 58/2003, de 17 de diciembre, General Tributaria. En su virtud, además de pequeñas modificaciones de otros preceptos relacionados, se introdujo el artículo 206.bis, el cual creó un nuevo tipo infractor destinado a castigar determinados supuestos en los que la Administración tributaria declarase la existencia de un conflicto en aplicación de la norma tributaria.

El Preámbulo de la norma transita entre lo elocuente y lo sorprendente. Es elocuente cuando se fija como objetivo: «Incrementar la eficacia de la actuación administrativa en la aplicación de los tributos». Se desplaza hasta lo sorprendente cuando afirma que la calificación de una conducta en conflicto no excluye la voluntad defraudatoria del contribuyente o que la reforma busca reforzar la seguridad jurídica en la aplicación del ordenamiento tributario. Más allá de las intenciones y objetivos declarados en la norma, en realidad no es aventurado pensar que la aprobación de la sanción del conflicto y la posterior reforma, en el año 2017, del Reglamento General de las actuaciones y los procedimientos de gestión e inspección tributaria y de desarrollo de las normas comunes de los procedimientos de aplicación de los tributos, dirigida a regular la publicidad de los informes emitidos con ocasión de la declaración de un conflicto en aplicación de la norma tributaria, no sean otra cosa que la respuesta que el Parlamento decide dar a un aparente cambio en la jurisprudencia del Tribunal Supremo en materia de delimitación entre simulación y conflicto en aplicación de la norma[62].

Por lo demás, la aprobación de esta reforma vino precedida de las críticas del Consejo de Estado y del Consejo General del Poder Judicial, los cuales vinieron a esgrimir argumentos parecidos a los ya manifestados con ocasión de la aprobación de la LGT en el año 2003 y sobre los que volveremos más adelante. Vigente la nueva infracción, tampoco la doctrina tardó en reaccionar y mostrar un rechazo prácticamente unánime a la posibilidad de castigar las situaciones de conflicto

---

las posibles tachas de constitucionalidad que pudieran derivarse del incumplimiento de la garantía de taxatividad derivada del principio de legalidad sancionadora, para concluir que la regulación proyectada podría oponerse al artículo 25.1 CE en su vertiente material. Y ello porque la aplicación del tipo infractor exigía operar con múltiples conceptos jurídicos indeterminados y con un tipo penal en blanco, incompatible con la exigencia de *lex certa*.

[62] A este respecto, el Tribunal Supremo parece haber emprendido recientemente el camino hacia una nueva jurisprudencia destinada a poner coto al uso abusivo de la simulación por parte de la Administración tributaria. Para ello, ha comenzado a deslindar los conceptos de ausencia de causa, como elemento propio de la simulación, y el de ausencia de motivos económicos válidos, imbricado en la definición de la figura del conflicto. Todo ello con una evidente consecuencia: la reducción del campo de aplicación de la simulación. Una explicación más detallada sobre este tema puede encontrarse en *García Berro, F.*, «Un enfoque nuevo en la jurisprudencia del Tribunal Supremo sobre el concepto de simulación», *La Ley* 15011/2020 y en *Cuervo Fernández, C.*, «Los motivos económicos válidos como criterio delimitador entre la simulación y el conflicto en aplicación de la norma tributaria. Novedades en la jurisprudencia reciente», *Quincena Fiscal* 14/2022.

en aplicación de la norma tributaria. Las objeciones fueron de dos clases: de técnica jurídica y de respeto a las garantías constitucionales en materia sancionadora. En atención al objeto de estudio, vamos a centrarnos en las segundas.

1.2 Objetivos del trabajo.

El artículo 25 CE recoge el principio de legalidad sancionadora, del cual surgen una serie de garantías para el ciudadano sometido a la potestad sancionadora del Estado. Tales garantías, por mandato expreso del artículo 25.1 de la Constitución, no son de aplicación exclusiva en el ámbito penal, sino que su virtualidad se extiende al uso por parte de la Administración de sus competencias en materia de creación de infracciones e imposición de sanciones. Así lo tiene declarado el Tribunal Constitucional desde su primera jurisprudencia, si bien tales garantías conocen ciertas modulaciones y flexibilizaciones en el campo del Derecho administrativo sancionador por sus especiales características.

Las garantías que nacen de este derecho fundamental a la legalidad sancionadora despliegan sus efectos en dos momentos distintos: el de la creación de las normas sancionadoras y el de su aplicación. A las primeras se las ha denominado garantías normativas, mientras que las segundas son las llamadas garantías aplicativas. Con el objetivo de delimitar la extensión de este trabajo, nos vamos a limitar a enjuiciar la infracción introducida en el artículo 206.bis LGT desde la óptica de las garantías normativas. Como veremos, de estos límites que la Constitución impone al legislador nace un doble haz de garantías para el ciudadano: garantías materiales y garantías formales. Ello nos llevará a estructurar este estudio en dos epígrafes fundamentales, cada uno dedicado a analizar si la nueva infracción respeta dichas garantías.

En ambos casos, iremos comentando la jurisprudencia constitucional que ha ido tejiendo los límites que ha de respetar el ejercicio del *ius puniendi* por parte de la Administración, acompasándolo con el estudio de la concreta regulación de la nueva infracción. Hay que decir que nos encontramos huérfanos de toda referencia jurisprudencial en lo que a la sanción del conflicto se refiere, ya que si bien es cierto que el artículo 206.bis LGT está vigente desde hace siete años, ocho de los nueve informes publicados por la Agencia Estatal de Administración Tributaria datan de los años 2021 y 2022. De haberse incoado algún expediente sancionador por la declaración de un conflicto en aplicación de la norma tributaria, no tenemos noticia de que haya llegado a la fase de revisión en los Tribunales Económico-Administrativos y, menos aún, al conocimiento de la jurisdicción contenciosa.

II. LA SANCIONABILIDAD DEL CONFLICTO EN APLICACIÓN DE LA NORMA TRIBUTARIA Y LAS GARANTÍAS FORMALES.

2.1 Las garantías formales en la jurisprudencia del Tribunal Constitucional.

El punto de arranque para el estudio de las garantías que ha de respetar el Estado a la hora de crear derecho administrativo sancionador es la STC 42/1987[63], la cual resolvió en amparo un recurso frente a la sanción impuesta en aplicación de la Orden del Ministerio de Interior de 9 enero de 1979 que aprueba el Reglamento de Casinos de Juego, y ello por la pretendida violación del principio de reserva de Ley. Dicha Sentencia diferenció dos categorías fundamentales de garantías: las materiales y las formales.

Comenzará el TC diciendo, en el FJ 2°, que el derecho fundamental enunciado en el artículo 25.1 CE «[…] incorpora la regla *nullum crimen nulla poena sine lege*, extendiéndola incluso al ordenamiento sancionador administrativo, y comprende una doble garantía». Por un lado, no será posible imponer sanciones por conductas que no hayan sido tipificadas previamente como infracciones y a las cuales se les haya ligado la consecuencia jurídica correspondiente. Se trata de una garantía material y de alcance absoluto, en el sentido de que despliega la misma eficacia en el ámbito penal que en el administrativo sancionador. El tercer epígrafe de este estudio estará dedicado al análisis de las garantías materiales.

Por otro lado, y siguiendo la ya citada STC 42/1987, la creación de infracciones y sanciones deberá llevarse a cabo a través de normas con un determinado rango, en tanto que el artículo 25.1 contiene la expresión «legislación vigente», de la que emana una reserva de Ley en el orden sancionador. Por lo tanto, nos encontramos en este caso ante una garantía formal que, por lo que nos interesa, admite una cierta flexibilización cuando nos situamos extra muros del Derecho penal, de tal manera que la remisión a normas reglamentarias será admisible.

Esta atenuación del rigor que acompaña al principio de reserva de Ley en el ámbito administrativo ha sido manifestada en múltiples ocasiones por el último intérprete de la Constitución. Así, la STC 207/1990[64] nos dirá, en su FJ 3°, que «esta garantía de carácter formal […] no impide que la norma legal que define los tipos de ilícito se sirva para ello de conceptos abiertos o incluso de remisiones a otras normas de rango inferior». Sin embargo, dichos conceptos no podrán ser tan amplios que quede completamente en manos del aplicador de la norma la inclusión de una conducta en el supuesto de hecho de la norma ni las remisiones a normas con rango reglamentario serán constitucionalmente válidas mientras

---

[63]   Sentencia del Tribunal Constitucional 42/1987, de 7 de abril.
[64]   Sentencia del Tribunal Constitucional 207/1990, de 17 de diciembre.

los elementos esenciales de la infracción, así como las características de la sanción no queden suficientemente determinados en la norma legal[65]. Es decir, la vocación de la norma reglamentaria en el diseño constitucional de la potestad sancionadora administrativa es la de desarrollar o precisar los tipos dados por la Ley, pero en ningún caso definir nuevas conductas o incluso ampliar el campo de aplicación de las ya legalmente establecidas.

En este sentido, la remisión a disposiciones de rango inferior al legal genera fundamentalmente dos tipos de problemas: el de la vigencia, validez y aptitud de las normas remitidas y el de las cláusulas de tipificación residual[66].

Por lo que a nosotros interesa, es preciso mencionar alguna sentencia en la que el TC ha tenido oportunidad de pronunciarse acerca de la aptitud de ciertas disposiciones normativas para crear infracciones. Así, en la STC 93/1992, el tribunal de garantías analizó la constitucionalidad de una sanción impuesta al amparo del Reglamento del Colegio de Farmacéuticos de Madrid de 1957. El problema que surgía en este caso es que el mencionado Reglamento, por más que recibiera ese nombre, no era una disposición general en los términos que en aquel entonces recogía la Ley del Régimen Jurídico de la Administración del Estado y la Ley de Procedimiento Administrativo. En realidad, se trataba de un Reglamento aprobado por el Consejo General de Colegios Oficiales de Farmacéuticos y que nunca llegó a publicarse en un diario oficial. Todo lo anterior llevará al Tribunal a afirmar, en su FJ 7º, que «[...] el Reglamento del Colegio de Madrid no ofrece un fundamento normativo válido a la sanción, lisa y llanamente porque no constituye una disposición de carácter general, un instrumento legislativo capaz de crear infracciones»[67].

Y encontramos aún un pronunciamiento que, aunque se incluye *obiter dicta*, resulta interesante. Descartada la aptitud del Reglamento del Colegio de Madrid como anclaje para imponer sanciones, restaba aun analizar si el Estatuto General de los Colegios de Farmacéuticos, aprobado por Orden del Ministerio de Trabajo, Sanidad y Previsión de 28 de septiembre de 1934, podía dar carta de validez a la sanción impuesta. Y lo interesante es que la tipificación de la sanción, recogida, ahora sí, en una disposición general, se remitía, para su completa integración, a determinados Acuerdos aprobados por los Colegios con competencias para ello en cada región. Si bien los mismos son declarados nulos por motivos ajenos a nuestro estudio, el TC incluye la siguiente valoración sobre los mismos: «No obstante, no está de más advertir que los Acuerdos colegiales serían igualmente susceptibles de serios reparos si no hubieran sido objeto de algún tipo de

---

[65]   Sentencia del Tribunal Constitucional 242/2005, de 10 de octubre, FJ 2º.

[66]   VALENCIA MARTÍN, G., *Comentarios a la Constitución Española,* Fundación Wolters Kluwer y Boletín Oficial del Estado, Madrid, 2018, p. 935.

[67]   Sentencia del Tribunal Constitucional 93/1992, de 11 de junio, FJ 7º.

publicación oficial que ofreciera las debidas garantías de conocimiento, constancia y certeza a que nos referimos en la STC 179/1989»[68].

Algo distinto parece ser lo que encontramos en la STC 131/2003. En este caso, el recurrente había sido sancionado de conformidad con la Ley de Cataluña 6/1988, de 30 de marzo, forestal, por pastorear en una zona vedada sin la autorización necesaria para ello. Para la integración del concepto de zona vedada, el legislador se remite a los planes de aprovechamiento forestal, documentos técnicos aprobados por la Administración y que no se encontraban sujetos a publicación en diario oficial. En este caso, y a pesar de que el Tribunal no se para a enjuiciar la naturaleza jurídica de tales documentos, termina por declarar la constitucionalidad de la sanción impuesta en tanto que la prohibición aparece recogida en la norma con rango legal, «[...] sin que los planes de aprovechamiento forestal contengan otra cosa que los términos en los que el pastoreo puede llevarse a cabo»[69]. Y finaliza el Tribunal su razonamiento con la siguiente afirmación: «De modo que la vulneración de la seguridad jurídica que el recurrente anuda a la falta de publicación y notificación de dichos planes, no puede, desde la perspectiva constitucional, estimarse, dado que, conociendo la existencia de una prohibición inicial, era al recurrente al que correspondía cerciorarse de los términos en los que la conducta que llevaba a cabo podía estar autorizada»[70]. Se trata de un argumento que cuesta compartir y que parece alejarse de la jurisprudencia consolidada en materia de remisión a reglamentos para la integración de tipos infractores. De hecho, cuenta con un Voto Particular que discute los argumentos vistos.

Dicho Voto Particular viene a objetar, precisamente, la exegesis contenida en el FJ 5° en lo relativo a la aptitud de los planes de aprovechamiento forestal para delimitar los contornos de la infracción contenida en la Ley. Al contrario de lo que parece desprenderse del fallo mayoritario, en el voto discrepante se afirma que dichos planes si tienen la condición de norma jurídica, por lo que su no publicación lleva inevitablemente a la inconstitucionalidad de la sanción impuesta[71].

La postura recogida en el Voto Particular es la que más respeta, en nuestra opinión, la doctrina asentada del Tribunal Constitucional en materia de tipificación de infracciones mediante remisión de la Ley a otras normas. Nada impide que el legislador llame a la Administración para perfilar un determinado régimen sancionador administrativo, pero tales contornos deberán ser trazados por normas reglamentarias que permitan a los ciudadanos conocer con una determinada

---

[68]   Sentencia del Tribunal Constitucional 93/1992, de 11 de junio, FJ 9°.
[69]   Sentencia del Tribunal Constitucional 131/2003, de 30 de junio de 2003, FJ 5°.
[70]   Sentencia del Tribunal Constitucional 131/2003, de 30 de junio, FJ 5°.
[71]   Sentencia del Tribunal Constitucional 131/2003, de 30 de junio, Voto Particular, FJ 1° y FJ 2°.

previsibilidad que conductas están prohibidas, lo que desde luego exige la publicación de las normas.

Cabría citar muchas otras sentencias constitucionales que han enjuiciado supuestos similares a los vistos, pero creemos que con lo dicho es suficiente para extraer las dos ideas fundamentales que ha trazado el Tribunal al hilo de la técnica de la tipificación de infracciones mediante remisión al Reglamento. En primer lugar, y por redundante que pueda parecer, la norma remitida ha de tener rango reglamentario, además de ser válida y encontrarse correctamente publicada. Además de este límite que podemos denotar como formal, rige un límite material: la Ley habilitante deberá caracterizar de forma suficientemente concreta las infracciones y las sanciones, de forma que el reglamento esté llamado a delimitar, aclarar o precisar los tipos ya previstos en la Ley. Lo que no es en definitiva admisible es que sea la Administración la que, en uso de sus potestades, y separándose de la voluntad del legislador, cree nuevos tipos sin anclaje legal. En palabras del Tribunal, no caben las meras habilitaciones en blanco vacías de todo contenido material propio[72].

Para acabar con este breve repaso por la doctrina constitucional sobre la garantía formal del derecho fundamental a la legalidad sancionadora vamos a referirnos brevemente a la técnica de la tipificación residual, consistente en cerrar el catálogo de infracciones previsto en un determinado régimen sancionador con una disposición que tipifica como infracción "el incumplimiento de las obligaciones establecidas en las normas dictadas en desarrollo de la Ley". La jurisprudencia del TC ha declarado de forma constante que esta tipificación residual por remisión es inconstitucional en tanto que se traslada al reglamento por entero y *ex novo* la tipificación de las conductas sancionables, técnica contraria al principio de reserva de Ley[73].

2.2 Juicio de constitucionalidad.

Visto lo anterior, es el momento de descender a la regulación de la punibilidad del conflicto en aplicación de la norma tributaria para contraponer la técnica punitiva creada por el legislador con los límites que acabamos de esbozar. El artículo 206.bis LGT se configura como un tipo penal en blanco, en tanto que no recoge las concretas conductas que podrán ser objeto de persecución, si no que se limita a establecer como requisito primario para entrar a valorar la concurrencia de la infracción que la conducta haya sido calificada de conflicto en aplicación de la norma tributaria. Siendo el legislador consciente de que ello no es

---

[72] Sentencia del Tribunal Constitucional 42/1987, de 7 de abril.
[73] Valencia Martín, G., *Comentarios a la Constitución Española*, Ob. Cit., p. 935.

suficiente para definir un tipo infractor, se ve obligado a establecer una remisión a los informes emitidos por la Comisión consultiva de los artículos 15 y 159 LGT que, caso por caso, van acotando aquellas concretas conductas que podrán ser sancionadas. Por tanto, estos textos van a jugar un papel central en la arquitectura del tipo, ya que no son sino las disposiciones llamadas por la Ley a integrarlo.

Lo anterior nos obliga a estudiar la naturaleza jurídica de estos documentos. Tal y como recoge la LGT, estos textos son aprobados en el marco de un procedimiento de inspección por una Comisión consultiva constituida a tales efectos. Esta Comisión se encuentra formada por dos representantes del órgano competente para responder consultas tributarias escritas y por dos representantes de la Administración que esté instruyendo el procedimiento inspector subyacente.

Por lo que se refiere a la publicación de estos informes, el artículo 194.6 del RD 1065/2007 indica que trimestralmente se publicarán, en la sede electrónica de la Agencia Estatal de Administración Tributaria, aquellos que hubieran declarado la existencia de un conflicto en aplicación de la norma tributaria, salvo que el órgano competente para emitir consultas tributarias sea alguno distinto al estatal por razón del tributo afectado, en cuyo caso serán las Administraciones en las que se integren dichos órganos las encargadas de disponer las normas para su publicación.

Siendo estos informes la piedra de toque sobre la que se configura la arquitectura del tipo infractor, es necesario desentrañar su naturaleza jurídica, ya que la respuesta al juicio de constitucionalidad sobre la remisión operada por el artículo 206.bis LGT podría variar. Nos interesa también destacar que parece adecuado distinguir dos momentos distintos en la vida jurídica de estos informes. En tanto que nacidos en el seno de un procedimiento de inspección y llamados a desplegar efectos en él, no presentan mayor interés a nuestros efectos y su caracterización como actos administrativos parece clara. Sin embargo, pueden surgir dudas tras su independencia del procedimiento tributario concreto, su generalización y pretendida publicación. ¿Nos encontramos entonces ante una norma reglamentaria?

Siguiendo a García de Enterría y Ramón Fernández, lo que diferencia al acto administrativo del Reglamento es que, mientras éste se integra en el ordenamiento y forma parte de él, aquel no es más que la aplicación del ordenamiento. En tanto que el Reglamento es capaz de novar el ordenamiento, el acto simplemente responde a una situación de hecho[74]. Si bien parece ser posible afirmar que estos informes, tras su publicación de conformidad con el artículo 194 del RD 1065/2007, innovan el ordenamiento -y lo hacen hasta el punto de crear

---

[74]   García de Enterría, E., Ramón Fernández, T., *Curso de Derecho Administrativo I.*, Thomson Reuters, 19ª Ed., Navarra, 2020, *p.* 214.

nuevas conductas susceptibles de sanción-, lo cierto es que esto es una definición dogmática que debe ser completada. Deberemos acudir a la Constitución y a la Ley para comprobar si estos informes cumplen con los requisitos necesarios para ser considerados reglamentos.

Y la respuesta es inmediata. No son disposiciones emanadas de los órganos competentes para dictar reglamentos de conformidad con el artículo 97 CE; su elaboración no sigue el procedimiento preceptivo recogido en el artículo 26 de la Ley del Gobierno y, en fin; no están sometidos al régimen de publicidad establecido en el artículo 45.3 de la Ley del Procedimiento Administrativo Común.

La conclusión parece ya aflorar por sí misma. Ni tan siquiera es necesario seguir indagando sobre el régimen de publicidad de los informes establecido en el artículo 194 del RD 1065/2007, ya que la ausencia de carácter reglamentario determina la falta de aptitud de tales textos para integrar cualquier tipo infractor previsto en la LGT. La consecuencia práctica de este sistema es que se coloca a la Administración en la posición de creadora de derecho sancionador, dotándola además de una absoluta discrecionalidad a la hora de decidir que conductas serán susceptibles de sanción[75]. Lo que parece estarse sancionando no es la realización de una conducta que el legislador ha entendido merecedora de reproche, si no la desavenencia con un criterio administrativo[76], dictado además por un órgano cuya legitimación reside, únicamente, en que su composición viene establecida por Ley.

Pero aún cabría decir una cosa más desde la perspectiva de las garantías formales. Como hemos visto, el tribunal de garantías tiene dicho que la colaboración reglamentaria en materia sancionadora administrativa es aceptable, con unos ciertos límites. En las propias palabras del Tribunal, un tipo infractor no respetara la reserva de ley garantizada por el artículo 25.1 CE cuando «[...] aunque el precepto sancionador ostente rango de ley, no contiene los elementos esenciales de la conducta antijurídica, con lo que permite una reglamentación reglamentaria independiente, no sometida, siquiera en sus líneas fundamentales, a la voluntad de los representantes de los ciudadanos, en degradación de la garantía esencial que el principio de reserva de ley entraña»[77]. En el caso de la sancionabilidad del conflicto en aplicación de la norma tributaria, esto es así has-

---

[75]   De forma mucho más elocuente se expresa MARTÍN QUERALT, J., «El principio de legalidad sancionadora... y lo contrario. Sanciones exigibles cuando hay conflicto en aplicación de la norma», *Carta Tributaria*, nº 9, pp. 91-92 cuando señala que «[e]l criterio administrativo se erige en la estrella polar que va a guiar los pasos de la propia Administración para calificar como infracción una conducta del administrado que no se ajuste a ese diktat administrativo. No se trata de un tipo aprobado por el legislador. Ni siquiera de un criterio jurisprudencial reiterado. Es un parecer administrativo».

[76]   MARTÍN LÓPEZ, J., «La punibilidad del conflicto en la aplicación de la norma», *Crónica Tributaria*, nº 163/2017, p. 131.

[77]   Sentencia del Tribunal Constitucional 341/1993, de 18 de noviembre, FJ 10º.

ta el punto de que ni siquiera la Administración es conocedora de los elementos esenciales de la conducta antijurídica hasta el momento en que la descubre una vez realizada por un ciudadano.

III. LA SANCIONABILIDAD DEL CONFLICTO EN APLICACIÓN DE LA NORMA TRIBUTARIA DESDE LA PERSPECTIVA DE LAS GARANTÍAS MATERIALES.

3.1 Las garantías materiales en la jurisprudencia del Tribunal Constitucional.

Dijimos al comenzar el epígrafe anterior que el artículo 25.1 CE es expresivo del principio de legalidad del cual, a su vez, nacen dos garantías: las formales y las materiales. Una vez que hemos analizado la compatibilidad de la sanción del conflicto en aplicación de la norma tributaria a la luz del principio de reserva de Ley es el momento de tratar su relación con las garantías materiales.

En cuanto a esta garantía material, «aparece derivada del mandato de taxatividad o de lex certa y se concreta en la exigencia de predeterminación normativa de las conductas ilícitas y de las sanciones correspondientes, que hace recaer sobre el legislador el deber de configurarlas en las leyes sancionadoras con la mayor precisión posible para que los ciudadanos puedan conocer de antemano el ámbito de lo proscrito»[78]. Y dicha necesidad de predeterminación tendrá como complemento final la garantía de tipicidad, que proscribe la posibilidad de sancionador al ciudadano por la realización de conductas que se encuentran extra muros de los contornos marcados por la norma sancionadora[79].

En definitiva, esta necesidad de previsibilidad que debe garantizarse a los ciudadanos a la hora de identificar las acciones que podrán dar lugar a la imposición de una sanción no es más que el corolario de la importancia que tiene el principio de seguridad jurídica en el ámbito sancionador[80]. Y también se configura como resultado de la certeza que debe imperar en el Derecho sancionador, la imposibilidad de que el aplicador del Derecho cuente con una excesiva discrecionalidad a la hora de apreciar la concurrencia de una infracción[81]. La restricción de derechos y libertades o la imposición de sanciones encuentran legitimación en tanto seamos los propios ciudadanos quienes, a través de nuestros representantes, decidamos aquellas conductas que no merecen la protección del

---

[78]   Sentencia del Tribunal Constitucional 135/2010, de 10 de diciembre, FJ 4°.
[79]   Sentencia del Tribunal Constitucional 120/1996, de 8 de julio, FJ 8°.
[80]   Sentencia del Tribunal Constitucional 194/2000, de 19 de julio, FJ 9°.
[81]   Sentencia del Tribunal Constitucional 207/1990, de 17 de diciembre, FJ 3°.

ordenamiento o que merecen, incluso, su reproche. Esta es, junto a la seguridad jurídica, la razón que subyace en la existencia de un principio de legalidad penal, principio que se vería socavado si fuera el Poder ejecutivo, a través de la Administración, el que decidiera, de forma libérrima, aquellas conductas susceptibles de persecución.

Uno de los elementos que puede dañar la exigencia de previsibilidad y que ha preocupado especialmente al Tribunal Constitucional es el uso de conceptos jurídicos indeterminados a la hora de tipificar infracciones. Este aspecto resulta de especial interés en nuestro caso, ya que el tipo infractor previsto en el artículo 206.bis LGT acude a uno de estos conceptos. Así, con ocasión de una infracción tipificada por referencia a la "alteración de la paz pública", el Tribunal nos enseñará que «[...] el principio de reserva material de Ley no impide la utilización de conceptos jurídicos indeterminados como el que nos ocupa en la tipificación de infracciones. Pero no lo es menos que para que sea aceptable, a la luz del art. 25 de la Constitución, esa utilización en la Ley sancionadora, será necesario que la concreción del citado concepto sea razonablemente factible en virtud de criterios lógicos, técnicos o de experiencia, de tal forma que permitan prever, con suficiente seguridad la naturaleza y las características esenciales de las conductas constitutivas de la infracción tipificada»[82].

Es decir, el uso de conceptos jurídicos indeterminados será aceptable en tanto que se pueda llegar a su concreción a través de las reglas generales de interpretación del Derecho, pues dada la riqueza de la realidad, no será siempre posible formular tipos alejados de toda indeterminación, lo que no será contrario al principio de legalidad mientras que su uso «no aboque a una inseguridad jurídica insuperable»[83].

3.2 Juicio de constitucionalidad.

Descendiendo ya a la regulación de la infracción creada mediante la Ley 34/2015, es el artículo 15 LGT el que sirve de armazón a la estructura del tipo infractor y su concurrencia se configura como el primer requisito para poder imponer una sanción. Se ha discutido acerca de si la institución del conflicto en aplicación de la norma tributaria encierra un verdadero procedimiento analógico para integrar el ordenamiento o si, al contrario, está más cercano a la figura del abuso del derecho. No se trata de una cuestión simplemente dogmática, ya que el juicio de constitucionalidad podría variar[84]. En todo caso, y sin desconocer

---

[82]   Sentencia del Tribunal Constitucional 305/1993, de 25 de octubre, FJ 5º.
[83]   Sentencia del Tribunal Constitucional 69/1989, de 20 de abril, FJ 1º.
[84]   En este sentido, el Tribunal Constitucional se pronunció sobre la aptitud del antiguo fraude a la ley tributaria para integrar el tipo penal de defraudación tributaria en su Sentencia 120/2005, de 10

que cierto sector doctrinal es de distinta opinión[85], entendemos que la necesidad de que sea la Administración quien aprecie si concurren los requisitos de impropiedad y artificiosidad propios del conflicto en aplicación de la norma tributaria es tanto como no definir las conductas susceptibles de ser sancionadas y, por lo tanto, no se está dando cumplimiento al principio de *lex certa86*.

A fortiori, creemos que la verdadera piedra de toque del artículo 206.bis LGT es la necesidad de igualdad sustancial entre la conducta sancionada y aquellas otras que la Administración hubiera declarado en conflicto con anterioridad. Estimamos, tal y como afirmó el Consejo General del Poder Judicial en su Informe al Anteproyecto de modificación de la LGT, que se trata de un tipo penal en blanco que infringe los principios de taxatividad y de tipicidad[87]. Efectivamente, aun aceptando que los informes de la Comisión consultiva, una vez publicados, tuvieran rango suficiente para integrar los supuestos susceptibles de sanción, se introduce un concepto jurídico indeterminado, el de igualdad sustancial que, como han señalado varios autores, no solo se trata de un criterio muy abierto que introduce cierto grado de inseguridad jurídica en la imposición de sanciones[88]. Es que, además, podría estar escondiendo una analogía *in malam partem*, proscrita en el campo del Derecho sancionador por aplicación del principio de tipicidad.

Todo lo anterior nos lleva a pensar que, con la regulación actual, el tipo infractor no respeta las garantías materiales emanadas del principio de legalidad penal recogido en el artículo 25.1 CE. El ciudadano que diseña una cierta estructura económica se enfrenta de esta manera a una doble incertidumbre: en primer lugar, a la del criterio que seguirá la Administración tributaria en lo que se refiere a reconducir o no dicha estructura a través de la figura del conflicto en

---

de mayo, llegando a la conclusión de que las conductas recalificadas conforme al artículo 24 de la LGT, en su versión tras la reforma del año 1995, no podían dar lugar a una condena penal en tanto que su integración se producía a través de un procedimiento analógico, lo que es contrario a los principios de legalidad y tipicidad. En todo caso, y a pesar de que esta Sentencia es ampliamente citada en apoyo de esta tesis, lo cierto es que como ha señalado Palao Taboada en «El nuevo intento de sancionar la elusión fiscal en el Anteproyecto de la Ley de modificación de la Ley General Tributaria», *Revista Española de Derecho Financiero* n° 165, Civitas, pp. 25-26, existen resoluciones posteriores que no son tan tajantes en cuanto a la exclusión de la posibilidad de castigar penalmente ciertas conductas realizadas en fraude de ley.

[85]   Palao Taboada, C., «La norma antielusión del Proyecto de nueva Ley General Tributaria», *Revista de Tributación y Contabilidad CEF,* n° 248, 2003, p. 90.

[86]   García Novoa, C., «El conflicto en aplicación de la norma tributaria y la posibilidad de sancionarlo» en *La nueva tributación tras la reforma fiscal,* (Coord. Patón García, G.), Wolters Kluwer, 2016, p. 228.

[87]   Informe del Consejo General del Poder Judicial al Anteproyecto de la Ley de Modificación Parcial de la Ley 58/2003, de 17 de diciembre, General Tributaria, pp. 6-7.

[88]   Palao Taboada, C., Ob. Cit., p. 23. También en este sentido Alonso Murillo, F., «Infracción en supuestos de conflictos en la aplicación de la norma tributaria», en *Estudios sobre la reforma de la Ley General Tributaria,* (Dir. Merino Jara, I.), Huygens Editorial, Barcelona, pp. 298-301.

aplicación de la norma tributaria. Y, a continuación, se encontrará al albur de lo que el aplicador del Derecho pueda entender por igualdad sustancial. Cabe recordar que esa igualdad sustancial se va a proyectar sobre estructuras complejas, en las que suelen verse afectadas varios sujetos, en ocasiones con residencia fiscal en diferentes lugares, con multitud de operaciones realizadas con diferentes objetivos económicos y que pueden operar sobre diversa normativa tributaria. Todo ello construido sobre varios conceptos jurídicos indeterminados cuya exégesis es incluso compleja para la Administración y que ya está siendo discutida, creemos además que con buen criterio[89].

IV. CONCLUSIONES

La posibilidad de sancionar las conductas calificadas como conflicto en aplicación de la norma tributaria ha encontrado siempre la oposición prácticamente unánime de la doctrina, atendiendo tanto a argumentos de técnica jurídica como de rango constitucional. Incluso entre los autores que se muestran más favorables a la punición de este tipo de conductas, solemos encontrar propuestas que intentan ser lo más respetuosas posibles con los valores constitucionales que informan el ordenamiento sancionador de cualquier Estado que se llame de Derecho. Por ello, no sorprende que incluso estos últimos hayan encontrado razones para criticar la actual regulación de la sancionabilidad del conflicto en aplicación de la norma tributaria contenida en el artículo 206.bis LGT.

No vamos a extendernos demasiado en estas conclusiones. Comenzaremos dando respuesta a la pregunta que dio título a este trabajo. ¿Supone la punición del conflicto en aplicación de la norma tributaria, en sus términos vigentes, un nuevo golpe a la seguridad jurídica en el Derecho Tributario y, por extensión, a los derechos fundamentales de los contribuyentes? Creemos que la respuesta es, indubitadamente, que sí. Si a la falta de claridad de la que viene adoleciendo la jurisprudencia en materia de distinción entre simulación y conflicto en aplicación de la norma tributaria y al grado de incertidumbre que es consustancial a

---

[89] De la lectura de los informes de la Comisión consultiva publicados en la sede de la Agencia Estatal de Administración Tributaria parece desprenderse que la Administración defiende la idea de que la ausencia de motivos económicos válidos distintos del simple ahorro fiscal lleva aparejada, en todo caso, la artificiosidad o impropiedad de los negocios, lo que resulta indiscutiblemente cómodo, ya que evita la prueba de este requisito. Sin entrar en este momento en mayores comentarios, lo cierto es que de la lectura de la LGT no se llega fácilmente a tal conclusión y tampoco es posible en los informes encontrar alguna explicación al respecto. Sobre este tema puede leerse a DURÁN-SINDREU BUXADÉ, A., «Una vez más, sobre el conflicto en aplicación de la norma tributaria o las prácticas abusivas». *Taxlandia, Blog fiscal y de actualidad tributaria*. Consultado el 16 de septiembre de 2022 en: https://www.politicafiscal.es/equipo/antonio-duran-sindreu/una-vez-mas-sobre-el-conflicto-en-la-aplicacion-de-la-norma-tributaria-o-las-practicas-abusivas

cualquier clausula general antielusión, le añadimos la posibilidad de sancionar tales conductas, dejando para ello un margen de maniobra casi libérrimo a la Administración, parece evidente que la seguridad jurídica no va a pasar por sus mejores momentos mientras los ciudadanos se ven sometidos a procedimientos sancionadores, por cuantías nada desdeñables, que no hubieran podido razonablemente esperar.

La quiebra de los principios de reserva de Ley y de tipicidad no son un resultado aceptable, ni tan siquiera, sobra decirlo, cuando con ello se busque dar cumplimiento a otros mandatos insertos en la Constitución, como podrían ser el deber de contribuir al sostenimiento de las cargas públicas o el de la lucha contra la elusión fiscal. Tales loables objetivos pueden -y deben- conseguirse articulando soluciones normativas que no choquen de manera tan directa con derechos fundamentales esenciales.

Comenzamos este trabajo diciendo que nos sorprendía la afirmación contenida en el Preámbulo de la Ley 34/2015, según la cual la norma se marcaba el objetivo de contribuir a la mejora de la seguridad jurídica en el Derecho tributario español. Y únicamente podemos concluir diciendo que, al menos en lo que a la punibilidad del conflicto en aplicación de la norma se refiere, no lo ha conseguido.

BIBLIOGRAFÍA

Alonso Murillo, F., «Infracción en supuestos de conflictos en la aplicación de la norma tributaria», en *Estudios sobre la reforma de la Ley General Tributaria,* (Dir. Merino Jara, I.), Huygens Editorial, Barcelona

García Berro, F., «Un enfoque nuevo en la jurisprudencia del Tribunal Supremo sobre el concepto de simulación», *La Ley* 15011/2020.

Consejo de Estado: Dictamen 1403/2003, de 22 de mayo de 2003.

Consejo General del Poder Judicial: Informe al Anteproyecto de la Ley de Modificación Parcial de la Ley 58/2003, de 17 de diciembre, General Tributaria.

Cuervo Fernández, C., «Los motivos económicos válidos como criterio delimitador entre la simulación y el conflicto en aplicación de la norma tributaria. Novedades en la jurisprudencia reciente», *Quincena Fiscal* 14/2022.

Durán-Sindreu Buxadé, A., «Una vez más, sobre el conflicto en aplicación de la norma tributaria o las prácticas abusivas». *Taxlandia, Blog fiscal y de actualidad tributaria.* Consultado el 16 de septiembre de 2022 en: https://www.politica-fiscal.es/equipo/antonio-duran-sindreu/una-vez-mas-sobre-el-conflicto-en-la-aplicacion-de-la-norma-tributaria-o-las-practicas-abusivas.

García de Enterría E., Ramón Fernández, T., *Curso de Derecho Administrativo I.*, Thomson Reuters, 19ª Ed., Navarra, 2020

García Novoa, C., «El conflicto en aplicación de la norma tributaria y la posibilidad de sancionarlo» en *La nueva tributación tras la reforma fiscal*, (Coord. Patón García, G.), Wolters Kluwer, 2016.

Martín López, J., *La punibilidad del conflicto en la aplicación de la norma, Crónica Tributaria, nº 163/2017*

Martín Queralt, J., *El principio de legalidad sancionadora… y lo contrario. Sanciones exigibles cuando hay conflicto en aplicación de la norma, Carta Tributaria, nº 9.*

Palao Taboada, C., «El nuevo intento de sancionar la elusión fiscal en el Anteproyecto de la Ley de modificación de la Ley General Tributaria», *Revista Española de Derecho Financiero* nº 165, Civitas

-, «La norma antielusión del Proyecto de nueva Ley General Tributaria», *Revista de Tributación y Contabilidad CEF*, nº 248, 2003.

Valencia Martín, G., *Comentarios a la Constitución Española*, Fundación Wolters Kluwer y Boletín Oficial del Estado, Madrid, 2018.

13.- LA EVOLUCIÓN DEL *NON BIS IN IDEM* EN LA JURISPRUDENCIA EUROPEA A PROPÓSITO DE LAS SENTENCIAS DEL TRIBUNAL DE JUSTICIA DE LA UNIÓN EUROPEA, CASOS *BPOST* Y *NORDZUCKER*: ASPECTOS CRÍTICOS

JULIA LÓPEZ ESPEJO

Contratada predoctoral FPU
Departamento de Derecho Público y Económico.
Área de Derecho Financiero y Tributario.
Universidad de Córdoba.

I. INTRODUCCIÓN

El recurso a las sanciones penales y administrativas (entre ellas, en concreto, las tributarias) es harto habitual en las regulaciones legales de muchos países europeos que admiten, en cierta medida, la coexistencia de procedimientos administrativos sancionadores y penales. En este sentido, es innegable la relevancia que ha ido adquiriendo este principio en el ámbito del Derecho tributario sancionador nacional, donde cada vez son más abundantes las situaciones en las que unos mismos hechos son constitutivos tanto de infracción tributaria, de las recogidas en los artículos 191 y siguientes de la Ley General Tributaria, como de delito, recogido en el artículo 305 del Código Penal, referido al delito de fraude contra la Hacienda Pública, (concurrencia externa), así como, los supuestos en los que de unos mismos hechos se pueden derivar dos sanciones tributarias (concurrencia interna), convirtiéndose aquél principio en un criterio básico e imprescindible para, fundamentalmente, limitar la potestad sancionadora del Estado.

Pero no solo son posibles los dobles enjuiciamientos y sanciones en un mismo Estado, sino que la integración europea y la globalización existentes han dado lugar a la posibilidad de que existan sanciones penales y/o administrativas por parte de distintos Estados de la Unión Europea o, incluso, por parte de los Estados miembros o terceros Estados y las instituciones europeas. Esta variedad de combinaciones supone que sea difícil encontrar un criterio claro y pacífico que permita conocer el contenido y los límites del principio *non bis in idem*, de manera que tanto en el espacio jurídico europeo como en el Derecho interno de cada Estado la duplicidad punitiva quede suprimida.

La labor de los Tribunales supranacionales para dotar de significado al principio *non bis in idem* ha sido ardua y los criterios jurisprudenciales establecidos, con frecuencia, mutables en función del ámbito del ordenamiento jurídico o el sector de intervención ante el que nos encontrásemos. No obstante, parece que en la jurisprudencia europea se han establecido, en fecha reciente, unas directrices comunes en las que convergen los juicios del Tribunal Europeo de Derechos Humanos (en adelante, TEDH) y el Tribunal de Justicia de la Unión Europea (en adelante, TJUE). Sin embargo, esta convergencia no es sinónimo de conveniencia pues, para un relevante sector de la doctrina, la jurisprudencia europea actual existente en torno al principio *non bis in idem* es errónea y presenta consecuencias negativas. En concreto, pierde de vista el verdadero fundamento del principio al ampliar el alcance del elemento *idem,* al extender los supuestos en los que existe identidad suficiente como para entender vulnerado el *non bis in idem.* Esta jurisprudencia tendente a ampliar el elemento *idem* se puede apreciar en recientes Sentencias del TJUE como son las de 22 de marzo de 2022, caso *bpost* y caso *Nordzucker.* Asimismo, junto a la ampliación del elemento *idem,* estamos acudiendo a una flagrante relativización del elemento *bis,* esto es, se están modulando los criterios que deben darse para que los Tribunales europeos entiendan que estamos verdaderamente ante un doble procedimiento punitivo que vulnera el principio *non bis in idem.*

De este modo, este estudio presenta dos objetivos. En primer lugar, analizar los diferentes reconocimientos normativos y estándares de protección del principio *non bis in idem* y, en segundo lugar, examinar la evolución de la jurisprudencia del TEDH y el TJUE existente para entender hacia dónde parecen dirigirse los Tribunales europeos en cuanto a los elementos *idem* y *bis,* poniendo en relación las conclusiones alcanzadas con el ordenamiento jurídico español.

II. EL RECONOCIMIENTO NORMATIVO Y LOS DIFERENTES ESTÁNDARES DE PROTECCIÓN DEL PRINCIPIO NON BIS IN IDEM

1. El non bis in idem en el ordenamiento jurídico español

El principio (o regla o garantía o derecho) *non bis in idem* se encuentra consagrado en numerosos ordenamientos jurídicos nacionales, en algunas ocasiones de manera expresa y con rango constitucional[90] y, en otras tantas, sin previsión explícita constitucional[91].

Esto ocurre en el caso del ordenamiento jurídico español, donde, a pesar de no tener este principio un reconocimiento explícito en nuestra Constitución, el Tribunal Constitucional declaró su naturaleza de derecho fundamental digno de amparo en su Sentencia 2/1981, de 30 de enero, en la que establece que el principio *non bis in idem* se encuentra recogido implícitamente en los principios de legalidad y tipicidad que recoge el artículo 25.1 de la Constitución Española. En esta misma sentencia de 30 de enero, en su FJ 4, el Tribunal Constitucional indicó que en el Anteproyecto de Constitución aparecía expresamente recogido el principio *non bis in idem* en el artículo 9.3, cuya redacción era la siguiente: «se reconocen los principios de publicidad, jerarquía normativa, de legalidad, de irretroactividad de las normas punitivas, sancionadoras, fiscales y restrictivas de derechos individuales y sociales, de seguridad jurídica, de exclusión de la doble sanción por los mismos hechos y de responsabilidad de los poderes públicos». Finalmente, esta redacción no vio la luz, por lo que el Tribunal Constitucional, prácticamente dos años después de la entrada en vigor de la Constitución Española, en su Sentencia 2/1981, de 30 de enero, identifica el principio *non bis in idem*, no contemplado constitucionalmente, con los principios de legalidad y tipicidad, sí contemplados constitucionalmente para, de este modo, justificar la relevancia constitucional del primero.

Así, además, encontramos desarrollada la vertiente *material* del principio en distintas normas de nuestro ordenamiento jurídico, como es, por ejemplo, el art. 31.1. de la Ley 40/2015, de 1 de octubre, de Régimen Jurídico del Sector Público que establece que:

> «No podrán sancionarse los hechos que lo hayan sido penal o administrativamente, en los casos en que se aprecie identidad del sujeto, hecho y fundamento».

---

[90]   Así, se encuentra recogido como parte de la Quinta Enmienda de la Constitución de los Estados Unidos de América, ("nor shall any person be subject for the same offence to be twice put in jeopardy or limb"). También, en el art. 103 de la Ley Fundamental de la República Federal de Alemania de 1949.

[91]   Esto ocurre en el ordenamiento jurídico español y francés. Por lo que respecta al ordenamiento francés, el principio non bis in idem no solamente no se eucnetra recogido en la Constitucion francesa, sino que el Consejo Constitucional le ha negado el rango de principio constitucional (Decisión de 30 de julio de 1982, nº82-143 DC; Decisión de 28 de julio de 1989, n189-260 DC). No obstante, el Consejo Constitucional, al desarrollar el principio de necesidad de las penas, ha ofrecido, de facto, una protección equivalente a la que normalmente aporta el principio non bis in idem en otros ordenamiento. BUENO ARMIJO, A: "El principio non bis in ídem en el derecho de la unión europea. Una configuración cada vez más alejada del ordenamiento español", Anuario de Derecho Administrativo sancionador 2021, *Civitas*, 2021, pág. 274.

También el art. 180.1 de La ley 58/2003, de 17 de diciembre, General Tributaria positiviza el *non bis in idem* en estos términos:

«Una misma acción u omisión que deba aplicarse como criterio de graduación de una infracción o como circunstancia que determine la calificación de una infracción como grave o muy grave no podrá ser sancionada como infracción independiente».

2. El non bis in idem en el derecho europeo

El principio *non bis in idem* se encuentra consagrado, asimismo, a nivel internacional y europeo. En el primer caso, el principio *non bis in idem* se ha consagrado cono un derecho individual en los tratados internacionales de derechos humanos, como ocurre en el artículo 14.7 del Pacto Internacional de Derechos Civiles y Políticos de 19 de diciembre de 1966[92] (en adelante, PIDCP). Sin embargo, algunos Estados han formulado reservas a este principio, como, por ejemplo, el Reino de los Países Bajos, que acepta esta disposición únicamente en la medida en que no entrañe otras obligaciones distintas de las enunciadas en el artículo 68 del Código Penal de los Países Bajos y en el artículo 70 del Código Penal de las Antillas Neerlandesas, tal como se aplican actualmente. Estos artículos disponen:

En el segundo caso, esto es, en el ámbito europeo, en concreto, se establece normativamente tanto en el Derecho del Consejo de Europa como en el Derecho de la Unión Europea.

En el caso del Derecho del Consejo de Europa, el Convenio Europeo de Derechos Humanos (en adelante, CEDH) no contiene ninguna disposición referida al principio en cuestión. La antigua Comisión Europea de Derechos Humanos[93] negó que este principio estuviera reconocido como tal en el artículo 6 CEDH, sin excluir en términos absolutos, sin embargo, que algunas persecuciones dobles pudieran violar el derecho a un juicio justo conforme dicho artículo[94]. La incorporación de este principio como derecho protegido en el seno del Consejo de Europa se produjo con la adopción del Protocolo. nº7 adherido al CEDH para la Protección de los Derechos Humanos y de las Libertades Fundamentales, hecho en Estrasburgo, el 22 de noviembre de 1984 (en adelante, Protocolo nº7).

Es necesario tener en cuenta que el artículo 4 del Protocolo nº7 no es un instrumento vinculante para todos los Estados miembros de la Unión Europea

---

[92] Art. 14.7 PIDCP: "Nadie podrá ser juzgado ni sancionado por un delito por el cual haya sido ya condenado o absuelto por una sentencia firme de acuerdo a la ley y el procedimiento penal de cada país"

[93] European Commission on Human Rights, 13/07/1970, Application 4212/69, CDR 35, 151.

[94] VARVAELE, J.A.E: "Ne bis in idem. ¿Un principio transnacional de rango constitucional en la Unión Europea?, *InDret*, nº1, 2014, p. 7.

(en adelante, UE). Hay distintos países de la UE que han formulado reservas o declaraciones con la finalidad de limitar su ámbito de aplicación[95]. Así, numerosos países ni siquiera han ratificado el artículo 4 del Protocolo núm.7, como es el caso de Alemania, Bélgica, Países Bajos o Reino Unido, y otros han formulado reservas para asegurarse de que el principio *non bis in idem* se aplique exclusivamente en relación con sanciones de carácter estrictamente penal. Este ha sido el caso de Francia, Italia, Austria y Portugal. En el caso español, la tardanza en la ratificación del Protocolo también fue significativa, pues hasta el 28 de agosto de 2009 no se ratificó sin reservas el Protocolo, y no fue hasta el 1 de diciembre de 2009 cuando surtió efectos a nivel nacional. Para Pérez Manzano, esta disparidad en cuanto al reconocimiento y ratificación del contenido y alcance del principio *non bis in idem* es preocupante pues «cuestiona su propia esencia de derecho fundamental y es caldo de cultivo para que se desarrolle una serpenteante jurisprudencia europea»[96].

En cuanto al Derecho de la Unión Europea, la primera positivización del principio *non bis in idem* la encontramos en el año 1990 con la aprobación del Convenio de aplicación del Acuerdo Schengen (en adelante, CAAS), que se incorporó al Derecho de la UE a través del Protocolo 19 anexo al Tratado de Ámsterdam y que en su capítulo 3 (artículos 54-58) se refiere al principio *non bis in idem* como un principio transnacional en la UE.

A pesar de producirse la primera normativización del principio *non bis in idem* en el derecho de la UE en el año 1990, el TJUE viene reconociéndolo desde jurisprudencia temprana. En concreto, en la STJUE de 5 de mayo de 1966, asunto *Gutmann*, *as*, referida a sanciones disciplinarias, el TJUE ya estableció que el principio *non bis in idem* prohíbe no solo establecer dos sanciones disciplinarias por una misma falta, sino iniciar «dos procedimientos disciplinarios en razón de un mismo conjunto de hechos», poniéndose ya, desde los inicios, el acento por parte del TJUE en la vertiente procesal de principio.

A su vez, en el año 2009, junto con el Tratado de Lisboa, entra en vigor la Carta de Derechos Fundamentales de la UE (en adelante, la Carta), en cuyo artículo 50 se contempla el "Derecho a no ser juzgado o condenado penalmente dos veces por la misma infracción". En concreto, el artículo 50 de la Carta establece que:

«Nadie podrá ser juzgado o condenado penalmente por una infracción respecto de la cual ya haya sido absuelto o condenado en la Unión mediante sentencia penal firme conforme a la ley».

---

[95]   Pueden consultarse las reservas y declaraciones en https://www.coe.int/en/web/conventions/search-on-treaties/-/conventions/treaty/117/declarations

[96]   PÉREZ MANZANO, M: "The Spanish connection: los caminos del diálogo europeo en la configuración de alcance de la prohibición de incurrir en bis in ídem", *Anuario de la Facultad de Derecho de la Universidad Autónoma de Madrid*, núm. 22, 2018, p. 390.

Este precepto, a diferencia del artículo 4 del Protocolo nº7 CEDH, se aplica en el ámbito del Derecho de la UE (que puede ser nacional, transnacional o europeo), es decir, entra en juego en el caso de que existan condenas o procedimientos punitivos dobles por los mismos hechos en distintos Estados miembros de la Unión Europea. Asimismo, al igual que el artículo 4 del Protocolo nº7 CEDH y, a diferencia del artículo 54 CAAS, se refiere a "infracciones" y no a "hechos". Este matiz presenta importancia pues al aludir a "infracción" se está teniendo en cuenta la calificación jurídica que los hechos pueden tener en función de lo que establezca el ordenamiento jurídico de cada Estado, en cambio, si la mención legal se refiere a "hechos" ha de entenderse que la calificación jurídica no tiene relevancia, sino que nos estamos refiriendo a una cuestión meramente fáctica. Y, como decimos, esta distinción presenta importantes consecuencias que en los siguientes apartados vamos a examinar.

III. SOBRE EL ELEMENTO *IDEM*: CUANDO ESTÁ PROHIBIDA LA DUPLICIDAD SANCIONADORA

Ahora sí, nos adentramos en el estudio de la construcción jurisprudencial que los tribunales supranacionales (TEDH y TJUE) en relación con el *non bis in idem* vienen realizando desde tiempo atrás, poniéndola en relación con la existente en nuestro ordenamiento jurídico.

Debemos tener presente que, actualmente, existe una convergencia en el seno de la jurisprudencia europea en relación con la construcción e interpretación del principio *non bis in idem*. Esta convergencia no siempre ha tenido una misma dirección, en unos momentos ha sido el Tribunal de Luxemburgo el que ha atraído hacia sí la jurisprudencia del Tribunal de Estrasburgo, pese a que puede parecer extraño dadas las competencias que cada tribunal ostenta y, en otras ocasiones, la convergencia ha sido a la inversa, es decir, la jurisprudencia del Tribunal de Estrasburgo ha atraído hacia sí la jurisprudencia del Tribunal de Luxemburgo. En cualquier caso, podemos decir que existe un diálogo coherente y una conexión suficiente en relación con el principio *non bis in idem* entre ambos tribunales.

Antes de desarrollar cualquier otra cuestión, es imprescindible tener en cuenta la doble vertiente que el *non bis in idem* presenta, pues este principio tiene un distinto contenido y alcance en función de si lo examinamos desde la vertiente *material* o *procesal*. Es necesario indicar desde este momento que la construcción del principio *non bis in idem* por parte de los Tribunales europeos es eminentemente procesal. En su jurisprudencia, desarrollan la vertiente procesal del principio (prohibición de dobles procedimientos punitivos), como derivación con caracteres propios del principio de cosa juzgada[97], y niegan toda autonomía a la vertiente material del non bis in idem (prohibición de dobles castigos), considerando este vertiente una mera consecuencia de la anterior, pues entiende los tribunales europeos que al prohibir los dobles procedimientos punitivos, queda salvaguardado el derecho a no sufrir un doble castigo.

Esta idea no es la desarrollada en el ordenamiento jurídico español. El Tribunal Constitucional español, desde los primeros pronunciamientos en relación con el principio *non bis in idem*, viene estableciendo la doble vertiente que lo caracteriza, por una lado «la vertiente material, que impide sancionar al mismo sujeto en más de una ocasión por el mismo hecho y con el mismo fundamento»[98] y, por otro lado, «la procesal, que proscribe la duplicidad de procedimientos sancionadores en casi de que exista una triple identidad de sujeto, hecho y fundamento»[99], siendo ambas vertientes manifestaciones considerables del principio *non bis in idem*, es decir, ambas dimensiones forman parte de manera independiente, aunque interrelacionada, del principio en cuestión.

A nuestro parecer, adelantamos ya que, la visión exclusivamente procesal del *non bis in idem* en el ámbito europeo se presenta deficiente, pues no siempre del respeto de la vertiente procesal va a derivar de manera directa el respeto de la vertiente material. Es decir, pueden existir supuestos en los que, a pesar de respetarse la vertiente procesal del principio, la material quede vulnerada. Por ejemplo, se produciría esta situación cuando en un mismo procedimiento, a un mismo sujetos se le imponga dos o más sanciones por los mismos hechos y con el mismo fundamento jurídico en aplicación de normas distintitas, como ocurriría en los supuestos de concursos de normas, en las que se tipifican unos mismo hechos como infracciones distintas, aunque homogéneas. Además, de los concursos de normas, también pueden destacarse las anomalías propias de los casos en los que, en un mismo procedimiento, una misma circunstancia agravante es tenida en cuenta como elemento integrante del tipo. Este tipo de anomalías parecen no tener cabida en la jurisprudencia europea que, en este sentido, se presenta un tanto reprobable. Además, no hay garantía alguna de que la sanción impuesta en el primer procedimientos sea la más apropiada ni desde el punto de vista de la justicia, ni desde el punto de vista de protección de la víctima, ni desde el punto de vista del sancionado[100]. Y ello sin contar con que, en ocasiones, ni siquiera habrá sanción al término del primer procedimiento punitivo.

---

[97]   BUENO ARMIJO, A: "El principio non bis in ídem en el derecho de la unión europea...", op.cit., pág.273.
[98]   STC 2/2003, de 16 de enero, FJ 3.
[99]   Por ejemplo, véase, la STC 188/2005, FJ 2.a).
[100]   VARVAELE, J.A.E.: "Ne bis in idem: ¿un principio trasnacional de rango constitucional en la Unión Europea?, *InDret*, n°.1, 2014.

Por poner un ejemplo, tomemos en consideración la STJUE de 4 de marzo de 2020, *Marine Harvest/Comisión*, as. C-10/18 P. En este asunto a la empresa Marine Harvest, la autoridad competente nacional impuso dos multas de 10.000.000 euros por la comisión de dos infracciones tipificadas en el artículo 14.2.a) y 14.2.b) del Reglamento (CE) n°. 139/2004 del Consejo, de 20 de enero de 2004, sobre el control de concentraciones de empresas, por haber adquirido Marine Harvest un paquete de acciones de otra empresa del mismo sector que le aseguraba el control de esta última, sin haberlo comunicado previamente a la Comisión. El TJUE vuelve a dejar claro que el principio *non bis in idem* «prohíbe que se condene a una empresa o se inicie de nuevo un procedimiento sancionador contra ella por un comportamiento contrario a la competencia a causa del cual ya ha sido sancionada o del que se la ha declarado no responsable mediante una decisión anterior que ya no puede ser objeto de recurso. Por tanto, el mismo principio pretende evitar que "se condene o se inicie de nuevo un procedimiento sancionador"»[101].

Por tanto, el TJUE concluye que «el principio *non bis in idem* no puede aplicarse dado que las sanciones por la infracción del Reglamento n.o 139/2004 fueron impuestas por la misma autoridad en una misma y única decisión».[102]

Ahora bien, es preciso aclarar, como lo hace Bueno Armijo, que el hecho de que la imposición de más de una sanción por los mismos hechos, contra el mismo sujeto y con el mismo fundamento jurídico, en el seno del mismo procedimiento punitivo, no suponga una vulneración del *non bis in idem*, no significa que la actuación en cuestión sea conforme al Derecho de la Unión Europea o que no vulnere otros principios del ordenamiento europeo, como el principio de proporcionalidad[103].

1. Presupuesto del non bis in idem: *identidad de hechos, sujetos y fundamentos jurídicos: el idem crimen en el ordenamiento jurídico español*

Debemos dejar constancia de la existencia de distintos enfoques desde los que determinar el alcance del *non bis in idem*. En concreto y simplificando, diremos que existen dos enfoques distintos: uno fáctico o naturalista (*idem factum*), que considera que el *idem* se cumple cuando los dos procedimientos o las dos sanciones se refieren únicamente a los "mismos hechos" realizados por el mismo sujeto; y otro normativo (*idem crimen*),

---

[101]   la STJUE de 4 de marzo de 2020, *Marine Harvest/Comisión*, as. C-10/18 P, ap. 76.
[102]   La STJUE de 4 de marzo de 2020, *Marine Harvest/Comisión*, as. C-10/18 P, ap. 78.
[103]   BUENO ARMIJO, A: "El principio non bis in ídem…" op.cit., pág 281.

que considera que para que resulte aplicable la prohibición, se exige, además, la identidad de las infracciones o del bien jurídico protegido[104].

Es lógico que el primer enfoque presenta una mayor tutela para el sancionado, pues los criterios para entender que existe el elemento *idem* son menores (solamente la identidad de hechos y sujetos), frente al segundo enfoque que, para entender que exista el idem y que por tanto pueda entrar en aplicación el *non bis in idem*, se exigen tres requisitos y no solamente dos (la identidad de hechos, de sujetos y, también, de fundamentos jurídicos).

Observamos, entonces, que el requisito en discordia es el referido a la identidad de fundamento jurídico que se refiere a los bienes jurídicos implicados: si el hecho de un mismo sujeto lesiona o pone en peligro varios bienes jurídicos no hay identidad de fundamento y, por tanto, cabe la duplicidad de sanciones.

En nuestro ordenamiento jurídico, esta triple identidad «constituye el presupuesto de aplicación de la interdicción constitucional de incurrir en *bis in idem*, sea este sustantivo o procesal, y delimita el contenido de los derechos fundamentales reconocidos en el art. 25.1 CE, ya que estos no impiden la concurrencia de cualesquiera sanciones y procedimientos sancionadores, ni siquiera si estos tienen por objeto los mismos hechos, sino que estos derechos fundamentales consisten precisamente en no padecer una doble sanción y en no ser sometido a un doble enjuiciamiento punitivo, por los mimos hechos y con el mismo fundamento»[105].

Se aprecia, así, que el presupuesto del que parte el principio *non bis in idem* en nuestro Derecho interno no es el meramente fáctico (*idem factum*), sino que los hechos fácticos hay que ponerlos en relación con los bienes jurídicos lesionados o puestos en peligro y que la norma jurídica sancionadora quiere proteger (*idem crimen*).

2. Presupuesto del non bis in idem: identidad de hechos, sujetos y ¿fundamentos jurídicos?: el idem factum *en el ámbito europeo*

Esta triple identidad de hechos, sujetos y fundamentos jurídicos que tradicionalmente ha tenido que darse como presupuesto para que entre en aplicación el *non bis in idem*, se aplica de manera restringida y relativa en la jurisprudencia europea como a continuación vamos a analizar, pues el tercer requisito, es decir, la identidad de fundamento parece no tener cabida en los juicios que sobre el *non bis in idem* realizan los Tribunales europeos.

---

[104]   CANO CAMPOS, T: "Los claroscuros del non bis in idem en el espacio jurídico europeo", *Revista Española de Derecho Europeo*, nº. 80, 2021, pág. 22.
[105]   Entre otras, véase la STC 77/2010, FJ 4.a).

a. El *idem factum* en el TEDH

En relación con el elemento *idem,* la jurisprudencia del TEDH en cuanto al enfoque fáctico o normativo del elemento *idem* fue, en los primeros momentos, muy cambiante, sobre todo en determinados casos, relacionados con accidentes de tráfico con resultados lesivos o de muerte, en los que el TEDH se centraba en la existencia o no de identidad de hechos o infracciones como forma de admitir o no la concurrencia de sanciones, posicionándose en algunos casos en el enfoque del *idem factum* y en otros asuntos en el enfoque del *idem crimen.*

Así, por ejemplo, en la STEDH de 23 de octubre de 1995, *asunto Gradinger c. Austria,* en el que al recurrente, una persona que conducía bajo los efectos del alcohol y causó la muerte a otra persona, fue condenado por un delito de homicidio imprudente y, posteriormente, sancionado administrativamente por conducir con una tasa de alcohol en sangre superior a 0,8 gr./litro de sangre, el TEDH entiende que, aunque las disposiciones aplicadas en ambos procedimientos eran diferentes, lo relevante era que ambos pronunciamientos tenían como base la misma conducta fáctica por lo que había existido vulneración del *non bis in idem (idem factum)*

Sin embargo, junto a este pronunciamiento existen otros que el propio Tribunal había dictado y que eran de signo contrario. En la STEDH de 30 de julio de 1998, asunto *Oliveira c. Suiza,* el Tribunal estableció la falta de identidad de hechos en un caso en el que el conductor de un vehículo había resultado doblemente sancionado, en vía penal y administrativa, siendo la sanción administrativa la primera sanción impuesta. Al conductor del vehículo se le impuso primero una sanción por falta de control del vehículo y, después, una pena como autor de lesiones imprudentes causadas en el mismo accidente de tráfico. Los fundamentos en los que se basó la conclusión del Tribunal Europeo evidenciaban un claro enfoque normativo: de un lado, sostuvo que la prohibición no se vulneraba porque jurisdicciones distintas conozcan de infracciones distintas que integran elementos de un mismo hecho y, de otro, que el artículo 4 del Protocolo núm.7 solo se refiere la prohibición de juzgar el mismo delito, no otro delito distinto. Por ello, al analizar el caso, anunció que se trataba de un caso típico de concurso ideal de infracciones del que no podía entenderse que hubiere identidad de infracciones. Para llegar a esta conclusión examinó no solo los hechos desde parámetros naturales sino también los intereses o bienes jurídicos protegidos[106] (*idem crimen*).

Ante la incertidumbre generada por esta pluralidad de criterios, el TEDH, influido claramente en este punto por la jurisprudencia del TJUE, que analizaremos a continuación, decidió unificar su doctrina en la STEDH de 10 de febrero

---

[106] PÉREZ MANZANO, M: "The spanish connection: los caminos del diálogo …", p.396.

de 2009, asunto *Zolotoukhine c. Rusia* en la que pone el Tribunal pone de manifiesto que sus pronunciamientos habían sido erráticos hasta ese momento, de tal modo que en su seno convivían distintos conceptos de identidad (concepto fáctico, normativista y mixto).

En este pronunciamiento constató que la utilización del término «infracción» en el artículo 4 del Protocolo núm. 7 no justificaría una interpretación restrictiva que tomara en consideración la calificación legal de los hechos, pues esta interpretación debilitaría el alcance de la garantía. Por ello, se decantó por sostener que el «artículo 4 del Protocolo núm.7 debe ser entendido en el sentido de prohibir la persecución o enjuiciamiento de una segunda "infracción" en la medida en que derive de hechos idénticos o hechos que sustancialmente sean los mismos»[107]. Es decir, el juicio de la triple identidad (hechos, sujetos y fundamento) queda circunscrito a un doble juicio (exclusivamente, de hechos y sujetos).

b. La reciente armonización del *idem factum* en el TJUE a raíz de las Sentencias en los asuntos *Bpost* y *Nordzucker*

En el Derecho de la Unión Europea, desde los inicios de la jurisprudencia del TJUE, ha prevalecido la concepción del *idem factum* frente al *idem crimen* en todos los sectores de los ordenamiento jurídicos, excepto en materia de competencia que, desde la Sentencia de 13 de febrero de 1969, asunto *Wilhem y otros* (C-14/68), la aplicación del *non bis in idem* se basaba en la triple identidad de hecho, sujeto y fundamento. Esta sentencia, que se refería a investigaciones paralelas seguidas por las autoridades alemanas y por la Comisión por la realización de conductas contrarias a la competencia, el TJUE señaló que «el Derecho comunitario y el Derecho nacional en materia de prácticas colusorias las consideran desde puntos de vista diferentes»[108], por lo que el principio *non bis in idem* no constituía un obstáculo para que se desarrollasen paralelamente procedimientos por parte de la Comisión y las autoridades nacionales de competencia. En la STJUE de 7 de enero de 2004, asunto *Aalborg Portland y otros (C-204/00 P)*, el TJUE precisó que las normas de la Unión y las normas nacionales en materia de competencia protegen intereses jurídicos distintos por lo que el *non bis in idem* queda supeditado al triple juicio de hechos, sujetos y fundamentos jurídicos y, en consecuencia, se prohíbe «sancionar a una misma persona más de una vez por un mismo comportamiento ilícito con el fin de proteger el mismo bien jurídico»[109]. Este criterio de la triple identidad (*idem crimen*) ha sido reiterado para el ámbito de la competencia por le TJUE en sucesivos pronunciamientos, a pesar de que en el resto de

---

[107]   STEDH de 10 de febrero de 2009, asunto *Zolotoukhine c. Rusia, ap. 82.*
[108]   STJUE de 13 de febrero de 1969, asunto Wilhem y otros (14/68), ap.3.
[109]   En la STJUE de 7 de enero de 2004, asunto *Aalborg Portland y otros, ap. 338.*

materias se aplicara el idem factum y, a su vez, a pesar de que, como se ha visto, el TEDH hubiese mantenido ese mismo criterio del idem factum para determinar cuándo resulta de aplicación el *non bis in idem* desde el asunto *Zolotukhine*. Por ejemplo, en la reciente STJUE asunto *Slovak Telecom* (C-857/19), en la que la autoridad de la competencia eslovaca y la comisión sancionan a dicha empresa por abuso de posición dominante, el tribunal recuerda que «el cumplimiento del requisito "idem" está supeditado, a su vez, a una identidad de los hechos, unidad del infractor y unidad de interés jurídico protegido[…]. El principio *non bis in idem* prohíbe, por tanto, sancionar a una misma persona más de una vez por un mismo comportamiento ilícito con el fin de proteger el mismo bien jurídico»[110].

Sin embargo, este panorama se ha visto recientemente modificado por las SSTJUE, de 22 de marzo de 2022, asunto *bpost* (C-117/20) y asunto *Nordzucker* (C151/20). A raíz de estas sentencias se ha producido la armonización del criterio del *idem factum* en el seno del TJUE, de modo que, en materia de competencia, el TJUE ha aplicado el criterio del *idem factum*, por primera vez en estas sentencias, para detectar si resulta o no vulnerado el principio *non bis in idem*.

En primer lugar, en el asunto *bpost*, la empresa bpost, que es la proveedora histórica de servicios postales en Bélgica, ofrece servicios de distribución postal en general, pero también a dos categoría concretas de clientes: los remitentes de envíos masivos y las empresas de pretratamiento, que son preparadores de correo que proporcionan servicios con carácter previo al servicio de distribución postal, mediante la preparación del correo y el depósito de los envíos. En 2010, decide cambiar las tarifas aplicables únicamente a estos dos grupos de clientes y resulta doblemente sancionada. Por un lado, la autoridad belga de servicios postales y de telecomunicaciones condenó a bpost a una multa de 2,3 millones de euros por haber incumplido la prohibición de discriminación en materia de tarifas. Por otro lado, la autoridad belga de competencia impuso a bpost una sanción de 34.399.786 euros por haber incurrido en un abuso de posición dominante, pues el nuevo sistema de tarifas produjo un efecto de exclusión de los preparadores de correo y de los potenciales competidores de bpost y un efecto de fidelización de sus principales clientes, capaz de aumentar las barreras de entrada en el mercado. Este asunto llega al Tribunal de Apelación de Bruselas, que decide interponer una cuestión prejudicial al TJUE en cuanto al requisito de la identidad de fundamento jurídico en materia de competencia, es decir, el Tribunal de Apelación se pregunta si una limitación del principio *non bis in idem* estaría justificada por el hecho de que el presente asunto tiene por objeto dos infracciones diferentes de dos normativas distintas que corresponden a dos ámbitos jurídicos diferentes y que persiguen objetivos distintos.

---

[110] STJUE asunto *Slovak Telecom* (C-857/19), ap. 43.

En segundo lugar, en cuanto al asunto *Nordzucker*, en este supuesto no está implicado un único Estado, sino que se existe un componente transnacional, pues en los hechos están implicadas Alemania y Austria. Los hechos acaecidos, resumidamente serían los siguientes:

Existen dos empresas predominantes en la producción y comercialización de azúcar en Alemania: la empresa Nordzucker, que opera en el norte de Alemania y, la empresa Südzucker, que opera en el sur de Alemania debido a la ubicación de las fábricas, a las características del azúcar y a los costes del transporte. En 2004, ambas empresas mantuvieron varias reuniones, tras las cuales acordaron no competir entre sí penetrando en sus principales zonas de venta tradicionales con el fin de evitar la presión competitiva. A su vez, Agrana es el principal productor de azúcar en Austria, y a finales de 2005, detectó entregas de azúcar en el mercado austriaco procedentes de una filial eslovaca de Nordzucker y destinadas a clientes industriales austriacos de los que Agrana había sido hasta ese momento proveedora exclusiva. El 22 de febrero de 2006, en una conversación telefónica, el gerente de Agrana informó al director comercial de Südzucker de la existencia de estas entregas y le solicitó el nombre de una persona de contacto en Nordzucker.

El director comercial de Südzucker llamó entonces, ese mismo día, al director comercial de Nordzucker para informarlo de tales entregas destinadas a Austria y aludió a posibles consecuencias para el mercado alemán del azúcar.

Ante esta situación, Nordzucker decide presentar solicitudes de clemencia, en particular ante la Oficina Federal de Defensa de la Competencia de Alemania (autoridad alemana) y ante la autoridad austriaca, dichas autoridades iniciaron simultáneamente procedimientos de investigación.

Así, en septiembre de 2010, la autoridad austriaca interpuso un recurso ante el Tribunal Superior Regional de Viena, que es el órgano jurisdiccional austriaco competente en materia de prácticas colusorias, al objeto de que se declarase que Nordzucker había infringido el artículo 101 TFUE y las disposiciones correspondientes del Derecho austriaco y de que se impusiesen dos multas a Südzucker, una de ellas solidariamente con Agrana.

Por su parte, la autoridad alemana, mediante resolución de 18 de febrero de 2014, que adquirió firmeza, declaró que Nordzucker y Südzucker habían infringido el artículo 101 TFUE y las disposiciones correspondientes del Derecho alemán en materia de competencia e impuso, en particular, a Südzucker una multa por importe de 195.500.000 euros. Según dicha resolución, estas empresas aplicaron, en el mercado del azúcar, un acuerdo de respeto mutuo de las principales zonas de venta mediante encuentros regulares entre los representantes de Nordzucker y de Südzucker, que se celebraron durante el período comprendido entre 2004 y 2007.

El asunto llega al Tribunal Supremo austriaco de lo Civil y Penal quien plantea una cuestión prejudicial al TJUE, preguntándose por los efectos derivados del tercer requisito del *non bis in idem*, esto es, de la identidad de fundamentos, en el presente caso. Es decir, se cuestiona si en un caso así de aplicación paralela del Derecho europeo y del Derecho nacional de la competencia, ¿existe un mismo interés jurídico protegido? ¿Es importante además para la aplicación del principio *non bis in idem* el hecho de que la resolución de imposición de una multa emitida en primer lugar por la autoridad de competencia de un Estado miembro haya tenido realmente en cuenta los efectos de la infracción en materia de competencia en otro Estado miembro cuya autoridad de competencia no se ha pronunciado hasta un momento posterior en el procedimiento en materia de competencia del que conocía?

El Tribunal de Justicia, constituido en Gran Sala, recuerda en los dos asuntos que la aplicación del principio *non bis in idem* se supedita a un doble requisito: es necesario, por una parte, que una resolución anterior haya adquirido firmeza (requisito del *bis*) y, por otra parte, que la resolución anterior y los procedimientos o resoluciones posteriores tengan por objeto los mismos hechos (requisito del *idem*).

El Tribunal de Justicia precisa que, en Derecho de la competencia, como en cualquier otro ámbito del Derecho de la Unión, el criterio pertinente para apreciar la existencia de la misma infracción ("idem") es el de la identidad de los hechos materiales, entendido como la existencia de un conjunto de circunstancias concretas indisolublemente ligadas entre sí que han dado lugar a la absolución o a la condena definitiva de la persona de que se trate. Así, «el artículo 50 de la Carta prohíbe imponer, por hechos idénticos, varias sanciones de carácter penal al término de distintos procedimientos tramitados a estos efectos». Ademas, añade, el TJUE que «la jurisprudencia del Tribunal de Justicia se desprende que la calificación jurídica de los hechos en Derecho nacional y el interés jurídico protegido no son pertinentes para determinar la existencia de la misma infracción, puesto que el alcance de la protección que confiere el artículo 50 de la Carta no puede variar de un Estado miembro a otro». Así, por fin, establece el TJUE que la protección que confiere el artículo 50 de la Carta «no puede, salvo disposición contraria del Derecho de la Unión, variar de un ámbito de este a otro».[111]

De este modo, para entender vulnerado el *non bis in idem*, ha de hacerse un análisis de la identidad, exclusivamente de hechos y sujetos, en cualquiera de los ámbitos del ordenamiento jurídico en los que se produzcan los procedimientos punitivos, incluido ya también, el ámbito del derecho de competencia. Esto

---

[111] SSTJUE, de 22 de marzo de 2022, asunto bpost (C-117/20) y asunto Nordzucker (C151/20), ap. 35 y ap. 40.

implica que, si estamos antes los mismos hechos, en el momento en el que exista una resolución firme o definitiva ya es imposible, sin vulnerar el *non bis in idem*, iniciar un nuevo procedimiento punitivo, pues esa acumulación de procedimiento, y, en su caso de sanciones, «constituiría una limitación del derecho fundamental garantizado en el artículo 50 de la Carta»[112]. Así, en el asunto Nordzucker, el Tribunal establece si «el órgano jurisdiccional remitente considera que la resolución firme de la autoridad alemana no ha declarado la existencia de la práctica colusoria objeto del litigio principal en Austria ni la ha sancionado por su objeto o por su efecto contrario a la competencia en el territorio austriaco, dicho órgano jurisdiccional debería declarar que el procedimiento del que conoce no se refiere a los mismos hechos que dieron lugar a la resolución firme de la autoridad alemana, de modo que el principio *non bis in idem*, no se opondría a que se tramitasen nuevos procedimientos y se impusiesen, en su caso, nuevas sanciones»[113]. Se centra, pues, el Tribunal en la identidad de hechos como criterio fundamental y prácticamente único a tener en cuenta para considerar vulnerado el *non bis in idem*.

Parece, entonces, que la protección en el espacio jurídico europeo, a día de hoy, para el *non bis in idem*, es bastante amplia, pues basta que exista un *idem factum* para entender que se ha vulnerado el principio en cuestión. El análisis de la identidad de fundamento jurídico y, por tanto, de bienes jurídicos protegidos por cada una de la normas sancionadora, desparece de los juicios que realizan los Tribunales europeos, produciéndose, como adelantábamos desde un principio, una peligrosa ampliación del elemento *idem*, que ha sido convalidada, en la jurisprudencia europea, por una relativización del elemento *bis*. Es esta relativización del elemento *bis*, es decir, de cuando nos encontramos ante una verdadera duplicidad sancionadora la que emplea el TJUE para resolver el asunto *bpost*, como a continuación, vamos a analizar.

IV. SOBRE EL ELEMENTO *BIS*: CUESTIONES FUNDAMENTALES

La diversidad de criterios en torno al *idem factum* y el *idem crimen* parece haberse unificado a nivel europeo hacia un sentido concreto: el *idem factum*. Sin embargo, como ha defendido el Abogado General Bobek en sus conclusiones en el asunto *bpost*, creemos que para determinar los hechos no se puede prescindir por completo de las normas[114], siempre ha de existir alguna connotación

---

[112]   SSTJUE, de 22 de marzo de 2022, asunto Nordzucker (C151/20), ap. 48.
[113]   STJUE, de 22 de marzo de 2022, asunto Nordzucker (C151/20), ap. 47.
[114]   CANO CAMPOS, T: "Los claroscuros del non bis in idem en el espacio jurídico europeo", op.cit., pág. 35.

jurídica, más o menos amplia. Como indica el Abogado General Bobek utilizando un símil, el criterio del interés jurídico protegido no desaparece nunca por completo, sino que como un «pequeño camaleón» adopta diferentes tonalidades adhiriéndose a la rama o línea jurisprudencial de cada momento[115].

Efectivamente, actualmente, el criterio de los intereses jurídicos protegidos no ha desaparecido por completo de la jurisprudencia europea, sino que lo encontramos como contenido a tener en cuenta para determinar no ya el elemento *idem*, sino el elemento *bis*. A continuación nos explicamos.

1. Concepto de sanción

El elemento *bis* implica establecer con claridad si se está ante una sanción y ante un procedimiento punitivo de naturaleza penal, a efectos de que pueda resultar de aplicación el principio *non bis in idem*.

En cuanto al concepto de sanción, en algunas ocasiones, no resulta especialmente complicado determinar si se está ante una sanción. Así ocurre, por ejemplo, con las condenas penales. Mucho más problemático resulta determinar cuándo deben considerarse sanciones ciertas medidas adoptadas por las Administraciones Públicas.

En principio, tanto el artículo 4.1 del Protocolo núm. 7 como el artículo 50 de la Carta, parecen limitar la acción del principio al ámbito penal. Sin embargo, la jurisprudencia del TEDH ha permitido aplicar las garantías del procedimiento penal del artículo 6 del Convenio (entre las que se incluye el principio *non bis in idem*) al procedimiento administrativo/tributario sancionador cuando dichas sanciones puedan tener carácter de «acusación en materia penal».

La cuestión radica en establecer los criterios para valorar si una sanción alcanza el rango de acusación en materia penal. Pues bien, el TEDH estableció los criterios para valorar si una sanción puede ser equiparada o no a una auténtica «acusación penal». Estos criterios, conocidos como los «criterios Engel»[116], asumidos también por el TJUE desde la STJUE de 5 de junio de 2012, *Bonda, as.* C-489/10[117], hacen depender la calificación de una sanción como de «naturaleza penal» de:

a) La calificación jurídica de la infracción. En función de lo que establezca el Derecho interno de cada Estado, la naturaleza de la sanción será penal o

---

[115]   Conclusiones asunto bpost ap. 123-130.
[116]   STEDH (en adelante, STEDH) de 8 de junio de 1976, asunto Engel y otros c. Países Bajos, párrafo 82.
[117]   Con posterioridad a esta Sentencia, el TJUE ha hecho uso de estos criterios en la STJUE de 26 de febrero de 2013, Akerberg Fransson, as. C-617/10, la STJUE de 20 de marzo de 2018, Menci, as. C-524/15 y la STJUE de 20 de marzo de 2018, Garlsson Real Estate y otros, as. C-537/16.

administrativa. Si ambas sanciones son penales, se aplica directamente la prohibición de *bis in idem*, si, en cambio, una de las sanciones es calificada como administrativa, habrá que acudir a los dos criterios siguientes que no tienen porqué concurrir necesariamente de manera cumulativa[118]. Ahora bien, el TEDH viene estableciendo que el Derecho nacional no puede ser el único criterio pertinente para la aplicabilidad del principio de *non bis in idem*, por ello se establecen los siguientes criterios por parte del TEDH.

b) La naturaleza de la infracción. Es necesario que la sanción en cuestión se derive de una norma dirigida al público en general[119], tenga como objetivo la represión y prevención y no la reparación de daños patrimoniales[120]y proteja bienes jurídicos que normalmente son objeto de las normas penales[121].

c) La gravedad de la sanción que la persona implicada corre el riesgo de soportar. En este sentido, no cabe duda para el TEDH que la pena privativa de libertad será siempre de carácter penal [122] y si, la sanción es administrativa/tributaria, la gravedad o severidad de la misma dependerá⬛ de la importancia de la multa impuesta.

En este sentido destacamos la STEDH de 3 de junio de 2006, asunto *Morel c. Francia*, en la que el TEDH considera que un recargo tributario del 10%, a pesar de presentar carácter preventivo y represivo, no presenta la severidad suficiente como para ser considerado de carácter penal. En contraposición, encontramos la STEDH de 23 de julio de 2002, asunto *Janosevic c. Suecia*, en la que se señala que las sanciones tributarias del 23, el 30 o el 50% de la cuota tributaria sí que presentan «naturaleza criminal». Asimismo, en la STEDH de 19 de junio de 2009, *asunto Ruotsalainen c. Finalandia*, al imponerse al contribuyente una sanción del triple del valor de los defraudado, el TEDH entiende que esa sanción tributaria presenta naturaleza penal.

Hay que mencionar que los «criterios Engel» resultan de aplicación para valorar la equiparación tanto de las sanciones administrativas con las penales (vertiente material) como la equiparación del procedimiento administrativo con el proceso penal (vertiente procesal). Y es por ello por lo que, siguiendo las reflexiones de Moreno Corte, nos resulta llamativo que entre los criterios establecidos por el TEDH no se haga referencia, en relación con la vertiente

---

[118]   STEDH de 23 de julio de 2002, asunto Janosevic c. Suecia, párrafo 66.
[119]   STEDH de 23 de noviembre de 2006, asunto Jussila c. Finlandia, párrafo 38.
[120]   SSTEDH de 23 de julio de 2002, asunto Janosevic c. Suecia, párrafos 69 y 70 y de 16 de junio de 2009, asunto Ruotsalainen c. Finalandia, párrafo 46.
[121]   STEDH de 10 de febrero de 2009, asunto Serguëï Zolotoukhine c. Rusia, párrafo 55 y de 25 de junio de 2009, asunto Meresti c. Croacia.
[122]   STEDH de 10 de febrero de 2009, asunto Serguëï Zolotoukhine c. Rusia, párrafo 56.

procedimental del principio, para equiparar el procedimiento administrativo y el penal, a «las características y el grado de complejidad de los procedimientos soportados», sino que se centran exclusivamente en las sanciones impuestas en sí mismas (vertiente material del principio)[123].

2. Cuando se produce una verdadera duplicidad sancionadora

Siguiendo con el desarrollo jurisprudencial de los Tribunal europeos son dos las cuestiones que han de tomarse en consideración para determinar si estamos o no ante una verdadera duplicidad sancionadora: por un lado, debemos determinar si los dos procedimientos sancionadores en cuestión presentan un vínculo material y temporal suficientemente estrecho entre ellos» de manera que «hayan sido combinados de manera integrada hasta formar un todo coherente» y, por otro lado, es necesario corroborar que el primer procedimiento sancionador ha finalizado con una decisión definitiva y firme, pues es ésta la única manera de impedir la apertura de un segundo procedimiento sancionador. Pasamos, pues, a explicar ambas cuestiones.

a. La jurisprudencia de TEDH en relación con la posibilidad de duplicidad sancionadora

En relación con la jurisprudencia del TEDH, para conocer cuando ha existido un segundo procedimiento punitivo (elementos *bis*) prohibido por el principio *non bis in idem,* nos tenemos que referir a la STEDH de 15 de noviembre de 2016, asunto *A y B c. Noruega,* la cual supone un cambio jurisprudencial en cuanto que introduce la aceptación por parte del TEDH de que el artículo 4 del Protocolo núm.7 no excluye la posibilidad de que algunos de los sistemas reprima ilícitos en diversos niveles, por diversas autoridades y con diversas finalidades, siempre que los diversos procedimientos realmente no supongan duplicidad, sino que se encuentren combinados de forma integrada, formando un todo coherente, de modo que sea artificial afirmar la existencia de una duplicidad procedimental. De este modo, se admite la posibilidad de acumulación de procedimientos cuando exista «un vínculo material y temporal suficientemente estrecho entre ellos», produciéndose una evidente relativización del elemento *bis.*

Demostrar la existencia de una conexión material y temporal suficientemente estrecha dependerá del cumplimiento del conocido "Test Nilsson", usado para

---

[123]   MORENO CORTE, M: "El «exceso punitivo» como único límite al bis in ídem», *Revista técnica Tributaria,* núm. 126, 2019, pág. 5.

comprobar si efectivamente los procedimientos «han sido combinados de manera integrada hasta formar un todo coherente».

En relación con el vínculo material, se contemplan cuatro elementos cumulativos:

a) En primer lugar, que los procedimientos persigan objetivos complementarios y estos respondan a diferentes aspectos de la conducta antisocial. GARCÍA CARACUEL entiende, como es lógico, que no pueden, por tanto, reprimir ambos procedimientos los mismos hechos y defender los mismos intereses y, además, las infracciones y los delitos descritos en la norma no deben definirse ni calificarse de la misma manera[124]. Observamos como el criterio de los intereses jurídicos continúa apareciendo en los pronunciamientos del TEDH, pero, como puede verse, en el marco de la apreciación del elemento *bis*.

b) En segundo lugar, que la duplicidad de procedimientos sea una consecuencia previsible para el ciudadano. Los procedimientos serán previsibles para el ciudadano, según el TEDH, cuando se desarrollen de forma paralela y en función de la gravedad de la infracción, la cual debe hacer previsible que se inicie un procedimiento penal a pesar de haber sido ya iniciado un procedimiento administrativo/tributario sancionador.

c) En tercer lugar, que los procedimientos se desarrollen evitando en la medida de lo posible duplicidades en materia de práctica y valoración de las pruebas a través de una interacción adecuada entre las autoridades.

d) En cuarto y último lugar, que la sanción impuesta en el primer procedimiento declarado firme se tome en consideración en los procedimientos posteriores para asegurar que el total de las sanciones impuestas no sea desproporcionado respecto de la conducta castigada. En este sentido, el TEDH no ha establecido criterios específicos para determinar cuándo el total de la sanción es desproporcionado. Este extremo puede compararse con una parte de la jurisprudencia desarrollada en nuestro ordenamiento jurídico, ya que el Tribunal Constitucional al establecer que una de las finalidades del principio *non bis in idem* en su vertiente *material* es «evitar una reacción punitiva desproporcionada», desarrolla "la técnica del descuento" como manera de neutralizar una vulneración del principio de proporcionalidad al imponer dobles sanciones. Así, si el órgano judicial penal toma en consideración la sanción administrativa previamente impuesta, de modo que se descuente de la pena correspondiente en el orden penal, el principio de proporcionalidad no se vería vulnerado. Esta "técnica del

---

[124]   GARCÍA CARACUAL, M: "Los límites derivados del principio ne bis in ídem en la persecución del delito fiscal", *Nueva Fiscalidad*, núm.1, 2020, pp. 84-85.

descuento" (o modulación) neutraliza, por tanto, posibles supuestos de doble enjuiciamiento (vertiente *procesal* del principio), pues «excluye por sí misma la presencia del necesario *bis* punitivo al eliminar la duplicidad de sanciones»[125].

En relación con el vínculo temporal, es necesario que los procedimientos se desarrollen simultáneamente durante un tiempo razonable en relación con el total de la duración de ambos procedimientos. Así, en el caso *Johannesson y otros c. Islandia*, en el que los recurrentes fueron objeto de recargos fiscales del 25% y condenas penales por delitos fiscales agravados por los mismos hechos, el TEDH consideró que el hecho de que los procedimientos administrativo y penal, de duración total entre ambos de 9 años y 3 meses, solo se desarrollasen conjuntamente durante un año excluía la vinculación temporal exigida para evitar la vulneración del *non bis in idem*. Asimismo, en el caso *Ragnar Thorisson c. Islandia*, el Tribunal declara la vulneración del principio porque a lo largo de los 3 años y 7 meses que dura el desarrollo de ambos procedimientos (procedimiento tributario sancionador y penal) en ningún momento se produce una coincidencia temporal.

Ahora bien, fuera de estos supuestos concretos, el TEDH no establece elementos o criterios específicos para decretar la existencia o no de este vínculo temporal.

b. Jurisprudencia del TJUE en relación con la duplicidad sancionadora

Ante esta situación sentada por el Tribunal de Estrasburgo en el año 2016, referida a la posibilidad de dobles enjuiciamientos siempre y cuando se cumplan determinados requisitos, el TJUE podía reiterar dicha jurisprudencia, podía mantener su propia interpretación del artículo 50 de la Carta más garantista para los ciudadanos si lo quisiese en virtud del artículo 52.3 de la Carta[126] o podía adoptar una vía autónoma mediante una interpretación moderada del artículo

---

[125] MARTÍN RODRÍGUEZ, J.M: "La transformación del principio ne bis in ídem a la luz de la reciente jurisprudencia del TEDH y TJUE en materia tributaria. Valoración de nuestro ordenamiento interno", en MERINO JARA, I. (Dir.), *Derechos fundamentales y tributación*, Ed. Dykinson, Madrid, 2020, págs. 208- 253.

[126] Este precepto establece que «en la medida en que la presente Carta contenga derechos que correspondan a derechos garantizados por el Convenio Europeo para la Protección de los Derechos Humanos y de las Libertades Fundamentales, su sentido y alcance serán iguales a los que les confiere dicho Convenio. Esta disposición no obstará a que el Derecho de la Unión conceda una protección más extensa».

50 de la Carta a través de la cláusula del artículo 52.1[127] de la Carta que admitiría limitaciones al principio *non bis in idem* bajo ciertas restricciones.

El TJUE optó por la tercera vía: una vía autónoma que permitiría limitar la aplicación del *non bis in idem* siempre que se cumplieran determinados requisitos. No obstante, como veremos, se trata de una vía bastante similar a la recorrida por el TEDH en el asunto *A. y B. contra Noruega*.

Así, algunos meses después de la sentencia de Estrasburgo, asunto *A. y B. contra Noruega*, a través de tres sentencias de 20 de marzo de 2018, que son la Sentencia *Menci*, C- 524/15, la Sentencia *Garlsson Real Estate SA*, C- 537/16 y la Sentencia de los asuntos acumulados de *Di Puma*, C-596/16 y *Zecca*, C-597/16, el TJUE introduce algunos matices en su jurisprudencia, permitiendo limitar la aplicación del *non bis in idem* siempre que se cumplieran determinados requisitos. Estos requisitos, de manera resumida, son:

a) En primer lugar, se exige que las limitaciones se establezcan mediante ley.

b) En segundo lugar, deben respetar el contenido esencial del derecho fundamental en cuestión, circunstancia que se entiende cumplida simplemente porque las condiciones para la acumulación de procedimientos se definan taxativamente.

c) En tercer lugar, ha de tenerse en cuenta que exista un objetivo de interés general y que aparezcan finalidades complementarias en las normas que contemplan la acumulación de procedimientos punitivos.

c) Y, en cuarto lugar, la limitación debe respetar el principio de proporcionalidad, principio general del Derecho de la Unión Europea, recogido expresamente en el artículo 52.1 de la Carta.

En cualquier caso, la relativización del elemento *bis* se ha llevado a cabo a través de dos vías diferentes pero estrechamente relacionadas por parte del TEDH y del TJUE: el primero considera que solo hay un enjuiciamiento y una sanción donde realmente hay dos si queda constatada la «conexión material y temporal suficientemente estrecha» entre ambos procedimientos punitivos y, el segundo, afirma que el derecho reconocido en el artículo 50 de la Carta puede limitarse si se cumplen determinados requisitos (reserva de ley, respeto al contenido esencial y respeto al principio de proporcionalidad). A pesar de tratarse de dos vías, a priori distintas, presentan las mismas consecuencias prácticas, esto es, hacer

---

[127] Dispone este precepto que «cualquier limitación del ejercicio de los derechos y libertades reconocidos por la presente Carta deberá ser establecida por la ley y respetar el contenido esencial de dichos derechos y libertades. Dentro del respeto del principio de proporcionalidad, sólo podrán introducirse limitaciones cuando sean necesarias y respondan efectivamente a objetivos de interés general reconocidos por la Unión o a la necesidad de protección de los derechos y libertades de los demás».

depender del segundo procedimiento la violación o no del principio *non bis in idem*.

c. Jurisprudencia del TEDH en relación con la necesidad de una decisión final y firme

Para que entre en juego el principio *non bis in idem*, la segunda cuestión fundamental que hemos comentado es la relativa a la necesaria existencia de una decisión final y firme que ponga fin a un procedimiento sancionador y que imposibilite, por tanto, la apertura de un segundo. Así, en este sentido, hemos de referirnos a procedimientos sancionadora que finalizan con una absolución o condena que sea final o firme.

Según el informe explicativo del Protocolo núm. 7, una decisión es definitiva si, según la expresión tradicional, ha adquirido fuerza de cosa juzgada. Tal es el caso cuando es irrevocable, es decir, cuando no se dispone de más recursos ordinarios o cuando las partes han agotado esos recursos o han permitido que expire el plazo sin recurrir a ellos.

En la STEDH, de 8 de julio de 2019, asunto *Mihalache c. Rumanía*, el Tribunal aclaró su metodología para la evaluación de la firmeza de una decisión. Explicó que sería el derecho interno el derecho interno, tanto sustantivo como procesal, el que debe satisfacer el principio de seguridad jurídica, que exige que el alcance de un recurso a los efectos del artículo 4 del Protocolo núm. 7 esté claramente circunscrito en el tiempo, así como, que el procedimiento para su utilización sea claro para las partes. En particular, una ley que confiera a una de las partes facultades discrecionales ilimitadas para hacer uso de un recurso específico o que someta ese recurso a condiciones que revelen un desequilibrio importante entre las partes en cuanto a su capacidad para valerse de él, sería contraria al principio de seguridad jurídica.

Cabe señalar que, en algunos casos relativos a dos procedimientos paralelos, la cuestión de si un procedimiento es "definitivo" o no puede carecer de pertinencia si no hay una duplicación real de los procedimientos, sino más bien una combinación de procedimientos que se considera que constituyen un todo integrado (jurisprudencia del caso *A. y B. c. Noruega*). Por ejemplo, en el caso *Johannesson y otros c. Islandia*, el Tribunal no consideró necesario determinar si el primer procedimiento, el procedimiento fiscal, era "definitivo" ya que esta circunstancia no afectaba a la evaluación de la relación entre los procedimientos en cuestión.

V. CONCLUSIONES

De cuanto acabamos de analizar, cabe deducir que los Tribunales europeos, tanto TJUE como TEDH, convergen en sus criterios jurisprudenciales en cuanto al principio *non bis in idem* en varios puntos. Sin embargo, nuestro Tribunal Constitucional no forma parte, en términos generales, de esa convergencia jurisprudencial.

En primer lugar, la diferenciación entre la vertiente material y procesal del principio se encuentra totalmente diluida en el ámbito europeo, pues los Tribuales europeos han configurado el principio *nos bis in idem* como un principio eminentemente procesal, considerando la vertiente material como una mera consecuencia de la procesal. Sin embargo, el máximo intérprete de nuestra Constitución, desde sus primeros pronunciamientos en relación con el principio *non bis in idem*, entiende que ambas vertientes son manifestaciones considerables del principio en cuestión, es decir, ambas dimensiones forman parte de manera independiente, aunque interrelacionada, del principio en cuestión.

En segundo lugar, el alcance del principio en la esfera europea ha quedado reducido al *idem factum* en todos y cada uno de los ámbitos de los ordenamientos jurídicos, incluido el Derecho de la competencia, que hasta las SSTJUE de 22 de marzo asuntos *bpost* y *Nordzücker*, era la única esfera jurídica a la que el TJUE venía aplicando el enfoque del *idem crimen*. Concretamente, para los Tribunales europeos la triple identidad (identidad de sujeto, hechos y fundamento jurídico en las sanciones impuestas) que, tradicionalmente, ha servido como presupuesto para apreciar la violación del *non bis in idem*, y que se conoce como *idem crimen*, ya no resulta de aplicación, sino que aquéllos han optado por utilizar únicamente una doble identidad, conocida como *idem factum*, en la que no tiene cabida, como tal, la falta de identidad de fundamento jurídico de las sanciones como presupuesto para evitar la vulneración del *non bis in idem*. Se amplia, así, el elemento *idem*, al extenderse los supuestos en los que existe identidad suficiente como para entender vulnerado el *non bis in idem*. El Tribunal Constitucional español, en cambio, sigue manteniendo, como hemos visto, el alcance del principio desde el punto de vista del *idem crimen*, en el que la identidad de los intereses jurídicos protegidos por las normas sancionadoras ha de ser tenida en cuenta para determinar si se da o no de manera suficiente el elemento *idem* como para entender vulnerado el principio.

En tercer y último lugar, dada la situación existente a nivel europeo, donde los Tribunal han dejado de tener en cuenta los intereses jurídicos protegidos por las normas punitivas a la hora de entender vulnerado o no el *non bis in idem* y, por tanto, parece que basta con que exista un procedimiento sancionador concluido, para que el principio *non bis in idem* imposibilite la apertura de un segundo procedimiento sancionador por los mismos hechos y contra el mismo sujeto, cabe preguntarse si existe algún tipo de garantía de que la primera sanción impuesta sea la más apropiada o, si es posible que el primer procedimiento sancionador siempre concluya con la imposición de una sanción. Siendo la respuesta a estas cuestiones negativas, para intentar salvarnos nos encontramos con el tercer criterio jurisprudencial existente a nivel supranacional tendente a relativizar el elemento *bis,* permitiéndose la duplicidad de procedimientos sancionadores y, por tanto, de sanciones por los mismos hechos, cuando se cumplan determinados requisitos relacionados, en términos generales, por un lado, con la proporcionalidad del castigo impuesto respecto de la gravedad de la infracción y, por otro lado, con los intereses jurídicos perseguidos por las diferentes normas sancionadoras, que han de ser complementarios entre sí. Observamos, así, como los intereses jurídicos protegidos por las normas punitivas, finalmente, siguen siendo tenidos en cuenta por la jurisprudencia europea, aunque no como contenido del elemento *idem,* sino del elemento *bis.* En este sentido, en relación con el criterio de proporcionalidad en la sanciones impuestas, el Tribunal Constitucional presenta cierta concordancia con los Tribunales europeos, pues aquél ha venido estableciendo la conocida como "técnica del descuento" a través de la cual si el órgano judicial penal toma en consideración la sanción administrativa previamente impuesta, de modo que se descuente de la pena correspondiente en el orden penal, el principio de proporcionalidad no se vería vulnerado ya que «no puede afirmarse que se hayan impuesto dos sanciones al recurrente, una en vía administrativa y otra en vía penal pues, materialmente, solo se le ha impuesto una sanción. Por lo tanto, esta "técnica del descuento" neutraliza posibles supuestos de doble enjuiciamiento pues excluye por sí misma la presencia del necesario *bis* punitivo al eliminar la duplicidad de sanciones.

REFERENCIAS BIBLIOGRÁFICAS

BARCIELA PÉREZ, J.A: "El principio non bis in ídem en el ámbito tributario a tenor de la reciente jurisprudencia del TEDH y el TJUE", *Revista Quincena Fiscal,* núm. 6, 2019.

BORRERO MORO, C.J: *Claves en el sistema europeo de protección del contenido de los derechos fundamentales ordenadores de los procedimientos tributarios,* Tirant lo Blanch, Valencia, 2019.

BUENO ARMIJO, A: "El principio non bis in ídem en el derecho de la unión europea. Una configuración cada vez más alejada del ordenamiento español", *Anuario de Derecho Administrativo sancionador 2021,* Civitas, 2021.

CANO CAMPOS, T: "Los claroscuros del non bis in idem en el espacio jurídico europeo", *Revista Española de Derecho Europeo,* nº. 80, 2021.

CAYÓN GALIARDO, A: "La vertiente procesal del principio «ne bis in ídem»: la posibilidad de dictar un segundo acuerdo sancionador cuando el primero ha sido anulado (Parte I)", *Revista Técnica Tributaria*, núm.112, 2016.

— "La vertiente procesal del principio «ne bis in ídem»: la posibilidad de dictar un segundo acuerdo sancionador cuando el primero ha sido anulado (Parte II)", Revista Técnica Tributaria, núm.113, 2016.

GARCÍA CARACUEL, M: "Los límites derivados del principio ne bis in ídem en la persecución del delito fiscal", *Nueva Fiscalidad*, núm.1, 2020.

MARTÍN RODRÍGUEZ, J.M: "La transformación del principio ne bis in ídem a la luz de la reciente jurisprudencia del TEDH y TJUE en materia tributaria. Valoración de nuestro ordenamiento interno", en MERINO JARA, I. (Dir.): *Derechos fundamentales y tributación*, Ed. Dykinson, Madrid, 2020

MORENO CORTE, M: "El «exceso punitivo» como único límite al bis in ídem», *Revista técnica Tributaria*, núm. 126, 2019.

PÉREZ MANZANO, M: "The Spanish connection: los caminos del diálogo europeo en la configuración de alcance de la prohibición de incurrir en bis in ídem", *Anuario de la Facultad de Derecho de la Universidad Autónoma de Madrid*, núm. 22, 2018.

— "La prohibición de incurrir en bis in idem en España y en Europa. Efectos internos de una convergencia jurisprudencial inversa (de Luxemburgo a Estrasburgo)", en PÉREZ MANZANO, M. y LASCURAÍN SÁNCHEZ, J.A: La tutela multinivel del principio de legalidad penal, Ed. Marcial Pons, 2016.

VARVAELE, J.A.E: "Ne bis in idem. ¿Un principio transnacional de rango constitucional en la Unión Europea?", *InDret*, núm. 1, 2014.

14.- SANCIONAR O NO SANCIONAR DOS VECES, ESA ES LA CUESTIÓN. CONSIDERACIONES SOBRE EL PRINCIPIO DE *NON BIS IN ÍDEM* EN EL ÁMBITO DEL DERECHO TRIBUTARIO SANCIONADOR

MARÍA MAGNOLIA PARDO LÓPEZ

Profesora Titular de Derecho administrativo.
Universidad de Murcia

I. UN ANTIGUO PRINCIPIO, UN PROFUNDO DEBATE

Tanto el Derecho administrativo sancionador en general, entendiendo ahora por tal todo Derecho sancionador público que no constituya Derecho penal, como el Derecho tributario sancionador en particular parecen haber sido abandonados de la mano del legislador[128]. Más allá de pinceladas sueltas en normas de primera relevancia para establecer los grandes trazos de un Derecho sancionador "general" y el desarrollo normativo de los regímenes sancionadores sectoriales, son sobre todo el esfuerzo de los tribunales y el debate doctrinal los que han ido conformando y perfilando esta disciplina jurídica en absoluto menor.

Deudores del Derecho penal, incuestionablemente, ni el Derecho administrativo sancionador en general ni el Derecho sancionador tributario que ahora nos ocupa pueden renunciar a su esencia e identidad. *"El Derecho Administrativo Sancionador no debe ser construido con los materiales y con las técnicas del Derecho Penal sino desde el propio Derecho Administrativo, del que obviamente forma parte, y desde la matriz constitucional y del Derecho Público estatal"*[129]. La importación en bloque e indiscriminada de los principios propios del Derecho penal, sin filtrado o modulación previa, no sólo es imposible, sino que pudiera ser también no deseable, entre

---

[128] Para el Derecho tributario sancionador, MARTÍN QUERALT, J., "¿Es necesaria la reconstrucción judicial del *non bis in ídem*?", *Carta Tributaria. Revista de Opinión*, Núm. 60 (1 de marzo de 2020), Wolters Kluwer, pp. 1-10, p. 2. Para el Derecho administrativo sancionador en general, por todos, NIETO GARCÍA, A., *Derecho Administrativo Sancionador*, 5ª edición totalmente reformada, Tecnos, Madrid, 2012.

[129] NIETO GARCÍA, *Derecho Administrativo Sancionador*, óp. cit., p. 30.

otras razones, por privar a esos otros Derechos sancionadores de su "ligereza procedimental"[130], que debe mantenerse en términos de agilidad, pero nunca de levedad.

Como bien ha venido reiterando la Jurisprudencia, ordinaria y constitucional, la aplicación de los principios generales propios del Derecho penal a estas otras disciplinas es perfectamente posible, siempre previa matización, produciéndose de este modo, paradójicamente, la enervación de la efectividad de tales principios en el ámbito de la potestad sancionadora de la Administración Pública y la consiguiente minoración de los derechos fundamentales y garantías del ciudadano[131].

Tal vez no sea ésta la sede apropiada para profundizar en este interesantísimo debate doctrinal. A grandes rasgos, las dos posiciones mantenidas tradicionalmente al respecto -de un lado, la que entiende que el Derecho sancionador debe "administrativizarse" o "tributarizarse" de nuevo, según el caso, y recuperar su idiosincrasia; de otro, la que defiende la existencia de un Derecho sancionador unificado que englobe tanto al Derecho penal como al administrativo y al tributario sancionador sobre la base de la identidad sustancial entre todos ellos- bien pudieran estar más próximas entre sí de lo que a primera vista pudiera parecer, pues vienen a contemplar una misma realidad desde distinta perspectiva. Esto nos permite percibir en ambas posturas una dosis de acierto, por contradictorio que parezca. Similitudes y diferencias coexisten, como si de círculos secantes se tratase.

El principio de *non bis in ídem* es un ejemplo perfecto de esa tensión entre esencias y modulaciones cuando se compara su proyección sobre el Derecho penal y el Derecho administrativo/tributario sancionador. Muchas son las preguntas por responder cuando la prohibición de *bis in ídem* se esgrime en caso de concurrencia de infracciones administrativas/tributarias o en el marco de un procedimiento administrativo/tributario sancionador. No siempre existe respuesta y no siempre resulta satisfactoria la respuesta dada por el Derecho penal o el Derecho procesal penal, abriéndose paso una suerte de necesidad de redefinición del "*non bis in ídem* administrativo/tributario".

En palabras de NIETO, "*el bloque temático central del Derecho Administrativo Sancionador (…) se encuentra indudablemente en los principios de legalidad (con sus dos elementos o corolarios: la reserva legal y el mandato de tipificación), de culpabilidad y de*

---

[130] HUERGO LORA, A., "Diferencias de régimen jurídico entre las penas y las sanciones administrativas que pueden y deben orientar su utilización por el legislador, con especial referencia a los instrumentos para la obtención de pruebas", *Problemas actuales del Derecho Administrativo Sancionador* (Dir. Alejandro Huergo Lora), Iustel, Madrid, 2018, pp. 15-59, especialmente p. 59.

[131] DÍAZ FRAILE, F., *Derecho administrativo sancionador. Análisis a la luz de la jurisprudencia del Tribunal Constitucional y del Tribunal Europeo de Derechos Humanos*, Atelier, Barcelona, 2016, p. 53.

non bis in ídem"[132]. Esta certera y concisa afirmación es *per se* justificativa de la elección del tema objeto del presente trabajo.

El principio de *non bis in ídem* no es nuevo, es un principio antiguo y de amplia tradición jurídica que ha generado un abundante cuerpo jurisprudencial y doctrinal[133], así como algunas intervenciones legislativas no siempre completas y acertadas. No obstante, pese a este esfuerzo, no parece que estén por terminar de solucionarse las dificultades, problemas, carencias y complejidades de este principio de formulación aparentemente sencilla. El cuerpo jurisprudencial existente sobre el principio de *non bis in ídem* considerado desde una perspectiva general es muy extenso y contrasta con el relativo mutismo del legislador. No sólo el Tribunal Supremo (en adelante, TS), sino también, y de forma destacada, el Tribunal Constitucional (en adelante, TC) y el Tribunal Europeo de Derechos Humanos (en adelante, TEDH) e incluso el Tribunal de Justicia de la Unión Europea (en adelante, TJUE) se han pronunciado sobre los que podrían ser considerados sus aspectos basilares, si bien diera la sensación que lo han hecho para ahondar en las contradicciones.

1. El disputado origen del principio de non bis in ídem

Ni siquiera la forma elegida por los juristas para referirse al principio que nos ocupa es objeto de acuerdo pacífico entre la doctrina. Dejando a un lado la preferencia sintáctica gramatical por *non bis in ídem* o *ne bis in ídem crimen iudicetur* que debieran resolver en términos de corrección o aclaración los latinistas, su origen mismo suscita contienda.

Algunos autores[134] proponen una aportación original a la historia y contenido del principio de *non bis in ídem*, situando su origen griego en la *Athenaion Politeia* (siglo IV a. de C.), para trazar su continuidad en el Derecho Romano (*Corpus Iuris Civilis*, *Codex* y Digesto) y posteriormente en la Ley VII de las Partidas, la V Enmienda de la Constitución Americana o el Código Penal español de 1928. En el mismo sentido, localizando su origen en el Derecho ateniense del siglo IV a.

---

[132]   NIETO GARCÍA, *Derecho Administrativo Sancionador*, óp. cit., p. 25.
[133]   Por todos, PÉREZ MANZANO, M., *La prohibición constitucional de incurrir en* bis in ídem, Tirant lo Blanch, Valencia, 2002, que realiza un estudio detallado y completo de los aspectos más relevantes de esta prohibición, prestando especial atención a la Jurisprudencia constitucional, si bien es cierto que con posterioridad a su publicación se han producido ciertos cambios importantes en dicha Jurisprudencia.
[134]   MUÑOZ CLARES, J. y CABALLERO SALINAS, J. M., *Ne bis in ídem. Hechos, penas, sanciones*, Aranzadi, Cizur Menor, Navarra, 2019.

de C. (Demóstenes, *In Leptinem* 147), se inscribe el Diccionario panhispánico del español jurídico de la Real Academia Española de la Lengua[135].

Por el contrario, para otro sector doctrinal[136], su primera formulación dista de estar clara, si bien tienden a encontrarla en una compilación de Derecho Romano postclásico, del siglo III d.C. (las *Sentencias de Paulo*), y su posterior recepción por los canonistas, en los siglos XII y XIII.

No hay dos sin tres, de modo que no podía faltar el tercer sector doctrinal en discordia, que considera el movimiento ilustrado el punto de arranque de la utilización de este principio por parte de los juristas[137].

2. El discutido fundamento de la prohibición de bis in ídem

No debe insistirse demasiado en buscar explicaciones al fundamento del principio de *non bis in ídem* en la Jurisprudencia, pues ésta ha dado muestras de usar con alegría e indiferencia técnica las explicaciones más variadas y sus contrarias, a veces de forma simultánea. En este punto la doctrina, no exenta de fricciones, arroja más luz.

Comencemos por la que viene siendo la fundamentación tradicional del principio que nos ocupa. La institución de la cosa juzgada, de la que con frecuencia se hacen eco los tribunales, es en ocasiones presentada como la más sólida de todas las explicaciones plausibles, dado su carácter estrictamente jurídico138. Dicho de forma deliberadamente simple, la cosa juzgada material, en su efecto negativo, excluye la celebración de un proceso posterior con idéntico objeto y, en su efecto positivo, obliga a respetar los hechos probados en sentencia penal firme.

Resulta obvia la proximidad de contenidos entre ambos, pero también la insuficiencia de la fundamentación, que encontraría una primera dificultad lógica en el simple hecho de pretender explicar coherentemente cómo puede un

---

[135] HENRÍQUEZ SALIDO, M. C., ORDÓÑEZ SOLÍS, D. y RABANAL CARBAJO, P. F., "El uso actual del *non bis in ídem* en el Tribunal Supremo y en los Tribunales supranacionales", *Revista General de Legislación y Jurisprudencia*, Núm. 3, 2017, pp. 483-510, p. 486.

[136] LÓPEZ BARJA DE QUIROGA, J., *El principio non bis in ídem*, Dykinson, Colección Cuadernos Luis Jiménez de Asúa, Madrid, 2004. Remontarse más atrás del siglo III d.C. no parece que sea viable para este autor.

[137] CANO CAMPOS, T., "Los claroscuros del *non bis in ídem* en el espacio jurídico europeo", *Anuario de Derecho Administrativo Sancionador 2022* (Dirs. Manuel Rebollo Puig, Alejandro Huergo Lora, Javier Guillén Caramés y Tomás Cano Campos), Civitas, Madrid, pp. 27-69, p. 28.

[138] NIETO GARCÍA, *Derecho Administrativo Sancionador* óp. cit., p. 434. No obstante, tras esta afirmación el autor no duda (p. 435) en afirmar que conectar el principio de *non bis in ídem* con la cosa juzgada carece de justificación dogmática y en modo alguno viene impuesto por el Derecho positivo. "*El Derecho Administrativo Sancionador necesariamente ha de elaborar en este punto una doctrina propia*, aunque se encuentre inicialmente inspirada por la estructura de la cosa juzgada" (la cursiva es del propio autor).

principio general del Derecho fundamentarse en una institución procesal y no a la inversa. La segunda inconsistencia, más sutil, que consiste en la incapacidad de la cosa juzgada para impedir *per se* la doble sanción, deriva de la evolución expansiva esencialmente material experimentada por el principio de *non bis in ídem* y las consiguientes limitaciones de una institución como la cosa juzgada en la que priman los aspectos procesales, en lo que a despliegue de efectos se refiere. La tercera inconsistencia, también fruto de esa extensión del principio de *non bis in ídem* más allá del Derecho penal hacia el Derecho sancionador administrativo/tributario, evidencia las carencias de una institución netamente jurisdiccional cuando se ve obligada a dar el salto más allá del mundo del proceso.

Desde una perspectiva actual, para un sector doctrinal no desdeñable resulta erróneo pretender fundamentar el principio de *non bis in ídem* en la institución de la cosa juzgada, antes bien, cabría afirmar que la relación pudiera ser incluso la inversa. La institución de la cosa juzgada material (en su efecto negativo, preclusivo o excluyente) encontraría su fundamento en la prohibición de *bis in ídem*, pues es un instrumento procesal orientado a garantizar el respeto a dicha prohibición.

Se trataría de instituciones estrechamente relacionadas, pero no plenamente coincidentes. Ni la cosa juzgada es la única institución orientada a la salvaguarda del principio de *non bis in ídem*, ni pretende exclusivamente esa finalidad, ni puede entrar en juego en casos en los que nada se ha juzgado y sin embargo la prohibición de *bis in ídem* opera igualmente, como sucede allí donde encontramos sanciones administrativas no recurridas que devienen firmes cuando posteriormente se incoa un proceso penal o un procedimiento sancionador administrativo por los mismos hechos. En este caso, las sanciones administrativas serán igual de intangibles, para salvaguarda de la seguridad jurídica, aunque no gocen en sentido técnico de la santidad de la cosa juzgada.

La conexión entre el principio de *non bis in ídem* y cosa juzgada se entiende mejor en clave histórica, prestando atención a la evolución divergente de ambos. Inicialmente próximos, ambos han visto como su devenir normativo y doctrinal los ha separado. Mientras que el principio de *non bis in ídem* se ha escorado hacia el Derecho penal y ha dado primacía a su vertiente sustantiva, consistente en la prohibición de doble sanción, la cosa juzgada ha permanecido durante bastante tiempo regulada en textos de origen decimonónico (el derogado artículo 1252 del Código Civil -en adelante, CC- y, actualmente, el artículo 222 de la Ley de Enjuiciamiento Civil -en adelante, LEC) y ha sido cultivada por la doctrina procesal-civilística, sin correspondencia exacta con su modalidad penal y ni que decir tiene que difícilmente extensible en su literalidad al Derecho sancionador administrativo/tributario[139].

---

[139]   En la redacción de este contenido seguimos fielmente a CANO CAMPOS, T., "*Non bis in ídem, prevalencia de la vía penal y teoría de los concursos en el Derecho administrativo sancionador*",

Para este sector "disidente" de la doctrina, cada vez más amplio, un posible fundamento de la prohibición de *bis in ídem* puede ir a buscarse al principio de proporcionalidad, el cual, a su vez, entronca con otros dos principios constitucionalmente consagrados, como son el de interdicción de la arbitrariedad de los poderes públicos y el de seguridad jurídica[140] (artículo 9.3 CE).

La imposición de dos o más sanciones a un mismo sujeto por un mismo hecho o su doble enjuiciamiento implica, sin más, una desproporción y la correlativa arbitrariedad (toda desproporción es siempre arbitraria[141]), constitucionalmente proscritas ambas, tal como ha señalado la más acreditada doctrina y como expresamente ha reconocido el TC[142], al afirmar que "(...) también contradiría el principio de proporcionalidad entre la infracción y la sanción, que exige mantener una adecuación entre la gravedad de la sanción y la de la infracción (...), aplicada una determinada sanción a una específica infracción, la reacción punitiva ha quedado agotada".

Por otro lado, el respeto al principio de seguridad jurídica debe permitir al ciudadano, al menos potencialmente, prever las consecuencias jurídicas de sus actos, incluida la actuación de los poderes públicos, y, por lo que respecta a la prohibición de *bis in ídem*, el administrado o justiciable, según los casos, debe tener la confianza -o, casi sería más adecuado decir, la certeza- de que unos mismos hechos no van a ser valorados, no al menos negativamente, dos veces[143].

Lo cierto es que existen tantas posturas sobre el fundamento del *non bis in ídem* como autores[144].

Revista de Administración Pública, Núm.156, septiembre-diciembre 2001, pp. 191-250, especialmente pp. 201-205.

[140]   MUÑOZ QUIROGA, A., "El principio *non bis in ídem*", *Revista Española de Derecho Administrativo*, Núm. 45, 1985, pp. 129-142.

[141]   ARROYO ZAPATERO, L., "Principio de legalidad y reserva de ley en materia penal", *Revista Española de Derecho Constitucional*, Núm. 8, 1983, pp. 9-46, especialmente pp. 19-20.

[142]   STC (Sala 2ª) 154/1990, de 15 de octubre (FJ 3°). Véase también, ARROYO ZAPATERO, "Principio de legalidad y reserva de ley en materia penal", óp. cit., pp. 19-20; FERNÁNDEZ RODRÍGUEZ, T. R., *De la Arbitrariedad de la Administración*, 4ª edición corregida, Civitas, Madrid, 2002 y, del mismo autor, *De la Arbitrariedad del Legislador. Una crítica de la jurisprudencia constitucional*, Civitas, Madrid, 1998. Históricamente, el principio de proporcionalidad encontró su "acomodo natural", precisamente, en el ámbito sancionador. En la actualidad puede ser considerado un principio basilar del Estado de Derecho que entronca directamente con el valor superior del Ordenamiento Jurídico "justicia" y también con la dignidad de la persona. Asimismo, véase CANO CAMPOS, "*Non bis in ídem*, prevalencia...", óp. cit., p. 204 y bibliografía citada por este autor en la nota al pie 27 de su trabajo, para profundizar en el estudio del principio de proporcionalidad. Este autor apunta como posible fundamento la funcionalidad excluyente de las normas sancionadoras.

[143]   PÉREZ LUÑO, A. E., *La seguridad jurídica*, 2ª edición, Ariel, Barcelona, 1994, pp. 30 y ss. y, del mismo autor, "La seguridad jurídica: una garantía del derecho y la justicia", *Boletín de la Facultad de Derecho*, UNED, Madrid, 2000, Núm.15, Segunda Época, pp. 25-38.

[144]   Por todos, ALARCÓN SOTOMAYOR, L., *La garantía non bis in ídem y el procedimiento sancionador*, Iustel, Madrid, 2008.

3. La polifacética naturaleza del non bis in ídem

Habitualmente calificado como principio de non bis in ídem, incluso todavía hoy referido como tal, era para muchos autores una mera regla -y no un auténtico principio general del Derecho- que, al carecer de positivización, se veía impedida para ser catalogada como tal regla, de modo que la única solución era calificarla de principio.

La jurisprudencia del TC, acertada o no, ha alterado parcialmente los términos del debate con la introducción una tercera posibilidad, la de entender que el *non bis in ídem* es, en realidad, un derecho fundamental, con su doble vertiente objetiva y subjetiva, como sucede con todos los derechos fundamentales, y sin perder, por tanto, la condición de principio general del Derecho.

Del mismo modo que el TC ha entendido que la desproporción de la sanción penal prevista para un determinado tipo delictivo vulnera el principio de legalidad reconocido en el artículo 25 CE, el Supremo Intérprete de la Constitución ha entendido, también, desde su más temprana jurisprudencia, que la prohibición de *bis in ídem* aparece conectada (¿acaso forma parte de su contenido esencial?) con el derecho fundamental a la legalidad penal reconocido en el mencionado artículo 25 CE, siendo, consiguientemente, digna de la más alta protección jurisdiccional que representa la protección en vía de amparo. "Si bien no se encuentra recogido expresamente en los artículos 14 a 30 de la Constitución, que reconocen los derechos y libertades susceptibles de amparo, no por ello cabe silenciar que (…) *va íntimamente unido a los principios de legalidad y tipicidad de las infracciones recogidas en el artículo 25 de la Constitución* (la cursiva es nuestra)" [STC (Sala 1ª) 2/1981, de 30 de enero, FJ 4º].

Esta supuesta decantación jurisprudencial de un nuevo derecho fundamental no expresamente recogido en el articulado de la CE ha recibido duras críticas por parte de doctrina cualificada, que bien entiende que la categoría de derecho fundamental debe restringirse a los así declarados como tal por la CE o a lo sumo a los que verdaderamente puedan tener tal entidad , bien advierte de la ausencia de base positiva para proceder de ese modo, habiendo convertido al artículo 25 CE en un auténtico "cajón desastre". No obstante, una lectura detenida de la STC 2/1981 permite una interpretación más comedida. No termina de quedar claro si el TC ha elevado el *non bis in ídem* a derecho fundamental autónomo, como sí ha hecho posteriormente con el derecho a la protección de datos personales, o se ha limitado a reconocerlo como contenido esencial, facultad o garantía ínsita en el artículo 25 CE.

En otro orden de cosas, no faltan autores que -con acierto, a nuestro entender- advierten de la "parcialidad" o "sesgo" en que parece incurrir el TC al vincular el principio de *non bis in ídem* sólo con el principio de legalidad, incurriendo con ello en un error no infrecuente como es la sinécdoque interpretativa o tomar la parte por el todo. El principio de *non bis in ídem* es lo suficientemente amplio y complejo como para requerir que algunas de sus muy diversas manifestaciones puedan o deban ser reconducidas a otros derechos fundamentales. Piénsese, por ejemplo, que mientras parece pacífico que la imposición de doble sanción a un mismo sujeto por idénticos hechos y con idéntico fundamento jurídico representa una vulneración del derecho fundamental a la legalidad penal consagrado en el artículo 25 CE, la tramitación simultánea o sucesiva de sendos procesos penales en los que se aprecie esa triple identidad constituiría, más que una vulneración de la legalidad penal, una violación de otro derecho fundamental de primer orden como es el derecho a un proceso con todas las garantías, reconocido en el artículo 24.2 CE.

Con todo, puede que éste represente uno de los aspectos más relevantes para el Derecho constitucional, pero, más allá de garantizar la protección o cumplimiento de la prohibición de *bis in ídem* por la vía del recurso de amparo, no tiene grandes repercusiones prácticas, de modo que obviaremos más comentarios. Bien pudiera el lector encontrar más interesante el análisis de los distintos mecanismos que permiten determinar la norma sancionadora aplicable al caso (de modo excluyente o confluyente, según exista o no identidad de fundamento), al tiempo que evitar la sanción indebidamente duplicada de un mismo hecho o la múltiple tramitación de procesos/procedimientos de modo innecesario.

4. La divergente interpretación de qué sea el bis y qué el ídem

Tal vez las divergentes, cuando no contradictorias, corrientes jurisprudenciales existentes en la materia que nos ocupa tengan su origen mismo, precisamente, en el distinto entendimiento de qué deba considerarse *bis* (incluyendo tanto castigo como proceso punitivo) y qué *ídem* (en cuyo caso se despliega la prohibición de doble imposición y/o doble tramitación)[145], sumado a la consideración del principio *non bis in ídem* como eminentemente procesal, por parte del TJUE, mientras que en la doctrina y jurisprudencia patrias se presta especial atención a la faceta sustantiva de aquél[146].

---

[145] BUENO ARMIJO, A., "El principio ´non bis in ídem` en el Derecho de la Unión Europea. Una configuración cada vez más alejada del Ordenamiento español", *Anuario de Derecho Administrativo Sancionador (2021)* (Dir. M. Rebollo Puig, A. Huergo Lora, J. Guillén Caramés y T. Cano Campos), Civitas, Thomson-Reuters, Aranzadi, Cizur Menor (Navarra), 2021, pp. 271-307, p. 272.

[146] Sobre la construcción jurisprudencial elaborada por el TJUE cada vez más distanciada de la jurisprudencia y doctrina patria, que tiene su origen precisamente en esta cuestión previa, por todos, BUENO ARMIJO, "El principio ´non bis in ídem` en el Derecho de la Unión Europea. Una configuración cada vez más alejada del Ordenamiento español", óp. cit.

Siempre con apego a la doctrina española que, siguiendo a reconocidos autores, nos parece técnicamente superior en ciertos aspectos[147], ha de recordarse en primer lugar que mientras que en la faceta sustantiva del *non bis in ídem* debe darse triple identidad de sujeto, hechos y fundamento (*ídem crimen*), en la faceta procesal basta con la doble identidad de sujeto y hechos (*ídem factum*). Por añadidura, mientras que la faceta sustantiva opera de forma rígida, la faceta procesal, más flexible, admite ciertas excepciones.

El olvido de estas circunstancias pudiera tener como consecuencia ocasional tanto jurisprudencia inconsistente como interpretaciones de la misma no siempre coherentes o acompasadas. De hecho, no es infrecuente que tanto tribunales como doctrina se decanten en todo caso por entender el *ídem* siempre como *ídem factum*, postura esta beneficiosa para el infractor, por resultar más garantista, pero que viene a sacrificar la tutela de intereses generales, haciendo inviable el castigo de ilícitos concurrentes (concurso ideal), especialmente si su persecución y sanción viene atribuida a distintos órdenes.

Una lectura de la jurisprudencia del TEDH permite constatar las oscilaciones pendulares operadas en esta materia, si bien para no extendernos en exceso nos limitaremos a traer a colación dos casos paradigmáticos de lo apuntado: Zolotoukhine v. Rusia[148] y Ay B v. Noruega[149].

---

[147] CANO CAMPOS, T., "Los claroscuros del *non bis in ídem* en el espacio jurídico europeo", *Anuario de Derecho Administrativo Sancionador (2022)* (Dir. M. Rebollo Puig, A. Huergo Lora, J. Guillén Caramés y T. Cano Campos), Civitas, Thomson-Reuters, Aranzadi, Cizur Menor (Navarra), 2022, pp. 27-69, especialmente 56-59.

[148] Caso Sergueï Zolotoukhine contra Rusia, STEDH (Gran Sala) de 10 de febrero de 2009, apartado 84. En el mismo sentido: Caso Tomasovic contra Croacia, STEDH (Secc. 1ª) de 18 de octubre de 2011, apartado 26; Caso Rinas contra Finlandia, STEDH (Secc. 4ª) de 27 de enero de 2015, apartados 44-46; Caso Igor Tarasov contra Ucrania, STEDH (Secc. 5ª) de 16 de junio de 2016, apartados 26-30. Para abordar el estudio de esta cuestión en apariencia puramente fáctica hemos de partir de la definición de "hechos" realizada por la jurisprudencia del TEDH, el cual entiende que los mismos son "un conjunto de circunstancias fácticas concretas que implican al mismo infractor y están unidas indisociablemente en el tiempo y el espacio, debiéndose demostrar la existencia de tales circunstancias para poder pronunciar una condena o abrir diligencias penales".
En esa línea argumental, el TEDH ha entendido que se trataba de hechos diferentes si aparecían acotados en lapsos temporales diferentes pues "la circunstancia de que la calificación jurídica de los cargos formulados contra el demandante en los dos procedimientos pueda parecer similar no significa que se tratase del mismo delito o que los cargos se fundasen en los mismos hechos". Caso Marcello Viola contra Italia, STEDH (Secc. 3ª) de 5 de octubre de 2006, apartados 88-89.

[149] Es ya un clásico entre los estudiosos del *non bis in ídem* resaltar el abandono de la doctrina sentada en el considerado auténtico *leading case* Sergueï Zolotoukhine contra Rusia, STEDH (Gran Sala) de 10 de febrero de 2009, que se ha venido a producir con el caso A y B contra Noruega, STEDH (Gran Sala) de 15 de noviembre de 2016, abandono duramente criticado en el voto particular formulado a esta última por el juez Pinto de Alburquerque. Lo cierto es que el abandono ofrecía ya con anterioridad ciertos indicios. Idéntico tono y por idénticos motivos se advierte en el voto particular concurrente del juez Sicilianos, formulado a la STEDH (Secc. 1ª) de 18 de octubre de 2011, caso Tomasovic contra Croacia: "Sin embargo, la sentencia de la Gran Sala de Sergueï Zolotoukhine

Por su parte, el TJUE pone el acento en la faceta/entendimiento procesal del *non bis in ídem*, evitando la dualidad de procesos punitivos. Desde este enfoque, el elemento del bien jurídico protegido o fundamento es irrelevante para la determinación del *ídem*[150]. En dos de sus más recientes sentencias, Bpost[151] y Nordzucker[152], insiste en la flexibilización del *bis*, admitiendo en ocasiones dos procesos punitivos formalmente independientes con identidad subjetiva y fáctica, siempre que su tramitación esté prevista en la ley de forma clara, existan razones de interés público para ello y no suponga un gravamen excesivo.

Ha de adelantarse que en Derecho tributario sancionador esta excepcional posibilidad de doble tramitación de procesos sancionadores es especialmente relevante para el caso de que sea necesario/posible/oportuno, en ciertos casos, tramitar un procedimiento sancionador tras la absolución penal por unos mismos hechos.

5. Régimen jurídico sancionador en materia tributaria

El régimen jurídico sancionador en materia tributaria se encuentra previsto, en esencia, en la Ley 58/2003, de 17 de diciembre, General Tributaria (en adelante, LGT), Título IV, artículos 178 y siguientes, así como en el Real Decreto 2063/2004, de 15 de octubre, por el que se aprueba el Reglamento general del régimen sancionador tributario.

Cabe recordar ahora que en esta materia no tienen consideración de normas básicas ni la LPAC ni la LRJSP, tal como establecen, respectivamente, su Disposición Adicional 1ª, apartado 2, a) y c), y su Disposición Adicional 17ª. Ambas disposiciones conceden a las mencionadas leyes carácter de supletorias.

Con todo, el artículo 178 LGT afirma que "la potestad sancionadora en materia tributaria se ejercerá de acuerdo con los principios reguladores de la misma en materia administrativa con las especialidades establecidas en esta ley".

Esta previsión es singularmente relevante en lo que a *non bis in ídem* se refiere, pues significa que, junto a previsiones normativas específicas concurrentes, como la contenida en el artículo 180.1 LGT (en relación a la imposibilidad de

---

contra Rusia (…), que se ve ahora como un *locus classicus* en cuanto a la interpretación del principio *non bis in ídem*, no contiene ninguna afirmación de este tipo, sino que ofrece una protección mucho mayor para el individuo".

[150] BUENO ARMIJO, A., "Carácter procedimental del *non bis in ídem* en la Unión Europea", *Revista de Administración Pública*, Núm. 218, 2022, pp. 171-206, p. 200.

[151] STJUE (Gran Sala) de 22 de marzo de 2022, asunto C117/20 Bpost SA contra *Autorité belge de la concurrence* (petición de decisión prejudicial planteada por la *Cour d'appel de Bruxelles*).

[152] STJUE (Gran Sala) de 22 de marzo de 2022, asunto C151/20 *Bundeswettbewerbsbehörde* contra Agrana Zucker GmbH, Nordzucker AG y Südzucker AG (petición de decisión prejudicial planteada por el *Oberster Gerichtshof*).

sancionar como infracción independiente acciones u omisiones ya previstas como criterio de graduación de una infracción o como circunstancia calificativa de una infracción como grave o muy grave), y disidentes, como la contenida en lo referente a caducidad del procedimiento sancionador en el artículo 211.4 LGT (que impide la iniciación de un nuevo procedimiento sancionador tras la declaración de caducidad), el grueso de la jurisprudencia producida en la materia que nos ocupa es perfectamente extrapolable del ámbito administrativo al tributario y viceversa.

II. LA POSIBLE NATURALEZA SANCIONADORA DEL RECARGO, A LA LUZ DE LOS "CRITERIOS *ENGEL*": ESPERANDO RESPUESTA DEL TRIBUNAL SUPREMO

El de sanción no es un concepto sencillo[153]. Sanciones públicas y privadas[154], penales y administrativas[155], coexisten en el Ordenamiento jurídico con otras consecuencias jurídicas desfavorables o profundamente gravosas que no lo son. En la determinación de que sea una sanción han de tenerse en consideración cuestiones tanto sustantivas como procedimentales, especialmente relevantes estas últimas cuando de sanciones públicas se trata[156].

En lo que ahora interesa, el TS, en Auto de 20 de julio de 2022[157], ha admitido a trámite recurso de casación para aclarar si, en aplicación del artículo 6 CEDH, los recargos tributarios, en general, y el recargo por declaración extemporánea sin requerimiento previo, en particular, tienen naturaleza sancionadora.

---

[153] El origen de la confusión o falta de precisión casi con toda seguridad se sitúa en KELSEN y la inercia de los autores posteriores en mantener el uso terminológico amplísimo, circular y tautológico del concepto "sanción" que el autor austriaco hacía extensible a toda y cualquier consecuencia jurídica de un ilícito: "las sanciones, en el sentido específico de la palabra, aparecen, dentro de los órdenes jurídicos estatales, en dos formas diferentes: como sanción penal o pena (en el sentido estricto de la palabra) y como sanción civil o ejecución forzosa de bienes" (KELSEN, H., *Teoría Pura del Derecho* (traducción de la 2ª edición, Viena, 1960, de R. J. Vernego), Universidad Autónoma de México, México DF, 1979, p. 123.

[154] Por todos, CASADO CASADO, B., *El Derecho Sancionador Civil. Consideraciones generales y supuestos*, SPICUM. Servicio de Publicaciones de la Universidad de Málaga, Málaga, 2009.

[155] Por todos, REBOLLO PUIG, M., "Definición y delimitación de las sanciones administrativas", *Anuario de Derecho Administrativo Sancionador 2021* (Dirs. M. Rebollo Puig, A. Huergo Lora, J. Guillén Caramés y T. Cano Campos), Civitas-Aranzadi, Cizur Menor (Navarra), 2021, pp. 41-91, y HUERGO LORA, A., *Las sanciones administrativas*, Iustel, Madrid, 2007.

[156] Si bien pareciera existir un cierto "contagio" o extensión al ámbito del Derecho sancionador privado. PARDO LÓPEZ, M.M., "Derecho sancionador y cooperativas: disciplina social", *La Ley 27/1999, de 16 de julio, de Cooperativas. Veinte años de vigencia y resoluciones judiciales (1999-2019)*, Thomson-Reuters, Aranzadi, Cizur Menor (Navarra), 2021, pp. 211-248, pp. 211-212.

[157] ATS (Sala de lo Contencioso-administrativo, Secc. 1ª), de 20 de julio de 2022 (Rec. 747/2022). Roj: ATS 12081/2022 – ECLI:ES:TS:2022:12081A.

La cuestión no es baladí y debe, ante todo, ser contextualizada. Desde el caso Engel[158], se entiende que la expresión "acusación en materia penal" es una noción autónoma con significado propio en el marco del CEDH[159]. En aquél, como consecuencia de una pluralidad de procedimientos disciplinarios en el ámbito militar, el TEDH llegó a la conclusión de que en determinados supuestos de sanciones disciplinarias consistentes en privación de libertad resultaban también aplicables las garantías de los artículos 5 y 6 CEDH, teniendo en cuenta de forma combinada tres criterios, conocidos como "criterios Engel"[160]: (a) calificación legal del ilícito concedida por el Ordenamiento, (b) naturaleza misma de la infracción y (c) grado de severidad de la sanción en que puede incurrir el interesado. El segundo y tercer criterio no son necesariamente acumulativos, sino alternativos.

El TEDH extendía, así, las garantías previstas inicialmente para ilícitos y sanciones penales a los ilícitos y sanciones de naturaleza administrativa. Con independencia de la calificación realizada por los Ordenamientos nacionales, el TEDH se aseguraba con esto la posibilidad de delimitar el campo de aplicación del precepto.

En jurisprudencia posterior, el TEDH ha abundado en ese sentido. El concepto de persecución o procedimiento penal contenido en el artículo 4 del Protocolo núm. 7 CEDH (prohibición de *bis in ídem*) ha de interpretarse a según los principios generales relativos a los conceptos de "acusación penal" y "pena" de los artículos 6 y 7 CEDH.

Con todo, a la luz STEDH recientes, cabe preguntarse si acaso no se está incurriendo en excesos. Extender al Derecho administrativo/tributario sancionador en general las garantías propias del Derecho penal resulta razonable, atendida sobre todo la gravedad de ciertas sanciones administrativas. La cuestión, sin embargo, es otra bien distinta. El TEDH no se está limitando a realizar dicha extensión a consecuencias jurídicas que en último extremo tienen también naturaleza sancionadora, operando siempre, por tanto, en el ámbito del Derecho sancionador, sino que ha ido más allá. Ha extendido la prohibición de *bis in ídem* a medidas que en los Ordenamientos nacionales no tienen siquiera naturaleza sancionadora, como sucede con determinados medios de ejecución forzosa, tales como multas coercitivas o medidas similares (caso Goulandris[161]).

---

158 STEDH (Gran Sala) de 8 de junio de 1976, caso Engel y otros contra Holanda.
159 BARCELONA LLOP, J., "Las sanciones administrativas en la jurisprudencia del Tribunal Europeo de Derechos Humanos", *Derecho & Sociedad*, Núm. 54 (I) (2020), pp. 205-227, p. 209.
160 STEDH (Gran Sala) de 8 de junio de 1976, caso Engel y otros contra Holanda, ap. 82 y 83.
161 STEDH (Secc. 1ª) de 16 de junio de 2022, caso Goulandris y Vardinogianni contra Grecia, respecto a la denominada como multa de conservación.

Para el caso español y en contradicción con lo afirmado por nuestro TC -que no reconoce naturaleza sancionadora a las multas coercitivas previstas en el artículo 92.4.a) de la Ley Orgánica 2/1979, de 3 de octubre, del Tribunal Constitucional (en adelante, LOTC) y puede presumirse, por extensión, que a ninguna otra multa coercitiva- el TEDH no ha dudado en afirmar que sí revisten naturaleza "penal" a los efectos del CEDH (caso Aumatell i Arnau[162]).

En particular, sobre los recargos tributarios, también existen pronunciamientos del TEDH. No se pone en tela de juicio que el legislador disponga de un abanico amplio de posibilidades para lograr el pago de las deudas tributarias, pero los recargos, especialmente cuando su cuantía es elevada, suscitan la duda de si son o no manifestaciones del *ius puniendi* del Estado. En ciertas ocasiones, el recargo fiscal puede asimilarse a la sanción tributaria a efectos de interpretar el artículo 6 CEDH, atendiendo a que los recargos impositivos no buscan la reparación de un perjuicio, sino que tienden a castigar para evitar la reiteración de ciertas conductas. Su naturaleza es a la vez preventiva y represiva (caso Jussila[163]).

La cuestión no es nueva, pero sí resulta recomendable zanjar y esclarecer el asunto con un pronunciamiento expreso en el Derecho interno. Solamente resta, pues, esperar la decisión del TS en el asunto pendiente de resolución sobre la posible naturaleza sancionadora del recargo. Podría estar en tela de juicio el mismo artículo 180.4 LGT, que consagra la compatibilidad de las sanciones tributarias con la exigencia de intereses de demora y de los recargos del período ejecutivo. Mientras tanto, debe recordarse que, si bien es cierto que en ocasiones se deslizan en el Ordenamiento "multas encubiertas", impuestas de plano y sin las preceptivas garantías, con posible vulneración de la prohibición de *non bis in ídem*, no es menos cierto que no toda contravención de la ley es una infracción, ni toda consecuencia jurídica desfavorable constituye una sanción.

III. LA IDENTIDAD SUBJETIVA A EFECTOS DE *NON BIS IN ÍDEM:* UNA CUESTIÓN QUE PARECÍA SENCILLA

El catálogo de posibles infractores tributarios es amplio y diversificado, a la vista del artículo 179.1 LGT. La identificación e individualización de los obligados tributarios parecía una cuestión sencilla, teniendo en cuenta que no plantea, *a priori*, grandes problemas jurídicos distinguir un sujeto de otro.

---

[162] DTEDH (Secc. 3ª) de 4 de octubre de 2018, caso Aumatell i Arnau contra España, ap. 63-65, *obiter dicta*, si bien la demanda fue inadmitida.

[163] STEDH (Gran Sala) de 23 de noviembre de 2006, caso Jussila contra Finlandia. En el mismo sentido de reconocer naturaleza sancionadora al recargo, STEDH (Gran Sala) de 21 de mayo de 2003, caso Janosevic contra Suecia.

La postura mantenida por el TC en su STC 177/1999[164] no deja de ser una distorsión posteriormente desautorizada por el propio tribunal. De una lectura de los antecedentes se desprende inequívocamente que mientras la condena penal recaía sobre una persona física (don José María L. P.), era una persona jurídica (Industria de Recubrimiento de Metales L., SA; IRML, SA) la que había sido sancionada con anterioridad por la Administración, de modo que no existía la triple identidad requerida para poder apreciar una vulneración del principio de *non bis in ídem* por faltar en este caso la identidad subjetiva[165], tal como ha confirmado la jurisprudencia del TJUE[166]. Cuesta entender cómo este aspecto pudo ser pasado por alto ante la jurisdicción ordinaria y no merecer siquiera un comentario de la jurisdicción constitucional. Acaso la justificación se halle en la afirmación de que no corresponde al TC revisar la determinación de los hechos realizada por los órganos judiciales en el proceso penal precedente, de conformidad con una interpretación estricta del artículo 44.1.b) LOTC ni, por tanto, su convicción acerca de la identidad existente respecto del sujeto, hechos y fundamento de la conducta que había sido administrativamente sancionada en relación con la sometida a enjuiciamiento penal.

Por ello, no puede dejar de sorprender la cuestionable STS de 6 de marzo de 2019[167], que podría venir a liquidar esa postura doctrinal aparentemente pacífica hasta ahora si se produce la extensión de su *ratio decidendi* a otros ámbitos materiales, como el tributario. Calificada por algún autor como "jurisprudencia contraria a la ley"[168], no debiera ser acogida en el ámbito tributario sancionador. Si no resulta técnicamente correcta la sanción simultánea de persona física y persona jurídica (o incluso de ente sin personalidad) no será propiamente por un quebranto de la garantía de *non bis in ídem*, sino por otras razones. Comprobar la identidad del sujeto no plantea demasiadas dificultades, surgiendo los mayores problemas en el caso de personas jurídicas y las personas físicas que actúan por

---

[164]   STC (Sala Primera) 177/1999, de 11 de octubre, especialmente FJ 2º.

[165]   Al fallo de la mayoría formularon voto particular dos de los magistrados de TC, pero tampoco entre sus argumentos disidentes aparece mención alguna a la falta de identidad subjetiva. Para otra visión crítica, NAVARRO CARDOSO, F., "El principio *ne bis in ídem* a la luz de la sentencia del Tribunal Constitucional 177/1999. Exposición y crítica", en *Homenaje al Dr. Marino Barbero Santos: in memorian* (coord. L. Alberto Arroyo Zapatero e I. Berdugo Gómez de la Torre), Vol. 1, Universidad de Castilla-La Mancha, Ediciones de la Universidad de Castilla-La Mancha, Universidad de Salamanca, 2001, pp. 1217-1230.

[166]   STJUE de 5 de abril de 2017, casos Orsi y Baldetti (asuntos acumulados).

[167]   STS (Sala de lo Social, Secc. 1ª) de 6 de marzo de 2019 (Rec. 3648/2016). Roj: STS 1141/2019 – ECLI:ES:TS:2019:1141.

[168]   DÍAZ RODRÍGUEZ, J.M., "La concurrencia lícita entre sanciones penales y administrativas para personas físicas y jurídicas en una misma empresa (a pesar de la STS 174/2019)", *Trabajo y Derecho: nueva revista de actualidad y relaciones laborales*, Núm. 61, 2020, pp. 67-81.

ellas. Por ello, "es necesario que las sanciones impuestas a ambos expresen un reproche distinto, una antijuridicidad y una culpabilidad no coincidentes"[169].

Con todo, la vulneración del principio de *non bis in ídem* por darse identidad subjetiva desde un punto de vista material, que no formal, merece un análisis cuidadoso de ciertos casos. Son aquéllos en los que, aparentemente, se rompe la identidad subjetiva, pues formalmente hay dos sujetos diferenciados (persona física y persona jurídica), pero materialmente no es así y la sanción acaba recayendo dos veces sobre el mismo sujeto. Nos estamos refiriendo a los supuestos de "personalidad jurídica tenue" o "identidad sustancial", cuestión que no tiene realmente tanto que ver con el tamaño[170] de la empresa o el capital de la persona jurídica como con la rigidez y solidez de la separación entre la persona física y la jurídica, no sólo desde un punto de vista de la gestión sino también del régimen de responsabilidad patrimonial de la segunda (atendiendo a la separación de un patrimonio propio y la contaminación de patrimonios). Imagínese un supuesto de sociedad de responsabilidad colectiva con dos socios únicamente, ambos administradores de la empresa. Los efectos de la doble sanción a personas físicas y jurídica en este caso no son los mismos que en el de una sociedad anónima o limitada y sus administradores, pues en este último supuesto no se produce comunicación patrimonial alguna entre el patrimonio de la sociedad y el de los socios, por no existir responsabilidad patrimonial subsidiaria de éstos.

En este punto no puede ofrecerse una solución apriorística y general, sino que cada asunto concreto requerirá una evaluación exhaustiva para establecer si existe o no identidad subjetiva material. No puede afirmarse, sin más, la exención de responsabilidad de la persona jurídica por el hecho de que la sociedad tenga un único socio y sea éste quien conserve el dominio del hecho. Pero, por otro lado, en ocasiones, el doble castigo a la persona jurídica y la persona física puede, sin vulnerar en rigor técnico el principio de *non bis in ídem*, producir cierta sensación de desproporción[171].

La admisión de los principios de solidaridad y subsidiariedad en Derecho administrativo sancionador, ajenos al principio de culpabilidad penal y de

---

[169] ALARCÓN SOTOMAYOR, L., "El *non bis in ídem* como principio general del Derecho Administrativo", *Los principios jurídicos del Derecho Administrativo* (Dir. J. A. Santamaría Pastor), La Ley, Madrid, 2010, pp. 387-426, p. 398.

[170] CUBERO MARCOS, J.I., "Las aporías del principio non bis in ídem en Derecho Administrativo Sancionador", *Revista de Administración Pública*, Núm.207, 2018, pp. 253-288, p. 263; DOPICO GÓMEZ-ALLER, J., "Responsabilidad penal de las personas jurídicas", *Derecho Penal Económico y de la Empresa*, Dykinson, Madrid, 2018, pp. 129-168, p. 136.

[171] REBOLLO PUIG, M., "Responsabilidad sancionadora de personas jurídicas, entes sin personalidad y administradores", *Los retos de Estado y la Administración en el siglo XXI. Libro Homenaje al profesor Tomás de la Quadra-Salcedo Fernández del Castillo* (Coords. L. Parejo Alfonso y J. Vida Fernández), vol. I, Tirant Lo Blanch, Valencia, 2017, pp. 1041-1078, p. 1057.

personalidad de la pena[172], no ayuda a clarificar el panorama del principio de *non bis in ídem* en este sector del Ordenamiento en lo que a la identidad subjetiva se refiere. Lo formal, en ocasiones, dificulta la recta percepción de lo material y no debe olvidarse que la prohibición de doble sanción es, también, una cuestión material.

Urge una respuesta del legislador que clarifique y matice en cada caso si la responsabilidad sancionadora en ciertos supuestos de infracción administrativa/tributaria es para la persona física, para la persona jurídica, para ambas por el mismo hecho o si se sancionan, en el fondo, perspectivas o conductas diferentes[173].

IV. ESPECIALIDADES PROCEDIMENTALES EN EL ÁMBITO TRIBUTARIO SANCIONADOR QUE INCIDEN (O INCIDÍAN) EN LA PROHIBICIÓN DE *BIS IN ÍDEM*

Ya han sido apuntadas con anterioridad las divergencias existentes entre el entendimiento de la faceta procedimental del principio de *non bis in ídem* por parte de la jurisprudencia del TEDH y el TJUE, de un lado, y el TS, de otro. Aquí nos limitaremos a puntualizar algunos aspectos destacados.

(i) Tramitación sucesiva de procedimientos tributarios sancionadores. En el ámbito penal, la imposibilidad de tramitar procesos sucesivos viene garantizada con la prohibición de sentencias absolutorias en la instancia: si el Estado hace uso de la pretensión penal a través del correspondiente proceso, la misma queda consumida y liquidada. En el ámbito administrativo general, parece cuestión pacífica que no puede tramitarse un nuevo procedimiento sancionador en el que se aprecie la triple identidad de sujeto, hechos y fundamento cuando ha recaído resolución firme. Caso contrario, el debate continúa abierto.

Un supuesto ha merecido especial atención por parte de la doctrina. Se trata de la posibilidad de iniciar un nuevo procedimiento sancionador con identidad de sujeto, hechos y fundamento en aquellos casos en que se ha producido la caducidad del procedimiento tramitado en primer lugar. La doctrina mayoritaria[174] mantiene que es posible incoar un nuevo procedimiento sancionador en

---

[172] Sobre los principios de solidaridad (consagrado en el artículo 28.3 LRJSP) y subsidiariedad (artículo 28.4 LRJSP) en Derecho administrativo sancionador, NIETO GARCÍA, *Derecho Administrativo Sancionador*, óp. cit., pp. 378-391.

[173] Así lo ha entendido de forma general la Ley 2/1998, de 20 de febrero, de la potestad sancionadora de las Administraciones Públicas de la Comunidad Autónoma del País Vasco (en adelante, Ley 2/1998 País Vasco), artículo 9.3.

[174] La posición mayoritaria, asumida por el Ordenamiento, parece partir de planteamientos sobre la acción y la caducidad del proceso propios del Derecho civil, pero cabría preguntarse si los mismos son válidos para el Derecho sancionador, porque es sabido que esta posibilidad en Derecho penal

estos casos siempre que la infracción no haya prescrito. Se apoyan para ello en el artículo 25.1.b) LPAC por remisión al 95.3. La redacción del 95.4 LPAC viene a abundar en esa vía, al permitir, en determinados casos, que no opere la caducidad siquiera.

Un sector minoritario y algún TSJ[175] de forma reiterada han venido entendiendo esta solución poco respetuosa con el principio de *non bis in ídem*, por lo que afirman que "no cabe reiniciar y tramitar de nuevo (el procedimiento sancionador caducado) en el caso de que la paralización sea debida a pasividad o negligencia administrativa", debido a que el ejercicio de la potestad sancionadora "no puede quedar, por exigencias fundamentales de seguridad jurídica y de eficacia administrativa, al mero arbitrio de la Administración"[176]. En este sentido, el artículo 211.4 LGT zanja el debate y asume, precisamente, esa solución, ordenando el archivo de las actuaciones en caso de caducidad del procedimiento tributario sancionador e impidiendo la iniciación de un nuevo procedimiento sancionador contra el mismo sujeto y los mismos hechos[177].

Otro supuesto sobre el que se ha pronunciado la jurisprudencia es el de tramitación sucesiva de un procedimiento sancionador tras la declaración de nulidad de actuaciones. La STC 218/2007 sostiene que decretar la nulidad de las resoluciones judiciales para retrotraer las actuaciones al momento procesal oportuno, anterior a aquel en que se produjo la lesión estimada, no vulnera el *non bis in ídem*, no ya cuando así lo hace un órgano de la jurisdicción ordinaria, sino también en las contadas ocasiones en que el TC resulta competente para tal declaración de nulidad[178]. Bien es cierto que la retroacción de actuaciones por nulidad

---

no existe. También recuerda a la respuesta dada en caso de nulidad de actuaciones: las declaradas nulas nunca han existido y pueden repetirse sin incurrir en *bis in ídem*. El tema está lleno de matices y no permite respuestas monocordes. Responsabilizar a la Administración de que se produzca la caducidad, por inactividad, puede ser un tanto inexacto, pues esta caducidad puntual se produce no por inactividad sino por simple incumplimiento de los plazos. Acaso habrá que imitar y guardar cierto paralelismo con la respuesta dada para el caso de sobreseimiento y desmenuzar la actividad instructora realizada.

[175] Representativa de esa corriente doctrinal asumida reiteradamente por el Tribunal, por todas, STSJ Región de Murcia (Sala de lo Contencioso-administrativo, Secc. 2ª) de 24 de octubre de 2001, Roj: STSJ MU 2878/2001–ECLI:ES:TSJMU:2001:2878. DE DIEGO DÍEZ, L. A., *Prescripción y caducidad en Derecho administrativo sancionador*, 2ª edición actualizada, Bosch, Barcelona, 2009, pp. 281-283.

[176] LÓPEZ PELLICER, J.A., "La caducidad del procedimiento administrativo sancionador: ¿puede reabrirse y tramitarse otro si la infracción no ha prescrito?", *Actualidad Administrativa* Núm.42, 1999, pp. 1171-1199, especialmente pp. 1195-1196 y "La actuación extemporánea de la Administración en el procedimiento sancionador (Jurisprudencia)", *Revista Española de Derecho Administrativo*, Núm.105, 2000, pp. 105-117, p. 114.

[177] MARTÍNEZ GINER, L. A., "La caducidad de los procedimientos tributarios en la nueva Ley General Tributaria", *Quincena Fiscal*, 11, 2004, pp. 11-35.

[178] STC 218/2007, de 8 de octubre: "Por otra parte, dada la veda constitucional del *bis in ídem*, ha de tenerse en cuenta que aun cuando la retroacción de actuaciones acordada en la vía judicial previa pueda significar la sumisión a un nuevo juicio, tal efecto no es cuestionable, desde la perspectiva

de lo actuado en el caso de sentencia absolutoria debe realizarse siempre con criterios restrictivos[179]. En principio, para quien ya ha soportado el gravamen de un proceso sancionador, su repetición sería equivalente a acusarle de nuevo por los mismos hechos, algo que supone la exposición a un riesgo ciertamente extraordinario. Una ficción jurídica, la de que las actuaciones anuladas nunca han existido, permite la repetición del juicio[180] sin considerar vulnerada la prohibición de *bis in ídem*. Será necesario que la responsabilidad tributaria no haya prescrito.

(ii) Tramitación sucesiva de un procedimiento tributario sancionador tras la finalización de un proceso penal sin sentencia condenatoria. El ATS (Sala 3ª) de 15 de mayo de 2022, ha admitido a trámite recurso de casación para aclarar si resulta posible, en todo caso, la iniciación o continuación de un procedimiento sancionador administrativo tras no apreciar la existencia de delito o, por el contrario, si resulta imperativo verificar que la infracción o sanción administrativa no tiene naturaleza penal y, en su caso, la compatibilidad de la dualidad del procedimiento penal y administrativo con el principio *non bis in ídem* conforme la doctrina del TEDH y del TJUE.

---

constitucional, pues aquella prohibición opera respecto de sentencias firmes con efecto de cosa juzgada, y la recurrida en casación en este caso carecía de ese carácter. Así pues, no cabe hablar en rigor de doble proceso cuando el que pudiera ser considerado como primero ha sido anulado" (FFJJ 3º y 4º).

[179]   STC 1/2019, de 14 de enero (FJ 3º): "En este sentido, la doctrina de este Tribunal ha destacado la singularidad que plantea, a los efectos de la interdicción del *bis in ídem*, la anulación de una Sentencia penal absolutoria con orden de retroacción de actuaciones, dada la diferencia que existe entre la acusación y los acusados, desde la perspectiva de los derechos fundamentales en juego dentro del proceso penal. Así, en línea de principio, no cabe retroacción de actuaciones ante la vulneración de algún derecho fundamental de carácter sustancial que asista a las acusaciones, ya que ello impone al acusado absuelto la carga de un nuevo enjuiciamiento no destinado a corregir una vulneración en su contra de normas procesales con relevancia constitucional. Pero también ha expresado este Tribunal que el reconocimiento de esa limitación no puede comportar la negación a las acusaciones de la protección constitucional dispensada por el artículo 24 CE, que asimismo les incumbe. Por tal motivo, en un decidido equilibrio entre el estatuto constitucional reforzado del acusado y la necesidad de no excluir a las acusaciones de las garantías del artículo 24 CE, se admite constitucionalmente la posibilidad de anular una resolución judicial penal materialmente absolutoria, con orden de retroacción de actuaciones, en aquellos casos en los que se constate la quiebra de una regla esencial del proceso en perjuicio de la acusación, ya que en ese escenario la ausencia de garantías no permite hablar de «proceso» en sentido propio, ni puede permitir tampoco que la Sentencia absolutoria adquiera el carácter de inatacable (SSTC 23/2008, de 11 de febrero, FJ 3; 220/2007, de 8 de octubre, FJ 4; 189/2004, de 2 de noviembre, FJ 5, o 4/2004, de 16 de enero, FJ 4). En suma, la excepción afecta a aquellas resoluciones absolutorias dictadas en el seno de un proceso penal sustanciado sobre un proceder lesivo de las más elementales garantías procesales de las partes (SSTC 215/1999, de 29 de noviembre, FJ 1; 168/2001, de 16 de julio, FJ 7; 12/2006, de 16 de enero, FJ 2, o 112/2015, de 8 de junio, FJ 4)".

[180]   En consonancia con la literalidad del artículo 4, Protocolo 7 CEDH: "2. Lo dispuesto en el párrafo anterior no impedirá la reapertura del proceso, conforme a la ley y al procedimiento penal del Estado interesado, si hechos nuevos o nuevas revelaciones *o un vicio esencial en el proceso anterior pudieran afectar a la sentencia dictada*" (la cursiva es nuestra).

En la resolución de dicho recurso de casación, el TS casi con toda seguridad tendrá en cuenta consideraciones vertidas en Bpost[181] y Nordzucker[182] que, a su vez, están en sintonía con la jurisprudencia del TEDH, el cual estima que la tramitación de dos procesos/procedimientos "conectados"[183] no implica vulneración del *non bis in ídem*. Para apreciar "conexión" suele exigir que se trate de procesos tramitados por órdenes diferentes[184] pero con estrecha conexión temporal[185] y material[186] entre ellos, bien porque se solapan en el tiempo, de modo que el lapso que media entre la finalización de uno y de otro no es excesiva, bien porque el fallo o resolución emitidos en uno de ellos sea determinante en el otro. Cuando entre ambos procedimientos penal y administrativo existe un vínculo material y temporal suficientemente estrecho para que sean considerados dos aspectos de un sistema único debe entenderse que no existe tal dualidad de procedimientos en el sentido prohibido por el artículo 4.1 del Protocolo 7.

---

[181]   STJUE (Gran Sala) de 22 de marzo de 2022, asunto C117/20 Bpost SA contra *Autorité belge de la concurrence* (petición de decisión prejudicial planteada por la *Cour d'appel de Bruxelles*).

[182]   STJUE (Gran Sala) de 22 de marzo de 2022, asunto C151/20 *Bundeswettbewerbsbehörde* contra Agrana Zucker GmbH, Nordzucker AG y Südzucker AG (petición de decisión prejudicial planteada por el *Oberster Gerichtshof*).

[183]   Caso Boman contra Finlandia, STEDH (Secc. 4ª) de 17 de febrero de 2015, apartados 39-43; Caso Rivard contra Suiza, STEDH (Secc. 3ª) de 4 de octubre de 2016, apartados 28-33; Caso A y B contra Noruega, STEDH (Gran Sala) de 15 de noviembre de 2016, apartado 130; Caso Ragnar Thorisson contra Islandia, STEDH (Secc. 2ª), de 12 de febrero de 2019, apartados 39-51.

[184]   Caso Rivard contra Suiza, STEDH (Secc. 3ª) de 4 de octubre de 2016, apartado 31, reconoce que en ciertos sistemas cada autoridad (jurisdiccional penal y administrativa) dispone de un abanico de sanciones diferentes que no se superponen, de modo que, con ciertas garantías, los distintos procedimientos deben coexistir.

[185]   Existe conexión temporal cuando la resolución sancionadora administrativa es dictada poco después de que la sentencia penal sea declarada ejecutoria (Caso Rivard contra Suiza, STEDH (Secc. 3ª) de 4 de octubre de 2016, apartado 32); también existe conexión temporal cuando el proceso penal y el procedimiento administrativo se tramitan en paralelo e incluso se solapan y están interconectados, evitando al sujeto incertidumbre y retrasos innecesarios (Caso A y B contra Noruega, STEDH (Gran Sala) de 15 de noviembre de 2016, apartado 134; Caso Ragnar Thorisson contra Islandia, STEDH (Secc. 2ª), de 12 de febrero de 2019, apartados 49-51)

[186]   Caso A y B contra Noruega, STEDH (Gran Sala) de 15 de noviembre de 2016, apartado 132: "Material factors for determining whether there is a sufficiently close connection in substance include: 1) whether the different proceedings pursue complementary purposes and thus address, not only in abstract but also in concrete, different aspects of the social misconduct involved; 2) whether the duality of proceedings concerned is a foreseeable consequence, both in law and in practice, of the same impugned conduct (ídem); 3) whether the relevant sets of proceedings are conducted in such a manner as to avoid as far as possible any duplication in the collection as well as the assessment of the evidence, notably through adequate interaction between the various competent authorities to bring about that the establishment of facts in one set is also used in the other set; 4) and, above all, whether the sanction imposed in the proceedings which become final first is taken into account in those which become final last, so as to prevent that the individual concerned is in the end made to bear an excessive burden, this latter risk being least likely to be present where there is in place an offsetting mechanism designed to ensure that the overall amount of any penalties imposed is proportionate".

V. A LA ESPERA DE CONCLUSIONES MÍNIMAMENTE DEFINITIVAS, POR AHORA

Tras este somerísimo análisis de la respuesta dada por el TEDH, el TJUE, el TC y el TS a los ciertos casos relacionados con el principio de *non bis in idem* -tanto en su vertiente material como, muy especialmente, en su vertiente procedimental- que en materia tributaria han ido llegando a su sede, parece consolidarse la idea de que este antiguo principio de formulación aparentemente sencilla tiene todavía numerosos "cabos sueltos" por atar. Técnico como pocos, se revela de una complejidad excepcional, hasta el punto de que las respuestas de los cuatro tribunales, lejos de componer una sinfonía jurisprudencial forman una cacofonía a cuatro voces necesitada de sincronización y síntesis.

Por su naturaleza anfibológica, el principio *non bis in idem* ha dado lugar, dentro del sistema del CEDH, a una interpretación evolutiva marcada por cambios importantes. Con su experiencia, el TEDH intenta combinar el sincretismo y la coherencia para llegar finalmente a una síntesis de la jurisprudencia más equilibrada. Entre ruptura y continuidad, Zolotoukhine contra Rusia parece haberse convertido en un punto de inflexión posteriormente revertido en A y B contra Noruega. Esa afirmación, con todo, exige mucha cautela so pena de incurrir en errores.

Si bien el TJUE intenta acompasar sus resoluciones a las del TEDH en los últimos tiempos, la jurisprudencia del TC y el TS ha preferido mantenerse fiel su postura tradicional. Está por ver si en los distintos asuntos pendientes de resolución casacional ante el TS (sobre la naturaleza del recargo tributario y sobre la posibilidad de iniciar o continuar un procedimiento sancionador administrativo/tributario tras no apreciar la existencia de delito) finalmente se acoge la jurisprudencia del TEDH. En algunas ocasiones, de ser así, supondrá un auténtico revulsivo jurídico. En otros casos, es posible acompasar de forma integrada la postura nacional con la del TEDH, pues la jurisprudencia del TS ofrece también aciertos técnicos y prácticos. La expectación es máxima.

VI. BIBLIOGRAFÍA

ALARCÓN SOTOMAYOR, L., *La garantía non bis in ídem y el procedimiento sancionador*, Iustel, Madrid, 2008

— "El non bis in ídem como principio general del Derecho Administrativo", Los principios jurídicos del Derecho Administrativo (Dir. J. A. Santamaría Pastor), La Ley, Madrid, 2010, pp. 387-426

ARROYO ZAPATERO, L., "Principio de legalidad y reserva de ley en materia penal", *Revista Española de Derecho Constitucional*, Núm. 8, 1983, pp. 9-46

BARCELONA LLOP, J., "Las sanciones administrativas en la jurisprudencia del Tribunal Europeo de Derechos Humanos", *Derecho & Sociedad*, Núm. 54 (I) (2020), pp. 205-227

BUENO ARMIJO, A., "El principio ´non bis in ídem` en el Derecho de la Unión Europea. Una configuración cada vez más alejada del Ordenamiento español", *Anuario de Derecho Administrativo Sancionador (2021)* (Dir. M. Rebollo Puig, A. Huergo Lora, J. Guillén Caramés y T. Cano Campos), Civitas, Thomson-Reuters, Aranzadi, Cizur Menor (Navarra), 2021, pp. 271-307

— "Carácter procedimental del non bis in ídem en la Unión Europea", Revista de Administración Pública, Núm. 218, 2022, pp. 171-206

CANO CAMPOS, T., "*Non bis in ídem*, prevalencia de la vía penal y teoría de los concursos en el Derecho administrativo sancionador", *Revista de Administración Pública*, Núm.156, septiembre-diciembre 2001, pp. 191-250

— "Los claroscuros del non bis in ídem en el espacio jurídico europeo", Anuario de Derecho Administrativo Sancionador 2022 (Dirs. Manuel Rebollo Puig, Alejandro Huergo Lora, Javier Guillén Caramés y Tomás Cano Campos), Civitas, Madrid, pp. 27-69

CASADO CASADO, B., *El Derecho Sancionador Civil. Consideraciones generales y supuestos*, SPICUM. Servicio de Publicaciones de la Universidad de Málaga, Málaga, 2009

CUBERO MARCOS, J.I., "Las aporías del principio non bis in ídem en Derecho Administrativo Sancionador", *Revista de Administración Pública*, Núm.207, 2018, pp. 253-288

DE DIEGO DÍEZ, L. A., *Prescripción y caducidad en Derecho administrativo sancionador*, 2ª edición actualizada, Bosch, Barcelona, 2009

DÍAZ FRAILE, F., *Derecho administrativo sancionador. Análisis a la luz de la jurisprudencia del Tribunal Constitucional y del Tribunal Europeo de Derechos Humanos*, Atelier, Barcelona, 2016

DÍAZ RODRÍGUEZ, J.M., "La concurrencia lícita entre sanciones penales y administrativas para personas físicas y jurídicas en una misma empresa (a pesar de la STS 174/2019)", *Trabajo y Derecho: nueva revista de actualidad y relaciones laborales*, Núm. 61, 2020, pp. 67-81

DOPICO GÓMEZ-ALLER, J., "Responsabilidad penal de las personas jurídicas", *Derecho Penal Económico y de la Empresa*, Dykinson, Madrid, 2018

FERNÁNDEZ RODRÍGUEZ, T. R., *De la Arbitrariedad del Legislador. Una crítica de la jurisprudencia constitucional*, Civitas, Madrid, 1998

— De la Arbitrariedad de la Administración, 4ª edición corregida, Civitas, Madrid, 2002

HENRÍQUEZ SALIDO, M. C., ORDÓÑEZ SOLÍS, D. y RABANAL CARBAJO, P. F., "El uso actual del non bis in ídem en el Tribunal Supremo y en los Tribunales supranacionales", Revista General de Legislación y Jurisprudencia, Núm. 3, 2017, pp. 483-510

HUERGO LORA, A., *Las sanciones administrativas*, Iustel, Madrid, 2007

— "Diferencias de régimen jurídico entre las penas y las sanciones administrativas que pueden y deben orientar su utilización por el legislador, con especial referencia a los instrumentos para la obtención de pruebas", Problemas actuales del Derecho Administrativo Sancionador (Dir. Alejandro Huergo Lora), Iustel, Madrid, 2018, pp. 15-59

KELSEN, H., *Teoría Pura del Derecho* (traducción de la 2ª edición, Viena, 1960, de R. J. Vernego), Universidad Autónoma de México, México DF, 1979

LÓPEZ BARJA DE QUIROGA, J., *El principio non bis in ídem*, Dykinson, Colección Cuadernos Luis Jiménez de Asúa, Madrid, 2004

LÓPEZ PELLICER, J.A., "La caducidad del procedimiento administrativo sancionador: ¿puede reabrirse y tramitarse otro si la infracción no ha prescrito?", *Actualidad Administrativa*, Núm.42, 1999, pp. 1171-1199

— "La actuación extemporánea de la Administración en el procedimiento sancionador (Jurisprudencia)", Revista Española de Derecho Administrativo, Núm.105, 2000, pp. 105-117

MARTÍN QUERALT, J., "¿Es necesaria la reconstrucción judicial del *non bis in ídem*?", *Carta Tributaria. Revista de Opinión*, Núm. 60 (1 de marzo de 2020), Wolters Kluwer, pp. 1-10

MARTÍNEZ GINER, L. A., "La caducidad de los procedimientos tributarios en la nueva Ley General Tributaria", *Quincena Fiscal*, 11, 2004, pp. 11-35

MUÑOZ CLARES, J. y CABALLERO SALINAS, J. M., *Ne bis in ídem. Hechos, penas, sanciones*, Aranzadi, Cizur Menor, Navarra, 2019

MUÑOZ QUIROGA, A., "El principio non bis in ídem", *Revista Española de Derecho Administrativo*, Núm. 45, 1985, pp. 129-142

NAVARRO CARDOSO, F., "El principio *ne bis in ídem* a la luz de la sentencia del Tribunal Constitucional 177/1999. Exposición y crítica", *Homenaje al Dr. Marino Barbero Santos: in memorian* (coord. L. Alberto Arroyo Zapatero e I. Berdugo Gómez de la Torre), Vol. 1, Universidad de Castilla-La Mancha, Ediciones de la Universidad de Castilla-La Mancha, Universidad de Salamanca, 2001, pp. 1217-1230

NIETO GARCÍA, A., *Derecho Administrativo Sancionador*, 5ª edición totalmente reformada, Tecnos, Madrid, 2012

PARDO LÓPEZ, M.M., "Derecho sancionador y cooperativas: disciplina social", *La Ley 27/1999, de 16 de julio, de Cooperativas. Veinte años de vigencia y resoluciones judiciales (1999-2019)*, Thomson-Reuters, Aranzadi, Cizur Menor (Navarra), 2021, pp. 211-248

PÉREZ LUÑO, A. E., *La seguridad jurídica*, 2ª edición, Ariel, Barcelona, 1994

"La seguridad jurídica: una garantía del derecho y la justicia", Boletín de la Facultad de Derecho, UNED, Madrid, 2000, Núm.15, Segunda Época, pp. 25-38

PÉREZ MANZANO, M., *La prohibición constitucional de incurrir en* bis in ídem, Tirant lo Blanch, Valencia, 2002

REBOLLO PUIG, M., "Responsabilidad sancionadora de personas jurídicas, entes sin personalidad y administradores", *Los retos de Estado y la Administración en el siglo XXI. Libro Homenaje al profesor Tomás de la Quadra-Salcedo Fernández del Castillo* (Coords. L. Parejo Alfonso y J. Vida Fernández), vol. I, Tirant Lo Blanch, Valencia, 2017, pp. 1041-1078

— "Definición y delimitación de las sanciones administrativas", Anuario de Derecho Administrativo Sancionador 2021 (Dirs. M. Rebollo Puig, A. Huergo Lora, J. Guillén Caramés y T. Cano Campos), Civitas-Aranzadi, Cizur Menor (Navarra), 2021, pp. 41-91

15.- SANCIONES TRIBUTARIAS IMPROPIAS: SITUACIÓN TRAS LA REFORMA DE LA LEY 14/2022, DE 8 DE JULIO DEL IMPUESTO SOBRE GASES FLUORADOS DE EFECTO INVERNADERO Y LA PROHIBICIÓN DE REPERCUSIÓN DEL TRIBUTO EN SUPUESTOS DE ACTAS DE INSPECCIÓN.

VICENTE SANZ TORRÓ

Departament de Dret Financer i Història del Dret
Universitat de València.

ABSTRACT

The Tax on Fluorinated Greenhouse Gases is an indirect tax whose purpose is to tax gas emissions into the atmosphere that endanger the ozone layer. One of the consequences of the tax regularization in an inspection procedure on this tax is the impossibility of passing on the quota to the final recipient of the tax. The objective of the research is to determine whether this prohibition can be considered an improper sanction or, on the contrary, a tax technical mechanism aimed at greater efficiency of the Administration's inspection function. It is proposed to review the concept of improper penalties and their existence in our legal system, trying to demonstrate whether the characteristics that are present in the former also appear in our case under study. It also analyzes the treatment given by the courts to these cases and their effect on the basic principles that should guide the ius puniendi of the Administration.

RESUMEN

El Impuesto sobre Gases Fluorados de Efecto Invernadero es un impuesto indirecto cuyo objetivo es gravar las emisiones de gases a la atmósfera que pongan en riesgo la capa de ozono. Una de las consecuencias de la regularización tributaria en un procedimiento inspector sobre este tributo es la imposibilidad de repercutir la cuota al destinatario final del impuesto. El objetivo de la investigación se centra en determinar si esa prohibición puede considerarse una sanción impropia o por el contrario es un mecanismo de técnica tributaria encaminado a una mayor eficiencia de la función inspectora de la Administración. Se propone realizar una revisión del concepto de sanciones impropias y su existencia en nuestro ordenamiento jurídico, intentando demostrar si las características que se presentan en aquellas aparecen también en nuestro caso objeto de estudio. Igualmente se analiza el tratamiento que los tribunales dispensan a estos supuestos y su afectación a principios básicos que debieran dirigir el ius puniendi de la Administración.

1.- INTRODUCCIÓN

El Impuesto sobre Gases Fluorados de Efecto Invernadero (IGFEI) se introdujo en España en 2013 por medio de la Ley 16/2013 de 29 de octubre por la que se establecen determinadas medidas en materia de fiscalidad medioambiental y se adoptan otras medidas tributarias y financieras. Esta ley, cajón de sastre de numerosas medidas de índole económico, tributario y financiero, recoge en su artículo 5 la creación y toda la regulación de rango legal del IGFEI[187]. De naturaleza indirecta y vocación aparentemente extrafiscal, grava la emisión de gases fluorados a la atmosfera mediante un complejo sistema de repercusión para lograr que la acción contaminante fuera acompañada de un sobrecoste económico por la vía impositiva, que desincentivara su comisión.

El contribuyente venía definido como aquel empresario que realizara entregas del gas en cuestión, viniendo obligado a repercutir el impuesto a los adquirentes que potencialmente eran quienes podían emitir gases fluorados a la atmósfera, pero se establecía un complejo sistema de exenciones para lograr finalmente que quién soportara la carga fiscal fuera quién usaba en sus equipos o instalaciones dichos gases. Sin embargo, el apartado Trece.3 del art. 5 de la Ley 16/2013, dedicado a la obligación de repercusión prohibía la repercusión del impuesto en los supuestos de cuotas afloradas en procedimientos inspectores y en estimaciones indirectas de bases.

Impedir la repercusión del impuesto liquidado en un procedimiento inspector, suponía trasladar el gravamen al sujeto que no había realizado la acción reveladora de capacidad económica ni tan siquiera la acción contaminante, viéndose privado *ex lege* de la posibilidad de trasladarlo a un tercero, dando lugar a una disfunción entre el objeto del tributo y el destinatario final de la carga de este. Esta cuestión nos lleva a plantearnos como objetivo del estudio si estamos ante un supuesto de represión o de intimidación al contribuyente, más propio del ámbito sancionador y no tanto ante un caso de garantía del crédito tributario. Concretamente si la prohibición expresa de repercusión que se recoge en el apartado Trece.3 del artículo 5 de la Ley 16/2013 puede reputarse desde el plano material como una verdadera sanción, por medio del planteamiento de las siguientes cuestiones:

1. ¿El mecanismo altera la cuantía del tributo afectando directamente al principio de capacidad económica del obligado tributario?
   Se determinará a la luz del estudio del hecho imponible y de la finalidad del impuesto definido por el legislador, si la prohibición de repercusión

---

[187]   El impuesto ha sufrido una modificación completa con motivo de la promulgación de la Ley 14/2022 de 8 de julio, de modificación de la normativa reguladora de la transparencia, acceso a la información pública y al buen gobierno.

vulnera el principio de capacidad económica y de no confiscatoriedad recogido en el artículo 31.1 de la CE.

2. ¿El mecanismo constituye un reproche por una conducta indebida del obligado tributario?

Se valorará tras el análisis de los presupuestos de hecho recogidos en el precepto estudiado, si la acción tipificada esta correlacionada con el hecho imponible o con una voluntad represiva o disuasoria del legislador.

3. ¿El mecanismo vulnera principios constitucionales garantes de los derechos de los contribuyentes?

Sobre la base de las respuestas anteriores, y en el caso que fueran afirmativas, se concluirá si la regulación concreta de las consecuencias de cuotas liquidadas en un procedimiento inspector atenta contra los principios reguladores del ius puniendi de la Administración.

La investigación se ha estructurado en las siguientes secciones. En la sección 2 se explica el marco conceptual del mecanismo de repercusión y los supuestos de exención en el IGFEI. En la sección 3 se analizan las consecuencias de la imposibilidad de repercusión. En la sección 4 se da respuesta a la calificación del mecanismo como una sanción anómala y sus consecuencias y por último en la sección 5 se presentan las principales conclusiones, limitaciones y futuras líneas de investigación del estudio realizado.

2.- EL MECANISMO DE REPERCUSIÓN Y LAS EXENCIONES EN EL IGFEI

La naturaleza indirecta del IGFEI exige, para entender adecuadamente el objeto de este, un esfuerzo analítico del texto legal y de la configuración que la Dirección General de Tributos ha venido realizando desde su aprobación.

El Apartado I del preámbulo de la Ley 16/2013, sienta las bases del objetivo perseguido con el establecimiento del tributo en cuestión: *"Con igual propósito de contribuir a la consolidación de las finanzas públicas, al que en este caso se une el de coadyuvar al logro de los objetivos en materia de medio ambiente, en línea con los principios básicos que rigen la política fiscal, energética y ambiental de la Unión Europea, y como continuación de las medidas adoptadas a finales de 2012, mediante esta Ley se regula el Impuesto sobre los gases fluorados de efecto invernadero, como instrumento que **actúa sobre las emisiones** de hidrocarburos halogenados."*

Por su parte, en el apartado V del mencionado Preámbulo, el legislador refuerza la finalidad extrafiscal del nuevo impuesto señalando varios fundamentos: i) el carácter de la fiscalidad medioambiental como medio complementario para coadyuvar a la protección y defensa del medio ambiente; ii) la capacidad de determinadas figuras impositivas de estimular e incentivar comportamientos más respetuosos con el entorno natural.; iii) el establecimiento de medidas de corrección de determinadas externalidades ambientales, como las ocasionadas por la emisión de gases de efecto invernadero dado su alcance global y su magnitud en el impacto medioambiental, siendo que estas sustancias, que contribuyen de forma muy significativa al calentamiento de la atmósfera, han sido a su vez, reguladas por el Protocolo de Kioto, estableciéndose objetivos obligatorios de emisión para los países ratificantes, entre ellos, los miembros de la UE.

El apartado Dos del artículo 5 dedicado al Ámbito objetivo, se limita a señalar qué gases tienen la consideración de gases fluorados de efecto invernadero y el apartado Seis relativo al Hecho Imponible, en su redacción original vigente hasta la entrada en vigor de la Ley 14/2022 de 8 de julio, sujetaba al impuesto, la primera venta o entrega de gases tras su producción, importación o adquisición intracomunitaria y aquellas ventas que se produjeran por empresarios que al adquirirlas hubieran resultado exentas en determinados supuestos.

Por su parte, el apartado Siete recogía una relación de 8 supuestos de exención destinados todos ellos a una configuración técnica de un impuesto, de difícil comprensión y peor control. Tan es así, que la modificación del impuesto operada por la citada Ley 14/2022 ha sido justificada por el propio legislador por la necesidad de simplificar el cumplimiento de obligaciones formales y por ende la gestión del impuesto, tanto para los obligados tributarios como por la Administración tributaria[188] y se concreta en la configuración del hecho imponible, dejando de configurarse como la venta o entrega de los gases al consumidor final para pasar a gravar directamente la fabricación, importación o adquisición intracomunitaria.

Siendo que el objetivo final del impuesto era evitar la emisión de gases a la atmósfera, pero que el hecho imponible tal y como estaba definido por la ley gravaba actos o conductas que no necesariamente implicaban dichas emisiones, el sistema de exenciones pretendía ajustar la calificación del presupuesto de hecho a aquellos supuestos en los que podía inferirse una expulsión gasística al exterior.

Así, en el supuesto de un empresario que adquiría en el territorio de aplicación del impuesto, gases fluorados para su instalación en equipos o instalaciones nuevas, la entrega del gas por parte del fabricante, importador o adquirente intracomunitario al instalador que iba a actuar como revendedor, estaba exenta, al igual que la entrega que posteriormente realizara el instalador si el gas iba a ser objeto de incorporación a un equipo, aparato o instalación de nuevo uso[189].

---

188 Apartado II del Preámbulo de la Ley 1472022

[189] Exenciones aplicables en base al apartado Siete.1.a) y Siete.1.d) del artículo 5 de la Ley 16/2013 en su redacción anterior.

Así, la propia Dirección General de Tributos, en las numerosas consultas vinculantes evacuadas fue centrando el ámbito objetivo del Impuesto.

1. Consulta Vinculante V0496-14 de 24 de febrero: "*En conclusión, los gases que vayan a ser emitidos a la atmósfera fuera del ámbito territorial de aplicación del impuesto no resultarán gravados por el impuesto*".

2. Consulta Vinculante V0528-14 de 27 de febrero: "*En efecto, el principio de neutralidad fiscal no obliga en modo alguno a equiparar el robo de los gases fluorados objeto del IGFEI a una entrega y no constituye obstáculo alguno para la consideración de que dicho robo no constituya en cuanto tal una operación sujeta al IGFEI.*"

3. Consulta Vinculante V0631-14 de 7 de marzo: "*A su vez, en el apartado siete.1 del artículo 5 de la Ley 16/2013 se establecen un conjunto de exenciones, entre las cuales se encuentran las recogidas en las letras a) reventa, b) exportaciones y entregas intracomunitarias, d) y f) incorporación en equipos y aparatos nuevos, cuyo objetivo es lograr que el impuesto grave únicamente las emisiones efectivas de gases fluorados de efecto invernadero a la atmósfera, de esta forma, el Impuesto recae sobre los gases que sean emitidos a la atmósfera en el momento en el que queda constancia de dicha emisión, que se infiere con la recarga en los equipos y sistemas que utilizan dicho gases. [....] Por el contrario, cuando se extrae el gas de un equipo y, posteriormente se procede a efectuar una nueva carga de gas en el mismo, nos encontramos ante una mera operación de sustitución de gases en los que no se ha producido emisión alguna. Por ello, a pesar de que dicha operación no está contemplada expresamente en la norma debido a la imposibilidad de que la misma pueda abarcar toda la casuística que se pueda plantear en relación con la operativa relacionada con los gases objeto del Impuesto sobre los Gases Fluorados de Efecto Invernadero, la misma debe interpretarse en consonancia con el objetivo que se pretende conseguir con dicho impuesto: evitar la emisión de gases a la atmósfera.*"

4. Consulta Vinculante V1482-14 de 4 de junio: "*Paralelamente, en el caso de que la legislación sectorial establezca que determinadas modificaciones en equipos o aparatos nuevos son de tal magnitud que lleven a acreditarlos como nuevos, consecuentemente, deberán calificarse como tales en los términos establecidos en el apartado cinco del artículo 5 de la Ley 16/2013, estando exentas las entregas de gases fluorados de efecto invernadero, que estando dentro del ámbito objetivo del Impuesto, vayan a ser destinados a la carga de dichos equipos o aparatos y que cumplan los requisitos establecidos en los artículos 10 y 14 del Reglamento del Impuesto sobre los Gases Fluorados de Efecto Invernadero aprobado por el Real Decreto 1042/2013 de 27 de diciembre. Por tanto, si se instalan máquinas nuevas con precarga de fábrica, en las que hay que añadir una carga adicional de gases fluorados objeto del impuesto para que funcionen, dichas ventas o entregas de gases resultarán exentas. Sin embargo, si se aprovecha instalaciones existentes, donde se cambian máquinas viejas por nuevas y en las que es necesaria una carga adicional de gases fluorados objeto del Impuesto para que funcionen, las ventas o entregas de gases resultaran exentas si la legislación sectorial establece que dichos cambios son de tal magnitud que la instalación resultante debe calificarse como nueva.*"

5.   Consulta Vinculante V1676-14 de 1 de julio de 2014: "*De acuerdo con [lo] expuesto en el preámbulo de la reiterada Ley 16/2013, **los preceptos** anteriormente transcritos [apartado seis, letra d) del número 1 del apartado siete y apartado cinco, todos ellos del art. 5 de la Ley 16/2013] **deben ser interpretados en coherencia con el fin perseguido por el impuesto, esto es, gravar las emisiones efectivas de gases fluorados de efecto invernadero a la atmósfera;** por ello, **es preciso distinguir,** por un lado, **entre aquellos productos cuya utilización lleva aparejada inherentemente las emisiones de los mismos a la atmósfera;** y por otro lado, **entre aquellos equipos o aparatos cuya utilización no tiene por qué producir tales emisiones. En estos últimos** no es preciso **gravar** los gases en el momento en el que son incorporados en la fabricación de estos, ni en el momento de su importación o adquisición intracomunitaria, sino **cuando queda constancia de que ha habido emisiones efectivas de los gases objeto del impuesto a la atmósfera, que se infiere con la recarga en los equipos y aparatos que utilizan dichos gases.**"

6.   Consulta Vinculante V1696-14 de 2 de julio de 2014: "*El artículo 5 de la Ley 16/2013, de 29 de octubre, por la que se establecen medidas en materia de fiscalidad medioambiental y se adoptan otras medidas tributarias y financieras crea el Impuesto sobre los Gases Fluorados de Efecto Invernadero (IGFEI). Dicho impuesto se configura como un tributo de naturaleza indirecta que recae sobre el consumo de aquellos productos comprendidos en su ámbito objetivo y grava, en fase única, el consumo de estos productos atendiendo al potencial de calentamiento atmosférico. **Con la finalidad de gravar las emisiones de gases fluorados de efecto invernadero a la atmósfera, el impuesto recae sobre los gases que efectivamente sean emitidos a la atmósfera en el momento en que queda constancia de dicha emisión, que se infiere con la recarga de los equipos y sistemas que utilizan dichos gases.**"

7.   Consulta Vinculante V2906-14 de 30 de octubre de 2014: "*Conforme a lo señalado en la norma reguladora del impuesto, **se deberá producir el devengo del impuesto en la entrega de los gases destinados a la carga del equipo siempre que se haya producido previamente una emisión de gases a la atmósfera.** No obstante, cuando se extrae el gas R-22, R-404 A o R-507 de un equipo y, simultáneamente, se efectúa una carga de gas R-427 A, R-434 A o R-407F en el mismo, nos encontramos ante una mera operación de sustitución de gases en la que no se ha producido emisión de gases a la atmósfera. Por ello, a pesar a que esta sustitución no está contemplada expresamente en la norma debido a la imposibilidad de que la misma pueda abarcar toda la casuística que se pueda plantear en relación con la operativa relacionada con los gases objeto del Impuesto sobre los Gases Fluorados de Efecto Invernadero, esta operación debe interpretarse en consonancia con el espíritu de la norma y el **objetivo que se pretende conseguir con este impuesto, esto es, evitar la emisión de gases a la atmósfera.**"

8.   Consulta Vinculante V0072-15 de 13 de enero de 2015: "*Mediante el Impuesto se persigue hacer efectivo el principio de **"quien contamina paga"**; por ello, como se pretenden gravar las emisiones efectivas de gases fluorados de efecto invernadero a la*

atmósfera, resultan exentas de gravamen las entregas de gases fluorados destinadas a su envío o utilización fuera del ámbito territorial de aplicación del Impuesto"

9.   Consulta Vinculante V0184-15 de 20 de enero de 2015: *"No obstante, no siempre que se realiza una recarga de gases objeto del impuesto se ha producido una emisión de gases a la atmósfera, por lo que nos podemos encontrar las situaciones siguientes. Si sólo se produce una mera sustitución de gases, según lo establecido en el artículo 5. siete. 1. f) de la Ley 16/2013, de 29 de octubre, la cantidad de gas fluorado objeto del impuesto adquirido por la consultante estará exenta siempre que sea destinado a efectuar una recarga en equipos, aparatos o instalaciones de los que previamente se hayan extraído otros gases y se acredite haberlos entregado a los gestores de residuos reconocidos por la Administración Pública competente para su destrucción, reciclado o regeneración. La cantidad de gas exenta no podrá ser superior a la que se haya extraído del equipo y entregado al gestor de residuos. Sin embargo, cuando la cantidad de gas que se haya recargado sea superior a la retirada, se tributará por la diferencia. Igualmente, en el caso de que se efectúe la recarga sin que se hubiera acreditado previamente haber retirado gas y haberlo entregado a los gestores de residuos competentes para su destrucción, reciclado o regeneración, el impuesto se devengará por la totalidad de la entrega del gas fluorado objeto del impuesto. En estos casos, y siempre que se traten de gases fluorados de efecto invernadero con un potencial de calentamiento atmosférico igual o inferior a 3.500 y que se destinen a su incorporación en sistemas fijos de extinción de incendios, será de aplicación a la primera venta o entrega la exención parcial del artículo 5. siete.2 de la Ley 16/2013, de 29 de octubre. Para ello, conforme lo dispuesto en el artículo 17 del Reglamento del Impuesto sobre Gases Fluorados de Efecto Invernadero, bastará con que la consultante presente a su proveedor una tarjeta identificativa de su inscripción en el registro territorial como instaladora de sistemas fijos de extinción de incendios y una declaración suscrita en la que conste que el destino de los gases fluorados es la recarga de dichos sistemas fijos de extinción de incendios."*

10.   Consulta Vinculante V0314-15 de 28 de enero de 2015: *"En contestación a la consulta, hay que indicar **que el impuesto habrá de satisfacerse siempre que existan emisiones de los gases objeto del impuesto a la atmósfera, siendo independiente esta obligación de que exista culpabilidad o no en la emisión de los gases a la atmósfera**, de esta manera, el impuesto logra su **finalidad medioambiental**. Por otra parte, la consultante está obligada a repercutir el importe de las cuotas del Impuesto devengadas sobre los adquirentes de los gases objeto del impuesto, quedando estos obligados a soportarlas. **No existe en la Ley ni en el Reglamento del impuesto ninguna excepción a la repercusión del mismo.**"*

11.   Consulta Vinculante V0796-15 de 12 de marzo de 2015: *"El **carácter** de equipo o aparato **nuevo se acreditará, conforme a la legislación sectorial,** con el certificado de instalación **o, en su defecto,** de acuerdo con la **factura, contrato, nota de pedido u otro documento acreditativo** de la adquisición de los mismos".*

12.   Consulta Vinculante V3513-16 de 26 de julio de 2016: *"Una empresa vende gases fluorados sujetos al IGFEI a un cliente que ha comprado un equipo de segunda mano en el que, para ponerlo en funcionamiento, requiere hacer una recarga de dichos gases. Esto*

es, tienen la consideración de equipos y aparatos nuevos aquellos que son puestos en funcionamiento por primera vez en el territorio de aplicación del impuesto. Por tanto, en la medida en que el propietario del equipo o aparato nuevo pueda acreditar a quien le vende el gas objeto del IGFEI que el equipo que va a introducir el gas tiene el carácter de nuevo, porque va a ser su primera utilización en el territorio de aplicación del impuesto, dicha entrega estará exenta de Impuesto conforme a lo anteriormente expuesto."

En definitiva, el IGFEI tiene como objetivo gravar la emisión de gases fluorados de efecto invernadero a la atmósfera, no la producción, importación, Adquisición Intracomunitaria o autoconsumo, porque estas conductas pueden no suponer la emisión atmosférica y ello porque la utilización correcta de estos productos en los circuitos de refrigeración no supone *per se* la expulsión de ellos. Los gases refrigerantes transitan por circuitos cerrados cuya utilización no implica necesariamente su emisión hacia el exterior, a diferencia, por ejemplo, de la emisión de CO_2 por parte de los vehículos que si o si, en la combustión del carburante, emiten este gas por medio de los tubos de escape.

El problema fundamental radica en la dificultad de medir la emisión de estos gases a la atmósfera. No siendo viable la cuantificación directa de tales emisiones se opta por un "cálculo indirecto", cuál es suponer o inferir que, en aquel lugar, aparato, equipo o instalación, donde antes hubo por primera vez gas fluorado, si se requiere una nueva carga es debido a que el que había, por un funcionamiento incorrecto, ha abandonado el circuito, siendo expulsado a la atmósfera. Por ese motivo, y a sensu contrario, la utilización de gas fluorado, su incorporación o carga, en aquellos circuitos, aparatos, equipos o instalaciones donde antes no había, no es gravado por el impuesto porque no es el objeto de tributación el consumo, sino la emisión a la atmósfera, emisión que como hemos señalado, no se produce por el uso, sino por defectos en los sistemas que impliquen fugas.

En ese sentido, dada la naturaleza indirecta de este tributo y la configuración del hecho imponible que hacía en sus orígenes la Ley 16/2013, el apartado Trece del texto original dedicado a la repercusión, establecía la obligación material para los contribuyentes, de repercutir el importe de las cuotas devengadas sobre los adquirentes de los productos objeto del Impuesto, quedando estos obligados a soportarlas lo que lo convertía en una suerte de impuesto multifásico. Ese mismo apartado finalizaba con una prohibición de repercusión de las cuotas resultantes en los supuestos de liquidación que sean consecuencia de actas de inspección y en los de estimación indirecta de bases[190].

---

[190] Apartado Trece.3 del artículo 5 de la Ley 16/2013 en su versión vigente hasta la entrada en vigor de la Ley 14/2022 de 8 de julio.

Como señala Martin Queralt et al (2020) en referencia al concepto jurídico que introducía el profesor Sainz de Bujanda, nos encontramos ante un método impositivo indirecto, cuando la norma tributaria concede al sujeto pasivo de un impuesto facultades para obtener de otra persona, que no forma parte del círculo de obligados en la relación jurídico-tributaria, el reembolso del impuesto satisfecho por aquella. En el seno del IGFEI, el legislador consideró en un primer momento que considerar sujeto pasivo al "contaminante", al propietario/consumidor, supondría obligarlo a él a autoliquidar y pagar el tributo, generando un número mucho mayor de contribuyentes. Por tanto, a efectos de simplificar el método de tributación, se convierte al "recargador" en sujeto pasivo y se le obliga a repercutir el tributo al contaminante, acudiendo por tanto a un método típico de imposición indirecta.

Podríamos hablar de dos hechos imponibles, el ideal, el que el legislador quería realmente gravar, que supondría la emisión de gases a la atmósfera, y el real, que consistía en la recarga de los equipos, aparatos e instalaciones, de forma que, midiendo el real, se podía inferir el ideal.

El establecimiento de exenciones, que a priori podría suponer una quiebra del principio de generalidad fijado en el artículo 31 de la Constitución Española, alcanza su sentido en la finalidad extrafiscal de los tributos. En relación con el IGFEI, las exenciones contempladas en el apartado siete del art. 5 de la Ley 16/2013, respondían a la adecuación a esta técnica tributaria anteriormente expuesta, a la finalidad del impuesto, que es, como hemos señalado, gravar las emisiones a la atmósfera.

Por ello, todas aquellas adquisiciones de gases objetos del IGFEI cuyo destino fuera su introducción en sistemas, conductos, mecanismos, aparatos, equipos, etc. que tuviesen la consideración de "nuevos" estaban exentas de gravamen. De la misma forma, las sustituciones de gases por otros, siempre que se justificara la sustitución de los primeros, también eran eximidos de la obligación de tributar, estando incluso exenta la introducción de gas fluorado en un aparato de segunda mano, pero que nunca había sido utilizado en el territorio de aplicación del impuesto.

Todas las exenciones responden al mismo criterio y lógica: de ninguna de esas utilizaciones de gas se infiere emisión de gases a la atmósfera, y esa es la verdadera razón de su no tributación, porque no se han emitido gases a la atmósfera.

3.- CONSECUENCIAS DE LA IMPOSIBILIDAD DE REPERCUSIÓN.

El correcto funcionamiento del sistema diseñado por el legislador en el modelo inicial del IGFEI requería que el proceso exención-repercusión-deducción se desarrollara de forma pacífica y sucesiva, en aras de someter definitivamente a gravamen a aquellos sujetos que tenían la capacidad de llevar a cabo la conducta que se pretendía evitar, dada la finalidad extrafiscal del tributo. Ello suponía buscar la neutralidad de este en aquellas fases o sujetos que, formando parte de la cadena, no consumían los gases fluorados.

Sin embargo, la prohibición de repercusión del apartado Trece.3 del artículo 5 de la Ley 16/2013 en su versión original, supone una quiebra de esta buscada neutralidad, porque convierte en consumidor o potencial contaminante a quién únicamente actúa como distribuidor o instalador, y obligándole a soportar un gravamen tributario que en principio no debiera asumir.

No es el IGFEI el único impuesto de naturaleza indirecta que se basa, o basaba, mejor dicho, en el modelo de repercusión-deducción. El Impuesto sobre el Valor Añadido, paradigma de este mecanismo, fundamenta su carácter neutral sobre sus sujetos pasivos191 en la obligación de repercusión del tributo por parte de quien es configurado como tal y en la obligación de soportarlo en aquel destinatario del bien o del servicio gravado, permitiéndole a éste su deducción en determinados casos. Como señala Sánchez Manzano (2020), es la sucesiva concatenación de repercusiones y deducciones la que posibilita la neutralidad, garantizando a los sujetos pasivos que no tengan que asumir el tributo incorporado en las fases intermedias del proceso productivo.

Así, el artículo 89.Tres.2 de la LIVA bloquea la posibilidad de repercutir a modo de penalización, en los supuestos en los que la Administración ha puesto de manifiesto cuotas impositivas devengadas y no repercutidas, mayores que las declaradas por el sujeto pasivo, siempre que resulte acreditado por métodos objetivos, que dicho sujeto pasivo participaba en un fraude bien de forma culposa o a modo de negligencia192.

En este sentido, el Tribunal de Justicia de la Unión Europea en su sentencia de 19 de septiembre de 2000 (Shmeink Cofreth) señaló que, en casos de inexistencia de riesgo de pérdida de ingresos fiscales, la neutralidad del impuesto exigía que "*el IVA indebidamente facturado pueda ser regularizado sin que los Estados miembros puedan supeditar dicha regularización a la buena fe de quien expide la factura*".

Como señala Falcon y Tella (2019) al calificar como sanción económica la postura del Tribunal Económico Administrativo Central en su resolución del de 18 de septiembre de 2019 (recurso 00-02989-2016) que niega la posibilidad de repercutir el IVA de una operación realizada más de un año antes en la que se

---

191   El título VI de la Ley 37/1992 de 28 de diciembre, del Impuesto sobre el Valor Añadido (LIVA), dedicado a los sujetos pasivos, distingue entre sujetos pasivos, responsables y la repercusión configurando así un instituto propio de un pilar fundamental de la configuración técnica del IVA.

192   El artículo 89.Tres.2 de la LIVA fue modificado por la Ley 22/2013, para aplicar al caso tanto los supuestos dolosos como los de negligencia culposa.

había ocultado una parte del precio de la compraventa, "*no puede condicionarse la repercusión a la buena fe, sino que basta que no exista riesgo de pérdida de ingresos fiscales*".

También Falcón tiene escrito (2006) que las medidas tributarias medioambientales resultan constitucionalmente legítimas, incluidos los impuestos ecológicos, siempre que exista una mínima capacidad contributiva, entendida como riqueza real o potencial.

La prohibición de repercusión contemplada en el caso del IGFEI no supone riesgo alguno de pérdida de ingresos fiscales, por cuanto el impuesto ha sido regularizado en sede del procedimiento inspector al sujeto pasivo. Lo que se le está limitando es el derecho a éste de resarcirse de la carga fiscal soportada que no se corresponde ni con su real o potencial capacidad económica ni con su posibilidad de emisión de gases a la atmosfera.

En definitiva, impedir la repercusión del impuesto liquidado en un procedimiento inspector, suponía trasladar el gravamen al sujeto que no había realizado la acción reveladora de capacidad económica ni tan siquiera la acción contaminante, viéndose privado *ex lege* de la posibilidad de trasladarlo a un tercero, dando lugar a una disfunción entre el objeto del tributo y el destinatario final de la carga del mismo inducida probablemente por una voluntad de represión o de intimidación al contribuyente, y no tanto ante por una búsqueda de garantía del crédito tributario.

4.- NATURALEZA SANCIONADORA DEL APARTADO TRECE.3 DE LA LEY 16/2013

Impedir la repercusión del impuesto liquidado en un procedimiento inspector, suponía trasladar el gravamen al sujeto que no había realizado la acción reveladora de capacidad económica ni tan siquiera la acción contaminante. Éste, se vería en ese caso, privado *ex lege* de la posibilidad de trasladarlo a un tercero, dando lugar a una disfunción entre el objeto del tributo y el destinatario final de la carga de este. Esta cuestión nos llevaba a plantearnos si estábamos ante un supuesto de represión o de intimidación al contribuyente, y no tanto ante un caso de garantía del crédito tributario.

Como señala Martin Queralt et al (2020) la norma tributaria tutela la efectividad del deber constitucional de contribuir al sostenimiento de los gastos públicos de acuerdo con la capacidad económica mientras que la sanción tributaria es una medida privativa o restrictiva de derechos que se impone, con la finalidad preventivo-represiva, a raíz de la realización de una acción tipificada por el ordenamiento como infracción tributaria (Aneiros Pereira, 2005). En un sentido similar, pero con algún matiz se pronuncia Puebla Agramunt (2020) cuando señala que a pesar de que es lícito utilizar instrumentos tributarios con finalidades sancionadoras, esta utilización exige un especial cuidado habida cuenta de que ambas figuras obedecen a finalidades diferentes.

Sin embargo, no siempre el legislador califica determinadas medidas restrictivas de derechos como sanciones *stricto sensu*, lo que no debería ser óbice para ignorar los principios constitucionales que rigen en la esfera sancionadora (Perez Royo, 1986).

Este fenómeno parasancionador, como señala Sánchez Pedroche (1996) tiene como efecto desdibujar el reparto equitativo de la carga tributaria, y solo puede corregirse con una correcta interpretación de los principios fundamentales recogidos en la CE por parte de los órganos jurisdiccionales.

Sammartino[193] considera las sanciones impropias como aquellas consecuencias negativas, siempre conectadas a la infracción de la norma, que inciden sobre la determinación de la base imponible o directamente de la deuda tributaria. Se trataría, en definitiva, de modificar la cuantificación de la deuda tributaria del sujeto, sin atender a su verdadera capacidad económica, como consecuencia de la realización por éste de una conducta inicialmente ilícita o contraria al ordenamiento.

Hemos dicho que son varios los supuestos presentes en nuestro ordenamiento, donde se observan figuras paralelas a las sanciones que producen los mismos efectos que éstas. Huergo Lora (2007) explica esta conducta en la necesidad de la huida del corsé garantista que la concepción unitaria del ius puniendi impone como merma de la eficacia recaudatoria. Y Sánchez Huete (2021) atina cuando señala que se debe procurar el tratamiento garantista de determinadas instituciones en que, observándose cierto incumplimiento de la norma reguladora del tributo, existe una finalidad, fiscal o extrafiscal, no correspondiente con la función real de la figura, pudiendo indiciariamente advertirse funciones propias del instituto punitivo en distintos grados.

La distinta naturaleza jurídica de la obligación tributaria y la sanción derivada de su infracción justifica la aplicación, con matices, en materia sancionadora tributaria, de los principios reguladores del ámbito penal, en aras de ofrecer un procedimiento más garantista que la ordinaria aplicación de los tributos. Resulta relativamente pacífica la equiparación de la naturaleza del ilícito penal y del ilícito administrativo, lo que supone que se rijan por unos mismos principios (Díaz Fraile, 2016), no obstante, matizados por la propia jurisprudencia del Tribunal Constitucional. Sin embargo, no son pocos los supuestos en nuestro ordenamiento, que disfrazan de deuda tributaria lo que realmente consiste en un reproche al administrado por no haber cumplido debidamente con la normativa vigente.

---

[193]   Citado por Sánchez Pedroche, ob. cit.

Las características del precepto estudiado que proscribe la repercusión de cuotas afloradas en un procedimiento inspector apuntan claramente a la naturaleza sancionadora de la norma. Hemos definido la sanción tributaria como una medida que priva o restringe los derechos del obligado tributario, con la finalidad de prevenir o reprimir una determinada conducta. En este sentido se pronunciaba la Sentencia del Tribunal Supremo de 10 de febrero de 2010, casación 2437/2004 FD 3º al señalar que la sanción tributaria tiene como finalidades principales la represión de los ilícitos y su prevención, pero no la recaudación, siendo que no todo incumplimiento tributario constituye una infracción y en un sentido similar el Tribunal Constitucional en el FJ 31 de su sentencia 132/2001, cuando definía la sanción administrativa como aquella decisión administrativa con finalidad represiva, limitativa de derechos, basada en una previa valoración negativa de la conducta.

El legislador, con la interdicción de la repercusión de cuotas del IGFEI puestas de manifiesto en un procedimiento de inspección, está imponiendo una consecuencia negativa para el obligado tributario, consistente en una asunción obligatoria del coste económico que el IGFEI supone, como consecuencia de una determinada conducta irregular que ha llevado a aflorar deudas tributarias en un procedimiento de comprobación e investigación. Estamos pues, ante una clara finalidad extrafiscal encaminada a reprimir, persuadir y prevenir el comportamiento fraudulento o ilícito del obligado que debiendo haber declarado ciertas cuotas tributarias de forma voluntaria, no lo hizo y vio como la Inspección procedía a su regularización.

En este sentido, el Tribunal de Justicia de la Unión Europea descarta en su Sentencia de 1 de julio de 2021, asunto C-521/19, que la cuota tributaria pueda utilizarse con finalidad extrafiscal de lucha contra el fraude si ello conlleva la quiebra de estructuras y principios básicos del ordenamiento tributario.

En cuanto a qué indicios permiten calificar la norma discutida como un precepto sancionador, el Tribunal Constitucional, en su Sentencia 164/1995, señaló que para ver si una medida tiene una finalidad punitiva debe prescindirse del *nomen iuris* y averiguar si tiene un verdadero sentido sancionador, orillando relativamente cuestiones como el nombre, la cuantía o cierta finalidad disuasoria. Posteriormente, en su Sentencia 267/2000 de 16 de noviembre relativa a los recargos de extemporaneidad si toma la cuantía como uno de los elementos indiciarios para delimitar la deuda tributaria de la sanción habida cuenta que, en el caso enjuiciado, el recargo estudiado coincidía con la sanción mínima aplicable. Así, considera que aquellos institutos que, sin poder calificarse como sanciones en sentido propio, a pesar de tener una función coercitiva, disuasoria o de estímulo, no deberían en ningún caso alcanzar cuantitativamente el valor de las sanciones, ni tan siquiera de las atenuadas.

La prohibición de la repercusión supone que el obligado a repercutir, y privado de tal derecho-deber por mor de haber sido regularizado en un procedimiento inspector, deba soportar la totalidad de la cuota tributaria, esto es, el 100% de la misma, lo que supone una superar cuantitativamente las sanciones derivadas de infracciones leves y graves, y acercarse casi totalmente al tipo de graduación de las infracciones muy graves si se prestase conformidad y se pagaran en el plazo voluntario. Pero a mayor abundamiento, el afloramiento de cuotas en un procedimiento inspector llevará acompañado un procedimiento sancionador *strictu sensu*, con unas más que probables sanciones tributarias que tomarán como base las cuotas liquidadas por la Inspección, entrando de lleno en un supuesto claro de *ne bis in idem*.

La existencia de supuestos similares en nuestro ordenamiento es demasiado amplia. Algunas de ellas fueron declaradas ya inconstitucionales[194]. Otras han desaparecido de nuestro cuerpo legal por mor de derogaciones y nuevas regulaciones, pero, aun así, siguen coexistiendo en un universo paralelo institutos híbridos, refugiados indebidamente en principios y criterios de efectividad y eficiencia recaudatoria, pero que transgreden claramente valores fundamentales de nuestra sociedad. Claro ejemplo de ello son determinados supuestos de la responsabilidad tributaria, donde indubitadamente la finalidad punitiva y de reproche aparece sin ningún complejo, y donde se prescinde positivamente de cualquier requisito constitucional del ius puniendi. Romero y Serantes (2016) afirman que además de ser muy evidente la naturaleza sancionadora en aquellos supuestos en los que el alcance de la derivación de la responsabilidad se extiende a las sanciones, también se observa la naturaleza sancionadora en otros supuestos como la ocultación de bienes como el recogido en el art. 42.2 de la LGT. Y en un sentido similar Baeza Diaz-Portales (2011) señala que lo que prima en este caso es la naturaleza sancionadora de la responsabilidad frente a la mera función indemnizatoria del daño producido por el comportamiento imputable al responsable.

También se observan estas notas de lo que Navarro Sanchis (2009) ha venido a llamar un desmesurado derecho sancionador, en algunos de nuestros impuestos más importantes. Así sucede con el art. 89.Tres 2° de la LIVA, o con la modificación que la Ley 11/2021 ha introducido sobre el art. 23.2 de la LIRPF. En el primero de los casos, ya comentado anteriormente y en el segundo al prohibir la aplicación de la reducción del 60% sobre los rendimientos netos del capital inmobiliario derivados del alquiler de inmuebles destinados a vivienda si dicha

---

[194]   El artículo 33 de la Ley 29/1987, de 18 de diciembre y del artículo 57.1 del Real Decreto Legislativo 3050/1980. De 30 de diciembre por el que se aprobaba el Texto Refundido del Impuesto de Transmisiones Patrimoniales y Actos Jurídicos Documentados, tachados de inconstitucionalidad por la STC 141/1988 de 12 de julio.

reducción no se practicó antes del inicio de las actuaciones de comprobación por parte de la Administración tributaria.

Las consecuencias de la consideración del apartado Trece.3 del artículo 5 de la Ley 16/2013 como una sanción impropia o anómala implica analizar si, con independencia del *nomen iuris* otorgado, se observan allí los principios generales del orden penal, aun con matices. Almudí Cid (2011) toma como base la Sentencia del Tribunal Constitucional 194/2000 de 19 de julio, dictada en relación con la Disposición Adicional cuarta de la Ley 8/1989, de 13 de abril, de Tasas y Precios Públicos, para determinar si una sanción impropia similar a la prevista en el IGFEI, la contemplada en el art. 89.Tres 2° de la LIVA vulnera diversos derechos fundamentales para concluir que si porque, «(...) *aunque ni ésta ni cualquier otra norma impiden en principio la aplicación a los sujetos afectados por la disposición recurrida de las garantías propias del ámbito administrativo sancionador, lo cierto es que, no sólo no prevé expresamente su aplicación sino que, además, su literalidad conduce justamente a lo contrario: la aplicación de plano de una sanción administrativa. Y es que basta con acudir a la norma impugnada para comprobar que, no sólo no califica a las medidas de naturaleza punitiva que prevé como sanción ni, por ende, se remite al Capítulo VI, sobre "Infracciones y sanciones", de la LGT, ni a la norma que regula el procedimiento tributario sancionador, sino que, al referirse a las mismas como "repercusiones tributarias", dirige derechamente a los ciudadanos afectados, a la Administración actuante y a los órganos judiciales hacia las normas que regulan la liquidación de los distintos tributos, en lugar de, como resultaría constitucionalmente preceptivo, a la aplicación de los principios y garantías que para el ámbito sancionador (también, insistimos, para el administrativo sancionador) derivan de los arts. 24.2 y 25.1 CE».*

La interdicción contenida en el apartado Trece.3 del artículo 5 de la Ley 16/2013 no observa los principios recogidos en nuestra Constitución. Así no respeta el principio de legalidad penal, recogido en el art. 25 de la CE y pilar del principio de seguridad jurídica. Tampoco anuda la cantidad liquidada a la real capacidad económica del obligado tributario. Siendo cierto que en determinados impuestos extrafiscales esta manifestación no se exige con el mismo grado de intensidad que en otras figuras impositivas, en el supuesto generado por la interdicción analizada, ni el obligado tributario tiene capacidad económica relacionada con el gravamen exigido ni dispone de oportunidad alguna para llevar a cabo acciones contaminantes que la ley pretende evitar. Sucede algo similar con determinadas derivaciones de responsabilidad donde el principio de capacidad económica se anula por completo, como apunta Bosch Cholbi (2005).

Igualmente se lesiona el principio de igualdad, al dejar al arbitrio de la discrecionalidad del órgano administrativo, en un procedimiento de carácter no sancionador, y por ende, con menores garantías, la determinación del acomodo de las situaciones particulares a los presupuestos de hecho contenidos en la norma (Sánchez Pedroche, 1996), y porque se deja impune a quien realmente puede tener capacidad de emitir gases a la atmósfera y que debiera haber soportado por medio de la repercusión el impuesto.

En la misma línea, y como consecuencia de la erosión de los principios anteriores, se produce una manifiesta contrariedad con el principio de culpabilidad, fundamento inexcusable de cualquier tipo de acción punitiva de la Administración, y ello con una gravedad si cabe mayor, ya que se infiere que la liquidación de cuotas tras un procedimiento inspector lleva acompañado una conducta dolosa por parte del contribuyente. Esta situación, en la que además no se produce riesgo del crédito tributario para la Administración, puesto que el importe será ingresado por el obligado tributario con independencia que lo repercuta o no, apunta a la pervivencia de esa antigua noción de la sanción económica como un elemento integrante de la deuda tributaria (Navarro Sanchis, 2009).

En un ámbito formal también se observa una violación del derecho de defensa por la inexistencia del procedimiento sancionador, garante de la aplicación de los principios penales anteriormente citados. Así, la traslación de la carga de la prueba, que, en combinación con el principio de autotutela de la Administración, transforma la presunción de inocencia en una presunción de culpabilidad en ocasiones muy difícil de contrargumentar, o la ejecutividad de las sanciones impropias que ponen en riesgo la supervivencia económica del obligado, son regla común en estas figuras señaladas.

En ese mismo ámbito, el texto constitucional protege, por medio del derecho a la no autoincriminación la posición del sancionado, aun siéndolo por una sanción impropia. Ello no se habrá, como señala Magraner Moreno (2006) contemplado en el procedimiento inspector del que trae causa la prohibición de repercusión.

Por último, y no menos grave, en el supuesto analizado, el principio de no concurrencia se desatiende al utilizar como base para un procedimiento sancionador derivado del acta de inspección (acta incoada que será el presupuesto de hecho para la interdicción de la repercusión), lo que atenta claramente contra el principio universal de *non bis in idem*.

5.- POSIBLES SOLUCIONES AL PROBLEMA ANALIZADO

Si como hemos señalado, la redacción anterior de la Ley 16/2013 en su artículo 5, apartado Trece.3 erosiona claramente derechos fundamentales del sujeto pasivo, la vía lógica para su ataque debería ser el planteamiento de una cuestión de inconstitucionalidad ante el órgano jurisdiccional competente o en su caso, un recurso de amparo. El acto administrativo, requisito previo para estas acciones, será la liquidación derivada de las actas de inspección.

Sin embargo, la Ley 14/2022, de modificación de la Ley 19/2013, de 9 de diciembre, de transparencia, acceso a la información pública y buen gobierno, introduce en su Disposición final primera, una nueva redacción del artículo 5 de la Ley 16/2013 que transforma por completo la configuración del Impuesto sobre gases fluorados de efecto invernadero. Así, a partir de la entrada en vigor de la Ley 14/2022 los contribuyentes dejan de ser quienes realizaban las entregas de gases fluorados en el territorio de aplicación (los vendedores o instaladores finales, con carácter general) que tenían además la obligación de repercutir el impuesto e ingresarlo en la AEAT, para pasar a ser contribuyentes los fabricantes, importadores o adquirentes intracomunitarios de estos tipos de gases fluorados.

Además, la obligación de repercusión que figuraba en el apartado Trece de la antigua redacción, con la nueva regulación desaparece porque cambia por completo el modelo de gestión del impuesto, desapareciendo la figura indirecta de repercusión-deducción que caracterizaba al impuesto.

No obstante, y a pesar de la desaparición a partir del 1 de septiembre de este supuesto de sanción impropia, no son pocas las actas de inspección levantadas en el periodo de vigencia de la anterior redacción, cuya apariencia de liquidación tributaria encubre verdaderos supuestos sancionadores que justifican el análisis riguroso de este desafortunado modelo de tributo, que actualmente ha sido corregido con la nueva ley.

6.- CONCLUSIONES

El IGFEI tiene una finalidad claramente extrafiscal, intentando evitar o reducir la emisión de gases fluorados a la atmósfera como medida para paliar el cambio climático. Así se explicita en el preámbulo de la ley y la relación que en él se hace con los objetivos de la OCDE de reducción de emisiones que pongan en riesgo la capa de ozono.

La configuración técnica del tributo que se hizo en un primer momento, y que ha perdurado durante los últimos 9 años, contemplaba un complicado engranaje de repercusiones, deducciones y exenciones para lograr que quien contaminara pagara. Sin embargo, uno de los componentes de ese engranaje, la aplicación de una exención en la cadena que supusiera la no repercusión inicial del impuesto se ve inutilizado por mor de un procedimiento inspector, destruyendo la finalidad del mecanismo y afectando gravemente al principio de capacidad económica del obligado tributario. Concretamente si la inspección determinaba la improcedencia de la exención en uno de los eslabones del proceso, la norma impedía al sujeto pasivo repercutir el impuesto liquidado, absorbiendo él la totalidad de la carga, lo que implicaba que el contribuyente pagara sin tener la capacidad económica para hacerlo y que el receptor del gas, y quien tenía capacidad contaminante, lo recibiera finalmente sin gravamen.

Esta reacción del precepto legal constituye claramente una consecuencia represiva o cuanto menos disuasoria de la conducta del obligado tributario lo que nos lleva a concluir su naturaleza sancionadora. Y es esta consideración del efecto previsto en el texto legal como una sanción impropia o anómala, la que desencadena una serie de consecuencias que pudieran, a nuestro entender, desembocar en una declaración de inconstitucionalidad. Así, se vulneran principios fundamentales del orden penal que inspiran y envuelven el ius puniendi administrativo, tales como el principio de legalidad penal, el de capacidad económica, el de responsabilidad y culpabilidad, el de defensa, el de presunción de inocencia y el de no concurrencia.

La entrada en vigor de la Ley 14/2022 de 8 de julio, ha venido a acabar con este régimen puesto que transforma por completo el IGFEI redefiniendo sus elementos esenciales y eliminando el mecanismo de repercusión. Sin embargo, en aquellos supuestos ya devengados con anterioridad al nuevo texto, la vía natural de defensa debería ser el planteamiento, en los dos mecanismos adecuados, de cuestiones de inconstitucionalidad o de recurso de amparo.

BIBLIOGRAFÍA

ALMUDI CID, J.M.; La rectificación de la repercusión del IVA tras la imposición de sanciones (art. 89 tres 2º de la Ley del IVA): cuestiones comunitarias y constitucionales. *Revista Quincena Fiscal*, núm. 259/2011.

ANEIROS PEREIRA, J.; *Las sanciones tributarias*. Marcial Pons, Madrid 2005.

BAEZA DIAZ-PORTALES, M.J.; *Responsabilidad tributaria: administradores sociales y otras cuestiones problemáticas*. Ediciones Foro Jurídico, 2011.

BOSCH CHOLBI, J.L.; Los responsables tributarios en la LGT 58/2003: aspectos controvertidos. *Tribuna Fiscal* núm. 173, 2005.

DIAZ FRAILE, F.; *Derecho administrativo sancionador. Análisis de la jurisprudencia del Tribunal Constitucional y del Tribunal Europeo de Derechos Humanos*. Atelier Libros jurídicos, Madrid, 2016.

FALCÓN Y TELLA, R.; Las medidas tributarias medio-ambientales y la jurisprudencia constitucional, en Esteve Pardo, J. (Coord.), *Derecho del Medio Ambiente y Administración Local*. Fundación Democracia y Gobierno Local, 2006.

FALCÓN Y TELLA, R.; La regularización del IVA en caso de ocultación inicial de parte del precio. *Revista Quincena Fiscal*, núm. 22/2019.

HUERGO LORA, A.; *Las sanciones administrativas*. Iustel, Madrid 2007.

MAGRANER MORENO, F.; La protección constitucional de la no autoincriminación en el ámbito tributario sancionador. Una reflexión a la luz de la STC 68/2006. *Tribuna Fiscal Revista Tributaria y Financiera*, núm. 190-191, 2006.

MARTIN QUERALT, J.; LOZANO SERRANO, C.; CASADO OLLERO, G.; TEJERIZO LÓPEZ, J.M.: *Curso de Derecho Financiero y Tributario*, Tecnos. Madrid 2020.

NAVARRO SANCHIS, F.J.; *La deuda fiscal. Cuestiones candentes de derecho administrativo y penal*, La Ley, 2009.

PÉREZ ROYO, F., *Los delitos y las infracciones en materia tributaria*, IEF, Madrid, 1986.

PUEBLA AGRAMUNT, N.; *La deriva de la responsabilidad tributaria. Análisis del origen, función y contenido del art. 42.2.a) de la LGT, a efectos de su utilización en la defensa de procedimientos tributarios de derivación de responsabilidad solidaria.* Thomson Reuters Aranzadi, 2020.

ROMERO PLAZA, C. y SERANTES PEÑA, F.; *Responsables y responsabilidad tributaria*, CISS, 2016.

SÁNCHEZ HUETE, M.A.; PÉREZ TENA, J.R.; En los límites de la potestad sancionadora. *Revista Quincena Fiscal*, núm. 1/2022.

SÁNCHEZ MANZANO, J.D.; Las operaciones ocultas en el IVA y el Impuesto sobre Sociedades. Análisis de los criterios del Tribunal Supremo a la luz de la jurisprudencia del Tribunal de Justicia de la Unión Europea. *Revista Quincena Fiscal*, núm. 9/2020.

SÁNCHEZ PEDROCHE, J. A. (1996) "Sanciones "indirectas" o "impropias" en Derecho Tributario", *Civitas Revista Española de Derecho Financiero y Tributario*, núm. 91.

CUARTA PARTE.
EL DERECHO A UNA BUENA ADMINISTRACIÓN Y LA RESPONSABILIDAD PATRIMONIAL DEL LEGISLADOR.

16.- EL PRINCIPIO DE BUENA ADMINISTRACIÓN EN LA JURISPRUDENCIA TRIBUTARIA DEL TRIBUNAL SUPREMO

FRANCISCO JOSÉ NAVARRO SANCHIS

Magistrado del Tribunal Supremo

1. ALGUNAS CONSIDERACIONES PREVIAS.

El **principio de buena administración** se proclama en la Carta de Derechos Fundamentales de la Unión Europea (CDFUE), aprobada en Niza en diciembre de 2000, y se convierte en norma vinculante en diciembre de 2009, en el Tratado de Lisboa, con la misma validez jurídica que los tratados de la UE.

El artículo 41 de la CDFUE lleva por título "Derecho a una buena administración" y dispone lo siguiente:

> "*1. Toda persona tiene derecho a que las instituciones, órganos y organismos de la Unión traten sus asuntos imparcial y equitativamente y dentro de un plazo razonable.*
>
> *2. Este derecho incluye en particular:*
>
> *a) el derecho de toda persona a ser oída antes de que se tome en contra suya una medida individual que la afecte desfavorablemente;*
>
> *b) el derecho de toda persona a acceder al expediente que le concierne, dentro del respeto de los intereses legítimos de la confidencialidad y del secreto profesional y comercial;*
>
> *c) la obligación que incumbe a la administración de motivar sus decisiones.*
>
> *3. Toda persona tiene derecho a la reparación por la Unión de los daños causados por sus instituciones o sus agentes en el ejercicio de sus funciones, de conformidad con los principios generales comunes a los Derechos de los Estados miembros.*
>
> *4. Toda persona podrá dirigirse a las instituciones de la Unión en una de las lenguas de los Tratados y deberá recibir una contestación en esa misma lengua*".

Este principio de buena administración -o derecho a una buena administración, desde la perspectiva del ciudadano- es un principio general del derecho, que además se refleja ya, explícita o implícitamente en algunas leyes administrativas, y que se está abriendo paso, poco a poco, pero de manera segura y creciente, en nuestra jurisprudencia administrativa, debido, en buena parte, a que contamos con un modelo de casación más permeable a la creación de doctrina y -también- a que los autores más destacados se están ocupando en profundidad de su significado como mecanismo esencial del control del poder o, en las imperecederas y conocidas palabras de García de Enterría, en la lucha contra las inmunidades del poder.

Según Ponce Solé[1] el principio de buena administración constituye *"un nuevo paradigma del Derecho del siglo XXI"*, en cuanto al modo de gestión administrativa, en el que está vedada la gestión negligente y, sobre todo, la corrupción. No en vano, el Tribunal Supremo afirma que *el principio de buena administración -… cursa más bien como una especie de metaprincipio jurídico inspirador de otros-"*. STS de 28 de mayo de 2020, recurso de casación nº 5751/2017 -ITP, reposición potestativa-.

La trascendencia de este nuevo principio está determinada, con certeza, por su inclusión en los artículos 41 y 42 de la Carta de Derechos Fundamentales de la Unión Europea, cuyo contenido sintetiza el catedrático Marín-Barnuevo Fabo[2] al afirmar que tal principio conlleva: "**a)** el derecho del administrado a ser oído antes de la adopción de una resolución que le resulte desfavorable; **b)** el derecho del administrado a acceder al expediente que le afecte; **c)** el derecho del administrado a la reparación del daño soportado por la actuación de las instituciones de la UE; **d)** el derecho del administrado a utilizar cualquiera de las lenguas de los Tratados; **e)** la obligación de la Administración de tratar los asuntos de forma imparcial y equitativa; **f)** el deber de la Administración de resolver los procedimientos en un plazo razonable; y **g)** la obligación motivar las resoluciones administrativas…".

Ciertamente, los derechos que se agrupan en este principio de tercera generación, el de "buena administración" tienen inspiración *explícita* en valores o principios establecidos en disposiciones constitucionales. Así:

I.   Los Tribunales controlan la potestad reglamentaria y la legalidad de la actuación administrativa, así como el sometimiento de ésta a los fines que la justifican (artículo 106.1 CE).

II.   los particulares tienen derecho a ser indemnizados por toda lesión que sufran en cualquiera de sus bienes y derechos y sea consecuencia del funcionamiento de los servicios públicos (artículo 106.2 CE);

---

[1]   En "La discrecionalidad no puede ser arbitrariedad y debe ser buena administración", REDA 175, enero-marzo 2016).

[2]   En "El principio de buena administración en materia tributaria", CIVITAS, *Revista Española de Derecho Financiero*, núm. 186, 2020).

III. la Administración Pública sirve con objetividad los intereses generales y actúa de acuerdo con los principios de eficacia, jerarquía… y coordinación y con sometimiento pleno a la ley y al Derecho (artículo 103.1 CE);

IV. la Constitución garantiza la interdicción de la arbitrariedad de los poderes públicos y la seguridad jurídica (artículo 9.3 CE) y

V. se prevé que los servidores públicos accedan a sus puestos a tenor de los principios de mérito y capacidad (artículo 23 CE) lo que asegurará -*prima facie* al menos- su idoneidad para gestionar correctamente los asuntos que se les asignen.

El proceso contencioso-administrativo aparece como el instrumento esencial para garantizar el conjunto de derechos del ciudadano que se agrupan en lo que llamamos **"derecho a una buena administración"**. Más específicamente, el recurso de casación ante el Tribunal Supremo debe ser clave a estos efectos, máxime si se tiene en cuenta a qué modelo de casación ha sustituido y cuáles son los retos a los que el sistema diseñado por la Ley Orgánica 7/2015 debe enfrentarse.

Antes de esa ley procesal, el Tribunal Supremo no otorgaba a la comunidad jurídica, en plenitud, la necesaria seguridad, a pesar de ser -o así debería ser- el garante máximo del principio constitucional para que la tutela judicial efectiva se dispense debidamente por el resto de los jueces y tribunales. El modelo no permitía, sobre todo, que la interpretación de las normas jurídicas o el control del ejercicio del poder ostentaran una mínima homogeneidad que evitara los vaivenes de decisiones contradictorias en atención al órgano judicial del que emanan.

La cuantía como criterio de acceso a la casación y su cicatera interpretación en el ámbito tributario (división del asunto en cuota, intereses, liquidación, sanción, períodos) provocó que el Tribunal Supremo solo fijara doctrina en relación con el impuesto sobre sociedades de grandes contribuyentes y -fragmentariamente- sobre el IVA. Muy poco en relación con el Impuesto sobre la Renta de las Personas Físicas y casi nada sobre impuestos cedidos o tributos locales.

Sí pueden acotarse importantes sentencias -aunque aisladas- en relación con la prescripción, la caducidad o la excesiva duración de los procedimientos de inspección. En el nuevo sistema, el interés casacional objetivo para la formación de jurisprudencia se convierte en la clave de bóveda del recurso de casación, mediante la previsión de *indicadores* de ese interés en el artículo 88.2 LJCA y de *presunciones* en el artículo 88.3 LJCA.

De estos factores o pautas -ya desde los primeros autos de la Sección de Admisión- hay tres especialmente relevantes en el ámbito tributario: la doctrina contradictoria con la fijada por otros tribunales; que el asunto afecte a múltiples situaciones; y la inexistencia de jurisprudencia (o la necesidad de ratificar, matizar o revisar la existente).

Conviene decir que su ámbito natural de proyección, como principio general del Derecho, es el de aquellas situaciones jurídicas no estrictamente y agotadoramente reguladas en normas positivas (pues, en caso contrario, lo pertinente es aplicar ésta para resolver el litigio); en otros casos en que hay conferida un facultad discrecionalidad o, al menos, un margen de actuación para la Administración, plasmado en los llamados conceptos jurídicos indeterminados (pues en actos reglados, o regulados, lo normal es que la infracción lo sea de un precepto legal); también es idónea su aplicación en casos de falta de regulación de detalle, fundamentalmente en transcursos temporales que discurren materialmente fuera del ámbito procedimental en que los plazos juegan.

Así, es preciso recordar la idea de que los principios generales del derecho son una fuente del ordenamiento jurídico (art. 1.1 C.C.), pero bajo estas condiciones:

a) Son <u>fuente directa en defecto de ley y costumbre</u>. Su vulneración entraña la nulidad de los actos o disposiciones que los desconozcan. Esto es, se puede alegar, y una sentencia puede descansar, exclusivamente, en el principio de buena administración, suficiente para declarar la nulidad de una actuación administrativa.

b) Son un <u>elemento interpretativo de las normas jurídicas</u>. Desde esta perspectiva, interpretan la ley conforme a su naturaleza y esencia -*resolver de forma equitativa, imparcial y diligente*-, por ejemplo. En tal caso, la infracción, apreciada por vía interpretativa, permite que el principio general opere juntamente con la ley.

c) <u>Tienen carácter informador, metajurídico</u>. Es en este punto, difícil de precisar, pero esencial, donde la buena administración remite a conceptos y categorías más amplias: <u>servicio con objetividad a los intereses generales; adecuación al fin de los actos administrativos; retroactividad en lo favorable; prohibición del enriquecimiento injusto</u>, etc. Ese carácter lo glosó quien fue presidente del TS, Javier Delgado Barrio, en muy expresiva fórmula: *son el aire que respiran las leyes*.

Entronca, pues, esta buena administración, con pautas y técnicas interpretativas ampliamente aquilatadas por la jurisprudencia: principio de buena fe; principio de que nadie se puede beneficiar de sus propias torpezas o incumplimientos; principio de interpretación favorable en materia sancionadora o restrictiva de derechos; principio de confianza legítima o de vinculación a los propios actos, etc.

Como principio jurídico general que es, impregna toda la actuación de la Administración y se hace inmune a los cambios normativos, por lo que su aplicación por los Tribunales no podría ser neutralizada mediante el expediente abusivo de promover reformas legislativas para arrumbar la jurisprudencia adversa, pues un principio general del derecho informa y se supraordena a la regulación positiva. Dicho en fórmula expresiva, no se puede *derogar* un principio general ni cambiar su regulación, dado ese carácter inspirador, metajurídico, que lo define.

2. EJEMPLOS JURISPRUDENCIALES DE APLICACIÓN DEL PRINCIPIO DE BUENA ADMINISTRACIÓN, EN MATERIA TRIBUTARIA.

A continuación, corresponde una glosa sintética de sentencias que, de manera implícita y, en los últimos tiempos, de forma consciente y deliberada, aplican el principio de buena administración para decidir los recursos de casación, a menudo con efecto de anulación mediata -a través de la casación de sentencias de instancia que lo hayan denegado o desconocido o la confirmación de sentencias que lo tuvieron en cuenta de modo correcto- del acto o disposición objeto de recurso jurisdiccional. La enunciación no es exhaustiva, pero su exposición conjunta, a través de algunas manifestaciones singulares del principio, marca una tendencia de importancia creciente.

No en vano, ciertas sentencias creadoras de jurisprudencia por el Tribunal Supremo, en un principio ajenas materialmente al derecho a una buena administración, pueden ser releídas a la luz de este principio emergente para confirmar o ratificar el criterio establecido, como sucede, por mencionar algún caso paradigmático, con la deducibilidad fiscal de los intereses de demora; la regularización íntegra; la definición restringida del concepto de opciones tributarias; o las limitaciones a algún exceso de celo administrativo en materia de responsabilidad solidaria, como la que afecta a los menores de edad, que tanta preocupación causa en una administración pública que no se reconoce, a veces, en este principio general.

1. Sentencia de 13 de diciembre de 2017 (recurso de casación nº 2848/2016): el derecho de audiencia. Ponente Sr. Cudero Blas.

En este asunto la Administración dictó liquidación tras una inspección en que no se tienen en cuenta las alegaciones al acta del contribuyente (dentro de plazo), presentadas en una oficina de correos. Recibidas estas, se dicta una segunda liquidación, que aborda y rechaza las alegaciones al acta.

Lo verdaderamente relevante (y no discutido) es que, si se tiene en cuenta la *primera liquidación*, el procedimiento inspector habría culminado dentro del plazo legal. Si, por el contrario, se atiende a la fecha de la *segunda liquidación* -que responde a alegaciones-, habría prescrito el derecho de la Administración a determinar la deuda tributaria por superarse aquel plazo de duración.

La Administración defendía la "validez" de la primera liquidación, afirmando que si la Inspección hubiera guardado silencio al recibir las alegaciones del contribuyente, éste se habría visto abocado a deducir el recurso pertinente contra el (único) acto liquidatorio, y en tal supuesto no se habría superado el plazo de duración del procedimiento inspector. Y señalaba el Abogado del Estado lo siguiente: *"como la Inspección actuó de buena fe al tener en cuenta tales alegaciones y dictó el segundo acuerdo, un razonamiento contrario vulneraría ese principio esencial"* (la buena fe).

La sentencia rechaza esa argumentación señalando lo siguiente:

"1. El ordenamiento jurídico tributario otorga al sometido a inspección no solo el **derecho a efectuar alegaciones al acta de disconformidad, sino el derecho a que esas alegaciones sean tenidas en cuenta** -sea para acogerlas, sea para rechazarlas- en la liquidación tributaria correspondiente.

2. Esa liquidación constituye el acto resolutorio por el que la Inspección realiza las operaciones de cuantificación necesarias y determina el importe de la deuda tributaria (artículo 101.2 de la Ley General Tributaria).

3. Para que esa resolución sea completa y responda eficazmente al deber de la Administración de ajustarse al ordenamiento es menester que cuente con todos los elementos necesarios para su adopción; y entre **esos elementos esenciales está, sin duda, la opinión del interesado en el procedimiento sobre las vicisitudes...** y sobre la resolución que, a su juicio, será la que resulte conforme a Derecho.

4. De aceptarse la tesis del recurrente en casación -la Administración- (según la cual solo hay una liquidación y ésta es la que se dictó sin tener en cuenta las alegaciones en plazo del contribuyente) <u>estaríamos convirtiendo a ese trámite -esencial, como vimos- en algo puramente superfluo, prescindible, inane</u> a los efectos del procedimiento. Y eso no es, a nuestro juicio, lo que ha querido el legislador al afirmar en el artículo 157.5 de la aquí aplicable Ley General Tributaria de 2003 que *"recibidas las alegaciones, el órgano competente dictará la liquidación que proceda, que será notificada al interesado"*

5. Es cierto que podría suceder que la Administración diera la callada por respuesta para que el acuerdo final sea el primero, dictado en plazo), pero <u>ello no debe llevarnos a la creencia de que la actuación contraria (dictar un segundo acuerdo a tenor de las alegaciones) sea especialmente meritoria o encomiable: es, simplemente, la única que se atempera debidamente al deber de la Administración de servir con objetividad y buena fe a los intereses generales y ajustarse a la ley y al derecho en su toma de decisiones.</u> En otras palabras, si la Administración -conociéndolas- omite toda referencia a las alegaciones del contribuyente y lo hace, además, para evitar el transcurso de un plazo del procedimiento estaría quebrantando la buena fe que debe

presidir las relaciones con los administrados, especialmente en aquellos supuestos en los que puede producirse efectos gravosos para éstos.

A lo anterior debe añadirse que las características del primer acuerdo de liquidación que destaca el Abogado del Estado (su nomen es el de liquidación, se dicta por el órgano competente, tiene el contenido propio de las liquidaciones) concurren también, en su integridad, en el segundo acuerdo, también denominado de liquidación, también dictado por el Inspector Regional Adjunto y en el que, también, se efectúan las operaciones de cuantificación y liquidación correspondientes…".

Por tanto, la sentencia resuelve el asunto a tenor con base en el principio general de servir con objetividad y buena fe los intereses generales (art. 103.1 CE), lo que solo sucede si el derecho a ser oído despliega todos sus efectos.

2. Sentencia de 19 de febrero de 2019 (recurso de casación núm. 128/2016). Dualidad gestión catastral-gestión administrativa.

En la sentencia citada se hace referencia expresa al **principio de buena administración** -como veremos- al abordar un caso relativo al Impuesto sobre Bienes Inmuebles -IBI- y la relación de la liquidación de dicho tributo local con la existencia de una previa gestión catastral -estatal- que se impone a las entidades locales en cuanto a las calificaciones y valoraciones de los inmuebles.

En el asunto comentado, los inmuebles litigiosos se encontraban dentro de un suelo del municipio que había sido declarado, por sentencia firme, suelo rústico, o no urbanizable, circunstancia que había hecho valer el contribuyente al impugnar la liquidación del tributo municipal.

Dice así esta sentencia, muy condicionada a una resolución anterior de la Sala de esta Jurisdicción del TSJ de Extremadura -Cáceres-, al respecto:

"Ante estas situaciones excepcionales, para salvar las quiebras que hemos referido, el sistema general que distribuye las competencias entre gestión catastral y gestión tributaria debe reinterpretarse y pulir su rigidez para que en sede de gestión tributaria y en su impugnación judicial quepa entrar a examinar la conformidad jurídica de dicho valor catastral, en su consideración de base imponible del gravamen, en relación con la situación jurídica novedosa que afecta al inmueble al que se refiere la valoración catastral y a esta misma, que no fue impugnada en su momento.

Ya en otras ocasiones hemos hecho referencia al principio de buena administración, principio implícito en la Constitución, arts. 9.3 y 103, proyectado en numerosos pronunciamientos jurisprudenciales y positivizado, actualmente, en nuestro Derecho común, art. 3.1.e) de la Ley 40/2015; principio que impone a la Administración una conducta lo suficientemente diligente como para evitar definitivamente las posibles disfunciones derivadas de su actuación, sin que baste la mera observancia estricta de procedimientos y trámites, sino que, más allá, reclama, la plena efectividad de garantías y derechos reconocidos legal y constitucionalmente al contribuyente y mandata a los responsables de gestionar el sistema impositivo, a la propia Administración Tributaria, observar el deber de cuidado y la debida diligencia para su efectividad y la de garantizar la protección jurídica que haga inviable el enriquecimiento injusto".

La Sala consideró que el principio de buena administración era el mejor expediente procesal para dar la razón a un contribuyente que había tenido un comportamiento impecable desde el punto de vista del procedimiento.

Es cierto que la valoración catastral era firme. Pero lo que recurría el interesado era la liquidación del IBI, que no era firme y que fue impugnada en plazo.

Si la sentencia hubiera llevado la dualidad gestión catastral/gestión tributaria hasta sus últimas consecuencias, la pretensión no hubiera prosperado a pesar de que: **(i)** Se liquida el IBI cuando el TSJ de Extremadura -respaldado en interés de ley por una sentencia del Tribunal Supremo- había declarado que esos concretos y específicos terrenos tenían la calificación de rústicos; (ii) el contribuyente recurre la liquidación en plazo y –cuando conoce la sentencia firme- se dirige al Catastro para que modifique la valoración, pero éste solo puede incoar el procedimiento previsto en el artículo 7 de la Ley del Catastro sin posibilidad de *ir hacia atrás* en la calificación que resulte; **(iii)** el ayuntamiento sabe, al resolver el recurso contra su liquidación de IBI, que el terreno en cuestión no es urbano; y **(iv)** una Administración que "sirve con objetividad los intereses generales" no puede desconocer esa disfunción que, como sucede en otros supuestos, *"permite al interesado discutir la valoración catastral con ocasión de la impugnación de una liquidación que la aplica"*.

3. Sentencia de 18 de diciembre 2019 (recurso de casación nº 4442/2018). Diligencia exigible para ejecutar resoluciones parcialmente estimatorias.

El supuesto examinado en esta sentencia es el siguiente: por resolución parcialmente estimatoria del TEAC (recurso de alzada interpuesto por un contribuyente y por el Director del Departamento de Inspección) se ordena la retroacción de actuaciones de un procedimiento para ofrecer el derecho a promover la tasación pericial contradictoria.

Tal resolución es remitida para su ejecución por el TEAR, erróneamente, al Director del Departamento de Inspección seis meses y medio después de ser dictada. Y el Director del Departamento se la devolvió al TEAR cuatro días después, indicando que no es competente para ejecutar, sino que solo fue un legitimado para el recurso de alzada. El TEAR se dirige entonces a la Dependencia de Valencia, que ejecuta el fallo.

La sentencia recuerda el principio de buena administración, afirmando:

"La jurisprudencia de la Sección segunda de esta Sala ha abordado recientemente el principio de buena Administración en relación con la retroacción de actuaciones ordenada por un tribunal económico-administrativo, siendo relevante lo indicado, entre otras, en la Sentencia de 14 de febrero de 2017 (rec. 2379/2015), en cuyo fundamento jurídico tercero se afirma que "[...] el obligado tributario tiene el derecho a que ordenada por resolución judicial o económico administrativa la retroacción las actuaciones se lleven a cabo en el período que reste desde el momento al que se retrotraigan las actuaciones hasta la conclusión del plazo al que se refiere el apartado 1 o en seis meses si aquel período fuera inferior, no es facultad de la Administración ampliar los plazos mediante dilaciones voluntarias, ni sobrepasar los citados plazos cuando materialmente ha llevado a cabo actuaciones antes de recepcionar el expediente, lo que nos debe llevar a entender que en aquellos supuestos en los que la Administración haya realizado o podido realizar actuaciones tendentes a dicho fin, aún cuando no haya recepcionado el expediente, no podrá exceder el citado plazo del tiempo que reste o de los seis meses, puesto que el deber impuesto de atenerse a un plazo legalmente fijado, es un deber material y no formal, de carácter objetivo y al margen de la voluntad de los interesados".

En la misma línea, la STS de 17 de abril de 2017 (rec. 785/2016), fundamento jurídico tercero, ha recogido en relación con el principio citado que " [...] le era exigible a la Administración una conducta lo suficientemente diligente como para evitar definitivamente las posibles disfunciones derivada de su actuación, por así exigirlo el principio de buena administración que no se detiene en la mera observancia estricta de procedimiento y trámites, sino que más allá reclama la plena efectividad de garantías y derechos reconocidos legal y constitucionalmente al contribuyente".

Por último, la Sentencia de 5 de diciembre de 2017 (rec. 1727/2016) indicó, en su fundamento jurídico cuarto y respecto de un supuesto similar al que hoy nos ocupa, que " [...] no deja de ser llamativo que a la recurrente se le notifique la resolución del TEAC el 20 de febrero de 2013 y a la Administración Tributaria, al órgano competente para ejecutar la resolución, se remita y recepcione el expediente, según se recoge en la sentencia, en 29 de julio de 2013. Desfase temporal que jurídicamente no puede resultar indiferente. Fijado legalmente un plazo para llevar a efecto la ejecución de la resolución estimatoria por motivos formales con retroacción de actuaciones, bastaría para burlar su finalidad el que el inicio del plazo para tramitar el procedimiento quede a voluntad de la Administración. Ciertamente el art. 83.2 de la Ley 58/2003, establece (...) separación de funciones (...) pero, en modo alguno puede obviarse que si bien a los órganos implicados se le atribuyen funciones diferenciadas, en el diseño procedimental establecido por el legislador en el sistema general de aplicación de los tributos actúan dentro del ámbito unitario e identificable de una misma Administración Pública. No es aceptable, pues, que los órganos económico administrativos queden sólo sometidos al plazo prescriptorio para remitir el expediente al órgano ejecutor", indicándose seguidamente que " [...] [a] la Administración, y claro está, a los órganos económico administrativos conformadores de aquella, le es exigible una conducta lo suficientemente diligente como para evitar posibles disfunciones derivadas de su actuación, por así exigirlo el principio de buena administración que no se detiene en la mera observancia estricta de procedimiento y trámites, sino que más allá reclama la plena efectividad de garantías y derechos reconocidos legal y constitucionalmente al contribuyente.

Del derecho a una buena Administración pública derivan una serie de derechos de los ciudadanos con plasmación efectiva, no es una mera fórmula vacía de contenido, sino que se impone a las Administraciones públicas de suerte que a dichos derechos sigue un correlativo elenco de deberes a estas exigibles, entre los que se encuentran, desde luego, el derecho a la tutela administrativa efectiva y, en lo que ahora interesa sobre todo, a una resolución administrativa en plazo razonable…".

¿Cuál es el problema que concurre en esta sentencia? Que aquí no asumimos en su integridad las consecuencias del principio, pues la sentencia decidió afirmando lo siguiente:

> "El principal motivo del retraso en la ejecución ha sido la errónea remisión del expediente para ejecución a un órgano administrativo que no era el competente en ningún caso…
>
> …**No apreciamos, por tanto, atendidas las circunstancias del caso, que exista una dilación desproporcionada, ni menos aún que exista ningún tipo de intencionalidad en el retraso producido, más allá de un mero error del órgano económico administrativo**. Por otra parte, la demora del TEAC en remitir las actuaciones al TEAR para su ejecución es de muy escasa entidad, -**más de cinco meses**- y a tenor de la extensa justificación aportada con el escrito de oposición por la Administración demandada, esa limitada demora no revela en modo alguno una conducta manifiestamente negligente o dilatoria del cumplimiento de los plazos, debiendo tener en especial consideración la extraordinaria carga de trabajo que pende sobre este órgano económico-administrativo".

4. Sentencia de 11 de junio de 2020 (recurso de casación nº 3887/2017). Devolución de ingresos indebidos. Prescripción del derecho a formular la solicitud cuando el carácter indebido depende de la Administración, no del contribuyente.

El supuesto de hecho es sencillo de exponer: **(i)** una sociedad autoliquida su impuesto de sociedades declarando como *ingresos* unas comisiones abonadas por otra empresa; **(ii)** esta segunda entidad recibe una liquidación que señala que *tales comisiones no son gastos deducibles por constituir, en realidad, una retribución por la participación en capitales propios*; **(iii)** cuando esta liquidación gana firmeza, la primera empresa solicita la devolución, como ingresos indebidos, del importe de las comisiones que contempló como ingresos en su autoliquidación del impuesto;

(iv) la petición se efectúa *transcurridos más de cuatro años* desde el día siguiente al término del plazo para la autoliquidación por dicho impuesto y ejercicio.

La sentencia rechaza el criterio de la Inspección de que se había producido la prescripción del derecho a la devolución de ingresos indebidos y ello por el siguiente razonamiento, <u>inspirado en el principio de buena administración</u>:

> "Ciertamente, la regla general en los supuestos de autoliquidación debe ser la que tiene en cuenta la sentencia recurrida: <u>la prescripción sanciona la inactividad del contribuyente, que deja transcurrir el plazo legal sin petición alguna desde que efectuó el ingreso indebido.</u>
>
> Pero esa regla general no resulta aplicable cuando el nacimiento del derecho (esto es, la constatación del carácter indebido del ingreso en cuestión) <u>no depende del contribuyente, sino de la Administración,</u> que está regularizando a otro obligado tributario y que, como consecuencia de su actividad de comprobación… termina emitiendo una declaración que comporta que el ingreso del primer interesado sea indebido.
>
> Dicho de otro modo, en el caso de autos **(i)** la Administración regulariza al contribuyente que se dedujo el gasto y lo declara no deducible, pero **(ii)** la sociedad a la que se abonó ese gasto tributó por él en su impuesto personal como un ingreso que incluyó en la base imponible, siendo así **(iii)** que la Administración no regularizó correlativamente el ingreso mediante una actuación de contrario signo, por lo que **(iv)** obtuvo un ingreso fiscal mayor que aquel al que tenía derecho.
>
> Hemos señalado en varios pronunciamientos recientes que el principio de buena administración (implícito en nuestra Constitución y positivizado ahora en la Carta de Derechos Fundamentales de la Unión Europea) <u>impone a la Administración una conducta lo suficientemente diligente como para evitar definitivamente las posibles disfunciones derivadas de su actuación…</u>
>
> Desde luego que una Administración que sirve con objetividad los intereses generales y debe ajustar su actuación a la Ley y al Derecho no podía desconocer que la regularización que efectuaba a … incidía de lleno en la situación tributaria de…, al punto de que el gasto regularizado a aquélla era el correlato del ingreso efectuado por ésta.
>
> Ninguna duda razonable puede suscitarse sobre este extremo: <u>la calificación del gasto efectuada en la liquidación girada a … implicaba ineluctablemente una calificación idéntica del ingreso realizado por …, pues los negocios jurídicos correspondientes, la vinculación de ambas entidades y los pagos efectivamente realizados estaban acreditados</u> -y eran los extremos esenciales- en el procedimiento de comprobación e inspección.
>
> **La lógica consecuencia del razonamiento expuesto no puede ser otra que la de situar el *dies a quo* del plazo de prescripción para solicitar la devolución de ingresos indebidos en la fecha en la que se constata que el ingreso en cuestión ostenta ese carácter (indebido), que no es otra -en el caso de autos- que aquella en la que la Administración -al regularizar el gasto de otro contribuyente- efectúa una calificación incompatible con la condición del ingreso afectado como debido.**

5. Sentencia de 2 de julio de 2020 (recurso de casación nº. 1429/2018). Delimitación de las potestades de calificación y de los procedimientos de conflicto en la aplicación de la norma y simulación.

En el asunto, la Administración consideró suficiente la potestad de calificación que le otorga el artículo 13 de la LGT para: **(i)** convertir en relación laboral el vínculo empresarial *aparente* entre tres personas y una sociedad mercantil; **(ii)** considerar como una *actividad empresarial única* la realizada por la empresa dedicada a las instalaciones eléctricas y ficticia la efectuada por otras tres personas físicas; y, finalmente, **(iii)** imputar las rentas obtenidas —en la sociedad y en las personas naturales- de modo distinto a como lo hicieron en sus impuestos directos o indirectos.

Según la sentencia, tal actividad efectuada por la Inspección implica algo más que una simple **calificación de los "hechos, actos o negocios realizados"** conforme a su verdadera naturaleza, porque las resoluciones recurridas incorporan expresiones incompatibles con tan genérica potestad, como -por ejemplo- las de estar ante *aparentes* empresarios o la existencia de *empresas artificiosamente creadas* de las que son titulares las personas naturales concernidas o la finalidad constatada de aliviar la carga tributaria que debería soportar aquella entidad a los efectos del IS y del IVA. *Así:*

> *"Las instituciones no han sido creadas por el legislador de manera gratuita y, desde luego, no han sido puestas a disposición de los servidores públicos de manera libre o discrecional, sino solo en la medida en que se cumplan los requisitos establecidos en cada una de ellas. **No son, en definitiva, intercambiables...***
>
> ...en el ámbito tributario, la cuestión de distinguir entre **calificación (o "recalificación"**, como en realidad ha sucedido aquí) y **simulación** –sea esta absoluta o relativa- puede adquirir una importancia capital si la contemplamos desde la perspectiva del Derecho sancionador.
>
> En definitiva, si las instituciones -como las aquí analizadas- no son de libre uso, sino que deben ser utilizadas en los términos legalmente previstos y si, en el caso, las potestades previstas en el artículo 13 de la LGT no eran suficientes para la regularización llevada a efecto, procede responder a la cuestión suscitada en el auto de admisión en el sentido siguiente (que, lógicamente, está apegado a la situación fáctica contemplada en autos):
>
> [...] no es posible, con sustento en el artículo 13 de la LGT, que la Inspección de los tributos pueda desconocer actividades económicas formalmente declaradas por personas físicas, atribuir las rentas obtenidas y las cuotas del impuesto sobre el valor añadido repercutidas y soportadas a una sociedad que realiza la misma actividad económica que aquéllas, por considerar que la actividad económica realmente realizada era única y correspondía a esa sociedad, bajo la dirección efectiva de su administrador, y, finalmente, recalificar como rentas del trabajo personal las percibidas por las mencionadas personas físicas".

6. Sentencia de 14 de octubre de 2020 (recurso de casación nº. 594/2018). Principio de unidad del procedimiento inspector y alcance cuando las actuaciones se extienden a un impuesto y ejercicio que son distintos del inicial.

La cuestión reside en dilucidar, en un procedimiento inspector que amplía su objeto a otro tributo, cómo juega el artículo 150.1 LGT respecto de este otro tributo. Esto es ¿cuál es el *dies a quo* del plazo de duración del procedimiento inspector? ¿Es la fecha de notificación del inicio de las actuaciones o la fecha de notificación del acuerdo de ampliación de esas mismas actuaciones a este nuevo tributo y ejercicio?

Todo ello, como recuerda la sentencia, con la consecuencia que la ley anuda al incumplimiento del plazo legal de duración del procedimiento (doce meses en el caso que se analizamos): superado dicho plazo, el período correspondiente no interrumpe la prescripción del derecho de la Administración a liquidar.

La sentencia matiza la jurisprudencia anterior que, aun partiendo del principio de unidad, consideró que la ampliación del procedimiento a otros conceptos interrumpía la prescripción de éstos. Ahora se sale al paso de esta interpretación afirmando:

> "El principio de unidad del procedimiento inspector afecta a la totalidad de los conceptos tributarios y períodos impositivos analizados en su seno, de manera que el incumplimiento del plazo legal de duración de ese único procedimiento... determina la aplicación de todas las consecuencias legalmente previstas, siendo así que, entre esas consecuencias, se encuentra la de que dicho procedimiento -de producirse ese exceso- no interrumpe la prescripción del derecho de la Administración a liquidar cuantos conceptos y períodos hayan constituido su objeto, incluso si los mismos han sido incorporados a las actuaciones inspectoras en un momento posterior al de su incoación".

Se justifica esta decisión en las siguientes proposiciones:

a) No se puede decir que nos hallamos ante unas *únicas* actuaciones de inspección si esa afirmación no va referida a la totalidad de los conceptos y períodos investigados, pues eso sería tanto como decir que las actuaciones son *múltiples*, esto es, que estarían integradas por tantos procedimientos como conceptos tributarios o períodos impositivos se analizaran.

b) Si se predica el principio de unidad debe hacerse a todos los efectos, incluido el plazo de duración del procedimiento mismo, resultando obvio que la fijación de un plazo legal es una garantía para el contribuyente (pues la norma no quiere que se le someta a actuaciones indagatorias más allá de unos tiempos razonables) a cuyo incumplimiento la misma ley anuda efectos tan relevantes como los relacionados con la prescripción del derecho a liquidar.

c) La reciente modificación de la LGT -en Ley 34/2015- abona la tesis que ahora se defiende, pues el actual artículo 150.2, apartado 4, en relación con la duración del procedimiento, afirma que **el plazo será único para todas las obligaciones tributarias y períodos que constituyan el procedimiento inspector**, lo que constituye una aclaración sobre el particular y, sobre todo, es expresión evidente de que el legislador -probablemente con la finalidad de incorporar a la normativa vigente la jurisprudencia al respecto- acoge el principio del procedimiento único también en relación al plazo de duración.

7. Sentencia nº 1309/2020, de 15 de octubre (recurso de casación nº 1652/2019). Principio de buena administración. No cabe girar providencia de apremio si no se ha contestado una petición de aplazamiento de la deuda apremiada, aunque se formule transcurrido el período de pago voluntario. Cambio de jurisprudencia.

En el caso analizado, una vez finalizado el período voluntario de pago de tres deudas tributarias, solicita el contribuyente su aplazamiento y la Administración, sin contestar a dicha petición, notifica tres providencias de apremio, con los recargos anejos, entendiendo -TEAR de Canarias, TEAC y la Audiencia Nacional- que la Ley -artículos 167.3.b) y 65.5 de la LGT- solo contemplan la imposibilidad de dictar providencia de apremio con ocasión de solicitudes de fraccionamiento o aplazamiento -y hasta que se contestan éstas- **cuando se deducen en período voluntario y no, como aquí ha sucedido, cuando se presentan en período ejecutivo**.

La sentencia debe interpretar, en esencia, el artículo 65.5 de la LGT, por el que las solicitudes de aplazamiento o fraccionamiento -posibles en período ejecutivo antes de notificarse la enajenación de bienes embargados- no impedirán a la Administración -pues "podrá" hacerlo- "iniciar o, en su caso, continuar, el procedimiento de apremio durante la tramitación del aplazamiento o fraccionamiento".

La Sala Tercera aplica directamente el principio de buena administración para concluir que no puede dictarse tal providencia sin contestar la petición de aplazamiento, argumentando en los siguientes términos:

> "Es cierto que la ley autoriza a la Administración a *iniciar* o a *continuar* el procedimiento de apremio durante la tramitación del aplazamiento o fraccionamiento. Pero resulta también indiscutible que esa misma Ley no impide, ni prohíbe, ni excluye que -antes de "iniciar" o "continuar" tal procedimiento- se conteste una petición del interesado en la que, ciertamente, se está manifestando con claridad que se quiere pagar la deuda.
>
> Las exigencias del principio de buena administración al que antes hemos hecho referencia y del principio de buena fe que debe presidir las relaciones entre la Administración y los ciudadanos abonan, además, una interpretación que acentúe la diligencia en el actuar administrativo y también la deferencia y el respeto con los que las autoridades y empleados públicos deben tratar a los ciudadanos (artículo 13 de la LPAC), derechos que no se compadecen muy bien con una resolución administrativa que se dicta sorpresivamente, sin haber dado siquiera trámite a la petición de aplazamiento de las deudas que se apremian…

…Por consiguiente, la Administración no puede iniciar el procedimiento de apremio respecto de una deuda tributaria sin analizar y dar respuesta motivada a la solicitud de aplazamiento (o fraccionamiento) efectuada por el contribuyente en relación con esa misma deuda, incluso si tal solicitud se efectúa cuando la deuda se encuentra en período ejecutivo".

8. Sentencia de 20 de octubre de 2020 (recurso de casación nº 373/2018). La interpretación de un derecho (beneficio fiscal a un discapacitado) de la forma más favorable a la mayor efectividad del derecho.

En este caso, una persona con discapacidad había trabajado a tiempo parcial, como ayudante de cocina, veinte horas a la semana, de lunes a viernes de 17:00 horas a 21:00 horas, durante cuatro semanas en el año 2010 y dos semanas en el año 2012. Pretendió, por ello, acogerse a la reducción establecida en el artículo 20.3 de la ley de renta que permite a "las <u>personas con discapacidad que obtengan rendimientos de trabajos como trabajadores activos</u>" aminorar esos rendimientos en una determinada cantidad anual.

La Administración, el TEAR de Andalucía y la Sala de Málaga entendieron que para disfrutar de ese beneficio era necesario que el trabajador prestara <u>servicios de manera habitual</u> con el siguiente razonamiento: cuando la ley habla de trabajador activo, está pensando con toda seguridad en quien mantiene una relación estable y habitual con su empleador. La sentencia rechaza esta afirmación y señala expresamente:

"Para poder practicar la minoración de los rendimientos netos del trabajo prevista en el artículo 20.3 LIRPF, el precepto únicamente exige dos requisitos: (1º) que se trate de una persona con discapacidad y (2º) que los rendimientos del trabajo se obtengan como "trabajador activo". Ninguno más.

No siendo objeto de controversia en este proceso la existencia o el grado de discapacidad, seguidamente hemos de recordar que es el artículo 12 RIRPF el que define el concepto de "trabajador activo" como aquel que (1º) <u>percibe rendimientos del trabajo</u>, que (2º) -naturalmente- <u>lo hace como consecuencia de la "prestación efectiva" de sus servicios retribuidos</u>, y (3º) que <u>trabaja por cuenta ajena, es decir, dentro del ámbito de organización y dirección de otra persona, física o jurídica</u> (…).

La razón de traer a colación el principio de buena administración, aunque este principio no se cita en la resolución es que la Dirección General de Tributos había señalado en numerosas consultas vinculantes previas que la reducción contenida en el precepto no exigía habitualidad, lo que no fue obstáculo para que los órganos de revisión económico-administrativos y los órganos de gestión mantuvieran una posición contraria, quizás —solo quizás- poco respetuosa con aquel principio.

9. Sentencia de 28 de mayo de 2020 (recurso de casación nº 5751/2017). Imposibilidad de dictar providencia de apremio antes de resolver un recurso de reposición frente a la liquidación apremiada.

En este asunto, el contribuyente interpuso recurso de reposición contra una liquidación y, antes de que el órgano competente de la Administración resolviera expresamente dicho recurso, se dicta providencia de apremio por no haberse abonado en período voluntario la deuda contenida en la liquidación.

Se produjo, además, una abierta controversia entre las partes sobre la corrección jurídica de esta forma de proceder de la Administración por dos circunstancias (aducidas reiteradamente por la Hacienda autonómica): **el recurso de reposición era potestativo** y **el recurrente no había solicitado al deducirlo la suspensión de la ejecución** de la resolución que impugnaba.

El Tribunal Supremo considera que la práctica descrita quiebra el principio de buena administración. Y lo dice con una contundencia que merece la pena reproducir, resumidamente, en el fundamento jurídico en el que se contiene la *ratio decidendi* de la sentencia, con valor de doctrina jurisprudencial y en el que se contesta a la cuestión con interés casacional objetivo identificada en el auto de admisión:

- " […] *Aceptar que pueda dictarse una providencia de apremio en un momento en que aún se mantiene intacto para la Administración el deber de resolver expresamente (…) es dar carta de naturaleza a dos prácticas viciadas de la Administración y contrarias a principios constitucionales de innegable valor jurídico, como los de interdicción de la arbitrariedad (art. 9.3 CE); y servicio con objetividad a los intereses generales (art. 103 CE) -que no se agotan en la recaudación fiscal, tal como parece sugerirse, sino que deben atender a la evidencia de que el primer interés general para la Administración pública es el de que la ley se cumpla y con ello los derechos de los ciudadanos:*

a) La primera práctica, no por extendida menos aberrante, es la de que el silencio administrativo sería como una opción administrativa legítima, que podría contestar o no según le plazca o le convenga. Ninguna reforma legal de las que se han producido desde la LPA de 1958 hasta nuestros días han dejado de regular la patología, esto es, el silencio negativo, a veces con cierta complacencia en las consecuencias de la infracción de estos deberes esenciales de la Administración.

b) La segunda práctica intolerable es la concepción de que el recurso de reposición no tiene ninguna virtualidad ni eficacia favorable para el interesado, aun en su modalidad potestativa, que es la que aquí examinamos. En otras palabras, que se trata de una institución inútil, que no sirve para replantearse la licitud del acto, sino para retrasar aún más el acceso de los conflictos jurídicos, aquí los tributarios, a la tutela judicial…".

- …*"Como muchas veces ha reiterado este Tribunal Supremo, el deber jurídico de resolver las solicitudes, reclamaciones o recursos no es una invitación de la ley a la cortesía de los órganos administrativos, sino un estricto y riguroso deber legal que obliga a todos los poderes públicos, por exigencia constitucional (arts. 9.1; 9.3; 103.1 y 106 CE), cuya inobservancia arrastra también el quebrantamiento del principio de buena administración, que no sólo juega en el terreno de los actos discrecionales ni en el de la transparencia, sino que, como presupuesto basal, exige que la Administración cumpla sus deberes y mandatos legales estrictos y no se ampare en su infracción -como aquí ha sucedido- para causar un innecesario perjuicio al interesado.*

> *Expresado de otro modo, se conculca el principio jurídico, también emparentado con los anteriores, de que nadie se puede beneficiar de sus propias torpezas* (allegans turpitudinem propriam non auditur)*, lo que sucede en casos como el presente en que el incumplido deber de resolver sirve de fundamento a que se haya dictado un acto desfavorable -la ejecución del impugnado y no resuelto-, sin esperar a pronunciarse sobre su conformidad a derecho, cuando había sido puesta en tela de juicio en un recurso que la ley habilita, con una finalidad impugnatoria específica, en favor de los administrados"*.

Es los dos últimos párrafos se contiene una doctrina de valor relevante: **es exigencia ineludible derivada del principio de buena administración la de resolver las peticiones, reclamaciones o recursos, no solo cuando se trata de actos discrecionales, sino en todos los casos**, sobre todo en aquellos –como el analizado en la sentencia- en el que la quiebra de ese deber permite dictar un acto desfavorable.

10. Sentencia de 4 de noviembre de 2021 (recurso de casación nº 8325/2019). Tiempo entre la finalización de las actividades previas e inicio del expediente sancionador. Fecha de inicio del expediente sancionador.

Sanción por contrabando de tabaco. LO 12/1995 y Real Decreto 1649/1998. En este asunto, hay en el reglamento de la ley de contrabando la posibilidad de actuaciones previas, en este caso limitadas al acta de la Guardia Civil y aprehensión del tabaco. Se remiten a la Administración competente para, en su caso, sancionar, y ésta, sin llevar a cabo actuaciones previas o complementarias, tras un largo tiempo vacío de contenido, no inicia expediente sancionador hasta el 9 de diciembre de 2015, notificado el día 18 de diciembre. Esto es, durante casi quince meses la Administración se muestra absolutamente inactiva. No hace nada.

Aunque no hay regulación respecto del plazo de apertura del procedimiento tras la práctica de esas actuaciones previas, esto es, el tiempo máximo que puede transcurrir entre la recepción de las actuaciones -acta policial y aprehensión del tabaco-, pues solo se establece un plazo de 48 horas para remitir las diligencias previas formalizadas y el plazo común de seis meses, de caducidad, para concluir el procedimiento sancionador. Sin embargo, para supuestos similares al que nos ocupa, en otros procedimientos en el ámbito tributario, referidos a estos tiempos vacíos, se ha conformado una jurisprudencia en torno al principio de buena administración, en el que sin tensión ni forzamiento encuentra su acomodo el caso que nos ocupa.

La <u>fecha de inicio del cómputo</u> del plazo de resolución en el procedimiento sancionador en materia de contrabando, a fin de determinar la caducidad, es el de la notificación de la comunicación de inicio del procedimiento y no la fecha de las actuaciones previas excepto que éstas se utilicen fraudulentamente para dilatar *sine die* el plazo de seis meses para concluir el procedimiento sancionador, debiéndose entender que la inactividad injustificada e inútil de la Administración desde la finalización de las actuaciones previas al inicio del expediente, conculca el derecho del interesado a la buena administración en su manifestación de no sufrir dilaciones indebidas y conlleva la nulidad de las posteriores actuaciones llevadas a cabo.

11. Sentencia de 17 de junio de 2021 (recurso de casación nº 6123/2019), seguida de otras muchas. Recurso de alzada del Director del Departamento de Inspección de la AEAT. Extemporaneidad. El conocimiento previo y fehaciente de la resolución por otros órganos de la AEAT, como la ORT, cuya razón de ser es la relación con los Tribunales, impide pretextar ignorancia de ese hecho concluyente sin incurrir en una grave infracción de las reglas de la buena fe. Principio de buena administración.

a) A los efectos de establecer el *dies a quo* para la interposición del recurso de alzada por órganos de la Administración tributaria ante el TEAC, es suficiente con la comunicación recibida en la Oficina de Relación con los Tribunales (ORT) o en cualquier otro departamento, dependencia u oficina de la Administración. Si transcurrido el plazo impugnatorio a contar desde tal conocimiento no se ha interpuesto el recurso de alzada, la resolución quedará firme.

b) El artículo 50.1, párrafo segundo del RGRVA, es conforme con la Constitución y con las leyes, únicamente si se interpreta en el sentido de que las referencias que en el precepto se efectúan a la notificación y al órgano legitimado deben entenderse hechas a cualesquiera órganos de la Administración en que se integra el órgano llamado legalmente a recurrir, pues tanto la notificación como la legitimación son nociones jurídicas que atañen a las Administraciones públicas en su conjunto, no a los concretos órganos que forman parte de ella.

c) El principio de buena administración inferido de los artículos 9.3 y 103 CE exige que **exista en el expediente administrativo la constancia documental o informática de la fecha de la notificación de la resolución a los llamados *órganos legitimados* para interponerlo**, pero solo en el caso de que no haya un conocimiento previo acreditado, por otros órganos de la misma Administración, del acto revisorio que se pretende impugnar, en cuyo caso es indiferente el momento posterior en que tal resolución llegue a conocimiento interno del órgano que debe interponer el recurso, que puede ser ya tardío en caso de haberse superado el plazo máximo de interposición, a contar desde aquel conocimiento.

12. Sentencia de 14 de julio de 2021 (recurso de casación nº 3895/2020). Entrada en domicilio. Documentos obtenidos en el registro domiciliario a terceros, prueba declarada nula por la jurisdicción penal, por vulnerar derechos fundamentales. **No procede admitir tales documentos para la liquidación de una deuda tributaria considerada como no ingresada y para la imposición de sanciones tributarias.**

Prejudicialidad penal: los **hechos probados de la sentencia penal** en que se describe la práctica de la actuación de entrada y registro son vinculantes como tales fuera del alcance de la jurisdicción penal.

En todo caso, la **nulidad radica en haberse obtenido las pruebas sin ninguna garantía** de certeza de su identidad y contenido, así como la falta de prueba por la Administración de la identidad con la luego utilizada para sancionar (art. 11 LOPJ).

La propia **declaración de oficio, por la ministra de Hacienda**, de la nulidad de pleno derecho de las liquidaciones y sanciones practicadas a un tercero que se encuentra en la misma situación jurídica que el recurrente (art. 217.1.a) LGT) constituye un acto propio de voluntad y decisión administrativa que no puede ser desconocida ni ir más allá de la propia Administración en la consideración que merecen tales actos.

"c) Como exceso de mayor calado y gravedad, se omitió el deber de dar cuenta al juez autorizante del resultado e incidencias de la práctica del registro indocumentado -o cuya documentación no consta en absoluto- como, por ejemplo, y este extremo es fundamental, la existencia de datos de terceros ajenos a la prueba indicada como de posible obtención en el domicilio, que fueron incautados al margen, o con exceso notorio sobre el ámbito subjetivo, objetivo y temporal de la autorización de entrada (art. 172 RGAT).

Este trámite, vinculado al principio de buena administración, es esencial para hacer viable el control judicial ex post facto *respecto a la adecuación de la práctica de la diligencia y para que el juez de la autorización compruebe la regularidad de esa práctica y el ajuste y observancia de los términos, condiciones o límites del auto de entrada, que exige, según es jurisprudencia reiterada de esta Sala, la sujeción a los principios de necesidad, adecuación y proporcionalidad.*

Pues bien, ese trámite del control judicial *a posteriori* brilló por su ausencia. No cabe olvidar que los principios de adecuación, proporcionalidad y necesidad **no sólo se encuentran y deben estar presentes a la hora de pedir -o conceder el juez competente- la autorización para entrar en un domicilio** constitucionalmente protegido, a fin de obtener información relevante para regularizar al titular del domicilio afectado por el auto-, sino que han de ser escrupulosamente observados, **también, en el desarrollo de la actuación material** y que, según se infiere de la sentencia de la AP de Pontevedra, fueron desdeñados por los funcionarios intervinientes, cuyos nombres no nos constan, en una actuación que bien podría ser calificada como vía de hecho, en tanto la no sujeción a regla o procedimiento alguno, ni a control judicial posterior permiten extraer esa grave y necesaria conclusión.

17.- EL PRINCIPIO DE BUENA ADMINISTRACIÓN Y SUS LIMITACIONES

ERNESTO ESEVERRI.

Catedrático emérito de Derecho Financiero y Tributario.
Universidad de Granada

1. EL PRINCIPIO DE BUENA ADMINISTRACIÓN

El principio de buena administración garante de una conducta diligente por parte de los órganos de la Administración que evite disfunciones en sus actuaciones para que sean desarrolladas con respecto a las garantías y derechos de los ciudadanos, es una creación de la jurisprudencia del Tribunal Supremo que, como se ha encargado de resaltar en sus pronunciamientos, se ha convertido en "paradigma" de los principios rectores del siglo XXI en el ámbito de la aplicación de los tributos. Como uno de los *«derechos fundamentales de nueva generación»* se califica por el Tribunal Supremo en el Auto de 6 de julio de 2022, de admisión del recurso de casación núm. 3720/2019, aunque sin especificar su pertenencia generacional (primera, segunda, tercera, cuarta, quinta o sexta generación de derechos fundamentales).

EL Tribunal Supremo en sentencia de 3 de diciembre de 2020 (recurso de casación núm. 8332/2019) había ido más allá señalando que *«la buena administración es algo más que un derecho fundamental de los ciudadanos, siendo ello lo más relevante; porque su efectividad comporta una indudable carga obligación para los órganos administrativos a los que se les impone la necesidad de someterse a las más exquisitas exigencias legales en sus decisiones, también en las de procedimiento».*

Así pues, el principio de buena administración ha sido invocado por la jurisprudencia para exigir una actuación administrativa imparcial, completa, equitativa, diligente, desarrollada en plazo razonable, con examen de todos los elementos concurrentes para el dictado de una resolución administrativa ajustada a derecho, y procurando la corrección de errores del administrado fácilmente perceptibles. Pero sobre todo, supone instalar en la conciencia de quienes por ley deben aplicar el ordenamiento jurídico, que el interés público que promueve su actuación no es el interés de la Administración a la que sirven, sino el interés general que, por serlo, es común tanto a los ciudadanos a quienes se dirige la acción administrativa como a los órganos de la propia Administración en el ejercicio de sus competencias.

Se trata, como es sabido, de un principio no escrito en nuestro orden jurídico, pero deducible implícitamente del mandato de los arts. 9.3 CE (garante de la interdicción de la arbitrariedad de los poderes públicos) y 103 CE que ordena a sus órganos a servir con objetividad a los intereses generales[3]; art. 3.1 de la Ley 40/2015 de Régimen Jurídico del Sector Público que se manifiesta en el mismo sentido[4], y del mandato del art. 41 de la Carta de Derechos Fundamentales de la Unión Europea, que reivindica la actuación imparcial y equitativa de los órganos administrativos que han de actuar en un plazo razonable[5] .

No obstante, como quiera que su invocación en el caso concreto ha supuesto en ocasiones acudir a criterios de justicia material con distanciamiento del mandato inferido de la norma escrita, la prudencia en la aplicación del principio de buena administración debe presidir el quehacer decisorio de nuestros Jueces y Tribunales para evitar que se desnaturalice su eficacia cuando es aplicado a situaciones impertinentes.

Nos encontramos ante un principio que se proyecta, sobre todo, postulando la eficaz actuación de los órganos de la Administración pública; es el actuar administrativo el objetivo preferente a considerar cuando se invoca jurisprudencialmente la aplicación de este principio pese a que, a decir del Tribunal Supremo, su proyección no se detiene en el desarrollo de los procedimientos administrativos para transcender al contenido material de sus resoluciones[6]. Es decir, se trata de un principio que demanda a los órganos de la Administración que cumplan eficazmente con sus deberes y con acatamiento a los mandatos legales.

El principio de buena administración se nos representa a modo de un caleidoscopio en el que a través de sus espejos inclinados se descubren los principios

---

[3]   Dice el mencionado precepto constitucional: «*la Administración Pública sirve con objetividad los intereses generales y actúa de acuerdo con los principios de eficacia, jerarquía, descentralización, desconcentración y coordinación, con sometimiento pleno a la ley y al Derecho*»

[4]   Señala el mencionado precepto legal: «*Las Administraciones Públicas sirven con objetividad los intereses generales y actúan de acuerdo con los principios de eficacia, jerarquía, descentralización, desconcentración y coordinación, con sometimiento pleno a la Constitución, a la Ley y al Derecho*»

[5]   «*1. Toda persona* –dice el art. 41 de la Carta- *tiene derecho a que las instituciones y órganos de la Unión traten sus asuntos imparcial y equitativamente y dentro de un plazo razonable. 2. Este derecho incluye en particular: el derecho de toda persona a ser oída antes de que se tome en contra suya una medida individual que le afecte desfavorablemente, el derecho de toda persona a acceder al expediente que le afecte, dentro del respeto de los intereses legítimos de la confidencialidad y del secreto profesional y comercial, la obligación que incumbe a la administración de motivar sus decisiones*»

[6]   «*No sólo juega en el terreno de los actos discrecionales ni en el de la transparencia, sino que, como presupuesto basal, exige que la Administración cumpla sus deberes y mandatos legales estrictos y no se ampare en su infracción (…) para causar un innecesario perjuicio al interesado*», ha dicho el Tribunal Supremo en sentencia de 28 de mayo de 2020, recurso de casación núm. 575/2017).

de tutela administrativa efectiva, buena fe, confianza legítima, interdicción de la arbitrariedad en el actuar administrativo, proporcionalidad en el desarrollo de sus actuaciones, deber de oír al administrado, obligación de resolver en plazo, motivación de los actos resolutorios de la Administración, tempestividad en la resolución de recursos, entre otros más.

En suma, cuando el Tribunal Supremo aplica el principio de buena administración nos advierte de que se trata de un principio que «*no se detiene en la mera observancia estricta de procedimiento y trámites, sino que más allá reclama la plena efectividad de garantías y derechos reconocidos legal y constitucionalmente al contribuyente*», lo que analizado desde otra perspectiva nos enseña que el principio de buena administración resultará ineficaz cuando se invoque en asuntos ajenos a los procedimientos instruidos por la Administración tributaria, o extraños a la tutela de derechos y garantías del contribuyente reconocidos legalmente.

2. SU UTILIZACIÓN POR EL TRIBUNAL SUPREMO EN EL CASO CONCRETO

El principio de buena administración ha sido utilizado por el Tribunal Supremo para matizar la carga de la prueba en los procedimientos de aplicación de los tributos, situándola del lado de aquél que se encuentre más próximo a su acreditación[7] indicando, por ejemplo, que no es el trabajador el que debe aportar los elementos de prueba relativos a dietas y desplazamientos por motivos laborales, sino que corresponde requerirlos administrativamente al pagador de tales retribuciones.

Asimismo, ha permitido al Tribunal Supremo advertir que, en el desarrollo de los procedimientos tributarios, en materia de dilaciones imputables al contribuyente, no es suficiente con señalar en el expediente administrativo instruido cuánto tiempo se ha sobrepasado el plazo otorgado para aportar la documentación requerida, sino que debe razonarse porqué la ausencia de su aportación en plazo ha impedido el desarrollo tempestivo de las actuaciones de comprobación administrativa[8].

---

[7]   STS de 18 de mayo 2020, recurso de casación nº 4002/2018.

[8]   SSTS de 19 de julio de 2016, recurso de casación núm. 2553/2015 y de 15 de marzo de 2021, recurso de casación núm. 526/2020, ésta en un tema de derivación de responsabilidad subsidiaria. En particular, en la primera de las sentencias citadas, se afirma: «*1.- No cabe identificar falta de cumplimiento en su totalidad de la documentación exigida con dilación imputable al contribuyente para atribuirle sin más a éste las consecuencias del retraso, en el suministro de la documentación, ya que solo puede tener relevancia en el cómputo del plazo cuando impida continuar con normalidad el desarrollo de la actuación inspectora. 2.- Cuando la Inspección requiere la presentación de datos, informes u otros antecedentes, ha de conceder un plazo, siempre no inferior a diez días, para cumplimentarlo*»

También se ha invocado este principio, aunque de forma indirecta, para corregir la actuación administrativa dirigida frente al retenedor que incumplió su deber de retener e ingresar en los casos en que el retenido autoliquidó y cumplió íntegramente el pago de su obligación tributaria, si bien, en este caso la anulación de la actuación administrativa en sede del retenedor se fundó, no tanto en el principio de buena administración, cuanto en haber ocasionado un enriquecimiento injusto al dirigirse una misma pretensión de cobro a dos sujetos diferentes[9].

El principio de buena administración ha servido de fundamento para recordar el correcto orden de actuación de los órganos administrativos advirtiéndoles que, antes de iniciar actuaciones de apremio frente al deudor tributario, han de resolver los recursos de reposición previamente instados, aunque lo fueran sin solicitud de suspensión del acto de liquidación tributaria[10]. Es decir, que los carros no pueden ir delante de los bueyes. Advirtiendo al tiempo, que el mismo esfuerzo o despliegue de medios que necesita la Administración para el dictado de la providencia de apremio, podría haberlo dedicado a la tarea de resolver en tiempo y forma el recurso previo de reposición interpuesto por el deudor tributario.

En parecidos términos se ha expresado el Tribunal Supremo apelando al principio de buena administración para señalar que, antes de iniciar procedimiento de apremio frente al deudor tributario que, por segunda vez, solicita aplazamiento de pago tras la denegación de una primera solicitud realizada en período voluntario, debe resolverse expresamente esa segunda solicitud de aplazamiento[11]. Criterio que, a mi entender, resulta de plena invocación actualmente, a pesar

---

[9]   STS de 17 de abril de 2017, recurso de casación núm. 785/2016. « (…) *la defensa de la obligación de retener como autónoma no puede justificar que una Administración que ha de servir con objetividad los intereses generales (artículo 103.1 CE), ante una regulación del sistema de retenciones, que resulta imperfecta, se limite a la exigencia del cumplimiento del deber del retenedor y siendo la única poseedora de todos los datos, permanezca inactiva ante situaciones de duplicidad que le son o pueden resultar conocidas, dando lugar por vía de los hechos a la legitimación de las mismas y con ello a un manifiesto enriquecimiento injusto de la suma adeudada*».

[10]   STS de 28 de mayo de 2020, recurso de casación núm. 5751/2017. «*Como muchas veces ha reiterado este Tribunal Supremo, el deber jurídico de resolver las solicitudes, reclamaciones o recursos no es una invitación de la ley a la cortesía de los órganos administrativos, sino un estricto y riguroso deber legal que obliga a todos los poderes públicos, por exigencia constitucional (arts. 9.1; 9.3; 103.1 y 106 CE), cuya inobservancia arrastra también el quebrantamiento del principio de buena administración, que no sólo juega en el terreno de los actos discrecionales ni en el de la transparencia, sino que, como presupuesto basal, exige que la Administración cumpla sus deberes y mandatos legales estrictos y no se ampare en su infracción -como aquí ha sucedido- para causar un innecesario perjuicio al interesado*» habiendo previamente advertido que: «*El mismo esfuerzo o despliegue de medios que se necesita para que la Administración dicte la providencia de apremio podría dedicarse a la tarea no tan ímproba ni irrealizable de resolver en tiempo y forma, o aun intempestivamente, el recurso de reposición, evitando así la persistente y recusable práctica del silencio negativo como alternativa u opción ilegítima al deber de resolver.*»

[11]   STS de 28 de octubre de 2021, recurso de casación núm. 4743/2020: «*El principio de buena administración impide que la Administración tributaria dicte providencia de apremio respecto de deudas tributarias sin*

de la modificación del art. 161.2, párrafo segundo, LGT por Ley 11/2021, de 9 de julio, cuando indica que la presentación de esta segunda solicitud de aplazamiento de pago de la deuda tributaria no impide el inicio del período ejecutivo, lo que no quiere necesariamente decir que el órgano de recaudación quede obligado a iniciar el procedimiento de apremio sin sopesar, previamente, su deber de resolver expresamente la segunda petición de aplazamiento de pago por exigencia del principio de buena administración.

El Tribunal Supremo, de manera indirecta, en base al principio de buena administración, nos ha recordado que no se puede obligar al ciudadano al deber de agotar la larga y manifiestamente inútil vía revisora administrativa, cuando el único fundamento alegado para rebatir el acto de liquidación tributaria es la posible inconstitucionalidad de la ley en que se ha sustentado dicho acto administrativo, todo, con apoyo en una tutela judicial efectiva que evite demoras innecesarias que posterguen el control judicial de la acción administrativa[12]. Si bien, el soporte último en que se basa este pronunciamiento no es otro que el principio constitucional garante de una tutela judicial efectiva[13].

También ha sido empleado este principio por el Tribunal Supremo para denunciar que los plazos señalados en ley no pueden quedar al arbitrio discrecional de la actuación administrativa, lo que ha resultado particularmente relevante en materia de ejecución de resoluciones administrativas o judiciales[14].

La Audiencia Nacional, con fundamento en la doctrina emanada del Tribunal Supremo a propósito de la buena administración, ha dictaminado[15] la caducidad de un procedimiento de derivación de responsabilidad subsidiaria por excederse

---

contestar previamente las solicitudes de aplazamiento o fraccionamiento de dichas deudas formuladas por el contribuyente, incluso cuando tales solicitudes hayan sido efectuadas en período ejecutivo de cobro».

[12] STS de 21 de mayo de 2018, recurso de casación núm. 113/2017: «Cuando se discute exclusivamente la inconstitucionalidad de las disposiciones legales que dan cobertura a los actos de aplicación de los tributos y restantes ingresos de Derecho Público de las entidades locales, cuestión de las que éstas carecen de competencia para ello, quedando constreñidas a aplicar la norma legal de que se trate, no resulta obligatorio imponer, como presupuesto de procedibilidad del ulterior recurso contencioso-administrativo, el correspondiente recurso administrativo previo preceptivo».

[13] «La exigencia como preceptivo de un recurso de reposición y, en su caso, el rechazo liminar de la acción contencioso-administrativa intentada sin su previa interposición –dice el Tribunal Supremo en la misma sentencia de 21 de mayo de 2018-, resultan desproporcionados y vulneradores del derecho a obtener la tutela judicial efectiva del artículo 24.1 CE, al tiempo que desconocen el mandato del artículo 106.1 CE, incompatible con demoras impuestas por la interposición de recursos en vía administrativa manifiestamente ineficaces e inútiles para dar cumplimiento al fin que los justifica. En otras palabras, el privilegio de la tutela reduplicativa ha de ser objeto de una interpretación moderadora, en aras de la tutela judicial efectiva, evitando demoras innecesarias y anodinas que posterguen el control judicial de la Administración».

[14] STS de 14 de febrero de 2017, recurso de casación núm. 2379/2015; sentencia de 5 de diciembre de 2017, recurso de casación núm. 1727/2016; sentencia de 23 de julio de 2020, recurso de casación núm. 7483/2018; 22 de diciembre de 2020, recurso de casación núm. 5653/2019; sentencia de 4 de noviembre de 2021, recurso de casación núm. 8325/2019).

[15] Sentencia de 25 de enero de 2022, recurso contencioso-administrativo núm. 1066/2019

el órgano de recaudación del plazo semestral previsto en el art. 104 LGT, plazo que computa desde que fuera dictada la resolución del TEAC anulando el acto derivativo de responsabilidad y ordenando retrotraer actuaciones por el tiempo que restara para la resolución de ese procedimiento, hasta que efectivamente lo fue, lo que sucedió cuando habían transcurrido más de seis años desde que el órgano de recaudación estuvo en posición de iniciar el procedimiento de derivación de responsabilidad subsidiaria (desde el 23 de abril de 2009 hasta el 6 de marzo de 2015 en que se dicta la resolución definitiva del procedimiento), consecuencia de la demora con que se procedió a ejecutar la resolución del TEAC[16] (un año, cuatro meses y trece días después de su pronunciamiento).

Se ha invocado el referido principio con ocasión de la interposición del recurso extraordinario de alzada para unificación de criterio y de doctrina por los Directores Generales del Ministerio, al advertir que el plazo para deducirlo se inicia con la recepción de la resolución que se pretende recurrir en la Oficina de Relaciones con los Tribunales, si con anterioridad a ese momento, no se ha recibido por cualquier otro órgano de la Agencia Tributaria, todo ello, recordando el principio de personalidad única de la Administración[17].

La disfuncionalidad provocada por la división de los procedimientos de gestión catastral y de gestión tributaria en la aplicación del IBI también ha sido puesta de manifiesto por el Tribunal Supremo apelando al principio de buena administración[18], para declarar lo improcedente en la actuación administrativa cuando, habiéndose anulado el valor catastral de un inmueble que en la ponencia de valores lo fue como bien urbano siendo así que el bien era de naturaleza rústica, dicho error en la valoración no fue tomado en consideración por el Ayuntamiento competente en el momento de dictar el acto de liquidación por el IBI.

Bien es verdad que, en un caso parecido[19], entiende el Tribunal Supremo que no es aplicable el principio de buena administración al no concurrir en la situación enjuiciada las circunstancia excepcionales que en aquella otra que determinaron la inviabilidad de la valoración catastral del inmueble considerado, pues

---

[16]   Concretamente, la resolución del TEAC fue dictada el 24 de octubre de 2013 y la resolución del procedimiento de derivación de responsabilidad subsidiaria se produce el 6 de marzo de 2015.

[17]   *«(…) si unos órganos no se ponen en contacto con otros y omiten la necesidad de comunicación de lo que por razón de su cargo conocen, tal proceder negligente entraña una grave patología indebida del funcionamiento desde la perspectiva del principio de buena administración –y la buena fe- del que no puede obtener la Administración ventaja alguna, conforme al aforismo de que nadie se puede beneficiar de sus propias torpezas (allegans turpitudinem propiam non valet)»:* STS de 20 de julio de 2020, recurso de casación núm. 3310/2020; sentencia de 17 de junio de 2021, recurso de casación núm. 6123/2019; sentencia de 19 de noviembre de 2020, recurso de casación núm. 4911/2018; sentencia de 18 de diciembre de 2018, recurso de casación núm. 4442/2018.

[18]   STS de 18 de mayo de 2020, recurso de casación núm. 6950/2018.

[19]   Me refiero al mantenido en sentencia de 9 de junio de 2022, recurso de casación núm. 5571/2020

no se trataba ahora de una valoración inadecuada por referencia a la naturaleza del bien inmueble, sino de que su valor catastral excedía del valor de mercado, cuestión que debió dirimirse con ocasión de la notificación de la ponencia de valores que el recurrente había dejado firme.

El Tribunal Supremo[20] aplica expresamente el principio de buena administración al establecer que el derecho a la devolución de ingresos indebidos puede surgir, no cuando se realiza el ingreso, sino cuando el contribuyente tiene conocimiento de que lo llevó a cabo de forma indebida, pues conforme a la doctrina de la *actio nata*, es a partir de ese momento cuando nace su derecho a solicitar la devolución de lo indebido.

Finalmente, debo traer a colación el llamado principio de regularización íntegra como específica y clara manifestación del principio de buena administración y materialización de los criterios de proporcionalidad y eficacia en la actuación administrativa y economía procedimental[21], conforme al cual, la Administración tributaria, en cualquiera de sus actuaciones, está obligada a realizar todas las correcciones que sean necesarias para restablecer la situación tributaria al escenario previo de la realización de las operaciones que han provocado un perjuicio económico al contribuyente. Si se reconoce la indebida deducción del IVA soportado, al proceder a su regularización administrativa, debe reconocerse al tiempo el derecho a la devolución, pues de lo contrario, la regularización administrativa no resultaría completa ya que, proceder de otro modo, daría como resultado un enriquecimiento injustificado de la Administración tributaria, o también, la necesidad del obligado tributario de emprender procedimiento para la devolución de lo indebidamente ingresado dilatando en el tiempo el restablecimiento de su posición jurídica[22].

En cualquiera de los casos expuestos en que el Tribunal Supremo fundamenta su resolución en función del principio de buena administración, se advierte la

---

[20]   STS de 11 de junio de 2020, recurso de casación núm. 3887/2017.

[21]   Por todas, SSTS de 26 de mayo de 2021, recurso de casación núm. 574/2020 y de 22 de abril de 2021, recurso de casación núm. 1367/2020, además de las de anterior fecha de 10 de octubre de 2019, recurso de casación núm. 4153/2017, y 17 de octubre de 2019, recuso de casación núm. 4809/2017.

[22]   Dice el Tribunal Supremo en sentencia de 25 de octubre de 2015, recurso de casación núm. 3857/2013 *«(…) cuando un contribuyente se ve sometido a una comprobación por la Inspección y se regulariza la situación, para evitar un perjuicio grave al obligado, procede atender a todos los componentes del tributo que se regulariza, no sólo lo que puede ser perjudicial al mismo, sino también lo favorable (incluso en supuestos en los que se concluía que se había producido simulación por diversas entidades de un grupo, el TS reconoce que procede la devolución del IVA derivado de la anulación de las cuotas de IVA repercutidas de forma indebida».* Y en sentencia de 22 de abril de 2021, recurso de casación núm. 1367/2020, afirma: *«El principio de regularización íntegra, comporta que, cuando en el seno de un procedimiento de inspección la Administración tributaria regularice la situación de quien se dedujo las cuotas de IVA que le fueron indebidamente repercutidas, deberá analizar también la concurrencia de los requisitos necesarios para, en su caso, declarar su derecho a la devolución de las cuotas que indebidamente soportó».*

existencia de una actuación administrativa desproporcionada, discrecional, orillando los límites a los que sus órganos quedan obligados por ley, y con eviden-
cias de falta de eficacia, postergando los derechos que asisten al contribuyente, o
con evidente desprecio al respeto que merecen.

Nos encontramos con supuestos en que al órgano actuante le era exigible un
comportamiento distinto,

- sea porque la ausencia de norma específica aplicable al caso no le permitía proceder en la forma dilatoria en que actuó, retrasando por tiempo
  desmedido el dictado de su resolución (retrasos injustificados en la ejecución de sentencias y resoluciones administrativas).

- sea por aplicación rigurosa de la norma tributaria cuando, al hacerlo, ha
  inobservado o no respetado debidamente alguno de los derechos que
  asisten al contribuyente (el deber de resolver recurso y el derecho del
  interesado al dictado de su resolución, o bien, necesidad de resolver un segundo aplazamiento de pago una vez denegado el primero; también en la
  concreción del *dies a quo* para el cómputo del plazo prescriptivo en la devolución de ingresos indebidos; o en los casos de regularización íntegra).

- sea por comportamiento discrecional en una interpretación de la aplicación de la norma tributaria favorable a su modo de proceder pero contraria a los intereses del contribuyente (la imputación de dilaciones en
  el procedimiento inspector, sin justificar porqué se vio demorada en el
  tiempo su actuación; regla sobre la carga de la prueba).

3. EL EXCESO COMETIDO AL SER INVOCADO

De todos estos pronunciamientos hechos por el Tribunal Supremo aplicando
este principio, en mi opinión, solo cabe reparar su empleo en un par de ellos.

Así, cuando se reprocha la actuación administrativa dirigida a pretender el
pago de la deuda insatisfecha por el retenedor cuando el retenido ha cumplido
íntegramente con su obligación tributaria de la que derivó el deber de retener,
no era necesario acudir al principio de buena administración para reprender
la actuación administrativa dirigida al retenedor, porque era suficiente con invocar la tesis del enriquecimiento injusto como, por otro lado, fundamenta la
sentencia en cuestión. El vicio en la actuación administración no se produce
por un comportamiento poco diligente del órgano administrativo, sino porque
con su actuación se ocasionaría el doble pago de una deuda tributaria por parte
del retenedor requerido a hacerlo y por parte del retenido que cumplió con su
obligación tributaria.

Del mismo modo, la anulación del valor catastral por haberse fijado conforme al procedimiento previsto para determinarlo en bienes de naturaleza urbana en lugar del que correspondía a un bien de naturaleza rústica, no es causa invalidante del acto de liquidación del IBI por negligente comportamiento del órgano encargado de liquidar el tributo, sino que debe relacionarse con la incorrecta determinación de la base imponible del IBI que valora como bien urbano el que tiene naturaleza rústica, lo que contraía la aplicación del principio de capacidad económica al sujetarse a gravamen un inmueble sin considerar su condición de rústico.

Podría cuestionarse también, la invocación del principio de buena administración para impedir el inicio de un procedimiento de apremio cuando el acto de liquidación tributaria fue recurrido en reposición en período voluntario, sin solicitar su suspensión, pero a mi modo de ver, con este pronunciamiento el Tribunal Supremo no está cuestionando el principio de ejecutividad de los actos administrativos cuando sobre ellos no pende acuerdo de suspensión, sino que hace prevalecer sobre el principio de autotutela ejecutiva, el deber del órgano administrativo de resolver los recursos formulados para la revisión del acto de liquidación tributaria cuya ejecución se pretende.

E igualmente y de modo particular, tras la reforma operada en el art. 161.2 LGT por Ley 11/2021, se podría cuestionar la operatividad del principio cuando, tras ser denegada una primera petición de aplazamiento de pago, se plantea una segunda petición de aplazamiento de la misma deuda tributaria obligando a resolverla, pues en su nueva redacción el precepto legal ordena que esta segunda solicitud no impide el inicio del período ejecutivo. Pero como ya señalé anteriormente, una cosa es que quede expedito el inicio del período ejecutivo, y otra diferente que se deba iniciar administrativamente el procedimiento de apremio que, conforme a la tesis mantenida por el TS en sentencia de 28 de octubre de 2021, recurso de casación núm. 4743/2020, por aplicación del principio de buena administración, no resulta procedente hasta tanto haya quedado resuelta la segunda solicitud de aplazamiento de la deuda tributaria. Criterio operativo si se tiene en cuenta, además, que el ofrecimiento de un aplazamiento de pago por parte del deudor tributario, es acto equivalente al pago de la deuda conforme reiterada doctrina del propio TS, y que al mismo tiempo, dado que con la solicitud del aplazamiento se ofrece garantía de pago de lo adeudado además de los intereses por el tiempo aplazado, ningún perjuicio económico supone para la Administración tributaria susceptible de ser reparado con la exigencia de los recargos ejecutivos y los intereses de demora por el tiempo aplazado, a salvo de la no disponibilidad tempestiva de la deuda tributaria, comportamiento desproporcionado del órgano administrativo, promovido sin duda por un injustificado afán recaudatorio.

En todos los demás casos que han quedado señalados, el principio de buena administración ha sido bien atraído en cuanto fundamento del correcto actuar de los órganos de la Administración tributaria en la prosecución de una resolución administrativa razonable, dictada en plazo, y dispensando la necesaria tutela administrativa efectiva, sin ampararse en su actuación en la infracción de sus deberes establecidos en ley y contrariando los derechos del contribuyente.

Dicho lo cual me pregunto si en la aplicación del principio de buena administración por parte del Tribunal Supremo, no subyace su reacción frente al desalentador comportamiento administrativo, que el legislador tributario asume como propio, consistente en que cuando la jurisprudencia del Tribunal Supremo corrige a sus órganos actuantes su modo poco diligente de comportarse frente al administrado, de forma cuasi inmediata sobreviene la modificación legal para validar en derecho aquel proceder censurado por la jurisprudencia.

A principios de los años 80 los órganos de inspección tributaria no tenían atribuida legalmente competencias liquidadoras que correspondían a los órganos de liquidación tributaria (Oficinas Técnicas de Liquidación y de Relaciones con los Contribuyentes). En ejercicio de potestad reglamentaria[23] se atribuyó tal función a los órganos de inspección invistiéndoles para formalizar liquidaciones tributarias, reconocimiento que el Tribunal Supremo[24] anuló con fundamento en la reserva de ley tributaria. No pasó mucho tiempo sin que, por ley, quedara residenciado el ejercicio de la función liquidadora de los tributos en los órganos de inspección. La Ley 10/1985, de 26 de abril, de modificación parcial de la LGT hizo lo propio con su art, 140 y, al describir las funciones de la inspección tributaria, introdujo la de practicar liquidaciones tributarias resultantes de sus actuaciones de comprobación e investigación.

Todos conocemos los quebraderos de cabeza que produjo el sistema de determinación de bases imponibles en los Impuestos de Sucesiones y Transmisiones Patrimoniales acudiendo a un concepto jurídico indeterminado *"el valor real"* que determinaba la apertura de expedientes administrativos de comprobación de valores frecuentemente anulados en sede revisora administrativa o jurisdiccional por falta de motivación o utilización inadecuada del medio escogido para alcanzar la valoración administrativa.

La reacción no se ha hecho esperar y en la Ley 11/2021 de prevención del fraude fiscal se ha corregido la forma de determinar la base imponible de esos tributos acudiendo al llamado *"valor de referencia"* concepto jurídico tan indeterminado como el anterior del *"valor real"* pero que al ofrecer a través de él la opción fiscal del contribuyente, se presta a menor litigiosidad.

---

[23]   Real Decreto 412/1982, sobre régimen de determinadas liquidaciones tributarias.

[24]   Sentencia de 24 de abril de 1984.

EL Tribunal Supremo ha sentenciado que la entrada de los órganos de inspección tributaria en el domicilio fiscal del contribuyente ha de llevarse a cabo siempre que frente a éste se haya iniciado un procedimiento de comprobación tributaria[25]. Pues bien, la misma Ley antes citada 11/2021 apelando a la necesaria eficacia en la lucha antifraude, modifica los arts. 113 y 140 LGT posibilitando la entrada en el domicilio fiscal sin necesidad de que exista un procedimiento abierto frente al contribuyente.

El Tribunal Supremo ha venido reconociendo en materia de responsabilidad tributaria que las vicisitudes de la deuda en sede del deudor principal transcienden a la derivación de dicha deuda al responsable de suerte que, si el deudor principal aplaza o suspende la ejecución de la deuda, ese mismo efecto jurídico se proyecta en sede del responsable tributario. La Ley 34/2015, reforma el art. 175.1, letra a) LGT, para ordenar que cuando la deuda se haya derivado al responsable antes del vencimiento del plazo voluntario de pago seguido frente al deudor principal, bastará con requerir al responsable el pago *"original"* de dicha deuda, lo que impide la proyección hacia el responsable de los efectos procurados por el aplazamiento de pago o la suspensión de la ejecución de la deuda reconocidos al deudor principal.

Los casos se podrían ampliar, pero baste con los señalados en apoyo de mi tesis en el sentido de que el Tribunal Supremo apela al principio de buena administración cuando habiéndose detectado un comportamiento poco diligente de los órganos de la Administración, por serlo, ha de ser corregido invocando la eficacia de la actuación administrativa, principio que al ser aplicado al caso concreto sin proyección eficaz sobre otros diferentes, impide que la Administración tributaria, influyendo en la fuerza que ejerce el Poder Ejecutivo sobre la producción normativa, corrija mediante modificaciones legales los irregulares comportamientos administrativos para convertirlos en forma regular de su proceder.

4. EL *"OBITER DICTA"* A PROPÓSITO DEL PRINCIPIO DE BUENA ADMINISTRACIÓN

Si el impacto del principio de buena administración ha sido elocuente, tanto así lo son los pronunciamientos hechos por el Tribunal Supremo a propósito del asentamiento de este principio. Como más destacables, me remito a los siguientes.

Cuando el Tribunal Supremo afea a los órganos de la Administración tributaria el inicio de un procedimiento de apremio sin resolver previamente el recurso

---

[25]   STS de 1 de octubre de 2020, recurso de casación núm. 2966/2019.

de reposición deducido frente al acto de recaudación, nos recuerda que el interés público al que sirve la Administración tributaria no es el interés recaudatorio, sino que la ley se cumpla y con ella el derecho de los ciudadanos. En este sentido, me remito a lo señalado en la llamada "Declaración de Granada" firmada por un conjunto de catedráticos de Derecho Financiero Y Tributario, al denunciar: *«Parece que el afán recaudatorio se ha convertido en el único objetivo del comportamiento de los órganos tributarios, con olvido de los derechos y garantías individuales»*

En esa misma sentencia de 28 de mayo de 2020, el Tribunal Supremo nos advierte de que el silencio administrativo no es una prerrogativa del órgano administrativo que puede utilizarla a placer resolviendo, o no, el recurso de revisión interpuesto frente al acto recurrido. El silencio administrativo no es una práctica legítima de la que la Administración pueda disponer a su antojo, sino un deber que le asiste y condiciona como recuerda el art. 103.1 LGT *(«La Administración tributaria está obligada a resolver expresamente todas las cuestiones que se planteen en los procedimientos de aplicación de los tributos …»)*.

Y una tercera advertencia también se hace en este mismo pronunciamiento del Tribunal Supremo cuando, a propósito del recurso de reposición, se afirma que se trata de un recurso asumido como recurso inservible porque raramente tiene consecuencias favorables para el interesado. Se ha considerado como un recurso inútil al que solamente viene operando para retrasar el acceso de los conflictos jurídicos a la sede jurisdiccional que ha de resolverlos. Concepción del recurso de reposición que, sin duda, es consecuencia de los malos hábitos administrativos, del que se sobreentiende que no provoca otra resolución distinta a la desestimatoria.

O también cuando se afirma en dicha sentencia, que la ejecutividad de los actos administrativos no es un valor absoluto, y uno de sus elementos que la relativizan es la existencia de acciones impugnatorias de las que la Administración no puede desentenderse.

Asimismo, en las sentencias de 21 de junio de 2021 y 20 de julio de 2022 el Tribunal Supremo al plantearse la interposición extemporánea de lo que el propio Tribunal califica de *"recurso de alzada impropio"* en cuanto es promovido por la Administración contra un acto de la propia Administración, lo considera como una prerrogativa *"irritante y descompensada"* en la medida que pospone o neutraliza el acceso a la tutela judicial efectiva de los ciudadanos, y finaliza advirtiendo que la interposición de este tipo de recursos de alzada debe ser vista con recelo y cautela *«a fin de evitar que la Administración en el seno de una concesión legal exorbitante y privilegiada, la de corregir sin someterse a las rigurosas reglas de la revisión de oficio, ….elija además a placer la fecha que le convenga bien para aparentar una notificación de la que no hay constancia directa, solo con indicar la que bien le encaje a posteriori con el plazo legal»*

En la STS de 22 de diciembre de 2020 el Tribunal Supremo ha dicho *«el deber impuesto de atenerse a un plazo legalmente fijado es un deber material y no formal, de carácter objetivo y al margen de la voluntad de los interesados, pues a la Administración le es exigible una conducta lo suficientemente diligente como para evitar definitivamente las posibles disfunciones derivadas de su actuación, por así exigirlo el principio de buena administración (…)»*. Esto lo dice el Tribunal Supremo con ocasión del plazo habilitado legalmente para la ejecución de las resoluciones en sede económico-administrativa o judicial. Si elevamos este razonamiento al grado de categoría jurídica, podríamos convenir que el incumplimiento de un plazo legal en el dictado de un acto o resolución administrativa no es un defecto de forma que invalide el acto y permite la retroacción de lo actuado, sino un defecto sustancial, un defecto de carácter material, que obliga a anular el acto recurrido sin posibilidad de retrotraerlo.

Como se aprecia, el principio de buena administración no solo ha llegado para quedarse como fundamento de quienes, en derecho, se oponen a la actuación de los órganos de la Administración tributaria, sino que al hilo de su discurso y desarrollo ha servido al Tribunal Supremo para poner de relieve comportamientos anómalos de sus órganos de actuación, por desproporcionados, además de poner de manifiesto ciertas "prerrogativas" a ellos reconocidas en ley que distorsionan el equilibrio que debe presidir las reglas del juego desde la perspectiva de la proporcionalidad en su ejercicio y desde la óptica de las garantías que deben asistir al ciudadano contribuyente en sus relaciones con la Hacienda Pública.

18.- ALGUNAS PROPUESTAS DE APLICACIÓN DEL DERECHO A UNA BUENA ADMINISTRACIÓN EN MATERIA TRIBUTARIA.

CARMEN URIOL EGIDO.

Prof. Contratada Doctora
Universidad de Valencia.

1. CONFIGURACIÓN NORMATIVA Y JURISPRUDENCIAL DEL DERECHO A UNA BUENA ADMINISTRACIÓN Y SU APLICACIÓN EN EL ORDENAMIENTO TRIBUTARIO INTERNO.

El derecho a una buena administración, proclamado en el art. 41 de la Carta de los Derechos Fundamentales de la Unión Europea (en adelante, la Carta), ha suscitado, de un tiempo a esta parte, un especial interés doctrinal en el ámbito tributario[26], simultáneo a la jurisprudencia del Tribunal Supremo que apela a

---

[26]   Sobre el tema, vid. ALVAREZ MARTÍNEZ, J.: "El principio de buena administración como nuevo paradigma jurídico y su aplicación en el ámbito tributario: régimen normativo, naturaleza jurídica y contenido", *Nueva Fiscalidad*, nº 1, 2022, pp. 23 y ss., CASAS AGUDO, D.: "Derecho a una buena administración y ordenamiento tributario", en AA.VV.: *Derechos fundamentales y tributación*, monográfico Nueva Fiscalidad, 2020, pp. 61 y ss, CARRASCO GONZÁLEZ, F.M.: "El derecho a una buena administración y la exigencia de plazos razonables en los procedimientos tributarios", en AA.VV. (dir. por GARCÍA BERRO, F..): *Derechos fundamentales y Hacienda Pública: una perspectiva europea*, Civitas, Madrid, 2015, pp. 169 y ss., y "El principio de buena administración en el ámbito de la revisión de actos tributarios", *Revista Española de Derecho Financiero*, nº 197, 2023, pp.73 y ss., LITAGO LLEDÓ, R.: "Eficacia práctica del «principio» de buena administración formulado por el tribunal supremo", *Revista Técnica Tributaria*, nº 133, 2021, pp. 127 y ss. y "El "derecho" a la buena

dicho derecho para la resolución de diversas cuestiones suscitadas en los procedimientos tributarios[27].

Configurado legal y jurisprudencialmente como un derecho complejo o compuesto[28], está integrado por la suma de otros derechos que tienen un respaldo
constitucional y legal explícito, incluso en el específico ámbito tributario, y que
son los siguientes:

- derecho de audiencia y participación en la elaboración de las disposiciones y
  actos administrativos (art. 105.a) y b) de la Constitución española (en adelante, CE), art. 53.1.e de la Ley 39/2015, de 1 de octubre, del Procedimiento Administrativo Común de las Administraciones Públicas (en adelante,

---

administración y la inactividad de la administración tributaria", en AA.VV. (dir. por MERINO JARA,
I.): *La protección de los derechos fundamentales en el ámbito tributario*, Wolters Kluwer, Madrid, 2021, pp.
255 y ss., MARÍN-BARNUEVO FABO, D.: "El principio de una buena administración en materia
tributaria", *Revista Española de Derecho Financiero*, n° 186, 2020, pp. 15 y ss. y ORENA DOMÍNGUEZ,
A.: "El principio de buena administración en el ámbito tributario: un paso más allá en los derechos
y garantías de los obligados tributarios", *Quincena Fiscal*, N° 22, 2020 (BIB 2020\37489).
Las consecuencias metodológicas del art. 41 de la Carta sobre el Derecho Financiero y Tributario
fueron puestas de manifiesto por BOSCH CHOLBI, J. L. y URIOL EGIDO, C.: "Los procedimientos
administrativos tributarios a la luz de los principios constitucionales", en AA.VV.: *Ética fiscal*, Instituto de Estudios Fiscales, Madrid, 2004, pp. 121 y ss.

[27]   El art. 41 de la Carta dispone: "Artículo 41. Derecho a una buena administración.
1. Toda persona tiene derecho a que las instituciones, órganos y organismos de la Unión traten sus
asuntos imparcial y equitativamente y dentro de un plazo razonable.
2. Este derecho incluye en particular:
a) el derecho de toda persona a ser oída antes de que se tome en contra suya una medida individual
que la afecte desfavorablemente;
b) el derecho de toda persona a acceder al expediente que le concierna, dentro del respeto de los
intereses legítimos de la confidencialidad y del secreto profesional y comercial;
c) la obligación que incumbe a la administración de motivar sus decisiones.
3. Toda persona tiene derecho a la reparación por la Unión de los daños causados por sus instituciones o sus agentes en el ejercicio de sus funciones, de conformidad con los principios generales
comunes a los Derechos de los Estados miembros.
4. Toda persona podrá dirigirse a las instituciones de la Unión en una de las lenguas de los Tratados
y deberá recibir una contestación en esa misma lengua."
Vid. los siguientes estudios específicos sobre este precepto: PONCE SOLÉ, J.: *Deber de buena administración y derecho al procedimiento administrativo debido: las bases constitucionales del procedimiento administrativo y del ejercicio de la discrecionalidad*, Lex Nova, Valladolid, 2001; RODRIGUEZ-ARANA MUÑOZ,
J.: *El buen gobierno y la buena administración de instituciones públicas*, Thomson Aranzadi, Cizur Menor,
2006 y *El Derecho a una buena Administración para los ciudadanos, un modelo global de Administración*,
Netbiblo-INAP. Madrid, 2013; TOMÁS MALLÉN, B.: *El derecho fundamental a una buena administración*, Instituto Nacional de Administraciones Públicas, Madrid, 2004 y TORNOS MÁS, J.: *El derecho a
una buena administración*, Sindicatura de Greuges de Barcelona, Barcelona, 2007.

[28]   En este sentido, MELLADO RUIZ, L.: "Principio de buena administración y aplicación indirecta
del Derecho Comunitario: instrumentos de garantía frente a la "comunitarización" de los procedimientos", *Revista española de derecho europeo*, n° 27, 2008, p. 319 afirma: "Puede admitirse que nos encontramos, en el estadio actual, ante un derecho completo o compuesto (como es el caso, también
del derecho constitucional a la tutela judicial efectiva)".

LPAC) y art. 34.l y m de la Ley 58/2003, de 17 de diciembre, General Tributaria (en adelante, LGT);

- derecho de acceso a archivos y registros administrativos (art. 105.b CE y art. 13.e LPAC);

- derecho a una actuación administrativa imparcial, equitativa y llevada a cabo en un plazo razonable (art. 24 y 103 CE, art. 6 del Convenio para la Protección de los Derechos Humanos y de las Libertades Fundamentales (en adelante, CEDH) y art. 34.k LGT);

- derecho a una resolución administrativa motivada (art. 24, 103 CE, y 103.3 LGT y art. 35 LPAC);

- derecho de reparación en los casos de mala administración (art. 106.2 CE, art. 35.j y art. 32 de la Ley 40/2015, de 1 de octubre, de Régimen Jurídico del Sector Público (en adelante, LRJSP)); y

- derecho al pluralismo lingüístico ante la Administración (art. 3 y 14 CE, 15 LPAC y art. 34.d LGT).

Estos derechos también están reconocidos en el Código del Contribuyente Europeo, que, aunque instrumento no vinculante, es orientador de los principios generales y buenas prácticas que los Estados miembros deben adoptar y aplicar en materia de derechos y obligaciones en las relaciones entre los contribuyentes y las Administraciones tributarias en Europa[29].

Esta particular configuración constitucional y legal convierte al derecho a una buena administración en una especie de *supra* derecho o derecho integrador de otros derechos, con especial relevancia en materia tributaria. Esta circunstancia, lejos de poder ser considerada como reiterativa, permite deducir la verdadera voluntad del Legislador[30], que no es otra que la de lograr la plena satisfacción

---

[29]   Comisión Europea, Orientaciones para un modelo de Código del contribuyente europeo, Comisión Europea, Dirección General de Fiscalidad y Unión Aduanera, Unión Europea, 2016 (Ref. Ares (2016)6598744 - 24/11/2016). Se supone que, dada su naturaleza no vinculante, el Código no se redacta como catálogo de derechos y deberes, sino en términos de "principios" integrados por una serie de "expectativas" de los contribuyentes y de las Administraciones tributarias. Los distintos derechos que integran el derecho a una buena administración están recogidos en las denominadas "expectativas de los contribuyentes" dentro de los principios de seguridad jurídica, colaboración, proceso de auditoría, divulgación voluntaria de información, derecho de reclamación, revisión judicial. Sobre el Código del contribuyente europeo, vid. PEETERS, B.: "Towards a more coordinated approach of the relation between the taxpayer and tax administrations: the European Taxpayers' Code", *EC Tax Review*, n° 4, 2017, pp. 178 y ss. y ANDRÉS AUCEJO, E.: "Towards an International Code for administrative cooperation in tax matter and international tax governance", *Revista Derecho del Estado*, n° 40, 2018, pp. 45 y ss.

[30]   El art. 3.1 del Código Civil establece: "Las normas se interpretarán según el sentido propio de sus palabras, en relación con el contexto, los antecedentes históricos y legislativos, y la realidad social del tiempo en que han de ser aplicadas, atendiendo fundamentalmente al espíritu y finalidad de aquellas".

del interés general en el ámbito tributario y la efectiva configuración de la relación jurídico-tributaria, tal y como viene definida en el art. 17 de la LGT; esto es,
como conjunto de "obligaciones y deberes, derechos y potestades originados por
la aplicación de los tributos".

La aplicación de este derecho en el ordenamiento interno podría encontrar,
en primer lugar, un escollo importante, derivado del ámbito objetivo de aplicación de la citada Carta, restringido a los actos de las instituciones comunitarias
o actos de los Estados miembros aplicando el Derecho Comunitario -ex. art. 51-.

Sin embargo, no se puede obviar que la Carta posee virtualidad a efectos interpretativos respecto de los derechos fundamentales enunciados en la Constitución - art. 10.2 CE[31]-. Así, por citar un ejemplo, en la STC 292/2000, se interpretó
el derecho a la inviolabilidad del domicilio recurriendo al art. 8 de la Carta de
Derechos Fundamentales de la Unión Europea[32]. Asimismo, la STC 81/2022, de
27 de junio, afirmó, en este sentido, que "Los tribunales españoles están, pues,
obligados a respetar en todo caso (art. 9.1 CE) estos derechos y libertades, tal y
como son definidos y aplicados en nuestro ordenamiento constitucional, e interpretados conforme a los convenios internacionales sobre la materia suscritos por
España (art. 10.2 CE)"[33].

Si atendemos a los pronunciamientos de los Tribunales de Justicia, la sentencia del Tribunal Superior de Justicia de la Comunidad Valenciana, de 14 de
septiembre de 2004 (en adelante, TSJCV), fue, en su momento, especialmente
ilustrativa de cuanto venimos exponiendo, al reconocer que la Carta de los derechos fundamentales de la Unión Europea ha sido utilizada como parámetro
interpretativo tanto por el Tribunal de Primera Instancia de la Unión Europea,
como por los más altos órganos jurisdiccionales internos, tanto el Tribunal Constitucional (en adelante, TC) como el Tribunal Supremo (en adelante, TS)[34]. Con

---

[31]   Vid., en idéntico sentido, FERNÁNDEZ TOMÁS, A.: "La Carta de los Derechos Fundamentales de
         la Unión Europea: estructura, ámbito de aplicación, invocabilidad y contenido", *Anuario de derecho
         europeo*, nº 2, 2002, p. 146. En cuanto a los efectos de la Carta, vid. también la obra del mismo autor
         La Carta de Derechos fundamentales de la Unión Europea, Tirant lo Blanch, Valencia, 2001, pp. 147 y ss.
[32]   STC 292/2000, de 30 de noviembre, F.D. 8 y siguientes. Vid. la propuesta de JIMENA QUESADA,
         L.: "La sentencia del TS en interés de ley de 19/11/2012: el día después", en *IX Congreso Tributario.
         La justicia ¿un valor en decadencia?*, AEDAF, Francis Lefebvre, 2013, p. 41. Según este autor, existe
         base jurídica suficiente para aplicar directamente la normativa supranacional europea -concreta-
         mente el art. 41 de la Carta- a la luz de la jurisprudencia del Tribunal de Luxemburgo.
[33]   STC 81/2022, de 27 de junio, F.D. 5.
[34]   La STSJ de la Comunidad Valenciana, de 14 de septiembre de 2004 (ECLI:ES:TSJCV:2004:4628),
         F.D. tercero, afirmó: "Es verdad que la Carta de los derechos fundamentales de la Unión Europea
         (DOCE C-364 de 18 de diciembre de 2000) fue proclamada solemnemente el 7 de diciembre de
         2000 en el Consejo Europeo de Niza sin valor jurídico obligatorio o vinculante (valor que de mo-
         mento queda condicionado a la ratificación del mencionado Tratado constitucional), pero no es
         menos cierto que viene siendo utilizada como parámetro interpretativo tanto por el Tribunal de
         Primera Instancia de la Unión Europea (cfr. su sentencia de 30 de enero de 2002, dictada en el

idéntica orientación, bastantes años después, la sentencia del Tribunal Supremo, de 3 de marzo de 2022, en materia de derecho a la intimidad e intervenciones telefónicas, afirmó que el Convenio y la Carta "constituyen parámetros para la interpretación de los derechos fundamentales y libertades reconocidos en nuestra Constitución, conforme a lo dispuesto en su art. 10.2"[35].

Específicamente, en el ámbito tributario, la STC 74/2022 de 14 de junio, mantiene que: "la jurisprudencia del Tribunal Europeo de Derechos Humanos y del Tribunal de Justicia de la Unión Europea, constituyen *ex art.* 10.2 CE un relevante elemento hermenéutico en la determinación del sentido y alcance de los derechos fundamentales que la Constitución Española proclama (por todas, SSTC 155/2019, de 28 de noviembre, FJ 15 B; 97/2020, de 21 de julio, FJ 5 D, y 70/2021, FJ 3 B)[36].

Este valor interpretativo exige una manera de aproximarse al enjuiciamiento de la actuación de la Administración tributaria cuando se ven afectados los derechos de los obligados tributarios, como se tendrá ocasión de analizar seguidamente.

Pero es que, además, amén de este importante valor hermenéutico, es posible afirmar que el derecho a una buena administración es un derecho constitucional que está implícitamente reconocido en la CE. Incluso, existen antecedentes jurisprudenciales que vislumbraron, incluso antes de la entrada en vigor de la CE, la existencia del derecho a una buena administración[37]. "Deber de" y "derecho a" una buena administración que ya había sido intuido también por la doctrina administrativa[38].

---

asunto max.mobil telekommunikation Service GmbH contra Comisión, en donde se cita igualmente el artículo 41 de la Carta), como por los más altos órganos jurisdiccionales internos (entre ellos, el Tribunal Constitucional –vid. STC 53/2002 de 27 de febrero, dictada en el recurso de inconstitucionalidad núm. 2994/1994– o el Tribunal Supremo –entre otras muchas, SSTS, Sala Contencioso-Administrativa de 26 marzo 2002, recurso 8220/1997; de 27 marzo de 2002, recurso 8218/1997; y de 2 de abril de 2002, recurso 9932/1997-. Y es que, en cualquier caso, la Carta –como ella misma expresa en su Preámbulo– «reafirma, respetando las competencias y misiones de la Unión, así como el principio de subsidiariedad, los derechos reconocidos especialmente por las tradiciones constitucionales y las obligaciones internacionales comunes de los Estados miembros, el Convenio Europeo para la Protección de los Derechos Humanos y de las Libertades Fundamentales, las Cartas Sociales adoptadas por la Unión y por el Consejo de Europa, así como por la jurisprudencia del Tribunal de Justicia de la Unión Europea y del Tribunal Europeo de Derechos Humanos»".

35   STS de 10 de marzo de 2022 (ECLI:ES:TS:2022:1162), F.D. primero.

36   STC 74/2022 de 14 de junio, F.D. 3 B.

37   Sobre el tema, vid. PONCE SOLÉ, J.: *Deber de buena administración y derecho al procedimiento debido. Las bases constitucionales del procedimiento administrativo y del ejercicio de la discrecionalidad...*, op. cit., pp. 148 y ss. y TOMÁS MALLÉN, B.: *El derecho fundamental a una buena administración...*, op. cit., pp. 102 y 103.

38   Vid. BASSOLS COMA, M.: "El principio de buena administración y la función fiscalizadora del Tribunal de Cuentas", en AA.VV.: *El Tribunal de Cuentas en España*, Vol. I, Instituto de Estudios Fiscales, Madrid, 1982, pp. 261 y ss., GARCÍA-TREVIJANO FOS, J.A.: "Administración pública española y

Así, la sentencia del TS, de 14 de abril de 1971, se pronunció en este sentido, al entender que el procedimiento administrativo "tiene la doble finalidad de servir de garantía de los derechos individuales y de garantía de orden de la Administración y de justicia y acierto en sus resoluciones"[39]; jurisprudencia que, por lo demás, se ha mantenido literalmente, incluso en el ámbito tributario -sentencias del TS de 24 de octubre de 2007 y de 21 de junio de 2006[40]-.

En la actualidad, y en consonancia con lo que sucede en otros países europeos[41], se afirma que existe un derecho a una buena administración que, aunque no está recogido como tal explícitamente en un precepto de la Carta magna, sin embargo, puede derivarse de una interpretación conjunta y sistemática del Texto constitucional[42], y, concretamente, del artículo 103.1 CE[43], en conjunción con los artículos 9.3[44] y 31.2 CE[45].

---

norteamericana", en AA.VV.: *Estudios en homenaje a Jordana de Pozas*, Instituto de Estudios Políticos, Madrid, 1961, pp. 285 y ss., GARCÍA DE ENTERRÍA, E.: *Legislación delegada, potestad reglamentaria y control judical*, Tecnos, Madrid, 1981, p. 210 y SAINZ MORENO, F.: "Sobre la apreciación de la buena conducta en función del interés general y la responsabilidad patrimonial de la Administración: Sentencia del Tribunal Supremo de 19 de enero de 1977", *Revista Española de Derecho Administrativo*, nº 13, 1977, pp. 329 y ss.

[39]   Cfr. STS de 14 de abril de 1974, F.D. tercero.

[40]   Cfr. STS de 24 de octubre de 2007 (TOL1.214.037), F.D. cuarto, STS de 21 de junio de 2006 (TOL987.070), F.D. tercero y en idéntico sentido STSJ de Galicia, de 18 de marzo de 2008 (TOL1.426.011), F.D. segundo.

[41]   Un estudio de Derecho comparado puede verse en PONCE SOLÉ, J.: *Deber de buena administración y derecho al procedimiento debido. Las bases constitucionales del procedimiento administrativo y del ejercicio de la discrecionalidad...*, op. cit., pp. 127 y ss. y en TOMÁS MALLÉN, B.: *El derecho fundamental a una buena administración...*, op. cit., pp. 104 y ss.

[42]   El art. 31, en su apartado segundo, de la CE recoge, de manera novedosa en el panorama constitucional de los países de nuestro entorno, los principios que deben regir el gasto público: "2. El gasto público realizará una asignación equitativa de los recursos públicos, y su programación y ejecución responderán a los criterios de eficiencia y economía".

[43]   El artículo 103, en su apartado primero, de la Carta Magna, determina que: "1. La Administración Pública sirve con objetividad los intereses generales y actúa de acuerdo con los principios de eficacia, jerarquía, descentralización, desconcentración y coordinación, con sometimiento pleno a la ley y al Derecho".

[44]   El apartado tercero del artículo 9 de la Constitución española establece: "3. La Constitución garantiza el principio de legalidad, la jerarquía normativa, la publicidad de las normas, la irretroactividad de las disposiciones sancionadoras no favorables o restrictivas de derechos individuales, la seguridad jurídica, la responsabilidad y la interdicción de la arbitrariedad de los poderes públicos".

[45]   Vid., en idéntico sentido, BASSOLS COMA, M.: "El principio de buena administración y la función fiscalizadora del Tribunal de Cuentas"..., op. cit., p. 284; GARCÍA DE ENTERRÍA, E.: *Legislación delegada, potestad reglamentaria y control judicial...*, op. cit., p. 210.; PONCE SOLÉ, J.: *Deber de buena administración y derecho al procedimiento debido. Las bases constitucionales del procedimiento administrativo y del ejercicio de la discrecionalidad...*, op. cit., p.157, RODRIGUEZ-ARANA MUÑOZ, J.: *El Buen Gobierno y la Buena Administración de Instituciones Públicas...*, op. cit., pp. 23 y ss. o TOMÁS MALLÉN, B.: *El derecho fundamental a una buena administración...*, op. cit., p. 102.
Distinta es la situación por lo que a la legislación autonómica se refiere, ya que varios Estatutos de Autonomía, recogiendo el testigo de algunos países europeos y de la Carta de los Derechos Fundamentales de la Unión Europea, han incluido expresamente este derecho a raíz de las modifi-

El Tribunal Constitucional, aún sin reconocer expresamente el derecho a una buena administración como tal, parece dejar entrever su existencia en algunos de sus pronunciamientos, así como el correlativo interés de los ciudadanos en que la Administración respete, en sus actuaciones, los procedimientos legalmente establecidos. Llama, además, la atención que estos pronunciamientos se hagan *obiter dicta*, cuando profundiza en el contenido del principio de seguridad jurídica.

Así, respecto de la vertiente subjetiva de dicho principio, el TC, en su Sentencia 273/2000, afirmó: "de los principios de seguridad jurídica e interdicción de la arbitrariedad de los poderes públicos, puede deducirse un deber de los poderes públicos de observar los trámites esenciales para la elaboración de las normas jurídicas, como correlato del interés legítimo de los ciudadanos en que la Administración Pública observe dichos trámites"[46]. En cierto modo, puede apreciarse una preocupación, en el Tribunal Constitucional, por reflejar la importancia tanto del deber de buena legislación como el de buena administración.

Ha sido más explícito el Tribunal Supremo, por ejemplo, en la sentencia de 24 de marzo de 2009, en la cual considera que este derecho tiene fundamento en el art. 103 CE, estando implícitamente reconocido en el entonces vigente art. 35 de la Ley 30/1992, de 26 de noviembre, de Régimen Jurídico de las Administraciones Públicas y del Procedimiento Administrativo Común (en la actualidad, art. 13 de la LPAC)[47]. Asimismo, la sentencia del TSJ de la Comunidad Valenciana, de 4 de abril de 2009, apreciando la relación entre el art. 103 CE y el derecho a

---

caciones estatutarias llevadas a cabo, o bien en leyes autonómicas relativas al funcionamiento de la propia Administración Autonómica o al Defensor del Pueblo de cada Comunidad Autónoma. Vid. art. 31 de la Ley Orgánica 2/2007, de 19 de marzo, de reforma del Estatuto de Autonomía para Andalucía (Artículo 31. Buena administración), art. 16 de la Ley Orgánica 5/2007, de 20 de abril, de reforma del Estatuto de Autonomía de Aragón (art. 16 que consagra el derecho a unos servicios públicos de calidad), el art. 12 de la Ley Orgánica 14/2007, de 30 de noviembre, de reforma del Estatuto de Autonomía de Castilla y León (Artículo 12. Derecho a una buena Administración), el art. 30 de la Ley Orgánica 6/2006, de 19 de julio, de reforma del Estatuto de Autonomía de Cataluña (Artículo 30. Derechos de acceso a los servicios públicos y a una buena Administración), el art. 9 de la Ley Orgánica 1/2006, de 10 de abril, de Reforma de Ley Orgánica 5/1982, de 1 de julio, de Estatuto de Autonomía de la Comunidad Valenciana, el art. 14 de la Ley Orgánica 1/2007, de 28 de febrero, de reforma del Estatuto de las Illes Balears, el art. 7 de la Ley foral de la Administración de Navarra (Ley Foral 15/2004, de 3 diciembre) (Artículo 7. Derecho a una buena administración). También el Preámbulo de la Ley 4/2006, de 30 junio de Transparencia y Buenas Prácticas en Administración Pública Gallega, y la Ley 5/2006, de 16 de diciembre del Procurador General de Asturias, recogen el derecho a la una buena administración, como un derecho relacionado con el interés público, el bien común, o la buena y transparente gestión de los intereses públicos.

46 Vid. STC 273/2000, de 15 de noviembre, F.D. 11.
47 STS de 24 de marzo de 2009 (ECLI:ES:TS:2009:1855), F.D quinto.

una buena administración, anuló, por falta de motivación, una liquidación derivada de un acto de comprobación de valores[48].

De un tiempo a esta parte, el Tribunal Supremo lo ha aplicado, en muchas ocasiones, en el ámbito tributario. Así, en su Auto, de 12 de septiembre de 2019, apreció la existencia de interés casacional objetivo, "tomando en consideración el principio de buena Administración que deriva de los artículos 9.3 y 103 de la CE", a la hora de interpretar los art. 65.5 y 167.3.b LGT en materia de solicitudes de aplazamientos o fraccionamientos del pago en periodo ejecutivo de cobro de las deudas tributarias, y la potestad de la Administración de dictar providencia de apremio, sin haber resuelto tal solicitud[49]. La sentencia del TS, de 15 de octubre de 2020, que resolvió dicho recurso, afirmó "que el principio de buena administración está implícito en nuestra Constitución (artículos 9.3, 103 y 106)" y que "ha sido positivizado en la Carta de derechos fundamentales de la Unión Europea (artículos 41 y 42)"[50]. No se trata de la única sentencia del Tribunal Supremo que se pronuncia en este sentido. Así, entre otras, la STS de 14 de febrero de 2023, establece que: "se ha producido una dilación indebida o, expresado en términos de la Carta Europea, una resolución en plazo no razonable, con vulneración de los arts. 9.3 y 103 CE, por infracción del derecho a una buena administración"[51].

Así pues, el reconocimiento constitucional del derecho a una buena administración encuentra su fundamento en el servicio de la Administración al interés general, el principio de seguridad jurídica del art. 9.3 CE y el resto de principios plasmados en dicho precepto (eficacia, jerarquía, descentralización, desconcentración, coordinación, sometimiento pleno a la ley y al Derecho, eficiencia y

---

[48]   Cfr. STSJ de la Comunidad Valenciana de 4 de abril de 2009 (TOL2.342.966), F.D. quinto. A raíz del recurso interpuesto contra una liquidación derivada de un acto de comprobación de valores, afirma: "Motivación que, a su vez, es consecuencia de los principios de seguridad jurídica y de interdicción de la arbitrariedad enunciados por el apartado 3 del artículo 9 Constitución Española (CE) y que también, desde otra perspectiva, puede considerarse como una exigencia constitucional impuesta no sólo por el artículo 24.2 CE , sino también por el artículo 103 (principio de legalidad en la actuación administrativa). Por su parte, la Carta de los Derechos Fundamentales de la Unión Europea, proclamada por el Consejo Europeo de Niza de 8/10 de diciembre de 2000 incluye dentro de su artículo 41, dedicado al "Derecho a una buena Administración", entre otros particulares, "la obligación que incumbe a la Administración de motivar sus decisiones". Tal precepto se contemplaba en el artículo II-101 del Tratado, por el que se establecía una Constitución para Europa. Todo lo cual nos lleva a erigir la motivación como un derecho del administrado frente a la prohibición de arbitrariedad en la actuación administrativa que responde a una exigencia impuesta por el artículo 24.2 de la Constitución Española". En idéntico sentido que la anterior, y también en materia tributaria, la SAN de 16 de julio de 2009 (TOL5.271.693), F.D. quinto; la SAN de 5 de febrero de 2009 (Rec. n°. 438/2005), F.D. cuarto o la SAN de 3 de mayo de 2013 (TOL3.725.466), F.D. tercero.

[49]   ATS de 12 de septiembre de 2019 (ECLI:ES:TS:2019:8987A), F.D. sexto.

[50]   STS de 15 de octubre de 2020 (ECLI:ES:TS:2020:3279), F.D. tercero. En idéntico sentido, SAN de 23 de marzo de 2022 (ECLI:ES:AN:2022:1670), F.D. décimo.

[51]   STS de 14 de marzo de 2013 (ECLI:ES:TS:2023:417), F.D. sexto.

economía) –en tanto que principios constitucionalmente establecidos que rigen el actuar de la Administración- y que, por tanto, constituyen auténticos deberes para la Administración: dando lugar, la suma de todos ellos, al consiguiente derecho a una buena administración[52]. Este deber o derecho exige un concreto modo de actuar por parte de la Administración, que no puede permanecer ajena a estos mandatos jurídicos. Vincula, como no podría ser de otro modo, a la Administración tributaria, pues, como afirmase Martín Queralt, la actividad administrativa, en materia tributaria, se singulariza únicamente por razón de la materia, pero nada más[53].

En definitiva, el derecho a una buena administración es un derecho con fundamento constitucional, pudiendo ser alegado por el contribuyente y, por tanto, debiendo ser aplicado por los Tribunales en el ejercicio de la potestad jurisdiccional que tienen encomendada. No obstante, tampoco debe desdeñarse su importancia como valor hermenéutico, *ex* artículo 10.2 de la CE, siendo necesario un atento estudio de la jurisprudencia europea en la materia, en la medida en que contribuye a conformar y delimitar el sentido y alcance de los derechos que proclama la Constitución Española.

2. LA FUNCIÓN ACTUAL DEL PROCEDIMIENTO TRIBUTARIO COMO ARTICULACIÓN DEL DERECHO A UNA BUENA ADMINISTRACIÓN Y COMO INSTITUCIÓN CON RELEVANCIA CONSTITUCIONAL: LA NECESARIA RECEPCIÓN EN EL ÁMBITO TRIBUTARIO.

"Tras la ordenación del sistema tributario y la habilitación legal de potestades administrativas para hacerlo cumplir, la segunda etapa necesaria para la concreción del deber de contribuir se produce cuando las normas (generales y sectoriales) reguladoras del sistema entran en contacto con los hechos que desencadenan su aplicación; fase (aplicativa) ésta en la que el sistema tributario pone a prueba su vigencia (real) en las medida en que las abstractas previsiones legales logren

---

[52] Cfr. PONCE SOLÉ, J.: *Deber de buena administración y derecho al procedimiento debido. Las bases constitucionales del procedimiento administrativo y del ejercicio de la discrecionalidad…*, op. cit., p.160.
[53] Cfr. MARTÍN QUERALT, J.: "La aplicación de la Ley 30/1992, de 26 de noviembre, en los procedimientos administrativos en materia tributaria", *Tribuna Fiscal,* nº 32, 1993, p. 38 y "Las cosas son como son", *Tribuna Fiscal,* nº 63, 1994, p. 4. En idéntico sentido, entre otros, ESCRIBANO, F.: "La aplicación de la ley de procedimiento administrativo común en otros ámbitos. Especial referencia al procedimiento tributario", *Técnica Tributaria,* nº 27, 1994, p. 30 o HERRERA MOLINA, P.M. y SERRANO ANTÓN, F.: "El Reglamento de procedimientos tributarios ¿adaptación o huida de la Ley de Procedimiento Administrativo común", *Impuestos II,* 1992, p. 957.

convertirse en concretas pretensiones tributarias exigibles y satisfechas"[54]. Esta afirmación resume la relevancia del procedimiento administrativo en el ámbito tributario, y la perspectiva desde la que se pretende abordar, en este trabajo, el estudio y análisis de la institución procedimental.

El punto de partida, siguiendo a Ponce Solé, sería el siguiente: "El procedimiento administrativo puede y debe ser una institución jurídica que, además de constituir una defensa para los interesados, ayude a que la Administración administre bien y, en consecuencia, a que aumenten las posibilidades de obtención de decisiones acertadas en su servicio a los intereses generales"[55]. Cuestión que, dicho sea de paso, contribuiría a disminuir la litigiosidad en el ámbito tributario, permitiendo una gestión del gasto público más eficiente, amén de una mejor percepción, por los obligados tributarios, del modo en que se están gestionando sus intereses[56].

Concebido así el procedimiento, éste pasaría a superar esa dimensión garantista -necesaria y oportuna-, para convertirse en un instrumento que ayude a la Administración a cumplir la función que tiene constitucionalmente encomendada, que no es otra que el servicio al interés general, con pleno sometimiento a la Ley y al Derecho[57]. Se extiende a la institución procedimental, de este modo,

---

[54]   Cfr. MARTÍN QUERALT, J., LOZANO SERRANO, C., TEJERIZO LÓPEZ, J.M., CASADO OLLE-RO, G. y ORÓN MORATAL, G.: *Curso de Derecho Financiero y Tributario*, 33ª ed., Madrid, Tecnos, Madrid, 2022, p. 328.

[55]   PONCE SOLÉ, J.: *Deber de buena administración y derecho al procedimiento administrativo debido: las bases constitucionales del procedimiento administrativo y del ejercicio de la discrecionalidad…*, op. cit., p. 35.

[56]   La conflictividad en materia tributaria es una cuestión que preocupa también a la Administración Tributaria. Así se manifiesta en el Plan estratégico de la Agencia Tributaria 2020-2023 (https://sede.agenciatributaria.gob.es/Sede/planificacion/plan-estrategico-agencia-tributaria-2020-2023.html), pp. 62 y ss. Sobre el tema, vid. AA. VV. (dir. por LAGO MONTERO, J.A.): *Litigiosidad tributaria: estado, causas y remedios*, Aranzadi, Cizur Menor, 2018 y AA.VV. (dir. por MORENO GONZÁLEZ, S. y CARRASCO PARRILLA, P.J.): *Cumplimiento cooperativo y reducción de la conflictividad: hacia un nuevo modelo de relación entre la Administración tributaria y los contribuyentes*, Aranzadi, Cizur Menor, 2021.

[57]   El tránsito de una concepción del procedimiento como un actuar interno de la Administración, con una regulación reglamentaria –que no legal-, hacia su entendimiento como como garantía del administrado, se produjo precisamente en el ámbito tributario, con la Ley de 31 de diciembre de 1881, sobre Bases para el Procedimiento en las Reclamaciones económico-administrativas, en cuyo proyecto de Ley presentado ante el Congreso de los Diputados se afirmaba: "Si los derechos de los ciudadanos han de estar debidamente garantidos (sic), y si éstos han de contar, como es justo, con la seguridad de ser fielmente atendidos cuando los ejercitan, preciso es que en la ley del procedimiento, en la ley adjetiva, encuentren la garantía necesaria de que será una verdad aquel ejercicio que las leyes sustantivas les reconocen; pues de otro modo el derecho podrá tenerse, pero no ejercitarse, y el derecho sin su ejercicio deja de ser tal derecho en la vida de la realidad". Vid. BASSOLS COMA, M.: "La significación de la legislación de procedimiento administrativo en el derecho administrativo español: Especial consideración de la L.P.A de , en AA.VV.: *Administraciones públicas y ciudadanos (estudio sistemático de la Ley 30/1992, de 26 de noviembre, de Régimen Jurídico de las Administraciones Públicas y del Procedimiento Administrativo Común)*, coord. por PENDÁS GARCÍA, B., Ciss Praxis, 1993, p. 45.

la concepción "sustancialista"[58] -y no formal- del Derecho, que rige en el actual pensamiento jurídico -en el que los valores y principios adquieren vigencia y un marcado protagonismo-.

En este sentido, la función del procedimiento administrativo no es, exclusivamente, la de garantizar los derechos de los administrados, sino que, además, y muy especialmente, está previsto para coadyuvar a que la Administración cumpla con la función que tiene constitucionalmente encomendada. Como afirmasen, en su momento, García de Enterría y Fernández Rodríguez, "el procedimiento administrativo, si bien constituye una garantía de los derechos de los administrados, no agota en ello su función, que es, también, y muy principalmente, la de asegurar la pronta y eficaz satisfacción del interés general mediante la adopción de las medidas y decisiones necesarias por los órganos de la Administración, intérpretes de ese interés y, al propio tiempo, parte del procedimiento y árbitro del mismo"[59].

El artículo 105 CE se ocupa de la cuestión, al disponer que "La Ley regulará el procedimiento a través del cual deben producirse los actos administrativos". En este sentido, el art. 34.1 de la Ley 39/2015, de 1 de octubre, del Procedimiento Administrativo Común de las Administraciones Públicas, establece que: "Los actos administrativos que dicten las Administraciones Públicas, bien de oficio o a instancia del interesado, se producirán por el órgano competente ajustándose a los requisitos y al procedimiento establecido"; procedimiento que permitirá,

---

Hasta ese momento, el procedimiento era concebido como una institución carente de efectos externos, que tenía la exclusiva finalidad del ordenar el proceder interno de las diferentes Administraciones Públicas.

Fue a finales del siglo XIX, con la mencionada Ley de 31 de diciembre de 1881, cuando se produjo esta evolución en la institución procedimental, que culminó a mediados del siglo XX, con la concepción del procedimiento administrativo como garantía jurídica del administrado. Vid. ROYO VILLANOVA, S.: "El procedimiento administrativo como garantía jurídica", *Revista de Estudios Políticos n° 48*, 1949, pp. 55 y ss., que introduce, en la doctrina, los estudios elaborados por Merkl, en su Teoría General del Derecho Administrativo.

A partir de entonces, una función propia del procedimiento fue la de garantizar los derechos e intereses del administrado frente a la Administración. Es más, como afirman García de Enterría y T.R. Fernández Rodríguez, sería la primera de estas garantías, que, junto con el sistema de recursos administrativos y la jurisdicción contencioso-administrativa, configurarían el triple "circulo de garantías" de la posición jurídica del administrado, *Curso de Derecho Administrativo II,* 17ª ed., Civitas, Cizur Menor, 2022, (edición electrónica).

[58]   El término "sustancialista" no se encuentra recogido en el Diccionario de la Real Academia Española de la lengua, pero se emplea en la dogmática jurídica como opuesto a una concepción formal del Derecho, basado en la existencia de unos principios generales de Derecho que son concebidos como expresión de una justicia material reconocida jurídicamente. Vid. GARCÍA DE ENTERRÍA, E.: "Reflexiones sobre la Ley y los principios generales del Derecho en el Derecho Administrativo", *Revista de Administración Pública*, n° 40, 1963, p. 199.

[59]   Cfr. GARCÍA DE ENTERRÍA, E. y FERNÁNDEZ, T.R.: *Curso de Derecho Administrativo II,* 17ª edición..., *op. cit.*

tal y como dispone el mismo precepto, en su apartado 2, que el contenido de los actos se ajuste "a lo dispuesto por el ordenamiento jurídico", siendo además "determinado y adecuado a los fines de aquéllos". Y, en plena consonancia con tales preceptos, el art. 83.3 de la LGT prevé que: "La aplicación de los tributos se desarrollará a través de los procedimientos administrativos de gestión, inspección, recaudación y los demás previstos en este título".

Esta necesaria renovación de los paradigmas entorno a la institución procedimental –que está intrínsecamente unida a la distinta naturaleza que tienen el proceso y el procedimiento administrativo-, otorga al procedimiento el protagonismo que merece, y que va mucho más allá de su consideración como un elemento formal del acto administrativo[60].

En definitiva, dado que el procedimiento administrativo es el *iter* jurídico exclusivo para la producción de los actos administrativos -exigencia no sólo legal, sino constitucional[61]-, pasa a convertirse en el medio a través del cual la Administración da cumplimiento al deber de buena administración. De ahí la conexión entre deber de buena administración y derecho a un procedimiento administrativo debido[62].

Como afirmase la STS de 6 marzo 2007: "sabido es que el procedimiento, que es un cauce de actuación de las Administraciones Publicas al establecer los trámites sucesivos que conducen a la producción de un acto, es también una garantía por sí mismo, y no solo del acierto de la actuación o la disposición, sino también de la adecuación de la misma al ordenamiento jurídico"[63].

Esta estrechísima relación entre el deber de buena administración y el procedimiento administrativo debido ha sido oportunamente señalada, por ejemplo, en las Sentencias de la Audiencia Nacional, de 16 de julio de 2009 y de 23 de octubre de 2008, en las que se anulan, por falta de motivación, dos resoluciones del Tribunal Económico-administrativo Central -que habían confirmado la adecuación a Derecho de sendas sanciones tributarias-, y en las que se afirma: "La obligación de motivar no está prevista sólo como garantía del derecho a la defensa de los contribuyentes, sino que tiende también a asegurar la imparcialidad

---

[60]   Cfr. PONCE SOLÉ, J.: *Deber de buena administración y derecho al procedimiento administrativo debido: las bases constitucionales del procedimiento administrativo y del ejercicio de la discrecionalidad…*, op. cit. pp. 109 y ss.

[61]   Vid. PAREJO ALFONSO, L.: "El ciudadano y el administrado ante la Administración y su actuación, especialmente cumplida a través del procedimiento", en AA.VV.: *Administraciones Públicas y Constitución. Reflexiones sobre el XX aniversario de la Constitución Española de 1978*, INAP, Ministerio de Administraciones Públicas, Madrid, 1998, pp, 539 y ss.

[62]   Vid. en este sentido PONCE SOLÉ, J.: *Deber de buena administración y derecho al procedimiento debido. Las bases constitucionales del procedimiento administrativo y del ejercicio de la discrecionalidad…*, op. cit., p. 197.

[63]   STS de 6 marzo 2007 (ECLI:ES:TS:2007:1549), F.D. 3°.

de la actuación de la Administración Tributaria así como de la observancia de las reglas que disciplinan el ejercicio de las potestades que le han sido atribuidas"[64].

3. EL PROCEDIMIENTO TRIBUTARIO DESDE LA ÓPTICA DEL DERECHO A UNA BUENA ADMINISTRACIÓN Y A UN PROCEDIMIENTO DEBIDO: ALGUNAS PROPUESTAS.

3.1. La irrelevancia de la distinción entre elementos formales y materiales del acto administrativo: el artículo 239.3 de la LGT, a la luz del derecho a una buena administración.

El derecho a una buena administración y a un procedimiento administrativo debido supone un cambio en la concepción del procedimiento administrativo, y, concretamente, de los procedimientos tributarios en cuanto cauce a través del cual debe transcurrir el ejercicio de las potestades legalmente atribuidas a la Administración Tributaria. En este sentido, acto y procedimiento no son instituciones jurídicas independientes. Al contrario, se trata de dos caras de una misma realidad jurídica, que no es otra que la de la declaración jurídica sobre la situación particular, como puso de relieve Lozano Serrano[65].

Por ello, la primera y principal consecuencia que debe derivarse de esta renovación de los paradigmas entorno a la institución procedimental es la eliminación, por obsoleta y contraria a la Constitución y a la Carta de Derechos Fundamentales, de la doctrina tradicional sobre la concepción de los vicios de forma de los actos administrativos y las indeseables consecuencias -especialmente en el ámbito tributario- derivadas de la consideración de un defecto del procedimiento como un defecto formal, menor y, por tanto, subsanable, sin consecuencia

---

[64]   SAN de 16 de julio de 2009 (ECLI:ES:AN:2009:3493), F.D. 5° y SAN 23 de octubre de 2008 (ECLI:ES:AN:2008:4312), F.D. 2°.   En idéntico sentido, entre otras, la STS de 19 septiembre 2007 (ECLI:ES:TS:2007:6258, F.D. 1°; la STSJ de la Comunidad Valenciana de 8 de julio de 2009 (ECLI:ES:TSJCV:2009:5133), F.D. 5° y la Resolución del TEAC, de 4 de diciembre de 2008 (N° Resolución: 00/1765/2006), donde afirma, casi en idénticos términos, que: "El requisito de motivación está vinculado al derecho de defensa del obligado tributario y a la vez tiende también a asegurar la imparcialidad de la actuación de la Administración Tributaria, así como de la observancia de las reglas que disciplinan el ejercicio de las potestades que le han sido atribuidas".

[65]   Vid. LOZANO SERRANO, C.: "La reiteración de actos tributarios anulados desde el principio de congruencia procesal", *Tribuna Fiscal,* n° 268, 2013, para quien "el acto administrativo no cabe ni resulta escindible del procedimiento" y "el procedimiento no puede entenderse como mero cauce formal", sino que "es en el propio seno y a través del procedimiento administrativo como ha de conformase e integrarse la declaración jurídica sobre la situación particular", pp. 20 y 21.

práctica alguna para el incumplidor –salvo que se produzca una idéntica reiteración del vicio; matización de creación jurisprudencial-.

Como se ha dicho anteriormente, el procedimiento está llamado a ser el cauce a través del cual se hace realidad el derecho a una buena administración, y que se traduce, en este punto, en otros derechos de gran calado, como el derecho de audiencia o el derecho a una resolución motivada en un plazo razonable. La omisión o vulneración de estos derechos no puede ser considerada como una mera irregularidad no invalidante del acto o como un defecto formal y, por tanto, diferente a un defecto sustancial o de fondo de los actos tributarios.

Esta distinción ha traído importantes consecuencias jurídicas en perjuicio de los derechos del contribuyente. Así, puede apreciarse en numerosas resoluciones administrativas e, incluso, judiciales –también del Tribunal Supremo- que califican, por ejemplo, un defecto de motivación como vicio formal de un acto administrativo, para decidir, acto seguido que la Administración puede volver a actuar, subsanando el defecto, en defensa de un supuesto interés público -en el caso de los Tribunales Económico-administrativos, con base en el art. 239.3 LGT, y sin respaldo legal expreso en la Ley 29/1998, de 13 de julio, reguladora de la jurisdicción contencioso-administrativa, ya que el órgano judicial debería decidir, únicamente, en función de las pretensiones y de los motivos jurídicos hechos valer por las partes-[66].

En definitiva, con estas decisiones, los vicios "formales" de un acto administrativo, o la vulneración de algún trámite del procedimiento administrativo, se convierten en defectos "menores" y, por tanto, subsanables, cuando la realidad es que el deber de buena administración y el derecho a un procedimiento administrativo imponen la eliminación de los efectos de tal distinción, y exigen considerar que cualquier declaración de voluntad de la Administración tributaria en el ejercicio de una potestad administrativa que incida en una situación particular debe ser adoptada con pleno sometimiento a la Ley y al Derecho (art. 103 CE), y en la que todos sus elementos (dogmáticamente clasificados en elementos subjetivos, objetivos o formales), son esenciales para la existencia del acto y deben adquirir la misma relevancia jurídica, también cuando son vulnerados[67].

---

[66]   Vid. BOSCH CHOLBI, J.L.: "Matizaciones a la posibilidad de ordenar judicialmente la retroacción de actuaciones tributarias cuando se anula una liquidación tributaria", *Tribunal Fiscal, nº* 250-251, 2011, pp. 16 y ss. y "Los efectos de la nulidad de pleno Derecho o anulabilidad de una liquidación tributaria el replanteamiento de un "mito jurídico" y el papel de los Tribunales Económico-Administrativos", *Tribuna Fiscal: Revista Tributaria y Financiera*, nº 233, 2010, pp. 21 y ss.

[67]   Sin embargo, se podría admitir que existen requisitos no esenciales del acto que, por su entidad, no deben afectar a su validez. Serían los supuestos que entran dentro del procedimiento de rectificación de errores del art. 220 de la LGT y que se reconducen a la categoría de "errores materiales, de hecho o aritméticos" (lógicamente el significado de errores materiales a que se refiere este precepto no tiene nada que ver con el sentido de requisitos materiales o de fondo a que se acaba de hacer referencia). Ejemplos de ello serían errores en la identificación del administrado, los

Ésta sería, a la luz del derecho a una buena administración, la lectura que debería darse al art. 217.1 letra e) de la LGT, según el cual podrá declararse la nulidad de pleno derecho de los actos dictados en materia tributaria, así como de las resoluciones de los órganos económico-administrativos que hayan puesto fin a la vía administrativa o que no hayan sido recurridos en plazo cuando "hayan sido dictados prescindiendo total y absolutamente del procedimiento legalmente establecido". El voto particular de los Magistrados Frías Ponce y Martínez Micó, dictado a raíz de la Sentencia del Tribunal Supremo, de 29 de septiembre de 2014, parece asumir esta línea interpretativa: "Seguir manteniendo el criterio de la no interrupción de la prescripción implica que la Administración siempre tiene plazo para volver a liquidar, aunque hubiera transcurrido el de cuatro años, porque como se impugnó la liquidación, aunque la reclamación o recurso hubiera tenido éxito, la Administración puede volver a actuar al haberse interrumpido la prescripción con la reclamación o recurso. (…) procede institucionalizar la protección de un deber de buena administración y un correlativo derecho del ciudadano, como se recoge expresamente por la Carta de Derechos Fundamentales de la Unión Europea, en su art. 41.1, al consagrar que toda persona tiene derecho a que las instituciones y órganos de la Unión traten sus asuntos imparcial y equitativamente, y dentro de un plazo razonable"[68].

Tales consideraciones deberían suponer la supresión de la previsión del art. 239.3 de la LGT por ser contraria al derecho a una buena administración. No obstante, como ya se ha señalado, puede entenderse que existe base jurídica suficiente para recurrir las resoluciones de los Tribunales económico-administrativos que se apoyen en dicho precepto, por ser contrarias a tal derecho.

3.2. Relectura de la relación jurídico-tributaria a la luz del derecho a una buena administración.

El derecho a una buena administración y a un procedimiento administrativo impone una relectura del concepto de relación jurídico-tributaria del artículo 17 de la LGT; sobre todo, por lo que respecta a la posición del denominado "obligado tributario" –art. 35 LGT-, dentro de dicha relación.

---

cálculos aritméticos u omisiones en la identificación de sujetos o inmuebles, por citar algunos de ellos. Lo deseable sería que la Administración tributaria, en el ejercicio de las potestades que tiene atribuidas, dictase actos que observen todos sus requisitos, pero estos errores son, hasta cierto punto comprensibles, dada la cantidad de datos y cálculos que la Administración maneja para dictar sus propios actos.

[68]   Cfr. Voto particular STS de 29 de septiembre de 2014 (ECLI:ES:TS:2014:3816).

Configurada la relación jurídico-tributaria, *ex* art. 17.1. LGT, como "el conjunto de obligaciones y deberes, derechos y potestades originados por la aplicación
de los tributos", no resulta superfluo precisar que esta relación jurídica no está
integrada exclusivamente por obligaciones -por más que se haya generalizado
el concepto de "obligado tributario" para referirse a una de las partes de dicha
relación-, cuando la realidad es que tal denominación reduce conceptualmente
la posición jurídica de los administrados, que es mucho más rica y compleja, y
que integra, no sólo obligaciones materiales y formales, sino también las garantías constitucionales y legales (art. 34 de la LGT), así como las obligaciones y
deberes de la Administración tributaria (¿acaso debe entenderse jurídicamente
relevante esta distinción entre obligación y deber no prevista para los "obligados
tributarios"?).

El amplio y complejo cuerpo normativo tributario ha supuesto, de un tiempo
a esta parte, un importante incremento de las obligaciones formales, y de muy
diversas y variadas obligaciones de colaboración con la Administración tributaria. De igual manera, la aplicación de los tributos es una función que descansa,
mayoritariamente, en las obligaciones formales impuestas a los particulares, que,
además, comportan la asunción de un alto grado de responsabilidad tributaria
por parte de quien debe cumplirlas. El ejemplo más palmario se encuentra en la
obligación de realizar correctamente la autoliquidación de prácticamente todos
los tributos del sistema tributario.

Se trata de una obligación formal cuyo incumplimiento -o cumplimiento no
acorde con la interpretación administrativa- constituye una infracción tributaria (art. 191 LGT), y no deben obviarse dos factores importantes al respecto:
su generalización y, cada vez, mayor complejidad. En este sentido la STSJ de la
Comunidad Valenciana, de 19 de diciembre de 2012, afirmó lo siguiente: "en
contraste con épocas pasadas, los deberes formales de autoliquidación impuestos
a los contribuyentes son piedra angular del actual sistema general de gestión de
los tributos. Así, la Administración Tributaria delega a los administrados la concreción de su deber de contribuir después de que aquéllos apliquen operaciones
jurídicas y aritméticas, en ocasiones tan complejas que precisan de asesoramiento especializado"[69].

De igual manera, la STS de 23 de mayo de 2018, advirtió tal circunstancia al
pronunciarse sobre la presunción de veracidad de las autoliquidaciones -*ex* art.
108.4 LGT-, advirtiendo que, "en un sistema fiscal como el nuestro que descansa
ampliamente en la autoliquidación como forma preponderante de gestión, sólo
reconociendo tal valor de presunción, respaldado por la ley, un acto puramente

---

[69]   STSJ de la Comunidad Valenciana de 19 de diciembre de 2012 (ECLI:ES:TSJCV:2012:8253), F.D.
        tercero.

privado puede desplegar sus efectos en el seno de una relación jurídico fiscal de Derecho público sin que intervenga para ello, de un modo formal y explícito, la Administración. Esto es, una autoliquidación que contenga un ingreso se equipara en sus efectos, por la ley tributaria, a un acto de ejercicio de potestad en que se obtuviera el mismo resultado, lo que sucede cuando lo declarado por el obligado a ello no se comprueba, investiga o revisa"[70].

Por tanto, no resulta descabellado entender que el deber de buena administración despliega sin matices ni limitaciones todas sus consecuencias jurídicas como forma de contrapesar este altísimo grado de responsabilidad que asumen los particulares cuando de la aplicación del sistema tributario se trata.

Y, concretamente, en el ámbito de las autoliquidaciones tributarias, podría entenderse que es contraria al derecho a una buena administración la previsión del art. 126.2 del Real Decreto 1065/2007, de 27 de julio, por el que se aprueba el Reglamento General de las actuaciones y los procedimientos de gestión e inspección tributaria y de desarrollo de las normas comunes de los procedimientos de aplicación de los tributos. A tenor de dicho precepto reglamentario -que no legal-: "El obligado tributario no podrá solicitar la rectificación de su autoliquidación cuando se esté tramitando un procedimiento de comprobación o investigación cuyo objeto incluya la obligación tributaria a la que se refiera la autoliquidación presentada, sin perjuicio de su derecho a realizar las alegaciones y presentar los documentos que considere oportunos en el procedimiento que se esté tramitando que deberán ser tenidos en cuenta por el órgano que lo tramite".

En este sentido, y tratándose de obligaciones formales de colaboración en la gestión tributaria, a la luz del derecho a una actuación administrativa equitativa -contenido en el derecho a una buena administración-, debería permitirse al obligado tributario instar la rectificación de su autoliquidación en cualquier momento si, de conformidad con lo dispuesto en el art. 108.4 de la LGT, prueba suficientemente que los datos y elementos consignados previamente no son ciertos.

Tal previsión normativa fue objeto de interpretación por el Tribunal Supremo, en su Sentencia de 1 de abril de 2019, en la que afirmó lo siguiente:

> "2.1. La solicitud de rectificación de una autoliquidación solicitada por el contribuyente una vez iniciado un procedimiento inspector (del que tiene cumplida noticia y cuya incoación le fue notificada) debe ser tenida en cuenta por la Administración, que deberá dar respuesta motivada a la procedencia o no de la misma antes de adoptar la decisión correspondiente en el seno de tal procedimiento de comprobación e inspección.

> 2.2. Tal petición no implica, sin embargo, que la Administración deba estar indefectiblemente a los datos "rectificados" por el contribuyente, ni que, por tanto, deba descartar

---

[70]   STS de 23 mayo de 2018 (ECLI:ES:TS:2018:2186), F.D. tercero.

los valores que se tuvieron en cuenta al presentar la correspondiente autoliquidación y sustituirlos por los derivados de la solicitud de rectificación, pues la actividad exigible a la Administración en este caso es responder a la procedencia de la rectificación a tenor de las alegaciones formuladas por el interesado".

Concluyendo el Tribunal Supremo del siguiente modo:

"2.4 La previsión contenida en el artículo 126.2, párrafo segundo, del Real Decreto 1065/2007, de 27 de julio, por el que se aprueba el Reglamento General de las actuaciones y los procedimientos de gestión e inspección tributaria y de desarrollo de las normas comunes de los procedimientos de aplicación de los tributos, al impedir interesar el inicio del procedimiento de rectificación una vez iniciadas actuaciones de comprobación, no vulnera el principio de reserva legal en materia tributaria, ni cercena los derechos del contribuyente en la medida en que las alegaciones contenidas en el escrito interesando la rectificación deben ser tenidas en cuenta por la Administración, que deberá dar respuesta motivada a su alcance, procedencia y significación en relación con el tributo correspondiente"[71].

En el Auto del Tribunal Supremo, de 4 de mayo de 2022, se planteó, en idéntico sentido, la necesidad de interpretar los artículos 108.4, 119.1 y 120.3 de la LGT "a la luz del principio de buena administración, inferido de los artículos 9.3, 103 y 106 de la Constitución y del artículo 41.1 de la Carta de los Derechos Fundamentales de la Unión Europea". Pues, no puede olvidarse, "aunque no ha sido citado por la parte, que el artículo 191 de la LGT, relativo a la "Infracción tributaria por dejar de ingresar la deuda tributaria que debiera resultar de una autoliquidación", tipifica como infracción tributaria:"[...] dejar de ingresar dentro del plazo establecido en la normativa de cada tributo la totalidad o parte de la deuda tributaria que debiera resultar de la correcta autoliquidación del tributo, salvo que se regularice con arreglo al artículo 27 o proceda la aplicación del párrafo b) del apartado 1 del artículo 161, ambos de esta ley""[72].

La Sentencia del Tribunal Supremo, de 29 de mayo de 2023, resolvió el recurso, afirmado lo siguiente: "La buena administración exige un deber de diligencia en la toma de la decisión administrativa, que exige la ponderación y consideración de todos los intereses y hechos relevantes implicados, de forma que la Administración no parta en sus decisiones de un relato meramente formal, sino de la realidad objetiva", y concluye que "la petición de rectificación no implica que la Administración deba estar indefectiblemente a los datos "rectificados" por el contribuyente, ni que, por tanto, deba descartar los valores que se tuvieron en cuenta al presentar la correspondiente autoliquidación y sustituirlos por los derivados de la solicitud de rectificación, pues la

---

[71]   STS de 1 de abril de 2019 (ECLI:ES:TS:2019:1087), F.D. tercero. Vid., en idéntico sentido, las SSTS de 4 de abril de 2019 (ECLI:ES:TS:2019:1173) y de 9 de abril de 2019 (ECLI:ES:TS:2019:1174).
[72]   ATS de 4 de mayo de 2022 (ECLI:ES:TS:2022:6634A).

actividad exigible a la Administración en este caso, y de conformidad con el principio de buena administración, es responder a la procedencia de la rectificación a tenor de las alegaciones formuladas por el interesado"[73].

3.3. El derecho a una actuación administrativa imparcial, equitativa y llevada a cabo en un plazo razonable y la reclamación económico-administrativa.

Una de las derivadas del derecho a una buena administración es del derecho a una actuación administrativa imparcial, equitativa y llevada a cabo en un plazo razonable.

Cierto es que lo que deba considerarse como plazo "razonable" no deja de ser un concepto jurídico indeterminado que, por su propia naturaleza, no puede ser objeto de concreción previa, aunque, no por ello, debe prescindirse de su plena satisfacción.

El agotamiento de la vía administrativa en el ámbito tributario -ya sea reclamación económico-administrativa o la vía económico-administrativa local o autonómica, cuando así haya sido establecida-, pudiera plantear problemas tanto desde el punto de vista de una administración tempestiva, como desde las exigencias derivadas de una administración imparcial.

Como subrayó López Díaz, la autotutela administrativa no está constitucionalmente sancionada[74], pero tampoco está prohibida, pues como señaló el Tribunal Constitucional, en su Sentencia 22/1984, "el art. 103 reconoce como uno de los principios a los que la Administración Pública ha de atenerse, el de eficacia «con sometimiento pleno a la Ley y al Derecho». Significa ello una remisión a la decisión del Legislador ordinario respecto de aquellas normas, medios e instrumentos en que se concrete la consagración de la eficacia"[75]. Y, de igual manera, la STC 23/1997, de 11 de febrero, afirmó: "Este Tribunal ha declarado, desde luego, la constitucionalidad de diversas prerrogativas o de situaciones de superioridad, en general, a las Administraciones Públicas, pero siempre a partir de la existencia de algún bien o principio constitucional cuya preservación justificara su reconocimiento. Así, respecto de la autotutela, con fundamento en el principio de eficacia (SSTC 22/1984, 148/1993 y 78/1996), o de los intereses en favor de la Hacienda por el impago de los tributos, para evitar riesgos en el funcionamiento del sistema tributario (STC 76/1990); del mismo modo, ha atendido a la demora inercial o institucional

---

[73]   STS de 19 de mayo de 2023 (ECLI:ES:TS:2023:2333), hecho tercero.
[74]   LÓPEZ DÍAZ, A.: *Periodo ejecutivo. Procedimiento de apremio y recargo*, Aranzadi, Cuadernos de Jurisprudencia Tributaria, Cizur Menor, 2001, pp. 62 y 64.
[75]   STC 22/1984, de 17 de febrero, F.D. 4.

de la Hacienda para justificar una menor cuantía de los intereses procesales que ha de satisfacer (STC 206/1993)"[76].

Esta autotutela reduplicativa o en segunda potencia, a juicio de García de Enterría y Fernández Rodríguez, es difícilmente justificable, ya que "esa interposición de la vía previa agrava la ya inicial carga de accionar que se ha desplazado al administrado, complicando y retrasando el acceso a la garantía judicial, que es la única independiente y efectiva"[77]. Y, específicamente en el ámbito tributario, y, en un sentido similar, Checa González ha afirmado que dicha obligatoriedad es criticable, "por ser posiblemente atentatoria contra el principio de tutela judicial efectiva"[78].

Además, podría cuestionarse la obligatoriedad de la vía económico-administrativa desde la óptica del derecho a una buena administración por ser contraria a una actuación administrativa imparcial y dictada en un plazo razonable.

Respecto de la independencia de los Tribunales Económico-administrativos, bastan las palabras del TJUE, cuando afirmó, en su Sentencia de 21 de enero de 2020, que, si bien "es innegable que dentro del Ministerio de Economía y Hacienda existe separación funcional entre los servicios de la Administración tributaria responsables de la gestión, liquidación y recaudación, por una parte, y, por otra, los TEA, que resuelven las reclamaciones presentadas contra las decisiones de dichos servicios (…), algunas características del procedimiento de recurso extraordinario ante la Sala Especial para la Unificación de Doctrina regulado por el artículo 243 de la LGT contribuyen a poner en duda que el TEAC tenga la condición de «tercero» con respecto a los intereses en litigio", concluyendo que "el TEAC no cumple con la exigencia de independencia, en su aspecto interno, que caracteriza a los órganos jurisdiccionales"[79].

Puede plantearse, por tanto, la posible colisión de la obligatoriedad de la reclamación económico-administrativa previa a la vía judicial a la luz del derecho a una actuación administrativa imparcial, por tratarse de un recurso que se resuelve por un órgano que no es independiente, en su aspecto interno, respecto de los órganos que dictan los actos recurridos.

A mayor abundamiento, está la cuestión relativa a una actuación administrativa llevada a cabo en un plazo razonable, respecto de la cual el Tribunal de Justicia de la UE ha afirmado, en su Sentencia de 7 de junio de 2013, que "el carácter

---

[76]   STC 23/1997, de 11 de febrero, F.D. 5.
[77]   Cfr. GARCÍA DE ENTERRÍA, E. y FERNÁNDEZ, T.R.: Curso de Derecho Administrativo I. 18ª ed., 2017 (edición digital)
[78]   CHECA GONZÁLEZ, C.: "La injustificable obligatoriedad de la vía económico-administrativa previa a la contenciosa en la nueva ley general tributaria", *Anuario de la Facultad de Derecho*, Universidad de Extremadura, nº 22, 2004, p. 22.
[79]   STJUE de 21 de enero de 2020, as. C-274/14, par. 72 y 73.

razonable de la duración de un procedimiento administrativo debe apreciarse en función de las circunstancias propias de cada asunto y, en particular, del contexto de éste, de las diferentes fases del procedimiento seguido, de la complejidad del asunto y de su trascendencia para las diferentes partes interesadas (sentencia del Tribunal de Justicia de 15 de julio de 2004, España/Comisión, C-501/00, Rec. p. I-6717, apartado 53)"[80]. Y parece mostrar cierta cautela cuando concluye que "la vulneración del principio del plazo razonable no justifica, por regla general, la anulación de una decisión adoptada tras un procedimiento administrativo. En efecto, sólo cuando el excesivo paso del tiempo pueda haber afectado al contenido mismo de la decisión adoptada al término del procedimiento administrativo la inobservancia del principio del plazo razonable afecta a la validez del procedimiento administrativo"[81].

Sin embargo, la STJUE, de 9 de noviembre de 2022, afirmó que, "en los litigios sobre anulación, la duración de un procedimiento puede tener como consecuencia la anulación de una decisión impugnada si se cumplen dos requisitos cumulativamente: el primero, que esa duración haya resultado excesiva, y el segundo, que la superación del plazo razonable haya obstaculizado el ejercicio del derecho de defensa[82].

Es especialmente ilustradora, en este sentido, la STS, de 21 de mayo de 2018, cuando consideró que "la exigencia como preceptivo de un recurso de reposición y, en su caso, el rechazo liminar de la acción contencioso-administrativa intentada sin su previa interposición, resultan desproporcionados y vulneradores del derecho a obtener la tutela judicial efectiva del artículo 24.1 CE, al tiempo que desconocen el mandato del artículo 106.1 CE, incompatible con demoras impuestas por la interposición de recursos en vía administrativa manifiestamente ineficaces e inútiles para dar cumplimiento al fin que los justifica"[83]. Si bien es cierto que dicha Sentencia no menciona el derecho a una buena administración, declara incompatible con el artículo 106.1 de la CE las demoras que comporta el recurso previo de reposición obligatorio en el ámbito local cuando exclusivamente se alega la inconstitucionalidad de la norma legal en la que se basa el acto impugnado, por no tener competencia dicho órgano administrativo para analizar ese motivo y decidir, en su caso, que la norma es contraria a la Constitución. Conclusión que asimismo podría entenderse aplicable si, en la vía económico-administrativa –sea ante un TEAR o TEAC- se alega también, única y exclusivamente, la inconstitucionalidad de la norma legal en que se basa el acto recurrido

---

[80]   STJUE de 7 de junio de 2013, as. T-267/07, República Italiana contra Comisión Europea (ECLI:EU:T:2013:305), par. 62.
[81]   STJUE de 7 de junio de 2013, as. T-267/07, República Italiana contra Comisión Europea (ECLI:EU:T:2013:305), par. 80.
[82]   STJUE de 9 de noviembre de 2022, as. T667/19 (ECLI:EU:T:2022:692), par. 215.
[83]   STS de 21 de mayo de 2018, (ECLI:ES:TS:2018:2054) F.D. cuarto.

o si se aplica un reglamento ilegal, por carecer también de competencia para decidir ambas cuestiones[84].

La interpretación del artículo 106.1 de la CE, en relación con el art. 41 de la Carta de Derechos Fundamentales de la Unión Europea, ha sido también objeto de análisis por la STS, de 14 de febrero de 2023[85], que resuelve el recurso de casación admitido mediante Auto de 2 de febrero de 2022[86].

En este Auto, se planteó el problema surgido con ocasión de la Resolución, dictada por un Tribunal Económico-administrativo Regional, de una Reclamación Económico-administrativa que había sido interpuesta directamente ante el Tribunal Central, mediante un recurso "*per saltum*", y si ello es causa de nulidad de pleno derecho o de anulabilidad. Se dio la particularidad de que, una vez resuelta la Reclamación por el Tribunal Económico-administrativo Regional, se interpuso Recurso de Alzada ante el Tribunal Económico-administrativo Central, el cual anuló la resolución impugnada y ordenó la retroacción de actuaciones a fin de que la Reclamación fuera tramitada ante él mismo.

Se trata, en palabras del Tribunal Supremo, de "un problema netamente jurídico, pues somete a la consideración del Tribunal Supremo aclarar, interpretando el artículo 68.1.b) LGT conforme al principio de buena administración inferido de los artículos 9.3, 103 y 106 CE, si los actos dictados por un órgano revisor declarado incompetente interrumpen la prescripción del derecho de la Administración a liquidar el gravamen correspondiente, al suponer una tramitación no diligente, lo que motiva su resolución en un tiempo no razonable" [87].

En efecto, la simple anulación de la Resolución del TEAR, y la retroacción de actuaciones a fin de que la Reclamación Económico-administrativa se resuelva por el TEAC, unido al hecho su posible eficacia interruptiva de la prescripción, podría determinar que la excesiva duración de la actuación administrativa ha obstaculizado el acceso a la vía judicial, amén de dilatar el procedimiento por

---

[84]   Dicho precepto establece: "Los Tribunales controlan la potestad reglamentaria y la legalidad de la actuación administrativa, así como el sometimiento de ésta a los fines que la justifican".

[85]   STS de 14 de febrero de 2023 (ECLI:ES:TS:2023:500).

[86]   ATS de 2 de febrero de 2022 (ECLI:ES:TS:2022:995A), y también ATS de 2 de febrero de 2022 (ECLI:ES:TS:2022:996A).
        El Tribunal Supremo parte de una afirmación tan importante como la siguiente: "el derecho a la buena administración se configura actualmente, desde una perspectiva subjetiva, como un derecho fundamental del ciudadano europeo, no solo como deber de actuación de la Administración frente a los ciudadanos", cuestión nada baladí, al elevar a la categoría de derecho fundamental el derecho a la buena administración. El concepto así elaborado del derecho a una buena administración como un "derecho fundamental del ciudadano europeo" la realizó, por primera vez, el Tribunal Supremo, en el Auto de 14 de julio de 2021(ECLI:ES:TS:2021:9980A), R.J. quinto, y, posteriormente, en el ATS de 20 de octubre de 2021 (ECLI:ES:TS:2021:13912A), en el ATS de 4 de mayo de 2022 (ECLI:ES:TS:2022:6634A) y en el ATS de 14 de febrero de 2023 (ECLI:ES:TS:2023:500).

[87]   ATS de 2 de febrero de 2022 (ECLI:ES:TS:2022:995A).

una mala actuación de la Administración, retrasando, por causa imputable al propio órgano administrativo, el derecho de acudir a dicha vía judicial.

La Sentencia del Tribunal Supremo considera que existe una vulneración clara y evidente del principio de buena administración, en su modalidad de deber de diligencia al resolver las reclamaciones y recursos y de resolverlos en un plazo razonable. Pero, a su vez, concluye que dicha circunstancia no determina *per se* la nulidad de los actos tardíamente dictados[88].

4.- CONCLUSIONES

El derecho a una buena administración, proclamado en el art. 41 de la Carta de los Derechos Fundamentales de la Unión Europea tiene, *ex* art. 10.2 CE, un importante valor hermenéutico respecto de los derechos fundamentales enunciados en la Constitución - art. 10.2 CE. Se trata, además, de un derecho constitucional que está implícitamente reconocido en la CE -artículo 103.1 CE, en conjunción con los artículos 9.3 y 31.2 CE-, lo que permite su invocación y aplicación por los Tribunales en el ejercicio de la función que tienen encomendada por el art. 106 de la CE a la hora de controlar la legalidad de la actuación administrativa, así como el sometimiento de ésta a los fines que la justifican.

Existe una clara vinculación entre el derecho a una buena administración y el derecho a un procedimiento administrativo debido, dado que éste es el *iter* jurídico para la producción de los actos administrativos, convirtiéndose en el medio a través del cual la Administración da cumplimiento al deber de buena administración. Ello supone una renovación de los paradigmas de la institución procedimental y la superación de la distinción entre elementos materiales y formales del acto administrativo. En este sentido, debería suprimirse la previsión contenida en el art. 239.3 de la LGT –no plasmada en la LJCA-, que permite ordenar la retroacción de las actuaciones de la Administración tributaria al momento en que se produjo un defecto formal causante de indefensión, no así cuando concurren "razones de derecho sustantivo". Y permitiría reconsiderar la doctrina jurisprudencial -no prevista legalmente- que entiende que, salvo que se trate de uno de los vicios de nulidad de pleno derecho, esos mismos actos viciados -sea por motivos formales o sustantivos- han interrumpido la prescripción de la potestad para liquidar, recaudar o sancionar.

El derecho a una buena administración, en su vertiente de derecho a una actuación administrativa imparcial, equitativa y llevada a cabo en un plazo razonable permite cuestionar la obligatoriedad de la vía económico-administrativa, en

---

[88]   STS de 14 de febrero de 2023 (ECLI:ES:TS:2023:500), F.D. sexto.

tanto que puede suponer una dilación carente de justificación. En este sentido, el Tribunal Supremo, en su Sentencia de 3 de mayo de 2023, afirmó, respecto de la doble instancia en vía administrativa, que se trata de una potestad reduplicativa que debe ser objeto de interpretación estricta[89].

5.- BIBLIOGRAFÍA.

AA. VV. (dir. por LAGO MONTERO, J.A.): *Litigiosidad tributaria: estado, causas y remedios*, Aranzadi, Cizur Menor, 2018 y AA.VV. (dir. por MORENO GONZÁLEZ, S. y CARRASCO PARRILLA, P.J.): *Cumplimiento cooperativo y reducción de la conflictividad: hacia un nuevo modelo de relación entre la Administración tributaria y los contribuyentes*, Aranzadi, Cizur Menor, 2021.

ALVAREZ MARTÍNEZ, J.: "El principio de buena administración como nuevo paradigma jurídico y su aplicación en el ámbito tributario: régimen normativo, naturaleza jurídica y contenido", *Nueva Fiscalidad,* nº 1, 2022, pp. 23 y ss.

ANDRÉS AUCEJO, E.: "Towards an International Code for administrative cooperation in tax matter and international tax governance", *Revista Derecho del Estado*, nº 40, 2018, pp. 45 y ss.

BASSOLS COMA, M.: "El principio de buena administración y la función fiscalizadora del Tribunal de Cuentas", en AA.VV.: *El Tribunal de Cuentas en España*, Vol. I, Instituto de Estudios Fiscales, Madrid, 1982, pp. 261 y ss.

BASSOLS COMA, M.: "La significación de la legislación de procedimiento administrativo en el derecho administrativo español: Especial consideración de la L.P.A de , en AA.VV.: *Administraciones públicas y ciudadanos (estudio sistemático de la Ley 30/1992, de 26 de noviembre, de Régimen Jurídico de las Administraciones Públicas y del Procedimiento Administrativo Común)*, coord. por PENDÁS GARCÍA, B., Ciss Praxis, 1993, p. 45.

BOSCH CHOLBI, J. L. y URIOL EGIDO, C.: "Los procedimientos administrativos tributarios a la luz de los principios constitucionales", en AA.VV.: *Ética fiscal*, Instituto de Estudios Fiscales, Madrid, 2004, pp. 121 y ss.

BOSCH CHOLBI, J.L.: "Matizaciones a la posibilidad de ordenar judicialmente la retroacción de actuaciones tributarias cuando se anula una liquidación tributaria", *Tribunal Fiscal, nº* 250-251, 2011, pp. 16 y ss.

BOSCH CHOLBI. J.L.: "Los efectos de la nulidad de pleno Derecho o anulabilidad de una liquidación tributaria el replanteamiento de un "mito jurídico" y

---

[89]   STS de 23 de mayo de 2023 (ECLI:ES:TS:2023:1813), F.D. tercero.

el papel de los Tribunales Económico-Administrativos", *Tribuna Fiscal: Revista Tributaria y Financiera*, nº 233, 2010, pp. 21 y ss.

CARRASCO GONZÁLEZ, F.M.: "El derecho a una buena administración y la exigencia de plazos razonables en los procedimientos tributarios", en AA.VV. (dir. por GARCÍA BERRO, F..): *Derechos fundamentales y Hacienda Pública: una perspectiva europea*, Civitas, Madrid, 2015, pp. 169 y ss.

CARRASCO GONZÁLEZ, F. M., "El principio de buena administración en el ámbito de la revisión de actos tributarios", *Civitas. Revista española de derecho financiero*, nº 197, 2023, pp. 73 y ss.

CASAS AGUDO, D.: "Derecho a una buena administración y ordenamiento tributario", en AA.VV.: *Derechos fundamentales y tributación*, monográfico Nueva Fiscalidad, 2020, pp. 61 y ss.

CHECA GONZÁLEZ, C.: "La injustificable obligatoriedad de la vía económico-administrativa previa a la contenciosa en la nueva ley general tributaria", *Anuario de la Facultad de Derecho*, Universidad de Extremadura, nº 22, 2004, pp. 15 y ss.

ESCRIBANO, F.: "La aplicación de la ley de procedimiento administrativo común en otros ámbitos. Especial referencia al procedimiento tributario", *Técnica Tributaria*, nº 27, 1994, pp. 27 y ss.

FERNÁNDEZ TOMÁS, A.: "La Carta de los Derechos Fundamentales de la Unión Europea: estructura, ámbito de aplicación, invocabilidad y contenido", *Anuario de derecho europeo*, nº 2, 2002, pp. 137 y ss.

FERNÁNDEZ TOMÁS, A.: *La Carta de Derechos fundamentales de la Unión Europea*, Tirant lo Blanch, Valencia, 2001, pp. 147 y ss.

GARCÍA DE ENTERRÍA, E.: "Reflexiones sobre la Ley y los principios generales del Derecho en el Derecho Administrativo", *Revista de Administración Pública*, nº 40, 1963, pp. 189 y ss.

GARCÍA DE ENTERRÍA, E.: *Legislación delegada, potestad reglamentaria y control judical*, Tecnos, Madrid, 1981.

GARCÍA-TREVIJANO FOS, J.A.: "Administración pública española y norteamericana", en AA.VV.: *Estudios en homenaje a Jordana de Pozas*, Instituto de Estudios Políticos, Madrid, 1961, pp. 285 y ss.

HERRERA MOLINA, P.M. y SERRANO ANTÓN, F.: "El Reglamento de procedimientos tributarios ¿adaptación o huida de la Ley de Procedimiento Administrativo común", *Impuestos II*, 1992, pp. 956 y ss.

JIMENA QUESADA, L.: "La sentencia del TS en interés de ley de 19/11/2012: el día después", en *IX Congreso Tributario. La justicia ¿un valor en decadencia?*, AEDAF, Francis Lefebvre, 2013, pp. 37 y ss.

LITAGO LLEDÓ, R.: "Eficacia práctica del «principio» de buena administración formulado por el tribunal supremo", *Revista Técnica Tributaria*, nº 133, 2021, pp. 127 y ss.

LITAGO LLEDÓ, R.: "El "derecho" a la buena administración y la inactividad de la administración tributaria", en AA.VV. (dir. por MERINO JARA, I.): *La protección de los derechos fundamentales en el ámbito tributario,* Wolters Kluwer, Madrid, 2021, pp. 255 y ss.

LÓPEZ DÍAZ, A.: *Periodo ejecutivo. Procedimiento de apremio y recargo,* Aranzadi, Cuadernos de Jurisprudencia Tributaria, Cizur Menor, 2001.

LOZANO SERRANO, C.: "La reiteración de actos tributarios anulados desde el principio de congruencia procesal", *Tribuna Fiscal,* nº 268, 2013, p.19 y ss.

MARÍN-BARNUEVO FABO, D.: "El principio de una buena administración en materia tributaria", *Revista Española de Derecho Financiero,* nº 186, 2020, pp. 15 y ss.

MARTÍN QUERALT, J., LOZANO SERRANO, C., TEJERIZO LÓPEZ, J.M., CASADO OLLERO, G. y ORÓN MORATAL, G.: *Curso de Derecho Financiero y Tributario,* 33ª ed., Madrid, Tecnos, Madrid, 2022.

MARTÍN QUERALT, J.: "Las cosas son como son", *Tribuna Fiscal,* nº 63, 1994, pp. 4 y ss.

MARTÍN QUERALT, J.: "La aplicación de la Ley 30/1992, de 26 de noviembre, en los procedimientos administrativos en materia tributaria", *Tribuna Fiscal,* nº 32, 1993, pp. 37 y ss.

MELLADO RUIZ, L.: "Principio de buena administración y aplicación indirecta del Derecho Comunitario: instrumentos de garantía frente a la "comunitarización" de los procedimientos", Revista española de derecho europeo, nº 27, 2008, pp. 281 y ss.

ORENA DOMÍNGUEZ, A.: "El principio de buena administración en el ámbito tributario: un paso más allá en los derechos y garantías de los obligados tributarios", *Quincena Fiscal,* Nº 22, 2020 (BIB 2020\37489).

PAREJO ALFONSO, L.: "El ciudadano y el administrado ante la Administración y su actuación, especialmente cumplida a través del procedimiento", en AA.VV.: *Administraciones Públicas y Constitución. Reflexiones sobre el XX aniversario de la Constitución Española de 1978*, INAP, Ministerio de Administraciones Públicas, Madrid, 1998, pp, 539 y ss.

PEETERS, B.: "Towards a more coordinated approach of the relation between the taxpayer and tax administrations: the European Taxpayers' Code", *EC Tax Review*, nº 4, 2017, pp. 178 y ss.

PONCE SOLÉ, J.: *Deber de buena administración y derecho al procedimiento administrativo debido: las bases constitucionales del procedimiento administrativo y del ejercicio de la discrecionalidad,* Lex Nova, Valladolid, 2001

RODRIGUEZ-ARANA MUÑOZ, J.: *El buen gobierno y la buena administración de instituciones públicas,* Thomson Aranzadi, Cizur Menor, 2006.

RODRIGUEZ-ARANA MUÑOZ, J.: *El Derecho a una buena Administración para los ciudadanos, un modelo global de Administración,* Netbiblo-INAP. Madrid, 2013.

ROYO VILLANOVA, S.: "El procedimiento administrativo como garantía jurídica", *Revista de Estudios Políticos nº 48,* 1949, pp. 55 y ss.

SAINZ MORENO, F.: "Sobre la apreciación de la buena conducta en función del interés general y la responsabilidad patrimonial de la Administración: Sentencia del Tribunal Supremo de 19 de enero de 1977", *Revista Española de Derecho Administrativo,* nº 13, 1977, pp. 329 y ss.

TOMÁS MALLÉN, B.: *El derecho fundamental a una buena administración,* Instituto Nacional de Administraciones Públicas, Madrid, 2004.

TORNOS MÁS, J.: *El derecho a una buena administración,* Sindicatura de Greuges de Barcelona, Barcelona, 2007.

19.- RESPONSABILIDAD PATRIMONIAL DEL LEGISLADOR ESPAÑOL POR VULNERACION DEL DERECHO DE LA UNION: DISLOCACION JURISPRUDENCIAL

ENRIQUE DE MIGUEL CANUTO.

Catedrático de Derecho financiero y tributario.
Universidad de Valencia[90].

1.- MARCO CONSTITUTIVO

La responsabilidad patrimonial del Estado legislador por vulneración del Derecho de la Unión[91] solo puede encontrar su lugar en el contexto del estudio

---

[90] Este trabajo se realiza en el marco del proyecto de investigación "La necesaria actualización de los Sistemas tributarios ante los retos del S.XXI", Prometeo/2021/041"

[91] CALVO VERGEZ, J., *Responsabilidad patrimonial del Estado legislador por vulneración del Ordenamiento comunitario*, Cizur menor, 2014 y "La revocación de actos dictados al amparo de normas tributarias no conformes al Derecho de la Unión europea, a la luz de las recientes reformas normativas", *Documentación administrativa* n° 5, 2018, pp. 139-152; DE MIGUEL CANUTO, E., "Acción de indemnización y acción de restitución por vulneración del Derecho comunitario", *Tribuna fiscal* n° 235, 2010, pp. 32-45; DE LA TEJERA HERNANDEZ, E.V, y HERRERA MOLINA, P.M., "La responsabilidad patrimonial del Estado legislador en el Derecho español", *Boletín Mexicano de Derecho Comparado*, n° 141, 2014, págs. 1137-1164; DIAZ DELGADO, J., "La responsabilidad del Estado juez", *Cuadernos de Derecho judicial*, n° 2, 2004 (Responsabilidad patrimonial del Estado legislador, administrador y juez , Díaz Delgado, dir.), págs. 283-332; ESEVERRI MARTINEZ, E., *La devolución de ingresos indebidos*, Valencia, 2017; FALCON y TELLA, R., "La responsabilidad patrimonial del Estado por infracción del ordenamiento comunitario: la STJ 26 enero 2010 (Asunto Transportes urbanos) y sus consecuencias", *Quincena fiscal* n° 4, 2010; MARTIN QUERALT, J.B., "La ejecución de las Sentencias del Tribunal de Justicia de las Comunidades Europeas: las peticiones de devolución y las acciones de resarcimiento", *Estudios de Derecho judicial* n° 143, 2007, págs. 289-332; MERINO JARA, I., "Responsabilidad patrimonial del Estado legislador por "anticomunitariedad" de la norma tributaria", *Nueva Fiscalidad* n° 2, 2018, pp. 9 a 14; MORENO FERNANDEZ, J.I., "La responsabilidad patrimonial del Estado en materia tributaria frente a normas legales y reglamentarias declaradas contrarias al Derecho comunitario" *Noticias de la Unión europea*, n° 316, 2011, págs. 3-24 y *La responsabilidad patrimonial del Estado-legislador en materia tributaria y vías para reclamarla*, Cizur Menor, 2009; ALONSO GARCIA,

del ordenamiento de la Unión derivado de los tratados constitutivos, en cuanto integrado en los Derechos de los Estados.

Como ha señalado en múltiples ocasiones el Tribunal de la Unión, las características específicas inherentes a la naturaleza misma del Derecho de la Unión son, primera, proceder de una fuente autónoma, constituida por los Tratados constitutivos, segunda, su primacía sobre los Derechos de los Estados miembros[92] , y , tercera, el efecto directo de toda una serie de disposiciones aplicables para sus nacionales y para los propios Estado de la Unión[93] .

Estas características esenciales del Derecho de la Unión han dado lugar a una red estructurada de principios, normas y relaciones jurídicas mutuamente interdependientes que vinculan recíprocamente a la propia Unión y a sus Estados miembros, y a los Estados miembros entre sí, que están ahora comprometidos, como se recuerda en el artículo 1 TUE, párrafo 2, en un "proceso creador de una unión cada vez más estrecha entre los pueblos de Europa"[94].

Para la preservación de las características específicas y la autonomía de ese ordenamiento jurídico, los Tratados constitutivos han creado un *sistema jurisdiccional* destinado a garantizar la coherencia y la unidad en la interpretación del Derecho de la Unión por los Estados miembros[95]. En su estructuración se subrayan dos facetas.

Por un lado, que, en ese marco, incumbe a los órganos jurisdiccionales nacionales y al Tribunal de la Unión garantizar la plena aplicación del Derecho de la Unión en el conjunto de los Estados miembros y la tutela judicial de los derechos que ese ordenamiento confiere a los particulares (Dictamen 1/09, apartado 68).

Por otro lado, que la piedra angular del sistema jurisdiccional así concebido es el procedimiento de remisión prejudicial del artículo 267 TFUE, que, al establecer un diálogo de juez a juez , entre el Tribunal de la Unión y los tribunales de los Estados miembros, tiene como finalidad garantizar la unidad de interpretación del Derecho de la Unión (en este sentido, la sentencia de 5 de febrero de 1963, caso *van Gend & Loos*, causa 26/62), permitiendo de ese modo preservar

---

M.C., "La facultad del juez ordinario de inaplicar la ley interna posterior contraria al Derecho comunitario", Revista de Administración pública nº 138, 1995, pp. 203-223.

[92] En este sentido, las sentencias de 15 de julio de 1964, caso Costa, causa C-6/64, y 17 de diciembre de 1970, caso Internationale Handelsgesellschaft, causa 11/70, apartado 3, los Dictámenes 1/91, apartado 21, y 1/09, apartado 65, y la sentencia de 26 de febrero de 2013, caso Melloni, causa C-399/11, apartado 59.

[93] Sentencia de 5 de febrero de 1963, caso van Gend & Loos, causa 26/62, y Dictamen 1/09, apartado 65.

[94] Apartado nº 167 del Dictamen del TJUE 2/2013 Proyecto de Acuerdo de adhesión de la Unión al CEDH.

[95] Apartado nº 174 y ss. del Dictamen del TJUE 2/2013 Proyecto de Acuerdo de adhesión de la Unión al CEDH.

su autonomía, su coherencia y su plena eficacia, así como, en última instancia, el carácter propio del Derecho instituido por los Tratados[96].

Las vulneraciones del Derecho de la Unión habrán de producirse en la dinámica judicial o administrativa de garantizar la unidad de la interpretación mediante el primado del Derecho de la Unión para el reconocimiento de los efectos directos de sus normas provenientes de fuente autónoma.

2. JURISPRUDENCIA EUROPEA

En el contexto de este sistema jurisdiccional difuso o descentralizado con su vértice en el Tribunal de la Unión, y en ausencia de una norma comunitaria disciplinadora, tiene su origen la construcción del Tribunal de la Unión sobre la responsabilidad patrimonial del Estado legislador por vulneración del Derecho de la Unión.

En el *caso Francovich y Bonifaci*[97], resuelto por sentencia del Tribunal de las Comunidades de 19 de noviembre de 1991, el Pretore de Vicenza y el Pretore de Bassano del Grappa (Italia) elevan cuestión prejudicial preguntando si la falta de ejecución por el Estado de una Directiva, constatada por sentencia en el caso Comisión-Italia, que contiene normas carentes de efecto directo, permite reclamar una indemnización por daños.

El Tribunal de la Unión razona que el Tratado constitutivo exige a los Estados miembros adoptar medidas apropiadas para asegurar el cumplimiento de las obligaciones que impone el Derecho comunitario y entre ellas está la obligación de eliminar las consecuencias ilícitas de una vulneración del Derecho comunitario.

El incumplimiento del deber de trasponer al Derecho interno una Directiva-en este caso sobre protección de los trabajadores en caso de insolvencia del empresario- adoptando las medidas dirigidas a obtener el resultado buscado, origina la responsabilidad del Estado de reparar los daños causados que le sean imputables.

En el emblemático caso *Brasserie du Pecheur y Factortame III*[98] , por lo que refiere al asunto Brasserie , se parte de la sentencia estimatoria del caso Comisión/Alemania, recurso por incumplimiento, en relación con la prohibición de comercializar en Alemania cerveza de otros Estados en determinadas circunstancias y

---

96   En ese sentido, el Dictamen 1/09, apartados 67 y 83.
97   Sentencia del TJCE de 19 de noviembre de 1991, caso Francovich y Bonifaci, causa C-6/90 (Italia).
98   Sentencia del TJCE de 5 de marzo de 1996, caso Brasserie du Pêcheur y Factortame III, causa C-46/93 (Alemania y Reino unido).

por lo que toca al asunto Factortame III se parte de la sentencia estimatoria de la cuestión prejudicial caso Factortame II y de la del recurso por incumplimiento caso Comisión-Reino unido, en relación con la Ley de Marina mercante que establece un Registro de buques de pesca con determinados requisitos de nacionalidad residencia o domicilio de los propietarios en el Reino unido.

El Tribunal de las Comunidades razona que los Estados miembros están obligados a reparar los daños causados a particulares por vulneraciones del Derecho comunitario que les sean imputables, tanto si la vulneración es imputable al Poder legislativo, como si lo fuera al Poder judicial o al Poder ejecutivo del Estado.

Cuando se constata la vulneración de una norma comunitaria atributiva de un derecho, los particulares afectados pueden exigir al Estado la reparación de la lesión. El derecho a reparación de la lesión es corolario necesario del efecto directo de la disposición comunitaria.

Tres son los requisitos que deben concurrir: que la norma comunitaria vulnerada tenga por objeto conferir derechos a los particulares, que la violación esté suficientemente caracterizada, y que exista una relación de causalidad directa entre la vulneración de la obligación que incumbe al Estado y el daño sufrido por el particular.

El Tribunal de las Comunidades encontró un obstáculo a superar para la efectividad de la responsabilidad, en el Derecho alemán, en lo referente a la ausencia de consideración de la individualización del daño producido por el legislador y, en el Derecho inglés, en la exclusión del control del legislador a los efectos de la exigencia de *misfeasance in public office.*

La doctrina del caso Francovich y Bonifaci y del caso Brasserie du Pêcheur y Factortame III, como es sabido, es el núcleo de la construcción de la responsabilidad patrimonial del Estado legislador por vulneración del Derecho de la Unión llevada a cabo por el Tribunal de la Unión.

3. JURISPRUDENCIA ESPAÑOLA

La reflexión sobre la responsabilidad del Estado legislador, en Derecho español, se intensifica ante el Tribunal supremo, en el contexto de los procesos de constitucionalidad, con ocasión de la STC 137/1996, que declara contrario a la Constitución el Gravamen complementario sobre el juego, y enfrenta que unos TSJ habían rechazado plantear cuestión de inconstitucionalidad y otro TSJ elevó la cuestión, dándose lugar a la inconstitucionalidad y nulidad del Gravamen.

En el *caso Juegomatic SA*[99], resuelto por sentencia del Tribunal supremo de 29 de febrero de 2000, sobre máquinas recreativas en la provincia de Huelva, denegada la rectificación de autoliquidación y desestimada la reclamación ante el T.E.A.R. de Andalucía, se recibe sentencia desestimatoria de la Sala de Sevilla, inadmisión de la casación y rechazo del recurso de amparo. Después, publicada la STC 173/1996, la actora ejerce la acción de responsabilidad.

El Tribunal supremo razona que el principio de inconstitucionalidad encierra el mandato de reparar los daños originados por la aplicación de la norma inconstitucional, en razón de la "vinculación más fuerte de la Constitución".

Ante el escollo de la cosa juzgada afirma el Tribunal supremo *"que la acción de responsabilidad ejercitada es ajena al ámbito de la cosa juzgada derivada de la sentencia"* . Su fundamento está en la antijuridicidad de la actividad de la Administración de aplicar una norma contraria a la Constitución.

En el *caso New Park Barcelona*[100], resuelto por sentencia del Tribunal supremo de 13 de junio de 2000, las actoras, titulares de la explotación de máquinas recreativas tipo B, habían presentado e ingresado en su día sus autoliquidaciones del Gravamen complementario sobre el juego. No habían promovido su impugnación en vía administrativa ni en vía judicial. Publicada la STC 173/1996, las actoras ejercen la acción de responsabilidad.

El Tribunal supremo argumenta en este caso que no es aceptable que el particular deba soportar los efectos de la inconstitucionalidad de la norma legal si en su día no presentó recurso contra los actos de aplicación de la norma inconstitucional.

El transcurso del plazo para recurrir o del plazo para solicitar la devolución de ingresos indebidos no es obstativo para el ejercicio de la acción de responsabilidad después de la publicación de la sentencia de inconstitucionalidad.

En la argumentación subyace el principio de economía procesal: el ejercicio de los medios de impugnación procedentes conduciría a la estimación de la pretensión por razón de inconstitucionalidad de la norma aplicada, lo que fundamenta adelantar la estimación.

En el *caso Recreativos SA*[101], resuelto por sentencia del Tribunal supremo de 15 de julio de 2000, encontramos la explotación de máquinas recreativas en la provincia de Asturias, denegada la rectificación de la autoliquidación y desestimada la reclamación ante el T.E.A.R. de Asturias, la Sala de Asturias desesti-

---

[99] Sentencia del TS de 29 de febrero de 2000, caso Juegomatic SA, recurso n°49/1998, ponente Xiol Rios.

[100] Sentencia del TS de 13 de junio de 2000, caso New Park Barcelona, recurso n° 567/1998, ponente Xiol Ríos.

[101] Sentencia del TS de 15 de julio de 2000, caso Recreativos SA, recurso n° 736/1997, ponente Peces Morate.

mó, el recurso de casación fue inadmitido y el recurso de amparo también fue inadmitido. Después, publicada la STC 173/1996, la actora ejerce la acción de responsabilidad.

El Tribunal supremo razona que la eficacia retroactiva o no de la declaración de inconstitucionalidad de la norma, en ausencia de un pronunciamiento sobre ello en la sentencia de inconstitucionalidad, corresponde decidirla al juez ordinario.

Dos supuestos deben ser distinguidos. Si no se tropieza con el valladar de la cosa juzgada cabe instar en cualquier momento la revisión del acto de aplicación por nulidad de pleno Derecho. Mientras que ante el valladar de la cosa juzgada no queda otra alternativa que acudir a la acción por responsabilidad del Estado legislador.

La doctrina recogida en estas tres sentencias del Tribunal supremo del 2000, sobre responsabilidad del Estado legislador por inconstitucionalidad de la norma, es el sustrato conceptual desde el que se elabora por la jurisprudencia española la responsabilidad del Estado legislador por vulneración del Derecho de la Unión.

4. REGULACION ESPAÑOLA

Partiendo de la reflexión jurisprudencial , las Leyes 40 y 39 de 2015[102] diseñan la responsabilidad del Estado legislador por vulneración del Derecho de la Unión, que consiste en que si se publica una sentencia del Tribunal de la Unión que declara una norma española contraria al Derecho de la Unión y el particular se encuentra con una sentencia firme desestimatoria de un recurso contra la actuación de la Administración de aplicación de la norma, puede ejercitar la acción de indemnización en el plazo de preclusión de un año desde la publicación de la sentencia europea y obtener la reparación de los daños causados los cinco años anteriores a la publicación de la sentencia europea.

Esta regulación sigue las huellas de la jurisprudencia de la Sala de lo contencioso del Tribunal supremo: si, según el Tribunal de la Unión, una norma española es contraria al Derecho de la Unión, y el particular se topa con el valladar de la cosa juzgada entonces puede acudir a la acción de responsabilidad.

---

[102]   Artículos 32 y 34 de la Ley 40/2015, sobre Procedimiento administrativo común y artículos 67 y 106.4 de la Ley 39/2015, sobre Régimen jurídico del Sector público.

Puede resultar tal contrariedad no solo de un recurso por incumplimiento sino también de una cuestión prejudicial[103], cuando el Tribunal de la Unión, en la parte dispositiva de su sentencia prejudicial declara que una norma comunitaria se opone a la norma interna con determinado contenido en relación con la cual pregunta el juez de remisión.

Cuando el particular no se topa con el valladar de la cosa juzgada, el recurso contencioso previa vía administrativa e incluso la revisión de oficio del acto administrativo y la rectificación de autoliquidación del contribuyente permiten vehicular la primacía del Derecho de la Unión ante una norma interna contraria. El primado del Derecho de la Unión orillará la acción de responsabilidad.

Según jurisprudencia comunitaria sobre el recurso de revisión y cosa juzgada, la fuerza de cosa juzgada no impide que se reconozca la responsabilidad del Estado derivada de una resolución de un tribunal que se pronuncia sobre un recurso de revisión. Dado que, por lo general, no es posible rectificar la vulneración de los derechos conferidos por el Derecho de la Unión en que haya incurrido una resolución de un recurso de revisión, no se puede privar a los particulares de la posibilidad de exigir la responsabilidad del Estado con el fin de obtener una protección jurídica de sus derechos[104].

5. RECEPCION JURISPRUDENCIAL

La jurisprudencia actual del Tribunal supremo es fruto de la confluencia de la jurisprudencia europea sobre responsabilidad patrimonial del Estado legislador, la regulación de las Leyes 40 y 39 de 2015 y la jurisprudencia doméstica precedente.

La sentencia del Tribunal supremo de 12 de mayo de 2021[105], caso *Makro Autoservicio,* resuelve en sentido estimatorio, una acción de indemnización en relación con una sanción impuesta por vulnerar la prohibición de venta con pérdida,

---

[103] Cuando el Tribunal de la Unión, en una cuestión prejudicial, declara que una norma comunitaria debe interpretarse en el sentido de que se opone a una norma nacional con un determinado contenido, a todas luces, está efectuando el núcleo de un juicio de primacía comunitaria, juicio que será ultimado por el juez de remisión al extraer las consecuencias y dictar sentencia en el litigio de origen (DE MIGUEL CANUTO, E., "Primacía del Derecho de la Unión y tutela judicial efectiva : garantía constitucional", La protección de los derechos fundamentales en el ámbito tributario (Merino Jara (dir.), Vázquez del Rey Villanueva, Suberbiola Garbizu (coords.) 2021, págs. 619-648).

[104] Sentencia del TJUE de 6 de octubre de 2015 (TJCE 2015, 381), caso Constantin Tarsia, causa C-69/14 (Rumanía) apartado 40 ; sentencia del TJUE de 24 de octubre de 2018 (TJCE 2018\245), caso XC, YB, ZA, causa C- 234/17 (Austria) apartado 58 y sentencia del TJUE de 29 de julio de 2019 (TJCE 2019\182), caso Hochtief solutions, causa C- 620/17 (Hungría) apartado 64.

[105] STS de 12 de mayo de 2021, caso Makro Autoservicio, rec. nº 12/2020, ponente Herrero Pina.

ante la previa sentencia del Tribunal de la Unión de 19 de octubre de 2017, caso Europamur Alimentación, causa C-295/16.

La regulación positiva de esta institución responde a la jurisprudencia del Tribunal de la Unión y, tomando como punto de partida dicha jurisprudencia, como ya se declaró en las sentencias del Tribunal Supremo de 25 de enero de 2003 (recurso 8376/1998) y 12 de junio 2003 (recurso 46/1999), para que pueda apreciarse la responsabilidad por vulneración del Derecho de la Unión son necesarios tres presupuestos, que han de ser completados con el régimen de la responsabilidad de los Poderes Públicos en el Derecho interno, siempre que no impongan condiciones inferiores a las señaladas en el ámbito europeo (principio de equivalencia). Conforme a la mencionada jurisprudencia de este Tribunal, siguiendo la estela del TJUE[106] desde la histórica sentencia de 5 de marzo de 1996, caso "Braserie du Pêcher", causa C-46/1993, se requiere, en primer lugar, que la norma europea infringida confiera derechos a los particulares; en segundo lugar, que se haya realizado una infracción de la norma europea que esté "suficientemente caracterizada"; y en tercer y último lugar, que exista una relación de causalidad directa entre aquella infracción y el daño sufrido por el perjudicado.

En primer lugar, en relación con el requisito consistente en que la norma comunitaria tenga por objeto conferir derechos a los particulares, como señala la sentencia de 12 de junio de 2003 (rec. 46/1999), "ello no supone otra cosa que el que la vulneración de la norma comunitaria prive al particular del disfrute de ese derecho originándole un perjuicio individualizado y por tanto indemnizable", añadiendo que: "ante todo debe sentarse la premisa de que la interpretación del instituto de la responsabilidad patrimonial debe ser siempre de carácter extensivo en el sentido de que ha de ser siempre favorable a la protección del particular frente al actuar del Estado, de una parte porque así lo exige el *carácter objetivo de esa responsabilidad* en el ámbito del derecho interno y de otra porque no es sino una *forma de paliar las deficiencias que otras técnicas de protección* de esos intereses presentan, no siendo en consecuencia razonable que el particular vea minorado su derecho a la tutela judicial efectiva en beneficio del Estado infractor.

La interpretación *pro particular* de la responsabilidad se infiere con claridad del hecho de que los requisitos establecidos por el Tribunal de la Unión no excluyen la aplicación de criterios menos restrictivos derivados de la legislación estatal, lo que por otra parte resulta tremendamente importante en la esfera de nuestro ordenamiento jurídico en cuyo marco el instituto de la responsabilidad patrimonial del Estado tiene carácter objetivo, de modo que basta la existencia

---

[106] Sentencias del Tribunal supremo de 25 de enero y 12 de junio de 2003, acabadas de citar; de 29 de abril de 2009 (recurso 5449/2003); de 14 de julio de 2010 (recurso 21/2008) ; las tres de 17 de septiembre de 2010 (recursos 373/2006 ,149/2007 y 153/2007) y la de 17 de noviembre de 2016 (recurso 196/2015).

de un daño antijurídico e individualizado para que, de existir nexo causal entre el actuar de la Administración y el resultado producido, opere el citado instituto jurídico.

No es lo mismo "conferir derechos a los particulares" que "tener por objeto conferir derechos", por lo que debe precisarse que si la atribución de derechos a los particulares no es objeto de la directiva, pero esa atribución de derechos debe ser uno de los efectos de su adecuada transposición, entonces si de las medidas que el Estado está obligado a tomar se deben derivar derechos para los particulares el requisito concurre.

En lugar segundo, sobre el fundamento y alcance del requisito de "suficiente caracterización" existe una jurisprudencia que señala los elementos que han de valorarse para determinar su concurrencia, como se refleja en la sentencia de 19 de marzo de 2018 (rec. 4777/16) que cita otras sobre la misma materia (impuesto de sucesiones y donaciones) como las de 17-10-17 (rec. 6/17), 23-10-17 (rec. 4889/16) y 14-13-17 (rec. 4822/16), en el sentido de que, según el Tribunal de la Unión , para atribuir el calificativo de infracción suficientemente caracterizada, esto es, que la infracción deba reputarse como manifiesta y grave, ha de tenerse en cuenta la jurisprudencia que reconociendo que es el juez nacional el que debe apreciar la concurrencia de ese requisito, ha venido estableciendo pautas orientativas como lo son : a) el grado o nivel de claridad o precisión de la norma vulnerada, b) el mayor o menor margen de apreciación de que disponga el estado miembro respecto a la norma vulnerada, c) el carácter intencionado o involuntario de la infracción o del perjuicio, d) la naturaleza excusable o inexcusable de un eventual error de derecho, e) la hipotética contribución de una institución comunitaria en la comisión de la infracción, y f) el mantenimiento en el tiempo de medidas contrarias al Derecho de la Unión (SSTJUE de 5 de marzo de 1996, caso Brasserie du Pêcheur , de 26 de marzo de 1996, caso Dillenkofer, 8 de octubre de 1996, caso British Telecomunications, y las sentencias del Tribunal supremo de 12 de junio de 2003, recurso 46/1998 y 18 de enero de 2016, recurso 194/2015, entre otras).

En la determinación de tales elementos valorativos tiene una especial relevancia la configuración de las normas comunitarias, singularmente las Directivas, que precisan de transposición al Derecho interno, a cuyo efecto los Estados pueden disponen de un cierto margen de apreciación, en atención a la naturaleza, claridad y precisión de la norma. En tal sentido y como señala la sentencia de 12 de junio de 2003, "la infracción tendrá el carácter de suficientemente caracterizada siempre que el Estado miembro no disponga de margen de apreciación, de modo que cuanto mayor sea éste menor será el riesgo de que la infracción revista aquel carácter. Por el contrario, el riesgo será mayor cuanto más precisas sean las obligaciones impuestas por la norma comunitaria al Estado miembro.

Por tanto, si la infracción de la norma es manifiesta, si la interpretación dada por el Estado miembro a la norma comunitaria es inaceptable por manifiestamente errónea, si la jurisprudencia del Tribunal ha aclarado situaciones análogas y por tanto el Estado miembro debía conocer el criterio del Tribunal y la interpretación correcta, es indudable que en estos casos la infracción será suficientemente caracterizada. Por el contrario, cuando una norma pueda dar lugar a más de una interpretación conforme con el Derecho comunitario, cuando la norma resulta imprecisa y se ha actuado de buena fe por el Estado miembro, en estos casos no cabe hablar de infracción suficientemente caracterizada hábil para dar lugar a la responsabilidad patrimonial del Estado miembro".

6. RECURSO POR INCUMPLIMIENTO

La Comisión europea impugnó la regulación de la responsabilidad del legislador español por vulneración del Derecho de la Unión regulada en las Leyes 40 y 39/2015, dando lugar al recurso *Comisión/España107*, resuelto por sentencia del Tribunal de la Unión de 28 de junio de 2022, que declara al Estado español incumplidor del principio de efectividad en esta regulación[108].

El recurso por incumplimiento promovido por la Comisión se mueve en la esfera de la jurisdicción contencioso-administrativa, pues todas las normas impugnadas refieren a este orden jurisdiccional, dejando fuera en consecuencia lo relativo a los órdenes jurisdiccionales civil, penal y social.

Los daños por vulneración del Derecho de la Unión que puedan presentarse en relaciones jurídicas entre particulares vagan fuera del objeto del recurso

---

[107]   Sentencia del TJUE de 28 de junio de 2022, caso Comisión-España (Leyes 40 y 39 de 2015), en recurso por incumplimiento.

[108]   BURLADA ECHEVESTE, J.L., "La responsabilidad patrimonial del Estado legislador por infracción del Derecho de la Unión europea: un análisis de la regulación española atendiendo a los principios de equivalencia y efectividad", *Quincena fiscal* nº 17, 2022, pp. 1-29; GARCIA MORENO, V. A., "¿Es necesaria una acción directa de responsabilidad contra el Estado ejercitable ante un juez? Análisis de la STJUE sobre la responsabilidad patrimonial del Estado legislador: Sentencia del Tribunal de Justicia de la Unión Europea de 28 de junio de 2022 (asunto C-278/2020)", *Carta tributaria* nº 88, 2022; LITAGO LLEDO, R.," La responsabilidad patrimonial del Estado legislador en materia tributaria: razones de su crisis actual y perspectivas de futuro", *Nueva fiscalidad* nº 1, 2022, pp. 91-127; LOZANO CUTANDA, B., "El Abogado General considera que los requisitos procesales que exige la Ley 40/2015 para reclamar responsabilidad al Estado legislador no son conformes con el Derecho de la UE", *Diario La Ley*, nº 9989, 2022 ; MARTIN VALERO, C.I., "La responsabilidad patrimonial del Estado legislador por infracción del Derecho de la Unión: principios de equivalencia y efectividad. La STJUE, Gran Sala, de 28 de junio de 2022 (C-278/2020), *Actualidad administrativa* nº 9, 2022; SANCHEZ PEDROCHE, J.A., "Próxima condena del TJUE al Reino de España por irresponsabilidad de su Estado legislador (O el permanente deseo de huida del derecho)", *Revista de Contabilidad y tributación* nº 469, 2022, pp. 1-42.

por incumplimiento *Comisión/España*, que viene referido al orden contencioso-administrativo, conforme a la delimitación de normas cuestionadas por la Comisión, que se centran en los actos de la Administración sujetos al Derecho administrativo.

Previamente al examen de los motivos del recurso por incumplimiento, el Tribunal introduce un "preámbulo" en el que rastrea, sin conocimiento de causa[109], el ordenamiento contencioso-administrativo y concluye la insuficiencia del recurso contencioso-administrativo, la revisión de oficio y la devolución de ingresos indebidos para reparar en todos los supuestos los daños ocasionados por el Estado legislador.

Ese recorrido prescinde de que el contencioso-administrativo, la revisión de oficio y la devolución de ingresos indebidos son vías que permiten vehicular la primacía del Derecho de la Unión ante la norma interna contraria, lo que en los más de los casos orillará la acción de responsabilidad. Cuando no cumplan este cometido es cuando quedará acudir a la acción de responsabilidad.

Alcanzada en el "preámbulo" la conclusión de que el recurso contencioso, la revisión de oficio y la devolución de ingresos no reparan en todos los supuestos los daños ocasionados por incumplir el Derecho de la Unión ya está prejuzgada la solución del recurso en el sentido de fallar un incumplimiento por el Estado demandado.

A continuación, el Tribunal de la Unión aborda los dos motivos de impugnación básicos del recurso, la previa sentencia europea y la cosa juzgada interna, motivos de contrariedad que considera concurrentes, y por último, extrae dos consecuencias lógicas de ellos, en relación con el plazo de preclusión para reclamar y la prescripción de la responsabilidad por los daños.

El Tribunal de la Unión disloca la conexión que la regulación de la responsabilidad establece entre la previa sentencia europea y la presencia de cosa juzgada interna. Dislocada la conexión entre ambos elementos – conexión centrada en que la sentencia europea "supera" la jurisprudencia precedente-, cada uno de los elementos o exigencias considerado por separado queda desdibujado.

El Tribunal de la Unión plantea el escenario de falta de un acto administrativo impugnable relativo a la vulneración del Derecho de la Unión y enerva la exigencia de previa sentencia del Tribunal de la Unión que declare la contrariedad al

---

[109] Botón de muestra es que en relación con la devolución de ingresos indebidos , en el grupo de normas a examen, solo se menciona los supuestos del procedimiento tradicional de devolución (apartado 1 del artículo 221 de la L.G.T.) -supuestos ajenos a una vulneración del Derecho de la Unión- como si solamente en tales casos cupiera obtener por el particular la devolución del ingreso indebido realizado, desconociendo los supuestos de devolución previa revisión del acto firme (apartado 3 del artículo 221) y desconociendo la secuencia procedimental de los supuestos de rectificación de autoliquidación del contribuyente (artículo 120 apartado 3 de la L.G.T.).

Derecho de la Unión. Ahora bien, en ese escenario nihilista ¿con qué parámetros se define el daño al particular y cómo se cuantifica?

Máxime, atendido que, según la sentencia del caso *Consorzio italian management*[110], el tribunal nacional debe cumplir con la obligación de elevar cuestión sobre la interpretación del Derecho de la Unión que se le haya sometido, salvo que constate que la cuestión no es pertinente, que la disposición ya ha sido interpretada por el Tribunal de la Unión o que la interpretación correcta se impone con tal evidencia que no deja lugar a ninguna duda razonable. La concurrencia de tal eventualidad debe apreciarse en función de las características propias del Derecho de la Unión, de las dificultades que presente su interpretación y del riesgo de divergencias jurisprudenciales dentro de la Unión. No queda dispensado el tribunal nacional por haber planteado ya una cuestión en el marco del mismo caso.

7. PREVIA SENTENCIA EUROPEA

Dado que se debe fundamentar la vulneración del Derecho de la Unión carece de sentido cuestionar *a priori* la presencia de una sentencia europea que declare la contrariedad. Sin embargo, la Comisión cuestionó que La Ley 40/2015 ponga como condición para el reconocimiento de la responsabilidad una previa sentencia del Tribunal de la Unión que declare que la norma interna es contraria al Derecho de la Unión.

El Tribunal de la Unión, en el caso *Comisión/España* recuerda que en el precedente caso Brasserie du pecheur ya declaró que supeditar la reparación del daño a la exigencia de previa declaración del incumplimiento a cargo del Tribunal de Luxemburgo es contrario al principio de efectividad.

Comenzamos señalando que el Tribunal de la Unión no ha predicado con el ejemplo, como lo evidencia que en el caso Brasserie du pecheur concurría el previo recurso por incumplimiento Comisión/Alemania, en el caso acumulado Factortame III, había previa cuestión prejudicial Factortame II y el recurso por incumplimiento Comisión/Reino unido, y en el caso Francovich concurría el previo recurso de incumplimiento Comisión/Italia.

El rechazo de la exigencia de una previa sentencia europea, sentado en el caso Brasserie, y repetido después, debe ser apreciado como *obiter dicta* atendido que, primero, no hay discusión ninguna acerca de tal extremo en el proceso principal ni en el proceso prejudicial Brasserie, segundo, en el caso de autos, Brasserie, concurrían tres sentencias europeas previas, y, tercero, los fundamentos de la sentencia no hacen mención del tema cuando se examinan los presupuestos de

---

[110]   Sentencia del TJUE de 6 de octubre de 2021, Consorzio italian management, causa C-561/19.

la acción de responsabilidad. No hay duda pues de que el enunciado quedó fuera de la *ratio decidendi* del caso Brasserie.

Intenta en vano la sentencia del caso Brasserie fundar el aserto de rechazo en la anterior sentencia del *caso Waterkeyn*, de 14 de diciembre de 1982, causa C-314/81, porque ésta lo que dice es "que los derechos que corresponden a los particulares no derivan de esta sentencia sino de las disposiciones mismas del Derecho comunitario que tienen efecto directo en el ordenamiento jurídico interno"[111], esto es, la sentencia anterior se refiere a la fuente del derecho reconocido sin prejuzgar el papel de la decisión que lo reconoce.

En rigor, en presencia de una previa sentencia estimatoria del Tribunal de la Unión que declare la contrariedad, no resulta necesaria a futuro la vía administrativa y vía judicial ordinaria previa de dación de primacía al Derecho de la Unión y entonces cobra pleno sentido el ejercicio por el particular de la acción de responsabilidad, con fundamento en la sentencia europea.

Por otra parte, el Tribunal supremo, en el caso INESCOP[112], ha flexibilizado la exigencia indicando que la confrontación entre la norma interna y el Derecho europeo puede también ser declarada por los *tribunales nacionales*, posibilidad no admisible en caso de responsabilidad por causa de inconstitucionalidad de norma legal. Si bien, añade, la declaración de confrontación por sentencia del Tribunal de Luxemburgo no deja de presentarse como la hipótesis más normal.

Si las vulneraciones del Derecho de la Unión se producen en la dinámica judicial o administrativa de garantizar la unidad de la interpretación mediante el primado del Derecho de la Unión para el reconocimiento de efectos directos de sus normas provenientes de fuente autónoma entonces resulta óptima la presencia de una sentencia europea que dé el canon uniforme de interpretación y aplicación de la norma en cuestión.

La competencia exclusiva en la interpretación definitiva del Derecho de la Unión, en sus ámbitos materiales de despliegue, con la finalidad de garantizar la unidad en la interpretación del Derecho de la Unión, asegurando su autonomía, su coherencia y su plena eficacia corresponde al Tribunal de la Unión.

---

[111] Fundamento n° 16 de la sentencia del TJCE de 14 de diciembre de 1982, caso Waterkeyn, causa C- 314/81 (Francia).
[112] STS de 18 de noviembre de 2020, caso INESCOP, rec. n° 404/2019, FJ 2 punto 3°, ponente Olea Godoy.

8. SENTENCIA DOMESTICA DESESTIMATORIA

En el ámbito contencioso-administrativo para que se produzca un daño efectivo en el particular, la norma origen del daño, ha de haber sido aplicada al particular por la Administración, que ejerce la función ejecutiva. Sin embargo, la Comisión cuestiona La Ley 40/2015 en cuanto exige que el particular haya obtenido, en cualquier instancia[113], una sentencia firme desestimatoria de un recurso contra la actuación administrativa causante del daño.

El Tribunal de la Unión, en el caso *Comisión/España*, critica que la condición del artículo 32.5 de la Ley 40/1995 es contraria al Derecho de la Unión, en cuanto no prevé una excepción para los supuestos en que no hay una actuación administrativa impugnable[114]. La contrariedad con el Derecho de la Unión no se predica del entero enunciado normativo sino solo de la ausencia de previsión de una excepción. Es pues una declaración de contrariedad por omisión.

El enunciado impugnado antes que poner un requisito se orienta a remover un obstáculo: si el particular tropieza con el valladar de la cosa juzgada entonces habrá de acudir a la acción de responsabilidad, dado que si no se vislumbra el valladar de la cosa juzgada puede acudir al juez en un proceso común para hacer jugar la primacía del Derecho de la Unión.

En el caso de que la acción ejercitada por el particular esté todavía viva, en el momento de publicarse la sentencia europea, el actor puede pedir la aplicación de la doctrina de la sentencia europea en el proceso contencioso en curso, presentando el escrito correspondiente, secuencia que conducirá a la estimación de su recurso. No necesitará la acción de indemnización.

En cierto modo, la enervación por el Tribunal de la Unión, en el caso Comisión/España, de la exigencia de previa sentencia europea para la acción de responsabilidad refuerza el sentido de la vía administrativa y la vía judicial ordinaria previa para vehicular el juego de la primacía y los efectos directos del Derecho de la Unión.

Por otra parte, el Tribunal supremo en el caso INESCOP[115] ha efectuado una interpretación amplia indicando que es admisible toda forma de impugnación que ponga de manifiesto la disconformidad del interesado con la norma interna,

---

[113] Para el ejercicio de la acción de responsabilidad no se exige el agotamiento de la vía judicial ordinaria, sino que basta una sentencia firme desestimatoria de primera instancia o una sentencia firme desestimatoria de apelación.

[114] GARCIA MORENO, V.A., se pregunta si el particular perjudicado al presentar su autoliquidación aplicando la norma declarada contraria a Derecho tendrá acción directa para obtener indemnización (GARCIA MORENO, V.A. "¿Es necesaria un acción directa de responsabilidad contra el Estado ejercitable ante un Juez? Análisis de la STJUE sobre responsabilidad patrimonial del Estado legislador", *Carta tributaria* nº 88, 2022, pp.1-13).

[115] STS de 18 de noviembre de 2020, caso INESCOP, rec. nº 404/2019, FJ 2 punto 5º.

cuestionando su conformidad al Derecho a la Unión. Puede ser un recurso administrativo seguido de recurso contencioso y puede ser la revisión de oficio por nulidad de pleno Derecho. Si bien el medio de impugnación debe instarse antes de la declaración de contrariedad al Derecho de la Unión.

Con anterioridad, el Tribunal supremo, caso salarios de tramitación, en sentencia dictada por el Pleno, ya había dicho que "aquel margen de maniobra que se reconoce al legislador no autoriza, a concluir que si se abstiene de regular la responsabilidad de un determinado poder o de un servicio haya querido crear un espacio inmune a las reclamaciones de los que sufran daños por su actuación, pues tal entendimiento queda impedido por la cláusula general del artículo 9.3 de la Constitución. En esa tesitura, si los tribunales detectan la existencia de una lesión antijurídica que deba resarcirse, así lo deben declarar, sin riesgo alguno de suplantar la labor de los legisladores, pues la acción ejercitada se enmarca en el núcleo indisponible que resulta del artículo 9.3 de la Constitución"[116]. El recurso concluyó con sentencia estimatoria.

Cuando en el "ámbito material de aplicación del Derecho de la Unión" la dinámica del sistema judicial interno, activado por el particular, no ha alcanzado la meta deseada para el Derecho de la Unión perfectamente definido es cuando debe quedar una puerta abierta a la acción de responsabilidad del particular.

9. PLAZO DE PRECLUSION DE LA ACCION DE INDEMNIZACION

La Ley 39/2015 señala un plazo de prescripción o preclusión de un año a contar desde la publicación de la sentencia del Tribunal de la Unión que declara el incumplimiento del Estado español para poder ejercitar la acción de reclamación.

El Tribunal de la Unión, en el caso *Comisión/España* critica que en cuanto no se puede exigir una previa sentencia del Tribunal de la Unión entonces la publicación de la sentencia del Tribunal de Luxemburgo no puede ser el único *dies a quo* para el cómputo del plazo de prescripción o preclusión.

En cuanto la apreciación del motivo de contrariedad del plazo de preclusión es consecuencia de la apreciación de contrariedad de la exigencia previa de sentencia europea, este tercer motivo de contrariedad soporta todos los serios interrogantes que rodean el rechazo de la exigencia de previa sentencia europea.

El Tribunal de la Unión, en sentencia de 14 de octubre de 2020, caso *SC Valoris*, ha considerado que, en función de los casos analizados, cabe considerar razonable *un plazo de un año* de duración impuesto para la presentación de

---

[116]   FD 3 de la STS de 2 de junio de 2010, rec. nº 588/2010, caso salarios de tramitación.

solicitudes o de recursos basados en una violación del Derecho de la Unión, con la salvedad de que el inicio de ese plazo no se fije de tal modo que haga prácticamente imposible o excesivamente difícil el ejercicio, por el interesado, de los derechos conferidos por el Derecho de la Unión. De este modo, se ha considerado conforme con el principio de efectividad el plazo de un año para interponer un recurso dirigido a la reparación del daño sufrido por la transposición tardía de una Directiva (en este sentido, la sentencia de 16 de julio de 2009 (TJCE 2009, 236), caso Visciano, causa C-69/08, apartados 45 a 50)[117].

Por otra parte, el Tribunal supremo, en el caso INESCOP[118] ha flexibilizado la exigencia normativa, en el sentido de que si la impugnación de los actos es anterior a la sentencia del Tribunal de Luxemburgo y la sentencia interna firme es posterior al plazo de un año contado desde la sentencia del Tribunal de Luxemburgo entonces desde la doctrina de la *actio nata* se concluye que el momento inicial para el cómputo del plazo es el momento de firmeza de la sentencia interna. En tal sentido la narración de hechos del caso muestra que habiéndose comenzado a litigar en 2004, y publicándose la sentencia del Tribunal de Luxemburgo en 2005, el Tribunal supremo dictará sentencia desestimatoria del asunto en 2016 y considerará tempestivo el ejercicio de la acción de responsabilidad en 2017.

10. PRESCRIPCION DE LA RESPONSABILIDAD POR DAÑO INDEMNIZABLE

La Ley 40/2015 dice que serán indemnizables los daños producidos dentro de los cinco años anteriores a la publicación de la sentencia del Tribunal de la Unión que declara el incumplimiento.

El Tribunal de la Unión, en el caso *Comisión/España*, critica que no pudiendo la indemnización del daño estar subordinada a la existencia de una previa sentencia del Tribunal de Luxemburgo en recurso por incumplimiento o cuestión prejudicial, además, la duración del proceso comunitario puede hacer excesivamente difícil obtener una reparación. Duración del proceso que puede verse incrementada por la duración del proceso interno para obtener una sentencia firme desestimatoria del recurso contra una actuación de la Administración.

El Tribunal de la Unión, en sentencia de 20 de diciembre de 2017, caso *Caterpillar Services*[119], ha reconocido que es compatible con el Derecho de la Unión establecer plazos razonables de recurso de carácter preclusivo, en interés de la

---

[117]   Sentencia del TJUE de 14 de octubre de 2020, caso SC Valoris, causa C-677/19 (Rumania).
[118]   STS de 18 de noviembre de 2020, caso INESCOP, rec. n° 404/2019, FJ 2, punto 7°.
[119]   Sentencia del TJUE de 20 de diciembre de 2017, caso Carterpillar Service, causa C-500/16 (Polonia).

seguridad jurídica, que protege tanto al contribuyente como a la Administración, aun cuando, por definición, el transcurso de estos plazos da lugar a la desestimación, total o parcial, de la acción ejercitada (en este sentido, la sentencia de 8 de septiembre de 2011, caso Q-Beef et Bosschaert, causa C-89/10, apartado 36). Como ejemplo, plazos de prescripción de tres años (sentencia de 15 de abril de 2010, caso Barth, causa C-542/08, apartado 28) o plazos de prescripción de dos años (sentencia de 15 de diciembre de 2011, caso Banca Popolare Veneta, causa C-427/10, apartado 25) se han considerado conformes con el principio de efectividad. En tal sentido, el plazo de prescripción de cinco años, debe considerarse *a fortiori*, en principio, conforme con el principio de efectividad, en la medida en que permite que todo sujeto pasivo normalmente diligente invoque válidamente los derechos que le confiere el ordenamiento de la Unión.

Por otra parte, el Tribunal supremo, en el caso INESCOP[120], ha flexibilizado la exigencia normativa, señalando que cuando el daño se imputa a un acto administrativo, la producción del daño viene referida al momento de agotarse la vía judicial para corregir o evitar la efectividad del perjuicio y que al cuestionarse por el perjudicado el acto causante del perjuicio ha de entenderse *interrumpido* el cómputo del plazo de prescripción del daño indemnizable.

Es significativo que en el caso INESCOP se debatía sobre una cuota de IVA del ejercicio 1999, en 2016 se dicta sentencia desfavorable para el sujeto pasivo, quien en 2017 ejerce la acción de responsabilidad y en 2020 el Tribunal supremo estima la pretensión de indemnización relativa a la cuota de IVA ejercicio 1999.

El juego de la *actio nata* en cuanto al plazo de preclusión de la acción, la producción del efecto interruptivo de la prescripción del daño por la acción ejercitada y la consideración de la consumación del daño al agotarse la vía judicial, permiten disolver, en la práctica judicial, los óbices opuestos por el Tribunal de la Unión en la sentencia del caso *Comisión/España*.

11. AUTONOMIA PROCESAL

Según el principio de autonomía procesal o institucional de los Estados de la Unión corresponde a cada Estado de la Unión, en su ordenamiento interno, la regulación procesal de los recursos que cabe interponer como garantía de los derechos que a los particulares reconoce el Derecho de la Unión, regulación que no puede ser menos favorable que la de los recursos semejantes de naturaleza

---

[120]   STS de 18 de noviembre de 2020, caso INESCOP, rec. nº 404/2019, FJ 2 punto 8 y FJ 5.

interna[121] y que no debe hacer excesivamente difícil obtener la indemnización por el daño producido.

El Tratado de Funcionamiento de la Unión europea no pretende obligar a los Estados miembros a crear, para garantizar la defensa de los derechos que el Derecho de la Unión confiere a los particulares, medios de impugnación o vías de recurso ante sus tribunales nacionales distintas de las vías existentes en el Derecho nacional (en este sentido, la sentencia de 13 de marzo de 2007, *caso Unibet*, causa C-432/05, apartado 40)[122].

El fundamento actual de esta solución competencial está en el párrafo 2 del apartado 1 del artículo 19 del Tratado de la Unión europea según el cual " los Estados miembros establecerán las vías de recurso necesarias para garantizar la tutela judicial efectiva en los ámbitos cubiertos por el Derecho de la Unión"[123].

El juego del principio de efectividad en relación con el principio de equivalencia relativos a la autonomía procesal de los Estados conduce a que la eficacia del Derecho de la Unión en cada Estado miembro debe ser buscada maximizando las posibilidades de la regulación de los recursos internos, según las vías de impugnación vigentes, y no prescindiendo de ellas.

El principio de efectividad y el principio de equivalencia no son dos principios estancos, ni tampoco son principios que sean susceptibles de participar en un balance ponderativo entre ellos, balance en que uno desplace en parte al otro, porque se trata de dos principios formales del Derecho de la Unión, sin un contenido preciso previo.

La sentencia europea del caso *Comisión-España*, en mi opinión, vulnera, por extralimitación, el principio de equivalencia relativo a la autonomía procesal de los Estados, en cuanto desemboca en diseñar *ex novo* una acción de responsabilidad patrimonial del Estado legislador prescindiendo de la morfología del Derecho procesal interno.

El Tribunal de la Unión no puede diseñar una acción de responsabilidad patrimonial del Estado legislador descontextualizada y sustitutiva del conjunto de acciones internas o recursos efectivos susceptibles -por imperativo de los

---

[121]   La exigencia comunitaria de que la regulación de los recursos vehiculadores del Derecho de la Unión no sea menos favorable que la de los recursos similares que vehiculan el Derecho interno (principio comunitario de equivalencia) no presta ningún fundamento al imaginario criterio recíproco de que los recursos que vehiculan el Derecho interno no pueden ser menos favorables que los recursos vehiculadores del Derecho de la Unión. Son dos ordenamientos superpuestos pero autónomos. El Derecho interno en sí no contiene ningún principio de equivalencia.

[122]   En el mismo sentido sentencia del TJUE de 28 de octubre de 2018, caso *XC, YB, ZA*, causa C-234/17, apartado 21.

[123]   Se trata de una norma con significado competencial: los Estados de la Unión tienen el deber y el poder de regular las vías de recurso, sin interferencias de la Unión. La Unión no debe adoptar una actitud invasiva de esta competencia.

Tratados constitutivos- de vehicular la primacía y el efecto directo del Derecho de la Unión en el ordenamiento interno. Hacerlo supone incurrir en un exceso de jurisdicción.

Por otra parte, el principio de efectividad relativo a la autonomía procesal, eje del presente recurso por incumplimiento, es expresión de un juicio *consecuencialista*, que toma en consideración las dificultades previsibles en la obtención por el particular de la indemnización ante una vulneración del Derecho de la Unión. Acentuar el juego de las dificultades previsibles *a priori* entraña el riesgo de alejarse del supuesto de la norma sobre responsabilidad, que exige la producción de un daño efectivo, lo que presupone la imputabilidad del daño a una actuación del Estado demandado.

Paradógicamente, la argumentación del Tribunal de la Unión sobre el principio de efectividad de la norma como fundamento de la sentencia derrapa al perder de vista que el presupuesto de la responsabilidad patrimonial exige la efectividad de un daño causado por el Estado. La norma aplicable al caso no puede definirse desde las consecuencias hipotéticas de la norma sino desde el supuesto de hecho, pues en caso contrario el juez estará haciendo supuesto de la cuestión al resolver.

12. DILIGENCIA RAZONABLE

El perjudicado por la vulneración del Derecho de la Unión, que solicita la indemnización, según la jurisprudencia de la Unión, ha de dar pruebas de que ha actuado con razonable diligencia para evitar o mitigar el daño, mediante el ejercicio de las acciones disponibles.

El caso *Danske Slagterier*[124] , resuelto por sentencia del Tribunal de las Comunidades de 24 de marzo de 2009, es una cuestión prejudicial elevada por el *Bundesgerichtschof*, en un escenario de adaptación incorrecta de Directiva y aplicación incorrecta de Directiva, sobre intercambios intracomunitarios de carne fresca, con previa sentencia caso *Comisión-Alemania* en recurso por incumplimiento.

El *Bundesgerichtschof*, habida cuenta de que los requisitos fijados por las legislaciones nacionales en materia de indemnización de daños por responsabilidad del Estado por vulneración del Derecho comunitario no pueden ser menos favorables que los relativos a reclamaciones semejantes que afecten exclusivamente al Derecho nacional y no pueden articularse de manera que hagan prácticamente imposible o excesivamente difícil obtener la indemnización, pregunta:

---

[124]   Sentencia del TJCE de 24 de marzo de 2009, caso Danske Slagterier, causa C-445/06 (Alemania).

1º ¿existen objeciones generales frente a una regulación nacional que excluye la obligación de indemnizar si, deliberada o negligentemente, el perjudicado no ha evitado el perjuicio mediante el ejercicio de una acción judicial?

2º ¿persisten las objeciones frente a esa «primacía de la primera tutela judicial posible» cuando está supeditada a que sea razonablemente exigible al afectado?

3º ¿deja de ser razonablemente exigible si el tribunal competente no puede previsiblemente responder a las cuestiones de Derecho comunitario sin remitirlas al Tribunal de las Comunidades o si ya hay pendiente un recurso por incumplimiento?

El Tribunal de Luxemburgo parte de que, según el principio de autonomía procesal o institucional, a falta de una normativa comunitaria, corresponde a los Estados miembros regular las modalidades procesales de los recursos judiciales destinados a garantizar la protección de los derechos que corresponden a los justiciables en virtud del Derecho comunitario, siempre y cuando dichas modalidades respeten los principios de equivalencia y de efectividad.

Por lo que se refiere a la aplicación de los recursos judiciales disponibles, el Tribunal de la Unión había considerado, en la sentencia caso Brasserie du pêcheur y Factortame III, que, en materia de responsabilidad de un Estado miembro por vulneración del Derecho comunitario, el tribunal nacional puede comprobar si el perjudicado ha actuado con una diligencia razonable para evitar el perjuicio o reducir su importancia, y en particular, si ha ejercitado en tiempo oportuno todas las acciones que en Derecho le correspondían.

Según un principio general común a los sistemas jurídicos de los Estados miembros, la persona perjudicada debe dar pruebas de que ha adoptado una diligencia razonable para limitar la magnitud del perjuicio, si no quiere correr el riesgo de tener que soportar el daño ella sola (sentencias de 19 de mayo de 1992, caso Mulder/ Consejo y Comisión, causa C-104/89, apartado 33, y 5 de marzo de 1996, caso Brasserie du pêcheur y Factortame III, causa 46/93 apartado 85).

Si bien sería contrario al principio de efectividad obligar a los perjudicados a ejercitar todas las acciones de que dispongan aunque ello les ocasione dificultades excesivas o no pueda exigírseles razonablemente que las ejerciten[125]. Corresponde al tribunal remitente comprobar si se cumple este requisito, habida cuenta del conjunto de circunstancias del procedimiento principal.

Respecto a la posibilidad de que la acción judicial ejercida dé lugar al planteamiento de una *cuestión prejudicial* y a la incidencia que ello tendría sobre el carácter razonable de esta acción judicial, según jurisprudencia reiterada, el

---

[125] Según el Tribunal de la Unión, no es razonable la exigencia del previo ejercicio de las acciones ordinarias si es previsible la esterilidad de las acciones para la evitación del daño, como ocurría en el caso Metallgesllschaft, causa C-397/98.

procedimiento establecido por el artículo 234 CE es un instrumento de cooperación entre el Tribunal de la Unión y los órganos jurisdiccionales nacionales, por medio del cual el primero aporta a los segundos los elementos de interpretación del Derecho de la Unión que precisan para la solución del litigio que deban dirimir (véanse las sentencias de 16 de julio de 1992, caso Meilicke, causa C-83/91, apartado 22, y de 5 de febrero de 2004, caso Schneider, causa C-380/01, apartado 20).

Por tanto, las aclaraciones obtenidas por el tribunal nacional permiten facilitarle la aplicación del Derecho de la Unión, de manera que la utilización de este instrumento de cooperación no contribuye en modo alguno a hacer excesivamente difícil al justiciable el ejercicio de los derechos que le confiere el Derecho de la Unión. No sería razonable dejar de utilizar una acción judicial esgrimiendo que, probablemente, diera lugar a una petición prejudicial. De ello se deduce que la elevada probabilidad de que una acción judicial dé lugar a una petición de decisión prejudicial no es, en sí misma, motivo para afirmar que el ejercicio de esta acción no es razonable.

Respecto al carácter razonable de la obligación de ejercer las acciones disponibles cuando ya está pendiente un *recurso por incumplimiento* ante el Tribunal de la Unión, basta señalar que el procedimiento en virtud del artículo 226 CE es independiente de los procedimientos nacionales y no los sustituye. El recurso por incumplimiento supone un control objetivo de legalidad en interés general. Aunque el resultado de tal recurso pueda servir a los intereses del particular, es razonable que éste intente evitar que se produzca el daño empleando todos los medios que estén a su disposición, ejerciendo las acciones judiciales de que disponga.

De ello se desprende que la pendencia de un procedimiento por incumplimiento ante el Tribunal de la Unión o la probabilidad de que el tribunal nacional presente ante éste una petición prejudicial no son motivo suficiente para afirmar que no cabe exigir que se ejerza determinada acción judicial.

En suma, el Derecho de la Unión no se opone a la aplicación de una norma nacional que establece que un particular no puede obtener la reparación de un perjuicio que no ha evitado, deliberada o negligentemente, ejerciendo una acción judicial, siempre y cuando el ejercicio de dicha acción judicial sea razonablemente exigible al perjudicado, extremo que incumbe apreciar al tribunal nacional, atendido el conjunto de circunstancias del caso. La probabilidad de que el juez nacional eleve una petición prejudicial o la pendencia de un recurso por incumplimiento no pueden, por sí solos, ser motivo suficiente para afirmar que no es razonable exigir que se ejerza determinada acción.

13. ASIMETRIA ORDINAMENTAL

Las comparaciones efectuadas entre la ley declarada inconstitucional y la norma declarada contraria al Derecho de la Unión invitan a señalar las diferencias en los componentes y resultados de uno y otro procesos de enjuiciamiento.

Primero: competencia para resolver: siendo exclusiva y excluyente la competencia del Tribunal constitucional para anular normas legales contrarias a la Constitución, el Tribunal de la Unión no tiene competencia exclusiva y excluyente para realizar juicios de primacía del Derecho de la Unión sino que todo juez nacional es juez del Derecho de la Unión en los Estados miembros.

Segundo: canon de enjuiciamiento: el Derecho de la Unión no es canon de constitucionalidad ante el Tribunal constitucional, ni la Constitución nacional es canon de enjuiciamiento para el Tribunal de la Unión, por lo que el parámetro o *ratio* para resolver del Tribunal de la Unión y del Tribunal constitucional no pueden ser identificados.

Tercero: efectos: la declaración de inconstitucionalidad de una norma legal tiene como consecuencia la nulidad de la norma inconstitucional, mientras que la declaración de contrariedad con el Derecho de la Unión tiene por consecuencia la primacía aplicativa del Derecho de la Unión y consecuente inaplicación de la norma nacional.

Cuarto: prejudicialidad: así como el Tribunal constitucional puede elevar una cuestión prejudicial sobre una cuestión[126] de Derecho de la Unión, el Tribunal de la Unión no puede plantear una cuestión de inconstitucionalidad ante una duda sobre el alcance de una norma constitucional. Porque el Derecho de la Unión tiene como fundamento las Constituciones de los Estados. Es fundamentado por las Constituciones, no fundamentador de las Constituciones.

Quinto: interpretación: el juez ordinario no puede elevar una cuestión acerca de la interpretación conforme a la Constitución de una norma legal nacional, sino solo preguntar acerca de la validez de la norma nacional a la luz de la Constitución, mientras que el juez ordinario puede elevar una cuestión prejudicial preguntando por la correcta interpretación del Derecho de la Unión.

El Tribunal constitucional, en sentencia 78/2010, caso *Club de natación Metropole*[127], dijo que "la cuestión de inconstitucionalidad —artículo 163 CE— y la cuestión prejudicial del Derecho comunitario —artículos 19.3 b) del TUE y 267 del TFUE- están sujetas a regímenes jurídicos, que, en lo que ahora importa, se ajustan a *exigencias diferentes*:

---

[126]   Sentencia del TJUE de 26 de febrero de 2013, caso Melloni, causa 399/11, es una cuestión prejudicial elevada por el Tribunal constitucional español.

[127]   FJ 2 de la STC 78/2010, de 20 de octubre de 2010, caso Club de natación Metropole, en recurso de amparo.

a) El planteamiento de la cuestión de inconstitucionalidad resulta imprescindible en relación con las normas legales posteriores a la Constitución si no existe la posibilidad de lograr una interpretación de ellas que acomode su sentido y aplicación a la norma suprema: solo mediante el planteamiento de la cuestión de inconstitucionalidad puede llegarse a dejar sin aplicación una norma legal posterior a la Constitución y que contradice a ésta.

b) Distinto es el régimen jurídico de la cuestión prejudicial propia del Derecho comunitario, pues la obligación de plantearla desaparece, aun tratándose de decisiones de órganos jurisdiccionales nacionales que no son susceptibles de un recurso judicial conforme al Derecho interno, tanto cuando la cuestión suscitada fuese materialmente idéntica a otra que haya sido objeto de una decisión prejudicial en caso análogo (SSTJCE de 27 de marzo de 1963, asuntos Da Costa y acumulados, 28 a 30/62; y de 19 de noviembre de 19991, asunto Francovich y Bonifaci, C-6 y 9/90), como cuando la correcta aplicación del Derecho comunitario puede imponerse con tal evidencia que no deje lugar a ninguna duda razonable sobre la solución de la cuestión (STJCE de 6 de octubre de 1982, asunto Cilfit, 283/81). Y es que para dejar de aplicar una norma legal vigente por su contradicción con el Derecho comunitario el planteamiento de la cuestión prejudicial sólo resulta preciso, con la perspectiva del artículo 24 CE, en caso de que concurran los presupuestos fijados al efecto por el propio Derecho comunitario, cuya concurrencia corresponde apreciar a los Jueces y Tribunales de la jurisdicción ordinaria".

La responsabilidad patrimonial del Estado legislador por ley declarada inconstitucional y la responsabilidad del Estado legislador por contrariedad con el Derecho de la Unión se presentan así en un contexto de disimilitud y no de semejanza. Por lo que no pueden ser apresuradamente consideradas equivalentes.

En esta línea, con distinta argumentación, el Tribunal de la Unión, en el caso *Comisión-España*, respecto a la comparación con la vulneración de la Constitución, concluirá que "este principio de equivalencia no puede fundamentar la obligación de los Estados miembros de permitir que nazca un derecho a indemnización [por vulneración del Derecho de la Unión] conforme a requisitos más favorables que los previstos en la jurisprudencia del Tribunal de Justicia"[128]. Por ello, rechazará el motivo del recurso de la Comisión relativo al principio de equivalencia.

---

[128] Apartado nº 179 de la sentencia del TJUE de 28 de junio de 2022, caso Comisión/España, causa C-278/20.

14. LEYES AUTOAPLICATIVAS

Las leyes autoaplicativas, como indica su nombre, son normas legales que no requieren actos de la Administración de ejecución de sus efectos para el particular. ¿Puede exigirse responsabilidad al Estado legislador por una ley autoaplicativa nacional vulneradora del Derecho de la Unión?[129]

Desde el punto de vista de su impugnación, como es sabido, un recurso contencioso-administrativo debe tener por objeto un acto de la Administración sujeto al Derecho administrativo como regla general y no puede tener por objeto o acto impugnado una norma con rango legal, como lo es una ley autoaplicativa.

Correspondiendo la competencia para el enjuiciar las leyes en Derecho español nuclearmente al Tribunal constitucional, si bien un recurso de amparo puede dirigirse contra actos de la Administración y contra decisiones judiciales, sin embargo, no puede tener por objeto en ningún caso una norma con rango legal, como una ley autoaplicativa.

El Tribunal constitucional, en la sentencia 129/2013, caso Planta de residuos *"Los Barrales"*[130], ha dicho que no le corresponde a él, sino a la jurisdicción ordinaria, el control del cumplimiento del Derecho de la Unión, en proyectos aprobados por el legislador en lugar de la Administración. "El control de legalidad que impone el Derecho europeo escapa sin duda alguna, en la actualidad, a la función que puede desempeñar el Tribunal constitucional".

Ahora bien, para que una ley autoaplicativa contraria al Derecho de la Unión cause daños al particular, han de materializarse los daños mediante una actuación de aplicación de esa Ley por el Estado. Por muy autoaplicativa que sea, la innecesariedad de desarrollo aplicativo no excluye actos de ejecución de la norma. Lo que abrirá el camino a la acción de indemnización.

Las dificultades impugnatorias derivadas del rango legal de la ley autoaplicativa resultan relativizadas en el examen de su contraste con el Derecho de la Unión, porque el juez ordinario puede dar primacía aplicativa y efecto directo al Derecho de la Unión frente a la ley autoaplicativa nacional, anterior o posterior.

---

[129]   GONZALEZ-DELEITO DOMINGUEZ, N., "La acción para reclamar los daños derivados de una ley autoaplicativa inconstitucional", *Actualidad administrativa* n° 9, 2022, pp. 1-4; MARTIN VALERO, C.I., "La responsabilidad patrimonial del Estado legislador por infracción del Derecho de la Unión: principios de equivalencia y efectividad. La STJUE, Gran Sala, de 28 de junio de 2022 (C-278/2020), *Actualidad administrativa* n° 9, 2022, pp. 1-9.

[130]   STC 129/2013, de 4 de junio, en recurso de inconstitucionalidad, caso Planta de residuos "Los Barrales".

BIBLIOGRAFIA

ALONSO GARCIA, M.C., "La facultad del juez ordinario de inaplicar la ley interna posterior contraria al Derecho comunitario", *Revista de Administración pública* nº 138, 1995.

BURLADA ECHEVESTE, J.L., "La responsabilidad patrimonial del Estado legislador por infracción del Derecho de la Unión europea: un análisis de la regulación española atendiendo a los principios de equivalencia y efectividad", *Quincena fiscal* nº 17, 2022.

CALVO VERGEZ, J., *Responsabilidad patrimonial del Estado legislador por vulneración del Ordenamiento comunitario*, Cizur menor, 2014.

CALVO VERGEZ, J., "La revocación de actos dictados al amparo de normas tributarias no conformes al Derecho de la Unión europea, a la luz de las recientes reformas normativas", *Documentación administrativa* nº 5, 2018.

DE MIGUEL CANUTO, E., "Primacía del Derecho de la Unión y tutela judicial efectiva: garantía constitucional", *La protección de los derechos fundamentales en el ámbito tributario* (Merino Jara (dir.), Vázquez del Rey Villanueva, Suberbiola Garbizu (coords.) 2021.

DE MIGUEL CANUTO, E., "Acción de indemnización y acción de restitución por vulneración del Derecho comunitario", *Tribuna fiscal* nº 235, 2010.

DE LA TEJERA HERNANDEZ, E.V, y HERRERA MOLINA, P.M., "La responsabilidad patrimonial del Estado legislador en el Derecho español" *Boletín Mexicano de Derecho Comparado*, nº 141, 2014.

DIAZ DELGADO, J., "La responsabilidad del Estado juez", *Cuadernos de Derecho judicial*, nº 2, 2004 (Responsabilidad patrimonial del Estado legislador, administrador y juez, Díaz Delgado, dir.).

ESEVERRI MARTINEZ, E., *La devolución de ingresos indebidos*, Valencia, 2017.

FALCON y TELLA, R., "La responsabilidad patrimonial del Estado por infracción del ordenamiento comunitario: la STJ 26 enero 2010 (Asunto Transportes urbanos) y sus consecuencias", *Quincena fiscal* nº 4, 2010.

GARCIA MORENO, V. A., "¿Es necesaria una acción directa de responsabilidad contra el Estado ejercitable ante un juez? Análisis de la STJUE sobre la responsabilidad patrimonial del Estado legislador: Sentencia del Tribunal de Justicia de la Unión Europea de 28 de junio de 2022 (asunto C-278/2020)", *Carta tributaria* nº 88, 2022.

GONZALEZ-DELEITO DOMINGUEZ, N., "La acción para reclamar los daños derivados de una ley autoaplicativa inconstitucional", *Actualidad administrativa* nº 9, 2022.

LITAGO LLEDO, R., "La responsabilidad patrimonial del Estado legislador en materia tributaria: razones de su crisis actual y perspectivas de futuro", *Nueva fiscalidad* nº 1, 2022.

LOZANO CUTANDA, B., "El Abogado General considera que los requisitos procesales que exige la Ley 40/2015 para reclamar responsabilidad al Estado legislador no son conformes con el Derecho de la UE", *Diario La Ley*, nº 9989, 2022.

MARTIN VALERO, C.I., "La responsabilidad patrimonial del Estado legislador por infracción del Derecho de la Unión: principios de equivalencia y efectividad. La STJUE, Gran Sala, de 28 de junio de 2022(C-278/2020)", *Actualidad administrativa* nº 9, 2022.

MARTIN QUERALT, J.B., "La ejecución de las Sentencias del Tribunal de Justicia de las Comunidades Europeas: las peticiones de devolución y las acciones de resarcimiento", *Estudios de Derecho judicial* nº 143, 2007 (Análisis de la jurisprudencia tributaria comunitaria. Su incidencia en los tribunales españoles).

MERINO JARA, I., "Responsabilidad patrimonial del Estado legislador por "anticomunitariedad" de la norma tributaria", *Nueva Fiscalidad* nº 2, 2018.

MORENO FERNANDEZ, J.I., "La responsabilidad patrimonial del Estado en materia tributaria frente a normas legales y reglamentarias declaradas contrarias al Derecho comunitario" *Noticias de la Unión europea*, nº 316, 2011.

MORENO FERNANDEZ, J.I., *La responsabilidad patrimonial del Estado-legislador en materia tributaria y vías para reclamarla*, Cizur Menor, 2009.

SANCHEZ PEDROCHE, J.A., "Próxima condena del TJUE al Reino de España por irresponsabilidad de su Estado legislador (O el permanente deseo de huida del Derecho)", *Revista de Contabilidad y tributación* nº 469, 2022.

20.- LA COMPATIBILIDAD DEL RÉGIMEN ESPAÑOL DE RESPONSABILIDAD PATRIMONIAL DEL ESTADO LEGISLADOR CON EL DERECHO DE LA UNIÓN EUROPEA

CARLOS PEDROSA LÓPEZ

Profesor Ayudante Doctor
Derecho Financiero y Tributario
Universitat de València

SUMARIO: I. CONTROVERSIAS EN TORNO A LA RESPONSABILIDAD PATRIMONIAL DEL ESTADO LEGISLADOR ESPAÑOL Y EL DERECHO DE LOS PARTICULARES PERJUDICADOS. II. MARCO JURÍDICO DEL RÉGIMEN DE RESPONSABILIDAD PATRIMONIAL DEL ESTADO LEGISLADOR. III. DISCREPANCIAS ENTRE LA COMISIÓN EUROPEA Y LAS AUTORIDADES ESPAÑOLAS. IV. ANÁLISIS DE LA COMPATIBILIDAD DEL RÉGIMEN JURÍDICO DE LA RESPONSABILIDAD PATRIMONIAL DEL ESTADO LEGISLADOR ESPAÑOL CON LOS PRINCIPIOS DE EFECTIVIDAD Y EQUIVALENCIA A LA LUZ DEL ASUNTO C-278/20. 1. Planteamiento del Tribunal de Justicia de la Unión Europea. 2. El principio de efectividad ante la indemnización de daños causados por el Estado legislador español a consecuencia de infringir el Derecho de la Unión Europea. *2.1. Incompatibilidad de los requisitos establecidos en la normativa interna española con el principio de efectividad. 2.2. Valoración de los plazos para reclamar la indemnización por los daños producidos.* 3. La responsabilidad patrimonial del Estado legislador ante el principio de equivalencia. V. CONCLUSIONES. VI. BIBLIOGRAFÍA.

I. CONTROVERSIAS EN TORNO A LA RESPONSABILIDAD PATRIMONIAL DEL ESTADO LEGISLADOR ESPAÑOL Y EL DERECHO DE LOS PARTICULARES PERJUDICADOS

A la luz del asunto C-278/20, de 28 de junio de 2022, el Tribunal de Justicia de la Unión Europea (en adelante, TJUE o Tribunal de Justicia) cuestiona la compatibilidad del régimen jurídico de la responsabilidad patrimonial del Estado legislador español con el Derecho de la Unión Europea. Este pronunciamiento responde al recurso interpuesto por la Comisión Europea[131], mediante el cual solicita al Tribunal de Justicia que declare el incumplimiento de las obligaciones por parte del Reino de España que le incumben en virtud de los principios de efectividad y de equivalencia[132].

---

[131] Recurso interpuesto el 24 de junio de 2020 – Comisión Europea / Reino de España
[132] En relación con la sentencia TJUE, de 28 de junio de 2022, asunto C-278/20, véase; GARCÍA MORENO, V.A.: "¿Es necesaria una acción directa de responsabilidad contra el Estado ejercitable ante el juez? Análisis de la STJUE sobre la responsabilidad patrimonial del Estado legislador, Carta Tri-

La jurisprudencia del TJUE defiende el principio de la responsabilidad del Estado por daños causados a los particulares[133]. Establece que los particulares perjudicados tienen derecho a indemnización cuando la norma de Derecho de la Unión violada tenga por objeto conferirles derechos, que la violación de esta norma esté suficientemente caracterizada y que exista una relación de causalidad directa entre tal violación y el perjuicio sufrido por los particulares[134]. Se trata de garantizar la indemnidad patrimonial, mediante la reparación de las lesiones producidas a los particulares en sus bienes y derechos, por la actividad de la Administración. De modo que, ante la lesión patrimonial individualizada, real y actual, responde el elemento fundamental de la antijuricidad del daño, que viene a configurar la lesión como indemnizable, antijuridicidad derivada de la inexistencia de una causa legal que legitime la lesión patrimonial del particular e imponga al mismo el deber jurídico de soportarla[135].

No obstante, sin perjuicio del derecho a indemnización que está basado directamente en el Derecho Comunitario, incumbe al Estado, de acuerdo con su legislación interna, reparar las consecuencias del perjuicio causado. La normativa interna en materia de indemnización de daños, en cumplimiento con el principio de equivalencia, no puede ser más favorable para las reclamaciones semejantes de naturaleza interna. Tampoco es posible que la normativa interna se articule de manera que resulte irrealizable o notablemente complejo la obtención de la correspondiente indemnización, tal y como estipula el principio de efectividad[136].

Ambos principios constituyen el objeto del asunto C-278/20, mediante el cual el Tribunal de Justicia declara la incompatibilidad de la normativa interna española al entender que los artículos (en adelante, art. o arts.) 32, apartados 3 a 6, y 34, apartado 1, párrafo segundo, de la Ley 40/2015, de 1 de octubre, de Régimen

---

butaria. Revista de Opinión, n°88, 2022, pp.17-32. Con fecha previa al pronunciamiento del TJUE, véase; LITAGO LLEDÓ, R.: "La responsabilidad patrimonial del Estado legislador en materia tributaria: razones de su crisis actual y perspectiva de futuro", Nueva Fiscalidad, n°1, 2022, pp.91-127.

[133] Sentencia TJUE de 19 de noviembre de 1991, Francovich y otros, C6/90 y C9/90, (EU:C:1991:428), apartado 35; Sentencia TJUE de 5 de marzo de 1996, Brasserie du pêcheur y Factortame, C46/93 y C48/93, (EU:C:1996:79), apartado 31; Sentencia TJUE de 23 de mayo de 1996, Hedley Lomas, C5/94, (EU:C:1996:205), apartado 24; Sentencia TJUE de 26 de enero de 2010, Transportes Urbanos y Servicios Generales, C118/08, (EU:C:2010:39), apartado 29.

[134] Sentencia TJUE de 5 de marzo de 1996, Brasserie du pêcheur y Factortame, C46/93 y C48/93, (EU:C:1996:79), apartado 51; Sentencia TJUE de 23 de mayo de 1996, Hedley Lomas, C5/94, (EU:C:1996:205), apartado 25; Sentencia TJUE de 26 de enero de 2010, Transportes Urbanos y Servicios Generales, C118/08, (EU:C:2010:39), apartado 30.

[135] MARTÍN VALERO, A.I.: "La responsabilidad patrimonial del Estado legislador: alcance del concepto <<recurso>> del artículo 32.4 LRJSP, Actualidad Administrativa, n°4, 2021, pp.2-3.

[136] Sentencia TJUE de 30 de septiembre de 2003, Köbler, C224/01, (EU:C:2003:513), apartado 58; Sentencia TJUE de 26 de enero de 2010, Transportes Urbanos y Servicios Generales, C118/08, (EU:C:2010:39), apartado 31.

Jurídico del Sector Público (en adelante, Ley 40/2015 o LRJSP)[137], y el artículo 67, apartado 1, párrafo tercero, de la Ley 39/2015, de 1 de octubre, del Procedimiento Administrativo Común de las Administraciones Públicas (en adelante, Ley 39/2015 o LPACAP)[138] no son conformes al principio de efectividad. Por contra, el pronunciamiento no afirma la inadecuación del régimen español con las exigencias del principio de equivalencia.

II. MARCO JURÍDICO DEL RÉGIMEN DE RESPONSABILIDAD PATRIMONIAL DEL ESTADO LEGISLADOR

El término responsabilidad patrimonial del Estado legislador alude a la obligación de éste, y el derecho de los particulares, de ser indemnizados en caso de sufrir un daño causado por un precepto constitucional o legal.

La Constitución española (en lo sucesivo, Constitución)[139] dispone, en su art. 106, apartado 2, que «los particulares, en los términos establecidos por la ley, tendrán derecho a ser indemnizados por toda lesión que sufran en cualquiera de sus bienes y derechos, salvo en los casos de fuerza mayor, siempre que la lesión sea consecuencia del funcionamiento de los servicios públicos». Así, la responsabilidad patrimonial se debe a una actuación de la Administración Pública que, en aras de prestar un servicio público, causa daño a un particular y, por ello mismo, ha de indemnizar.

La propia Ley de 16 de diciembre de 1954 sobre expropiación forzosa[140] ya trataba de poner remedio a una de las más graves deficiencias de nuestro régimen jurídico-administrativo, cual es la ausencia de una pauta legal idónea, que permita hacer efectiva la responsabilidad por daños causados por la Administración Pública. Bajo este horizonte, el art. 121 presenta la posibilidad al particular de reclamar una indemnización cuando sus bienes y derechos sufran una lesión a consecuencia del funcionamiento normal o anormal de los servicios públicos, o la adopción de medidas de carácter discrecional no fiscalizables en vía

---

[137]   Ley 40/2015, de 1 de octubre de Régimen Jurídico del Sector Público https://www.boe.es/buscar/pdf/2015/BOE-A-2015-10566-consolidado.pdf

[138]   Ley 39/2015, de 1 de octubre, del Procedimiento Administrativo Común de las Administraciones Públicas https://www.boe.es/buscar/pdf/2015/BOE-A-2015-10565-consolidado.pdf

[139]   Constitución Española, de 29 de diciembre de 1978 https://www.boe.es/buscar/pdf/1978/BOE-A-1978-31229-consolidado.pdf

[140]   Ley de 16 de diciembre de 1954 sobre expropiación forzosa https://www.boe.es/buscar/pdf/1954/BOE-A-1954-15431-consolidado.pdf

contenciosa, sin perjuicio de las responsabilidades que la Administración Pública pueda exigir de sus funcionarios con tal motivo.

Más recientemente, la Ley 40/2015, de 1 de octubre, de Régimen Jurídico del Sector Público, ha tipificado con mayor precisión la responsabilidad patrimonial de las Administraciones Públicas. Ahora bien, conforme al art. 32, cabe distinguir, por un lado, la responsabilidad patrimonial derivada del funcionamiento de la Administración de Justicia, enunciada en su apartado séptimo[141].

Por otro lado, este precepto también identifica la responsabilidad patrimonial del Estado legislador, la cual implica la posibilidad del particular a ser indemnizado ante una lesión en cualquiera de sus bienes y derechos. A estos efectos, la norma contempla tres supuestos en los que el Estado debe afrontar la reparación de los daños originados por disposiciones de rango legal[142];

El primero, cuando el perjuicio trae su causa en una ley que vulnera el principio de confianza legítima, supuesto para cuya ordenación se estipula el art. 32.3 de la Ley 40/2015. No obstante, para que surja el deber de indemnizar, tal y como establece el art. 32.1 la lesión debe ser consecuencia del funcionamiento normal o anormal de los servicios públicos o de un daño que el particular no tenga el deber de soportar. Además, el daño debe ser efectivo, evaluable económicamente e individualizado, tal y como impone el segundo apartado del presente precepto.

Los segundo y tercer motivos de exigencia de responsabilidad patrimonial al Estado en cuanto al Legislador se producen cuando las disposiciones legales que causan, en última instancia, los daños son declaradas inconstitucionales o vulneran el Derecho de la Unión Europea, supuestos regulados en los artículos 32.3 a) y 32.4, el primero, y 32.3 b) y 32.5, el segundo.

Para estos casos, la norma determina que sólo se otorga indemnización cuando el particular afectado haya obtenido, en cualquier instancia, sentencia firme desestimatoria de un recurso que haya sido interpuesto contra la actuación administrativa que provocó el daño, y siempre que hubiese alegado de forma expresa la inconstitucionalidad o la infracción del derecho europeo posteriormente declaradas. Además, a estos requisitos se deben añadir otros adicionales para el caso de daños provocados como consecuencia de ley declarada contraria a la normativa de la UE; i) que la norma tenga por objeto conferir derechos a los particulares; ii) que el incumplimiento deba estar suficientemente caracterizado, es decir, que exista culpa o negligencia por parte de la Administración;

---

[141]   Véase; CAMPOS MARTÍNEZ, Y. A.: "La responsabilidad patrimonial del Estado-legislador en materia tributaria. Especial referencia a la vulneración del Derecho de la Unión Europea", Tesis Doctoral, Universidad de Castilla-La Mancha, 2016, pp.42-47.

[142]   ALONSO GARCÍA, M.C.: "El Supremo <<alivia>> la carga procesal del lesionado y determina el momento de la aparición del daño en la acción de responsabilidad patrimonial contra el legislador, Revista Vasca de Administración Pública, n°120, 2021, pp.181-182.

iii) que exista una relación de causalidad directa entre el incumplimiento de la obligación que soporta la Administración responsable, por atribución expresa del derecho europeo, y el daño provocado en los particulares[143].

A estos restrictivos requisitos, los cuales claramente suponen una dificultad para que los particulares sean resarcidos ante el daño causado en sus bienes o derechos, cabe añadir las limitaciones temporales establecidas en el art. 34.1, segundo párrafo, Ley 40/2015. Este precepto limita los daños indemnizables a los producidos en el plazo de los cinco años anteriores a la fecha de dicha publicación. Esta limitación supone una complejidad sin cabida legal, excepto en el caso de que el órgano jurisdiccional que resuelve la demanda de responsabilidad patrimonial module la indemnización en función de las circunstancias y decida no aplicar la limitación en el tiempo de los daños indemnizables, tal como se establece al final de esta disposición. De manera similar, esta restricción temporal se pone de manifiesto en la redacción del tercer párrafo del art. 67.1 Ley 39/2015, que limita al año de haberse notificado la resolución administrativa o la sentencia definitiva, el derecho a reclamar. Aunque este precepto sólo se refiere a los supuestos enmarcados en el art. 32.5 Ley 40/2015.

Las desmesuradas exigencias impuestas por estos requisitos ponen en entredicho el respeto a los principios de efectividad y equivalencia. Por un lado, el principio de efectividad impide que la normativa interna española imponga unas exigencias que hacen prácticamente imposible reclamar la indemnización por los daños causados en los bienes o derechos. Por otro lado, el principio de equivalencia obliga que los requisitos impuestos no sean igual de favorables que los establecidos para situaciones internas similares de reclamación del resarcimiento de daños[144].

De acuerdo con este escenario, no resulta extraño que la Comisión Europea invocase una posible vulneración de los principios de equivalencia y de efectividad en la medida en que éstos limitan la autonomía de la que gozan los Estados miembros cuando establecen los requisitos que rigen su responsabilidad por las infracciones del Derecho de la Unión que les sean imputables, y por ello, incoase un procedimiento de infracción contra el Reino de España, que posteriormente ha finalizado con el pronunciamiento del TJUE de 28 de junio de 2022, en el asunto C-278/20.

---

[143] LEIVA GARCÍA, A.D.: "La responsabilidad patrimonial del Estado legislador por leyes inconstitucionales o contrarias al Derecho de la Unión Europea", Revista catalana de dret públic, nº63, 2021, p.190.

[144] GARRIGUES: "Responsabilidad patrimonial del Estado legislador: las claves de la sentencia TJUE que obliga a modificar la normativa española", Comentario Administrativo España, 30 de junio de 2022.

III. DISCREPANCIAS ENTRE LA COMISIÓN EUROPEA Y LAS AUTORIDADES ESPAÑOLAS

El 24 de junio de 2020, al amparo de lo establecido en el artículo 258 del Tratado de Funcionamiento de la Unión Europea (en adelante, TFUE)[145], la Comisión Europea interpuso ante el TJUE un recurso por incumplimiento contra el Reino de España, al entender que la adopción y mantenimiento en vigor los apartados 3 a 6 del art. 32 y el art. 34.1 de la LRJSP, así como el art. 67.1 de la LPAC, implicaba un incumplimiento de nuestro país había en cuanto a las obligaciones que le incumben en virtud de los principios de efectividad y de equivalencia.

La Comisión Europea advirtió, por un lado, de una posible vulneración del principio de efectividad, por existir dos nuevos requisitos procesales que dificultan ejercitar la acción de responsabilidad patrimonial. Por otro lado, una infracción del principio de equivalencia, por existir requisitos adicionales para ejercitar la acción de responsabilidad por daños como consecuencia de leyes contrarias al derecho de la Unión, y que no se prevén para el caso de daños provocados por leyes declaradas inconstitucionales. Por ello, en junio de 2017, la Comisión decidió incoar un procedimiento de infracción contra el Reino de España por medio del envío de una carta de emplazamiento a las autoridades competentes[146]. Esta acción surgió porque el procedimiento EU Pilot iniciado en 2016 por la Comisión, a consecuencia de varias quejas formuladas por los propios particulares, concluyó por resultar infructuoso.

Mediante el escrito, la Institución europea requirió a España que presentase sus razonamientos respecto la vigencia de los preceptos expuestos, y sus dudas en relación con los principios enunciados. Las autoridades competentes españolas contestaron a la mencionada carta de emplazamiento manifestando su disconformidad y defendiendo que los preceptos eran compatibles con el Derecho de la Unión. Sin embargo, en 2018 la Comisión emitió un dictamen en el que desestimó los argumentos presentados por las autoridades españolas, y reiteró y desarrolló los motivos por los que ciertos aspectos de los artículos enunciados eran contrarios a estos principios.

---

[145] Tratado de Funcionamiento de la Unión Europea https://www.boe.es/doue/2010/083/Z00047-00199.pdf Art. 258 TFUE:
"Si la Comisión estimare que un Estado miembro ha incumplido una de las obligaciones que le incumben en virtud de los Tratados, emitirá un dictamen motivado al respecto, después de haber ofrecido a dicho Estado la posibilidad de presentar sus observaciones.
Si el Estado de que se trate no se atuviere a este dictamen en el plazo determinado por la Comisión, ésta podrá recurrir al Tribunal de Justicia de la Unión Europea"

[146] LEIVA GARCÍA, A.D.: "La responsabilidad patrimonial del Estado legislador por leyes inconstitucionales o contrarias al Derecho de la Unión Europea", Revista catalana de dret públic, n°63, 2021, p.194.

Con todo, en noviembre de 2018, las autoridades españolas presentaron un escrito a dicha Institución explicando la reconsideración de su postura, y al siguiente mes remitieron a la Comisión un proyecto con el objetivo de acomodar el Derecho español a las exigencias del Derecho de la Unión. Si bien la Comisión entendió que este proyecto podía solucionar las controversias generadas entorno al principio de equivalencia, no consideraba lo mismo acerca del principio de efectividad. No obstante, la respuesta de las autoridades españolas no implicó la formulación de nuevas propuestas normativas, lo cual provocó que la Comisión interpusiese el recurso frente al Tribunal de Justicia de la Unión Europea.

Sin embargo, tras la interposición del recurso por esta Institución, las autoridades españolas trataron de justificar la inadmisibilidad del recurso alegando que la Comisión pretendía reconfigurar el sistema español de responsabilidad patrimonial del Estado y, en realidad, se refería a supuestos distintos al de la responsabilidad del Estado legislador, lo cual excedía del objeto del recurso[147]. Entendían que la Comisión pretendía únicamente que el Tribunal de Justicia declarase que el Reino de España había incumplido las obligaciones que le incumben en virtud de los principios de efectividad y equivalencia, al haber adoptado y mantenido en vigor los preceptos anteriormente mencionados. En este sentido, alegó que la Comisión se refería a las mismas disposiciones que son objeto del dictamen, sin desarrollar nuevos motivos y alegaciones diferentes a las que ya había expuesto[148], lo cual no suponía ninguna ampliación del objeto del recurso.

Con todo, ante este controvertido escenario el TJUE procedió realizar un análisis exhaustivo de las cuestiones y motivos generados por la discordia jurídica, así como a valorar y pronunciarse sobre los argumentos y alegaciones expuestas por ambas partes.

---

[147] Sentencia TJUE de 24 de junio de 2021, Comisión/España (Deterioro del espacio natural de Doñana), C-559/19, (EU: C:2021:512), la Comisión delimita que el objeto de un recurso por incumplimiento debe basarse en los mismos motivos y alegaciones que el propio dictamen motivado, apartado 160.

[148] Sentencia TJUE de 28 de junio de 2022, Comisión/España (Violación del Derecho de la Unión por el legislador) , C-727/20, (EU: C:2022:503), apartados 23-28.

IV. ANÁLISIS DE LA COMPATIBILIDAD DEL RÉGIMEN JURÍDICO DE LA RESPONSABILIDAD PATRIMONIAL DEL ESTADO LEGISLADOR ESPAÑOL A LA LUZ DEL ASUNTO C-278/20

1. Planteamiento del Tribunal de Justicia de la Unión Europea

El Tribunal de Justicia entiende que el principio de la responsabilidad del Estado por daños causados a los particulares de infracciones del Derecho de la Unión, que le son imputables es inherente al sistema de los Tratados en los que ésta se funda[149], independientemente del órgano del Estado cuya acción u omisión se deba la infracción[150]. En este sentido, el TJUE ha declarado reiteradamente que los perjudicaos tienen derecho a indemnización siempre que la norma infringida del Derecho de la Unión tenga por objeto conferirles derechos, que la infracción de esta norma esté suficientemente caracterizada y que exista una relación de causalidad directa entre tal infracción y el perjuicio sufrido por esos particulares. Así, una vez se aúnan los tres requisitos incumbe al Estado, en el marco del Derecho nacional en materia de responsabilidad, reparar las consecuencias del perjuicio causado, entendiéndose que los requisitos establecidos por las legislaciones nacionales en materia de indemnización de daños no pueden ser menos favorables que los que se aplican a reclamaciones semejantes de naturaleza interna, tal como establece el principio de equivalencia. Tampoco pueden articularse de manera que hagan en la práctica imposible o excesivamente difícil obtener la indemnización, en cumplimiento con el principio de efectividad[151].

De acuerdo con estas premisas, el TJUE se pronunció en el asunto C-278/20, de 28 de junio de 2022, sobre la compatibilidad del régimen de indemnización de daños del ordenamiento jurídico-tributario español, regulado mediante los artículos anteriormente citados, con los denominados principios de efectivad y equivalencia.

---

[149]   Sentencia TJUE de 18 de enero de 2022, Thelen Technopark Berlin, C-261/20, (EU: C:2022:33), apartado 29.

[150]   Sentencia TJUE de 5 de marzo de 1996, Brasserie du pêcheur y Factortame (C46/93 y C48/93, EU:C:1996:79), apartados 32-33.

[151]   Sentencia TJUE de 4 de octubre de 2018, Kantarev, C571/16, (EU: C:2018:807), apartado 123.

2. El principio de efectividad ante la indemnización de daños causados por el Estado legislador español a consecuencia de infringir el Derecho de la Unión Europea

2.1. Incompatibilidad de los requisitos establecidos en la normativa interna española con el principio de efectividad

La Comisión sostiene que los tres requisitos acumulativos a los que el art. 32.5 Ley 40/2015 somete la indemnización de los daños causados a los particulares por el legislador español como consecuencia de la infracción del Derecho de la Unión, tomados aisladamente o en conjunto, hacen en la práctica imposible o excesivamente difícil obtener una indemnización.

En cuanto al hecho de supeditar la reparación, por un Estado miembro, del daño que haya causado a un particular al infringir el Derecho de la Unión a la exigencia de una declaración previa, por parte del Tribunal de Justicia, de un incumplimiento del Derecho de la Unión imputable a dicho Estado miembro, el Tribunal de Justicia declaró que es contrario al principio de efectividad de este Derecho[152]. Asimismo, con anterioridad ya había declarado que la reparación del daño causado por una infracción del Derecho de la Unión imputable a un Estado miembro no puede estar subordinada al requisito de que una sentencia dictada por el Tribunal de Justicia con carácter prejudicial declare la existencia de tal infracción[153].

Por consiguiente, tal y como afirma el TJUE, carece de incidencia, a los efectos de apreciar el fundamento de la presente parte, determinar si, como sostiene la Comisión, las disposiciones impugnadas exigen que el Tribunal de Justicia haya dictado una sentencia que declare que el Reino de España ha incumplido una de las obligaciones que le incumben en virtud del Derecho de la Unión o si, como afirma dicho Estado miembro, las citadas disposiciones deben interpretarse en el sentido de que se refieren a cualquier sentencia del Tribunal de Justicia de la que pueda deducirse la incompatibilidad con el Derecho de la Unión de un acto u omisión del legislador español. Puesto que, en cualquier caso, la reparación del daño causado por un Estado miembro, incluso por el legislador nacional, como consecuencia de una infracción del Derecho de la Unión no puede estar subordinada, sin vulnerar el principio de efectividad, a que se haya dictado con carácter previo una sentencia del Tribunal de Justicia que haya declarado un incumplimiento del Derecho de la Unión por parte del Estado miembro de que

---

[152] Esto mismo ya había sido afirmado por el TJUE en la sentencia TJUE de 5 de marzo de 1996, Brasserie du pêcheur y Factortame, C46/93 y C48/93, (EU:C:1996:79), apartado 95.

[153] Sentencia TJUE de 26 de enero de 2010, Transportes Urbanos y Servicios Generales, C118/08, (EU:C:2010:39), apartado 38.

se trate o de la que resulte la incompatibilidad con el Derecho de la Unión del acto u omisión origen del daño[154]. De modo que, este Tribunal estima que esta exigencia es contraria al Derecho de la UE.

En relación con el requisito de la obligatoriedad por parte del particular perjudicado de haber obtenido, en cualquier instancia, una sentencia firme desestimatoria de un recurso contra la actuación administrativa que ocasionó el daño, cabe recordar que, de acuerdo con la Comisión, el Derecho de la Unión no se opone a la aplicación de una norma nacional que establece que un particular no puede obtener la reparación de un perjuicio que no ha evitado, deliberada o negligentemente, ejerciendo una acción judicial, esto solo es cierto siempre y cuando el ejercicio de dicha acción judicial no le ocasione dificultades excesivas y sea razonablemente exigible al perjudicado. Pues bien, dado que el art. 32.5 Ley 40/2015 impone este requisito de forma absoluta e incondicionada, esta exigencia es contraria al principio de efectividad.

El TJUE estima que esta exigencia es contraria al principio de efectividad, puesto que no prevé una excepción para los supuestos en los que el ejercicio de la acción que dicha disposición impone ocasione dificultades excesivas o no pueda exigirse razonablemente a la persona perjudicada, lo que ocurriría cuando el daño derive de un acto u omisión del legislador, contrarios al Derecho de la Unión, sin que exista una actuación administrativa impugnable[155].

Por último, cabe hacer mención del requisito del presente artículo, que exige que el particular haya alegado, en el marco del recurso contra la actuación administrativa que ocasionó el daño, la infracción del Derecho de la Unión posteriormente declarada.

La Comisión entiende que esta exigencia no es conforme al principio de efectividad, al considerar que un órgano jurisdiccional no está obligado a abstenerse de aplicar una disposición de su Derecho nacional contraria a una disposición del Derecho de la Unión si esta última disposición carece de efecto directo[156]. Ahora bien, el Tribunal de Justicia entiende que esta consideración se interpreta sin perjuicio de la posibilidad de que dicho órgano jurisdiccional excluya, sobre la base del Derecho interno, cualquier disposición del Derecho nacional contraria a una disposición del Derecho de la Unión que no tenga tal efecto[157]. Además, el carácter vinculante de las disposiciones del Derecho de la Unión,

---

154 Sentencia TJUE de 28 de junio de 2022, Comisión/España (Violación del Derecho de la Unión por el legislador), C-727/20, (EU: C:2022:503), apartado 106.

155 Sentencia TJUE de 28 de junio de 2022, Comisión/España (Violación del Derecho de la Unión por el legislador), C-727/20, (EU: C:2022:503), apartados 114 y 127.

156 Sentencia TJUE de 24 de junio de 2019, Popławski, C573/17, (EU: C:2019:530), apartado 68.

157 Sentencia TJUE de 18 de enero de 2022, Thelen Technopark Berlin, C261/20, (EU: C:2022:33), apartado 33.

aunque no tengan efecto directo, supone para los órganos jurisdiccionales nacionales la obligación de interpretar el Derecho nacional de conformidad con dichas disposiciones[158].

Por ello, el Tribunal de Justicia desestima las alegaciones de la Comisión. No es acorde a la Constitución ni al Derecho de la Unión Europea una normativa o jurisprudencia que establece como requisito para que sea viable la acción de responsabilidad patrimonial por actos del Estado legislador contrarios a la Constitución o a la normativa de la Unión Europea, que el particular perjudicado haya obtenido, en cualquier instancia, una sentencia firme desestimatoria de un recurso contra la actuación administrativa que ocasionó el daño y que el particular perjudicado haya alegado la infracción de la Constitución o del Derecho de la Unión en el marco del recurso contra la actuación administrativa que ocasionó el daño; sin que ese aquietamiento de la recurrente impida obtener el eventual beneficio derivado de la condena por incumplimiento al Reino de España declarada por el Tribunal de Justicia de la UE o una eventual declaración de inconstitucionalidad[159].

2.2. Valoración de los plazos para reclamar la indemnización por los daños producidos

El principio de efectividad también debe ser analizado desde la óptica de la limitación temporal para que los daños producidos sean indemnizables. En este sentido, la cuestión que surge es si las limitaciones de tiempo establecidas en el segundo párrafo del art. 34.1 Ley 40/2015, y el tercer párrafo del art. 67.1 Ley 39/2015, son contrarias al principio de efectividad, o si por contra, las mismas no suponen una restricción al derecho a reclamar la indemnización por los daños causados.

El Tribunal de Justicia considera contrario al principio de efectividad los distintos plazos estipulados por ambos preceptos. La restricción del art. 67.1, párrafo tercero, Ley 39/2015, que limita el derecho a reclamar al plazo de un año desde la publicación en el Diario Oficial de la sentencia contraria al Derecho de la UE, no es admisible porque dicha disposición solo contempla los supuestos en los que existe una sentencia del Tribunal de Justicia que declara el carácter contrario al Derecho de la Unión de la norma con rango de ley aplicada.

---

[158] Sentencias TJUE de 13 de noviembre de 1990, Marleasing, C106/89, (EU: C:1990:395), apartados 6 y 8, y de 21 de enero de 2021, Whiteland Import Export, C308/19, (EU: C:2021:47), apartado 30.

[159] IBAÑEZ GARCÍA, I.: "¿Es negligente el ciudadano que no cuestiona la constitucionalidad de una ley o la contravención por la misma del Derecho europeo? De nuevo sobre el principio de fiabilidad del sistema legal y el grado de pericia exigible al sufrido contribuyente, Diario La Ley, n°10118, 2022, p.10.

De un modo similar, la limitación temporal de cinco años a la que el art. 34.1, segundo párrafo, Ley 40/2015 limita los daños indemnizables tampoco es admisible conforme al principio de efectividad, porque esta limitación supone una traba a los particulares perjudicados para que, en cualquier caso, puedan ser resarcidos por los daños que le han sido causados.

3. La responsabilidad patrimonial del Estado legislador ante el principio de equivalencia

De acuerdo con el objeto de estudio del presente trabajo, es preciso valorar si el régimen jurídico de la responsabilidad patrimonial del Estado legislador español respeta los fundamentos del principio de equivalencia.

En este sentido, la Comisión alega que el Reino de España ha incumplido las obligaciones que le incumben en virtud del principio de equivalencia al establecer, en el art. 32.5, letras a) y b) Ley 40/2015, como requisito para exigir la responsabilidad patrimonial del Estado legislador en caso de infracción del Derecho de la Unión, que la norma infringida ha de tener por objeto conferir derechos a los particulares y que dicha infracción ha de estar suficientemente caracterizada, respectivamente. La cuestión es que a diferencia del citado precepto estos requisitos no se exigen en los casos de vulneración de la Constitución, ya que si analizamos el art. 32.4 Ley 40/2015 observamos que la norma no los exige[160].

Las autoridades españolas, a diferencia de las consideraciones de la Comisión, entienden que carece de sentido equiparar ambas situaciones, puesto que los escenarios de inconstitucionalidad de una ley pueden ser diferentes a los casos de incompatibilidad de una norma con el Derecho de la Unión. No obstante, el Reino de España entiende que aun asumiendo que ambos escenarios son similares esta diferencia no es sustancial, sino meramente formal, porque estos requisitos son inherentes al sistema de responsabilidad patrimonial del Estado.

Con todo, el Tribunal de Justicia considera que este principio solo está destinado a aplicarse cuando dicha responsabilidad se contrae sobre la base del Derecho de la Unión[161]. Sin embargo, la responsabilidad exigible a los Estados por establecer requisitos menos restrictivos que los establecidos por el Tribunal de Justicia, no se imputa a una responsabilidad sobre la base del Derecho de la

---

[160] Sentencia TJUE de 26 de enero de 2010, Transportes Urbanos y Servicios Generales, C-118/08, (EU: C:2010:39), se infiere que ambos supuestos son similares a efectos de aplicación del principio de equivalencia, por tanto, los requisitos exigidos no pueden ser diferentes para los supuestos de responsabilidad patrimonial del Estado por infracción del Derecho de la Unión y la que deriva de los supuestos de leyes inconstitucionales, tal y como afirma la Comisión, apartado 173.

[161] Sentencia TJUE de 9 de diciembre de 2010, Combinatie Spijker Infrabouw-De Jonge Konstruktie y otros, C568/08, (EU: C:2010:751), apartado 92.

Unión, sino del Derecho nacional[162]. Así, entiende que, aun suponiendo que los requisitos para exigir la responsabilidad del Estado legislador por las infracciones del Derecho de la Unión que le sean imputables sean menos favorables que los requisitos para exigir la responsabilidad del Estado legislador en caso de vulneración de la Constitución, el principio de equivalencia no está destinado a aplicarse en ese supuesto.

Con todo, el Tribunal de Justicia ha precisado en numerosas ocasiones que son tanto los requisitos de forma como los de fondo establecidos por las legislaciones nacionales en materia de indemnización de daños causados por los Estados miembros como consecuencia de la infracción del Derecho de la Unión los que, en particular, no pueden ser menos favorables que los referentes a reclamaciones semejantes de carácter interno[163]. Sin embargo, esta precisión se refiere siempre a requisitos establecidos por las legislaciones nacionales en materia de indemnización de daños una vez que el derecho a ser resarcido haya nacido sobre la base del Derecho de la Unión[164].

De modo que, el Tribunal de Justicia considera que este principio solo está destinado a aplicarse cuando dicha responsabilidad se contrae sobre la base del Derecho de la Unión[165]. No obstante, la responsabilidad exigible a los Estados por establecer requisitos menos restrictivos que los establecidos por el Tribunal de Justicia no se imputa a una responsabilidad sobre la base del Derecho de la Unión, sino del Derecho nacional[166]. Así, entiende que, aun suponiendo que los requisitos para exigir la responsabilidad del Estado legislador por las infracciones del Derecho de la Unión que le sean imputables sean menos favorables que los requisitos para exigir la responsabilidad del Estado legislador en caso de vulneración de la Constitución, el principio de equivalencia no está destinado a aplicarse en ese supuesto. Lo cual explica que el régimen jurídico de la responsabilidad patrimonial del Estado legislador español no es contrario al principio de equivalencia.

---

[162] Sentencia TJUE de 5 de marzo de 1996, Brasserie du pêcheur y Factortame, C46/93 y C48/93, (EU: C:1996:79), apartado 66; Sentencia TJUE de 8 de julio de 2021, Koleje Mazowieckie, C120/20, (EU: C:2021:553), apartado 62.

[163] Sentencia TJUE de 19 de noviembre de 1991, Francovich y otros, C6/90 y C9/90, EU:C:1991:428, apartado 43; Sentencia TJUE de 5 de marzo de 1996, Brasserie du pêcheur y Factortame, C46/93 y C48/93, EU:C:1996:79, apartados 98 y 99; Sentencia TJUE de 17 de abril de 2007, AGM-COS.MET, C470/03, EU:C:2007:213, apartado 89.

[164] Sentencia TJUE de 28 de junio de 2022, Comisión/España (Violación del Derecho de la Unión por el legislador), C-727/20, (EU: C:2022:503), apartado 185.

[165] Sentencia TJUE de 9 de diciembre de 2010, Combinatie Spijker Infrabouw-De Jonge Konstruktie y otros, C568/08, (EU: C:2010:751), apartado 92.

[166] Sentencia TJUE de 5 de marzo de 1996, Brasserie du pêcheur y Factortame, C46/93 y C48/93, EU:C:1996:79, apartado 66; Sentencia TJUE de 8 de julio de 2021, Koleje Mazowieckie, C120/20, (EU: C:2021:553), apartado 62.

V. CONCLUSIONES

El régimen de responsabilidad patrimonial del Estado legislador español no resulta íntegramente compatible con el Derecho de la Unión Europea. Esta es la conclusión alcanzada por el Tribunal de Justicia, a raíz de la sentencia de 28 de junio de 2022, asunto C-278/20, mediante la que se solventan las cuestiones planteadas por la Comisión Europea en el recurso interpuesto ante el Reino de España en cuanto a la adecuación de este régimen con el Derecho de la Unión.

Los principios de obligado cumplimiento garantizan que, en materia de indemnización de daños, los requisitos establecidos por las legislaciones nacionales no pueden ser menos favorables que los que se aplican a reclamaciones semejantes de naturaleza interna, tal y como exige el principio de equivalencia. Sin embargo, el régimen español de indemnización de daños causados por el legislador no cumple con esta exigencia, al menos, en su integridad. El presente principio queda vulnerado a consecuencia de los requisitos establecidos en los apartados 3 a 6 del art. 32 Ley 40/2015.

En particular, la normativa española resulta contraria al Derecho de la Unión al exigir, por un lado, que exista una sentencia contraria al Derecho de la Unión de la norma con rango de ley aplicada y, por otro lado, al omitir cualquier excepción para los casos en los que daño deriva de un acto del legislador contrarios al Derecho de la Unión Europea, limitándose única y exclusivamente a exigir que el particular perjudicado haya obtenida una sentencia firme desestimatoria de un recurso contra actuación administrativa que ocasionó el daño.

En esta materia, el régimen español también resulta contrario al principio de equivalencia a consecuencias de las restricciones temporales establecidas para ejercitar dichas acciones por parte del particular perjudicado. En concreto, los arts. 34.1, párrafo segundo, Ley 40/2015 y 67.1, párrafo tercero, Ley 39/2015 dificultan excesivamente, o incluso imposibilitan, el derecho a ejercitar estas acciones y, por ende, resultan contrarias a este principio. En cuanto a la primera disposición, resulta contrario el hecho de que solo son indemnizables los daños producidos en los cinco años anteriores a la fecha de dicha publicación, salvo que la sentencia disponga otra cosa. Respecto al segundo precepto, establece el plazo de prescripción de un año desde la publicación en el *Diario Oficial de la Unión Europea* de la sentencia del Tribunal de Justicia que declare el carácter contrario al Derecho de la Unión de la norma con rango de ley aplicada, lo cual imposibilita el objetivo y finalidad de este principio.

Por otra parte, además del principio de equivalencia, el régimen de responsabilidad patrimonial del Estado legislador español ha de respetar el denominado principio de efectividad, cuyo objetivo es desestimar cualquier escenario normativo que haga imposible o excesivamente complejo la articulación de las acciones necesarias para reclamar la indemnización correspondiente.

En este sentido, cabe concluir que el presente régimen español no genera ninguna traba para evitar su consecución, lo cual implica que no resulta contrario al mismo.

Con todo, el legislador español deberá llevar a cabo modificaciones normativas, sobre todo, en relación con los requisitos exigidos y los plazos que restringen el derecho a reclamar la indemnización por los daños causados por el legislador. Sin embargo, hasta que no se produzca esta reforma, las disposiciones de las Leyes 39/2015 y 40/2015 declaradas contrarias al Derecho de la Unión deben ser inaplicadas por todos los poderes públicos, por lo que se abre la puerta a los particulares afectados a solicitar que se revisen los supuestos en que se haya denegado la responsabilidad patrimonial por el incumplimiento de alguno de los requisitos ahora declarados contrarios al Derecho de la UE[167].

En todo caso, habrá que estar alerta para comprobar si las modificaciones normativas satisfacen las indicaciones del Tribunal de Justicia, así como para evaluar si el derecho de los particulares perjudicados para reclamar la correspondiente indemnización por los daños causados por el legislador español es realmente factible de ejercitar, o si surgen nuevas trabas normativas que dificulten su acción. Lo cual, sin duda, implicaría nuevas controversias jurídicas y judiciales.

VI. BIBLIOGRAFÍA

- **Referencias doctrinales**

- ALONSO GARCÍA, M.C.: "El Supremo <<alivia>> la carga procesal del lesionado y determina el momento de la aparición del daño en la acción de responsabilidad patrimonial contra el legislador, Revista Vasca de Administración Pública, n°120, 2021.
- CAMPOS MARTÍNEZ, Y. A.: "La responsabilidad patrimonial del Estado-legislador en materia tributaria. Especial referencia a la vulneración del Derecho de la Unión Europea", Tesis Doctoral, Universidad de Castilla-La Mancha, 2016.
- GARCÍA MORENO, V.A.: "¿Es necesaria una acción directa de responsabilidad contra el Estado ejercitable ante el juez? Análisis de la STJUE sobre la responsabilidad patrimonial del Estado legislador, Carta Tributaria. Revista de Opinión, n°88, 2022.

---

[167] GONZÁLEZ, M. T.: "EL TJUE declara contrario a Derecho la reforma del régimen español de responsabilidad patrimonial del Estado Legislador", nota Ernst & Young, 24 de julio de 2022.

- GARRIGUES: "Responsabilidad patrimonial del Estado legislador: las claves de la sentencia TJUE que obliga a modificar la normativa española", Comentario Administrativo España, 30 de junio de 2022.

- GONZÁLEZ, M. T.: "EL TJUE declara contrario a Derecho la reforma del régimen español de responsabilidad patrimonial del Estado Legislador", nota Ernst & Young, 24 de julio de 2022.

- IBAÑEZ GARCÍA, I.: "¿Es negligente el ciudadano que no cuestiona la constitucionalidad de una ley o la contravención por la misma del Derecho europeo? De nuevo sobre el principio de fiabilidad del sistema legal y el grado de pericia exigible al sufrido contribuyente", Diario La Ley, nº 10118, 2022.

- LITAGO LLEDÓ, R.: "La responsabilidad patrimonial del Estado legislador en materia tributaria: razones de su crisis actual y perspectiva de futuro", Nueva Fiscalidad, nº1, 2022.

- LEIVA GARCÍA, A.D.: "La responsabilidad patrimonial del Estado legislador por leyes inconstitucionales o contrarias al Derecho de la Unión Europea", Revista catalana de dret públic, nº63, 2021.

- MARTÍN VALERO, A.I.: "La responsabilidad patrimonial del Estado legislador: alcance del concepto <<recurso>> del artículo 32.4 LRJSP, Actualidad Administrativa, nº4, 2021.

- **Referencias jurisprudenciales**

- Sentencia TJUE de 28 de junio de 2022, Comisión/España (Violación del Derecho de la Unión por el legislador), C-727/20, (EU: C:2022:503).

- Sentencia TJUE de 18 de enero de 2022, Thelen Technopark Berlin, C-261/20, (EU: C:2022:33).

- Sentencia de 8 de julio de 2021, Koleje Mazowieckie, C120/20, (EU: C:2021:553).

- Sentencia TJUE de 24 de junio de 2021, Comisión/España (Deterioro del espacio natural de Doñana), C-559/19, (EU: C:2021:512).

- Sentencia TJUE de 21 de enero de 2021, Whiteland Import Export, C308/19, (EU:C:2021:47).

- Sentencia TJUE de 24 de junio de 2019, Popławski, C573/17, (EU:C:2019:530).

- Sentencia TJUE de 4 de octubre de 2018, Kantarev, C571/16, (EU: C:2018:807).

- Sentencia TJUE de 9 de diciembre de 2010, Combinatie Spijker Infrabouw-De Jonge Konstruktie y otros, C568/08, (EU: C:2010:751).

- Sentencia TJUE de 26 de enero de 2010, Transportes Urbanos y Servicios Generales, C118/08, (EU:C:2010:39).

- Sentencia TJUE de 30 de septiembre de 2003, Köbler, C224/01, (EU:C:2003:513).

- Sentencia TJUE de 23 de mayo de 1996, Hedley Lomas, C5/94, (EU:C:1996:205).

- Sentencia TJUE de 5 de marzo de 1996, Brasserie du pêcheur y Factortame, C46/93 y C48/93, (EU:C:1996:79).

- Sentencia TJUE de 19 de noviembre de 1991, Francovich y otros, C6/90 y C9/90, (EU:C:1991:428).

- Sentencia TJUE de 13 de noviembre de 1990, Marleasing, C106/89, (EU:C:1990:395).

21.- UNA APROXIMACIÓN A LOS PRINCIPIOS DE BUENA ADMINISTRACIÓN Y DE CONFIANZA LEGÍTIMA DENTRO DEL ÁMBITO TRIBUTARIO

ANTONIO JOSÉ RAMOS HERRERA.

Doctor en Derecho. Universidad de Granada.

I. INTRODUCCIÓN

La jurisprudencia está dotando de carácter práctico a los principios de buena administración y de confianza legítima, los cuales se encuentran incardinados en el elenco de derechos fundamentales derivados de la Constitución Española. Esta dotación impone a la Administración tributaria mantener una línea de actuación homogénea en sus relaciones jurídicas, lo cual contribuye a responder las expectativas generadas en los administrados, al obligarla a actuar con la diligencia debida para alcanzar una cooperación eficaz en su relación.

Ambos principios tienen importantes implicaciones en el ámbito tributario puesto que los mismos tienen como objetivo alcanzar el sistema tributario justo que establece el artículo 31.1 de la Constitución Española, lo cual motiva el necesario análisis de los criterios que ponen de manifiesto tanto su configuración práctica como los límites en la actuación de la Administración tributaria.

II. BREVES PINCELADAS SOBRE EL PRINCIPIO DE BUENA ADMINISTRACIÓN EN EL ÁMBITO TRIBUTARIO

El principio de buena administración, tal y como afirma Orena Domínguez[168], tiene su anclaje normativo tanto en los textos comunitarios (artículos 41 y 42 de

---

[168] ORENA DOMÍNGUEZ, A. El Principio de buena administración en el ámbito tributario: un paso más allá en los derechos y garantías de los obligados tributarios. *Revista Quincena Fiscal nº 22, 2020.* Consultada en https://insignis.aranzadidigital.es

la Carta de los Derechos Fundamentales de la Unión Europea, de 12 de diciembre de 2007) como en la Constitución Española (artículos 9.3, 103.1 y 106), la Ley 39/2015, de 1 de octubre , de Procedimiento Administrativo Común de las Administraciones Públicas (artículo 13), y la Ley 40/2015, de 1 de octubre, de Régimen Jurídico del Sector Público (artículo 3.1 e), bajo el encaje en los principios de buena fe, confianza legítima y lealtad institucional.

A este respecto, la Sentencia del Tribunal Supremo (STS) de 15 de octubre de 2020, afirma que es sabido que el principio de buena administración está implícito en nuestra Constitución Española y ha sido positivizado en la Carta de Derechos Fundamentales de la Unión Europea, constituyendo un nuevo paradigma del Derecho referido a un modo de actuación pública que excluye la gestión negligente y no consiste en una pura fórmula vacía de contenido, sino que se impone a las Administraciones públicas, de suerte que el conjunto de derechos que de aquel principio derivan, entre los que se encuentran la audiencia, la resolución en plazo, el tratamiento eficaz y equitativo de los asuntos, y la buena fe, deben tener una plasmación efectiva y llevar aparejado, por ello, un correlativo elenco de deberes plenamente exigibles por los ciudadanos a los órganos públicos, entre los que el TS destaca el de dar respuesta motivada a las solicitudes que los ciudadanos formulen a la Administración.

De este modo, aunque la Ley 58/2003, de 17 de diciembre, General Tributaria, no recoja como tal el principio de buena administración en su artículo 34 dedicado a los derechos y garantías de los obligados tributarios, no quiere decir que los obligados tributarios no tuvieran derecho al mismo, puesto que como destaca Oliver Cuello[169], no todos los derechos y garantías de los obligados tributarios se encuentran establecidos en el citado artículo, debido a que como no podía ser de otro modo, los derechos y garantías procedimentales enunciados en la normativa tributaria no son sino concreciones legales, de los derechos fundamentales y de las garantías constitucionales de los ciudadanos, y de los principales mandatos y exigencias constitucionales que deben informar toda actuación administrativa, incluida la tributaria, con la finalidad de servir con objetividad los intereses generales para actuar de conformidad con los principios de eficacia, jerarquía, descentralización y coordinación con sometimiento pleno a la ley y al derecho, a través del procedimiento regulado en el que se garantizará la audiencia del interesado.

El desarrollo doctrinal del principio de buena administración, tal y como afirma Garín Ballesteros[170], parte de la construcción jurisprudencial que a lo largo

---

[169]   OLIVER CUELLO, R. *Derechos de los contribuyentes en la gestión tributaria.* Thomson Reuters Aranzadi, 2018, p. 22 a 29.

[170]   GARÍN BALLESTEROS, B. La interpretación del deber de buena administración en la jurisprudencia del Tribunal Supremo. Análisis de la STS de 15 de marzo de 2021, rec. núm. 526/2020. *Revista de Contabilidad y Tributación, nº 463, 2021.* Consultada en https://www.ceflegal.com

de los años comenzó a realizar el Tribunal de Justicia de las Comunidades Europeas (TJCE), cuyas primeras alusiones al término se encuentran en su Sentencia de 11 de febrero de 1955 (As. 4-54, *Industrie Siderurgiche Associate (ISA)*). No obstante, estas raíces han empezado a dar sus frutos a través de la construcción jurisprudencial del actual Tribunal de Justicia de la Unión Europea (TJUE), el cual ha ido desarrollando las garantías de dicho derecho a través de sentencias en las que ha interrelacionado la buena administración con distintos derechos fundamentales, como la tutela judicial efectiva.

En nuestro país, el TS, pese a recibir dicho derecho del acervo comunitario, ha preferido construir su jurisprudencia sobre el derecho a la buena administración para dotarlo de contenido, aunque sea a través de valorar la casuística concreta, convirtiéndolo en una suerte de filtro de valoración del actuar administrativo, afirmando sus Sentencias de 23 de marzo de 2015, de 7 de noviembre de 2017 y de 15 de enero de 2020, que los países miembros la Unión Europea reconocen los derechos, libertades y principios enunciados en la Carta de los Derechos Fundamentales de la Unión Europea, la cual tendrá el mismo valor jurídico que los Tratados.

En concreto, la STS de 14 de abril de 2021 afirma que el derecho al procedimiento administrativo debido, que es corolario del deber de buena administración, garantiza que las decisiones administrativas se adopten de forma motivada y congruente con el *iter procedimental*, sin incurrir en desviación del procedimiento, en la medida que se requiere que no haya discordancias de carácter sustancial entre los datos fácticos relevantes, la fundamentación jurídica obrante en el expediente y el contenido de la decisión administrativa. Está claro que el TS adopta una posición de rigor respecto al procedimiento que deben seguir las Administraciones en su actuar, dado que la buena administración no es solamente un derecho que se le debe garantizar al contribuyente, sino que es un deber de la Administración.

En este sentido, cabe poner de manifiesto que aunque es la jurisprudencia del TS la que resalta la aplicación de este principio al ámbito tributario, no obstante, la construcción jurisprudencial del principio de buena administración se ha centrado desde su origen, tal y como pone de manifiesto Viñuales Ferreiro[171], en el logro de una gestión pública más óptima en beneficio de los ciudadanos, tal y como lo demuestra el hecho de que el TS ha ido configurando el contenido de este derecho a través de interpretaciones favorables a los ciudadanos partiendo de la idea de una mejor y más adecuada gestión y administración pública en beneficio de los contribuyentes, afirmando, en este aspecto, entre otras, en sus Sentencias

---

[171] VIÑUALES FERREIRO, S. El artículo 41 de la Carta de los Derecho Fundamentales de la Unión Europea: una visión crítica. *Estudios de Deusto, vol. 63/1, 2015*. Consultada en http://www.revista-estudios-deusto.es/

de 19 de febrero de 2019 y de 11 de junio de 2020, que dicho principio "impone a la Administración una conducta lo suficientemente diligente como para evitar definitivamente las posibles disfunciones derivadas de su actuación, sin que baste la mera observancia estricta de procedimientos y trámites", reclamando la plena efectividad de garantías y derechos reconocidos legal y constitucionalmente al contribuyente y a la propia Administración tributaria, con el objetivo de observar el deber de cuidado y de debida diligencia para su efectividad y para garantizar la protección jurídica que haga inviable el enriquecimiento injusto.

A este respecto, la STS de 19 de octubre de 2015 considera que la obligación de motivar los actos tributarios no está prevista solo como garantía del derecho a la defensa de los contribuyentes, sino que tiende también a asegurar la imparcialidad de la actuación de la Administración tributaria, así como a observar las reglas que disciplinan el ejercicio de las potestades que le han sido atribuidas. Este deber, también se observa en la STS de 5 de diciembre de 2017 y en la de 18 de diciembre de 2019, en las que se sostiene que el derecho a una buena administración no se trata, por tanto, de una mera fórmula vacía de contenido, sino que se impone a las Administraciones públicas de suerte que a dichos derechos sigue un correlativo elenco de deberes a estas exigibles, entre los que se encuentran, desde luego, el derecho a la tutela administrativa efectiva.

En este sentido, cabe destacar la STS de 17 de abril de 2017, la cual considera que el principio de buena administración en el ámbito tributario no se detiene en la mera observación estricta tanto del procedimiento como de los trámites, sino que va más allá al reclamar la plena efectividad de garantías y derechos reconocidos legal y constitucionalmente al contribuyente. Se trata pues de un principio que, tal y como destaca Gamero Casado[172], se debe entender conectado con la simplificación del procedimiento administrativo con el objetivo de obtener finalidades complementarias e íntimamente relacionadas con los principios de eficacia y de buena administración.

En todo caso, tal y como indica la jurisprudencia del Tribunal de Justicia de la Unión Europea (TJUE), entre otras en su Sentencia de 22 de noviembre de 2017 (As. C-691/15P, *Bilbaína de Alquitranes y otros*) la obligación de diligencia es inherente al principio de buena administración aplicándose de manera general a la actividad de la Administración de la Unión Europea, dado que tal y como afirma Chico de la Cámara[173], la diligencia supone, sobre todo, la ponderación de los

---

[172] GAMERO CASADO, E. La simplificación del procedimiento administrativo como categoría jurídica. En *GAMERO CASADO, E, (Coord.). Simplificación del procedimiento y mejora de la regulación. Una metodología para la eficacia y el derecho a la buena administración.* Tirant lo Blanch. 2014, p. 45.

[173] CHICO DE LA CÁMARA, P. Compliance tributario & principio de buena fe: ¿cómo sentar unas sólidas bases para una mejora de las relaciones cooperativas?. *Revista Española de Derecho Financiero, nº 189, 2021,* p. 48.

intereses en juego a fin de que las decisiones adoptadas por las autoridades tributarias encuentren una adecuada motivación, que refleje la congruencia entre los hechos y estas últimas y que, en este sentido, no solamente va más allá de las exigencias del principio de proporcionalidad, sino que responde a los objetivos de eficacia, objetividad y buena fe que inspiran la relación cooperativa.

En base a todo ello, como afirma, Tomás Mallén[174], el principio de buena administración se trata de una especie de derecho-garantía o derecho instrumental, que propicia la defensa de otros derechos, que ponen de manifiesto, como señala Ponce Solé[175], la preocupación que existe por la calidad de la actividad administrativa, al ser un aspecto de la función administrativa que indica cómo se ha de ejercer la misma, motivo por el cual se ha convertido en un poderoso instrumento de resolución de conflictos extraordinariamente versátil que permite al TS hacer justicia del caso concreto, especialmente eficaz, como destaca Marín-Barnuevo Fabo[176], en los supuestos en que no existe una clara vulneración del ordenamiento jurídico tributario, aunque lo deseable sería que no se tuvieran que judicializar los temas porque la propia Administración tributaria lo haya aplicado previamente de oficio, puesto que como destaca Castillo Blanco[177], en un primer momento su vertiente técnico-jurídica, vino delimitado, por su opuesto, esto es, la mala administración, con lo que englobaba aquellos supuestos que son rechazados como atentatorios del propio principio de Estado de Derecho.

No obstante, Sanz Gómez[178] considera que "es frecuente que la invocación del principio sea meramente retórica o se limite a forzar argumentos que, por sí mismos, serían insuficientes para motivar el fallo alcanzado", pronunciándose en sentido similar Menéndez Sebastián[179], el cual destaca que como un análisis centrado exclusivamente en el control a posteriori no es suficiente, la noción de buena administración no debe solo servir para detectar los casos de mala administración, sino para algo más, es decir, para guiar la actuación de las Administra-

---

[174]   TOMÁS MALLÉN, B. *El derecho fundamental a una buena administración.* Instituto Nacional de Administración Pública. 2004, p. 41 y 42.

[175]   PONCE SOLÉ, J. La calidad en el desarrollo de la discrecionalidad reglamentaria: teorías sobre la regulación y adopción de buenas decisiones normativas por los gobiernos y las Administraciones. *Revista de Administración Pública n.º 163, 2003,* p. 90; y *Deber de buena administración y derecho al procedimiento administrativo debido. Las bases constitucionales del procedimiento administrativo y del ejercicio de la discrecionalidad,* Lex Nova, 2001, p. 197.

[176]   MARÍN-BARNUEVO FABO, D.: "El principio de buena administración en materia tributaria", *Revista Española de Derecho Financiero, nº 186, 2020,* p. 16.

[177]   CASTILLO BLANCO, F. A. Garantías del derecho ciudadano al buen gobierno y a la buena Administración. *Revista Española de Derecho Administrativo nº 172, 2015,* p. 7.

[178]   SANZ GÓMEZ, R. Buena Administración y Procedimiento Tributario Justo. *En Merino Jara, I. (Dir.). La Protección de los derechos Fundamentales en el ámbito tributario (capítulo VII).* Wolters Kluwer, 2021, p. 238.

[179]   MENÉNDEZ SEBASTIÁN, E. M. *De la función consultiva clásica a la buena administración. Evolución en el Estado social y democrático de Derecho.* Marcial Pons. 2021, p. 52.

ciones, de ahí también que buena administración sea una noción más amplia y no estrictamente antagónica de la idea de mala administración.

III. UN ACERCAMIENTO AL PRINCIPIO DE CONFIANZA LEGÍTIMA EN EL ÁMBITO TRIBUTARIO

El principio de protección de la confianza invocado en numerosas ocasiones en asuntos de derecho tributario relacionados con ayudas de estado[180], se trata de un principio general del derecho de origen alemán que, como consecuencia de la jurisprudencia del TJUE, se incorporó, tal y como señala Díaz Rubio[181], al ordenamiento de la Unión Europea y al ordenamiento jurídico español, basándose en la frustración de una expectativa derivada de una situación de confianza originada por la conducta o el comportamiento de los poderes públicos. Este principio, tal y como afirma Pescatore[182], está estrechamente ligado, tanto a la seguridad jurídica, como a la protección de los derechos adquiridos, con lo cual limita en el ámbito del Derecho público, como señala Sanz Rubiales[183], la actividad del poder público para impedir que destruya sin razón suficiente la confianza que su actuación haya podido crear en los ciudadanos sobre la estabilidad de una determinada situación jurídica.

Este principio, tal y como manifiesta Orena Domínguez[184], pretende que las relaciones entre los poderes públicos y los ciudadanos se desarrollen en un marco de estabilidad, lo cual motiva su aplicación tanto en el ámbito de los cambios legislativos como en el de las relaciones entre la Administración y los administrados, con la finalidad de esperar que la actuación futura de aquélla vaya en el mismo sentido, salvo cambios de criterios justificados, para dotar de estabilidad a la relación jurídico tributaria. A este respecto, el TS, en su Sentencia de 22 de septiembre de 1990, puso de manifiesto que "el procedimiento administrativo no es un mero ritual tendente a cubrir a un poder desnudo con una vestidura

---

[180] MERINO JARA, I. Cambio de criterio. *Revista Quincena Fiscal n° 5, 2010*. Consultada en https://insignis.aranzadidigital.es; MERINO JARA, I. Ayudas de Estado y confianza legítima. *Revista Quincena Fiscal n° 19, 2019*. Consultada en https://insignis.aranzadidigital.es; y BURLADA ECHEVESTE, J. L. Ayudas de Estado y concierto económico: ¿el Tribunal Supremo rectifica su postura tras el asunto Azores?. *Revista Quincena Fiscal n° 4, 2008*. Consultada en https://insignis.aranzadidigital.es

[181] DÍAZ RUBIO, P. *El principio de confianza legítima en materia tributaria*. Tirant lo Blanch, 2014, p. 163.

[182] PESCATORE, P. Los principios Generales del Derecho como fuente del Derecho Comunitario. *Noticias de la Unión Europea n° 40, 1988*, p. 47.

[183] SANZ RUBIALES, I. El principio de confianza legítima, limitador del poder normativo comunitario. *Revista de Derecho Comunitario Europeo n° 7, 2000*, p. 92.

[184] ORENA DOMÍNGUEZ, A. Hacienda no puede ir contra sus actos propios: confianza legítima, seguridad jurídica y buena fe. *Revista Quincena Fiscal n° 7, 2015*. Consultada en https://insignis.aranzadidigital.es

pudorosa que evite el rechazo social. Que no se trata de cubrir impudicias, sino que de que no las haya. Porque lo que exige el pudor en las relaciones entre el poder público y los ciudadanos es que el comportamiento de aquel inspire confianza a los administrados".

Como paso siguiente en el establecimiento de dicho principio en nuestro ordenamiento, tal y como afirma Rufino Bengoechea[185], debemos detenernos en la Ley 4/1999, de 13 de enero, de modificación de la Ley 30/1992, de 26 de noviembre, de Régimen Jurídico de las Administraciones Públicas y del Procedimiento Administrativo Común, la cual con la modificación realizada en el apartado 1 del artículo 3 de la Ley 30/1992, de 26 de noviembre, estableció que "Las Administraciones públicas sirven con objetividad los intereses generales y actúan de acuerdo con los principios de eficacia, jerarquía, descentralización, desconcentración y coordinación, con sometimiento pleno a la Constitución, a la Ley y al Derecho. Igualmente, deberán respetar en su actuación los principios de buena fe y de confianza legítima". A partir de esta regulación, el principio de confianza legítima ha quedado recogido en el artículo 3.1 e) de la Ley 40/2015, de 1 de octubre, de Régimen Jurídico del Sector Público, junto con la buena fe y la lealtad institucional. No obstante, se echa de menos que el paulatino proceso de positivización del principio no haya abarcado a la norma fundamental del procedimiento tributario, la Ley 58/2003, de 17 de diciembre, General Tributaria, la cual no recoge, de manera expresa, el principio de confianza legítima, si bien, podemos contar con el mismo, debido al carácter supletorio de las disposiciones generales del derecho administrativo y los preceptos del derecho común, de conformidad con lo establecido en su artículo 7.2.

Con respecto a la jurisprudencia del TJUE, entre otras en sus Sentencias de 1 de abril de 1993 (As. C-31/91 a C-44/91, *Lagedery*), de 3 de diciembre de 1998 (As. C-381/97, *Belgocodex*) y de 8 de junio de 2000 (As. C-396/98, *SchloBtraBe*), el principio de protección de la confianza legítima es parte del ordenamiento jurídico comunitario y debe ser respetado por los Estados miembros cuando aplican las normativas comunitarias, afirmando en este sentido, el TS en su Sentencia de 10 de junio de 2013, que "el respeto al principio de protección de la confianza legítima, que rige en un Estado de Derecho las relaciones entre la Administración y los particulares, por imperativo de lo dispuesto en los artículos 9.3 y 103 de la Constitución, determina que una autoridad pública no puede adoptar decisiones que frustren o defrauden las expectativas fundadas de los particulares, derivadas de un previo proceder de la Administración, acorde con la legalidad, que ha provocado que éstos, basados en la situación de confianza suscitada, adecuen

---

[185] RUFINO BENGOECHEA, E. Historia de una desazón: ¿y si el principio de confianza legítima se agota en la preclusividad?. *Revista de Contabilidad y Tributación nº 420, 2018*. Consultada en https:// www.ceflegal.com/

su comportamiento procedimental. No obstante, este principio no puede ser invocado para legitimar actuaciones de la Administración, de carácter reglado, que se revelen contrarias al ordenamiento jurídico, o que resulten contradictorias con el fin o interés público tutelado por una norma jurídica, pues de ningún modo puede validar una conducta arbitraria de la Administración que suponga el reconocimiento de derechos o facultades contrarios al principio de legalidad".

De este modo, tal y como afirma el TS en sus Sentencias de 4 de noviembre de 2013 y 6 de marzo de 2014, el principio de confianza legítima impone que las decisiones de la Administración no supongan un cambio de sentido respecto de los actos administrativos previamente dictados, que sirven como fundamento en la actuación del administrado, dando con ello estabilidad a la relación jurídico administrativa. Sin embargo, este principio no ofrece protección frente a aquellas actuaciones contrarias al principio de legalidad, que no pueden quedar convalidadas por el hecho de que las previas decisiones administrativas hubieran sido de aprobación o de conformidad de la conducta del administrado.

En este sentido, el TS en su Sentencia de 26 de febrero de 2001 apuntó que "el principio de buena fe protege la confianza que fundadamente se puede haber depositado en el comportamiento ajeno e impone el deber de coherencia en el comportamiento propio. Lo que es tanto como decir que dicho principio implica la exigencia de un deber de comportamiento que consiste en la necesidad de observar de cara al futuro la conducta que los actos anteriores hacían prever y aceptar las consecuencias vinculantes que se desprenden de los propios actos, constituyendo un supuesto de lesión a la confianza legítima de las partes *venire contra factum propium*". A este respecto, la STS de 15 de diciembre de 2001 manifestó que "para la Administración pública, que de acuerdo con el mandato del artículo 103 de la Constitución sirve con objetividad los intereses generales con sometimiento pleno a la ley y al Derecho, dicho principio adquiere un valor cualitativamente distinto al que opera en el ámbito de las relaciones entre particulares, campo del Derecho privado donde nació ese principio general, pues no solo supone la vinculación con los propios actos de decisión adoptados, en tanto sean susceptibles de crear efectos favorables para el interesado o con terceros, sino que supone un límite del ordenamiento jurídico a la discrecionalidad en el actuar administrativo y prevención del mayor peligro de esta, cual es la arbitrariedad (art. 9.3 de la Constitución Española), que consagra el principio jurídico de "interdicción de la arbitrariedad de los poderes públicos". Desde esa perspectiva, la vinculación al acto propio de voluntad es signo de buena fe y de respeto a la confianza legítima que la exteriorización de esa voluntad haya podido ocasionar en el destinatario del acto o en terceros".

Así pues, de conformidad con la STS de 30 de noviembre de 2009, los principios básicos de nuestro sistema jurídico, como el de que nadie, tampoco la Administración, puede ir contra sus propios actos, crean en los destinatarios una suerte de confianza de lo que no hará en el futuro, trayendo a un primer plano la idea fundamental de la seguridad jurídica (artículo 9.3 de la Constitución Española), motivo por el cual, tal y como afirma la STS de 13 de mayo de 2010, la Administración ha de dar por bueno el comportamiento del administrado que se ajusta a los criterios administrativos establecidos con anterioridad de modo expreso como ajustados a derecho.

En la configuración de la jurisprudencia sobre la confianza legítima también ha influido, de manera decisiva, la Audiencia Nacional (AN), en cuya Sentencia de 26 de enero de 2012 afirma que podía llegar a ser vinculante para la Administración tributaria un criterio aplicado con anterioridad puesto que la infracción del principio *venire contra factum proprium non valet* radica cuando existe una completa identidad fáctica entre dos situaciones y la Administración, desoyendo los imperativos de buena fe, otorga un efecto fiscal distinto a dos situaciones idénticas. Además de ésta, la Sentencia de la AN (SAN) que puede considerarse como fundamental es la de 24 de julio de 2012, donde se plantea la aplicación de la doctrina de los actos propios sobre la base de actos tácitos de la Administración tributaria, puesto que dichos actos se ponen de relieve tanto cuando la Administración manifiesta su parecer, de manera expresa y positiva, sobre cualquier cuestión de su competencia, como mediante actos tácitos o presuntos, con tal que sean concluyentes e inequívocos en relación con la evidencia de la conducta de la Administración reflejada en ellos.

El recurso contra esta última SAN dio lugar a la STS de 4 de noviembre de 2013, la cual afirma que la Administración puede quedar obligada a observar hacia el futuro la conducta que ha seguido en actos anteriores, inequívocos y definitivos, creando, definiendo, estableciendo, fijando, modificando o extinguiendo una determinada relación jurídica. Esos actos pueden ser expresos, mediante los que la voluntad se manifiesta explícitamente, presuntos, cuando funciona la ficción del silencio en los casos previstos por el legislador, o tácitos, en los que la declaración de voluntad se encuentra implícita en la actuación administrativa de que se trate.

En el análisis del principio de confianza legítima especial referencia merece, la STS de 18 de noviembre de 2013, en la que los magistrados Joaquín Huelin Martínez de Velasco y José Antonio Montero Fernández emitieron sendos votos particulares, en los que afirman que cuando la creencia del administrado que sustenta su comportamiento se basa en signos externos y no en meras apreciaciones subjetivas o convicciones psicológicas, debe protegerse su situación, pues la Administración no puede negar un derecho a quien legítimamente se ha fiado de ella y se ha desenvuelto conforme a los dictados que la actuación anterior de la Administración le marcaba. Esta decisión, fundada en el principio que exige proteger la confianza legítima, no resulta novedosa en nuestra jurisprudencia, puesto que son varias las sentencias que le han dado operatividad en distintos ámbitos para amparar a los administrados que han actuado bajo la cobertura del mismo, como son, entre otras, las STS de 26 de abril de 2010, de 28 de noviembre de 2012 y de 22 de enero de 2013, que no hacen sino adoptar los criterios ya sentados en la jurisprudencia del TJUE, entre otras, en sus Sentencias de 17 de julio de 1997 (As. C-183/95, *Afsh*), de 3 de diciembre de 1998 (As. C-381/97, *Belgocodex*), y de 11 de julio de 2002 (As. C-62/00, *Marks & Spencer*). A este respecto, siguiendo el pronunciamiento de los citados magistrados, tal y como indica Rufino Bengoechea[186], se puede afirmar que no nos encontramos en este asunto ante potestades estrictamente regladas, sino ante la aplicación de un concepto jurídico indeterminado que, sin una delimitación precisa en la norma, debe concretarse en cada caso buscando la única solución justa, motivo por el cual aplicando uno de los cimientos de nuestro ordenamiento, la seguridad jurídica, a la que sirve el principio de confianza legítima, la organización servidora que es la Administración no puede mudar de criterio sin motivación aparente alguna.

De esta jurisprudencia, tal y como indica Díaz Rubio[187], se desprende que para la aplicación del principio de confianza legítima se deben cumplir tres requisitos consistentes en: la existencia de un acto o de un comportamiento de los poderes públicos que fuera conocido por la persona interesada y que por tanto generara una situación de confianza; un cambio en la conducta de los poderes públicos que fuera imprevisible para la persona interesada y que por tanto le provocara la frustración de una expectativa derivada de una situación de confianza; y la ponderación del interés de la persona que reclama la protección de su confianza, en contraposición con el interés público en la modificación del acto o del comportamiento de los poderes públicos, en la cual debe prevalecer la confianza de la persona interesada sobre el interés público.

IV. CONSIDERACIONES FINALES

El principio de buena administración se encuentra inmerso en un proceso de evolución, en el que tal y como manifiesta Castillo Blanco[188], se va decantando a través de las distintas normas promulgadas en los últimos años motivo por el cual la doctrina científica tiene la misión de aportar el necesario rigor en la delimitación de su contenido.

---

[186]   RUFINO BENGOECHEA, E. Historia de una desazón: ¿y si el principio de confianza legítima se agota en la preclusividad?. *Ob. cit.*

[187]   DÍAZ RUBIO, P. *El principio de confianza legítima en materia tributaria.* Ob. cit., p. 83 a 86.

[188]   CASTILLO BLANCO, F. A. Garantías del derecho ciudadano al buen gobierno y a la buena Administración. *Ob. cit.*, p. 7.

Por este motivo, en los procedimientos judiciales, como señala Marín-Barnue-vo[189], no se debe considerar problemático que se invoque el principio de buena administración para referirse a los principios de eficacia, eficiencia y objetividad que lo integran, o las reglas que exigen motivar los actos, resolver en plazo razonable o hacer efectivo el derecho de audiencia, puesto que los mismos forman parte del núcleo genérico del principio de buena administración, lo cual origina que nadie puede poner en duda, como destaca Juan Lozano[190], el hecho de que el derecho de buena administración se configura como marco conceptual de impacto creciente del cual deriva la concreción de ajustes en las posiciones jurídico-subjetivas de las Administraciones tributarias y la ciudadanía, puesto que su aplicación a la relación cooperativa, no solamente debe conducir a la justa realización del deber de contribuir, sino a su perfeccionamiento a partir de su proyección sobre el procedimiento de aplicación de los tributos, caracterizándose, tal y como destaca Rodríguez-Arana[191], por la centralidad de la persona, en cuanto sujeto activo del interés general, la metodología del entendimiento y la promoción de la participación.

En definitiva, cabe afirmar que el principio de buena administración, configurándose como un principio de difícil y compleja delimitación, cabe conectar, como pone de manifiesto Ponce Solé y Cerrillo I Martínez[192], tanto con la mejora regulatoria como con el modo en que el poder ejecutivo debe desarrollar sus tareas administrativas, siendo cierto, en este sentido, como afirma Garde Roca[193] que "la responsabilidad fiscal y el logro de la equidad en la práctica, dependen no solo de la actitud de los contribuyentes, sino también de forma creciente de las propias Administraciones tributarias", engarzando con una visión de la Administración pública con obligaciones positivas de hacer o realizar de un determinado modo, con calidad, eficacia y eficiencia en la gestión de las políticas públicas, a las que se corresponde un derecho de la ciudadanía a exigir su preceptiva materialización, motivo por el cual debería ser aplicado por la Administración tributaria de oficio en cualquier procedimiento, sin tener que esperar a

---

[189]   MARÍN-BARNUEVO FABO, D. El principio de buena administración en materia tributaria. *Ob. cit.*, p. 16.

[190]   JUAN LOZANO, A. M. Retos y propuestas en el modelo español, en *Buena Administración tributaria y seguridad jurídica: cumplimiento tributario y aplicación del sistema como factores de competitividad y legitimidad,* Instituto de Estudios Fiscales, doc. n° 5, 2016, p. 12.

[191]   RODRÍGUEZ-ARANA, J. La buena administración como principio y como Derecho fundamental en Europa. *Revista Misión Jurídica, n° 6, 2013,* p. 28 y ss.

[192]   PONCE SOLÉ, J. y CERRILLO I MARTÍNEZ, A. Introducción: innovación, buena regulación y prevención de la corrupción. En *PONCE SOLÉ, J. y CERRILLO I MARTÍNEZ, A. Innovación en el ámbito del buen gobierno regulatorio: ciencias del comportamiento, transparencia y prevención de la corrupción.* Instituto Nacional de Administración Pública, 2017, p. 22.

[193]   GARDE ROCA, J. A. Responsabilidad fiscal y administración tributaria en tiempos de cambio. *En Gobernanza Fiscal: Una aproximación equilibrada,* Fundación Impuestos y Competitividad, 2020, p. 243.

que ningún Tribunal le recuerde su debida aplicación, puesto que el fomento de la confianza mutua a través del refuerzo de la cooperación por parte del contribuyente a cambio de certeza, seguridad jurídica y transparencia por parte de la Administración tributaria debe encontrarse, como señala Sánchez López[194], tras esta nueva forma de entender la relación entre Administración y obligado tributario, puesto que como afirma Patón García[195], "para que la nueva cultura de la relación jurídico tributaria sea posible, es indispensable una mejora en las buenas prácticas de los procedimientos tributarios que puedan afectar a los derechos del contribuyente".

Por su parte, con respecto al principio de confianza legítima que tiene aplicación frente a las actuaciones imprevisibles de la Administración y de los órganos jurisdiccionales, ante la actuación del legislador, podemos afirmar, tal y como pone de manifiesto Barciela Pérez[196], que incide de forma directa en el ámbito temporal de la sucesión de normas, motivo por el cual se dirige a proteger a los particulares contra las modificaciones normativas que, por su inmediata aplicación o por su retroactividad, puedan producirles daños y perjuicios, de tal modo que requiere que el contenido de las normas jurídicas sea previsible para sus destinatarios, sin impedir la actividad de producción normativa, requiriendo para ello, salvo interés público perentorio, un periodo razonable *vacatio legis*, el establecimiento de disposiciones transitorias, o la adopción de medidas de anuncio.

En este sentido, tal y como indica Díaz Rubio[197], se debe tener en cuenta que el principio de seguridad jurídica en el cual el principio de confianza legítima encuentra su fundamento, comprende la protección de las expectativas legítimas, ya que, si en un determinado supuesto se produce un cambio imprevisible para el ciudadano en la línea de conducta de los poderes públicos, éste provocará la conculcación de sus legítimas expectativas.

---

[194] SÁNCHEZ LÓPEZ, M. E. El principio de buena administración y el compliance fiscal: una relación necesaria. *Revista Española de Derecho Financiero n° 193, 2022.* Consultada en https://insignis.aranzadidigital.es

[195] PATÓN GARCÍA, G. Cumplimiento cooperativo y buenas prácticas en los procedimientos de aplicación de los tributos: la conflictividad evitable y el principio de buena administración, en *Cumplimiento cooperativo y reducción de la conflictividad: hacia un nuevo modelo de relación entre la Administración y los contribuyentes.* Thomson Reuters, Aranzadi, 2021, p. 437.

[196] BARCIELA PÉREZ, J. A. El principio de protección de la confianza legítima en el ámbito tributario: jurisprudencia del TC y del TS. *Revista Quincena Fiscal n° 21, 2010.* Consultada en https://insignis.aranzadidigital.es

[197] DÍAZ RUBIO, P. *El principio de confianza legítima en materia tributaria.* Ob. cit., p. 68 a 70 y 77.

V. BIBLIOGRAFÍA

BARCIELA PÉREZ, J. A. El principio de protección de la confianza legítima en el ámbito tributario: jurisprudencia del TC y del TS. *Revista Quincena Fiscal n° 21, 2010.*

BURLADA ECHEVESTE, J. L. Ayudas de Estado y concierto económico: ¿el Tribunal Supremo rectifica su postura tras el asunto Azores?. *Revista Quincena Fiscal n° 4, 2008.*

CASTILLO BLANCO, F. A. Garantías del derecho ciudadano al buen gobierno y a la buena Administración. *Revista Española de Derecho Administrativo n° 172, 2015.*

CHICO DE LA CÁMARA, P. Compliance tributario & principio de buena fe: ¿cómo sentar unas sólidas bases para una mejora de las relaciones cooperativas?. *Revista Española de Derecho Financiero, n° 189, 2021.*

DÍAZ RUBIO, P. *El principio de confianza legítima en materia tributaria.* Tirant lo Blanch, 2014.

GAMERO CASADO, E. La simplificación del procedimiento administrativo como categoría jurídica. En *GAMERO CASADO, E, (Coord.). Simplificación del procedimiento y mejora de la regulación. Una metodología para la eficacia y el derecho a la buena administración.* Tirant lo Blanch. 2014.

GARDE ROCA, J. A. Responsabilidad fiscal y administración tributaria en tiempos de cambio. *En Gobernanza Fiscal: Una aproximación equilibrada*, Fundación Impuestos y Competitividad, 2020, p. 243.

GARÍN BALLESTEROS, B. La interpretación del deber de buena administración en la jurisprudencia del Tribunal Supremo. Análisis de la STS de 15 de marzo de 2021, rec. núm. 526/2020. *Revista de Contabilidad y Tributación, n° 463, 2021.*

JUAN LOZANO, A. M. Retos y propuestas en el modelo español, en *Buena Administración tributaria y seguridad jurídica: cumplimiento tributario y aplicación del sistema como factores de competitividad y legitimidad.* Instituto de Estudios Fiscales, doc. n° 5, 2016.

MARÍN-BARNUEVO FABO, D. El principio de buena administración en materia tributaria. *Revista Española de Derecho Financiero n° 186, 2020.*

MENÉNDEZ SEBASTIÁN, E. M. *De la función consultiva clásica a la buena administración. Evolución en el Estado social y democrático de Derecho.* Marcial Pons. 2021.

MERINO JARA, I. Cambio de criterio. *Revista Quincena Fiscal n° 5, 2010.*

Ayudas de Estado y confianza legítima. *Revista Quincena Fiscal n° 19, 2019.*

OLIVER CUELLO, R. *Derechos de los contribuyentes en la gestión tributaria.* Thomson Reuters Aranzadi, 2018.

ORENA DOMÍNGUEZ, A. ORENA DOMÍNGUEZ, A. Hacienda no puede ir contra sus actos propios: confianza legítima, seguridad jurídica y buena fe. *Revista Quincena Fiscal nº 7, 2015.*

El Principio de buena administración en el ámbito tributario: un paso más allá en los derechos y garantías de los obligados tributarios. *Revista Quincena Fiscal nº 22, 2020.*

PATÓN GARCÍA, G. Cumplimiento cooperativo y buenas prácticas en los procedimientos de aplicación de los tributos: la conflictividad evitable y el principio de buena administración, en *Cumplimiento cooperativo y reducción de la conflictividad: hacia un nuevo modelo de relación entre la Administración y los contribuyentes.* Thomson Reuters, Aranzadi, 2021.

PESCATORE, P. Los principios Generales del Derecho como fuente del Derecho Comunitario. *Noticias de la Unión Europea nº 40, 1988.*

PONCE SOLÉ, J. *Deber de buena administración y derecho al procedimiento administrativo debido. Las bases constitucionales del procedimiento administrativo y del ejercicio de la discrecionalidad.* Lex Nova, 2001.

La calidad en el desarrollo de la discrecionalidad reglamentaria: teorías sobre la regulación y adopción de buenas decisiones normativas por los gobiernos y las Administraciones. *Revista de Administración Pública n.º 163, 2003.*

PONCE SOLÉ, J. y CERRILLO I MARTÍNEZ, A. Introducción: innovación, buena regulación y prevención de la corrupción. En *PONCE SOLÉ, J. y CERRILLO I MARTÍNEZ, A. Innovación en el ámbito del buen gobierno regulatorio: ciencias del comportamiento, transparencia y prevención de la corrupción.* Instituto Nacional de Administración Pública, 2017.

RODRÍGUEZ-ARANA, J. La buena administración como principio y como Derecho fundamental en Europa. *Revista Misión Jurídica, nº 6, 2013.*

RUFINO BENGOECHEA, E. Historia de una desazón: ¿y si el principio de confianza legítima se agota en la preclusividad?. *Revista de Contabilidad y Tributación nº 420, 2018.*

SÁNCHEZ LÓPEZ, M. E. El principio de buena administración y el compliance fiscal: una relación necesaria. *Revista Española de Derecho Financiero nº 193, 2022.*

SANZ RUBIALES, I. El principio de confianza legítima, limitador del poder normativo comunitario. *Revista de Derecho Comunitario Europeo nº 7, 2000.*

SANZ GÓMEZ, R. Buena Administración y Procedimiento Tributario Justo. *En Merino Jara, I. (Dir.). La Protección de los derechos Fundamentales en el ámbito tributario (capítulo VII).* Wolters Kluwer, 2021.

TOMÁS MALLÉN, B. *El derecho fundamental a una buena administración.* Instituto Nacional de Administración Pública. 2004.

VIÑUALES FERREIRO, S. El artículo 41 de la Carta de los Derecho Fundamentales de la Unión Europea: una visión crítica. *Estudios de Deusto, vol. 63/1, 2015.*

QUINTA PARTE.-
EL DERECHO A LA DEFENSA Y A LA PRUEBA Y LOS EFECTOS DE LA PRUEBA ILÍCITAMENTE OBTENIDA; LA RETROACCIÓN DE LIQUIDACIONES TRIBUTARIAS ANULADAS EN VÍA JUDICIAL Y EL DERECHO A UN JUICIO SIN DILACIONES INDEBIDAS.

22.- EL TÍTULO VI DE LA LEY GENERAL TRIBUTARIA: POSIBLE (DOBLE) LESIÓN DEL DERECHO A LA TUTELA JUDICIAL EFECTIVA

AURORA RIBES RIBES

Catedrática de Derecho Financiero y Tributario
Universidad de Alicante

I. INTRODUCCCIÓN: EL DERECHO DE DEFENSA Y EL TÍTULO VI DE LA LEY GENERAL TRIBUTARIA.

Como es sabido, el derecho de defensa, consagrado en el artículo 24 de la Constitución Española (CE) y reconocido a nivel internacional (artículo 47 de la Carta de Derechos Fundamentales de la UE -CDFUE- y artículo 6 de la Convención Europea de Derechos Humanos -CEDH-), constituye uno de los derechos fundamentales de los ciudadanos y, por tanto, de los obligados tributarios.

La incuestionable relevancia del artículo 24 CE en el orbe constitucional se evidencia al comprobar que estamos ante el precepto más invocado de la Constitución, siendo además la disposición que ha propiciado un mayor número de resoluciones del Tribunal Constitucional (TC), sobre todo en recursos de amparo

No obstante, dicha importancia contrasta con la insatisfactoria protección que en ocasiones se presta a los intereses de los contribuyentes en la realidad práctica. Este escenario nos lleva a realizar una reflexión sobre la virtualidad del derecho a la tutela judicial efectiva en el ámbito tributario y, en particular, en el

---

[1] El presente trabajo reproduce la ponencia impartida por la autora en el Congreso sobre "Los derechos fundamentales del contribuyente. Su protección en la CE, el CEDH y la CDFUE y su interpretación por los respectivos tribunales", celebrado en la *Universitat de València* los días 22 y 23 de septiembre de 2022; y constituye una reelaboración de otras publicaciones anteriores.

marco de las actuaciones a desarrollar por la Administración en casos de indicios de delito fiscal.

A estos efectos, el Título VI de la LGT define, bajo la rúbrica "Actuaciones y procedimientos de aplicación de los tributos en supuestos de delito contra la Hacienda Pública", el rol a desempeñar por la Administración Tributaria cuando se detecten tales indicios de delito.

Dicho Título, en vigor desde el 12 de octubre de 2015, fue incorporado mediante la Ley 34/2015, de 21 de septiembre, con la finalidad de acompasar lo previsto en la LGT a la reforma del artículo 305 CP, operada por la Ley Orgánica 7/2012, de 27 de diciembre. Su inclusión ha sido calificada por la doctrina[2] como la novedad más importante de la reciente reforma de la LGT, pues invierte completamente el sistema anterior en el que el artículo 180.1 LGT imponía la paralización del procedimiento administrativo y otorgaba en exclusiva al juez penal la potestad de liquidar en los casos de posible delito fiscal.

De hecho, ya el legislador en la Exposición de motivos declaraba como principal objetivo de la modificación introducida a través de la Ley 34/2015, el de "establecer un procedimiento administrativo que permita practicar liquidaciones tributarias y efectuar el cobro de las mismas aun en los supuestos en los que se inicie la tramitación de un procedimiento penal, (…)".

En efecto, la citada LO 7/2012 vino a reformular el apartado 5 del artículo 305 CP[3] que, desde el 17 de enero de 2013, posibilita que la Administración Tributaria liquide, de forma separada, en función de que los elementos se encuentren o no vinculados al posible delito fiscal; al tiempo que prevé que dichas liquidaciones se sometan a distintos procedimientos de tramitación y recursos, como examinaremos más adelante.

Convenimos con el sector doctrinal mayoritario en que tal reforma normativa encuentra su razón de ser en el cambio legislativo del artículo 305.5 CP -tras la reforma de 2012 pasó a ser el apartado 7-, de cuyo *dictum4* se desprendía la voluntad de instaurar un nuevo modelo de delito fiscal en el que la Administración

---

[2]   TEJERIZO LÓPEZ, José Manuel.: "El procedimiento de inspección en los supuestos de presunto delito contra la Hacienda Pública", en *Revista Española de Derecho Financiero*, N.º 170, 2016, pág.17.

[3]   Con arreglo a lo dispuesto en el vigente artículo 305.5 CP: "Cuando la Administración Tributaria apreciare indicios de haber cometido un delito contra la Hacienda Pública, podrá liquidar de forma separada, por una parte los conceptos y cuantías que no se encuentren vinculados con el posible delito contra la Hacienda Pública, y por otra, los que se encuentren vinculados con el posible delito contra la Hacienda Pública. (…)".

[4]   El nuevo apartado 5 -hoy, apartado 7- incorporado por la LO 5/2010 en el artículo 305 CP, reza como sigue: "En los procedimientos por el delito contemplado en este artículo, para la ejecución de la pena de multa y la responsabilidad civil, que comprenderá el importe de la deuda tributaria que la Administración Tributaria no haya liquidado por prescripción u otra causa legal en los términos previstos en la Ley 58/2003, General Tributaria, de 17 de diciembre, incluidos sus intereses de demora, los Jueces y Tribunales recabarán el auxilio de los servicios de la Administración Tributaria

Tributaria pudiera liquidar y recaudar la deuda, sin perjuicio del desarrollo del proceso penal.

Esta interpretación se ve reforzada por la Exposición de motivos del Anteproyecto de dicha Ley, donde se explicitaba la intención de que "la denuncia por delito fiscal no paralice el procedimiento de liquidación y recaudación por la Administración Tributaria cuando disponga de suficientes elementos para ello, tal y como parece ser la tendencia general en Derecho comparado".

En definitiva, se evidencia que el Título VI de la LGT, introducido a través de la Ley 34/2015, es claramente deudor de las reformas penales precedentes, orientándose -tal y como indica la Exposición de motivos de aquella- hacia la superación del injustificado trato de favor que la regulación preexistente dispensaba a quien se consideraba presunto autor de un delito contra la Hacienda Pública, frente a quien aparecía como mero infractor administrativo, en relación con la obligación de pagar la deuda tributaria o aportar garantías para la suspensión de la ejecutividad del acto administrativo.

Por tanto, el sistema imperante parte de dos premisas incuestionables, a saber: el interés general de la Hacienda Pública en el cumplimiento de las obligaciones tributarias impagadas y la necesidad de salvaguardar las garantías constitucionales que asisten a los obligados tributarios. La consecución de este doble objetivo exige conciliar dos ordenamientos, tarea esta a la que se orienta el régimen en vigor y que implica la búsqueda de un equilibrio -siempre difícil- entre el proceso penal y los procedimientos tributarios en este ámbito.

De hecho, la valoración de la reforma acometida ha dividido a los especialistas en la materia, pues mientras unos estiman que se ha conseguido ahondar en una mayor autonomía de los procedimientos tributarios frente a la prevalencia del orden penal que existía en el régimen anterior (RUIZ GARCÍA[5], LITAGO LLEDÓ[6]), otros, por el contrario, denuncian una cierta invasión de la Administración Tributaria en el campo penal (TEJERIZO LÓPEZ[7], BAÑERES SANTOS[8]).

Siendo múltiples las consecuencias que implica el sistema en vigor en relación con los procedimientos tributarios (recaudación, inspección, sancionador, etc.), nuestro análisis se focalizará en los efectos que se proyectan sobre el

---

que las exigirá por el procedimiento administrativo de apremio en los términos establecidos en la citada Ley".

[5] RUIZ GARCÍA, José Ramón: "La relación entre el procedimiento de inspección y el proceso penal por delito contra la Hacienda Pública", en *Revista Española de Derecho Financiero*, N.º 151, 2011, pág.731.

[6] LITAGO LLEDÓ, Rosa: "Un nuevo modelo de relaciones entre los procedimientos tributarios y el proceso penal por delito fiscal", en *Crónica Tributaria*, N.º 165, 2017, pág.60.

[7] TEJERIZO LÓPEZ, José Manuel.: "El procedimiento (…)". Ob.cit. pág.19 y 27.

[8] BAÑERES SANTOS, Francisco: "Delito fiscal (art.305, 306 y 307)", en QUINTERO OLIVARES, Gonzalo (dir.): *La Reforma penal de 2010: análisis y comentarios*, Aranzadi, 2010.

procedimiento inspector y, concretamente, en la potencial (doble) vulneración del derecho a la tutela judicial efectiva que puede producirse en su seno.

II. ACTUACIONES POR DELITO CONTRA LA HACIENDA PÚBLICA.

2.1.- *El paralelismo procedimental y sus excepciones.*

La eliminación de los apartados 1 y 2 del artículo 180 LGT y su sustitución por el artículo 250.1 LGT[9], instauran el llamado "paralelismo procedimental", al permitir la tramitación del procedimiento de inspección tributaria, pese a la apreciación de indicios de delito.

De este modo, como regla general y, a diferencia de lo que ocurre con el procedimiento sancionador -donde rige el principio *ne bis in idem*-, el procedimiento de comprobación (y consiguiente liquidación) y el proceso penal podrán discurrir paralelamente. El pase del tanto de culpa a la jurisdicción competente o la remisión del expediente al Ministerio fiscal no impide la continuación del procedimiento administrativo; o lo que es igual, la denuncia penal no paraliza el procedimiento de liquidación.

Debe precisarse, asimismo, que el sistema en vigor no exime a la Administración Tributaria de trasladar el tanto de culpa a la jurisdicción competente o remitir el expediente al Ministerio Fiscal, si bien esta actuación se retrasa a un momento posterior, una vez finalizado el procedimiento de comprobación o inspección y practicada la correspondiente liquidación (la denominada "liquidación vinculada al delito")[10]. El acto administrativo de liquidación que ahora se requiere, en contraste con la mera estimación de la deuda defraudada en el siste-

---

[9]   Según el artículo 250.1 LGT: "Cuando la Administración tributaria aprecie indicios de delito contra la Hacienda Pública, se continuará la tramitación del procedimiento con arreglo a las normas generales que resulten de aplicación, sin perjuicio de que se pase el tanto de culpa a la jurisdicción competente o se remita el expediente al Ministerio Fiscal, y con sujeción a las reglas que se establecen en el presente Título".

[10]   Adviértase que la STS 1246/2019, de 25 de septiembre anuló el artículo 197.bis, apartado 2 del Reglamento de gestión e inspección, aprobado por el RD 1065/2007, en la medida en que tal precepto permitía que dicha remisión se efectuara no solo durante las actuaciones inspectoras, sino también después de haberse emitido una liquidación tributaria (no vinculada inicialmente al delito) o, lo que es más grave, tras la apertura o incluso habiendo concluido un expediente sancionador. El TS criticó que el artículo reglamentario autorizara a la Administración a pasar el tanto de culpa al juez o remitir las actuaciones al Ministerio Fiscal "en cualquier momento", pues tal autorización no solo carece de habilitación legal al efecto, sino que resulta contraria a dos principios esenciales para los derechos de los contribuyentes, como son la confianza legítima y la prohibición del *non bis in ídem*.

ma anterior, no altera empero la doctrina del TS, en virtud de la cual "la eventual existencia de una liquidación ya efectuada formalmente por la Administración tributaria, al incorporarse al proceso penal por delito fiscal no será otra cosa que una prueba más, sin duda atendible, pero en todo caso sometida al pertinente debate entre las partes, y a la posterior valoración por el Tribunal"[11].

Como excepción a la facultad de liquidar de la Administración Tributaria, el artículo 251 LGT obliga a esta a pasar el tanto de culpa a la jurisdicción competente o remitir el expediente al Ministerio Fiscal, absteniéndose de practicar la "liquidación vinculada al delito" en los tres supuestos siguientes: a) Cuando la tramitación de la liquidación administrativa pueda ocasionar la prescripción del delito; b) Cuando como resultado de la investigación o comprobación no pudiese determinarse con exactitud el importe de la liquidación o no hubiera sido posible atribuirla a un obligado tributario concreto; y, c) Cuando la liquidación administrativa pudiese perjudicar de cualquier forma la investigación o comprobación de la defraudación.

En este punto, resulta criticable[12] la amplitud con la que se articulan tales excepciones[13]. Llama especialmente la atención el supuesto del apartado b), que supone reconocer que es posible detectar indicios de delito incluso desconociendo si concurre el importe exigido para ello, así como la identidad del posible autor del mismo. E igualmente criticable resulta el supuesto previsto en el apartado c), al atribuir a la Administración una potestad excesivamente amplia para la apreciación de las circunstancias mencionadas. Pese a que la decisión de no liquidar en tales supuestos ha de ser motivada, debiendo trasladarse al órgano judicial junto a la denuncia o querella, no se concederá trámite de audiencia o alegaciones al obligado tributario[14], suspendiéndose el procedimiento administrativo hasta que la autoridad judicial no dicte sentencia firme, tenga lugar el

---

[11]   Véanse las Sentencias del TS de 30 de octubre de 2001 y de 5 de diciembre de 2002, entre otras.

[12]   PALAO TABOADA, Carlos: "Los procedimientos de aplicación de los tributos en supuestos de delitos contra la Hacienda Pública en el Proyecto de ley de modificación de la LGT", en *Revista Española de Derecho Financiero*, N.º 167, 2015, pág.52; LÓPEZ DÍAZ, Antonio: "Procedimientos tributarios y delito fiscal en el Proyecto de reforma de la LGT", en *Revista Española de Derecho Financiero*, N.º 167, 2015, pág.34; RAMÍREZ GÓMEZ, Salvador: "Las actuaciones de la Administración Tributaria en los supuestos de delito contra la Hacienda Pública", en *Revista Española de Derecho Financiero,* N.º 171, 2016, pág.74; y, SÁNCHEZ PEDROCHE, José Andrés: "La reforma parcial de la Ley General Tributaria operada por la Ley 34/205", en *CEF Fiscal Impuestos*, pág.53, (https://www.fiscal-impuestos.com/sites/fiscal-impuestos.com/files/reforma-ley-general-tributaria-ley-34-2015_c_s.pdf, p.56.

[13]   BLÁZQUEZ LIDOY, Alejandro: "Inexistencia de liquidación y remisión a la sede penal por delito contra la Hacienda Pública", en *Revista de Contabilidad y Tributación*, Nº 449-450, 2020, págs.5 y ss.

[14]   Este aspecto, muy criticado en sede doctrinal, sigue pareciéndonos acertado, tal y como ya defendimos en trabajos previos: RIBES RIBES, Aurora: *Aspectos procedimentales del delito de defraudación tributaria*, Iustel, 2007, pág.88-95; y, "La supresión del trámite de audiencia previo a la remisión del expediente administrativo al orden penal en los delitos contra la Hacienda Pública", en *Revista Española de Derecho Financiero*, N.º 143, 2009, pág.663-688.

sobreseimiento o el archivo de las actuaciones o se produzca la devolución del expediente por el Ministerio Fiscal.

Nótese, en suma, que la decisión administrativa de no practicar liquidación en estos casos nos situará ante un escenario muy similar al existente con la regulación anterior, en el que en la hipótesis de recaer sentencia condenatoria, la responsabilidad civil sustituirá a la deuda tributaria (Disposición adicional décima de la LGT), lo que imposibilitará la cobranza de esta última hasta que aquella no sea dictada, perdiéndose así las ventajas que se predican del sistema actual.

2.2.- *La doble liquidación: diferente tramitación y régimen de recursos.*

Cuando resulte procedente la simultaneidad de procedimientos[15], el artículo 250.1 LGT dispone que "procederá dictar liquidación de los elementos de la obligación tributaria objeto de comprobación, separando en liquidaciones diferentes aquellos que se encuentren vinculados con el posible delito contra la Hacienda Pública y aquellos que no se encuentren vinculados (…)". Cabe resaltar que, a diferencia del artículo 305.5 CP, cuya formulación alude a una mera posibilidad ("podrá liquidar"), la LGT concibe la misma como un deber para la Administración, con la única salvedad de los supuestos del artículo 251 LGT, ya examinados.

Se articula de esta forma un segundo paralelismo, esta vez dentro del procedimiento administrativo, que distingue dos tipos de liquidación administrativa en función de que versen o no sobre conceptos tributarios vinculados con el posible delito. Huelga afirmar que la tramitación prevista en cada caso difiere, ajustándose a las reglas que a continuación expondremos si existe vinculación con el delito, o bien al procedimiento ordinario en caso contrario.

En aplicación del mandato del artículo 250.1 LGT, el artículo 253.3 LGT impone la obligación de dictar dos liquidaciones separadas cuando, por un mismo concepto impositivo y periodo, sea posible distinguir elementos en los que se aprecie dolo determinante de un delito de defraudación tributaria, junto a otros elementos y cuantías a regularizar respecto de los que no se detecte tal conducta dolosa. Cabe advertir que esta formulación hipotética da por supuesto que pueden existir situaciones en las que tal distinción -compleja por naturaleza- no sea posible, ya sea porque la totalidad de la deuda tributaria se halla ligada al delito

---

[15]   Aunque no se menciona la posibilidad de que los indicios de delito se detecten en el seno de un procedimiento de gestión o, incluso, a resultas de la información obtenida por otros cauces, es evidente que en estos casos deberá iniciarse el procedimiento de comprobación e investigación correspondiente, pues es a los órganos de la inspección a quienes compete dictar la liquidación de los elementos de la obligación tributaria vinculados a un posible delito fiscal. RAMÍREZ GÓMEZ, Salvador: "Las actuaciones (…)". Ob.cit. pág.76 y 77.

fiscal (caso, por ejemplo, de la falta de presentación de la declaración) -por lo que solo cabría dictar una liquidación vinculada al delito-, ya porque los elementos vinculados y no vinculados al delito se encuentran tan entrelazados que dicha separación no es viable. Ahora bien, en este último supuesto, muy frecuente en la práctica, donde la distinción no es factible, tampoco se arbitra expresamente la solución a adoptar.

Como es obvio, la previsión de dos liquidaciones separadas tiene por finalidad someterlas a un procedimiento y régimen de recursos distinto. De ello se desprende, y así lo corrobora la propia Exposición de motivos[16], la atribución de una distinta naturaleza a la obligación tributaria vinculada al delito respecto a la que no presenta esta conexión. O lo que es igual, se reconoce una naturaleza diferente a dos partes de una misma deuda tributaria, derivada de un único hecho imponible, al margen de que algunos de los elementos de dicha deuda resulten de una comprobación en la que, adicionalmente, se ha revelado la potencial existencia de un delito.

La previsión de dos liquidaciones obliga al legislador a diseñar normas concretas sobre la cuantificación de la deuda contenida en cada una de ellas. De este modo, el artículo 253.3 LGT establece que se formalizará, por un lado, una propuesta de liquidación vinculada al delito y, por otro, un acta de inspección. La primera integrará los elementos que hayan sido declarados, en su caso, sumándose todos aquellos elementos en los que se aprecie dolo, y restándose los ajustes a favor del obligado tributario, así como las partidas a compensar o deducir en la base o en la cuota. En el supuesto de que la declaración presentada hubiera arrojado una cuota positiva, se procederá a su descuento a efectos de calcular esta propuesta de liquidación.

En cualquier caso, la desagregación del hecho imponible entre elementos vinculados o no con un posible delito ha tenido una acogida desigual en la doctrina, toda vez que frente a quienes la han denostado[17], calificándola de artificiosa, se sitúan los que no la consideran tan descabellada[18], apoyándose en la doctrina

---

[16]   Tal y como se señala en la Exposición de motivos: "Dentro del ámbito tributario, resulta necesario establecer normas sustantivas específicas para las deudas tributarias derivadas de la forma más grave de defraudación tributaria, como es el delito contra la Hacienda Pública que, por su singularidad, tienen también un tratamiento procedimental diferente que se inicia en el ámbito administrativo y concluye en el judicial. Ese régimen jurídico propio -que fundamentalmente excluye la extinción total o parcial de la deuda por la concurrencia de defectos o dilaciones en el procedimiento administrativo de comprobación es, además, coherente con las pautas comunes de una correcta represión de los comportamientos delictivos (...)".

[17]   PALAO TABOADA, Carlos: "Los procedimientos (...)". Ob.cit. p.71; y, RUIZ ZAPATERO, Guillermo: "La fragmentación de la deuda tributaria como consecuencia de la liquidación administrativa por delito fiscal", en *Quincena Fiscal*, N.º 11, 2016, pág.120.

[18]   BERTRÁN GIRÓN, Fernando: "El proyecto de ley de reforma del art.305 del Código Penal: principales novedades", en *Carta Tributaria*, N.º 19-20, 2012, pág. 21; y, RAMÍREZ GÓMEZ, Salvador: "Las

administrativa[19] y jurisprudencial[20] ya existente sobre la posibilidad de la Administración de practicar liquidaciones provisionales en relación con los elementos del hecho imponible no afectados por el dolo. En opinión de esta última corriente doctrinal, la única novedad estribaría en la práctica de una liquidación administrativa[21] respecto a los hechos que se consideren vinculados con la posible comisión del delito.

Por su parte, la propuesta de liquidación contenida en el acta incluirá todos los elementos comprobados, estén o no vinculados con el posible delito, deduciéndose la cantidad derivada de la propuesta de liquidación mencionada en el párrafo anterior.

A modo de cierre, se concede la posibilidad al obligado tributario de optar alternativamente por un sistema de cálculo de ambas cuotas basado en la aplicación proporcional de las partidas a compensar o deducir en la base o en la cuota, remitiéndose a lo que se disponga a este respecto a nivel reglamentario. Aunque la Exposición de motivos justifica esta opción en "una clara vocación garantista para el obligado tributario, inspirada en la aplicación del principio de mínima intervención de la norma penal", dicho sistema proporcional ha sido cuestionado por algún autor[22] al entender que podría constituir una vulneración del carácter *ex lege* de la obligación tributaria.

Sea como fuere, lo cierto, y así lo ha reconocido unánimemente la doctrina, es que tales reglas de cuantificación plantean no pocos problemas de aplicación en el seno de los impuestos progresivos.

Con vistas a despejar las dudas suscitadas como consecuencia de la puesta en práctica de este nuevo modelo de relaciones entre la Administración Tributaria y la jurisdicción penal en casos de posible delito fiscal, las previsiones legales comentadas han sido desarrolladas reglamentariamente mediante el Capítulo V del Real Decreto 1065/2007, de 27 de julio, por el que se aprueba el Reglamento General de las actuaciones y los procedimientos de gestión e inspección tributaria y de desarrollo de las normas comunes de los procedimientos de aplicación de los tributos[23], comprensivo de los artículos 197 bis a 197 sexies, encerrando

---

actuaciones (…)". Ob.cit. pág.84 y 85.

[19] Resoluciones del TEAC para unificación de criterio de 4 de diciembre de 2014 y 10 de septiembre de 2015.

[20] Sentencia de la Audiencia Nacional de 1 de marzo de 2012, confirmada por la Sentencia del Tribunal Supremo de 9 de junio de 2014.

[21] Sobre la naturaleza de esta liquidación, véase: LITAGO LLEDÓ, Rosa: "La liquidación tributaria vinculada a delito. Su difícil acomodo a la definición legal de acto administrativo", en *Fórum Fiscal*, Nº. 273, 2021.

[22] MARTÍN QUERALT, Juan: "A vueltas con el Anteproyecto de reforma de la Ley General Tributaria", en *Tribuna Fiscal*, N.º 274, 2014, pág.2.

[23] Modificado por el Real Decreto 1070/2017, de 29 de diciembre. Vigente desde el 1 de enero de 2018.

especial importancia a los efectos que nos ocupan el contenido del artículo 197 quinquies.

Centrándonos en la propuesta de liquidación vinculada al delito, el artículo 253.1 LGT recuerda -de manera superflua- que esta deberá ser motivada y notificada al obligado tributario, concediéndole el trámite de audiencia de 15 días naturales a contar desde el siguiente al de notificación. De la interpretación conjunta de los apartados primero y tercero del precepto que nos ocupa cabe deducir que en este supuesto no se formalizará el acta de inspección.

Transcurrido dicho plazo y examinadas las alegaciones presentadas -si es el caso-, "el órgano competente dictará una liquidación administrativa, con la autorización previa o simultánea del órgano de la Administración Tributaria competente para interponer la denuncia o querella, cuando considere que la regularización procedente pone de manifiesto la existencia de un posible delito contra la Hacienda Pública". Este último extremo resulta desconcertante[24], pues a estas alturas del procedimiento ya se habrá puesto de relieve la existencia de indicios de posible delito, que de hecho es lo que habrá motivado la formulación de la "liquidación vinculada al delito" por parte del inspector, escindiéndola de la liquidación ajena a este, por lo que cualquier control administrativo sobre la consistencia de tales indicios debería haberse producido con anterioridad.

Dictada la liquidación administrativa, se pasará el tanto de culpa a la jurisdicción competente o se remitirá el expediente al Ministerio Fiscal, finalizando el procedimiento de comprobación respecto de los elementos de la obligación tributaria regularizados mediante dicha liquidación con la notificación de la misma al obligado tributario.

La inadmisión de la denuncia o querella determinará, de acuerdo con el artículo 253.2 LGT, la retroacción de las actuaciones inspectoras al momento anterior a aquel en que se dictó la propuesta de liquidación vinculada a delito. Procederá en este caso la formalización del acta oportuna, que se tramitará según el procedimiento ordinario.

En este punto, el legislador parece olvidar que, en algunos casos, puede existir ya otra liquidación, no vinculada al delito, que habrá seguido la tramitación ordinaria. ¿Significa ello que la inadmisión de la denuncia o querella traerá consigo una segunda acta de inspección y una tercera liquidación? Las opiniones sobre esta cuestión son dispares, pues, mientras algunos autores (DE MIGUEL CANUTO[25], RAMÍREZ GÓMEZ[26]) sostienen que la retroacción de actuaciones

---

[24]   PALAO TABOADA, Carlos: "Los procedimientos (…)". Ob.cit. pág.53.
[25]   DE MIGUEL CANUTO, Enrique: "Actuaciones en supuestos de delito contra la Hacienda Pública", en *Quincena Fiscal*, N.º 10, 2016, pág.14.
[26]   RAMÍREZ GÓMEZ, Salvador: "Las actuaciones (…)". Ob.cit. pág.83.

supondrá dejar sin efecto la liquidación precedente derivada del acta integral, otros (GONZÁLEZ-CUÉLLAR[27]), desde una óptica diversa, no comprenden por qué la liquidación originaria no permanece inalterada, en el entendido de que la existencia o no de delito no debería variar la cuota tributaria, y menos aún exigirse intereses de demora derivados de la nueva liquidación.

2.3.- La liquidación vinculada al delito y su inimpugnabilidad en vía judicial: ¿posible lesión del derecho a la tutela judicial efectiva?

La liquidación administrativa vinculada al delito se somete a un régimen peculiar, que el legislador parece fundamentar en un doble motivo: la particular naturaleza de esta liquidación -cuya finalidad es eminentemente recaudatoria- y el mantenimiento de la preferencia del orden penal en la determinación de la deuda tributaria -esto es, su supeditación a la sentencia que dicte el juez penal-.

De acuerdo con ello, frente a la posible interposición de recursos y reclamaciones contra la liquidación administrativa que resulte de la regularización de los elementos y cuantías no vinculados con el eventual delito (artículo 254.2 LGT), la liquidación vinculada al delito no es susceptible de impugnación en vía administrativa, correspondiendo antes bien al juez penal la determinación de la cuota defraudada mediante sentencia (artículo 254.1 LGT).

La filosofía subyacente, consistente en atribuir al juez penal una competencia liquidatoria de naturaleza inequívocamente administrativa[28], se refleja, asimismo, en la irrecurribilidad ante la jurisdicción contencioso-administrativa de la mencionada liquidación, introducida a través de la nueva Disposición adicional décima de la Ley 29/1998, de 13 de julio, reguladora de la Jurisdicción contencioso-administrativa.

Con arreglo a la misma, incorporada mediante la Disposición Final Tercera de la Ley 34/2015: "De conformidad con lo dispuesto en el artículo 3.a) de esta ley, no corresponde al orden jurisdiccional contencioso-administrativo conocer de las pretensiones que se deduzcan respecto de las actuaciones tributarias vinculadas a delitos contra la Hacienda Pública que se dicten al amparo del Título VI de la Ley 58/2003, de 17 de diciembre, General Tributaria, salvo lo previsto en los artículos 256 y 258.3 de la misma. (…)". Se adopta, pues, como fundamento, el tenor del artículo 3.a) de la Ley de la Jurisdicción contencioso-administrativa, según el cual no corresponden al orden jurisdiccional contencioso-administrativo "las cuestiones expresamente atribuidas a los órdenes jurisdiccionales civil,

---

[27]   GONZÁLEZ-CUÉLLAR SERRANO, María Luisa: "Los efectos de la apreciación de indicios de delito contra la Hacienda Pública en los procedimientos tributarios", en *Crónica Tributaria*, N.° 168, 2018, pág.89.

[28]   PALAO TABOADA, Carlos: "Los procedimientos (…)". Ob.cit. pág.58.

penal y social, aunque estén relacionadas con la actividad de la Administración pública".

Ciertamente, pocos aspectos han concitado una crítica más ardua y unánime por parte de la doctrina. Un primer grupo de autores (PALAO TABOADA[29], MARTÍNEZ MUÑOZ[30]) con los que coincidimos, reconoce que no existe en sentido estricto vulneración del derecho a la tutela judicial efectiva, pero alerta sobre la quiebra del principio del juez natural (MARTÍN QUERALT[31], MARTÍN LÓPEZ[32]). En efecto, la inimpugnabilidad en vía contencioso-administrativa de las liquidaciones vinculadas al delito implica trasladar el control de la legalidad de dichos actos administrativos a la jurisdicción penal, que no es la naturalmente competente por razón de la materia.

No es menos cierto, con todo, que el texto constitucional no se refiere al juez natural, sino al juez ordinario predeterminado por la ley, como derecho ínsito en el derecho a la tutela judicial efectiva proclamado en el artículo 24.2 CE. Y, a mayor abundamiento, cabe también precisar que según la doctrina del Tribunal Constitucional, el contenido necesario de aquel derecho se traduce en la fijación previa en una norma legal del órgano judicial que haya de conocer un determinado tipo de asunto.

En esta línea de razonamiento, nos preguntamos si dicha irrecurribilidad no supone, en cierto modo, una merma de las garantías alojadas en el derecho al juez ordinario, contemplado en su vertiente sustantiva de naturalmente competente por razón de la materia. Como afirma MARTÍN LÓPEZ, "la tutela judicial se resiente no sólo al negar a las liquidaciones vinculadas al delito el cauce ordinario de impugnación de las liquidaciones tributarias (…), sino también cuando se acaban sustrayendo tales liquidaciones del control jurisdiccional especializado por razón de la materia (…), residenciándose en un orden como el penal, que no es el naturalmente competente"[33].

La consecuencia de dicho mandato no es otra que el traslado a la jurisdicción penal del enjuiciamiento de cuestiones propiamente tributarias, lo que obliga al juez penal a interpretar y aplicar el Derecho Tributario, ámbito en el que carece

---

[29]   PALAO TABOADA, Carlos: "Los procedimientos (…)". Ob.cit. pág.71.

[30]   MARTÍNEZ MUÑOZ, Yolanda: "Los procedimientos tributarios y el delito fiscal en la Ley General Tributaria. Un análisis en el marco de los principios fundamentales del ordenamiento tributario", en *Quincena Fiscal*, N.º 6, 2016, pág.109.

[31]   MARTÍN QUERALT, Juan: "Una mirada a la irrecurribilidad en vía administrativa de la liquidación vinculada al delito", en *Carta Tributaria*, N.º 11, 2016, pág.20 y 21.

[32]   MARTÍN LÓPEZ, Jorge: "La "irrecurribilidad" ante la jurisdicción contencioso-administrativa de las liquidaciones vinculadas al delito de defraudación tributaria y el derecho al juez ordinario predeterminado por la ley", en *Quincena Fiscal*, N.º 10, 2018, pág.70.

[33]   MARTÍN LÓPEZ, Jorge: "La "irrecurribilidad" (…)". Ob.cit. pág.73.

de la adecuada especialización, con el consiguiente riesgo para la tutela judicial efectiva[34].

Más reparos constitucionales ha puesto otro sector doctrinal que, con diferente intensidad, ha denostado lo que considera una previsión inconstitucional, bien por estimar que constituye un exceso contrario al derecho a la tutela judicial efectiva[35]; bien por entender que lesiona lo dispuesto en el artículo 106 CE, que somete la actuación administrativa al control judicial[36], cuestión esta relacionada con el derecho al juez ordinario predeterminado por la ley; o bien, finalmente, denunciando que atenta contra el derecho reconocido en el artículo 53.1 CE y contradice los artículos 7 de la Ley Orgánica del Poder Judicial y 62.1.a) de la -hoy derogada- Ley de Régimen Jurídico de las Administraciones Públicas y del Procedimiento Administrativo Común[37].

A nuestro juicio, pese a que la imposibilidad de que la liquidación vinculada al delito sea revisable ante la jurisdicción contencioso-administrativa no viola el derecho al juez ordinario predeterminado por la ley, sí pensamos que incide negativamente en las garantías que engloba el derecho a la tutela judicial efectiva, al encomendar el control de legalidad de actos tributarios a órganos no especializados en la materia.

Dos son las razones que explican que se actúe de esta manera. La primera, la celeridad y agilidad en la recaudación de dichas deudas tributarias, lo que convierte la cuantificación administrativa en una especie de liquidación a cuenta de la determinación por el juez penal de la deuda tributaria[38], a fin de no demorar el proceso recaudatorio. Sin embargo, este objetivo debería resultar secundario frente a la consecución de un sistema que otorgue a los ciudadanos mayores garantías jurídicas[39].

Y la segunda, el temor a que el paralelismo procedimental pudiera provocar pronunciamientos contradictorios entre dos órdenes jurisdiccionales, el penal y

---

[34]   MARTÍN LÓPEZ, Jorge: "La "irrecurribilidad" (…)". Ob.cit. pág.73.
[35]   LÓPEZ DÍAZ, Antonio: "Procedimientos (…)". Ob.cit. pág.38; MERINO JARA, Isaac: "El delito fiscal y la Administración Tributaria", en PATÓN GARCÍA, Gemma (coord.): *La nueva tributación tras la reforma fiscal*, Wolters Kluwer, 2016, pág.170.
[36]   ESPEJO POYATO, Isabel: "Procedimiento tributario y delito fiscal en la prevista reforma de la LGt", en *Recista de Contabilidad y Tributación*, N.º 388, 2015, pág.29; TEJERIZO LÓPEZ, por su parte, sostiene que la citada irrecurribilidad atenta contra varios derechos constitucionales, a saber: el derecho a la no indefensión (artículo 24.1 CE), el derecho a la propiedad (artículo 33.1 CE) y el derecho a recurrir todos los actos administrativos (artículo 106 CE). TEJERIZO LÓPEZ, José Manuel.: "El procedimiento (…)". Ob.cit. pág.34; RUIZ ZAPATERO, Guillermo: "La fragmentación (…)". Ob.cit. pág.127 y 131.
[37]   SÁNCHEZ PEDROCHE, José Andrés: "La reforma (…)". Ob.cit. pág.64.
[38]   LÓPEZ DÍAZ, Antonio: "Procedimientos (…)". Ob.cit. pág.37.
[39]   MARTÍN LÓPEZ, Jorge: "La "irrecurribilidad" (…)". Ob.cit. pág.76.

el contencioso-administrativo[40]. Nótese que ello no constituye sino un mal entendimiento[41] del alcance de la prejudicialidad penal en estos casos que, conforme al artículo 3 de la Ley de Enjuiciamiento Criminal, se atribuye al juez de lo penal "a los exclusivos efectos de la represión", es decir, en aras a determinar si existe o no delito fiscal, pero no para efectuar el control de legalidad de la liquidación de esta cuota vinculada al delito, que solo compete a la jurisdicción contencioso-administrativa. En suma, cabe afirmar que la prohibición de las "dos verdades judiciales" tampoco se erige en argumento válido para denegar el acceso de estas liquidaciones a la jurisdicción contencioso-administrativa, que se revela en este caso como la más adecuada.

Este aspecto no pasó desapercibido al Consejo de Estado que, ya en su Dictamen[42] sobre el Anteproyecto de Ley, razonó que si bien la regla de la irrecurribilidad se justificaba en el hecho de que la tutela judicial efectiva se dispensaba en estos casos por el juez penal (ya que se prevé el ajuste de la liquidación a lo que se determine en el proceso penal) y, en el supuesto de que recayera sentencia firme sin apreciar la existencia de delito, en la posibilidad de recurrir la liquidación ya no vinculada al delito, "parece claro que ha de arbitrarse algún medio en la vía administrativa para combatir de forma previa las deficiencias procedimentales que puedan concurrir en la liquidación". Lejos de circunscribirse a los errores procedimentales, dicho cauce debería haberse extendido, en buena lógica, a las cuestiones sustanciales[43] de la liquidación tributaria, en cumplimiento del derecho a la tutela judicial efectiva, sin sustraer al conocimiento del orden contencioso-administrativo cuestiones que le corresponden *rationae materiae*. Ninguna de estas sugerencias se vio plasmada, sin embargo, en la Ley 34/2015, lo que se traduce en la actualidad en la vigencia de un sistema potencialmente vulnerador del derecho a la tutela judicial efectiva.

2.4.- *El derecho a no declarar contra sí mismo ante la no paralización de las actuaciones administrativas: ¿segunda lesión del derecho a la tutela judicial efectiva?*

Por último, resulta inexcusable referirnos -siquiera sucintamente- a la eficacia del derecho a la no autoincriminación en el sistema en vigor. Y ello porque, desde nuestra perspectiva, el derecho fundamental a la tutela judicial efectiva puede resultar doblemente lesionado con el modelo actual, susceptible de menoscabar

---

[40]   RAMÍREZ GÓMEZ, Salvador: "Las actuaciones (…)". Ob.cit. pág.81 y 82, se muestra asimismo crítico con esta opción del legislador.

[41]   MARTÍN LÓPEZ, Jorge: La "irrecurribilidad" (…)". Ob.cit. pág.74 y 75.

[42]   Dictamen del Consejo de Estado nº 130/2015, de 9 de abril.

[43]   PALAO TABOADA, Carlos: "Los procedimientos (…)". Ob.cit. pág.69; TEJERIZO LÓPEZ, José Manuel: "El procedimiento (…)". Ob.cit. pág.35; y, CALVO VÉRGEZ, Juan: "El delito contra la Hacienda Pública en la reforma de la LGT", en *Quincena Fiscal*, N.º 11, 2016, pág.70.

tanto su vertiente de derecho al juez ordinario predeterminado por la ley (en su dimensión de juez natural), como su manifestación de derecho a no declarar contra sí mismo.

Si la regla de la irrecurribilidad de la liquidación vinculada al delito fundamentaba la primera vulneración potencial, la simultaneidad procedimental, una vez detectados indicios de la comisión de un delito, sin paralización de las actuaciones administrativas y con la posibilidad de practicar la denominada liquidación vinculada al delito, podría vaciar totalmente de contenido el derecho que ahora nos ocupa, proclamado en el artículo 24.2 CE[44] y reconocido a nivel internacional.

Partiendo de la premisa de que "el reconocimiento de unos hechos en un determinado procedimiento de gestión o inspección no puede extenderse a otros procedimientos sancionadores"[45], dicha garantía procedimental debería predicarse asimismo del procedimiento establecido en el Título VI de la LGT, al objeto de asegurar la protección del derecho a no declararse culpable que asiste a todo ciudadano en los procedimientos de carácter represivo.

De manera inversa, al permitir la continuación del procedimiento, en el que la Administración desplegará todas sus facultades de comprobación e investigación, incluida la obtención de información (ante las que el contribuyente está obligado a colaborar, so pena de incurrir en la infracción del artículo 203 LGT) que se incorporará mediante informe al proceso penal, se aumenta significativamente el riesgo de conculcar el derecho a no declarar contra sí mismo. Así lo ha denunciado un nutrido grupo de autores[46], que subraya incluso el debilitamiento que experimenta este derecho en comparación con el escenario normativo anterior, atendido el alargamiento de la fase pre-procesal y la necesidad de dictar liquidaciones vinculadas y no vinculadas al delito por parte de la Administración, que contempla la actual regulación.

---

[44]   Al señalar que "todas las personas tienen derecho a obtener la tutela efectiva de los jueces y tribunales en el ejercicio de sus derechos e intereses legítimos, sin que, en ningún caso, pueda producirse indefensión", el artículo 24.1 CE consagra el derecho a la tutela judicial efectiva sin indefensión, que se completa con una serie de garantías procesales de crucial importancia, reconocidas en el apartado segundo del indicado precepto.

[45]   FALCÓN y TELLA, Ramón: "El derecho a no declarar y la inviolabilidad del domicilio: la STC 54/2015, de 16 de marzo", en *Quincena Fiscal*, N.º 13, 2015, pág.14.

[46]   Véanse, entre otros: PALAO TABOADA, Carlos: "Los procedimientos (…)". Ob.cit. pág.70; SÁNCHEZ PEDROCHE, José Andrés: "La reforma (…)". Ob.cit. pág.60, al señalar que "tal mixtificación hace de todo punto imposible la aplicación del derecho fundamental a la no autoincriminación recogido en el artículo 25 de nuestra Constitución, atendido el amplísimo deber de colaborar con la inspección en vía administrativa que, lejos de detenerse se acelera, vulnerándose con ello también la jurisprudencia del Tribunal Europeo de Derechos Humanos (TEDH), pues el sistema permite una permeabilidad en el uso de las pruebas que entierra definitivamente cualquier pretensión de hacer efectivo el derecho a no autoinculparse, (…)"; y, MARTÍN LÓPEZ, Jorge: "La "irrecurribilidad" (…)". Ob.cit. pág.67.

En este orden de ideas, se ha reclamado desde distintos ámbitos la adopción de medidas que restauren la plena virtualidad de este derecho. El Consejo General del Poder Judicial, en su Informe[47] sobre el Anteproyecto de Ley, ya señalaba expresamente que "cuando el procedimiento administrativo se halla íntimamente unido al proceso penal, deben reconocerse al interesado los mismos derechos que si el proceso penal se hubiera ya iniciado. Por tanto, deben ser observados los principios y garantías del artículo 24 CE, por lo que debería declararse la obligación de informar al obligado tributario de la situación del procedimiento, en todo caso y tan pronto se tengan sospechas de la posible existencia de un delito, evitando el acopio de material probatorio para enervar el principio de presunción de inocencia, al margen y sin conocimiento del sujeto".

Desde la doctrina se considera asimismo imprescindible el establecimiento de ciertos límites al traslado de información entre el procedimiento inspector y el proceso penal, de manera que aunque no se detengan las actuaciones administrativas de comprobación e investigación, el derecho a no autoincriminarse pueda desplegar su eficacia desde que se detecten los indicios de delito. Esta solución, no exenta de problemas, podría adoptar una diferente graduación, a saber, desde la prohibición de utilizar en el proceso penal la información obtenida coercitivamente del contribuyente en el procedimiento inspector previo (lo que entrañaría la dificultad de discernir el carácter autoincriminatorio o no de dichos datos); hasta la no incorporación al informe de aquellas pruebas obtenidas bajo la amenaza de sanción[48], sin perjuicio de extender la posibilidad de invocar el derecho a no declarar contra sí mismo a partir del momento en el que, dictada la propuesta de liquidación vinculada al delito, se notifica ésta al obligado tributario.

En términos similares nos posicionábamos ya en un trabajo anterior[49], relativo a la normativa precedente, pese a lo cual, al no haberse previsto un precepto que arbitre solución en este caso, cabe afirmar que el sistema vigente -caracterizado por la coexistencia de procedimientos y la comunicación de los datos obtenidos en el procedimiento inspector en el que se practica la liquidación- constituye una

---

[47] Informe del Consejo General del Poder Judicial sobre el Anteproyecto de Ley 34/2015, p.27.
[48] LÓPEZ MARTÍNEZ, Juan: "Problemas pendientes en las relaciones entre la regularización tributaria y el proceso penal a la luz de la reforma de la Ley General Tributaria", en *Quincena Fiscal*, N.º 4, 2016, p.149; MARTÍNEZ MUÑOZ, Yolanda: "Los procedimientos (…)". Ob.cit. pág.102, que llega a esta conclusión tras analizar el *status quo* de esta problemática en Reino Unido; y, MARTÍN LÓPEZ, Jorge: "La "irrecurribilidad" (…)". Ob.cit. pág.68.
[49] RIBES RIBES, Aurora: *Aspectos* (…). Ob.cit. pág.69 y ss; y, señaladamente, la página 85, donde defendíamos "la imposibilidad de tener en cuenta durante el proceso judicial los datos y circunstancias obtenidos coercitivamente del contribuyente en la fase de inspección, debiendo eliminarse del informe correspondiente en el que se hacen constar los resultados de las actuaciones practicadas los derivados de la confesión o aportación de pruebas por parte del obligado tributario bajo la amenaza de una sanción".

clara merma del derecho a no declararse culpable, tal y como ha sido interpretado por el Tribunal Europeo de Derechos Humanos (TEDH).

En definitiva, conviene siempre recordar que los obligados tributarios gozan, en todos los Estados de Derecho, de una serie de derechos fundamentales que implican por su propia naturaleza una limitación del ejercicio del poder público. En este sentido, la jurisprudencia emanada tanto del Tribunal de Justicia de la UE (TJUE) como del TEDH al resolver las controversias suscitadas entre el cumplimiento de la obligación de contribuir y la aplicación de los derechos fundamentales/humanos, ha cobrado un protagonismo especial como criterio de interpretación a tener en cuenta por los tribunales internos.

De este modo, el Tribunal de Luxemburgo tomó claramente partido por la necesidad de dotar de efectividad los derechos de los contribuyentes, reconociendo a la vez el principio de proporcionalidad como límite respecto a los poderes de la Administración.

E, igualmente, como todos recordaremos, la doctrina sentada por el TEDH al hilo de la interpretación del derecho a no autoincriminarse (artículo 6 CEDH), resultó determinante de cara a la protección de los derechos de los ciudadanos en el ámbito tributario, penetrando en los ordenamientos nacionales, al ser paulatinamente asumidos tales razonamientos por vía legislativa, doctrinal y por la jurisprudencia de los tribunales internos.

Sintéticamente, cabe mencionar los pronunciamientos que marcaron un antes y un después en esta materia, tales como la Sentencia recaída en el Asunto *Funke*[50], en la que el TEDH sostuvo el derecho del contribuyente a permanecer en silencio y a no declarar contra sí mismo en el marco de los procedimientos tributarios que podían concluir con la imposición de una sanción; la Sentencia dictada en el Asunto *Bendenoun*[51], que vino a confirmar que los derechos reconocidos en el artículo 6 CEDH eran aplicables a los procedimientos administrativos sancionadores de carácter tributario y no solo a los procesos de índole penal.

Decisiones pioneras a las que siguieron otras no menos importantes, y siempre en la misma línea de defensa de los derechos de los contribuyentes, entre las que cabe citar la Sentencia del Asunto *Saunders*[52], en la que el Alto Tribunal declaró la vulneración por parte de la Administración del derecho a no autoinculparse, al haber utilizado en un proceso penal determinadas declaraciones obtenidas en un procedimiento administrativo de investigación que preveía sanciones en el caso de que el ciudadano se hubiese negado a declarar.

---

[50]   Sentencia del TEDH de 23 de febrero de 1993, Asunto *Funke contra Francia*.
[51]   Sentencia del TEDH de 24 de febrero de 1994, Asunto *Bendenoun contra Francia*.
[52]   Sentencia del TEDH de 17 de diciembre de 1996, Asunto *Saunders contra Reino Unido*.

Conviene llamar la atención, no obstante, sobre el arduo debate que se generó a nivel interno, ante la divergencia entre la jurisprudencia del TC español (Sentencia 76/1990, de 26 de abril) y del TEDH, bien entendido que frente a la negativa del primero en esta sede, el Tribunal de Estrasburgo propendió a extender indirectamente la aplicación del derecho que nos ocupa a la fase de comprobación tributaria, declarando la imposibilidad de utilizar a efectos penales o sancionadores los antecedentes y pruebas obtenidos coercitivamente en el previo procedimiento inspector. En efecto, a través de su Sentencia en el Caso *Saunders*, el TEDH concretó el alcance de este derecho en los procedimientos tributarios, pues, si bien no llegó a proclamar su total operatividad en relación con las actuaciones inspectoras y de investigación -sabedor del consiguiente conflicto que ello generaría entre el derecho a la no autoinculpación y el deber de contribuir al sostenimiento de los gastos públicos-, sí vino a señalar que el mencionado derecho prohíbe tajantemente que la información obtenida de manera coactiva del sujeto pasivo pueda utilizarse como prueba de la comisión de infracciones en un procedimiento sancionador tributario posterior.

Huelga afirmar que nos adscribimos sin reservas a la posición garantista defendida por el TEDH, sobre todo si se observa que lo contrario -el no vetar el empleo de aquel material en el procedimiento sancionador- significaría, en realidad, impedir el ejercicio del derecho a no autoinculparse en el curso de este último procedimiento, que es donde verdaderamente está llamado a desplegar su eficacia. Las Sentencias de 19 de septiembre de 2000, 3 de mayo de 2001 y 27 de abril de 2004, recaídas en el Asunto *I.J.L., G.M.R. y A.K.P. contra Reino Unido*, en el Asunto *J.B. contra Suiza* y en el Asunto *Kansas contra Reino Unido*, respectivamente, vinieron a consolidar esta línea de pensamiento, hacia la cual finalmente volvió a orientarse nuestro TC, dada la pertenencia de España a la Unión Europea y la condición de firmante de nuestro país en la CEDH.

III. CONCLUSIÓN

Sin lugar a dudas, la reforma examinada presenta luces y sombras, por lo que no es posible, en nuestra opinión, realizar una valoración positiva global, pero tampoco manifestar un rechazo frontal a la totalidad de las novedades introducidas.

Dos son los aspectos criticables que concitan mayor problemática[53], especialmente desde el prisma del respeto al derecho a la tutela judicial efectiva de los obligados tributarios en sus distintas manifestaciones. El primero estriba en la

---

[53] Nos adherimos así a la opinión defendida por un grupo de eminentes Catedráticos de Derecho Financiero y Tributario, firmantes de la denominada "Declaración de Granada", el 18 de mayo

posibilidad de llevar a cabo un procedimiento de inspección, con liquidación incluida, de modo paralelo a una instrucción penal en la que se está investigando la hipotética existencia de un delito contra la Hacienda Pública. Y, el segundo, radica en la irrecurribilidad de las liquidaciones vinculadas al delito, cuyo conocimiento se sustrae no solo de los correspondientes órganos en vía administrativa, sino también de los de la jurisdicción contencioso-administrativa, lo que a nuestro juicio constituye una flagrante transgresión del artículo 24.1 CE.

Pese al carácter loable de la reforma, encaminada a establecer un procedimiento administrativo que permita practicar liquidaciones tributarias y efectuar el cobro -siquiera provisional- de las mismas aun en los supuestos en los que se inicie la tramitación de un proceso penal, cabe oponer que la forma en que ello se ha articulado revela numerosas cuestiones controvertidas, que incurren en incoherencias[54], motivo por el cual algunos autores han calificado la actual normativa de "artificiosa"[55].

Junto a los aspectos ya reseñados (simultaneidad procedimental e irrecurribilidad), aparecen otros no menos importantes, que plantearán cierta complejidad en su aplicación práctica, como son los relativos a la tramitación de la doble liquidación y a la correlativa delimitación entre elementos vinculados o no al delito; o a la eficacia real del derecho a no declarar contra sí mismo ante la continuación del procedimiento administrativo de comprobación e investigación.

En definitiva, el principal reproche que desde nuestro punto de vista puede formularse respecto al Título VI de la LGT es, sin duda, el grave riesgo de vulneración del derecho de defensa o tutela judicial efectiva en el ámbito tributario, así como de los derechos derivados del mismo, tales como el derecho al recurso (en su vertiente de derecho al juez natural predeterminado por la ley) y el derecho a no autoincriminarse.

---

de 2018. VVAA: "Declaración de Granada", en *Revista Española de Derecho Financiero*, N.º 179, 2018, pág.25 y 26.

54   SÁNCHEZ PEDROCHE, José Andrés: "La reforma (…)". Ob.cit. pág.62, donde denuncia que: "Se juega así a todas las barajas, resultando a la postre una regulación incoherente y falaz, pues si la liquidación es administrativa, como lo es, debe ser impugnable y, en caso contrario, no debería permitirse su práctica, estando ya los hechos *sub iudice*, y en instrucción ante la jurisdicción penal, salvo que se hubiese optado, (…), por un modelo coherente de prejudicialidad administrativa no devolutiva. Se crean así institutos jurídicos que abjuran de su verdadera naturaleza jurídica, convirtiéndose en híbridos que únicamente responden a una mal entendida eficacia administrativa práctica, tan rechazable como espuria. Demasiadas incoherencias juntas".

55   PALAO TABOADA, Carlos: "Los procedimientos (…)". Ob.cit. pág.72; RAMÍREZ GÓMEZ, Salvador: "Las actuaciones (…)". Ob.cit. pág.96 y 97, al señalar que "el legislador ha optado por una solución que vulnera categorías dogmáticas sólidamente aceptadas, cuestiona el respeto de derechos constitucionales, (…), claramente arraigados en nuestro ordenamiento, y deja al desarrollo reglamentario la respuesta a los múltiples problemas de aplicación práctica que el complejo nuevo sistema plantea"; y, CALVO VÉRGEZ, Juan: "El delito (…)". Ob.cit. pág.85.

IV. BIBLIOGRAFÍA

BAÑERES SANTOS, Francisco: "Delito fiscal (art.305, 306 y 307)", en QUINTERO OLIVARES, Gonzalo (dir.): *La Reforma penal de 2010: análisis y comentarios*, Aranzadi, 2010, pág.259-263.

BERTRÁN GIRÓN, Fernando: "El proyecto de ley de reforma del art.305 del Código Penal: principales novedades", en *Carta Tributaria*, N.º 19-20, 2012, pág.11-30.

BLÁZQUEZ LIDOY, Alejandro: "Inexistencia de liquidación y remisión a la sede penal por delito contra la Hacienda Pública", en *Revista de Contabilidad y Tributación*, Nº. 449-450, 2020, pág.5-50.

CALVO VÉRGEZ, Juan: "El delito contra la Hacienda Pública en la reforma de la LGT", en *Quincena Fiscal*, N.º 11, 2016, pág.21-86.

DE MIGUEL CANUTO, Enrique: "Actuaciones en supuestos de delitos contra la Hacienda Pública", en *Quincena Fiscal*, N.º 10, 2016, pág.37-64.

ESPEJO POYATO, Isabel: "Procedimiento tributario y delito fiscal en la prevista reforma de la LGT", en *Revista de Contabilidad y Tributación*, N.º 388, 2015, pág.5-36.

FALCÓN y TELLA, Ramón: "El derecho a no declarar y la inviolabilidad del domicilio: la STC 54/2015, de 16 de marzo", en *Quincena Fiscal*, N.º 13, 2015, pág.11-14.

GONZÁLEZ-CUÉLLAR SERRANO, María Luisa: "Los efectos de la apreciación de indicios de delito contra la Hacienda Pública en los procedimientos tributarios", en *Crónica Tributaria*, N.º 168, 2018, pág.17-105.

LITAGO LLEDÓ, Rosa: "Un nuevo modelo de relaciones entre los procedimientos tributarios y el proceso penal por delito fiscal", en *Crónica Tributaria*, N.º 165, 2017, pág.55-100.

— "La liquidación tributaria vinculada a delito. Su difícil acomodo a la definición legal de acto administrativo", en Fórum Fiscal, Nº. 273, 2021.

LÓPEZ DÍAZ, Antonio: "Procedimientos tributarios y delito fiscal en el Proyecto de reforma de la LGT", en *Revista Española de Derecho Financiero*, N.º 167, 2015, pág.15-42.

LÓPEZ MARTÍNEZ, Juan: "Problemas pendientes en las relaciones entre la regularización tributaria y el proceso penal a la luz de la reforma de la Ley General Tributaria", en *Quincena Fiscal*, N.º 4, 2016, pág.123-158.

MARTÍN LÓPEZ, Jorge: "La "irrecurribilidad" ante la jurisdicción contencioso-administrativa de las liquidaciones vinculadas al delito de defraudación tributaria y el derecho al juez ordinario predeterminado por la ley", en *Quincena Fiscal*, N.º 10, 2018, pág.63-77.

MARTÍN QUERALT, Juan: "A vueltas con el Anteproyecto de reforma de la Ley General Tributaria", en *Tribuna Fiscal*, N.º 274, 2014, pág.4-8.

"Una mirada a la irrecurribilidad en vía administrativa de la liquidación vinculada al delito", en Carta Tributaria, N.º 11, 2016, pág.18-21.

MARTÍNEZ MUÑOZ, Yolanda: "Los procedimientos tributarios y el delito fiscal en la Ley General Tributaria. Un análisis en el marco de los principios fundamentales del ordenamiento tributario", en *Quincena Fiscal*, N.º 6, 2016, pág.89-118.

MERINO JARA, Isaac: "El delito fiscal y la Administración Tributaria", en PATÓN GARCÍA, Gemma (coord.): *La nueva tributación tras la reforma fiscal*, Wolters Kluwer, 2016, pág.163-197.

PALAO TABOADA, Carlos: "Los procedimientos de aplicación de los tributos en supuestos de delitos contra la Hacienda Pública en el Proyecto de ley de modificación de la LGT", en *Revista Española de Derecho Financiero*, N.º 167, 2015, pág.45-73.

RAMÍREZ GÓMEZ, Salvador: "Las actuaciones de la Administración Tributaria en los supuestos de delito contra la Hacienda Pública", en *Revista Española de Derecho Financiero*, N.º 171, 2016, pág.57-98.

RIBES RIBES, Aurora: *Aspectos procedimentales del delito de defraudación tributaria*, Iustel, 2007.

— "La supresión del trámite de audiencia previo a la remisión del expediente administrativo al orden penal en los delitos contra la Hacienda Pública", en Revista Española de Derecho Financiero, N.º 143, 2009, pág.663-688.

— La tutela judicial efectiva en el ámbito tributario, Thomson Reuters Aranzadi, 2020.

RUIZ GARCÍA, José Ramón: "La relación entre el procedimiento de inspección y el proceso penal por delito contra la Hacienda Pública", en *Revista Española de Derecho Financiero*, N.º 151, 2011, pp.725-774.

RUIZ ZAPATERO, Guillermo: "La fragmentación de la deuda tributaria como consecuencia de la liquidación administrativa por delito fiscal", en *Quincena Fiscal*, N.º 11, 2016, pág.113-132.

SÁNCHEZ PEDROCHE, José Andrés: "La reforma parcial de la Ley General Tributaria operada por la Ley 34/205", en *CEF Fiscal Impuestos*, accesible en: https://www.fiscal-impuestos.com/sites/fiscal-impuestos.com/files/reforma-ley-general-tributaria-ley-34-2015_c_s.pdf, pág.1-103.

TEJERIZO LÓPEZ, José Manuel: "El procedimiento de inspección en los supuestos de presunto delito contra la Hacienda Pública", en *Revista Española de Derecho Financiero*, N.º 170, 2016, pág.17-35.

VVAA: "Declaración de Granada", en *Revista Española de Derecho Financiero*, N.º 179, 2018, pág.17-34.

23.- LA PRESCRIPCIÓN COMO LÍMITE A LA REITERACIÓN DE LIQUIDACIONES ANULADAS EN VÍA JUDICIAL DESDE LA PERSPECTIVA DEL PRINCIPIO DE SEGURIDAD JURÍDICA

ANA ISABEL GONZÁLEZ GONZÁLEZ

CEU de Derecho Financiero y Tributario
Universidad de Oviedo

1.- INTRODUCCIÓN

La Ley de Derechos y Garantías del Contribuyente del año 1998, cuyo contenido fue básicamente incorporado a la actual Ley General Tributaria (en adelante LGT) aprobada en 2003, se presentó como un hito de gran trascendencia "*en el proceso de reforzamiento del principio de seguridad jurídica característico de las sociedades democráticas más avanzadas*"[56], aunque reconociendo también que estos derechos constituyen la otra cara de la moneda de las obligaciones a las que está sometido el contribuyente. Nos encontramos así con una dualidad de derechos y obligaciones para este, frente a la otra parte de la relación jurídica-tributaria, que no es otra que la Administración. Esta, por otro lado, personifica un "interés general" que se supone ha de defender y que, en ocasiones, parece presentarse como contrapuesto al interés del particular más que alineado en una misma dirección.

Han pasado ya algunos años desde la aprobación de esa Ley y también hemos asistido a varias reformas en la LGT[57] que, en cierta medida, reflejan un cambio desde una legislación que apostaba por reforzar las garantías del contribuyente y la seguridad jurídica a otra que más bien busca apuntalar la posición de la Administración, amparándose fundamentalmente en la lucha contra el fraude fiscal.

Si bien es cierto que la lucha contra el fraude es esencial para garantizar las finanzas públicas, e incluso desde una perspectiva de justicia social resulta indispensable, no siempre es fácil encontrar un equilibrio para no ceder a soluciones que se pueden interpretar como una manera de facilitar el trabajo de la

---

[56]   Según reza el primer párrafo de la Exposición de Motivos de dicha Ley.
[57]   Y en otras normas tributarias.

Administración tributaria y su labor recaudatoria, y que en ocasiones acercan la posición del contribuyente a la de un potencial defraudador, con dificultades para revertir esa situación.

Sin duda, el interés público que la Administración tributaria protege (o ha de proteger) puede justificar alguna de las prerrogativas de las que esta goza con carácter general, pero ello no puede llevar a olvidar o conculcar ninguno de los derechos que asisten al obligado tributario.[58]

Esta dualidad de posiciones puede apreciarse cuando se producen anulaciones de liquidaciones y se plantea la posibilidad de proceder a una nueva actuación administrativa sobre los mismos hechos, cuestión que no es totalmente pacífica.

Nos encontramos ante la disyuntiva, por un lado, de que se cumplan las obligaciones tributarias por quien deba hacerlo, y por otro, del interés particular del administrado para que, una vez reconocida su demanda en vía judicial, no vea que este reconocimiento queda desvirtuado por el hecho de que la Administración pueda "volver a empezar".

¿Hasta dónde se puede llegar? La Administración tributaria que no ha actuado correctamente y ve anulada la liquidación practicada, ¿puede volver simplemente atrás y corregirla?; ¿hasta cuándo?; ¿cuántas veces? Para el administrado, ¿el recurso ganado tiene como efecto colateral ampliar el plazo de la administración, gracias a la interrupción de la prescripción, para dictar un nuevo acto corrigiendo sus errores?[59] ¿Existen derechos de los administrados que puedan verse afectados en estas situaciones?

No son nuevos estos planteamientos y han sido tratados desde diferentes posiciones, que se pueden resumir en la contraposición de la denominada doctrina del "tiro único" con la alternativa que permite a la Administración volver a liquidar, con lo que ello supone para el obligado tributario que se encontrará con un nuevo acto administrativo de similares características. Es cierto que, como contrapartida, el Tribunal Supremo ha ido señalando algunos límites a esta reiteración, entre ellos la prescripción, por lo que cobra especial relevancia determinar qué actos de la Administración y del obligado tributario han podido interrumpirla.

El fundamento de la prescripción es la seguridad jurídica, de manera que no se mantenga indefinidamente (más allá del plazo legalmente establecido como razonable) una situación de incertidumbre en el ejercicio o exigencia de una

---

[58] O como el Tribunal Supremo recordó en su sentencia de 12 de julio de 2021, el cambio producido en el sistema de gestión tributaria (refiriéndose al sistema masivo de gestión por autoliquidaciones) *"en modo alguno puede significar una merma de lo que constituye el estatuto de los contribuyentes, conformado con un amplio elenco de derechos y garantías…"*

[59] O no corrigiéndolos incluso.

obligación, lo que justifica que quien no sea diligente en el ejercicio de su derecho, pasado un tiempo pierda la facultad para hacerlo.[60]

Ahora bien, esta seguridad jurídica podría verse comprometida si se acepta que la prescripción pueda ser interrumpida por cualquier acto de la Administración, incluso aunque este no sea válido.

La doctrina y la jurisprudencia han ido precisando las condiciones para esa interrupción, que en el ámbito tributario requiere la existencia de un acto dirigido a la liquidación o al cobro de una deuda tributaria y ha de ser realizado con conocimiento formal del obligado tributario.[61]

Precisamente, el papel que la prescripción juega a la hora de valorar si la Administración puede volver a liquidar tras haber visto anulada su actuación, su relación con el principio de seguridad jurídica y cómo este es interpretado por diferentes tribunales, es el objeto de este capítulo.

2.- NULIDAD DE LIQUIDACIONES Y RETROACCIÓN DE ACTUACIONES O NUEVAS ACTUACIONES. POSIBILIDADES Y LÍMITES

No siempre las relaciones entre la Administración y los obligados tributarios son todo lo pacíficas que sería deseable, más allá de la contraposición de intereses que se puedan dar entre ellos. Es cierto que siempre queda el recurso a la vía jurisdiccional cuando consideren que sus derechos han sido conculcados o que las actuaciones llevadas a cabo por la otra parte no se han ajustado a la legalidad. El principio a la tutela judicial efectiva así lo garantiza.

Sin embargo, resulta a veces incomprensible para el obligado tributario comprobar que, disconforme con una liquidación tributaria, y tras haberla impugnado tanto en el ámbito administrativo como en el jurisdiccional (con el coste económico y de tiempo que conlleva), al final, pese a haber obtenido en esta última vía una respuesta positiva, la Administración inicia un nuevo procedimiento con el mismo fin o incluso, a instancias del tribunal correspondiente, se le permite subsanar los defectos en el procedimiento por mor de la retroacción de actuaciones.

---

[60]   Sobre el fundamento del instituto de la prescripción y su aplicación en el ámbito tributario vid., PONT MESTRES, M., *La prescripción tributaria ante el derecho a liquidar y el derecho a recaudar y cuestiones conexas*, Marcial Pons, Madrid, 2008; ESEVERRI MARTÍNEZ, E., *La prescripción tributaria. En la jurisprudencia del Tribunal Supremo*, Tirant lo Blanch, Valencia, 2012, GARCÍA NOVOA, C., *Iniciación, interrupción y cómputo del plazo de prescripción de los tributos*, Marcial Pons, Madrid, 2011, o, GONZÁLEZ MARTÍNEZ, M.T., *La crisis de la prescripción tributaria. La potestad comprobadora de la Administración en relación con períodos impositivos prescritos*, Lefebvre, Madrid, 2016.

[61]   Vid., al respecto, por ejemplo, GARCÍA NOVOA, C., *El principio de seguridad jurídica en materia tributaria*, Marcial Pons, Madrid, 2000, p. 232.

Dado que la invalidez de una liquidación puede tener diferentes causas también sus consecuencias serán distintas. Si dicho reconocimiento se produce en el marco de las reclamaciones económico-administrativas, el art. 239.3 LGT distingue entre que se aprecien razones de derecho sustantivo o defectos formales. Para este segundo caso, si ha afectado las posibilidades de defensa del reclamante, prevé *"la retroacción de actuaciones al momento en que se produjo el defecto formal"*.

Así lo aclara la Sentencia del Tribunal Superior de Justicia de Valencia de 7 de julio de 2021, al señalar que el art. 66 del Reglamento General de Revisión en Vía Administrativa (en adelante RRVA), distingue dos situaciones jurídicas netamente diferenciables: *"las anulaciones por razones de fondo y las determinadas por defectos formales. A las primeras se refiere el apartado 3, cuyo párrafo inicial indica que se conservarán los actos y trámites no afectados por la causa de anulación, manteniendo íntegramente su contenido. A las segundas alude el apartado 4, que indica que "[N]o obstante lo dispuesto en los apartados anteriores, cuando existiendo vicio de forma no se estime procedente resolver sobre el fondo del asunto, la resolución ordenará la retroacción de las actuaciones, se anularán todos los actos posteriores que traigan su causa en el anulado y, en su caso, se devolverán las garantías o las cantidades indebidamente ingresadas junto con los correspondientes intereses de demora".*

Finalmente, conforme al apartado 5, cuando la resolución estime totalmente el recurso o la reclamación y no sea necesario dictar un nuevo acto, se procederá a la ejecución mediante la anulación de todos los actos que traigan su causa del anulado".

En cambio, cuando la nulidad se observe por razones de fondo, como señala la sentencia del Tribunal Supremo de 19 de enero de 2018, la adopción de una nueva decisión constituye un acto de ejecución *"que debe adoptarse con arreglo a las formas y plazos del artículo 66 RRVA, apartados 2 y 3 (actualmente artículo 239.3 de la LGT)"*. Efectivamente, en este caso, no existe retroacción de actuaciones y la Administración debe dictar una *"nueva decisión correcta, conforme a los criterios señalados en la resolución económico-administrativa"*. No considera, además, que en estos casos sean de aplicación ni el art. 104 ni el 139 LGT.

Por lo tanto, cuando no hay defecto formal, no procede la retroacción de actuaciones, pudiendo, en su caso, volver a dictar un nuevo acto, considerando que las actuaciones que se sigan por la Administración como consecuencia de la resolución deberán enjuiciarse como un incidente de ejecución, siendo de aplicación el art. 66.2 del Reglamento que señala que los actos de ejecución no forman parte del procedimiento que dio origen a la reclamación.[62]

La situación es diferente si la resolución procede de un órgano jurisdiccional. En este caso, la normativa aplicable para su ejecución es, en primer lugar,

---

[62]   Vid., en este sentido, PALAO TABOADA, C., "Retroacción y reiteración de actuaciones por la administración tributaria", *Forum Fiscal*, nº 214, 2015, pp. 43 y ss.

la Ley Reguladora de la Jurisdicción Contencioso-administrativa (arts. 103 y ss., en adelante LJCA), y a ello se refiere también el art. 70 RRVA, sin perjuicio de que puedan resultar aplicables, por no oponerse ni a la LJCA ni la sentencia en cuestión, los arts. 66 y 67 de este RRVA.[63]

En todo caso, centrándonos en la anulación de liquidaciones en vía judicial, podemos encontrar diferentes situaciones: que se confirme la liquidación, considerándola ajustada a derecho, que se acuerde la nulidad total de la misma o se aprecie una nulidad parcial. Además, la nulidad puede ser debida a razones de forma o a razones de fondo. A ello debemos añadir los efectos que para la jurisprudencia tiene el que nos encontremos ante una nulidad de pleno derecho o de mera anulabilidad, que implican distintas consecuencias, en especial respecto a la prescripción, lo que acaba resultando determinante para la reiteración o no de la liquidación.

En efecto, esta distinción de situaciones tiene en la práctica consecuencias importantes para el administrado que puede ver cómo, reconocida por los tribunales la ilegalidad de la liquidación practicada por la Administración, esta pueda o no dictar una nueva liquidación, que en ocasiones busca lograr un resultado similar al anulado e incluso incide en los mismos vicios que dieron lugar al recurso.

Nos encontramos ante lo que para TEJERIZO LÓPEZ supone que la Administración pueda "repetir un tiro fallido".[64] Pese a las numerosas críticas doctrinales al respecto, lo cierto es que frente a la conocida como doctrina del "tiro único",

---

[63] Así TEJERIZO LÓPEZ, J.M., subraya las diferencias normativas que rigen la actuación de revisión según sea llevada a cabo por órganos administrativos o judiciales, sujetos estos a la Ley de la Jurisdicción Contencioso-Administrativa ("Alcance constitucional de la problemática de la reiteración de actos administrativos de naturaleza tributaria anulados judicialmente", *Tribuna Fiscal*, nº 261, 2012 (versión electrónica, *Smarteca*).

[64] Idem. Esta solución, cuando implica la retroacción de actuaciones por defectos formales en vía judicial, ha sido criticada por la doctrina que entiende que la regulación contenida para el procedimiento económico-administrativo no es aplicable a la jurisdicción contencioso-administrativa, cuya normativa es otra, puesto que se trata de una jurisdicción rogada. Vid., FALCÓN TELLA, R., "La posibilidad de que la Administración dicte una nueva liquidación en sustitución de la anulada: STS 19 noviembre 2012", *Quincena Fiscal*, nº 6, 2013 (versión electrónica, *Aranzadi instituciones*) o BAÑO LEÓN, J.M., "La retroacción de actuaciones: ¿denegación de justicia o garantía del justiciable?, *Revista Española de Derecho Administrativo*, nº 152, 2011 (versión electrónica, *Aranzadi instituciones*).
Así, como señala BOSCH CHOLBI, J.L., en vía contencioso-administrativo, y de acuerdo con la LJCA que no lo prevé expresamente, solamente cabría tal retroacción de actuaciones si se produjese indefensión del administrado y se solicitase por una de las partes (tratándose como se trata de una justicia rogada). Vid., "Matizaciones a la posibilidad de ordenar judicialmente la retroacción de actuaciones tributarias cuando se anula una liquidación tributaria", *Tribuna Fiscal*, nº 250/251, 2011 (versión electrónica, *Smarteca*).
En todo caso, el Tribunal Supremo considera que cuando se trate de defectos de forma, resulta indiferente una retroacción tácita o expresa, que no se opone a la normativa reguladora de la jurisdicción contencioso-administrativa, entendiendo que una resolución judicial que se limita a anular

según la cual anulada una liquidación no cabría volver a dictar una nueva, el Tribunal Supremo sigue una consolidada jurisprudencia en la que reconoce que la Administración, anulada una liquidación por razones de fondo, podría volver a dictar otra, si bien con ciertas limitaciones que, básicamente, se concretan en que no haya prescrito la obligación, que no se dé una *reformatio in peius* y que no se reiteren los mismos errores.[65]

A este respecto, resulta esclarecedora la Sentencia del Tribunal Supremo de 23 de junio de 2020 que resume las diferentes posibilidades y efectos que se pueden dar:

> *Una liquidación tributaria puede ser anulada por razones de (a) forma o de (b) fondo y, en este segundo caso, (i) total o (ii) parcialmente.*
>
> *(a) La anulación por motivos formales afecta a la liquidación en su conjunto y la expulsa en cuanto tal del universo jurídico, para que, en su caso, si procede, se dicte otra nueva cumpliendo las garantías ignoradas al aprobarse la primera o reparando la falla procedimental que causó su anulación.*
>
> *... (b.1) Si la anulación tiene lugar por razones de fondo, pero es total, el criterio debe ser el mismo, pues tampoco hay en tal caso una deuda legítimamente liquidada. En dichos supuestos podrá fijarse la deuda de nuevo, si es que la potestad para hacerlo no ha prescrito, pero deberá serlo por conceptos distintos de los sustantivamente anulados...*
>
> *... (b.2) Distinto es el escenario si la anulación por razones sustantivas es parcial, porque en tales tesituras sí que existe una deuda del contribuyente legítimamente liquidada desde la decisión inicial, en la parte no anulada, a la que lógicamente se contrae la exigencia de intereses de demora.*

Y más concretamente, "*en función del alcance del fallo y el contenido de la sentencia anulatoria, puede producirse diversas situaciones en la ejecución, tal y como se ha identificado en la jurisprudencia. Declarada la nulidad radical del acto de liquidación con efectos ex tunc comporta la ineficacia del acto, se equipara a su inexistencia, por lo que la ejecución se agota en la propia declaración, sin perjuicio, como se ha apuntado, de no haber prescrito el derecho de la Administración de girar nueva liquidación, con el límite visto. La anulación por motivos formales produce la retroacción de actuaciones, (…). La anulación total por motivos de fondo comporta el inicio de un nuevo procedimiento, de no haber prescrito el derecho de la Administración, (…). En el caso de la anulación parcial por motivos de fondo, la nueva liquidación se hace en ejecución de lo resuelto y ordenado por el Tribunal sentenciador, debiendo la nueva liquidación ajustarse a la misma, y resolviéndose*

---

una liquidación por falta de motivación supone retroacción de actuaciones, al margen de que así se diga en el fallo (STS de 22 de diciembre de 2020).

[65]   Pueden citarse, entre otras, las Sentencias del Tribunal Supremo de 19 de noviembre de 2012 y de 29 de septiembre de 2014. Un comentario crítico a esta última, se puede ver en GOROSPE OVIEDO, J.I., "La consolidación del doble tiro: anulada una liquidación tributaria por razones de fondo o sustantivas cabe liquidar de nuevo si la obligación no ha prescrito. Análisis de la STS de 29 de septiembre de 2014, rec. Núm. 1014/2013", *Revista de Contabilidad y Tributación. CEF*, n° 384, marzo 2015, pp. 157 y ss.

las discrepancias en el mismo incidente de ejecución, excepto, como se ha indicado, que el nuevo acto abordara cuestiones inéditas y distintas, en que sería obligado seguir un cauce impugnatorio diferente e independiente".

Como vemos, el Tribunal plantea aquí la distinción, a la que ya aludimos, entre nulidad de pleno derecho y anulabilidad, que va a tener consecuencias determinantes para que proceda o no una nueva liquidación, en función de que se considere o no la aplicación de la prescripción y su posible interrupción. Además, diferencia las implicaciones en el ámbito administrativo y en el jurisdiccional, señalando su distinto tratamiento en la LGT y en la Ley de Procedimiento Administrativo (en adelante, LPA) con respecto a la LJCA.[66]

3.- PRESCRIPCIÓN: FUNDAMENTO Y CAUSAS DE INTERRUPCIÓN

Como hemos señalado, el Tribunal Supremo reconoce a la Administración la posibilidad de volver a liquidar cuando se haya anulado una liquidación *"siempre y cuando su potestad para hacerlo no haya prescrito"*, convirtiéndose por tanto la prescripción en un punto elemental para salvaguardar los intereses del administrado.

La prescripción es un instituto no exclusivo del ámbito tributario, cuya regulación básica en este campo se encuentra recogida en los arts. 66 a 70 LGT, y conlleva la extinción de derechos "como respuesta del ordenamiento jurídico a la inactividad prolongada" en su ejercicio.[67] En el ámbito tributario se distingue, en principio, entre el derecho a liquidar y el derecho a exigir el pago de las cantidades liquidadas.[68]

---

[66] Así afirma que en relación con el grado de invalidez del acto administrativo, *"la nulidad de pleno derecho se regula en el art. 217.1 de la LGT, similar al art. 47.1 de la LPAC; la anulabilidad no se contempla en las normas tributarias, con referencia a esta normativa parece que debiera considerarse actos anulables aquellos en los que concurra un vicio invalidante y no constituyan uno de los casos legalmente dispuestos de nulidad de pleno derecho, aunque sí son objeto de atención en el art. 48 de la referida Ley, de aplicación supletoria por mor de la disposición adicional primera, apartado 2.a) de la LPAC. El acto nulo de pleno derecho carece de eficacia alguna y ab initio no produce de efectos jurídicos sin necesidad de su previa impugnación; el acto anulable su vicio es convalidable sin más que subsanar la infracción legal cometida. Como se ha dicho en ocasiones por este Tribunal los efectos ex tunc de la declaración de nulidad de pleno derecho de un acto administrativo permiten la ficción jurídica de considerarlo inexistente, mientras que no sucede lo mismo con su anulación como consecuencia de estar afectado de un vicio determinante de anulabilidad, porque sus efectos son ex nunc, sentencia de 29 de junio de 2015, rec. cas. 3723/2014".*

[67] Tal como afirma ESEVERRI MARTÍNEZ, E., *La prescripción tributaria. En la jurisprudencia del Tribunal Supremo,* op. cit., p. 17.

[68] Así, por ejemplo, PONT MESTRES, M., *La prescripción tributaria ante el derecho a liquidar y el derecho a recaudar y cuestiones conexas,* op.cit.; ESEVERRI MARTÍNEZ, E., *La prescripción tributaria. En la jurisprudencia del Tribunal Supremo,* op. cit., p. 19, o, GARCÍA NOVOA, C., *Iniciación, interrupción y cómputo del plazo de prescripción de los tributos,* op. cit., pp. 75 y ss.

El fundamento de la prescripción en el ordenamiento tributario está vinculado a las exigencias de seguridad jurídica, que obligan a limitar temporalmente las actuaciones de los poderes públicos. Desde esta perspectiva, la relación entre el instituto de la prescripción y el principio de seguridad jurídica deriva de la necesidad de dotar de certeza a las relaciones entre partes y comporta reconocer que la inactividad conlleva la pérdida de un derecho.

Esta relación se desprende tanto de la jurisprudencia como de la doctrina. En palabras de GARCÍA NOVOA, la prescripción "se fundamenta en razones de seguridad jurídica, que siempre se han planteado en oposición a motivaciones de justicia".[69] Más aún, considera que la prescripción "es una institución necesaria para el orden social y para la seguridad jurídica, vinculada a la consolidación de las situaciones jurídicas como consecuencia de la inactividad de un derecho o de la extinción de una facultad prevista por el ordenamiento para el ejercicio en un plazo determinado, y que, como consagra la clásica sentencia del TS de 21 de diciembre de 1950, «se apoya en la necesidad de conceder una estabilidad a las situaciones jurídicas existentes dando, de esta manera, claridad al tráfico jurídico»".[70]

La LGT regula la prescripción en el ámbito tributario señalando tanto los supuestos en los que esta opera como su cómputo y, especialmente, las causas que producen la interrupción del plazo para su aplicación. Estas se encuentran recogidas en el art. 68 LGT que relaciona las causas de interrupción con los derechos susceptibles de prescribir según el art. 66 LGT. Tienen en común que, tanto para el derecho a liquidar como para el derecho a exigir el pago de la deuda, la interrupción de la prescripción requerirá que la actuación de la Administración se realice con conocimiento formal del obligado tributario.[71]

Si el fundamento de la prescripción es la seguridad jurídica y requiere de la inactividad de las partes, si esta no se mantiene, deja de tener sentido su aplicación (de ahí que se interrumpa y se inicie un nuevo plazo). Pero también por este mismo principio, las actuaciones que realice la Administración para que tengan eficacia interruptora deberán reunir ciertas características, en relación con su finalidad (dirigidas a liquidar o recaudar la deuda tributara o a imponer sanciones) y con su demostración, ya que deberán ser comunicadas formalmente al sujeto pasivo.[72] De ahí también, por la importancia que adquiere la interrupción de

---

[69]   GARCÍA NOVOA, C., "La prescripción del tributo en la Ley General Tributaria de 2003: aspectos conceptuales y prácticos", en ARRIETA MARTÍNEZ PISÓN, J., COLLADO YURRITA, M.A. y ZORNOZA PÉREZ, J. (dirs.), *Tratado sobre la ley General Tributaria. Homenaje a Álvaro Rodríguez Bereijo*, Aranzadi, Pamplona, 2010, vol. I, p. 1287.

[70]   Ibidem.

[71]   Idem., p. 1281.

[72]   Cuestiones ambas que vienen siendo reconocidas por la jurisprudencia y de ahí que se excluya esta virtualidad en el caso de las conocidas como "diligencias argucia", en las que no se daría esa

la prescripción, que la distinción entre nulidad de pleno derecho y anulabilidad a la que antes nos referíamos, cobre una importancia determinante, pues para el Tribunal Supremo tienen efectos totalmente diferentes. Así, mientras en el primer caso nos encontraríamos con actos que han de desaparecer totalmente del ordenamiento, lo que incidiría directamente en la no interrupción de la prescripción, en el segundo, a pesar de reconocerse la ilegalidad o irregularidad de la liquidación que se anula, sus efectos no desaparecen totalmente y los actos desarrollados en su realización, e incluso la interposición de recursos contra ella, tienen la virtualidad de interrumpir la prescripción, lo que facilitará a la Administración poder dictar una nueva liquidación. En este sentido, se puede citar, por ejemplo, la Sentencia del Tribunal Supremo de 20 de diciembre de 2016 según la cual *"sólo cabe negar efectos interruptivos de la prescripción a los actos nulos de pleno derecho, no a los meramente anulables"*.[73]

Sin embargo, esta distinción entre nulidad y anulabilidad y los efectos que derivan sobre la prescripción no siempre resulta clara en su interpretación y es por ello criticada por la doctrina, para la que tal distinción no tiene la trascendencia que se le está otorgando por los tribunales de justicia.[74] En este sentido, coincidimos con FERNÁNDEZ LÓPEZ y SIOTA ÁLVAREZ, cuando además de subrayar que no existe ningún precepto legal que distinga entre nulidad y anulabilidad

---

voluntad de regularizar la situación tributaria, careciendo por ello "de los elementos básicos para considerarlas instrumentos interruptivos", como señala CANCIO FERNÁNDEZ, R.C.,"Sofismas y argucias en la interrupción de la prescripción en materia tributaria", *Quincena Fiscal*, nº 21, 2009, (versión electrónica, *Aranzadi Instituciones*) y se desprende de las Sentencias del Tribunal Supremo de 13 de noviembre de 2014 o 12 de marzo de 2015.

[73] Es cierto que algunas sentencias del Tribunal Supremo, como la de 3 de julio de 2000, referida al ámbito de la Seguridad Social, afirman que *"el efecto interruptivo de la prescripción derivado la actuación administrativa estaba supeditado a la validez de ésta, conforme al principio general de que sólo la que es válida en Derecho puede anudar los efectos que el ordenamiento prevé para tal actuación (quod nullum est nullum product efectum). O, dicho en otros términos, los efectos normales establecidos en la Ley (en este caso, la interrupción de la prescripción) sólo son predicables de la actuación que es jurídicamente válida"*. Sin embargo, pronto se inclinó por diferenciar entre nulidad de pleno derecho y anulabilidad como se puede ver en su sentencia de 19 de junio de 2004, en la que afirma que solamente se da la primera situación cuando se trate de los supuestos previstos en el art. 153 de la antigua LGT. Este artículo regulaba la nulidad de pleno derecho para aquellos actos dictados por órgano manifiestamente incompetente; para los constitutivos de delito y para los dictados prescindiendo total y absolutamente del procedimiento legalmente establecido para ello.

[74] Vid., por ejemplo, BOSCH CHOLBI, J.L., "Matizaciones a la posibilidad de ordenar judicialmente la retroacción de actuaciones tributarias cuando se anula una liquidación tributaria", op. cit., o "Una decisión trascendental del Tribunal Supremo: la Sentencia de 19 de noviembre de 2012, sobre la retroacción de actuaciones por la Administración tributaria", *Tribuna Fiscal*, nº 265, 2013; TEJERIZO LÓPEZ, J.M., "Alcance constitucional de la problemática de la reiteración de actos administrativos de naturaleza tributaria anulados judicialmente", op. cit., o CALDERÓN GONZÁLEZ, J., ¿Cabría atribuir exclusivamente efectos interruptivos de la prescripción a los actos administrativos válidos? Argumentos en favor de esta tesis", *Tribuna Fiscal*, nº 276, 2015 (versiones electrónicas, *Smarteca*).

para dotarles de diferentes efectos interruptivos, a pesar de que las causas de interrupción de la prescripción están sometidas a reserva de ley, advierten que, si se admite que una liquidación anulada por ser contraria a la Ley puede interrumpir la prescripción, se está premiando la actuación incorrecta de la Administración y permitiendo "mantener viva la obligación tributaria a pesar de la infracción cometida".[75]

En la misma línea, SESMA SÁNCHEZ se muestra contundente al señalar que "la seguridad jurídica, la interdicción del abuso de potestades administrativas, la tutela judicial, la confianza legítima o la buena administración son principios generales que se quiebran cuando obtener la anulación de una liquidación tributaria por cualquier causa de anulabilidad solo reporta una victoria pírrica y una satisfacción moral al recurrente ya que, a pesar de haber recurrido y obtenido la estimación de su pretensión, la declaración de invalidez del acto no ha perjudicado el plazo de prescripción de la AEAT para liquidar".[76]

Ello explica que algunos autores, como CALDERÓN GONZÁLEZ, se inclinen por reconocer que la eficacia interruptiva se otorgue únicamente a los actos válidos en la medida en que ello conecta con el derecho a la tutela judicial efectiva, a la seguridad jurídica y también, se relaciona con la protección de un deber de buena administración de acuerdo con la Carta de Derechos Fundamentales de la Unión Europea.[77]

Una posición similar se mantiene en el voto particular del magistrado FRÍAS PONCE a la Sentencia del Tribunal Supremo de 29 de septiembre de 2014, en el que discrepa de la eficacia interruptora de las liquidaciones anulables, ya que implica que la Administración siempre va a tener plazo para liquidar, lo que en su opinión *supone premiar al que hace mal las cosas, proteger al responsable del vicio, dejando indefinidamente abiertos los procedimientos tributarios*. Por ello se inclina por institucionalizar el derecho del ciudadano a una buena administración, como recoge la Carta de Derechos Fundamentales de la Unión Europea, en su art. 41.1.

Como ya había señalado su voto particular a la Sentencia del Tribunal Supremo de 19 de noviembre de 2012, la anulación de una liquidación por razones de fondo debería suponer la supresión de la interrupción de la prescripción. En su opinión, la diferencia entre actos nulos y anulables se encuentra en que, aunque ambos son inválidos, el acto anulable mantiene su eficacia si el particular

---

[75] Vid., "Los imprevisibles efectos de los actos anulatorios de liquidaciones tributarias dictados en la vía económico-administrativa", Impuestos, nº 9, 2012 (versión electrónica, *Smarteca*).

[76] "La interrupción de la prescripción tributaria por liquidaciones nulas o anulables: una jurisprudencia contradictoria", *Quincena Fiscal*, nº 5, 2017 (versión electrónica, *Smarteca*).

[77] "¿Cabría atribuir exclusivamente efectos interruptivos de la prescripción a los actos administrativos válidos? Argumentos en favor de esta tesis", op. cit. En este mismo sentido, SESMA SÁNCHEZ, B., afirma que solamente pueden producir efectos jurídicos "los actos administrativos válidos, intrínsecamente válidos y legítimos", *La nulidad de las liquidaciones tributarias*, Aranzadi, Pamplona, 2017, p. 511.

no lo recurre en tiempo y forma, lo que lo hace devenir firme y eficaz.[78] De ahí que GOROSPE OVIEDO afirme que no debería considerarse interrumpida la prescripción cuando hay defectos de fondo, como una "solución para conjugar la justicia material y la eficacia administrativa con los principios de seguridad jurídica y tutela judicial."[79]

Precisamente, como hemos señalado, la prescripción se encentra estrechamente ligada al principio de seguridad jurídica reconocido en el artículo 9 de la Constitución, entre cuyas manifestaciones hace referencia "a que la Administración debe actuar facilitando la previsibilidad de las consecuencias jurídicas de los actos de los obligados tributarios y generando confianza en estos".[80] Ahora bien, como señala GARCÍA NOVOA, este principio tiene como principal problema su "indefinición". En su opinión, "la concreción de la seguridad jurídica es el principio de confianza legítima (…) y en un sentido objetivo, la seguridad se manifiesta en la previsibilidad del ordenamiento".[81]

Por ello, coincidimos con este autor cuando afirma que, si se pretende que no opere, se apuesta por la inseguridad. Así, "se enerva la prescripción cuando, de una u otra manera, se proclama la imprescriptibilidad del derecho a la Administración a liquidar el tributo. Pero también cuando se facilita la interrupción de la prescripción, mediante el reconocimiento o extensión de los actos con virtualidad interruptiva".[82]

Estos problemas se evitarían si, como propone SESMA SÁNCHEZ, se distinguiese entre tres situaciones: cuando la anulación se ha debido a defectos de forma, lo que obligaría a retrotraer las actuaciones, y sí habría interrupción; cuando se tratase de una anulación parcial, que también la originaría; y, cuando se diese una anulación íntegra por motivos de fondo, que no permitiría considerar

---

[78] De la misma opinión, FALCÓN TELLA afirma que la diferencia entre un acto nulo y anulable debe buscarse en que mientras el acto nulo no puede convalidarse por el transcurso del tiempo, el anulable lo hará si no se recurre en tiempo y forma, lo que le equipara a un acto válido. Sin embargo, "si se impugna, y el recurso es estimado, cabe sostener con fundamento que el acto anulatorio priva de todo efecto al acto anulado, que por tanto pierde también su virtualidad interruptiva de la prescripción ("La posibilidad de que la Administración dicte una nueva liquidación en sustitución de la anulada: STS 19 noviembre 2012", op. cit.).

[79] "La consolidación del doble tiro: anulada una liquidación tributaria por razones de fondo o sustantivas cabe liquidar de nuevo si la obligación no ha prescrito. Análisis de la STS de 29 de septiembre de 2014, rec. Núm. 1014/2013", op. cit., p. 168.

[80] GARCÍA NOVOA, C., "Dos manifestaciones de la seguridad jurídica: prescripción y vinculación a los actos propios", *Política Fiscal, Blog Fiscal y de Opinión Tributaria*, 2018. https://www.politicafiscal.es/equipo/cesar-garcia-novoa/dos-manifestaciones-de-la-seguridad-juridica-prescripcion-y-vinculacion-a-los-actos-propios, consultado el 20 de junio de 2022.

[81] Ibidem.

[82] Ibidem.

interrumpida la prescripción, con independencia de que se tratase de una mera anulabilidad.[83]

La solución contraria, la que propugna la doctrina del Tribunal Supremo, según la cual solo los actos nulos de pleno derecho no interrumpen la prescripción, podría dar lugar a una reiteración indefinida de liquidaciones lo que, en opinión de GARCÍA NOVOA, "repugna a las más elementales exigencias de seguridad jurídica".[84] Por otro lado, tiene también el inconveniente de que no existe esa distinción clara en el ámbito tributario entre actos nulos y anulables, lo que nos deja a expensas del juicio del Tribunal para saber si nos encontramos ante un acto nulo de pleno derecho o no, poniendo en cuestión el principio de seguridad jurídica.[85]

Por el contrario, aunque, como señala FALCÓN TELLA, el hecho de que no se distinga entre actos nulos y anulables frente a la prescripción puede tener el efecto de que, si la Administración espera a que el vicio sea declarado en vía contenciosa, acabe transcurriendo el plazo de prescripción, también podría incentivarla a ajustar "su comportamiento al ordenamiento jurídico y se esforzara en corregir de inmediato cualquier defecto detectado. Si la Agencia opta por una actuación cómoda y despreocupada con las formas jurídicas, dejando sistemáticamente a los Tribunales la tarea de corregir dicha actuación, no se justifica ninguna protección especial".[86]

En cambio, si la consecuencia de cualquier anulación fuera que la prescripción no se interrumpiera, los retrasos en la actuación de la Administración dificultarían una nueva liquidación si hubiera alguna incorrección. Ello, en línea con lo que señala FALCÓN TELLA, es probable que supusiese un incentivo para una mayor diligencia en su gestión, pues debería actuar con una mayor celeridad ante los defectos que se pudieran detectar.[87]

---

[83]   "La interrupción de la prescripción tributaria por liquidaciones nulas o anulables: una jurisprudencia contradictoria", op. cit. También en *La nulidad de las liquidaciones tributarias*, op. cit., pp. 511 y 512.

[84]   "Problemática de la ejecución de resoluciones: sobre la retroacción de actuaciones, el tiro único y las segundas oportunidades para liquidar", en ADAME MARTÍNEZ, F. y RAMOS PRIETO, J. (coords.) *Estudios sobre el sistema tributario actual y la situación financiera del sector público. Homenaje al profesor Dr. D. Javier Lasarte Álvarez*, IEF, Madrid, 2014, p. 2203. De ahí la limitación que el Tribunal Supremo hace en relación con la posibilidad de realizar una segunda liquidación, pero no una tercera.

[85]   La alternativa de restringir esa consideración a los supuestos contemplados en el art. 217 LGT para iniciar un procedimiento de nulidad, resulta absurda para algunos autores. Vid., en este sentido, TEJERIZO LÓPEZ, J.M., "Alcance constitucional de la problemática de la reiteración de actos administrativos de naturaleza tributaria anulados judicialmente", op. cit.

[86]   "La posibilidad de que la administración dicte una nueva liquidación en sustitución de la anulada. STS 19 noviembre 2012", op. cit.

[87]   Una opinión similar es mantenida por GOROSPE OVIEDO, J.I. en "La consolidación del doble tiro: anulada una liquidación tributaria por razones de fondo o sustantivas cabe liquidar de nuevo si la

3.1.- La prescripción en la doctrina del TS: algunos supuestos de nulidad y anulabilidad

La efectividad o no de la prescripción resulta, por tanto, un elemento sustancial para que la Administración pueda reiterar una liquidación tras su anulación en vía judicial. Por ello, la valoración que se realice respecto al tipo de anulación producida acaba teniendo una relevancia fundamental, por lo que la falta de claridad para determinar ante qué supuesto nos encontramos[88] explica que también genere dudas en relación con el principio de seguridad jurídica para el contribuyente. Ello porque, como algunos autores han subrayado, hay cierta "inseguridad" en la calificación de los supuestos de nulidad y anulabilidad, incluso a la vista de la jurisprudencia del Tribunal Supremo[89], lo que para TEJERIZO LÓPEZ constituye "la mayor de las incertidumbres posibles, con vulneración del principio de seguridad jurídica, porque nunca podremos saber a priori cuándo un acto tributario será nulo o anulable, ya que ello dependerá del juicio del Tribunal que entienda del asunto".[90] Algunos ejemplos pueden servir para explicar las dudas que se pueden generar al respecto.

En ocasiones, como ocurre en la sentencia de 24 de noviembre de 2021, el Tribunal Supremo define claramente la naturaleza de la infracción. Así, en este supuesto considera que la improcedente utilización del procedimiento de verificación de datos cuando debía aplicarse una comprobación limitada, constituye un supuesto de nulidad de pleno derecho por haberse dictado prescindiendo total y absolutamente del procedimiento legalmente establecido.[91]

Pero en otras no es así, como en la sentencia de 23 de junio de 2020, a la que ya nos referimos. En ella el tribunal vuelve a afirmar el derecho a practicar una nueva liquidación por la Administración, subsanando la infracción material de la liquidación original que se había anulado por computarse incorrectamente la potencia instalada.[92] Concluye el Tribunal considerando correcto que "*declarada la nulidad de las liquidaciones por sentencia firme, el ayuntamiento no puede dictar unas liquidaciones en sustitución de las anuladas judicialmente*", pues si bien en la sentencia no se señala si se da un motivo de nulidad radical, sí se desprende que

---

88   obligación no ha prescrito. Análisis de la STS de 29 de septiembre de 2014, rec. Núm. 1014/2013", op. cit., pp. 167 y 168.

88   De nulidad o anulabilidad.

89   En este sentido se pronuncia, SEMA SÁNCHEZ, B., en cuya opinión el Tribunal Supremo incurre incluso en contradicciones al respecto (*La nulidad de las liquidaciones tributarias*, op. cit., pp. 496 y ss).

90   "Alcance constitucional de la problemática de la reiteración de actos administrativos de naturaleza tributaria anulados judicialmente", op. cit.

91   Por ese motivo, al no haberse producido la interrupción de la prescripción a través del procedimiento de verificación de datos, reconoce la nulidad del acuerdo impugnado, por haber transcurrido para él el plazo de prescripción. En idéntico sentido se pronuncia en las Sentencias de 1 y 20 de diciembre de 2021.

92   Se trataba de la nulidad de unas liquidaciones de IAE por la incorrecta aplicación de las tarifas

se considera un supuesto de anulabilidad total de las liquidaciones por motivos de fondo, sin que se excluya que la Administración pueda volver a liquidar si no prescribió su derecho.

También en la sentencia de 11 de abril de 2022 considera como nulidad de pleno derecho la liquidación dirigida al contribuyente en lugar de a su sustituto, al constituir un vicio material ya que afecta a un elemento esencial de la relación tributaria (por lo que lo actuado no interrumpió la prescripción).[93]

En cambio, el Tribunal Superior de Justicia de Asturias, en su sentencia de 23 de abril de 2021, anula la liquidación del impuesto sobre sucesiones por un error en el sujeto pasivo.[94] En este caso, también se trataba de determinar si la invalidez de la liquidación, por un error en el sujeto pasivo, era causa de nulidad al constituir un elemento esencial de la obligación tributaria. Sin embargo, el Tribunal considera que no se dan ninguno de los supuestos de nulidad previstos en el art. 217 LGT por lo que, no tratándose de una nulidad de pleno derecho, la liquidación anulada había interrumpido la prescripción.

Más recientemente, en la Sentencia del Tribunal Supremo de 21 de marzo de 2022 se plantea la nulidad de una liquidación realizada por la AEAT de La Rioja en relación con el IRPF de un contribuyente con domicilio fiscal declarado en Guipúzcoa. Sin embargo, aunque se había reconocido la incompetencia de la AEAT para desarrollar actuaciones en relación con una persona domiciliada en territorio foral, y a pesar de señalar que dicha incompetencia no era subsanable, no declaró la nulidad absoluta por no considerar manifiesta la incompetencia. Esta valoración dio lugar a que se practicase una nueva liquidación, al entender la Administración tributaria que, tratándose de un supuesto de anulabilidad, se había interrumpido la prescripción.[95] Planteado recurso de casación, el Tribunal Supremo lo admitió porque *"si bien es cierto que existen pronunciamientos de esta Sala en relación con la posibilidad de que actuaciones anuladas -pero no nulas de pleno derecho- interrumpan la prescripción ganada, siendo esta una de las cuestiones que afectan a la resolución del presente recurso, lo cierto es que la doctrina de esta Sala no resulta a todas luces pacífica en la medida en que el debate jurídico ha conducido a la formulación de diversos votos particulares discrepantes, de manera que resulta conveniente admitir este recurso por si procediera al respecto una aclaración, matización, reafirmación o, en su caso, revisión de la jurisprudencia"*.[96]

---

[93] Reconoce, sin embargo, el derecho de la Administración a girar una nueva liquidación si su derecho no ha prescrito.

[94] La liquidación había sido realizada a nombre del esposo de la causante, fallecido antes de aceptar la herencia. Los hijos de aquella reclaman considerando que se produce una única herencia, directamente hacia ellos desde su madre, sin la herencia intermedia del padre, y así lo reconoce el Tribunal.

[95] Así es entendido también tanto por el TEAR como por el TSJ de La Rioja.

[96] Así se recoge en el Auto del Tribunal Supremo de 19 de noviembre de 2020.

Pese a esta declaración de intenciones, lo cierto es que en la sentencia se mantiene el criterio de considerar la liquidación anulable, al tratarse de una incompetencia no manifiesta por cuanto posteriormente se inició un procedimiento para rectificar de oficio el domicilio fiscal, que concluyó reconociendo la competencia de La Rioja.[97] Aplicando la doctrina que diferencia los efectos de la nulidad de pleno derecho y la mera anulabilidad, confirma la interrupción de la prescripción. A mayores, afirma que tanto en la LGT de 1963 como en la actual, la interrupción de la prescripción se produce por la realización de cualquier acto de la Administración, no de cualquier acto válido y que la prescripción se produce únicamente por la inacción de la Administración bien sea real o ficticia.[98]

Con independencia de las dudas que esta "presunción" de inacción pueda generar, lo cierto es que esta sentencia plantea algunas cuestiones de interés. En principio porque, admitiéndose el recurso de casación como una ocasión para una posible revisión de la jurisprudencia en relación con la diferenciación entre actos nulos y anulables y sus efectos sobre la prescripción, la resolución no revierte esa distinción, sino que más bien parece profundizar en ella.

También por el hecho de que, en este caso, la anulación de la comprobación por incompetencia consigue la ampliación del plazo para que la Administración liquide, al considerar que se ha interrumpido la prescripción y haberse rectificado a posteriori el domicilio fiscal. Aunque el Tribunal considera que la incompetencia no es subsanable, al afirmar que esta no originaba una nulidad de pleno derecho, el efecto que se consigue es similar.[99]

Cabe señalar que para el Consejo de Estado, según señala su Dictamen 1.592/2011, de 17 de noviembre, "*para generar la nulidad la incompetencia ha de ser "manifiesta", sin que exija un esfuerzo dialéctico su comprobación o, dicho de otro modo,*

---

[97] "*Los actos de una Administración tributaria, incompetente a tenor del domicilio fiscal declarado, que hayan sido anulados en una resolución económico-administrativa firme y considerados por dicha resolución como meramente anulables, interrumpen la prescripción del derecho a liquidar, cuando con posterioridad a esas actuaciones tributarias el domicilio fiscal se rectificó con efectos retroactivos.*"

[98] Considerando que esta se da en el caso de actos nulos de pleno derecho, equiparándolos a la ausencia de acción.

[99] Dejamos de lado otras cuestiones como el valor otorgado al acuerdo de rectificación de domicilio, que es posterior al inicio de actuaciones. A estos efectos, el Tribunal Económico Administrativo Central viene señalando que la rectificación de oficio del domicilio fiscal no tiene efectos jurídicos frente al contribuyente hasta que el acuerdo que lo confirme le sea notificado (situación que ocurrió cuando ya la obligación tributaria estaría prescrita). Más aún, la doctrina administrativa en este sentido ha variado pues frente al argumento anterior del propio Tribunal Económico Administrativo Central, en el que los efectos se los concedía desde el momento en que se iniciaba el procedimiento de rectificación del domicilio, las últimas resoluciones precisan como momento definitorio el de la notificación del acuerdo al afectado. Así, según su Resolución 0/02406/2017/00/00 de 11 de marzo de 2019, "*los efectos del cambio de domicilio de oficio en obligaciones materiales concretas, debe atenderse a la fecha de notificación de la resolución por la que se rectifica el domicilio fiscal del sujeto pasivo, y no del acuerdo de inicio...*"

como también ha tenido ocasión de reiterar la jurisprudencia del Tribunal Supremo, ha de ser clara, incontrovertida y grave, sin que sea precisa una labor previa de interpretación jurídica (SSTS de 12 de junio de 1986 y 22 de marzo de 1988, entre otras muchas), utilizando términos tales como "patente" u "ostensible" o "notoria" para adjetivar la incompetencia (STS de 20 de febrero de 1992)".[100]

Similar argumento es utilizado en el Dictamen 73/2011, de 9 de marzo, del Consejo Consultivo de Madrid, que declara: *"La incompetencia a la que se refiere el artículo 62.1 b) supone la falta de aptitud del órgano que dicte el acto, ya sea porque la potestad corresponde a otro órgano de la misma Administración o a otra Administración. En segundo lugar, es necesario que la incompetencia sea "manifiesta"; como ya pusimos de manifiesto en nuestro Dictamen 60/09, de 28 de enero de 2009, el criterio de ostensibilidad es poco seguro y carece de rigor técnico, pero es el único que establece la Ley. La existencia de incompetencia debe ser clara y concisa, de tal forma que un simple análisis del mismo nos lleve a dicha conclusión sin necesidad de efectuar unos razonamientos excesivamente artificiales o complejos. También debemos de apreciar, en el análisis de la expresión "manifiestamente", la extrema gravedad que lleva aparejada la actuación de la Administración que se extralimita en el ejercicio de sus funciones".*

A la dificultad que puede existir para calificar si estamos ante una incompetencia manifiesta, y por tanto, ante un acto nulo de pleno derecho, cabe añadir que, como señala TEJERIZO LÓPEZ, para que la incompetencia fuera manifiesta, también deberían ser las normas precisas y minuciosas, lo que no siempre ocurre.[101] En todo caso, estos ejemplos muestran la dificultad que a veces plantea determinar si se trata de un supuesto de nulidad o anulabilidad, lo que justifica las dudas que genera esta distinción.

4.- LA PRESCRIPCIÓN Y EL PRINCIPIO DE SEGURIDAD JURÍDICA

La íntima relación que se da entre prescripción y seguridad jurídica es reconocida por diferentes instancias judiciales, de cuya doctrina se desprende que esta implica la necesidad de alcanzar un cierto grado de confianza y previsibilidad, lo que se puede manifestar tanto en relación con el ordenamiento (certeza de las normas, reglas jurídicas claras, …) como en relación con su aplicación (a través de la actuación de la Administración). De ahí que se considere que son

---

[100]   Esta afirmación es reiterada más recientemente al señalar que *"un acto se dicta por órgano manifiestamente incompetente cuando ese órgano invade, de manera ostensible y grave, las atribuciones que corresponden a otra Administración. La nulidad de pleno derecho por incompetencia manifiesta exige, para ser apreciada, que sea notoria y clara y que vaya acompañada de un nivel de gravedad jurídica proporcional a la gravedad de los efectos que comporta su declaración"* (Dictamen 188/2020, de 21 de mayo).

[101]   "Alcance constitucional de la problemática de la reiteración de actos administrativos de naturaleza tributaria anulados judicialmente", op.cit.

contrarias a la seguridad jurídica aquellas situaciones de "pendencia", en las que no termina de concretarse la obligación o esta se discute más allá de un plazo temporal razonable, cuestión que explica la importancia de la prescripción, como también podemos apreciar si nos remitimos a la interpretación que de la misma realizan diferentes instancias jurisdiccionales.

a) *Tribunal Constitucional*

El Tribunal Constitucional, ya en su sentencia 147/1986, 25 de noviembre, puso de manifiesto la estrecha conexión de la prescripción con la idea de seguridad jurídica, considerando que con esta institución *"existe un equilibrio entre las exigencias de la seguridad jurídica y las de la justicia material, que a veces ha de ceder para dar paso a aquélla y permitir un adecuado desenvolvimiento del tráfico jurídico"*.[102]

Y más concretamente, en su Sentencia 160/1997, de 2 de octubre, estableció la conexión entre la existencia legal de plazos de caducidad y prescripción como una forma de cumplir con el principio de seguridad jurídica del art. 9.3 CE, relacionándolo también con el derecho fundamental a la tutela judicial efectiva.[103]

En todo caso, para el Tribunal Constitucional, la prescripción es una cuestión de legalidad ordinaria, por lo que resulta competencia de los tribunales ordinarios, y solamente va a ser objeto de atención en sede constitucional si su aplicación afecta a derechos susceptibles de ser atendidos en esta vía, refiriéndose en especial a la tutela judicial efectiva.[104]

Como ocurre en el supuesto que da lugar a la sentencia 160/2020, de 16 de noviembre, en la que el Tribunal Constitucional afirma que *"no puede calificarse de razonable una interpretación que prime los defectos en la actuación de la administración, colocándola en mejor situación que si hubiera cumplido su deber de notificar con todos los requisitos legales y perjudicando paralelamente al particular afectado por el acto administrativo"*. Al estimar en el caso concreto que las notificaciones habían sido defectuosas por falta de diligencia de la Administración, el Tribunal Constitucional concluye reconociendo que no habían interrumpido la prescripción.

De todas formas, como vemos, la prescripción no genera, en sí misma, un derecho susceptible de amparo ante el Tribunal Constitucional salvo que por su aplicación o interpretación pudieran resultar vulnerados algunos de los derechos que sí lo son, como en este caso que resultaba lesionado el derecho a la tutela judicial efectiva.

---

[102] Fundamento jurídico 3º.
[103] Fundamento jurídico 3º.
[104] STC 179/2003, de 13 de octubre, Fundamento jurídico 2º.

b) *Tribunal Europeo de Derechos Humanos*

También el Tribunal Europeo de Derechos Humanos (en adelante TEDH) ha tenido ocasión de valorar la prescripción y su función en relación con los derechos protegidos por el Convenio[105] y en especial con determinadas garantías jurídicas esenciales de un Estado de Derecho.

Así en el asunto *OAO Neftyanaya Kompaniya Yukos c. Russie* de 20 de septiembre de 2011, en un supuesto en el que las autoridades rusas consideraban suspendido el plazo de prescripción al entender que la empresa había actuado con mala fe, el TEDH apreció una excepción sin precedentes a la aplicación del plazo de prescripción, que no podía ser conocida, lo que le lleva a apreciar una violación del Art. 1 del Protocolo n° 1 del Convenio.

Sostiene aquí el Tribunal que *"los plazos de prescripción, que son una característica común de los ordenamientos jurídicos internos de los Estados contratantes, sirven para varios propósitos, entre los que se incluyen garantizar la seguridad jurídica y la firmeza y prevenir las violaciones de los derechos de los demandados, que podrían verse menoscabadas si los tribunales tuvieran que pronunciarse sobre la base de pruebas que podrían haberse vuelto incompletas debido al paso del tiempo (véase Stubbings y otros c. el Reino Unido, 22 de octubre de 1996, § 51, Reports 1996-IV)".*

Además, y en relación con la interpretación del art. 1 del Protocolo 1, en garantía del derecho al respeto de los bienes privados, a pesar de la excepción reconocida en relación con el derecho de los Estados para legislar sobre el uso de los bienes conforme al interés general (en especial en relación con los impuestos), mantiene el argumento que ya había señalado en el asunto *Sporrong et Lönnroth c. Suède,* de 23 de septiembre de 1982 al afirmar que el Tribunal debe buscar si se mantiene el *"justo equilibrio entre las exigencias de interés general de la comunidad y los imperativos de salvaguarda de los derechos fundamentales del individuo".*

A este respecto en el asunto *Yukos* afirma que ese "justo equilibrio" debe buscarse también cuando se hagan cumplir *"las leyes que [consideren] necesarias para garantizar el pago de impuestos u otras contribuciones o sanciones".*

Por otro lado, y por lo que se refiere al principio de seguridad jurídica, el TEDH afirma en el asunto *Kooperativ Neptun Servis c. Russie* de 23 de noviembre de 2021 *"que el principio de seguridad jurídica, implícito en todos los artículos de la Convención, constituye uno de los elementos fundamentales del estado de derecho. Este principio*

---

[105] No son los aspectos tributarios los que predominan en la Carta Europea de Derechos Humanos. GARCÍA CARACUEL, M., lo explica al señalar que el TEDH ha venido manteniendo un equilibrio entre garantizar el respeto a los derechos fundamentales y evitar los litigios relativos a la soberanía tributaria, a pesar de lo cual la materia fiscal se ha ido abriendo paso con los años ya que alguno de los derechos que recoge el Convenio son susceptibles de alegación por los obligados tributarios. ("El Derecho Tributario y los Derechos Humanos en Europa. Una aproximación a la aplicación del CEDH a la materia tributaria", *Derecho & Sociedad,* n° 33, 2009, p. 117).

se manifiesta en el derecho de la Convención en diferentes formas y contextos, por ejemplo, el requisito de que la ley esté claramente definida y sea previsible en su aplicación (Nejdet Şahin and Perihan Şahin v. Turkey [GC], no. 13279/05, § 56, 20 de octubre de 2011, y Guðmundur Andri Ástráðsson c. Islandia [GC], n.° 26374/18, § 238, 1 de diciembre de 2020). La expresión "seguridad jurídica" designa, en sentido amplio, un marco jurídico estable, completo y previsible, que excluye toda arbitrariedad (véase, por ejemplo, en el contexto del artículo 1 del Protocolo n° 1, Guiso-Gallisay v 8858/ 00, §§ 83, 84 y 93, 8 de diciembre de 2005) y asegura la coherencia, por un lado, entre los diferentes estándares y, por otro lado, en su aplicación por parte de los jueces (Guiso-Gallisay, citada anteriormente, § 85, y Beian c. Rumanía (n.° 1), n.° 30658/05, § 33, TEDH 2007–V (extractos)). También puede designar una razón subyacente a la existencia de diferentes períodos –de ejecución, de prescripción extintiva o adquisitiva, etc. – (ver, por ejemplo, Lekić c. Eslovenia [GC], n.° 36480/07 , § 64, 11 de diciembre de 2018, JA Pye (Oxford) Ltd y JA Pye (Oxford) Land Ltd c. Reino Unido [GC] , No. 44302/02 , §§ 68-70, ECHR 2007–III, Stubbings and Others v. United Kingdom , 22 de octubre de 1996, § 51, Reports of Judgements and Decisions 1996–IV, and Miragall Escolano and Others v. Unido, n° España , n° 38366/97 y otros 9, § 33, CEDH 2000–yo)".

La consideración de este principio como uno de los elementos fundamentales del Estado de Derecho es una constante en la doctrina del TEDH, como lo recuerda, por ejemplo, el asunto *Nejdet Şahin et Perihan Şahin c. Turquie* de 20 de octubre de 2011, en el que se sostiene que la persistencia de divergencias en la jurisprudencia es susceptible de generar incertidumbre jurídica y reducir la confianza en el sistema judicial. Pero no solamente este punto, sino que al hablar de la seguridad jurídica y la necesaria eliminación de incertidumbre se refiere a los tres aspectos: legislativo, administrativo o en relación con las prácticas de aplicación realizadas por las autoridades.

Dando un paso más, en el asunto *Semenov v. Russie* de 16 de marzo de 2021 se refiere también al principio de buena administración. En este caso, la Administración local revierte la adquisición de una parcela entre particulares para su reintegración al patrimonio municipal. La Corte aprecia que esa compraventa se había registrado en el catastro y en ese momento se podía haber detectado el exceso de poder que se cometía en la operación. Por eso recuerda que el principio de buena administración *exige* que las autoridades actúen en tiempo y forma correcta y coherentemente cuando al corregir sus errores vulneren el derecho al goce pacífico de los bienes.

Al respecto considera que "*cuando, corrigiendo sus propios errores, las autoridades se ven obligadas a llevar a cabo una violación del derecho al respeto a la propiedad, el principio de buena administración (good governance) exige que se actúe en tiempo y forma correcta y coherente (ver, por ejemplo, Osipkovs and Others v. Latvia, n.° 39210/07, § 80, 4 de mayo de 2017, Beinarovič y otros c. Lituania, 70520/10 y otros 2, §§ 138-139, 12 de junio de 2018, y, más recientemente, Maltsev y otros v. Rusia, n.° 77335/14 y otros 2,*

§ 32, 17 de diciembre 2019), y que también velen por no corregir este tipo de errores en perjuicio de la persona interesada, especialmente en ausencia de cualquier otro interés privado que iría en la dirección opuesta (ver, mutatis mutandis, Gladysheva contra 7097/10, § 80, 6 de diciembre de 2011, y Beinarovič y otros, citado anteriormente, § 140, y las referencias allí citadas)".

En este caso, las acciones de las autoridades municipales registrando la compraventa generaban la apariencia de su legalidad, sin que se pudiese escudar en particularidades de su organización institucional. Por otro lado, al haberse interpuesto la reclamación de la propiedad casi 4 años después de la compra de la parcela, cuando el plazo prescripción era de 3 años, al aplicar como punto de partida del plazo de prescripción el fin de las comprobaciones realizadas por el fiscal, la Corte entiende que tiene la consecuencia de *"privar de efecto real las reglas de prescripción establecidas por la ley y han dado una ventaja desproporcionada a las autoridades (comparar con Zouboulidis c. Grecia (nº 2), nº 36963/06, §§ 32 y 35, 25 de junio de 2009). En términos más generales, en opinión de la Corte, tal enfoque por parte de los tribunales hace a las acciones de reclamación virtualmente imprescriptibles y contribuye a crear inseguridad jurídica en el mercado inmobiliario".*

De esta manera, la Corte concluye que las autoridades no han aplicado un justo equilibrio entre las exigencias del interés público y la necesidad de proteger el derecho de propiedad del particular, al que le han hecho soportar una carga exorbitante, razón por la cual considera producida una violación del art. 1 del Protocolo nº 1.

En resumen, aunque el TEDH analice la prescripción principalmente en relación con el acceso a la justicia, de su jurisprudencia se pueden deducir algunas consecuencias, en especial su relación con el principio de seguridad jurídica, que exige previsibilidad y un marco jurídico estable, y que a su vez vincula con el principio de buena administración. Además, haciendo mención especial a la materia impositiva, resulta necesario garantizar un "justo equilibrio" entre la protección del interés general y los derechos fundamentales del individuo. De ahí que la regulación y la aplicación de la prescripción acabe considerándose como un elemento de garantía y, por el contrario, una situación de práctica imprescriptibilidad se opondría al principio de seguridad jurídica, tal como concluye en el asunto *Semenov* de 16 de marzo de 2021.

c)   *Tribunal de Justicia de la Unión Europea*

La relación e incluso la justificación de la prescripción en el principio de seguridad jurídica ha sido reconocida también por el Tribunal de Justicia de la Unión Europea (en adelante, TJUE), para quien este principio forma parte del ordenamiento jurídico de la Unión, debiendo ser respetado tanto por sus instituciones como por los Estados miembros. Así lo afirma, por ejemplo, en su sentencia de 20 de mayo de 2021, en el asunto *AAS "BTA Baltic Insurance Company" contra Valsts ieṇēmumu dienests,* en relación con la posibilidad de un control a posteriori de una deuda aduanera. En aplicación de este principio, que *"tiene por objeto garantizar la previsibilidad de las situaciones y relaciones jurídicas y exige, en particular, que la situación de un deudor, relativa a sus derechos y obligaciones frente a las autoridades fiscales o aduaneras, no pueda ser cuestionada indefinidamente (sentencia de 10 de diciembre de 2015, Veloserviss (C-427/14, EU:C:2015:803), apartado 31 y jurisprudencia citada)"*, se justifica la existencia de un plazo de prescripción. Más concretamente, afirma que *"a este respecto, de la jurisprudencia del Tribunal de Justicia se desprende que la imposición de un plazo de prescripción razonable, ya sea por el Derecho nacional o por el Derecho de la Unión, redunda en interés de la seguridad jurídica que protege tanto a la persona física como a la administración de que se trate y, sin embargo, no impide el ejercicio, por parte del particular, del derecho individual. derechos conferidos por el ordenamiento jurídico de la Unión (sentencia de 10 de diciembre de 2015, Veloserviss, C-427/14, EU:C:2015:803, apartado 32 y jurisprudencia citada)".*

Argumento que es básicamente el que ya había sostenido en su sentencia de 10 de diciembre de 2015, *asunto Veloserviss,* en el que se planteaba la limitación a realizar un control a posteriori de la deuda aduanera dentro del plazo de 3 años de prescripción previsto en el código aduanero. Para el TJUE la posibilidad de establecer plazos de prescripción es legítima y acorde con el principio de seguridad jurídica.

En realidad, para el TJUE, el principio de seguridad jurídica exige *"que la situación fiscal del sujeto pasivo, en lo que se refiere a sus derechos y obligaciones en relación con la Administración tributaria, no pueda cuestionarse de forma indefinida (véase, en este sentido, la sentencia Ecotrade, antes citada, apartado 44)".*[106] Por ello considera legítimo que se establezca un plazo de prescripción en el que se puedan llevar a cabo revisiones de declaraciones ya efectuadas. Es más, concluye que *"tal normativa, cuya claridad y previsibilidad para el sujeto pasivo no han sido seriamente cuestionadas, respeta el principio de seguridad jurídica"* (Asunto *SC Factorie SRL*).

En un sentido diferente, en la sentencia de 24 de junio de 2004, *asunto Herbert Handlbauer GmbH,*[107] precisa los requisitos para la interrupción de la prescripción, afirmando que *"los principios de seguridad jurídica y de protección de la confianza legítima exigen que únicamente puedan interrumpir la prescripción, en virtud del artículo 3, apartado 1, párrafo tercero, del Reglamento 2988/95, aquellos actos de instrucción y*

---

[106]   Así lo señaló, por ejemplo, en la sentencia de 6 de febrero de 2014, asunto *SC Factorie SRL*, donde se analiza la pérdida del derecho a la deducción del IVA tras una nueva revisión dentro del plazo de prescripción.

[107]   Se trataba de un litigio relativo a la obligación de devolver un anticipo sobre la restitución a la exportación de una partida de carne de vacuno en el que se planteaba si la notificación de un control aduanero se podría considerar un acto destinado a instruir una irregularidad para interrumpir el plazo de prescripción.

del procedimiento sancionador que se basen en una sospecha concreta de irregularidad", no bastando los meros controles consistentes en verificaciones en las empresas.

E insiste en que *"los plazos de prescripción tienen, con carácter general, la misión de garantizar la seguridad jurídica"*, por ello *"la referida misión no se cumpliría en su plenitud si el plazo de prescripción establecido en el artículo 3, apartado 1, del Reglamento 2988/95 pudiera quedar interrumpido por cualquier acto de carácter general de la Administración nacional sin relación alguna con sospechas de irregularidad que afecten a operaciones delimitadas con la suficiente precisión"*.

También la prescripción es objeto de atención en su reciente sentencia de 27 de enero de 2022, *Comisión Europea contra Reino de España, C-788/19*, al resolver el recurso por incumplimiento planteado por la Comisión Europea con arreglo al artículo 258 del Tratado de Funcionamiento de la Unión Europea (en adelante, TFUE) a propósito de la obligación informativa respecto de los bienes y derechos en el extranjero y del régimen sancionador en caso de incumplimiento o declaración extemporánea, introducidos por la Ley 7/2012, de 29 de octubre, de modificación de la normativa tributaria y presupuestaria y de adecuación de la normativa financiera para la intensificación de las actuaciones en la prevención y lucha contra el fraude. En esta ocasión el TJUE concluye reconociendo que el Reino de España ha incumplido las obligaciones que derivan de los artículos 63 TFUE y 40 del Acuerdo sobre el EEE tanto por la consideración de los bienes no declarados o declarados extemporáneamente como ganancias patrimoniales no justificadas, sin posibilidad de aplicar la prescripción, con la aplicación añadida de una multa proporcional que se puede acumular a las multas de cuantía fija, cuanto por sancionar el incumplimiento o el cumplimiento imperfecto o extemporáneo con multas cuya cuantía no guarda proporción con las que resultan aplicables para conductas similares si se producen exclusivamente en el ámbito nacional.

Es cierto que, en una sentencia anterior, de 11 de junio de 2009, *asunto X y Passenheim-van Schoot*, en el que se discutían las liquidaciones complementarias realizadas por la Administración neerlandesa tras descubrir bienes no declarados en otro estado europeo y los rendimientos de ellos derivados, aplicando una normativa que establecía un plazo muy superior de prescripción[108] al que se aplicaba para las mismas conductas en el interior del país, el TJUE había afirmado que *"en la medida en que un Estado miembro establezca para la liquidación complementaria un plazo más largo en el caso de los elementos imponibles cuya existencia desconocen las autoridades tributarias, no se le puede reprochar que limite el ámbito de aplicación de este plazo a los elementos imponibles que no se encuentran en su territorio"*. Por ello considera que no resulta contrario al derecho de la UE que *"un Estado miembro aplique para*

---

[108]   Más del doble.

proceder a la liquidación complementaria un plazo que es mayor cuando estos activos se poseen en otro Estado miembro que cuando se poseen en el primer Estado miembro".

Esta apreciación resulta sin embargo diferente cuando, como en el caso del modelo 720 que se analiza, lo que se trata es directamente de establecer la imprescriptibilidad de unas determinadas deudas tributarias.

En este supuesto, el TJUE considera que la normativa adoptada por el legislador español produce no solo un efecto de imprescriptibilidad, sino que también permite a la Administración tributaria cuestionar una prescripción ya consumada en favor del contribuyente. En su opinión, *"aunque el legislador nacional puede establecer un plazo de prescripción ampliado con el fin de garantizar la eficacia de los controles fiscales y de luchar contra el fraude y la evasión fiscales derivados de la ocultación de activos en el extranjero, siempre y cuando la duración de ese plazo no vaya más allá de lo necesario para alcanzar dichos objetivos, habida cuenta, en particular, de los mecanismos de intercambio de información y de asistencia administrativa entre Estados miembros (véase la sentencia de 11 de junio de 2009, X y Passenheim-van Schoot, C-155/08 y C-157/08, EU:C:2009:368, apartados 66, 72 y 73), no ocurre lo mismo con la institución de mecanismos que, en la práctica, equivalgan a prolongar indefinidamente el período durante el cual puede efectuarse la imposición o que permitan dejar sin efecto una prescripción ya consumada.*

En efecto, la exigencia fundamental de seguridad jurídica se opone, en principio, a que las autoridades públicas puedan hacer uso indefinidamente de sus competencias para poner fin a una situación ilegal (véase, por analogía, la sentencia de 14 de julio de 1972, Geigy/ Comisión, 52/69, EU:C:1972:73, apartado 21)".

Para el TJUE esta situación es contraria a la exigencia fundamental de seguridad jurídica y *"va más allá de lo necesario para garantizar la eficacia de los controles fiscales y luchar contra el fraude y la evasión fiscales".*

No es esta, sin embargo, una posición compartida por todos, y así la Asociación de Inspectores de Hacienda del Estado emitió un comunicado tras la sentencia del TJUE, en el que apostaba por elevar el período de prescripción de las rentas invertidas en bienes en el extranjero, afirmando que la imprescriptibilidad ahora considerada incompatible con el derecho europeo era un buen instrumento en la lucha contra el fraude.[109]

---

[109] Notas de prensa y documentos, de 27 de enero de 2022, en https://inspectoresdehacienda.es/ biblioteca/ (consultado el 14 de noviembre de 2022).

5.- A MODO DE CONCLUSIÓN

La eventualidad de que la Administración pueda volver a liquidar, tras haberse dictado una resolución anulatoria previa, viene admitiéndose por los tribunales con carácter mayoritario. Esta posibilidad, sin embargo, no es absoluta pues deben aquilatarse las potestades de la Administración con los derechos de los administrados. Un elemento determinante para que una nueva actuación administrativa pueda proceder es la aplicación o no de la prescripción, ya que esta impediría que pudiera volver a actuar en relación con la misma obligación tributaria. Ahora bien, la interpretación que de la prescripción viene haciendo el Tribunal Supremo cuando se produce la anulación de liquidaciones está condicionada por la distinción entre nulidad y anulabilidad, lo que no deja de generar conflictos en la medida en que su diferencia no está claramente delimitada, ni legal ni jurisprudencialmente.

La consideración de la prescripción como un instrumento al servicio de la seguridad jurídica es reconocida tanto por la doctrina como por los tribunales, admitiéndose que su falta o incorrecta aplicación puede vulnerar derechos o garantías del administrado. Una situación de "imprescriptibilidad", sea por ley o por su aplicación, lleva a la vulneración de esa seguridad jurídica que constituye un valor básico del estado de derecho.

El establecimiento legal de plazos "razonables" de prescripción redunda en interés de la seguridad jurídica, tal como ha reiterado en diferentes ocasiones el TJUE. Pero debe estar acompañado también por una práctica administrativa y una interpretación judicial que no convierta, por vía interpretativa, esta garantía en "papel mojado", impidiendo que la situación de pendencia se mantenga de forma indefinida. Por ello es clave que su aplicación no genere dudas y pueda tener un adecuado grado de previsibilidad.

No resulta acorde con los actuales parámetros de control de la administración (transparencia, buena gestión), unidos al principio de seguridad jurídica, que actuaciones de la Administración que se realizan de manera claramente "irregular", que después resultan anuladas, tengan sin embargo efectos sobre la prescripción y, más concretamente, el resultado de ampliar el plazo para que aquella pueda liquidar "correctamente". Si el error del contribuyente tiene consecuencias negativas para este, no es defendible que el error de la Administración tenga igualmente consecuencias negativas para él.[110]

En todo caso, lo razonable parece considerar que reconocida la ilegalidad de una liquidación, por la razón que sea, tenga la consecuencia de dejarla sin

---

[110] Que verá como su situación ante la Administración tributaria se prolonga en el tiempo, resultando en muchas ocasiones obligado a iniciar una nueva reclamación, con los costes de todo tipo que ello conlleva.

efecto, en todos los sentidos, y considerar por ello que no tuvo la virtualidad de interrumpir la prescripción, sin tener que recurrir a consideraciones sobre si estamos ante una nulidad de pleno derecho o no ya que, no siendo claras y taxativas, generan incertidumbre y aumentan la litigiosidad.

Tales situaciones resultan contrarias al principio de seguridad jurídica, que puede verse vulnerado no solamente por vía normativa sino también por la forma en que esta es aplicada por la Administración o interpretada por los tribunales. En este sentido, si tenemos en cuenta la doctrina del TJUE, que es clara al afirmar que la seguridad jurídica exige que la situación del sujeto pasivo frente a la Administración fiscal no pueda estar en discusión de forma indefinida, la opción por facilitar la interrupción de la prescripción por cualquier acto que esta lleve a cabo, a pesar de que pueda ser contrario al ordenamiento jurídico, se contrapone a la misma. Por el contrario, la "claridad y previsibilidad" también en la aplicación de las normas constituye un elemento determinante, que no parece que se dé en estos momentos si tenemos en cuenta la interpretación que, sobre la posibilidad de reiteración de las liquidaciones anuladas en función de las causas que la originan, viene perfilando el Tribunal Supremo. Todo ello, como afirma TEJERIZO LÓPEZ "introduce un elemento de inseguridad jurídica que resulta incompatible con la buena fe y la confianza que debe regir las relaciones jurídicas, en nuestro caso las que existen entre la Administración tributaria y los obligados tributarios".[111]

6.- BIBLIOGRAFÍA

BAÑO LEÓN, J.M. "La retroacción de actuaciones: ¿denegación de justicia o garantía del justiciable?, *Revista Española de Derecho Administrativo*, nº 152, 2011 (versión electrónica, *Aranzadi Instituciones*).

BOSCH CHOLBI, J.L. "Matizaciones a la posibilidad de ordenar judicialmente la retroacción de actuaciones tributarias cuando se anula una liquidación tributaria", *Tribuna Fiscal*, nº 250/251, 2011, (versión electrónica, *Smarteca*).

BOSCH CHOLBI, J.L. "Una decisión trascendental del Tribunal Supremo: la Sentencia de 19 de noviembre de 2012, sobre la retroacción de actuaciones por la Administración tributaria", *Tribuna Fiscal*, nº 265, 2013, (versión electrónica, *Smarteca*).

---

[111]   "Alcance constitucional de la problemática de la reiteración de actos administrativos de naturaleza tributaria anulados judicialmente", op. cit.

CALDERÓN GONZÁLEZ, J. ¿Cabría atribuir exclusivamente efectos interruptivos de la prescripción a los actos administrativos válidos? Argumentos en favor de esta tesis", *Tribuna Fiscal*, n° 276, 2015, (versión electrónica, *Smarteca*).

LÓPEZ FERNÁNDEZ, R.I. y SIOTA ÁLVAREZ, M. "Los imprevisibles efectos de los actos anulatorios de liquidaciones tributarias dictados en la vía económico-administrativa", *Impuestos*, n° 9, 2012, (versión electrónica, *Smarteca*).

CANCIO FERNÁNDEZ, R.C. "Sofismas y argucias en la interrupción de la prescripción en materia tributaria", *Quincena Fiscal*, n° 21, 2009, (versión electrónica, *Aranzadi Instituciones*).

ESEVERRI MARTÍNEZ, E. *La prescripción tributaria. En la jurisprudencia del Tribunal Supremo*, Tirant lo Blanch, Valencia, 2012.

FALCÓN TELLA, R. "La posibilidad de que la Administración dicte una nueva liquidación en sustitución de la anulada: STS 19 noviembre 2012", *Quincena Fiscal*, n° 6, 2013, (versión electrónica, *Aranzadi Instituciones*).

GARCÍA CARACUEL, M. "El Derecho Tributario y los Derechos Humanos en Europa. Una aproximación a la aplicación del CEDH a la materia tributaria", *Derecho & Sociedad*, n° 33, 2009.

GARCÍA NOVOA, C. *El principio de seguridad jurídica en materia tributaria*, Marcial Pons, Madrid, 2000.

GARCÍA NOVOA, C. "La prescripción del tributo en la Ley General Tributaria de 2003: aspectos conceptuales y prácticos", en ARRIETA MARTÍNEZ PISÓN, J., COLLADO YURRITA, M.A. y ZORNOZA PÉREZ, J. (dirs.), *Tratado sobre la Ley General Tributaria. Homenaje a Álvaro Rodríguez Bereijo*, Aranzadi, Pamplona, 2010.

GARCÍA NOVOA, C. *Iniciación, interrupción y cómputo del plazo de prescripción de los tributos*, Marcial Pons, Madrid, 2011.

GARCÍA NOVOA, C. "Problemática de la ejecución de resoluciones: sobre la retroacción de actuaciones, el tiro único y las segundas oportunidades para liquidar", en ADAME MARTÍNEZ, F. y RAMOS PRIETO, J. (coords.) *Estudios sobre el sistema tributario actual y la situación financiera del sector público. Homenaje al profesor Dr. D. Javier Lasarte Álvarez*, IEF, Madrid, 2014,

GONZÁLEZ MARTÍNEZ, M.T. *La crisis de la prescripción tributaria. La potestad comprobadora de la Administración en relación con períodos impositivos prescritos*, Lefebvre, Madrid, 2016.

GOROSPE OVIEDO, J.I. "La consolidación del doble tiro: anulada una liquidación tributaria por razones de fondo o sustantivas cabe liquidar de nuevo si la obligación no ha prescrito. Análisis de la STS de 29 de septiembre de 2014, rec. Núm. 1014/2013", *Revista de Contabilidad y Tributación. CEF*, nº 384, marzo 2015.

PALAO TABOADA, C. "Retroacción y reiteración de actuaciones por la administración tributaria", *Forum Fiscal*, nº 214, 2015.

PONT MESTRES, M. *La prescripción tributaria ante el derecho a liquidar y el derecho a recaudar y cuestiones conexas*, Marcial Pons, Madrid, 2008.

SESMA SÁNCHEZ, B. "La interrupción de la prescripción tributaria por liquidaciones nulas o anulables: una jurisprudencia contradictoria", *Quincena Fiscal*, nº 5, 2017, (versión electrónica, *Smarteca*).

SESMA SÁNCHEZ, B. *La nulidad de las liquidaciones tributarias*, Aranzadi, Pamplona, 2017.

TEJERIZO LÓPEZ, J.M. "Alcance constitucional de la problemática de la reiteración de actos administrativos de naturaleza tributaria anulados judicialmente", *Tribuna Fiscal*, nº 261, 2012, (versión electrónica, *Smarteca*).

24.- REQUISITOS DE VALIDEZ DE LA ORDEN DE RETROACCIÓN DE ACTUACIONES EN SUPUESTOS DE ANULACIÓN DE UNA LIQUIDACIÓN TRIBUTARIA

LEONOR TORIBIO BERNÁRDEZ

Departamento de Derecho Financiero y Tributario
Universidad de Sevilla

1. INTRODUCCIÓN

Tomando como punto de partida el derecho a la tutela judicial efectiva como derecho fundamental de todos los ciudadanos reconocido por el artículo 24.1 de la Constitución Española (en adelante, CE), en el ámbito tributario, y dentro de este más concretamente en lo que se refiere a la relación jurídico-tributaria entre Administración y contribuyente, el respeto al mencionado derecho pasa, entre otros aspectos, por que la Administración tributaria ejecute de manera correcta las resoluciones de los tribunales (tanto jurisdiccionales como económico-administrativos) que vayan a ella dirigidas. Ante estas premisas, en los supuestos de resoluciones anulatorias de liquidaciones tributarias consideramos que resulta exigible a las mismas (las resoluciones, se entiende) el cumplimiento de una serie de requisitos a fin de que se garantice la consecución del indicado objetivo, facilitando en lo posible a la Administración la ejecución de tales resoluciones, en sus propios términos.

En este orden de cosas, las resoluciones que vengan a anular una liquidación tributaria girada por la Administración deben ajustarse al papel revisorio y de control de la legalidad de los actos impugnados del que se encuentran revestidos los tribunales, sin que estos puedan extralimitarse en sus funciones entrando a conocer otras cuestiones distintas de las incorporadas al acto en cuestión por los órganos encargados de la aplicación de los tributos[112]. Además, también deben observarse aquellos preceptos legales y reglamentarios reguladores de las propias resoluciones y de la ejecución de las mismas, sobre todo cuando estos se ocupen de indicar de manera expresa las consecuencias derivadas de la anulación de la liquidación en función del tipo de defecto de que la misma adoleciera, como ocurre en el caso de las resoluciones de las reclamaciones económico-administrativas, para las que el artículo 239.3 de la Ley 58/2003, de 17 de diciembre, General Tributaria (en adelante, LGT) dispone la retroacción de actuaciones cuando se aprecien defectos formales que hayan disminuido las posibilidades de defensa del reclamante.

Quiere decirse con esto que la primera condición que debe darse para una correcta ejecución de las resoluciones anulatorias de liquidaciones tributarias es que estas sean ajustadas a derecho atendiendo a las cuestiones que acaban de indicarse. A partir de aquí, corresponderá a la Administración tributaria dictar los actos oportunos en ejecución de tales resoluciones de acuerdo con lo estipulado en las mismas; lo que en la práctica implicará, con carácter general, la devolución de las cantidades que, a tenor de la resolución, hubiesen resultado indebidamente ingresadas (incluyéndose aquí la devolución de las garantías que se hubieran prestado), y/o la retroacción de actuaciones mediante la reapertura del procedimiento tributario dentro del que hubiera nacido la liquidación anulada. En principio, cualquier otra actuación por parte de la Administración distinta de estas dos, podría suponer una extralimitación de sus facultades y conllevaría que, en determinados casos, se declarase nula de pleno derecho[113].

En otro orden de ideas, desde que en el año 2012 se instaurase en nuestra doctrina jurisprudencial la conocida teoría del "doble tiro" de la Administración, anulada una liquidación, bien por sentencia judicial, bien por resolución en vía económico-administrativa, aquella puede volver a liquidar la misma obligación tributaria, siempre y cuando no hubiera prescripto su derecho, esta vez sin cometer los errores que se hubieran cometido con la anterior y que, precisamente, fueron causa de su anulación. Teoría esta que, diez años después, sigue precisando ser delimitada y perfilada mediante nuevos pronunciamientos del Tribunal

---

[112]   Véanse las Resoluciones del TEAC de 24 de enero de 2013 y 6 de noviembre de 2014 en las que se establece una clara delimitación de las funciones de los Tribunales Económico-Administrativos frente a las de los órganos de comprobación. Se advierte, no obstante, que no debe confundirse esto con el mandato contenido en el artículo 239.2 de la LGT que obliga a los citados Tribunales Económico-Administrativos a decidir en sus resoluciones "todas las cuestiones que se susciten en el expediente, hayan sido o no planteadas por los interesados"; téngase en cuenta además que en estos supuestos es requisito que se observe un trámite de audiencia a las partes para que aleguen lo que convenga a su derecho en relación con dichas cuestiones.

[113]   Este sería el supuesto de una nueva liquidación que reincida en el error detectado mediante resolución jurisdiccional, lo que constituye en realidad un acto dictado en contradicción con lo ejecutoriado, nulo de pleno derecho en virtud del artículo 103.4 de la LJCA.

Supremo que, en los últimos tiempos, se ha visto obligado a matizar o completar aquella a la vista de nuevos supuestos de hecho que se le han planteado y que han requerido aclaraciones precisas en cuanto al reconocimiento de la posibilidad de que la Administración, efectivamente, gire una nueva liquidación en sustitución de una previamente anulada.

Desde nuestro punto de vista, el principal inconveniente de este doble tiro que se le permite a la Administración tributaria tiene que ver con el ataque que ello supone, no solo ya al principio de tutela judicial efectiva al que nos referíamos en las primeras líneas de este trabajo, sino también al principio de seguridad jurídica, pues aun habiendo visto estimadas sus pretensiones por una sentencia judicial, el contribuyente todavía puede esperar que la Administración vuelva a liquidarle subsanando los defectos apreciados en los términos expresados en el pronunciamiento en cuestión[114]. De otro lado, también resulta necesario conciliar esta teoría con los efectos preclusivos que la LGT reconoce a las regularizaciones practicadas por la Administración (artículo 140.1), lo que se traduce en que, al momento de dictar esta nueva liquidación, aquella no podrá, en ningún caso, aprovechar para plantear nuevas cuestiones sobre la deuda tributaria, debiendo limitarse a corregir los errores advertidos por el órgano revisor, que habrán de reflejarse en la resolución que la misma se disponga a ejecutar.

En definitiva, en el estudio de la mencionada doctrina del "doble tiro" convergen, a su vez, otras cuestiones no exentas del máximo interés como son el análisis del artículo 140.1 de la LGT o las reglas sobre la ejecución de resoluciones, y todo ello bajo la óptica de los diversos principios inspiradores de las relaciones entre la Administración y los contribuyentes, como son los principios de confianza legítima, seguridad jurídica, buena fe o regularización íntegra y, englobando a todos ellos, el principio de buena administración, cuya invocación por el Tribunal Supremo ha crecido de manera exponencial en los últimos años, hasta llegar a ser calificado por la doctrina como meta-principio integrador de aquellos otros[115].

2. REPASO A LA TEORÍA DEL «DOBLE TIRO»

La posibilidad de que la Administración tributaria vuelva sobre el mismo asunto para girar una nueva liquidación en sustitución de una anterior que hubiera

---

[114]   Calvo Vérgez, J.: "El final de la doctrina judicial del «tiro único» por parte de la Administración tributaria y la necesidad de clarificar la doctrina del «doble tiro»", *Revista Técnica Tributaria*, núm. 137 (2022), p. 48.

[115]   Sanz Gómez, R.: "Buena administración y procedimiento tributario justo", en Merino Jara, I. (Dir.): *La protección de los derechos fundamentales en el ámbito tributario*. Wolters Kluwer. Madrid, 2021, p. 249.

sido previamente anulada, fue concebida por primera vez en nuestro sistema jurídico-tributario cuando el Tribunal Supremo reconoció este derecho de la Administración en su sentencia de 26 de marzo de 2012 recaída en recurso de casación 5827/2009, al declarar que:

> «una vez anulada una liquidación tributaria en la vía económico-administrativa por razones de fondo, le cabe a la Administración liquidar de nuevo si no ha decaído su derecho por el transcurso del tiempo», indicando además que, para ello, no resultaba preciso que la Administración volviera a tramitar otra vez el procedimiento ni completara instrucción alguna. El Alto Tribunal fundamentaba su criterio en la salvaguarda del «principio de eficacia administrativa y el diseño de un sistema tributario justo en el que cada cual ha de tributar de acuerdo con su capacidad económica».

Esta teoría del "doble tiro" quedaría confirmada cuando, meses después, en sentencia de 19 de noviembre de 2012, el Tribunal optaba por la misma solución ante la anulación de una liquidación, esta vez mediante sentencia judicial, y fijaba como doctrina legal que:

> «la estimación del recurso contencioso administrativo frente a una liquidación tributaria por razón de una infracción de carácter formal, **o incluso de carácter material**, siempre que la estimación no descanse en la declaración de inexistencia o extinción sobrevenida de la obligación tributaria liquidada, no impide que la Administración dicte una nueva liquidación en los términos legalmente procedentes, salvo que haya prescrito su derecho a hacerlo, sin perjuicio de la debida subsanación de la correspondiente infracción de acuerdo con lo resuelto por la propia Sentencia»[116] (la negrita es nuestra).

Antes de esta doctrina, solo cabía la reproducción de una liquidación anulada cuando la causa de la anulabilidad hubiera sido la apreciación de defectos de forma y, de acuerdo con el artículo 239.3 de la LGT, se ordenaba la retroacción de las actuaciones al momento en que se había producido el error, siempre, eso sí, que el defecto procedimental hubiera comprometido el derecho a la defensa del contribuyente. En estos supuestos, la Administración debía volver atrás en el procedimiento tributario y situarse en el momento en que hubiera acaecido el defecto advertido en la resolución (administrativa o judicial), de manera que, tras su subsanación, el procedimiento continuaría hasta su terminación con la notificación al contribuyente de una nueva liquidación.

Sin embargo, cuando la anulación de liquidaciones se debía a la existencia de defectos sustantivos, ni la LGT ni el Reglamento general de desarrollo de la Ley 58/2003, de 17 de diciembre, General Tributaria, en materia de revisión en vía administrativa (en adelante, RGRev.) contemplaban de manera expresa (tampoco ahora lo hacen) la posibilidad de una nueva liquidación por parte de la Administración en la que se corrigiesen los errores apreciados, lo que, en definitiva,

---

[116]   Sentencia del Tribunal Supremo de 19 de diciembre de 2012, Rec. 1215/2011.

ha constituido siempre una laguna legal llamada a ser colmada por la jurisprudencia. Siendo así que, durante muchos años, se mantuvo por los tribunales la doctrina del "tiro único", según la cual no cabía una segunda liquidación una vez se hubiera anulado la primera, y ello sobre la base de que, por una cuestión de seguridad jurídica, no puede permitirse la reiteración ilimitada de una liquidación hasta que la Administración tributaria acierte. De esta manera, anulada una liquidación porque la misma incurriera en algún error de naturaleza sustantiva, la Administración carecía de potestad para subsanar el defecto en cuestión y volver a liquidar, esta vez ajustándose a la legalidad, agotándose así su facultad liquidadora en la primera y única oportunidad, pues se entendía que, anulado el acto administrativo tributario, este quedaba expulsado del ordenamiento con carácter definitivo, sin que fuese posible por tanto su subsanación.

Como decíamos, a partir de las Sentencias del Tribunal Supremo de 26 de marzo y 19 de noviembre de 2012, las reglas del juego cambian radicalmente, y desde ese momento se reconoce el derecho de la Administración a reiterar sus actos anulados aun cuando lo hayan sido por defectos de fondo y por una sentencia judicial devenida firme. Quizás consciente de los riesgos que esta nueva doctrina podría conllevar para la seguridad jurídica, desde el principio, el propio Tribunal Supremo ha ido estableciendo ciertos límites a este segundo tiro de la Administración, que, en cierto modo, le impiden reiterar liquidaciones a su albor y de manera absoluta. De esta forma, la doctrina del doble tiro nació ya con las siguientes líneas delimitadoras de su alcance:

- En primer lugar, la propia Sentencia de 26 de marzo de 2012 explicaba que la nueva liquidación sustitutiva de la anulada podría dictarse siempre y cuando el derecho a liquidar de la Administración no hubiera decaído por el trascurso del tiempo, es decir, mientras su potestad no hubiese prescrito.

- En segundo lugar, la misma sentencia apelaba al propio criterio del Alto Tribunal mantenido en diversos pronunciamientos anteriores (y citaba su Sentencia de 7 de octubre de 2000, Rec. 3090/94) sobre la negativa a reconocer una tercera oportunidad a la Administración que, al retrotraer actuaciones y dictar de nuevo liquidación, cometiera el mismo error que motivó la anulación de la primera liquidación. A este respecto, el Tribunal declaraba que:

> «en esas situaciones, la imposibilidad de reconocer a la Administración una tercera oportunidad deriva del principio de buena fe al que están sujetas las administraciones públicas en su actuación (artículo 3.1 de la Ley 30/1992) y es consecuencia de la fuerza inherente al principio de proporcionalidad que debe presidir la aplicación del sistema tributario, conforme dispone hoy el artículo 3.2 de la Ley General Tributaria de 2003, entendido como la adecuación entre medios y fines. Es, además, corolario de la proscripción del abuso de derecho, que a su vez dimana del pleno sometimiento de las adminis-

traciones públicas a la ley y al derecho ex artículo 103.1 de la Constitución española. Jurídicamente resulta intolerable la actitud contumaz de la Administración tributaria, la obstinación en el error, la repetición de idéntico yerro, por atentar contra su deber de eficacia, impuesto en el mencionado precepto constitucional, desconociendo el principio de seguridad jurídica, proclamado en el artículo 9.3 de la propia Norma Fundamental [véanse tres sentencias de 3 de mayo de 2011 (casaciones 466/98, 4723/09 y 6393/09, FJ 3º en los tres casos). En el caso de resoluciones jurisdiccionales, habría que añadir que la nueva liquidación que reincide en el error constituye en realidad un acto dictado en contradicción con lo ejecutoriado, nulo de pleno derecho en virtud del artículo 103.4 de la Ley de esta jurisdicción» (FJ 3º).

– En tercer y último lugar, la Sentencia de 11 de noviembre de 2012 excluía la posibilidad de reproducción del acto de liquidación anulado si la resolución estimatoria hubiera declarado la inexistencia de la obligación tributaria o la extinción sobrevenida de la misma.

Como advertíamos en la introducción, a parte de estos límites tradicionales a la posibilidad de una segunda liquidación, la doctrina del "doble tiro" sigue siendo diana de nuevos pronunciamientos jurisprudenciales que, hoy en día, continúan esta tarea delimitadora de su contenido y alcance, precisando con mayor detalle qué actuaciones puede o no puede llevar a cabo la Administración en su tarea ejecutora de resoluciones judiciales o administrativas. De ello nos ocuparemos en un epígrafe aparte al final de este capítulo.

3. ANULACIÓN DE LIQUIDACIONES POR DEFECTOS FORMALES O VICIOS EN EL PROCEDIMIENTO

3.1. La retroacción de actuaciones

En sus diversos pronunciamientos emitidos relativos a los supuestos de anulación de liquidaciones tributarias, el Tribunal Supremo ha mantenido una y otra vez el mismo criterio acerca de la forma en la que la Administración podría volver a dictar una liquidación en sustitución de la anulada, atendiendo a la naturaleza de los defectos advertidos que hubieran motivado tal anulación. Así, cuando se trate de defectos sustantivos, materiales o de fondo, la Administración puede volver a liquidar sin necesidad de reabrir el procedimiento del que la liquidación anulada haya traído causa, constituyendo la nueva liquidación un auténtico acto de ejecución. Sin embargo, en los supuestos de anulación por defectos formales o de procedimiento, la Administración debía retrotraer actuaciones y volver atrás en aquel procedimiento hasta el momento en que se hubiera producido el vicio o error y, tras su subsanación, continuar con el mismo hasta dictar un nuevo acto liquidatorio.

En este sentido, el Alto Tribunal se ha referido a la retroacción actuaciones, entre otras muchas, en su Sentencia de 29 de septiembre de 2014 (Rec. 1014/2013), y la ha definido como:

> «un instrumento previsto para reparar quiebras procedimentales que hayan causado indefensión al obligado tributario reclamante, de modo que resulte menester desandar el camino para practicarlo de nuevo, reparando la lesión; se trata de subsanar defectos o vicios formales [...]. O, a lo sumo, para integrar los expedientes de comprobación e inspección cuando la instrucción no haya sido completa y, por causas no exclusivamente imputables a la Administración, no cuente con los elementos de juicio indispensables para practicar la liquidación; se trata de acopiar los elementos de hecho imprescindibles para dictar una decisión ajustada a derecho, que, por la ausencia de los mismos, no se sabe si es sustancialmente correcta o no» (FJ 3.º).

Ahora bien, en ningún caso, la retroacción de actuaciones constituye un expediente apto para corregir defectos sustantivos, de manera que se dé a la Administración la oportunidad de ajustar sus liquidaciones al ordenamiento jurídico cuando, habiendo podido hacerlo por contar con todos los elementos para ello, no lo hizo. Es decir, es posible que, subsanado el fallo procedimental, «se adopte un nuevo acto de contenido distinto a la luz del nuevo acervo alegatorio y fáctico acopiado; precisamente, por ello, se acuerda dar "marcha atrás"». Sin embargo, si no ha habido ninguna quiebra formal y se ha completado la instrucción (o no, pero por causas exclusivamente imputables a la Administración), no cabe retrotraer las actuaciones para que la Administración rectifique, por ese cauce, la indebida fundamentación jurídica de su decisión.

Es claro, por tanto, que la retroacción de actuaciones solo resulta admisible cuando la anulación de una liquidación se deba a la apreciación de un defecto en el procedimiento seguido hasta su dictado, como constituyen, a modo de ejemplo, la falta de motivación, la falta de audiencia al interesado, defectos en las notificaciones o denegaciones de prueba en el expediente administrativo[117].

En otro orden de ideas, dentro del ámbito de la retroacción de actuaciones, la doctrina ha diferenciado tradicionalmente entre que la mencionada retroacción sea ordenada en vía económico-administrativa o lo sea en vía judicial. En el

---

[117] En su Sentencia de 30 de mayo de 2014, el Tribunal Supremo se ocupó de establecer una distinción entre defectos formales y materiales en los siguientes términos: «Pueden calificarse como formales un primer grupo (formal-procedimental) formado por los vicios en que incurre en el proceso de formación de la voluntad administrativa y un Segundo grupo (formal-documental) integrado por los defectos en que se incurre en la redacción del documento que incorpora el acto administrativo resultado de aquel procedimiento y que no estén directamente relacionados con la definición o cuantificación del tributo: siendo los defectos que afecten a este último los que deben ser considerados propiamente como defectos o vicios de naturaleza material»

primero de los casos, es pacífico que los Tribunales Económico-Administrativos tienen potestad para, una vez declarada la nulidad de una liquidación por defectos formales, ordenar la retroacción de las actuaciones a fin de que la Administración los subsane. Ello deriva del propio mandato contenido en el artículo 239.3 de la LGT, según el cual, «cuando la resolución aprecie defectos formales que hayan disminuido las posibilidades de defensa del reclamante, se producirá la anulación del acto en la parte afectada y se ordenará la retroacción de las actuaciones al momento en que se produjo el defecto formal».

Sin embargo, otro escenario bien distinto es el que se plantea cuando la anulación de la liquidación proviene de una sentencia judicial. ¿Resulta admisible que los tribunales de la jurisdicción contencioso-administrativa, tras anular una liquidación tributaria, ordenen a la Administración la retroacción de actuaciones para que, previa subsanación del defecto apreciado, pueda reiterar aquella liquidación? Buena parte de la doctrina ha rechazado esta posibilidad atendiendo principalmente a dos razones fundamentales: la primera, que la Ley 29/1998, de 13 de julio, reguladora de la Jurisdicción Contencioso-administrativa (en adelante, LJCA) no contempla la retroacción de actuaciones en ninguno de sus preceptos; y, la segunda, que, partiendo de la concepción del proceso contencioso-administrativo como un proceso de partes, los tribunales solo podrían ordenar la retroacción de actuaciones si la misma hubiera sido expresamente solicitada por el contribuyente en su recurso, pues lo contrario implicaría que el tribunal incurriera en una incongruencia *ultra petita*, expresamente prohibida por el artículo 33.1 de la LJCA[118].

Por su parte, también algunos tribunales superiores de justicia se han pronunciado en contra de que pueda ordenarse la retroacción de actuaciones en vía judicial cuando tal solución no es expresamente solicitada por el recurrente. Especialmente significativa fue la Sentencia del Tribunal Superior de Justicia de la Comunidad Valenciana de 27 de octubre de 2010, en la que la sala argumentaba

---

[118]   Gimeno Sendra, V.: "Reiteración de liquidaciones tributarias y cosa juzgada (1)", *Diario La Ley*, núm. 7796 (2012), explicaba que «la vigente LJCA ya no concibe el contencioso-administrativo como «un proceso al acto» de naturaleza similar al recurso contencioso francés, lo que convertiría al proceso administrativo en una especie de segunda instancia del procedimiento administrativo previo, el cual vendría a erigirse en la primera, sino que, dentro de su función revisora de la legalidad administrativa y de conformidad con lo dispuesto en el art. 117.3 CE, la Ley 29/1998 vino a reforzar el sistema «judicialista» y erigió a la pretensión (y no al acto: arts. 31 y ss. LJCA) en el objeto del proceso administrativo, que, al igual que el civil, también es un proceso de partes, regido por el principio dispositivo, siendo la LEC siempre de aplicación supletoria (disp. final 1.ª LJCA y art. 4 LEC). Por tanto, para que sea procedente la solución de la retroacción de actuaciones es necesario, en primer lugar, que el recurrente expresamente solicite la anulación de la liquidación tributaria por un *vicio in procedendo* e inste la retroacción de dichas actuaciones a fin de obtener el restablecimiento de su derecho de defensa. En la misma línea puede verse Bosh Cholbi, J.L.: "Una decisión trascendental del Tribunal Supremo: la Sentencia de 19 de noviembre de 2012, sobre la retroacción de actuaciones por la Administración tributaria", *Tribuna Fiscal*, núm. 265 (2013).

que, si bien la subsanación de los vicios del acto administrativo se permite en vía administrativa, no resulta posible extrapolar tal posibilidad al procedimiento jurisdiccional, cuya regulación viene establecida por la LJCA y, tras analizar los diferentes artículos relativos a las sentencias (art. 67 y ss) y a la ejecución de las mismas (art. 103 y ss.), reconoce el tribunal que «nada se dice sobre la posibilidad de remediar los vicios que hayan dado lugar a la estimación del recurso con anulación del acto administrativo impugnado», para concluir invocando el principio de cosa juzgada del que, recuerda, están dotadas las sentencias judiciales.

A pesar de los argumentos esgrimidos en contra de la orden de la retroacción de actuaciones de oficio por parte de los tribunales de justicia, esto es, sin que la misma haya sido pedida por la parte recurrente, argumentos que, a nuestro juicio, son de una contundencia indiscutible; el Tribunal Supremo, precisamente resolviendo un recurso de casación en interés de ley contra la citada Sentencia del TSJ valenciano de 27 de octubre de 2010, acogía el criterio contrario al que acaba de exponerse, en su ya mencionada Sentencia de 19 de noviembre de 2012, y en su fundamento jurídico cuarto, declaraba que:

> «[...] la solución tiene que venir dada, a falta de una expresa regulación en la ley de la Jurisdicción Contencioso-Administrativa, y sin necesidad de acudir a la normativa constitucional, ante la existencia de varios derechos en conflicto, a lo que se establezca en la normativa administrativa general o en la estrictamente tributaria, sin que ello suponga infringir los efectos materiales de la cosa juzgada, ya que la nueva actuación administrativa no trata de reproducir el acto inicial anulado, sino de ajustarse a la Ley, ni los preceptos que regulan la ejecución de las resoluciones de los Tribunales, artículos 103 y siguientes, porque basta dejar sin efecto la liquidación anulada con todas sus consecuencias (devolución de lo indebidamente ingresado con sus interese legales, reconocimiento del derecho a recibir los costes de las garantías aportadas si se acordó la suspensión o anulación incluso de la vía de apremio), para que la sentencia se considere ejecutada».

La lectura que el Alto Tribunal hacía del vacío legal sobre la retroacción de actuaciones en la normativa procesal, era la de considerar que la LJCA no impedía la posibilidad de remediar los vicios que hubieran dado lugar a la estimación del recurso, y por ello, determinaba que, en tales supuestos «debe estarse a la regulación establecida en la Ley 30/1992 y en la Ley General Tributaria, normativa que permite la reiteración de los actos anulados, tanto en el caso de vicios de forma o de procedimiento, como en el de infracción sustantiva o error iuris».

De esta manera, el Tribunal Supremo aprueba que la retroacción de actuaciones pueda ordenarse en sentencia judicial, aunque no lo haya solicitado el contribuyente, si el tribunal aprecia defectos de forma en la liquidación impugnada y estima que el derecho a la defensa de aquel se ha visto mermado debido a tales defectos, siendo necesario volver atrás en el procedimiento para reestablecer el equilibrio entre ambas partes de la relación jurídico-tributaria[119]. Y no solo eso, sino que lejos de modificar o matizar esta, en nuestra opinión, discutible tesis[120] en estos años, en su más reciente Sentencia de 22 de diciembre de 2020 (Rec. 2931/2018), el Alto Tribunal da una vuelta de tuerca más en favor de la retroacción de actuaciones tras la anulación de liquidaciones en vía jurisdiccional, al reconocer que cuando una sentencia se limita a anular una liquidación tributaria por defectos procedimentales, sin llegar a abordar el fondo del asunto, la Administración está habilitada para retrotraer actuaciones y volver atrás en el procedimiento tributario en el que tuvo su origen el acto administrativo anulado, al margen de que dicha retroacción de actuaciones se ordene formalmente en el fallo de la sentencia; y ello sobre la base de que en aquellos extremos en los que nada se disponga en la resolución judicial y siempre que no se contravenga lo previsto en los arts. 103 y ss. de la LJCA (que, recordemos, se refieren a la ejecución de sentencias), se aplicará lo dispuesto en los arts. 66 y ss. del RGRev. de acuerdo con la interpretación que de los mismos mantiene la jurisprudencia del propio Tribunal Supremo.

En definitiva, la retroacción de actuaciones por parte de la Administración tributaria se ha convertido así en una consecuencia automática derivada de la anulación de liquidaciones por defectos formales, tanto en vía administrativa como en vía judicial, con el único límite de que no haya decaído el derecho de aquella a liquidar por el juego de la prescripción. Y aunque el fundamento último de tal instrumento (la retroacción, se entiende) lo encontramos en la salvaguarda del derecho del obligado tributario a un procedimiento con todas las garantías, no deja de constituir, en realidad, una nueva oportunidad que se

---

[119]   No obstante, esta sentencia cuenta con un voto particular formulado por el magistrado Martínez Micó, para quien no puede dejarse de lado el principio dispositivo que rige en el proceso contencioso-administrativo, en virtud del cual la justicia es rogada, lo que impide que el juez o tribunal promuevan de oficio la actuación de la potestad jurisdiccional. En este sentido, explica el magistrado que «la pretensión ejercitada delimita los confines del enjuiciamiento judicial pues el artículo 33 de la LJCA exige que el órgano jurisdiccional juzgue dentro del límite de las pretensiones ejercitadas ante el Tribunal y de los motivos que fundamenten el recurso y la oposición. [...] Por tanto un órgano judicial no puede adoptar la decisión de conceder la retroacción de actuaciones administrativas para que el órgano administrativo subsane el defecto cometido -que, obviamente, habrá implicado la vulneración de una disposición legal o reglamentaria- si el recurrente no lo ha solicitado en la pretensión ejercitada ante el Tribunal de Justicia. Para que sea procedente la solución de la retroacción de actuaciones es necesario que el recurrente expresamente solicite la anulación de la liquidación tributaria por un vicio *"in procedendo"* e inste la retroacción de dichas actuaciones. En este caso, la estimación del recurso deberá comportar un pronunciamiento judicial expreso sobre la procedencia de la retroacción de la actuación administrativa declarada nula».

[120]   Coincidimos plenamente con el profesor Bosch Cholbi, J.L.: "Una decisión trascendental..." Op. cit., cuando tilda la justificación de esta doctrina del Tribunal Supremo de «enteca e inconsistente jurídicamente» y nos recuerda que, en su sentencia, este se olvida de que la Disposición Final Primera de la propia LJCA únicamente atribuye la supletoriedad, en lo no previsto por la misma, a la Ley de Enjuiciamiento Civil.

le da a la Administración de volver a liquidar, a pesar de haber errado en la tramitación del oportuno procedimiento administrativo, incumpliendo así con el
mandato constitucional que la obliga a actuar con sometimiento pleno a la ley y
al Derecho (artículo 103.1 CE); pues no olvidemos que a la orden de retroacción
le precede una resolución anulatoria de la liquidación que sí actúa, en cualquier
caso, en favor del obligado tributario.

3.2. El plazo para finalizar el procedimiento una vez reanudado

En estos supuestos de *vicios in procedendo*, anulada la liquidación, bien por
sentencia judicial bien por resolución económico-administrativa, el Tribunal
Supremo ha aclarado que solo pueden calificarse de actos de ejecución la propia decisión de retrotraer actuaciones y la de anular los actos posteriores que
traigan causa del anulado por razones de forma[121]. Por su parte, los actos procedimentales que se produzcan tras la retroacción y la resolución que dicte la
Administración una vez recorrido de nuevo el procedimiento para subsanar el
incumplimiento formal que determinó la nulidad de la primera liquidación, no
constituyen actos de ejecución como tales. Esta calificación en actos de ejecución
o actos procedimentales tiene especial relevancia a la hora de identificar el plazo
de que dispone la Administración tributaria para adoptarlos.

Precisa el Tribunal que los actos de ejecución consistentes en la anulación
de la liquidación y de los demás actos posteriores que traigan causa del error
cometido, deben dictarse en el plazo de un mes desde que la resolución anulatoria tenga entrada en el registro del órgano competente para dictarlos, y ello
de acuerdo con lo dispuesto por los artículos 239.3 de la LGT y 66.2 del RGRev.,
según los cuales, además, dichos actos no formarán parte del procedimiento en
el que fue dictado el acto anulado.

Por su parte, el plazo para dictar la nueva liquidación que resulte de volver a
tramitar el procedimiento del que traía causa el acto anulado, va a depender de
la naturaleza de aquel, esto es, de si se trata de un procedimiento de gestión o de
uno de inspección.

En este sentido, mientras que, en relación con el procedimiento de inspección, la LGT contiene un precepto específico sobre el plazo de duración del
mismo en los casos de retroacción de las actuaciones, el 150.7; la citada norma,
guarda silencio absoluto en el ámbito de los procedimientos de gestión, por lo
que, en este aspecto (como en otros muchos), ha sido la jurisprudencia del Tribunal Supremo quien se ha encargado de indicar el plazo que debe observar la

---

[121]   Sentencia del Tribunal Supremo de 19 de enero de 2018, Rec. 1094/2017 (FJ 2.º).

Administracion para dictar una nueva liquidación cuando el procedimiento que debe volver a tramitarse sea uno de gestión.

El citado artículo 150.7 de la LGT dispone que, ordenada la retroacción de actuaciones, la Inspección dispondrá del plazo que restase para finalizar el procedimiento en el momento en que hubiera ocurrido el defecto o error cuya subsanación se pretende con la retroacción y que hubiera sido causa de la anulación de la liquidación, con un mínimo de seis meses. Es decir, que si de acuerdo con la regla general, el plazo de duración del procedimiento restante fuera inferior a seis meses, la Inspección tendrá, en todo caso, un plazo de seis meses para resolver el procedimiento mediante la notificación al obligado tributario de la oportuna liquidación, que empezará a contarse desde la recepción del expediente por el órgano competente para ejecutar la resolución[122].

En los supuestos en que el procedimiento tramitado del que trajera causa el acto anulado fuera uno de gestión tributaria, el Tribunal Supremo ha declarado que el plazo de que dispone el órgano competente para adoptar la decisión que proceda es, exclusivamente, el restante que quedaba en el procedimiento originario para adoptar y notificar la resolución final procedente; y, en consecuencia, la parte que se considerará agotada del plazo máximo de duración del procedimiento será el lapso temporal comprendido entre la fecha de inicio del procedimiento en su primera fase y aquella otra en la que haya tenido lugar el defecto formal determinante de la anulación[123]. En estos casos, consideramos que, puesto que en materia de plazos procedimentales rige el principio de reserva de ley[124], no es posible considerar un plazo mínimo con el que puedan contar los órganos de gestión para finalizar el procedimiento de que se trate tras la retroacción, pues, a diferencia del tratamiento que la LGT hace de la cuestión en sede del procedimiento de inspección, para el que sí establece el plazo mínimo de seis meses, nada similar se dice en relación con los procedimientos de gestión.

3.3. El efecto de la anulación de liquidaciones en los plazos de prescripción

Puesto que uno de los límites que la teoría del "doble tiro" reconoce a la potestad de la Administración de volver a liquidar una misma obligación tributaria,

---

[122] Aunque no podamos prestar más atención a la cuestión por motivos de extensión, no queremos dejar de siquiera hacer referencia al criterio mantenido por el Tribunal Supremo acerca de la aplicación del plazo del artículo 150.7 de la LGT a los casos en que la anulación de la liquidación obedezca a defectos sustantivos, expresado, entre otras muchas, en su Sentencia de 30 de enero de 2015 (Rec. 1198/2013).

[123] Sentencia del Tribunal Supremo de 17 de diciembre de 2020, Rec. 2222/2018.

[124] Así se desprende de la letra del artículo 105.c) de la Constitución Española que dispone que la ley regulará «[...] el procedimiento a través del cual deben producirse los actos administrativos, garantizando, cuando proceda, la audiencia del interesado».

tras haberse anulado una liquidación anterior, es el del juego de la prescripción tributaria, nos parece indispensable dedicar unas líneas a una cuestión de innegable relevancia como la de la posibilidad de que los plazos de prescripción se vean o no interrumpidos por el propio acto de liquidación que ha sido previamente anulado.

El Tribunal Supremo se ha pronunciado sobre ello y ha mantenido el mismo criterio desde que en su Sentencia de 26 de marzo de 2012 reconociera por primera vez el derecho de la Administración a emitir una liquidación nueva en sustitución de otra que hubiera sido anulada por razones de fondo. En dicho pronunciamiento ya apelaba a su jurisprudencia sobre la interrupción de la prescripción y la negativa a reconocer efectos interruptivos a los actos nulos de pleno derecho, en contraposición a los actos aquejados de una causa de anulabilidad a los que sí atribuye tales efectos. Ello significa que si la liquidación hubiera sido declarada nula de pleno derecho porque se dieran los presupuestos legales para ello[125], la misma no habría interrumpido el plazo de prescripción, ni tampoco las reclamaciones posteriores que se hubieran interpuesto contra ella. Sin embargo, según la posición del Alto Tribunal, no cabe negar tal efecto interruptivo a los actos meramente anulables.

En su reciente Sentencia de 21 de marzo de 2022 (Rec. 2221/2020) sostiene el mismo parecer y lo argumenta de la siguiente manera en el número 6 de su Fundamento Jurídico Cuarto:

> «[l]os efectos ex tunc de la declaración de nulidad de pleno derecho de un acto administrativo permiten la ficción jurídica de considerarlo inexistente, mientras que no sucede lo mismo con su anulación como consecuencia de estar afectado de un vicio determinante de anulabilidad, porque sus efectos son ex nunc.
>
> Tanto en la Ley General Tributaria de 1963 como en la vigente de 2003 la interrupción de los plazos de prescripción se produce por cualquier acción de la Administración, no por cualquier acción "válida" de la Administración tributaria. Esta opción del legislador podrá compartirse o no, pero encuentra su razón de ser en la naturaleza extintiva de la prescripción, que reclama la inacción de la Administración tributaria, sea real (ausencia de acción) o fruto de una ficción jurídica (nulidad de pleno derecho del acto, que permite fingir su inexistencia, equiparándose así a la ausencia de acción)».

No compartimos que se mantenga el efecto de interrumpir los plazos de prescripción para los actos anulables por las mismas razones que adujeran los magistrados Frías Ponce y Martínez Micó en los sucesivos votos particulares por ellos formulados a las Sentencias de 26 de marzo y 19 de noviembre de 2012 y de 29 de septiembre de 2014. El primero de ellos denunciaba que «reconocer la posibilidad de que la Administración pueda volver a pronunciarse sobre el mismo objeto del acto anulado, manteniendo al mismo tiempo que los actos anulables

---

[125]   Recogidos en el artículo 217.1 de la LGT.

tienen eficacia interruptiva, y, por tanto, que existe plazo para volver a liquidar por haberse impugnado la liquidación inicial, supone dejar indefinidamente abiertos los procedimientos tributarios, máxime cuando la revisión, tanto en la vía administrativa como en la judicial, suele precisar extensos periodos de tiempo para su tramitación, que superan el plazo de los cuatro años de la prescripción; y desconocer el principio de seguridad jurídica, al que en definitiva responde el establecimiento de plazos de prescripción de los derechos de la Administración a practicar o a recaudar liquidaciones tributarias»[126].

No puede obviarse que esta línea jurisprudencial implica que la Administración siempre va a contar con plazo suficiente para volver a liquidar, aunque hubieran transcurrido cuatro años desde que se notificara la liquidación anulada, porque como la misma se impugnó, aunque la reclamación o recurso hubiera tenido éxito, la Administración puede volver a actuar al haberse interrumpido la prescripción con la interposición de la reclamación o recurso. De esta manera, entendemos que con este planteamiento se premia a quien hace mal las cosas y se protege a quien es responsable del vicio, esto es, a la Administración tributaria, dejando indefinidamente abiertos los procedimientos tributarios en un claro ataque a la seguridad jurídica[127].

4. NUEVAS CUESTIONES SUSCITADAS EN LA JURISPRUDENCIA RECIENTE SOBRE RETROACCIÓN DE ACTUACIONES

Tal y como se observaba al principio de este capítulo, el Tribunal Supremo continúa en la actualidad dando respuesta a situaciones de hecho planteadas relacionadas con la posibilidad de que la Administración vuelva atrás en el camino andado cuando una resolución, administrativa o judicial, hubiera anulado una liquidación tributaria por defectos de forma, para dictar una nueva liquidación que la sustituya.

En lo que interesa a este trabajo, queremos destacar aquí dos pronunciamientos recientes del Alto Tribunal. El primero de ellos es el contenido en la Sentencia de 23 de junio de 2021 (Rec. 2435/2020), en la que el Tribunal rechaza la práctica administrativa consistente en dictar una liquidación provisional con carácter previo a retomar el procedimiento, cuando se hubiera ordenado la

---

[126]   Voto particular formulado por el magistrado Sr. Frías Ponce a la Sentencia del Tribunal Supremo de 19 de noviembre de 2012 (Rec. 1215/2011).

[127]   Véase el voto particular formulado por el magistrado Sr. Frías Ponce a la Sentencia del Tribunal Supremo de 29 de septiembre de 2014 (Rec. 1014/2013), al que se adhiere el magistrado Sr. Martínez Micó.

retroacción de actuaciones en un supuesto de anulación de la liquidación por motivos formales o procedimentales.

En segundo lugar, la Sentencia de 22 de julio de 2021, tras reiterar su rotunda negativa a la posibilidad de los Tribunales Económico-Administrativos de ordenar la retroacción de actuaciones en los supuestos en que la anulación de una liquidación se deba a errores sustantivos, confirma que tales resoluciones son perfectamente impugnables, aunque se trate de resoluciones estimatorias.

4.1. El rechazo a una liquidación provisional a cuenta de la que se dicte en el procedimiento una vez retrotraídas las actuaciones

La Sentencia de 23 de junio de 2021 sale al paso de una maniobra de la Administración tributaria mediante la que esta pretendía evadir su obligación de devolver los ingresos indebidos al obligado tributario, tras la anulación de una liquidación por motivos formales.

En el supuesto enjuiciado, la Administración tributaria había entrado a comprobar la situación del contribuyente respecto de una declaración relativa al Impuesto sobre Sucesiones y Donaciones presentada por este, a través de un procedimiento de inspección, que habría finalizado con la práctica de la correspondiente liquidación por no aceptarse por la Inspección, entre otras cosas, los valores declarados por el obligado tributario relativos a diversos bienes inmuebles. El TEAC estimó parcialmente la reclamación interpuesta y anuló la liquidación por considerar que no se había motivado suficientemente la valoración de las fincas por parte de la Inspección, ordenándose la retroacción de actuaciones para que el órgano competente efectuara una nueva comprobación de los valores debidamente motivada.

Así las cosas, una vez recibida la resolución anulatoria de la liquidación con la oportuna orden de retroacción de actuaciones, y antes de reanudar las actuaciones inspectoras, la Administración emitió una liquidación provisional (a cuenta de la que definitivamente resultara de la nueva tramitación procedimental) en los mismos términos que lo declarado por el obligado tributario, a la vez que acordaba la devolución del ingreso indebido realizado por el contribuyente, para, inmediatamente después, practicar la compensación entre la mencionada liquidación provisional y la devolución de ingresos indebidos.

Pues bien, a la vista de los acontecimientos expuestos, el Tribunal Supremo se pronuncia sobre dos aspectos. En primer lugar, deja claro que, puesto que la liquidación provisional dictada por la Inspección lo es en ejecución de la resolución del TEAC que había anulado la liquidación anterior y ordenado la retroacción actuaciones, las cuestiones que puedan suscitarse en relación con el nuevo acto dictado pertenecen al ámbito propio de la ejecución de resoluciones económico-administrativas, correspondiendo al interesado el planteamiento de un incidente de ejecución (FJ 2.º).

En segundo lugar, el Alto Tribunal entiende que la práctica de la liquidación provisional con carácter previo al reinicio del procedimiento supone ignorar las garantías del interesado. En este sentido, explica el Tribunal que, declarado el vicio formal y la anulación de la liquidación girada y ordenada la retroacción de actuaciones, los actos a que venía obligada la Administración consistían en la nulidad de la liquidación con devolución de lo indebidamente ingresado más intereses y la marcha atrás del procedimiento al momento de producirse el vicio que debía ser reparado, y sólo una vez reanudado de nuevo el procedimiento original tendría cabida la práctica de la nueva liquidación, pero nunca antes de ese momento (FJ 2.º).

No podemos sino aplaudir esta doctrina del Tribunal Supremo que queda fijada en Sentencia de 1 de julio de 2021 (Rec. 2006/2020), puesto que, como este ha concluido, la práctica de una liquidación provisional en los términos indicados supone un exceso ilícito de la Administración tributaria, determinante de la nulidad de sus actos, ya que adopta por su cuenta medidas distintas o ajenas a las directamente encaminadas a dar cumplimiento a lo ordenado en sede económico-administrativa, sin que la mencionada liquidación provisional guarde relación alguna, ni con la retroacción, ni con la actividad que debe realizarse al efecto (FJ 5.º).

4.2. Invalidez de la orden de retroacción de actuaciones frente a vicios de naturaleza sustantiva ¿si no lo ha solicitado el recurrente?

La Sentencia del Tribunal Supremo de 22 de julio de 2021 no parece tener más trascendencia que otras anteriores en las que, al igual que en esta, el Tribunal insiste en reservar la orden de retroacción de actuaciones solo para aquellos supuestos en los que la causa de la anulación de una liquidación tributaria se corresponde con la apreciación de vicios o defectos formales. Ahora bien, nos ha llamado la atención un inciso en la literalidad de la contestación a la segunda cuestión formulada por el auto de admisión de 18 de junio de 2020. Esta se planteaba en los siguientes términos:

> «Determinar si, no existiendo vicio formal del procedimiento, el órgano económico-administrativo está facultado para ordenar, tras la nulidad de los actos tributarios cuestionados (en el caso, una liquidación y una sanción) y sin que haya sido solicitada por las partes, la retroacción de las actuaciones al objeto de que la Administración tributaria lleve a cabo una nueva valoración y determine, en su caso, una nueva liquidación y sanción tributarias».

La contestación a dicho interrogante ha sido la esperada, habiendo declarado el Tribunal que:

> «no existiendo vicio formal de procedimiento, el órgano económico-administrativo no está facultado para ordenar, tras la nulidad de los actos tributarios cuestionados (en el caso, una liquidación y una sanción) **y sin que haya sido solicitada por las partes**, la retroacción de las actuaciones al objeto de que la Administración tributaria lleve a cabo una nueva valoración y determine, en su caso, una nueva liquidación y sanción tributarias, pues la insuficiencia probatoria no es un defecto formal acaecido durante la tramitación del procedimiento sino un vicio sustantivo».

Lo que nos ha desconcertado ha sido la expresión "y sin que haya sido solicitada por las partes" que subrayamos, y que aparece como una especie de salvedad, pudiendo entenderse que, si la retroacción hubiera sido pedida por el obligado tributario en su reclamación, sí estarían los Tribunales Económico-Administrativos habilitados para ordenar la retroacción de actuaciones aun cuando el defecto causante de la nulidad de la liquidación hubiera sido de carácter material o sustantivo.

A nuestro juicio, ello no es así, y tratándose de vicios de fondo, la Administración solo puede reiterar la liquidación anulada mediante la práctica de la liquidación como un acto de ejecución en los términos estipulados en la misma resolución anulatoria, pero en ningún caso puede volver a tramitar un procedimiento correctamente desarrollado que no ha sufrido infracción alguna, ni siquiera si lo solicitara expresamente el contribuyente, pues la LGT es clara cuando reserva la retroacción de actuaciones únicamente para los casos en que la resolución aprecie defectos formales que hayan disminuido las posibilidades de defensa del reclamante (artículo 239.3).

Entendemos que la locución en cuestión tiene que ver con los términos expresos en los que había sido planteada la pregunta que la sentencia trata de contestar y, por tanto, no resulta merecedora de mayor atención. Sin embargo, consideramos que hubiera sido deseable que el Tribunal hubiera descartado incluirla en su resolución a fin de no dar lugar a posibles interpretaciones discordantes con la Ley y con su propia jurisprudencia.

5. BIBLIOGRAFÍA

BOSCH CHOLBI, J.L.: "Una decisión trascendental del Tribunal Supremo: la Sentencia de 19 de noviembre de 2012, sobre la retroacción de actuaciones por la Administración tributaria", *Tribuna Fiscal*, núm. 265 (2013).

CALVO VÉRGEZ, J.: "El final de la doctrina judicial del «tiro único» por parte de la Administración tributaria y la necesidad de clarificar la doctrina del «doble tiro»", *Revista Técnica Tributaria*, núm. 137 (2022).

GIMENO SENDRA, V.: "Reiteración de liquidaciones tributarias y cosa juzgada (1)", *Diario La Ley,* núm. 7796 (2012).

SANZ GÓMEZ, R.: "Buena administración y procedimiento tributario justo", en Merino Jara, I. (Dir.): *La protección de los derechos fundamentales en el ámbito tributario.* Wolters Kluwer. Madrid, 2021.

25.- LA INVERSIÓN DE LA CARGA DE LA PRUEBA EN LAS NORMAS TRIBUTARIAS ANTIABUSO Y EN LA JURISPRUDENCIA

BENJAMÍN SEVILLA BERNABÉU[128]

Profesor de Derecho Financiero y Tributario
Universitat de València

1. PLANTEAMIENTO

La carga de la prueba es una de las cuestiones esenciales de la regulación tributaria. Ahora bien, "es uno de los grandes olvidados en el análisis de la realidad jurídico-tributaria", existiendo una gran incertidumbre en torno a muchos aspectos de su articulación[129].

El objeto de la presente contribución es analizar el reparto de la carga de la prueba tributaria en aquellos supuestos que pueden ser constitutivos de abuso o elusión fiscal. A estos efectos, el punto de partida será la norma general antiabuso regulada en nuestra Ley General Tributaria[130]. Tras ello, analizaremos algunas sentencias del Tribunal de Justicia de la Unión Europea sobre los requisitos probatorios de las normas tributarias, con la intención última de que ello no imponga unas cargas administrativas excesivas sobre los contribuyentes y cumplan con el principio de proporcionalidad.

---

[128]   Este trabajo se enmarca en el proyecto "La necesaria actualización de los sistemas tributarios ante los retos del S. XXI (XXITAX)", Prometeo 2021-041, Generalitat Valenciana.

[129]   RODRÍGUEZ-BEREIJO LEÓN, M.: *La Prueba en Derecho Tributario,* Navarra, Aranzadi, 2007, p. 20.

[130]   A nuestro modo de ver, en la Ley General Tributaria únicamente se establece una norma general antiabuso o antielusión, que es la establecida en el artículo 15. No obstante, parte de la doctrina considera que existen dos normas generales antibuso: artículo 15 y 16. Entre otros, véase, RODRÍGUEZ-BEREIJO LEÓN, M.: "La carga de la prueba en el derecho tributario: su aplicación en las normas tributarias anti-abuso y en la doctrina del TJUE", *Revista de Contabilidad y Tributación. CEF.,* n.º 344, 2011, pp. 16-20.

Del estudio de estos casos se aprecia como se va conformando la jurisprudencia sobre la interpretación de la carga de la prueba, la cual recaía sobre las Administraciones tributarias. No obstante, tras las denominadas sentencias danesas se produce un viraje en el posicionamiento del Tribunal de Justicia de la Unión Europea, recayendo en el contribuyente la carga de la prueba. Así pues, estas sentencias danesas sirvieron de base en distintos pronunciamientos de la Audiencia Nacional española y del Tribunal Económico Administrativo Central español, considerando que la jurisprudencia anterior había sido anulada por estas sentencias.

Por último, analizaremos someramente la carga de la prueba en la norma general antiabuso establecida en los Convenios de Doble Imposición, la cual, partiendo de una presunción de abuso casi automática del elemento subjetivo por parte de las Administraciones tributarias, hace recaer en el contribuyente la carga de la prueba para evitar que resulte de aplicación.

2. LA CARGA DE LA PRUEBA EN LA NORMA GENERAL ANTIABUSO DE LA LEY GENERAL TRIBUTARIA

El concepto de la carga de la prueba comprende dos reglas disociables: por una parte, la determinación del umbral de certidumbre que requiere el juzgador para satisfacer la pretensión; y, por otra parte, la determinación de cuál de las partes ha de aportar las pruebas necesarias para alcanzar dicho umbral, si no quiere que recaiga sobre ella una decisión adversa sobre el fondo del asunto en el caso de que no las aporte[131].

Las normas sobre la carga de la prueba imponen auténticas cargas y no obligaciones jurídicas puesto que su incumplimiento no determina la imposición de una sanción, sino el riesgo procesal de que sus pretensiones no encuentren amparo en la resolución que ponga fin al conflicto[132].

Con carácter general se afirma que la carga material u objetiva de la prueba recae en la Administración tributaria[133]. No obstante, existe una especie de regla *in dubio pro contribuens*, ya que, si recayese siempre en la Administración tributaria

---

[131] GÓMEZ POMAR, F.: "Carga de la prueba y responsabilidad objetiva", *InDret* n. 1, 2001, p. 5.

[132] RODRÍGUEZ-BEREIJO LEÓN, M.: "La carga de la prueba en el derecho tributario: su aplicación en las normas tributarias anti-abuso y en la doctrina del TJUE", *op. cit.*, p. 10.

[133] Parte de la doctrina ha puesto de manifiesto que en los procedimientos tributarios solo tiene sentido hacer referencia a la carga de la prueba en sentido material u objetivo. Véase, RODRÍGUEZ-BEREIJO LEÓN, M.: "La carga de la prueba: distribución y redistribución de riesgos probatorios en la jurisprudencia del TJCE", en ARRIETA MARTÍNEZ DE PISÓN, J.; COLLADO YURRITA, M.A.; ZORNOZA PÉREZ, J. (dirs.) *Tratado sobre la Ley General Tributaria. Homenaje a Álvaro Rodríguez Bereijo,* Navarra, Aranzadi, 2010, Tomo II, p. 359; MARÍN-BARNUEVO FABO, D.: *Presunciones y técnicas*

el riesgo derivado de la falta de prueba, ello supondría premiar a los sujetos que no quisieran colaborar[134].

La regla general sobre la carga de la prueba se encuentra prevista en el artículo 105 de la Ley General Tributaria (LGT, en lo sucesivo). El tenor literal de este precepto establece lo siguiente: "1. En los procedimientos de aplicación de los tributos quien haga valer su derecho deberá probar los hechos constitutivos del mismo. 2. Los obligados tributarios cumplirán su deber de probar si designan de modo concreto los elementos de prueba en poder de la Administración tributaria".

De lo anterior se deriva que, la carga de la prueba recaería, en principio, sobre el acreedor de la prestación tributaria, esto es en la Administración tributaria, y los hechos que excluyen o minoran la obligación, recaerían en el obligado tributario[135]. En los procesos tributarios, con excepción de los procesos de imposición de sanciones, los contribuyentes están obligados a colaborar aportando pruebas que justifiquen la exactitud de su declaración. Ahora bien, ese deber de colaborar con la Administración llega hasta el punto de que parece que exista una distribución encubierta de la carga de la prueba[136].

Por lo que se refiere al apartado segundo del artículo 105 de la LGT, se recoge una especialidad que facilita la carga de la prueba para los obligados tributarios, de tal forma que, en vez de aportar los medios de prueba específicos, pueden limitarse a designar los elementos que ya se encuentran en poder de la Administración tributaria. Ello, como señala RUIZ TOLEDANO, es una plasmación en el ámbito de la carga de la prueba de los derechos y garantías de los obligados tributarios reconocidos en el artículo 34.1. h) y k) de la LGT. Esto es, no aportar aquellos documentos ya presentados por ellos mismos y que se encuentren en poder de la Administración actuante, si bien deben indicar el día y el procedimiento en

---

presuntivas en derecho tributario, Madrid, MacGraw-Hill, 1996, pp. 31-32; PITA GRANDAL, A.M.: *La prueba en el procedimiento de gestión tributaria*, Madrid, Marcial Pons, 1998, pp. 93-95.

[134] RODRÍGUEZ-BEREIJO LEÓN, M.: "La carga de la prueba en el derecho tributario: su aplicación en las normas tributarias anti-abuso y en la doctrina del TJUE", *op. cit.*, p. 11.

[135] A este respecto, MARÍN-BARNUEVO FABO señala que "no se puede atribuir la carga de la prueba a ninguna de las partes de la relación jurídica tributaria, sino que su distribución deberá realizarse atendiendo a las características de cada procedimiento concreto, de tal modo que corresponda a la parte postulante de la pretensión la carga de la prueba de los hechos constitutivos de la misma y, a la otra parte, la prueba de los hechos que se consideren impeditivos, extintivos o excluyentes de aquella". Véase, MARÍN-BARNUEVO FABO, D.: "La distribución de la carga de la prueba en Derecho tributario", *Civitas. Revista española de derecho financiero*, n.º 94, 1997, p. 193.

[136] RODRÍGUEZ-BEREIJO LEÓN, M.: "La carga de la prueba en el derecho tributario: su aplicación en las normas tributarias anti-abuso y en la doctrina del TJUE", *op. cit.*, pp. 12-13.

el que los presentó; y a que las actuaciones administrativas se lleven a cabo de la forma menos gravosa[137].

Sentado lo anterior, resulta necesario referenciar la carga de prueba de la norma general antiabuso establecida en el artículo 15 de la LGT, pues se divide en dos fases. En primer lugar, la Administración tributaria debe apreciar que los actos o negocios son notoriamente artificiosos o impropios, aportando pruebas sobre dicha artificiosidad. En segundo lugar, la Administración tributaria tiene que probar que no concurren motivos económicos o jurídicos válidos distintos del ahorro fiscal.

De hecho, uno de los aspectos más elogiados del artículo 15 de la LGT fue su funcionamiento como mecanismo de la carga de la prueba, puesto que la Administración ya no tenía que probar la existencia de una intención elusiva por parte del contribuyente, cosa que sí sucedía con la regulación anterior (artículo 24 LGT de 1963).

Estos elementos objetivos son una serie de indicios presuntivos de elusión, que pueden ser rebatidos por el contribuyente a través de una prueba en contrario[138]. Sin embargo, señala RODRÍGUEZ-BEREIJO LEÓN que "cabe preguntarse hasta qué punto se trata realmente de una «contraprueba» o, más bien, implica una inversión de la carga de la prueba sobre el contribuyente, en la medida en que esta es la única prueba mediante la cual el contribuyente puede quedar exonerado de la presunción de fraude, que es probando las razones o «motivos económicos válidos» de la operación o negocio efectuado"[139]. De hecho, la Administración tributaria hace un uso cada vez más frecuente de los indicios y las presunciones, de tal forma que desplaza hacia el contribuyente la carga de la prueba[140].

---

[137]   RUIZ TOLEDANO, J.I.: "Carga y temporaneidad de la prueba en los procedimientos", en EY Abogados (coord..) *Cuestiones actuales en los procedimientos de aplicación de los tributos y propuestas de mejora*, Fundación Impuestos y Competitividad, 2022, p. 150.

[138]   Las presunciones son admitidas con carácter general (artículo 108 LGT apartados 1 y 2), pero con valor *iuris tantum* y con necesidad de vinculación racional entre los dos términos de la presunción. Véase, RAMALLO MASSANET, J.: "Los procedimientos de inspección y de auditoría: la evidencia y la prueba", en ARRIETA MARTÍNEZ DE PISÓN, J.; COLLADO YURRITA, M.A.; ZORNOZA PÉREZ, J. (dirs.) *Tratado sobre la Ley General Tributaria. Homenaje a Álvaro Rodríguez Bereijo*, Navarra, Aranzadi, 2010, Tomo II, p. 348.

[139]   RODRÍGUEZ-BEREIJO LEÓN, M.: "La carga de la prueba en el derecho tributario: su aplicación en las normas tributarias anti-abuso y en la doctrina del TJUE", *op. cit.,* p. 18.

[140]   A este respecto, resulta de interés el análisis de RAVELLI y FRANCONI en el que traen a colación determinadas normas antiabuso holandesas e italianas en las que se establecen presunciones generales de abuso y se infringen los principios de la carga de la prueba. Véase, RAVELLI, F.; FRANCONI, F.: "Numerous EU Member States are in Breach of EU Law by Requiring Taxpayers to Demonstrate Absence of Abuse", *European Taxation*, vol. 61, n.º 10, 2021, pp. 445-448.

El procedimiento que se sigue es que cuando el órgano de inspección que es conocedor del procedimiento considere que pueden concurrir las circunstancias del artículo 15 LGT, lo notificará al obligado tributario y le concederá un plazo de 15 días para presentar alegaciones y/o pruebas que considere oportunas. Por tanto, se parte de unas presunciones genéricas de elusión y recae en el obligado tributario el tener que acreditar que la operativa llevada a cabo se ampara en motivos económicos válidos más allá del ahorro fiscal, y que, además, no existe artificiosidad alguna. En el caso de no aportar pruebas o que estas no fuesen suficientes, el órgano de inspección lo remitiría a la Comisión consultiva para que se pronuncie de forma motivada.

Ahora bien, del análisis de los informes publicados por la Comisión consultiva sobre la concurrencia del artículo 15 de la LGT, observamos que, en muchos casos, no prueba debidamente los elementos establecidos legalmente en el mencionado precepto. Concretamente nos referimos a los informes n.º 3, 5, 6, 6 bis, 7, y 11, pues en tales supuestos la Comisión consultiva considera que "existe una íntima relación entre los dos requisitos previstos legalmente como delimitadores de la figura del conflicto, que se pueden compendiar en el "propósito de eludir el impuesto" a que se refería la figura del fraude de ley". Dicho en otros términos, la Comisión consultiva no lleva a cabo la carga probatoria que le exige el artículo 15 LGT, y trata de justificar esta en el intrincado terreno de los motivos o propósitos del contribuyente.

3. JURISPRUDENCIA DEL TRIBUNAL DE JUSTICIA DE LA UNIÓN EUROPEA SOBRE LA CARGA DE LA PRUEBA DEL ABUSO

El Tribunal de Justicia de la Unión Europea (TJUE, en adelante) se ha pronunciado en reiteradas ocasiones sobre la carga de la prueba en supuestos de abuso o elusión fiscal. Si bien, la línea seguida no ha sido coherente. Seguidamente, procedemos a analizar algunos pronunciamientos trascendentes en relación con la distribución de la carga de la prueba.

3.1. *Leur Bloem*

Si bien la sentencia del caso *Leur Bloem*[141] no referencia expresamente a la carga de la prueba, la misma resulta de especial interés por lo que respecta a la proporcionalidad de las medidas para luchar contra la elusión o el abuso. Los

---

[141]   Sentencia del Tribunal de Justicia de 17 de julio de 1997, caso *Leur Bloem* (C-28/95), ECLI:EU:C:1997:369.

hechos que originan la cuestión prejudicial fueron que la señora Leur-Bloem, única socia y directora de dos sociedades neerlandesas, tenía intención de adquirir la totalidad del capital de una tercera sociedad mediante canje de acciones, creándose una estructura societaria que permitía la compensación de perdidas, al convertirse la demandante en accionista única de la holding y esta, a su vez, en accionista única de las dos sociedades. Sin embargo, fue denegada por la Administración tributaria la calificación de la operación como "fusión por canje de participaciones", por lo que la demandante recurre ante los tribunales nacionales que, a su vez, preguntan al Tribunal de Justicia sobre la interpretación de los artículos 2.d) y 11.1.a) de la Directiva sobre fusiones (Directiva 90/434/CEE del Consejo, de 23 de julio de 1990)[142].

El TJUE se pronuncia sobre la interpretación de los artículos señalados indicando que "los Estados miembros deben conceder las ventajas fiscales previstas por la Directiva a las operaciones de intercambio de acciones a que se refiere la letra d) del artículo 2 de la Directiva, a menos que estas operaciones tengan como objetivo principal o como uno de sus principales objetivos, el fraude o la evasión fiscal"[143]. En este sentido, prosigue señalado el TJUE que "los Estados miembros pueden establecer que el hecho de que estas operaciones no se hayan efectuado por motivos económicos válidos constituye una presunción de fraude o de evasión fiscal"[144].

Ahora bien, para comprobar si la operativa seguida tiene como objetivo principal la elusión o evasión fiscal, la Administración fiscal competente "no puede limitarse a aplicar criterios generales predeterminados, sino que deben proceder, caso por caso, a un examen global de la misma"[145]. Dicha afirmación recoge de forma implícita que le corresponde a la Administración tributaria hacer un análisis exhaustivo del caso en cuestión, debiendo aportar pruebas que acrediten que la operativa llevada a cabo tenía como objetivo la elusión fiscal, sin incurrir en indicios genéricos que conlleven una posición pasiva.

Por todo ello, del pronunciamiento del TJUE en el caso *Leur Bloem* podemos extraer que las características de una medida antielusión proporcionada son: i) carácter general; ii) idoneidad para el análisis de cada caso concreto; iii) dirigida a operaciones que no se hayan efectuado por motivos válidos; y iv) control

---

[142]	Véase, RIBES RIBES, A.: "Las medidas tributarias antiabuso en la jurisprudencia comunitaria", *Quincena fiscal,* n.º 1-2, 2009, pp. 60-61.

[143]	Sentencia del Tribunal de Justicia de 17 de julio de 1997, caso *Leur Bloem, cit.,* párr. 40. Nótese la incorrecta traducción de la sentencia en lengua inglesa, que referencia "tax evasion or tax avoidance", lo cual se debería haber traducido como "evasión fiscal o elusión fiscal".

[144]	*Ibidem,* párr. 40.

[145]	*Ibidem,* párr. 41.

judicial[146]. Este principio de proporcionalidad implica que las justificaciones a las limitaciones al ejercicio de las libertades fundamentales presuponen la confirmación de una práctica abusiva y una reacción frente a esta por parte del Estado que no exceda de los límites estrictamente necesario para revertir los efectos de dicha práctica[147].

Huelga decir que, en aquellos casos en los que de los indicios y pruebas obtenidas por la Administración tributaria se derive que la operación puede ser constitutiva de abuso, se debe conceder al contribuyente la posibilidad de presentar -sin excesivas restricciones administrativas- elementos que acrediten motivos comerciales por los que llevó a cabo una determinada operación. Si no se contempla o no se acepta la posibilidad de que el contribuyente pueda presentar dichas pruebas, la medida será totalmente desproporcionada[148].

3.2. Eqiom

Las circunstancias fácticas que traen causa a la sentencia *Eqiom*[149] fueron las siguientes: Eqiom era una empresa constituida en Francia y era filial de la sociedad luxemburguesa Enka, la cual ostentaba el 100% de su capital. A su vez, el 99% de Enka pertenecía a una sociedad chipriota, siendo esta última a su vez propiedad de una sociedad suiza. Ante dicha organización, en los años 2005 y 2006 Eqiom distribuyó dividendos a Enka. Ambas sociedades solicitaron la exención de la retención en origen en virtud del artículo 119 ter del *Code général des impôts*. No obstante, la Administración tributaria francesa denegó la solicitud poniendo de manifiesto que el artículo 119 ter, apartado 3, no aplica la exoneración cuando los dividendos los perciba una persona jurídica controlada directa o indirectamente por una o varias personas residentes en Estados que no sean miembros de la UE, salvo que acredite que no tiene como objetivo principal o uno de los principales acogerse a dicha exención.

---

[146]   ZALASINSKI, A.: "Proportionality of Anti-Avoidance and Anti-Abuse Measures in the ECJ's Direct Tax Case Law", *Intertax,* vol. 35, issue 5, 2007, p. 316.

[147]   PISTONE, P.: "La planificación fiscal agresiva y las categorías conceptuales del derecho tributario global", *Civitas. Revista Española de Derecho Financiero,* n.º 170, 2016, p. 132. En este sentido, RODRÍGUEZ-BEREIJO señala que, el principio de proporcionalidad, además de limitar la actividad investigadora de la Administración tributaria, sirve como criterio modulador de la "equivalencia de los riesgos probatorios asignados a través de las reglas de distribución de la carga de la prueba". Véase, RODRÍGUEZ-BEREIJO LEÓN, M.: "La carga de la prueba: distribución y redistribución de riesgos probatorios en la jurisprudencia del TJCE", *op. cit.,* p. 371.

[148]   GARCÍA PRATS, F.A.: "Los límites a la planificación fiscal agresiva y al abuso de las normas tributarias", *Revista técnica tributaria,* n.º 110, 2015, p. 138. Asimismo, véase, RIBES RIBES, A.: "Las medidas tributarias antiabuso en la jurisprudencia comunitaria", *op. cit.,* pp. 70-71.

[149]   Sentencia del Tribunal de Justicia de 7 de septiembre de 2017, caso *Eqiom* (C-6/16), ECLI:EU:C:2017:641.

Estas empresas reclamaron ante los tribunales franceses en las distintas instancias, hasta que el *Conseil d'État* suspendió el procedimiento y planteó ante el TJUE cuatro cuestiones prejudiciales. El TJUE analiza las cuestiones prejudiciales en su conjunto, preguntándose en última instancia si el artículo 1.2. de la Directiva matriz-filial y el artículo 49 del Tratado de Funcionamiento de la Unión Europea (TFUE) o el artículo 63 del mismo cuerpo normativo deben interpretarse en el sentido de que se oponen a normas tributarias nacionales que, como la controvertida en este caso, supediten la exención de retención en origen de los beneficios a que las matrices acrediten que la cadena de particiones no tiene como objetivo principal o uno de los principales acogerse a dicha exención[150].

El tribunal concluye que el artículo 1.2. de la Directiva matriz-filial únicamente permite la aplicación de disposiciones nacionales o convencionales que sean necesarias para evitar fraudes y abusos, por lo que debe interpretarse de forma estricta[151]. Por tanto, no puede justificarse mediante una presunción general de fraude y abuso, así como tampoco en medidas que vayan en detrimento de libertades fundamentales reconocidas o que menoscaben los objetivos de las directivas. Por todo ello, el TJUE llegó a la conclusión de que

> "procede declarar que el artículo 1, apartado 2, de la Directiva 90/435 debe interpretarse en el sentido de que se opone a normas tributarias nacionales que, como la controvertida en el litigio principal, supediten la concesión de la ventaja tributaria establecida en el artículo 5, apartado 1, de la misma Directiva – es decir, la exención de retención en origen de los beneficios distribuidos por filiales residentes a matrices no residentes cuando dichas matrices estén controladas directa o indirectamente por una o varias personas residentes en Estados terceros – a que las matrices acrediten que la cadena de participaciones no tiene por objeto principal o uno de sus objetivos principales acogerse a la exención"[152].

A mayor abundamiento, el TJUE puso de manifiesto que la libertad de establecimiento (artículo 49 TFUE) no debe ser limitada por disposiciones fiscales discriminatorias[153]. En el presente caso queda acreditado que

> "es exclusivamente en el caso de que las filiales residentes distribuyan beneficios a sus matrices, no residentes y controladas directa o indirectamente por una o varias personas residentes en Estados terceros cuando el acceso a la exención de retención en origen se supedita a que dichas matrices acrediten que la cadena de participaciones no tiene por objetivo principal o uno de sus objetivos principales acogerse a la exención. En cambio, en el caso de distribución de beneficios por parte de las mismas filiales a matrices residentes, controladas asimismo directa o indirectamente por una o varias personas

---

[150] *Ibidem,* párr. 14.
[151] *Ibidem,* párr. 26 y 28.
[152] *Ibidem,* párr. 38.
[153] Véase, entre otras, la sentencia del Tribunal de Justicia de 17 de mayo de 2017, caso *X* (C-68/15), EU:C:2017:379, párr. 40.

residentes en Estados terceros, dichas matrices pueden acogerse a la exención sin que ello esté supeditado al mismo requisito"[154].

Ello autoriza a concluir que esa diferencia de trato puede disuadir a una matriz no residente de ejercer en Francia una actividad a través del establecimiento de una filial, por lo que establece una clara restricción a la libertad de establecimiento del artículo 49 TFUE. Motivo por el cual el TJUE señaló que la norma francesa también violaba la libertad de establecimiento, no habiendo razones que justifiquen tales restricciones.

En última instancia, el TJUE en el caso *Eqiom* consideró que la norma interna francesa era incompatible tanto con la Directiva matriz-filial como con la libertad de establecimiento, pues invertía la carga de la prueba, ya que en virtud de esa legislación las autoridades fiscales francesas no tenían que aportar ni siquiera indicios de abuso[155].

3.3. *"Sentencias danesas"*

A finales de febrero de 2019, la Gran Sala del TJUE dictó dos sentencias de gran relevancia, las cuales son conocidas comúnmente como "sentencias danesas" o "casos daneses"[156]. Estas sentencias representan un hito importante en relación con la prohibición del abuso de derecho, pues la doctrina derivada de ellas conlleva un giro interpretativo en la posición mantenida en supuestos anteriores[157].

Los hechos que traen causa a estas sentencias son especialmente complejos y detallados. Las dos sentencias analizan en total seis casos que se refieren a la imposición en origen de los intereses y dividendos pagados por filiales danesas a sus empresas matrices en la Unión Europea. En cuatro de estos casos (uno sobre dividendos y tres sobre intereses), la matriz global última (inversores) era un fondo de inversión privado. En los otros dos casos (uno sobre dividendos y otro sobre intereses), la sociedad matriz global era residente en EE. UU y la estructura

---

[154]   Sentencia del Tribunal de Justicia, caso *Eqiom, cit.*, párr. 55.

[155]   CFE Tax Advisers Europe: "Opinion Statement ECJ-TF2/2018 on the CJEU decision of 7 September 2017 in Case C-6/16, Eqiom, concerning the compatibility of the French anti-abuse rule regarding outbound dividends with the Parent-Subsidiary Directive and fundamental freedoms", May 2018, p. 8.

[156]   Sentencia del Tribunal de Justicia de 26 de febrero de 2019, caso *N Luxembourg 1 and Others* (C-115/16, C-118/16, C-119/16 y C-299/16), ECLI:EU:C:2019:134; y sentencia del Tribunal de Justicia de 26 de febrero de 2019, caso *T Danmark and Y Danmark* (C-116/16 y C-117/16), ECLI:EU:C:2019:135.

[157]   CARMONA FERNÁNDEZ, N.: "Doctrina sobre el abuso de derecho en materia de dividendos para sociedades matrices en la Unión Europea: Sentencia del Tribunal de Justicia de la Unión Europea de 26 de febrero de 2019, asunto C-116/16 y C-117-16", *Carta tributaria*, n.º 50, 2019.

societaria incluía una entidad residente en una jurisdicción no cooperativa (Bermudas o las Islas Caimán)[158].

En estos casos, entre las empresas danesas y los fondos de capital riesgo se interpusieron varias empresas residentes en la Unión Europea, de tal forma que los ingresos que llegaban a los fondos de capital riesgo a través de estas empresas intermediarias se beneficiaban de la exención de la retención de intereses y dividendos de origen danés. Ante tal operativa, las autoridades fiscales danesas denegaron esas exenciones alegando que las entidades comunitarias interpuestas eran unos meros intermediarios, y no los beneficiarios efectivos de los pagos.

Ante tales circunstancias, resulta de interés traer a colación el pronunciamiento del TJUE en relación con la carga de la prueba. Tal y como hemos expuesto, la línea jurisprudencial del TJUE era evitar presunciones generales de abuso, pues estas eran incompatibles con el principio de proporcionalidad; y, además, no se consideraban proporcionales aquellas normas que invertían la carga de la prueba en el contribuyente.

Empero, en las sentencias danesas el TJUE establece una importante limitación al alcance de la carga de la prueba de la Administración tributaria cuando dispone que, a la hora de determinar la titularidad efectiva de un interés o dividendo percibido, la Administración tributaria no está obligada a presentar pruebas de la identidad del beneficiario efectivo[159]. Poniendo de manifiesto que

> "aquella identificación puede resultar imposible, especialmente porque se desconoce quiénes son los beneficiarios efectivos potenciales. La autoridad fiscal nacional no siempre dispone de los datos que le permitirían identificar a esos beneficiarios, dada la complejidad de algunas operaciones financieras y de la posibilidad de que las sociedades interpuestas implicadas en las operaciones están establecidas fuera de la Unión. Pues bien, no puede exigirse a tal autoridad que aporte una prueba imposible. (…), aunque se conociera quiénes son los beneficiarios efectivos potenciales, no siempre resulta acreditado cuáles de estos son o van a ser los beneficiarios efectivos reales"[160].

A nuestro juicio, la afirmación expuesta por el TJUE nos parece del todo incorrecta y desproporcionada, pues ampara una posición pasiva por parte de la Administración tributaria a la hora de valorar si las circunstancias pueden ser constitutivas de abuso. La carga de la prueba inicial debe recaer sobre las

---

[158]   Para un análisis más detallado sobre los hechos, véase, BAERENTZEN, S.: "Cross-Border Dividend and Interest Payments and holding Companies – An Analysis of Advocate General Kokott's Opinions in the Danish Beneficial Ownership Cases", *European Taxation*, vol. 58, n.º 8, 2018, pp. 343-353.

[159]   VANISTENDAEL, F.: "Tax Abuse in Europe: The CJEU's N Luxembourg 1 and T Danmark Judgements", *Tax Notes International,* February 10, 2020, p. 631.

[160]   Sentencia del Tribunal de Justicia, caso *N Luxembourg 1 and Others* (C-115/16, C-118/16, C-119/16 y C-299/16), *cit.*, párr. 143 y 144.

Administraciones tributarias y, posteriormente, los contribuyentes podrán aportar pruebas en contrario para fundamentar la operativa llevada a cabo.

Sin embargo, estas sentencias han servido de base para que determinadas resoluciones del Tribunal Económico Administrativo Central español (TEAC) y la Audiencia Nacional española (AN) entendiesen que la jurisprudencia fijada en los asuntos *Eqiom* o *Deister Holding* había sido anulada por las sentencias danesas.

4. PRONUNCIAMIENTOS DEL TRIBUNAL ECONÓMICO-ADMINISTRATIVO CENTRAL Y DE LA AUDIENCIA NACIONAL EN RELACIÓN CON LA CARGA DE LA PRUEBA

4.1. Resoluciones del Tribunal Económico-administrativo Central de 8 de octubre de 2019

El 8 de octubre de 2019 el TEAC emitió dos resoluciones (n.º 2188/2017 y n.º 185/2017) en las que se manifestó contrario a aplicar la exención de dividendos e intereses en aquellos casos en los que el beneficiario efectivo no era la sociedad perceptora de las rentas.

En relación con la resolución n.º 2188/2017, señala el TEAC que el contribuyente debía probar el motivo económico válido para la constitución de la subholding en Luxemburgo a fin de tener acceso a la exención de dividendos. A tal efecto, el TEAC considera que los elementos aportados por el contribuyente no son suficientes ni convincentes, pues parece detectar la existencia de un motivo fiscal en la interposición de la sociedad luxemburguesa.

En ese orden de cosas, el TEAC fundamenta gran parte de sus conclusiones sobre la ampliación del concepto de abuso establecido en las "sentencias danesas" por ausencia de referencia a casos anteriores, especialmente a *Eqiom* o *Deister Holding*, interpretando esa ausencia como un cambio de jurisprudencia. No obstante, esa afirmación nos parece criticable y poco fundamentada. El TEAC trata de afianzar su posición argumentando que tras las sentencias danesas se ha ampliado el "concepto de abuso", sin entrar a definir el mismo ni los elementos constitutivos de este; es más, las sentencias danesas en ningún momento referencian el "concepto de abuso", sino "principio de prohibición del abuso". Hubiese sido deseable una mayor concreción de los elementos constitutivos de abuso en relación con los hechos del supuesto en concreto, sin acudir a afirmaciones genéricas sin fundamento para aplicarlas en su propio beneficio.

El TEAC concluye que "cuando la denegación de la exención se fundamente, sin más, en que el beneficiario efectivo tiene la residencia fiscal en un tercer estado, la carga de la prueba de acreditar esta circunstancia recae sobre quien pretende invocar la exención"[161]. Por todo ello, se produce una clara inversión en la carga de la prueba, adoptando las autoridades fiscales una posición eminentemente pasiva, debiendo el contribuyente acreditar que no hay abuso.

Por lo que se refiere a la resolución n.º 185/2017, el TEAC analiza una planificación societaria que consistía en una filial española (prestataria) y una entidad holding neerlandesa (prestamista), estando esta última controlada a su vez por una entidad andorrana. La entidad española pagaba los intereses del préstamo a la entidad neerlandesa y, seguidamente, esta última los transfería a la entidad andorrana.

Ante tales circunstancias, el TEAC concluyó que la entidad neerlandesa actuaba como mera intermediaria, sin desarrollar actividad financiera o comercial alguna. Motivo por el cual rechazó la aplicación de la exención de la retención de los intereses que pagaba la entidad española a la neerlandesa. Al igual que en la anterior resolución, fundamentó gran parte de sus conclusiones apelando a las sentencias danesas. En relación con la carga de la prueba, considera que no corresponde a la autoridad tributaria identificar los beneficiarios efectivos de los referidos intereses, sino simplemente demostrar que el supuesto beneficiario efectivo no es más que una sociedad instrumental a través de la cual se abusa. Deben ser los contribuyentes los que acrediten la condición de beneficiario efectivo[162].

Al igual que en el supuesto anterior, discrepamos de la interpretación sostenida por el TEAC, pues se produce una clara inversión en la carga de la prueba. En un sentido similar se pronuncia MARTÍN JIMÉNEZ al afirmar que "si el contribuyente tiene que probar que resulta ser el BE de los dividendos o intereses recibidos, acreditando que no se verifican los indicios identificados por el TJUE, se produciría una inversión de la carga de la prueba que llevaría a que las autoridades tributarias tuvieran una posición esencialmente pasiva, debido el contribuyente acreditar un hecho negativo: que no hay abuso"[163].

4.2. Sentencias de la Audiencia Nacional

Una vez expuestos los pronunciamientos del TEAC y su interpretación en relación con la carga de la prueba, resulta de interés analizar algunas sentencias

---

[161]   Resolución del TEAC n.º 2188/2017, F.D. 3º.
[162]   Resolución del TEAC n.º 2188/2017, F.D. 8º.
[163]   MARTÍN JIMÉNEZ, A.: "Beneficiario efectivo, cláusulas generales antiabuso, Directivas UE, CDI y «sentencias danesas» del TJUE: cómo integrar las piezas evitando conflictos e inseguridad jurídica (que no elimina el caso Colgate)", *Revista de Contabilidad y Tributación. CEF*, n.º 452, 2020, pp. 106-107.

dictadas por la Audiencia Nacional. En este sentido, resulta de gran relevancia la sentencia dictada el 21 de mayo de 2021[164].

Las circunstancias fácticas que dan origen a este asunto son unas actuaciones inspectoras en relación con los intereses pagados por GLOBAL NORAY SLU a PSP Eur SARL durante los años 2009 y 2010. La estructura societaria era la siguiente: GLOBAL NORAY SLU era propiedad al 100% de PSP Eur SARL, la cual estaba domiciliada en Luxemburgo, y esta era a su vez propiedad de PSP Lux SARL. Además, esta última era propiedad al 100% de un fondo canadiense.

Expuesta la composición societaria, en febrero de 2010 GLOBAY NORAY pagó un dividendo a su matriz de 7.000.000 euros sin practicar retención alguna en el Impuesto sobre la Renta de no Residentes (IRNR). A juicio de la inspección tributaria no resultaba de aplicación la exención del artículo 14.1 h) LIRNR al carecer dichas entidades de una verdadera actividad económica, por lo que únicamente existen motivos fiscales en su constitución como intermediarios. A mayor abundamiento, la inspección considera que "PSP Eur SARL tiene por objeto la dirección y gestión de la sociedad filial sin la adecuada organización de medios materiales y personales ni ha probado que se ha constituido por motivos económicos válidos"[165].

Ante tales circunstancias, la AN acude a tres sentencias del TJUE para dirimir la controversia, concretamente, el caso *Eqiom,* el caso *Deister Holding* y las sentencias danesas. De su análisis la AN llega a una conclusión de gran relevancia, pues señala que la "existencia de cláusulas anti-abuso no pueden invertir la carga de la prueba de la existencia de dicho abuso, la cual corresponde a la Administración tributaria"[166]. Considera que la prueba de la existencia de interés económico establecida en el artículo 14.1.h) LIRNR contiene una inversión en la carga de la prueba similar a la que contenía el derecho alemán en la sentencia del TJUE del caso *Deister Holding*. La Administración tributaria da por hecho que, por estar detrás de todas las sociedades europeas un fondo de pensiones canadiense no existe un motivo económico válido más allá del propio fin fiscal. Por tanto, es ahí donde la Administración se equivoca, al establecer de facto una presunción de finalidad exclusivamente fiscal por el mero hecho de que la matriz es un fondo de pensiones canadiense, ya que está vulnerando el derecho de la UE[167].

A la vista de este pronunciamiento, debemos preguntarnos si ha habido un cambio radical en la interpretación de la carga de la prueba. Si tomamos como precedentes los pronunciamientos del TEAC analizados, parece que la respuesta debe ser afirmativa. Además, el criterio manifestado por la AN fue seguido en

---

[164]   SAN de 21 de mayo de 2021 (rec. n.º 1000/2017), ECLI:ES:AN:2021:2467.
[165]   *Ibidem,* F.J. 2º.
[166]   *Ibidem,* F.J. 4º.
[167] *Ibidem,* F.J. 5º.

una sentencia posterior, de 10 de junio de 2021, en la que la Sala de la AN señala que "el hecho de que la actividad económica de la sociedad matriz no residente consista en la administración de activos de sus filiales o de que los ingresos de esta sociedad matriz solo procedan de esta administración no puede, por sí solo, implicar la existencia de un montaje puramente artificial, carente de toda realidad económica"[168]. Y, además, reitera la conclusión alcanzada en la sentencia de 21 de mayo de 2021, al poner de manifiesto que las cláusulas antiabuso "no pueden invertir la carga de la prueba de la existencia de dicho abuso, la cual corresponde a la Administración tributaria"[169].

Sin embargo, unos días más tarde, en una sentencia de 18 de junio de 2021, la AN se pronuncia sobre un asunto similar en el que la sociedad Acciona, S.A. pagó 1.772.338,68 euros en concepto de dividendos a la sociedad Jelico Netherlands B.V., y, posteriormente, esta última los traspasaba en concepto de préstamos a sus socios que radicaban en las Antillas Holandesas y en Panamá. Ante tales circunstancias, la AN se pronuncia respecto a quién corresponde la carga de probar que dicha cláusula antiabuso no resulta de aplicación y que, por tanto, las rentas abonadas se encuentran exentas. Así pues, de acuerdo con el artículo 105.1 LGT, en los procedimientos de aplicación de los tributos quien haga valer su derecho deberá probar los hechos constitutivos de los mismos[170]. No obstante, acto seguido, referenciando la STS de 4 de abril de 2012 (rec. n.º 3312/2008) señala que "la prueba de que concurre la excepción de la excepción corresponde a quien pretende disfrutar del beneficio"[171]. La Sala concluye que la prueba aportada por la recurrente no es suficiente para acreditar dicho extremo.

Por todo ello, si retomamos de nuevo la cuestión sobre si ha habido un cambio en la interpretación de la carga de la prueba tras la SAN de 21 de mayo de 2021, tal y como indicábamos, la respuesta parecía ser afirmativa. No obstante, la SAN de 18 de junio de 2021 retrocede en los avances expuestos y vuelve a manifestar que es el contribuyente quien ha de probarlo.

Por consiguiente, debemos abogar por una clarificación a este respecto, esperando que el Tribunal Supremo pueda arrojar algo de luz sobre la correcta interpretación cuando dicte sentencia en relación con el Auto de 15 de junio de

---

[168] SAN de 10 de junio de 2021 (rec. n.º 1318/2017), ECLI:ES:AN:2021:3390, F.D. 2º, párr. 73.

[169] *Ibidem,* F.D. 2º, párr. 123. Esta sentencia ha sido recurrida en casación, el Tribunal Supremo ha admitido el recurso mediante Auto el día 15 de junio de 2022 (rec. n.º 6517/2021). En el Razonamiento Jurídico 4º se aprecia interés casacional objetivo para la formación de jurisprudencia sobre la siguiente cuestión: "Interpretar la cláusula antiabuso del artículo 14.1.h) del Texto Refundido de la Ley del Impuesto sobre la Renta de No Residentes a la luz de la doctrina del Tribunal Supremo y del Tribunal de Justicia de la Unión Europea sobre la carga de la prueba del abuso". Estando pendiente de resolución a finales de mayo de 2023.

[170] SAN de 18 de junio de 2021 (rec. n.º 733/2018), ECLI:ES:AN:2021:2804, F.J. 4º.

[171] *Ibidem,* F.J. 6º.

2022 (rec. n.º 6517/2021), reduciendo así la inseguridad jurídica a la que están sometidos los inversores de buena fe. A nuestro modo de ver, la Administración tributaria debe probar los indicios de una posible práctica abusiva, sin adoptar una postura pasiva o basada en presunciones genéricas o automáticas; tras ello, los contribuyentes podrán presentar pruebas que justifiquen los negocios y operaciones llevados a cabo. Por tanto, deben eliminarse todas aquellas normas que suponga una inversión en la carga de la prueba.

Al fin y al cabo, como bien señala MARÍN-BARNUEVO FABO la Administración tiene una obligación genérica de aportar cuantas pruebas sean relevantes y, además, "le impide inhibirse de la realización de actuaciones probatorias conducentes al conocimiento de la verdad, lo que determina que en ningún caso corresponda al obligado tributario en exclusiva todo el peso de la actividad probatoria"[172].

5. LA CARGA DE LA PRUEBA EN LA NORMA GENERAL ANTIABUSO ESTABLECIDA EN LOS CONVENIOS DE DOBLE IMPOSICIÓN

La norma general antiabuso a nivel internacional para evitar el abuso de Convenios de Doble Imposición, es internacionalmente conocida como *Principal Purpose Test* (PPT, en adelante)[173]. Esta norma se ha introducido en el artículo 29.9 del Modelo de Convenio de la OCDE de 2017 y en el artículo 7.1 del Convenio Multilateral[174]. El tenor literal del artículo 7.1. es el que sigue:

> "No obstante las disposiciones de un Convenio fiscal comprendido, los beneficios concedidos en virtud del mismo no se otorgarán respecto de un elemento de renta o de patrimonio cuando sea razonable concluir, teniendo en cuenta todos los hechos y circunstancias pertinentes, que el acuerdo u operación que directa o indirectamente genera el derecho a percibir ese beneficio tiene entre sus objetivos principales la obtención del mismo, **excepto** cuando se determine que la concesión del beneficio en esas

---

[172] MARÍN-BARNUEVO FABO, D.: "La distribución de la carga de la prueba en Derecho tributario", *op. cit.*, pp. 194-195. En un sentido similar, URIOL EGIDO y BOSCH CHOLBI apuntan que la Administración "debe buscar la verdad material, aunque la misma pudiera favorecer al obligado tributario (…) Obviamente, si a la Administración le consta efectivamente que el sujeto cumple con los requisitos normativos para el disfrute de ese beneficio fiscal, no puede negar su aplicación apelando a la necesidad de prueba por el obligado tributario". Véase, URIOL EGIDO, C.; BOSCH CHOLBI, J.: "El expediente administrativo y la carga de la prueba en el ámbito tributario", *Tribuna fiscal: revista tributaria y financiera*, n.º 261, 2012, pp. 74-75.

[173] Esta norma puede combinarse con la cláusula de limitación de beneficios. No obstante, la PPT por sí misma cumple con el estándar mínimo para luchar contra el abuso, motivo por el cual, la mayoría de las jurisdicciones ha optado por aplicar la PPT.

[174] "Convenio multilateral para aplicar las medidas relacionadas con los tratados fiscales para prevenir la erosión de las bases imponibles y el traslado de beneficios". Firmado en París el 24 de noviembre de 2016 y en vigor en España desde el 1 de enero de 2022.

circunstancias es **conforme con el objeto y propósito de las disposiciones pertinentes** del Convenio fiscal comprendido" (Énfasis añadido).

Entre los múltiples aspectos controvertidos que se derivan de su contenido, resulta de interés destacar la inversión en la carga de la prueba[175]. La PPT resultará de aplicación cuando la Administración tributaria considere que la obtención del beneficio fiscal por parte del contribuyente es uno de los objetivos principales; salvo que el contribuyente acredite que la obtención del beneficio "es conforme con el objeto y propósito de las disposiciones pertinentes del convenio". Ello nos parece cuestionable y desproporcionado. En este sentido, el Tribunal Supremo de Canadá señaló con rigor que "el contribuyente, una vez que ha demostrado el cumplimiento del texto de una disposición, no debe ser obligado a refutar que con ello ha violado el objeto, el espíritu o la finalidad de la disposición (…) El ministro está en mejor posición que el contribuyente para hacer alegaciones sobre la intención legislativa con vistas a interpretar las disposiciones de forma armoniosa"[176].

A nuestro modo de ver, el hecho de que la carga de la prueba recaiga en la Administración fiscal en relación con el elemento subjetivo de la PPT y se traslade a los contribuyentes la carga de probar que es conforme con el objeto y la finalidad, rompe el equilibrio entre estos, ya que es más fácil probar el primero que el segundo.

Además, existe una diferencia sustancial entre la PPT y el principio guía recogido en el párrafo 61 de los comentarios al artículo 1 del Modelo de Convenio de la OCDE 2017. El principio guía exige a las Administraciones tributarias que prueben que los negocios tienen como objetivo principal la obtención de los beneficios del convenio y que determinen que son contrarios a la finalidad de la disposición en cuestión. Únicamente cuando acrediten los dos requisitos, las Administraciones tributarias podrán denegar los beneficios. Empero, en la PPT la carga de probar que no son contrarios al objeto y propósitos de las disposiciones pertinentes del convenio recae en el contribuyente.

---

[175]   Para un análisis más detallado de los diferentes aspectos controvertidos contenidos en la PPT, véase, SEVILLA BERNABÉU, B.: "El test del propósito principal como mecanismo para luchar contra el abuso de convenios", *Quincena Fiscal,* n.º 11, 2023.

[176]   Supreme Court of Canada, Canada Trustco Mortgage Co. v. Canada, [2005] 2 S.C.R. 601, 2005 SCC 54, párr. 65. Asimismo, ese párrafo fue reiterado posteriormente en la sentencia Canada v. Alta Energy Luxembourg S.A.R.L., 2021 SCC 49 (CanLII), párr. 33. No obstante, el gobierno de Canadá, en el reciente documento de consulta para la modernización y refuerzo de la norma general antielusión, parece que aboga por el criterio contrario, recayendo la carga de la prueba en el contribuyente ante situaciones que pueden ser constitutivas de elusión o abuso. Véase, "Modernizing and Strengthening the General Anti-Avoidance Rule", Government of Canada, Consultation Paper, 11/08/2022, p. 20.

Por todo ello, compartimos la conclusión manifestada por KUⓍNIACKI al afirmar que no se aconseja a los responsables de política fiscal que sigan el diseño de la PPT en sus normas generales antiabuso establecidas en los respectivos CDI respecto a la carga de la prueba. Los responsables de política fiscal podrían sustituir la expresión "excepto cuando se determine…", por "y se determine que la concesión del beneficio en esas circunstancias es contrario al objeto y propósito de las disposiciones en cuestión". Ello haría que la carga de la prueba recayese sobre las Administraciones fiscales, aproximando la PPT al principio guía, y, además, los contribuyentes podrían utilizar la interpretación realizada por la administración para determinar la finalidad de las disposiciones pertinentes del convenio y presentar un argumento válido que sustente sus pretensiones y contrarreste la versión de la Administración fiscal[177].

6. CONSIDERACIONES FINALES

Del estudio realizado se desprende que la Administración tributaria hace un uso cada más recurrente de los indicios generales y de las presunciones, desplazando hacia los contribuyentes la carga de probar que los negocios u operaciones llevados a cabo responden a motivos económicos válidos.

La línea jurisprudencial del TJUE en relación con la carga de la prueba era evitar presunciones generales de abuso y evitar la inversión de la carga de la prueba en el contribuyente. No obstante, las sentencias danesas han derivado en un giro interpretativo sobre esta cuestión, avalando una posición pasiva de la administración y teniendo los contribuyentes que acreditar que no es abusiva la operativa seguida. Esta posición nos parece del todo incorrecta y desproporcionada, pues la carga de la prueba inicial debe recaer sobre las Administraciones tributarias, y, posteriormente, los contribuyentes podrán probar lo contrario.

La Administración tributaria debe hacer un análisis exhaustivo del caso en cuestión y demostrar que la operación tiene como objetivo obtener una ventaja fiscal y que esta es contraria al objeto y finalidad, sin adoptar una postura pasiva o basada en presunciones automáticas o genéricas. Tras ello, los contribuyentes podrán presentar pruebas que justifiquen sus negocios y operaciones. Por tanto, deben eliminarse todas aquellas normas que supongan una inversión en la carga de la prueba.

---

[177]   KUŹNIACKI, B.: "Will BEPS redefine how countries Will design domestic GAARs? Spot on the PPT's key constituencies", en BUTANI, M.; JAIN, T. (eds.) General Anti-Avoidance Rules: The Final Tax Frontier?, India, Thomson Reuters, 2021, p. 771.

7. BIBLIOGRAFÍA

BAERENTZEN, S.: "Cross-Border Dividend and Interest Payments and holding Companies – An Analysis of Advocate General Kokott's Opinions in the Danish Beneficial Ownership Cases", *European Taxation*, vol. 58, n.º 8, 2018.

CARMONA FERNÁNDEZ, N.: "Doctrina sobre el abuso de derecho en materia de dividendos para sociedades matrices en la Unión Europea: Sentencia del Tribunal de Justicia de la Unión Europea de 26 de febrero de 2019, asunto C-116/16 y C-117-16", Carta tributaria, n.º 50, 2019.

CFE Tax Advisers Europe: "Opinion Statement ECJ-TF2/2018 on the CJEU decision of 7 September 2017 in Case C-6/16, Eqiom, concerning the compatibility of the French anti-abuse rule regarding outbound dividends with the Parent-Subsidiary Directive and fundamental freedoms", May 2018.

GARCÍA PRATS, F.A.: "Los límites a la planificación fiscal agresiva y al abuso de las normas tributarias", Revista técnica tributaria, n.º 110, 2015.

GÓMEZ POMAR, F.: "Carga de la prueba y responsabilidad objetiva", *InDret* n. 1, 2001.

KUŹNIACKI, B.: "Will BEPS redefine how countries Will design domestic GAARs? Spot on the PPT's key constituencies", en BUTANI, M.; JAIN, T. (eds.) General Anti-Avoidance Rules: The Final Tax Frontier?, India, Thomson Reuters, 2021.

MARÍN-BARNUEVO FABO, D.: *Presunciones y técnicas presuntivas en derecho tributario,* Madrid, MacGraw-Hill, 1996

- "La distribución de la carga de la prueba en Derecho tributario", *Civitas. Revista española de derecho financiero,* n.º 94, 1997.

MARTÍN JIMÉNEZ, A.: "Beneficiario efectivo, cláusulas generales antiabuso, Directivas UE, CDI y «sentencias danesas» del TJUE: cómo integrar las piezas evitando conflictos e inseguridad jurídica (que no elimina el caso Colgate)", *Revista de Contabilidad y Tributación. CEF,* n.º 452, 2020.

PISTONE, P.: "La planificación fiscal agresiva y las categorías conceptuales del derecho tributario global", *Civitas. Revista Española de Derecho Financiero,* n.º 170, 2016.

PITA GRANDAL, A.M.: *La prueba en el procedimiento de gestión tributaria,* Madrid, Marcial Pons, 1998.

RAVELLI, F.; FRANCONI, F.: "Numerous EU Member States are in Breach of EU Law by Requiring Taxpayers to Demonstrate Absence of Abuse", *European Taxation,* vol. 61, n.º 10, 2021.

RIBES RIBES, A.: "Las medidas tributarias antiabuso en la jurisprudencia comunitaria", *Quincena fiscal,* n.º 1-2, 2009.

RODRÍGUEZ-BEREIJO LEÓN, M.: *La Prueba en Derecho Tributario,* Navarra, Aranzadi, 2007.

- "La carga de la prueba: distribución y redistribución de riesgos probatorios en la jurisprudencia del TJCE", en ARRIETA MARTÍNEZ DE PISÓN, J.; COLLADO YURRITA, M.A.; ZORNOZA PÉREZ, J. (dirs.) *Tratado sobre la Ley General Tributaria. Homenaje a Álvaro Rodríguez Bereijo,* Navarra, Aranzadi, 2010, Tomo II.

- "La carga de la prueba en el derecho tributario: su aplicación en las normas tributarias anti-abuso y en la doctrina del TJUE", *Revista de Contabilidad y Tributación. CEF.,* n.º 344, 2011.

RUIZ TOLEDANO, J.I.: "Carga y temporaneidad de la prueba en los procedimientos", en EY Abogados (coord.) *Cuestiones actuales en los procedimientos de aplicación de los tributos y propuestas de mejora,* Fundación Impuestos y Competitividad, 2022.

SEVILLA BERNABÉU, B.: "El test del propósito principal como mecanismo para luchar contra el abuso de convenios", *Quincena Fiscal,* n.º 11, 2023.

URIOL EGIDO, C.; BOSCH CHOLBI, J.: "El expediente administrativo y la carga de la prueba en el ámbito tributario", *Tribuna fiscal: revista tributaria y financiera,* n.º 261, 2012.

VANISTENDAEL, F.: "Tax Abuse in Europe: The CJEU's N Luxembourg 1 and T Danmark Judgements", *Tax Notes International,* February 10, 2020.

ZALASINSKI, A.: "Proportionality of Anti-Avoidance and Anti-Abuse Measures in the ECJ's Direct Tax Case Law", *Intertax,* vol. 35, issue 5, 2007.

Referencias jurisprudenciales

- Sentencia del Tribunal de Justicia de 17 de julio de 1997, caso *Leur Bloem* (C-28/95), ECLI:EU:C:1997:369.

- Sentencia del Tribunal de Justicia de 7 de septiembre de 2017, caso *Eqiom* (C-6/16), ECLI:EU:C:2017:641.

- Sentencia del Tribunal de Justicia de 17 de mayo de 2017, caso *X* (C-68/15), EU:C:2017:379.

- Sentencia del Tribunal de Justicia de 26 de febrero de 2019, caso *N Luxembourg 1 and Others* (C-115/16, C-118/16, C-119/16 y C-299/16), ECLI:EU:C:2019:134.

- Sentencia del Tribunal de Justicia de 26 de febrero de 2019, caso *T Danmark and Y Danmark* (C-116/16 y C-117/16), ECLI:EU:C:2019:135.

- Sentencia de la Audiencia Nacional de 21 de mayo de 2021 (rec. n.º 1000/2017), ECLI:ES:AN:2021:2467.

- Sentencia de la Audiencia Nacional de 10 de junio de 2021 (rec. n.º 1318/2017), ECLI:ES:AN:2021:3390.
- Sentencia de la Audiencia Nacional de 18 de junio de 2021 (rec. n.º 733/2018), ECLI:ES:AN:2021:2804.

SEXTA PARTE.-
LA PROTECCIÓN DEL SECRETO PROFESIONAL DEL ABOGADO Y ASESOR FISCAL Y OTROS DERECHOS

26.- EL SECRETO PROFESIONAL DE LOS ABOGADOS Y LA TRANSPOSICIÓN DE LA DAC-6

JOAQUIN HUELIN MARTÍNEZ DE VELASCO

Socio de Cuatrecasas
Antiguo magistrado del Tribunal Supremo

I. INTRODUCCIÓN

1. La Directiva 2011/16/UE del Consejo, de 15 de febrero de 20111 (**DAC-6**), establece la obligación de suministro de información relativa a los mecanismos de planificación fiscal potencialmente agresiva.

2. La obligación recae sobre los denominados *intermediarios,* entre los que se encuentran los abogados.

3. La DAC-6 (artículo 8 *bis ter* 5), consciente de que el cumplimiento de esa obligación de información por los abogados puede chocar con su *deber de secreto profesional,* faculta a los Estados miembros para que, en sus respectivas normas de transposición y <u>conforme a las disposiciones del Derecho nacional</u>, dispensen a los intermediaros que se vean afectados por la obligación de informar. La dispensa puede ser otorgada *"en la medida en que actúen dentro de los límites de la correspondiente normativa nacional por la que se definan sus profesiones".*

II. LA TRANSPOSICIÓN AL DERECHO ESPAÑOL

4. La DAC-6 fue inicialmente transpuesta al Derecho español mediante la Ley 10/2020, de 29 de diciembre,[2] que añadió dos nuevas disposiciones

---

[1]   Directiva relativa a la cooperación administrativa en el ámbito de la fiscalidad y por la que se deroga la Directiva 77/7999/CEE (DOUE L 64, p. 1).

[2]   Por la que se modifica la Ley 58/2003, de 17 de diciembre, General Tributaria, en transposición de la Directiva (UE) 2018/822 del Consejo, de 25 de mayo de 2018, que modifica la Directiva 2011/16/UE por lo que se refiere al intercambio automático y obligatorio de información en el ámbito de la fiscalidad en relación con los mecanismos transfronterizos sujetos a comunicación de información (BOE núm. 340, de 30 de diciembre de 2020).

adicionales (la 23ª y la 24ª) a la Ley 58/2003, de 17 de diciembre, General Tributaria[3] (LGT), cuyo desarrollo reglamentario se produjo por el Real Decreto 243/2021, de 6 de abril,[4] que introdujo una nueva subsección 5ª, en la sección 2ª del capítulo V del título II (artículos 45 a 49 *bis*) del RGAT.

5. En lo que a la dispensa de la obligación de informar por mediar el deber de secreto profesional se refiere:

    a. El apartado 2 de la DA 23ª disponía que quedan dispensados, con arreglo al apartado 5 del artículo 8 *bis ter* de la DAC-6, los que tuvieran la consideración de intermediarios con arreglo a la misma. El intermediario obligado por el deber de secreto profesional puede quedar liberado del mismo mediante autorización comunicada de forma fehaciente por el obligado tributario afectado.

    b. La dispensa se articulaba mediante comunicación fehaciente de la exención por el abogado a los demás intermediarios y obligados tributarios, a quienes se traslada la obligación de información mediante la presentación de la oportuna declaración (apartado 1 de la DA 24ª).

6. La dispensa de informar por mediar el deber de secreto profesional debe hacerse *"conforme a las disposiciones del Derecho nacional"* y *"dentro de los límites de la normativa interna sobre el ejercicio de las profesiones"* que se deben al secreto profesional.

7. Alcanza, por tanto, relevancia (i) la determinación de esos límites, (ii) su interpretación jurisprudencial y, dado que están implicadas garantías fundamentales proclamadas en el Convenio de Roma[5] (CEDH) y en la Carta de Derechos Fundamentales de la Unión Europea (CDFUE), (iii) los criterios sentados por el Tribunal Europeo de Derechos Humanos (TEDH) y el Tribunal de Justicia de la Unión Europea (TJUE).

---

[3]   BOE núm. 302, de 18 de diciembre de 2003.

[4]   Por el que se modifica el Reglamento General de las actuaciones y los procedimientos de gestión e inspección tributaria y de desarrollo de las normas comunes de los procedimientos de aplicación de los tributos (RGAT), aprobado por el Real Decreto 1065/2007, de 27 de julio, en transposición de la Directiva (UE) 2018/822 del Consejo, de 25 de mayo de 2018, que modifica la Directiva 2011/16/UE por lo que se refiere al intercambio automático y obligatorio de información en el ámbito de la fiscalidad en relación con los mecanismos transfronterizos sujetos a comunicación de información (BOE núm. 83, de 7 de abril de 2021).

[5]   Convenio de Roma de 4 de noviembre de 1950, para la Protección de los Derechos Fundamentales y de las Libertades Fundamentales. Instrumento de ratificación publicado en el BOE núm. 243, de 10 de octubre de 1979.

III. EL SECRETO PROFESIONAL DE LOS ABOGADOS EN EL DERECHO ESPAÑOL Y EN EL ORDENAMIENTO JURÍDICO DE LA UNIÓN EUROPEA

8. En el ordenamiento jurídico español, el fundamento constitucional del secreto profesional de los abogados es doble:

   a. **El derecho a la defensa, a no declarar contra sí mismo y a no declararse culpable**, proclamado en el artículo 24.2 de la Constitución Española (**CE**), que en su segundo párrafo remite a la ley los casos en los que, por razón de secreto profesional, no se estará obligado a declarar sobre hechos presuntamente delictivos.

   b. **El derecho a la intimidad personal y familiar**, garantizado por el artículo 18.1 CE.

9. La ley a la que remite el artículo 24.2 CE es la Ley Orgánica 6/1985, de 1 de julio, del Poder Judicial[6] (LOPJ), cuyo artículo 542.3 dispone:

   > *«Los abogados deberán guardar secreto de todos los hechos o noticias de que conozcan <u>por razón de cualquiera de las modalidades de su actuación profesional</u>, no pudiendo ser obligados a declarar sobre los mismos».*

10. Este precepto, que forma parte del <u>bloque de la constitucionalidad</u>, establece el <u>ámbito objetivo</u> del secreto profesional del abogado, refiriéndolo a **todos los hechos o noticias que conozca el abogado por razón de las modalidades de su actuación profesional.**

11. El desarrollo de esta previsión legal se encuentra en el Estatuto General de la Abogacía Española (EGA), aprobado por el Real Decreto 134/2021, de 2 de marzo[7] (artículos 21 a 24), que delimita sus ámbitos objetivo y temporal en el artículo 22:

   a. Comprende todos los hechos, comunicaciones, datos, informaciones, documentos y propuestas que, como profesional de la Abogacía, haya conocido, emitido o recibido el abogado en su ejercicio profesional (apartado 1).

   b. No ampara las actuaciones distintas de las que son propias del ejercicio profesional de la Abogacía y, en especial, las comunicaciones, escritos y documentos en los que intervenga con mandato

---

6   BOE núm. 157, de 2 de julio de 1985.
7   BOE núm. 71, de 24 de marzo de 2021.

representativo de su cliente, haciéndolo constar así expresamente (apartado 2).

c. El deber de secreto se mantiene incluso después de haber cesado en la prestación de servicios al cliente, sin limitación temporal alguna (apartado 5).

d. El abogado queda relevado del deber de secreto siempre que el cliente lo autorice expresamente (apartado 6).

12. Por su parte, el artículo 93 LGT (artículo 111 de la LGT/1963[8]), dentro de la Sección destinada a la *Colaboración social en la aplicación de los tributos*, regula las obligaciones de información a la Administración tributaria.

13. Pues bien, el artículo 93.5 LGT establece ciertas acotaciones a la obligación de informar. Este precepto no es la norma que regula el secreto profesional de los abogados en desarrollo del artículo 24.2 CE. Constituye una norma específica que delimita negativamente el deber de toda persona, física o jurídica, de proporcionar a la Administración tributaria toda información con trascendencia tributaria deducidos de sus relaciones económicas, profesionales o financieras con obligados tributarios. Y en esa acotación excepciona del deber <u>dos supuestos</u>, uno de carácter objetivo y otro subjetivo, que son reflejo, cada uno de ellos, de uno de los soportes constitucionales del secreto profesional:

a. El primero se refiere a **los datos privados no patrimoniales cuya revelación atente contra el honor o la intimidad personal y familiar** (artículo 18.1 CE).

b. El segundo atañe a **los datos confidenciales que de sus clientes obtenga un abogado por la prestación de servicios profesionales de asesoramiento y defensa** (artículo 24.2 CE).

14. Así pues:

a. Los datos privados no patrimoniales que caen dentro del ámbito protegido por el artículo 18.1 CE nunca pueden ser objeto de comunicación obligatoria a la Administración tributaria, con independencia de si quien los conoce ha alcanzado ese conocimiento por su relación de asesoramiento o defensa al obligado tributario. Es más, salvo autorización expresa por parte del afectado, el tercero conocedor no puede trasladarlos a la Administración tributaria sin invadir el

---

[8]   Ley 230/1963, de 28 de diciembre, General Tributaria (BOE núm. 313, de 31 de diciembre de 1993).

ámbito de intimidad constitucionalmente protegido. Con independencia de ello, en cuanto no patrimoniales, por definición carece-
rían de "trascendencia tributaria". El problema se plantea con los
datos privados patrimoniales.

b. Los datos, incluso con trascendencia tributaria, de que disponga un
abogado como consecuencia del asesoramiento y de la defensa del
obligado tributario tampoco deben ser comunicados a la Administración tributaria, salvo que aquel preste su consentimiento.

15. Desde la STC 110/1984, de 26 de noviembre (ES:TC:1084:110, FJ 10º),
el Tribunal Constitucional ha venido reconociendo que el abogado no está obligado a declarar sobre los presuntos "hechos delictivos" cometidos
por su cliente. Si el secreto es forzoso e incluso su violación está castigada
penalmente (artículo 199.2 del Código Penal[9]), la Inspección Fiscal no
puede pretender que se viole, penetrando en el ámbito de las relaciones
profesionales concretas entre el cliente y el abogado.

16. El doble fundamento constitucional del secreto del abogado autoriza a
hacer ciertas precisiones sobre su alcance:

— *Desde la perspectiva del derecho a la defensa*

a. El derecho a la defensa necesita que la relación entre cliente y abogado sea protegida. La concepción del secreto profesional fundada en
la confianza del cliente con su abogado:

i. Está fuertemente enraizada en las **concepciones éticas del ejercicio de la abogacía** [STS de 17 de febrero de 1998, apelación
2060/1992, ES:TS:1998:1051, FJ 2º].

ii. **Pertenece a las tradiciones constitucionales comunes a los Estados miembros de la Unión, constituyendo uno de los principios
generales del Derecho de la UE** [conclusiones presentada el 5
de abril de 2022 por el abogado general *Athanasios Rantos* en el
asunto C-694/20, *Ordre van Vlaamse Balies y otros* (EU:C:2022:259,
punto 31)].

iii. **Forma parte del derecho a un proceso justo** proclamado en el artículo 6 CEDH y presente en el artículo 47 CDFUE [STJUE de 26
de junio de 2007, *Ordre des barreaux francophones et germanophone*

---

[9]   Ley Orgánica 10/1985, de 23 de noviembre, del Código Penal (BOE núm. 281, de 24 de noviembre
de 1995.

y otros (C-305/05, EU:C:2007:383; conclusiones presentadas en ese asunto el 14 de diciembre de 2006 por el abogado general *Poiares Maduro* (EU:C:2006:788); y conclusiones presentada el 5 de abril de 2022 por el abogado general *Athanasios Rantos* en el asunto C-694/20, *Ordre van Vlaamse Balies y otros* (EU:C:2022:259, punto 23)].

b. Consecuencia de ello es que:

  i. En principio, alcanzan a las **informaciones obtenidas con vinculación o en relación con algún procedimiento judicial** (STJUE *Ordre des barreaux francophones et gemanophone y otros,* apartado 35).
  ii. Pero debe delimitarse con espíritu generoso, de modo que no sólo se extienda a las informaciones obtenidas por el abogado en **actuaciones de carácter formal**, encargadas con expresa indicación de su carácter profesional o específicamente retribuidas, sino también **aquellas que, al margen del proceso o de un encargo formal de actuación profesional, considere llevar a cabo por razones de confianza** (STS de 17 de febrero de 1998).
  iii. En otras palabras, si bien su protección reforzada ha de operar en el ámbito de la representación y defensa del cliente en un proceso judicial, también debe alcanzar a todas aquellas actuaciones enderezadas a determinar la posición jurídica en favor del cliente (conclusiones del abogado general *Poiares Maduro,* puntos 55 y 57).
  iv. Dada la dificultad de diferenciar entre aquellos momentos dedicados al asesoramiento y los momentos dedicados a la representación y defensa jurisdiccional, debe adoptarse un criterio de interpretación que extienda el deber de secreto a las informaciones obtenidas en funciones de **representación, defensa, asistencia y asesoramiento jurídico** (conclusiones del abogado general *Poiares Maduro,* puntos 61 y 62).

— *Desde la perspectiva del derecho a la intimidad*

  a) El secreto profesional del abogado protege también al ciudadano de intromisiones indiscretas que pueden atentar contra su integridad moral y reputación, quedando protegido por los artículos 8 CEDH y 7 CDFUE (nuestro artículo 18.1 CE) [STEDH de 25 de marzo de 1998 (*Kopp c. Suiza*)].

b) Se trata de que todo justiciable debe poder dirigirse con entera libertad a su abogado, a cuya profesión es propia la función de asesorar jurídicamente con independencia a todos aquellos que lo soliciten, en la seguridad de que la información que le facilitan, que afecta a su vida privada y familiar, no va a ser aventada [STJUE de 18 de mayo de 1982, *AM & S* (C-155/79, ES:TS:1982:157, apartado 18), y conclusiones *Poiares Maduro*, punto 44)].

c) Aquí el ámbito de protección es diferente, pues no viene determinado por el cauce o el tipo de asesoramiento prestado por el abogado, sino **por el contenido de la información recabada**, hasta el punto de que un tercero, no obligado por el secreto profesional, tampoco podría difundir la información por afectar al derecho fundamental *ex* artículo 18.1 CE.

d) Ocurre, sin embargo, que en el caso del abogado la prohibición de difusión alcanza mayor intensidad por estar, además, comprometido el ejercicio del derecho de defensa.

IV. EL SECRETO PROFESIONAL Y EL ARTÍCULO 93.5 LGT

A. *Datos confidenciales obtenidos en el asesoramiento o defensa de clientes*

17. Interpretando este precepto en conexión con el artículo 542.3 LOPJ, debe tratarse de datos confidenciales relativos a hechos o noticias que el obligado a suministrar la información (el abogado) conozca por razón de cualquiera de las modalidades de su actuación profesional.

18. Esto es, en actuaciones de **representación y defensa en juicio, asistencia y asesoramiento jurídico.**

19. El artículo 93.5 LGT no debe ser interpretado como una concreción para el ámbito tributario del secreto profesional que, con carácter general, disciplina el artículo 542.3 LOPJ.

20. No existe un secreto profesional de los abogados con carácter general y otro específico para cuando su asesoramiento es fiscal. El secreto profesional de los abogados es único y total, con el fundamento constitucional ya expuesto.

21. La confidencialidad a la que alude el artículo 93.5 LGT no puede asimilarse a los datos que inciden sobre la intimidad, pues el precepto se refiere a ellos expresamente. Tampoco puede identificarse con "trascendencia tributaria", porque, por definición, los datos con esa trascendencia deben

comunicarse, salvo que afecten a la intimidad o hayan sido obtenidos en el ejercicio de la actividad profesional del abogado. **La confidencialidad se refiere, precisamente, a la relación entablada entre cliente y abogado en el ejercicio de las funciones de asesoramiento y defensa propias de éste, con el fin de que no se penetre en el ámbito de las relaciones profesionales concretas entre el cliente y el abogado** (STC 110/1984, FJ 10°). La delimitación de esa "zona específica" habrá de llevarse a cabo en cada caso concreto.

B. Datos que pueden vulnerar el derecho a la intimidad personal o familiar

22. La interpretación del precepto en este punto no deja de ser problemática, pues cabría interpretar que:

   a. El deber de información alcanza siempre a los datos privados patrimoniales, aun cuando su revelación pudiera atentar contra la intimidad.
   b. La Administración puede solicitar datos privados no patrimoniales siempre que no atenten contra la intimidad.

23. Ambas interpretaciones carecen de sentido.

24. La segunda, porque, como ya he apuntado, los datos no patrimoniales, por definición, carecen de trascendencia tributaria, salvo que se demuestre lo contrario, y, por lo tanto, la Administración no puede recabarlos.

25. La primera, porque el límite de la intimidad es infranqueable para todo tipo de datos, incluidos los patrimoniales, esto es, lo que tienen trascendencia tributaria.

26. Para solventar esta perplejidad interpretativa cabe acudir a la noción de "intimidad económica" acuñada por el Tribunal Constitucional. Para el máximo intérprete de la CE, datos patrimoniales, esto es, con trascendencia tributaria, pueden incidir sobre la intimidad: la licitud o ilicitud de la circulación de datos económicos depende de su aptitud para, a través de un análisis detallado y conjunto de su contenido, acceder a informaciones relativas directamente a su vida íntima personal y familiar (STC 142/1993, de 22 de abril, ES:TC:1993:142, FJ 8°).

27. Ahora bien, esa conexión debe apreciarse restrictivamente por dos razones: en primer lugar, porque, con toda normalidad, los datos económicos se producen ya con publicidad en el tráfico jurídico en aras de la seguridad jurídica (STC 143/1994, de 9 de mayo, ES:TC:1994:143, FJ 6°). En segundo término, porque esa publicidad y su facilitación a la Administración está al

servicio de valores y principios constitucionales (en el ámbito tributario, los del artículo 31 CE) [STC 143/1994, FJ 6°].

28. En conclusión, los datos patrimoniales y económicos no están protegidos por el derecho fundamental a la intimidad frente a la Administración tributaria, siempre que (i) ésta los reclame para cumplir la finalidad legítima de aplicar lo dispuesto en el artículo 31.1 CE, (ii) la información que se pida sea proporcionada a este fin y (iii) el dato tenga trascendencia tributaria.

29. Sólo cuando el dato económico sea susceptible de relacionarse con otros datos y, con ello, invadir la intimidad personal, en el marco del juicio de proporcionalidad, podrá invocarse la infracción del derecho fundamental en cuestión a fin de protegerlo.

V. EL SECRETO PROFESIONAL DE LOS ABOGADOS Y LA TRANSPOSICIÓN DE LA DAC-6

30. Inicialmente el Anteproyecto de Ley para la transposición de la DAC-6 apelaba al artículo 93.5 LGT como una específica norma reguladora del secreto profesional en el ámbito tributario, como si el deber de secreto profesional tuviera una delimitación especial en las relaciones con la Administración fiscal.

31. Este acercamiento, que sólo excepcionaba "los datos privados no patrimoniales o confidenciales sin trascendencia tributaria", vaciaba de contenido el secreto profesional y obligaba a los abogados a facilitar a la Administración fiscal todo dato patrimonial con trascendencia tributaria aun cuando los hubieran obtenido en el ejercicio de su profesión de abogado.

32. El contenido de la DA 23ª LGT, apartado 2, parece respetuoso con la DAC-6 y con el secreto profesional que a los abogados reconoce el artículo 24.2 CE, en los términos desarrollados en el artículo 543.2 LOPJ y en el EGA.

33. No cabe decir lo mismo, como se verá, del *modus operandi* previsto en la redacción originaria del apartado 1 de la DA 24ª LGT, sobre el deber de comunicación a los demás intermediarios del que esté eximido por el deber de secreto profesional, a la vista de la STJUE de 8 de diciembre de 2022, *Ordre van Vlaamse Balies y otros,* que más adelante se analizará.

34. A modo de *conclusiones* sobre el alcance de la dispensa de la obligación de información por mediar el deber de secreto profesional, se pueden establecer las siguientes:

a. La transposición al Derecho español de la DAC-6 debe hacerse con arreglo a las disposiciones del Derecho interno y en la medida en que actúen dentro de los límites definidos por esas disposiciones

b. Siendo ello así, el deber de mantener el secreto profesional prima sobre la obligación de suministrar información cuando el abogado se limita a (i) analizar la posición jurídica de su cliente, (ii) a defenderlo en procesos judiciales o (iii) a asesorarlo sobre la incoación o la forma de evitar un proceso.

c. Por lo tanto, en principio, un abogado que actúe al margen de la normativa interna que regule su profesión no puede invocar la prerrogativa de secreto profesional, quedando en la misma situación que cualquier otro intermediario que no tenga derecho a la dispensa [conclusiones presentada el 5 de abril de 2022 por el abogado general *Athanasios Rantos* en el asunto C-694/20, *Ordre van Vlaamse Balies y otros* (EU:C:2022:259, punto 23)].

d. Cuando lo que se solicita de él es su participación activa para facilitar la implantación de un mecanismo fiscal agresivo no le alcanza la obligación de secreto profesional.

e. Dada su condición de límite a un derecho fundamental, el concepto de *participación activa* debe ser objeto de una interpretación restrictiva, únicamente comprensivo de aquellas intervenciones que supongan la "concepción activa y/o la implantación" de un esquema de planificación fiscal agresiva.

f. El secreto profesional de otros profesionales (asesores fiscales, auditores) encuentra fundamento constitucional en el artículo 18.1 CE (no en el artículo 24.2 CE), por lo que su ámbito material es más reducido y, por consiguiente, también lo es el **de su dispensa de la obligación de información.**

VI. CODA FINAL

35. Una vez pronunciada la conferencia de la que esta transcripción escrita es epígono y entregado el texto resultante para su edición, el TJUE dictó la sentencia de 8 de diciembre de 2022, *Orde van Vlaamse Balies y otros* (C-694/20, EU:C:2022:963), en respuesta a una cuestión prejudicial de validez suscitada por el Tribunal Constitucional belga (*Grondwettelijk Hof*) en relación con el artículo 8 *bis ter* 5 de la DAC-6.

36. Dicho precepto lleva como consecuencia que un abogado que actúe como intermediario, dentro de los límites de la normativa nacional que

define su profesión, queda obligado a compartir con otro intermediario, que no es su cliente, información que conoce en el marco del ejercicio de actividades esenciales de su profesión, esto es, la defensa o representación del cliente ante los tribunales y la prestación de asesoramiento jurídico, incluso fuera de un procedimiento judicial.

37. La validez de esa norma de Derecho derivado se planteó desde el respecto de los derechos fundamentales proclamados en los artículos 7 (derecho a la vida privada y familiar, al domicilio y a las comunicaciones) y 47 de la Carta (derecho a un proceso justo).

38. Desde la perspectiva del primero de los dos derechos fundamentales citados, garantizado también por el artículo 8.1 CEDH, el TJUE considera que la obligación de notificación establecida en el artículo 8 *bis ter* 5 de la DAC-6 supone una injerencia en el derecho al respeto de las comunicaciones entre los abogados y sus clientes (apartado 30). Juzga que, pese a estar establecida en una ley (apartados 35 a 38) y respetar el contenido esencial de la garantía (apartados 39 y 40), desconoce el principio de proporcionalidad, pues, aun suponiendo que la obligación de notificación que establece permita efectivamente contribuir a la lucha contra la planificación fiscal agresiva y la prevención del riesgo de elusión y evasión fiscales, no puede considerarse estrictamente necesaria para alcanzar dichos objetivos ni, en particular, para garantizar que la información relativa a los mecanismos transfronterizos sujetos a comunicación de información se transmita a las autoridades competentes (apartados 41 y siguientes; en particular, apartado 46).

39. Concluye, por tanto, que el artículo 8 *bis ter* 5 de la DAC-6 vulnera el derecho al respeto de las comunicaciones entre el abogado y su cliente en la medida en que establece, en esencia, que el abogado intermediario sujeto a secreto profesional queda obligado a notificar sus obligaciones de comunicación de información a cualquier otro intermediario que no sea su cliente, intermediarios que adquirirán conocimiento de la identidad del abogado intermediario que lleva a cabo la notificación, de su apreciación de que el mecanismo en cuestión está sujeto a comunicación de información y de que ha sido consultado a este respecto.

40. Sin embargo, niega (apartados 60 a 65) la vulneración del artículo 47 de la Carta, pues la garantía que incorpora opera en el contexto de un procedimiento judicial o de su preparación. El citado artículo 47 de la Carta resultaría infringido si en ese contexto el abogado quedase obligado a cooperar con los poderes públicos transmitiéndoles la información obtenida con ocasión de las consultas jurídicas efectuadas en el marco de tal procedimiento, circunstancias que no se ha acreditado sean las del caso de autos, pues en la fase temprana en la que opera la obligación de información *ex*

artículo 8 *bis ter* 5 de la DAC-6 el abogado intermediario no actúa como defensor de su cliente en un litigio y la mera circunstancia de que su asesoramiento o el mecanismo transfronterizo sobre el que se le consulta puedan dar lugar a un litigio en una fase posterior no significa que la intervención del abogado se haya producido en el marco o a efectos del derecho de defensa de su cliente.

41. Como colofón, el TJUE declara la invalidez del repetido artículo 8 *bis ter* 5 de la DAC-6 a la luz del artículo 7 de la Carta.

42. Esta invalidez se comunica a las disposiciones nacionales que lo transponen a los ordenamientos jurídicos de los Estados miembros. Y, en consecuencia, al apartado 1 de la DA 24ª LGT, en su redacción originaria.

27.- EL SECRETO PROFESIONAL DE LOS ABOGADOS ANTE LAS OBLIGACIONES DE INFORMACIÓN DERIVADAS DE LA DAC 6.

MERCEDES NAVARRO EGEA

Catedrática de Derecho Financiero y Tributario
Universidad de Murcia

SUMARIO: 1. Introducción. 2. La protección del secreto profesional en la LGT. 2.1. Los datos confidenciales derivados del asesoramiento o defensa. 2.2. La dispensa del secreto profesional en las obligaciones derivadas de la DAC 6. 3. El secreto profesional al que se refiere el apartado 5 del art. 8 *bis ter* de la Directiva. 3.1. El secreto profesional no es un concepto armonizado. 3.2. No todos los profesionales quedan protegidos por el secreto profesional. 4. Las normas reguladoras de la abogacía. 4.1. Profesionales de la abogacía. 4.2. Alcance del secreto profesional. 5. A modo de conclusión. 6. Bibliografía.

1. INTRODUCCIÓN[10]

Cualquier ciudadano que acude a un abogado lo hace buscando una solución con arreglo a Derecho, y en la confianza de que la relación que se establece con este profesional es confidencial. Esta reserva comprende todo el contenido (información, documentos, etc.) y todas las comunicaciones que tengan que ver con el objeto del encargo.

Lo mismo podría decirse cuando esa relación se establece con un asesor fiscal.

La posición de privilegio que confiere esa confidencialidad a estos profesionales ha dado lugar a que, por parte de "algunos", se hayan desarrollado determinados modelos de negocio en el campo de la asesoría fiscal nocivos para los intereses recaudatorios de los Estados.

El escándalo de los "Papeles de Panamá", derivado de la filtración masiva de datos de clientes del bufete de abogados "Mossack Fonseca", analizados y divulgados por el Consorcio Internacional de Periodistas de Investigación, marca un

---

[10] Este trabajo se realiza en el marco de los siguientes proyectos de investigación: "*Equity crowdfunding*, pymes innovadoras y digitalización de las sociedades mercantiles: avances y desafíos en derecho europeo y español" (PID2019-10463RB-I00/AEI/10.13039/501100011033), financiado por la Agencia Estatal de Investigación (MCIN), en la Convocatoria 2019 a "Proyectos de I+D+i" de los Programas Estatales de Generación de Conocimiento y Fortalecimiento Científico y Tecnológico del Sistema de I+D+i y de I+D+i Orientada a los Retos de la Sociedad; y "Fiscalidad del emprendimiento digital", TED2021-130701B-I00, financiado por MCIN/AEI/10.13039/501100011033 y por la Unión Europea "NextGenerationEU"/PRTR.

punto de inflexión en la cruzada contra el fraude fiscal, pues ha contribuido a realizar una taxonomía de las prácticas de elusión y evasión fiscal, necesaria para coordinar una reacción contundente por parte de la comunidad internacional a través de las acciones contempladas en el Plan BEPS impulsado por la OCDE y el G-20.

En concreto, la "Acción 12 del Plan BEPS"[11] se centra en los mecanismos transfronterizos de planificación fiscal potencialmente agresivos, categoría conceptual en la que concurren prácticas lícitas, pero dañinas para las arcas públicas, que se localizan en la antesala de la elusión y evasión fiscal[12]. Para combatir estas inercias, siguiendo la experiencia de los sistemas existentes (en especial, EEUU y Reino Unido), se propone a los Estados que establezcan obligaciones de suministro de información a quienes participan en su diseño y puesta en marcha, con el fin de que su detección temprana facilite la toma de decisiones por parte de los poderes públicos para "acabar con los montajes financieros abusivos" y "reprimir a los intermediarios profesionales que favorezcan los delitos fiscales y la delincuencia de cuello blanco".

En síntesis, se pone el acento en el mecanismo, esquema o estructura de planificación fiscal, en los profesionales que actúan como intermediarios y en los potenciales contribuyentes que adquieren estos productos. La utilidad de esta información para poner freno a este tipo de prácticas se percibe con claridad si se pone en relación con las declaraciones de Ramón Fonseca, socio del citado despacho, que, para desvincularse de los delitos presuntamente cometidos por sus clientes, comparaba su labor de asesoramiento legal con una "fábrica de coches", argumentando que "si un carro atropella a una persona, la fábrica del carro no es culpable"[13].

La singular descripción del negocio desarrollado por este bufete de abogados, un modelo exitoso -a imitar dentro de la profesión-, explica la finalidad y el alcance de las recomendaciones de la OCDE, así como las medidas adoptadas por la UE a través de la Directiva (UE) 2018/822 del Consejo de 25 de mayo de

---

[11]   OCDE/G20, *Exigir a los contribuyentes que revelen sus mecanismos de planificación fiscal agresiva, Acción 12- Informe final*, OCDE, 2015, https://read.oecd-ilibrary.org/taxation/exigir-a-los-contribuyentes-que-revelen-sus-mecanismos-de-planificacion-fiscal-agresiva-accion-12-informe-final-2015_9789264267367-es#page96.

[12]   MORENO GÓNZALEZ, en lo que respecta al alcance material del régimen de declaración obligatoria de los mecanismos transfronterizos potencialmente agresivos, señala que es difícil establece una equivalencia entre "planificación fiscal agresiva" y "planificación fiscal abusiva" ("La Directiva sobre revelación de mecanismos transfronterizos de planificación fiscal agresiva y su transposición en España: transparencia, certeza jurídica y derechos fundamentales, *Nueva Fiscalidad*, n, 2, 2019, p. 32). En este sentido, ALDEA GAMARRA, A. "La planificación fiscal agresiva en el ámbito de la Unión Europea", *Quincena Fiscal*, n. 4, 2022 (BIB 2022, 442).

[13]   SCOTT BRONSTEIN, J.; VASQUEZ, R., *Sociedades peligrosas. La historia detrás de los "Panama Papers"*, primera edición digital, Penguin Random House Grupo Editorial, 2017, p. 149.

2018, conocida como la Directiva de intermediarios financieros o DAC 6[14]. Esta norma europea combina dicha obligación de revelación del mecanismo de planificación fiscal con los sistemas de intercambio automático de información entre autoridades tributarias ya en funcionamiento, con la finalidad declarada de que estos datos sean útiles a los Estados para detectar lagunas legales y, asimismo, para mejorar la planificación de las actuaciones de control[15]. Unas obligaciones de información finalmente integradas en nuestro sistema jurídico-tributario mediante la modificación de la LGT por la Ley 10/2020[16], y, asimismo, del RGAT[17], por el Real Decreto 243/2021[18].

Es incuestionable que la planificación fiscal transfronteriza, concebida como una "fábrica de coches", diseñados para moverse por zonas opacas a los mecanismos de control, representa un importante desafío para la estabilidad de los sistemas tributarios pues altera el equilibrio en el reparto equitativo de la competencia fiscal entre los Estados.

Ahora bien, el diseño, comercialización y puesta en marcha de estas estructuras jurídicas, no es el modo de hacer de "todos" los abogados y asesores fiscales[19]. Por lo que, de partida, la generalización de la obligación de informar sobre

---

[14]   Directiva (UE) 2018/882 del Consejo, de 25 de mayo de 2018, que modifica la Directiva 2011/16/UE por lo que se refiere al intercambio automático y obligatorio de información en el ámbito de la fiscalidad en relación con los mecanismos transfronterizos sujetos a comunicación de información.

[15]   En efecto, el considerando 2 de la Directiva señala que la utilidad del intercambio de información es permitir a los Estados miembros "reaccionar rápidamente ante las prácticas fiscales nocivas y colmar las lagunas existentes mediante la promulgación de legislación o la realización de análisis de riesgos adecuados y de auditorías fiscales".

[16]   Ley 10/2020, de 29 de diciembre, por la que se modifica la Ley 58/2003, de 17 de diciembre, General Tributaria, en transposición de la Directiva (UE) 2018/822 del consejo, de 25 de mayo de 2018, que modifica la Directiva 2011/16/UE por lo que se refiere al intercambio automático y obligatorio de información en el ámbito de la fiscalidad en relación con los mecanismos transfronterizos sujetos a comunicación de información.

[17]   Real Decreto 1065/2007, de 27 de julio, por el que se aprueba el Reglamento General de las actuaciones y los procedimientos de gestión e inspección tributaria y de desarrollo de las normas comunes de los procedimientos de aplicación de los tributos (en adelante, RGAT).

[18]   Real Decreto 243/2021, de 6 de abril, por el que se modifica el Reglamento General de las actuaciones y los procedimientos de gestión e inspección tributaria y de desarrollo de las normas comunes de los procedimientos de aplicación de los tributos, aprobado por el Real Decreto 1065/2007, de 27 de julio, en transposición de la Directiva (UE) 2018/822 del Consejo, de 25 de mayo de 2018, que modifica la Directiva 2011/16/UE por lo que se refiere al intercambio automático y obligatorio de información en el ámbito de la fiscalidad en relación con los mecanismos transfronterizos sujetos a comunicación de información.

[19]   Es inevitable hacer mención a los "Papeles de Pandora", otra filtración de datos que ha salido a luz en 2021, a través del Consorcio Internacional de Periodistas de Investigación, donde se pone el acento en que son unas pocas firmas de abogados las que acaparan el asesoramiento a grandes fortunas en la construcción de estructuras societarias *offshore*. En particular, con ocasión de las sanciones impuestas a Rusia se ha evidenciado que, entre los documentos de las 14 firmas especializadas objeto de la investigación, se encuentran más de tres mis sociedades opacas vinculadas a clientes rusos cercanos al Kremlin. Vid. ICIJ, "The oligarch's accountants: How PwC helped a Russia stell ba-

mecanismos transfronterizos de planificación "potencialmente" agresivos se presenta como una solución desproporcionada. Al menos lo es si partimos de la idea de que se ha legislar con arreglo a un principio de normalidad de los casos.

Pero tampoco convence la solución adoptada por la UE porque, tal vez, hubiera sido suficiente con identificar los mecanismos o estructuras, las señas distintivas que los hacen potencialmente agresivos, y sus destinatarios (los obligados tributarios interesados). Sin embargo, la Directiva y, en cumplimiento de la misma, la obligación impuesta por el legislador nacional en las disposiciones adicionales vigésima tercera y vigésima cuarta de la LGT focalizan la atención en los intermediarios fiscales, y de modo residual, cuando se tropieza con el secreto profesional, en los clientes. Es decir, unos u otros, intermediarios y clientes, quedan obligados a declarar a la Administración correspondiente el mecanismo transfronterizo. Y ello supone que, además de identificar las señas distintivas que presenta dicho mecanismo, todos ellos quedan obligados a descubrir la estrategia jurídica, pues se les exige una descripción abstracta de dicho esquema de planificación fiscal y, asimismo, el detalle pormenorizado de las normas aplicadas.

El planteamiento expuesto hace que, como se expondrá en los apartados siguientes, la obligación de informar sobre los mecanismos transfronterizos presente disfunciones importantes, resulte desproporcionada y entre en conflicto con derechos fundamentales en los que encuentra su anclaje el secreto profesional.

En nuestro ordenamiento jurídico, el deber de secreto de los profesionales de la abogacía aparece ligado al derecho de defensa (art. 24 CE) y al derecho a la intimidad (art. 18 CE). La relación de confianza entre el abogado y el cliente es fundamental para el funcionamiento de una sociedad democrática avanzada, de ahí que encuentre protección en las normas supranacionales que reconocen los derechos fundamentales a un proceso equitativo y al respeto a la vida privada, tanto en el Convenio Europeo de Derechos Humanos (en lo sucesivo, CEDH) como en la Carta de Derechos Humanos de la UE (en lo sucesivo, la Carta).

---

ron grow his offshore empire", *Pandora Papers*, 11 April 2022 (https://www.icij.org/investigations/pandora-papers/mordashov-pwc-russia-richest-offshore/).

2. LA PROTECCIÓN DEL SECRETO PROFESIONAL EN LA LGT

Los abogados y asesores fiscales, como cualesquiera otros profesionales, son un colectivo sometido a la molesta e intensa actividad de control que desarrolla la Administración tributaria en su misión de interés público encaminada a procurar la efectiva realización del deber de contribuir que mandata el art. 31 de la Constitución. La presión sobre estos profesionales es más intensa, por una parte, debido a que presentan un perfil de riesgo en su condición de contribuyentes[20]; y, adicionalmente, porque son conocedores de datos de trascendencia tributaria relativos a terceros -sus clientes- y, por consiguiente, quedan sometidos al genérico deber de colaboración que establece el art. 93 de la Ley 58/2003, General Tributaria (LGT).

Los requerimientos de información sobre datos de trascendencia tributaria, propios y de sus clientes, así como las actuaciones más intrusivas que se producen mediante la personación de la Inspección de los Tributos en los despachos profesionales, son una constante. Y sobre este colectivo recaen ahora las obligaciones derivadas de la transposición de la DAC 6 para aquellos profesionales que diseñan, comercializan, organizan y ponen en marcha mecanismos transfronterizos potencialmente agresivos.

Esta intromisión en la actividad profesional para proteger el interés público recaudatorio supone una amenaza para el secreto profesional, que, sin llegar a ser considerado como un derecho fundamental, aparece ligado al derecho de defensa (tutela judicial efectiva sin indefensión) y al derecho a la intimidad personal, el secreto de las comunicaciones y la protección de datos de carácter personal consagrados, respectivamente, en los arts. 24 y 18 de la Constitución. Derechos igualmente reconocidos en el CEDH (arts. 6 y 8) y en la Carta (arts. 7, 8 y 47). Aunque no son derechos absolutos, a los efectos que aquí interesan, la LGT reconoce en el secreto profesional un límite a las intromisiones derivadas de la actividad de control desarrollada por la Administración Tributaria y, asimismo,

---

[20] El ejercicio de actividades económicas por profesionales aparece en los sucesivos planes de control tributario publicados por la Agencia Tributaria. Es un ámbito en el que es factible la ocultación de la actividad económica desarrollada y el uso de sociedades como remanso de rentas y patrimonio personal (falsas sociedades profesionales, sociedades instrumentales, etc.). En el caso de los abogados y asesores fiscales, estas formas de planificación fiscal nocivas para el interés público son aprovechadas por los profesionales para sus fines propios, y, a su vez, son ofrecidas a los clientes como esquemas de ahorro fiscal lícito. Algunos de estos comportamientos han trascendido a los medios de comunicación por la relevancia social de las personas implicadas. Esta deriva de "algunos" ha elevado el riesgo fiscal de "todo" el colectivo de profesionales que realizan asesoramiento legal en el ámbito tributario.

una causa de exoneración de las obligaciones de información derivadas de la trasposición de la DAC 6[21].

2.1. Los datos confidenciales derivados del asesoramiento o defensa

En relación con las injerencias de la actividad de control desarrollada por la Administración tributaria, es sabido que los profesionales encuentran un límite a su deber de colaboración en el art. 93.5 LGT. Dicho precepto establece que la obligación de facilitar información de trascendencia tributaria a las autoridades tributarias "no alcanzará a los datos privados no patrimoniales que conozcan por razón del ejercicio de su actividad cuya revelación atente contra el honor o la intimidad personal y familiar"; y, en particular, añade que "tampoco alcanzará a aquellos datos confidenciales de sus clientes de los que tengan conocimiento como consecuencia de la prestación de servicios de asesoramiento o defensa".

La norma proporciona un doble blindaje que garantiza la reserva de aquella información que queda dentro de la esfera de la intimidad constitucionalmente protegida, de la que quedan excluidos los datos económicos, y que podría ser invocada por cualquier profesional en relación con aquellos datos que conoce de su cliente. Este marco de protección de los aspectos más íntimos de la vida privada viene a ser el denominador común en relación con el deber secreto profesional asociado de forma natural a las profesiones tituladas[22].

Es sentido estricto, el deber de secreto de los profesionales de la abogacía protege la relación confidencial con los clientes como garantía misma del derecho de defensa, y se ha de poner en relación con lo establecido en el art. 542.3 de la Ley Orgánica del Poder Judicial (en lo sucesivo, LOPJ) en los términos siguientes: "Los abogados deberán guardar secreto de todos los hechos o noticias de que conozcan por razón de cualquiera de las modalidades de su actuación profesional, no pudiendo ser obligados a declarar sobre los mismos".

Excede del objeto de estas notas adentrarse en los problemas que, en el caso concreto, ha suscitado la aplicación de esta limitación ante las intromisiones de la Administración tributaria, pero no puede dejar de mencionarse el debate latente en cuanto a la situación de los asesores fiscales. Una figura híbrida, en la

---

[21]   Vid. MORÓN PÉREZ, C., *El secreto profesional del abogado ante la Administración tributaria*, Dykinson, 2021.

[22]   Nuestro ordenamiento jurídico no se ha ocupado de proporcionar una regulación general del secreto profesional. Esta acepción amplia se encuentra, por ejemplo, en la Ley catalana 7/2006, de 31 de mayo, del ejercicio de profesiones tituladas y de los colegios profesionales, cuyo art. 10, bajo la rúbrica "secreto profesional", dispone: "Los profesionales titulados tienen el deber del secreto profesional, de acuerdo con la Constitución española y la legislación específica de aplicación.".

que concurren variados perfiles profesionales, algunos de los cuales escapan al secreto que deben observar los abogados en el ejercicio de la defensa letrada.

A esta cuestión se refiere el estudio monográfico de MORÓN PÉREZ[23], donde recuerda que la redacción de la LGT da continuidad al art. 111.2 de su predecesora, la Ley General Tributaria de 1963[24], y que, en relación con el secreto de los profesionales, fue objeto de desarrollo a través del art. 37 del Reglamento General de Inspección, aprobado por el Real Decreto 939/1986, de 25 de abril.

El referido precepto reglamentario, al regular los requerimientos de la Inspección para la obtención de información, establecía como excepción "el deber de los defensores y asesores de guardar secreto de aquellos datos confidenciales, así como el deber de los abogados y procuradores en los términos expresados en la Ley Orgánica del Poder Judicial". Incluso proponía una definición para esta categoría profesional, atribuyendo la consideración de asesores a quienes, "con arreglo a Derecho, desarrollen una actividad profesional reconocida que tenga por objeto la asistencia jurídica, económica o financiera".

Como enfatiza la autora, el silencio del actual RGAT no ha alterado la interpretación que se ha venido haciendo del redactado de la LGT, pues para los abogados sigue siendo de aplicación la LOPJ, lo que significa que la intromisión de la Administración tributaria no puede alcanzar a las noticias de las que el letrado tenga conocimiento por cualquiera de las modalidades de su actuación profesional, incluyendo la defensa en juicio o fuera de este, así como el asesoramiento y consejo jurídico.

Ahora bien, el silencio de la norma ha dejado en una zona de sombra la posición de los asesores fiscales, a los que, en todo caso, se les ha de considerar exonerados de proporcionar datos privados no patrimoniales.

2.2. La dispensa del secreto profesional en las obligaciones derivadas de la DAC 6

La DAC 6 irrumpe en la dinámica de la aplicación de los tributos con una singular obligación que deben transponer los Estados miembros, consistente en declarar los mecanismos transfronterizos de planificación fiscal potencialmente agresiva.

Los fines declarados -considerandos 6 y 7- de esta obligación de información son dos: por un lado, la obtención de información temprana en un contexto internacional de transparencia informativa para poner freno a la elusión y a la evasión fiscal, favoreciendo la equidad tributaria en el mercado interior; y, por

---

[23]   Vid. MORÓN PÉREZ, C., *El secreto profesional...*, op. cit., p. 238.

[24]   Ley 230/1963, de 28 de diciembre, General Tributaria (BOE núm. 313, de 31 de diciembre de 1963).

otro, la consecución de un efecto disuasorio respecto a la realización de estas prácticas de planificación fiscal.

Dicho esto, se insiste en la idea de que los esquemas de planificación transfronteriza no son elusivos ni defraudatorios en sí mismos. Se trata de operaciones que presentan circunstancias, "señas distintivas" -un elenco de indicios, no lo suficientemente claros y precisos, recogido en el anexo IV de la Directiva-, que, en la medida en que sean reconocidas por el intermediario fiscal, servirán para etiquetar el mecanismo como "potencialmente agresivo", que no ilícito. Y, a partir de ese momento, habrá que dar cumplimiento a las obligaciones de información impuestas por las normas de transposición de la DAC 6, que se extenderán a todo el ciclo vital de dicho esquema[25].

Están obligados a declarar los intermediarios y los obligados tributarios interesados[26]. La norma española, siguiendo la Directiva, señala como obligado principal a los intermediarios, entre los que se encuentran los asesores y abogados.

Pues bien, en la medida en que esta obligación pueda afectar al secreto profesional, la disposición adicional vigésima tercera de la LGT, en su apartado 2, permite a los intermediarios excepcionar su obligación de declarar: "Estarán dispensados de la obligación de información *por el deber de secreto profesional al que se refiere el apartado 5 del artículo 8 bis ter de la Directiva 2011/16/UE del Consejo,* los que tuvieran la consideración de intermediarios conforme a dicha Directiva, con independencia de la actividad desarrollada, *y hayan asesorado* con respecto al diseño, comercialización, organización, puesta a disposición para su ejecución o gestión de la ejecución de un mecanismo transfronterizo de los definidos en la Directiva, *con el único objeto de evaluar la adecuación de dicho mecanismo a la normativa aplicable* y sin procurar ni facilitar la implantación del mismo".

La fórmula empleada por el legislador nacional para configurar la dispensa -vaga y poco clara, como todo lo que concierne a esta obligación de información- aparenta proteger el secreto profesional del intermediario[27]. Sin embargo, basta una primera lectura para poner en cuestión la solidez de este mecanismo de

---

[25]   Orden HAC/342/2021, de 12 de abril, por la que se aprueba el modelo 234 de "Declaración de información de determinados mecanismos transfronterizos de planificación fiscal"; modelo 235 de "Declaración de información de actualización de determinados mecanismos transfronterizos comercializables"; y modelo 236 de "Declaración de información de la utilización de determinados mecanismos transfronterizos de planificación fiscal".

[26]   Nótese que el término "obligado tributario interesado" se corresponde con el "contribuyente interesado" utilizado en la norma europea, pues se corresponde con un perfil más amplio que el concepto estricto de contribuyente utilizado por la LGT.

[27]   Algo que también aparenta la Directiva, como señala en Abogado General Rantos en las Conclusiones presentadas el 5 de abril de 2022, en relación con la cuestión prejudicial C-694/20, en cuyo apartado 23, a modo de consideraciones previas, enfatiza lo siguiente: "En primer lugar, parece que la intención del legislador de la Unión es proteger la prerrogativa de secreto profesional de los abogados".

protección, pues, sin solución de continuidad, añade el precepto: "El intermediario obligado por el deber de secreto profesional podrá quedar liberado del
mismo mediante autorización comunicada de forma fehaciente por el obligado
tributario interesado". Lo que se complementa con una exención de la eventual
responsabilidad en que dicho intermediario pudiera incurrir por la declaración
de los datos impuestos por la obligación de información[28].

A diferencia del límite contenido en el art. 93.5 LGT, aquí el profesional protegido por la dispensa del deber de secreto no queda liberado de las obligaciones
de información, ni el secreto queda protegido.

Lo primero, porque el intermediario principal tendrá que poner en marcha
el sistema de comunicaciones entre particulares previsto en la disposición adicional vigésima cuarta de la LGT[29] a efectos de trasladar al siguiente en la cadena de
intermediarios la obligación de declarar el mecanismo a la Administración tributaria[30]; y, a falta de intermediario, habrá de comunicarlo al destinatario (obligado tributario interesado). De producirse este último supuesto, la obligación
de declarar el mecanismo recaerá en este último, salvo que el mismo -el cliente
o destinatario- libere al profesional del deber de secreto, en cuyo caso el círculo
quedará cerrado con el regreso de la obligación de revelación al profesional que
invocó el secreto profesional.

Lo segundo, porque el simple hecho de que el profesional, intermediario
principal, tenga que comunicar a otros intermediarios o a su cliente que queda
exonerado por tal privilegio erosiona el secreto profesional.

Los escenarios que se pueden plantear tienden al infinito. Una hipótesis probable, si se piensa a pequeña escala, es que el asesoramiento sobre el esquema

---

[28]   El apartado 3 de la DA 23ª LGT responde al siguiente tenor literal: "El cumplimiento por los intermediarios de la obligación de información de mecanismos de planificación fiscal a que se refiere la
Directiva 2011/16/UE del Consejo, en los términos legalmente exigibles, no constituirá, conforme
al régimen jurídico aplicable, violación de las restricciones sobre divulgación de información impuestas por vía contractual o normativa, no implicando para los sujetos obligados ningún tipo de
responsabilidad respecto del obligado tributario interesado titular de dicha información".

[29]   Resolución de 8 de abril de 2021, del Departamento de Gestión Tributaria de la Agencia Estatal
de Administración Tributaria, por la que se aprueban los modelos de comunicaciones entre los
intervinientes y partícipes en los mecanismos transfronterizos de planificación fiscal objeto de declaración.

[30]   Tarea complicada, precisamente, por la amplitud del concepto de intermediario. De acuerdo con
el art. 45.4 del RGAT, estarán obligados a presentar declaración en concepto de intermediarios: a)
toda persona o entidad que diseñe, comercialice, organice, ponga a disposición para su ejecución
un mecanismo sujeto a comunicación de información, o gestione su ejecución; y b) toda persona o
entidad que conoce o razonablemente cabe suponer que conoce que se ha comprometido a prestar
directamente o por medio de otras personas ayuda, asistencia o asesoramiento con respecto al diseño, comercialización, organización, puesta a disposición para su ejecución o gestión de la ejecución
de un mecanismo transfronterizo sujeto a comunicación de información

transfronterizo se produzca en el marco de una relación entre abogado y cliente, siendo irrelevante o nula la concurrencia de intermediarios secundarios.

La dispensa por la prerrogativa del secreto profesional implica que el abogado -intermediario principal- no tendrá que presentar la declaración de información del mecanismo (modelo 234), lo que, entre otros datos, conllevaría la revelación de los datos siguientes: a) identificación de los intermediarios y de los obligados tributarios interesados, b) información pormenorizada sobre las señas distintivas concurrentes de las que figuran en el anexo IV de la Directiva; c) un resumen del contenido del mecanismo transfronterizo que incluirá los datos del mismo con trascendencia tributaria; y d) información pormenorizada de las disposiciones nacionales y extranjeras que constituyen la base del mecanismo.

El art. 46 RGAT, en relación con la descripción del mecanismo, precisa que incluye una descripción en términos abstractos de las actividades económicas o mecanismos pertinentes, que no dará lugar a la revelación de un secreto tecnológico, científico, industrial, comercial, profesional, organizativo o financiero, o de una información cuya revelación sea contraria al interés público.

A la vista del contenido de la información reportable, cabe preguntarse ¿qué es el secreto profesional?

Por un lado, la identificación de los intermediarios (terceros) y de los obligados tributarios interesados (clientes) puede dar lugar a la revelación de datos privados no patrimoniales que quedan amparados en el secreto profesional, siendo reiterada y constante la jurisprudencia del TEDH que, en este punto, hace hincapié en la protección reforzada de la comunicación entre abogado y clientes, garantizada por el art. 8 CEDH[31].

Y, por otra parte, la descripción del mecanismo en términos abstractos, así como la identificación de las normas aplicables, no revelan otra cosa que el resultado del trabajo técnico que hace el profesional de la abogacía. Resulta difícil entender que se puedan considerar como datos de trascendencia tributaria aquellos contenidos jurídicos creados por el abogado en virtud de su cualificación y pericia profesional.

Más aún, piénsese en la hipótesis de que el abogado comunique a su cliente que queda exonerado de la obligación de declarar el mecanismo por el secreto profesional, y, por consiguiente, se traslada a aquel la obligación de declarar el mecanismo en su condición de obligado tributario interesado: ¿podrá proporcionar de forma autónoma los datos sobre la estrategia jurídica que da soporte al mecanismo de planificación fiscal?

---

[31]   En particular, Sentencias de 23 de julio de 2008, *André y otros c. Francia*, ap. 36; y de 9 de diciembre de 2012, *Michaud c. Francia*, ap. 117 a 119. Se puede encontrar un análisis del acervo jurisprudencial del Tribunal de Estrasburgo en MORÓN PÉREZ. C., *El secreto profesional…*, op. cit., p.

Resulta totalmente alejado de la realidad presuponer que un cliente que solicita de un profesional este tipo servicios de asesoramiento legal sea capaz de reconocer las señas distintivas, describir el mecanismo y proporcionar información detallada sobre las normas aplicables. Lo más probable será que, para atender a esta obligación legal, tal información le sea proporcionada por el abogado. Entonces, ¿queda protegido el secreto profesional?

Las dudas sobre la utilidad de la dispensa como mecanismo de protección del secreto profesional se incrementan a medida que se profundiza en la redacción dada por el legislador a esta exoneración de la obligación de información, y esta se contextualiza con todas las implicaciones derivadas de este régimen de información sobre los mecanismos transfronterizos de planificación fiscal potencialmente agresivos.

Numerosas voces autorizadas han evidenciado que este sistema de suministro de información presenta graves deficiencias y vulnera derechos fundamentales, siendo de gran valor las aportaciones del profesor GARCÍA PRATS en el Paper nº 14, bajo el título "La transposición en España de la Directiva sobre Intermediarios Tributarios (DAC 6)", publicado por la AEDAF en 2019[32], así como las observaciones realizadas desde esta asociación en las distintas fases de consulta e información pública sobre las normas de transposición[33].

La polémica trasciende nuestras fronteras. En este sentido, resulta de gran interés en lo que aquí interesa las conclusiones del Abogado General Rantos, presentadas el 5 de abril de 2022, en relación con el asunto C-694/20, en cuestión prejudicial planteada por el Tribunal Constitucional belga a propósito de la transposición de la DAC 6. Los razonamientos del Abogado General, como se verá a lo largo de estas notas, dejan entrever las inconsistencias estructurales de la obligación de información, a pesar de lo delimitada que queda la cuestión controvertida y de una predisposición favorable a este modelo de captación de datos masivos sobre esquemas de planificación fiscal. En concreto, la petición prejudicial cuestiona la norma de transposición belga que obliga a informar a la Administración tributaria, no solo acerca de la existencia del mecanismo transfronterizo, sino también de la participación del abogado. En este contexto, considera el Sr. Rantos que la comunicación al tercero de la dispensa no lesiona el derecho a un procedimiento justo reconocido en el art. 47 de la Carta, porque se establece en un escenario ajeno a un contexto judicial. Ahora bien, cuando este intermediario secundario, en cumplimiento de la obligación de revelación del mecanismo se ve obligado a la identificación del abogado amparado en la

---

[32]   https://www.aedaf.es/es/documentos/descarga/44091/la-transposicion-en-espana-de-la-directiva-sobre-intermediarios-tributarios-(dac6) (última consulta: 10/10/2022).

[33]   Disponible en la documentación recopilada en el espacio "Especial DAC 6", en la web de la Asociación Española de Asesores Fiscales (www.aedaf.es).

dispensa, este dato que debe proporcionarse a la Administración tributaria infringe el art. 7 de la Carta, que protege la vida privada.

En efecto, el artículo citado, que ha de ser interpretado a la luz del art. 8 CEDH, ofrece una esfera de protección más extensa, pues, no solo protege la confidencialidad en el marco del proceso judicial (generando una zona de protección infranqueable)[34], sino que se expande a toda la relación entre abogado y cliente, dado que el derecho fundamental en liza comprende la confidencialidad de la correspondencia entre particulares.

La argumentación del Abogado General deja claro que la función del abogado, como intermediario principal, es instrumental, pues de lo que se trata es de identificar el mecanismo y sus destinatarios. Por lo que, la cuestión controvertida, aunque pendiente del pronunciamiento del Tribunal de Justicia, pone de manifiesto que la DAC 6 pierde coherencia cuando pone el centro de atención en la identificación de los intermediarios. No hay que perder de vista que la finalidad de estas obligaciones de suministro de información es tener identificados los esquemas o estructuras que pueden servir para la erosión de las bases imponibles de los impuestos sobre la renta de sus creadores y desarrolladores.

3. EL SECRETO PROFESIONAL AL QUE SE REFIERE EL APARTADO 5 DEL ART. 8 *BIS TER* DE LA DIRECTIVA

La LGT, como se ha visto, se remite a lo dicho en la Directiva a la hora de configurar la dispensa que, por secreto profesional, libera al intermediario fiscal de las obligaciones de información derivadas de la DAC 6[35].

La remisión a la Directiva es un rodeo estéril porque, para sacar adelante el texto normativo, el legislador europeo ha optado por no entrar en la delimitación del secreto profesional, remitiéndose a la regulación del secreto profesional en las legislaciones nacionales.

---

[34] En este sentido, la intrusión en la prerrogativa de secreto profesional puede repercutir en la buena administración de justicia protegida por los derechos garantizados en el art. 6 del CEDH (derecho de defensa, principio de igualdad de armas, derecho de acceso a los tribunales y derecho a disponer de un abogado). Entre otras, sentencia TEDH de 16 de diciembre de 1992, *Niemietz c. Alemania.*

[35] Con este reenvío la norma de transposición española ha intentado sortear los problemas suscitados durante el proceso de transposición a la vista del borrador inicial, pues la opción inicial del prelegislador pasaba por extrapolar a este ámbito la fórmula contenida en el art. 93.4 de la LGT ya apuntada en páginas anteriores, lo que fue objeto de polémica. Especialmente crítico se mostró el informe del Consejo General del Poder Judicial, de 26 de diciembre de 2019 (dictamen núm. 1072/2019), entendiendo que no corresponde a una norma tributaria definir el secreto profesional, sino que se ha de estar a la regulación sectorial que corresponda.

En esta lógica, el apartado 5 del art. 8 *bis ter* de la Directiva 2011/16/UE, introducido por la Directiva 2018/822/UE (DAC 6), responde al siguiente tenor literal: "Cada Estado miembro podrá adoptar las medidas necesarias para otorgar a los intermediarios el derecho a una dispensa de la obligación de presentar información sobre un mecanismo transfronterizo sujeto a comunicación de información *cuando la obligación de comunicar información vulnere la prerrogativa de secreto profesional en virtud del Derecho nacional de dicho Estado miembro.* En estas circunstancias, cada Estado miembro adoptará las medidas necesarias para exigir a los intermediarios que notifiquen sin demora sus obligaciones de comunicación de información en virtud del apartado 6 a cualquier otro intermediario o cuando no exista el intermediario, al contribuyente interesado".ь

El mandato comunitario deja una amplia discrecionalidad a los Estados, si bien exige la concurrencia de dos normas: a) la norma tributaria que reconoce la dispensa por la prerrogativa de secreto profesional; y b) la norma sectorial que regula el secreto profesional que ampara al intermediario.

Esta configuración de la dispensa de la obligación de revelación de los mecanismos transfronterizos plantea numerosos problemas, entre otras cosas, porque el reenvío a las legislaciones nacionales impide que se alcance un contenido homogéneo de la facultad que se reconoce a los Estados miembros, y con ello, como se ha señalado desde la AEDAF[36], pueden generarse importantes disfunciones y asimetrías debido a la disparidad en las legislaciones internas a la hora de abordar el secreto profesional. También a nivel interno plantea problemas porque, en nuestro ordenamiento jurídico, la asimetría se produce entre abogados y asesores fiscales.

La transposición de la DAC 6 pone de actualidad un problema latente en nuestro sistema jurídico, cual es la ausencia de un marco regulatorio en el que encuentren cabida los profesionales que realizan tareas de asesoramiento fiscal. Una realidad que los pone en posición de desventaja frente a otros perfiles profesionales. En particular, frente a los abogados, cuyo deber de secreto viene recogido en el art. 542.3 LOPJ. Y, por otra parte, tampoco queda bien definida la posición de los abogados de empresa (o abogados *in house*), sobre todo tras haber sido rechazada su independencia por el TJUE en la sentencia de 14 de septiembre de 2010, asunto C-550/07, *Akzo Nobel*, excluyéndolos por tal razón de la exoneración por secreto profesional en relación con los deberes de información

---

[36]   AEDAF, "Observaciones de la Asociación Española de Asesores Fiscales (AEDAF), en el trámite de consulta pública previa sobre la transposición al derecho español de la Directiva 2018/822 del Consejo, de 25 de mayo de 2018, que modifica la Directiva 2011/16/UE por lo que se refiere al intercambio automático y obligatorio de información en el ámbito de la fiscalidad en relación con los mecanismos transfronterizos sujetos a comunicación de información". Vid., GARCÍA PRATS, F.A., *La transposición...*, op.cit., págs. 49 y ss.

en materia de Derecho de la competencia; y ello porque entiende el Tribunal europeo que la relación de carácter laboral – la que se establece entre estos profesionales y la empresa empleadora- no puede considerarse como una relación privilegiada a efectos de los arts 7 y 47 de la Carta.

Ante este panorama, la LGT -modificada por la Ley 10/2020- no ha dado solución satisfactoria a algunas de las observaciones críticas que se pusieron de manifiesto en los informes evacuados por el Consejo General del Poder Judicial (CGPJ)[37] y el Consejo de Estado[38] a propósito del anteproyecto de la ley de transposición, entre ellas: a) si, a efectos de la DAC 6, se puede tener en cuenta la dispensa del secreto profesional recogida en el art. 22 de la Ley 10/2010 sobre prevención del blanqueo de capitales y financiación del terrorismo; y b) y sobre cuál es la situación de aquellos profesionales que prestan asesoramiento legal en relación con un mecanismo transfronterizo; eso es, si pueden ampararse en la dispensa por secreto profesional dado que, en nuestro ordenamiento jurídico, este solo se contempla para los abogados *ex* art. 542.3 LOPJ.

3.1. El secreto profesional no es un concepto armonizado

Uno de los aspectos más controvertidos que ha planteado la transposición de la DAC 6 ha sido el concepto de secreto profesional, dado que el legislador europeo había introducido una definición propia a propósito de la exoneración prevista para las obligaciones de comunicación de indicios de blanqueo de capitales impuestas a los intermediarios financieros[39], que, a la vista de la jurisprudencia

---

[37]   CGPJ, Informe de 29 de septiembre de 2019 (https://www.poderjudicial.es/cgpj/es/Poder-Judi-cial/Consejo-General-del-Poder-Judicial/Actividad-del-CGPJ/Informes/Informe-sobre-el-Antepro-yecto-de-Ley-de-transposicion-de-Directiva—UE—2018-822-del-Consejo—de-25-05-2018).

[38]   Consejo de Estado, Dictamen n° 1072/2019, aprobado el 5 de marzo de 2020. En sus consideraciones, el Consejo de Estado dedica el apartado VI.2 al secreto profesional de los abogados (https://www.boe.es/buscar/doc.php?id=CE-D-2019-1072).

[39]   El artículo. 6, apartado 3, párrafo segundo, de la Directiva 91/308/CEE: "Los Estados miembros no estarán obligados a imponer las obligaciones establecidas en el apartado 1 a los notarios, profesionales independientes del Derecho, auditores, contables externos y asesores fiscales, con respecto a la información que éstos reciban de uno de sus clientes u obtengan sobre él al determinar la posición jurídica en favor de su cliente o desempeñar su misión de defender o representar a dicho cliente en procesos judiciales o en relación con ellos, incluido el asesoramiento sobre la incoación o la forma de evitar un proceso, independientemente de si han recibido u obtenido dicha información antes, durante o después de tales procesos". Y así se ha mantenido en las sucesivas Directivas en materia de prevención de blanqueo, como se recoge en la vigente Directiva (UE) 2015/849 del Parlamento Europeo y del Consejo, de 20 de mayo de 2018, del mismo nombre, considerandos 9 y 10 y arts. 2.1.3 y 34.2, recientemente modificada por la Directiva (UE) 2018/843 Parlamento Europeo y del Consejo, de 28 de mayo de 2018.

del TJUE[40], podría ser considerado como un concepto autónomo del Derecho de la Unión.

Este concepto de secreto profesional conduce, en nuestro ordenamiento, al art. 22 de la Ley 10/2010 de prevención del blanqueo de capitales: "Los abogados no estarán sometidos a las obligaciones establecidas (…) con respecto a la información que reciban de uno de sus clientes u obtengan sobre él al determinar la posición jurídica en favor de su cliente o desempeñar su misión de defender a dicho cliente en procesos judiciales o en relación con ellos, incluido el asesoramiento sobre la incoación o la forma de evitar un proceso, independientemente de si han recibido u obtenido dicha información antes, durante o después de tales procesos".

De hecho, la extensión de esta definición de secreto a las obligaciones de comunicación derivadas de la DAC 6 fue una de las alternativas propuestas por el Consejo General del Poder Judicial en su dictamen al anteproyecto de ley de modificación de la LGT.

Las dudas iniciales quedan disipadas a la vista de las Conclusiones presentadas por el Abogado General Sr. Rantos[41], donde queda claro que no existe un concepto armonizado de secreto profesional y que, por tanto, se ha de construir a partir de la jurisprudencia del TEDH y del TJUE.

Dicho esto, tomando como referencia lo avanzado ya en materia de blanqueo de capitales en relación con el secreto profesional, podría decirse que en dicha definición puede advertirse un denominador común, en tanto en cuanto esta prerrogativa de los abogados encuentra su fundamento en la esencia misma de esta profesión y su función sistémica en el Estado de Derecho. Desde este punto de vista, el secreto profesional comprende una zona de protección incuestionable, referida al asesoramiento y defensa en un contexto litigioso, con una vis expansiva que se va conformando en la jurisprudencia del TEDH a partir de una variada casuística. Y así, por ejemplo, la doctrina del Tribunal de Estrasburgo ha declarado que este privilegio profesional ampara todas las comunicaciones entre el abogado y el cliente sin distinguir su propósito profesional o privado (*Cambell c. Reino Unido*[42]); cualquier información derivada de tal relación, tanto en un despacho profesional de una empresa dirigida por una persona física, como por una persona jurídica (*Petri Sallinen y otros c. Finlandia43*); en un contexto judicial o en contexto de la búsqueda de asesoramiento jurídico general (*Altay c. Turquía*[44]);

---

40   Sentencia de 14 de septiembre de 2010, C-550/007, *Akzo Nobel Chemicals Ltd. y Akcros Chemicals Ltd c. Comisión Europea.*

41   Conclusiones, apartado 34 y siguientes.

42   STEDH de 25 de marzo de 1992.

43   STEDH de 27 de septiembre de 2005.

44   STEDH de 9 de abril de 2019.

así como las comunicaciones con otros abogados y a todas las personas que cola-
boran con el abogado en su despacho (*Kirdök y otros c. Turquía*[45]).

De esta manera, la doctrina del TEDH construye una gradación según la cual
el secreto profesional admite un sacrificio ante fines legítimos, como es la lucha
contra el fraude fiscal; pero esta injerencia solo es admisible en aquella esfera de
confidencialidad que no afecta al núcleo infranqueable protegido por el derecho de defensa del cliente. Y, en todo caso, tal intromisión ha de ser proporcionada, lo que implica que debe contar con una base legal, ha de perseguir un interés
legítimo y, asimismo, tiene que ser necesaria en una sociedad democrática.

A la luz de este acervo jurisprudencial, el Derecho de la Unión ha intentado moverse fuera de ese espacio de protección reforzada. Así lo ha hecho, por
ejemplo, al establecer los deberes de información que recaen en los abogados en
materia de blanqueo de capitales, liberando de tales obligaciones a los abogados
y asesores fiscales cuando su actividad consiste en determinar la posición jurídica en favor del cliente o en desempeñar funciones de defensa en un contexto
jurisdiccional. En este sentido, se ha pronunciado el Tribunal de Justicia en el
asunto *Ordre des barreausx francophones et germanophone y otros*[46], donde precisa que
las obligaciones de comunicación en materia de cooperación con las autoridades
nacionales en la lucha contra el blanqueo de capitales se sitúan en un espacio
que no tiene ninguna relación con el procedimiento judicial y, por lo tanto, al
margen del secreto profesional. En concreto, la obligación de comunicar los
indicios de blanqueo de capitales se produce cuando el abogado actúa en operaciones financieras o inmobiliarias, la creación de empresas, etc.

El planteamiento expuesto ha sido avalado por el TEDH, que, en clave proporcionalidad, ha venido a declarar su compatibilidad con el CEDH en la sentencia de 9 de diciembre de 2012, *Michaud c. Francia*. En este caso, el pronunciamiento del TEDH hace hincapié en que la obligación del abogado de comunicar
las sospechas sobre su cliente solo afecta a "actividades alejadas de la misión de
defensa confiada a los abogados, similares a aquellas realizadas por los otros profesionales sujetos a la misma obligación".

La DAC 6, en coherencia con lo expuesto, viene a situar las obligaciones de
información de los abogados sobre mecanismos transfronterizos en aquellos casos en actúan fuera de las actividades propias de su profesión. Es decir, ubica la
planificación fiscal en un ámbito de actuaciön en el que abogado realiza un trabajo equivalente al desarrollado por otros profesionales (asesores fiscales, instituciones financieras, etc.). Y, en esta lógica, los abogados y asesores se encuentran

---

[45]   STEDH de 12 de noviembre de 2019.
[46]   Sentencia de 26 de junio de 2007, asunto C-305.

en las mismas condiciones en lo que se refiere a estas obligaciones de revelación del mecanismo,

3.2. No todos los profesionales quedan protegidos por el secreto profesional

Abogados, sí. Asesores fiscales, no. Esta es la conclusión que, en nuestro ordenamiento jurídico, comporta la remisión al secreto profesional establecido por la normativa reguladora de la profesión. Y ello es debido a que los asesores fiscales carecen de una regulación propia, tal como lo exige el art. 8 *bis ter*, apartado 2, de la Directiva[47].

Esta asimetría, a primera vista, se presenta como un factor de discriminación en detrimento de los asesores fiscales en la medida en que dentro de este colectivo pueden existir perfiles profesionales jurídicos (p.ej., abogados colegiados no ejercientes), que orientan su actividad al asesoramiento y consejo jurídico al que se refiere la LOPJ en su art. 542.3.

Esta diferencia de trato no es tal en el contexto de la DAC 6. Pues en la línea ya apuntada, esta norma iguala a todos los intermediarios, abogados o no. El diseño de los mecanismos transfronterizos y su puesta en marcha sale del ámbito de actuación propio de la abogacía.

Este punto de vista es el utilizado por el Abogado General Rantos en las Conclusiones a la cuestión prejudicial planteada por el Tribunal Constitucional belga, asunto C-694/20: "La lectura de la Directiva parece, en efecto, sugerir que, en principio, los servicios prestados por un abogado como intermediario no forman parte de las actividades habituales de la profesión de abogado, cuales son la defensa y el análisis jurídico. Por tanto, el abogado que actúa como intermediario debería, *prima facie*, equipararse al resto de intermediarios, entre los que se encuentran algunos que quizá no tienen secreto profesional" (apartado 59).

Cuestión distinta es la dificultad que, en el caso de los abogados, presenta el deslinde de lo que es propio de la abogacía y lo que es común a otras profesiones a la hora de diseñar, organizar, comercializar o poner en marcha un mecanismo transfronterizo. Esta distinción forzada aparece en la norma de trasposición española. El legislador español, además de que el secreto profesional venga establecido en la normativa reguladora de la profesión, exige que tales profesionales "hayan asesorado con respecto al diseño, comercialización, organización, puesta a disposición para su ejecución o gestión de la ejecución de un mecanismo

---

[47] Vid. JIMÉNEZ-VALLADOLID DE L'HOTELLERIE-FALLOIS, D.J., "El deber de secreto de abogados y otros profesionales y la transposición de la DAC 6: ¿Una única solución frente a interferencias de distintos derechos?", en la obra colectiva *La protección de los derechos fundamentales en el ámbito tributario*, Wolters Kluwer, 2021, p. 204.

transfronterizo de los definidos en la Directiva, con el único objeto de evaluar la adecuación de dicho mecanismo a la normativa aplicable y sin procurar ni facilitar la implantación del mismo". Esto es, el abogado es intermediario a efectos de las obligaciones derivadas de la DAC 6 cuando es facilitador, cuando su asesoramiento es participativo.

El Abogado General intenta ilustrar esta diferencia, entre lo que es propio de la profesión y lo queda extramuros, poniendo en contraste dos posibles escenarios de actuación: la planificación de "mecanismos comercializables"[48] y de "mecanismos a medida"[49]. En el primer supuesto, el abogado actúa como intermediario, por sí solo o junto a otros profesionales, en el diseño de un mecanismo transfronterizo para, a continuación, ofrecérselo a una serie de contribuyentes. En este caso, la labor de estrategia jurídica desarrollada no forma parte de las actividades propias de la profesión de abogado. Falta la relación de asesoramiento personalizado con el cliente. El esquema transfronterizo se construye para ser distribuido a los clientes, directamente o a través de otro intermediario. En suma, podría decirse que el profesional no solo crea el mecanismo comercializable, sino que facilita su puesta en marcha o ejecución.

Esta actuación recuerda al símil de la "fábrica de coches" a la que hacía referencia el Sr. Fonseca para justificar la neutralidad del negocio desarrollado por el bufete "Mossack Fonseca". Ahora bien, este patrón no se puede decir que se corresponda con el trabajo que, normalmente, desarrolla un abogado, cuya actividad de planificación fiscal quedaría subsumida en la categoría de los "mecanismos a medida", en los que existe un asesoramiento jurídico personalizado. En este escenario, el abogado quedará protegido por el secreto profesional y, por consiguiente, exonerado de las obligaciones de revelación del mecanismo.

El ejemplo deja entrever la complejidad que entraña la aplicación de la Directiva y la norma de transposición española a la hora de discernir en qué supuestos un abogado puede considerarse intermediario protegido por el secreto profesional. En este punto, conviene destacar que el Abogado General Rantos sostiene que, en caso de dudas, cualquier abogado "debería poder acogerse sin reservas a la prerrogativa de secreto profesional pues estaría prestando asesoramiento jurídico al contribuyente interesado en dicho dispositivo"[50].

La aplicación de la dispensa del secreto profesional queda abierta a la conflictividad, siendo el juez nacional el que tendrá que ponderar el equilibrio entre la

---

[48] El art. 3 de la Directiva, que lleva por título "Definiciones", entiende por mecanismo comercializable "un mecanismo transfronterizo diseñado, comercializado, ejecutable o puesto a disposición para su ejecución sin necesidad de adaptación sustancial".

[49] El art. 3 de la Directiva utiliza esta denominación para referirse a "cualquier mecanismo transfronterizo que no sea un mecanismo comercializable".

[50] Conclusiones, apartado 65.

exigencia de protección de la prerrogativa de secreto profesional del abogado y el objetivo de la lucha contra la planificación fiscal agresiva.

4. LAS NORMAS REGULADORAS DE LA ABOGACÍA

La remisión de la DAC 6 a la regulación de esta prerrogativa profesional en los ordenamientos nacionales hace necesario mirar con detalle su tratamiento en nuestro sistema jurídico.

El secreto profesional del abogado hunde sus raíces en nuestra tradición jurídica[51]. Así, como ya se ha dicho, este privilegio profesional se encuentra ligado a derechos fundamentales protegidos por la Constitución, el de defensa (art. 24 CE) y el respeto a la intimidad (art. 18 CE). Pero, a los efectos que aquí interesan, esa remisión a la normativa nacional conduce al art. 542.3 LOPJ, en el que, con una fórmula amplia, se establece que el deber de secreto de los abogados comprende "todo lo que tenga que ver con su actuación profesional".

A pesar de la sencillez y claridad de la definición, su puesta en práctica deja zonas de sombra. Entre otras cuestiones, porque la Ley tiene por objeto regular las relaciones de la abogacía con los órganos jurisdiccionales, esto es, una esfera de actuación objeto de protección reforzada para garantizar una buena administración de justicia. Ahora bien, el precepto no proporciona una regulación explícita que cubra todos los aspectos del derecho de defensa.

Por otra parte, para determinar el alcance de esta prerrogativa de secreto profesional, es necesario prestar atención al concepto mismo de abogado. Se trata de un paso necesario para concretar la esfera de actuación profesional objeto de protección por tal privilegio.

La definición de abogado viene recogida en el apartado 1, del referido art. 542 de la LOPJ, donde se dispone que "corresponde en exclusiva la denominación y función de abogado al licenciado en Derecho que ejerza profesionalmente la dirección y defensa letrada de las partes en toda clase de procesos, o el asesoramiento y consejo jurídico". A lo que añade, en su apartado 2, que, en su actuación ante juzgados y tribunales, los abogados son libres e independientes, siendo, a estos efectos, obligatoria la colegiación como ejercientes.

La definición expuesta permite reconocer perfiles variados en la figura del abogado. Junto a los que actúan ante los órganos jurisdiccionales, para los que se

---

[51] Podemos retroceder en el tiempo, a lo que pudiera ser un estatuto de los abogados, en Las Partidas del Rey Sabio, Alfonso X, y encontrar una llamada explícita al secreto sobre todo aquello que los abogados conozcan de los hombres en relación con sus pleitos. Así se lee en la Ley IX, del título VI, Partida III (https://www.boe.es/biblioteca_juridica/abrir_pdf.php?id=PUB-LH-2011-60_2).

exige la colegiación obligatoria, tienen la condición de abogados aquellos otros que enfocan su profesión al asesoramiento o consejo jurídico, colegiados o no.

Esta visión de la abogacía ha experimentado ciertos cambios en un proceso de modernización que, como es lógico, adquiere especial interés de cara a identificar los intermediarios que pueden quedar amparados por la prerrogativa de secreto profesional en el marco de la DAC 6.

La evolución no se reduce a la transformación que se ha producido en la formación de los abogados de conformidad con la Ley 34/2006, de 30 de octubre, sobre el acceso a las profesiones de Abogado y Procurador de los Tribunales, sino que persigue prestigiar una profesión que es esencial para garantizar los derechos y libertades de los ciudadanos, y, de esta manera, reforzar el carácter privilegiado de la relación abogado-cliente. A tal fin, se acomete la revisión del Código Deontológico en 2019, así como la elaboración de un nuevo Estatuto General de la Abogacía Española, aprobado por Real Decreto 135/2021, de 2 de marzo (en adelante, EGAE).

El EGAE, en lo que aquí interesa, aborda con detalle la figura del abogado y, en relación con esta, del secreto profesional. En principio, persigue ofrecer una visión más actualizada de la abogacía, no exenta de aspectos controvertidos, que contribuye a transitar hacia la anteproyectada Ley Orgánica del Derecho de Defensa (en lo sucesivo, LODD), presentada por el Gobierno de España, el 30 de agosto de 2022, como "una norma pionera en Europa"[52].

Con independencia de cuál sea el recorrido de este anteproyecto, y sin entrar en consideraciones técnicas -su naturaleza mixta (ley orgánica y ley ordinaria), por ejemplo, esta Ley pretende una vertebración completa del derecho de defensa consagrado en el art. 24 de la Constitución, dejando atrás las interpretaciones restrictivas que del mismo se han defendido a efectos de reconducirlo al campo estricto del asesoramiento, defensa y representación estrictamente judicial. En este sentido, esta LODD construye un concepto más abierto de defensa, en el cual tienen cabida las distintas manifestaciones que del derecho fundamental se han ido concretando por la jurisprudencia del TEDH.

Esta visión integral del derecho de defensa queda explicitada en el art. 3 del anteproyecto, que referido al "Ámbito de aplicación", dispone que "el derecho de defensa comprende el conjunto de facultades y garantías, reconocidas en el ordenamiento jurídico, que permiten a todas las personas, físicas y jurídicas, proteger y hacer valer, con arreglo a un procedimiento previamente establecido, sus derechos, libertades e intereses legítimos, en cualquier tipo de controversia ante

---

[52] https://www.mjusticia.gob.es/en/ministerio/gabinete-comunicacion/noticias-ministerio/220830-NP-APLO-DERECHO-DEFENSA (última consulta: 10/10/2020).

los Tribunales y Administraciones Públicas o en los medios adecuados de solución de controversias regulados en las leyes procesales o sectoriales".

4.1. Profesionales de la abogacía

En coherencia con este concepto integral del derecho de defensa, el anteproyecto concibe la asistencia técnica prestada "en exclusiva" por los profesionales de la abogacía como un derecho o garantía de los ciudadanos.

A estos efectos, la LODD viene a dar cobertura legal al concepto renovado de abogado que resulta del EGAE. Téngase en cuenta que, con arreglo al art. 4.1 de este Estatuto profesional, los profesionales de la abogacía, abogados y abogadas, se definen como "quienes, estando en posesión del título oficial que habilita para el ejercicio de esta profesión, se encuentran incorporados a un Colegio de la Abogacía en calidad de ejercientes y se dedican de forma profesional al asesoramiento jurídico, a la solución de disputas y a la defensa de derechos e intereses ajenos, tanto públicos como privados, en la vía extrajudicial, judicial o arbitral". Añadiéndose, en el apartado 2, que "corresponde en exclusiva la denominación de abogada y abogado a quienes se encuentren incorporados a un Colegio de la Abogacía como ejercientes".

La lectura del precepto permite advertir que el retoque realizado en el EGAE va más allá de una simple actualización de la LOPJ, con la sustitución del obsoleto título de licenciado por la referencia al título oficial habilitante. La norma reglamentaria acota el círculo de quienes pueden ser abogados y, a su vez. ensancha el perímetro de las actuaciones que son propias de esta profesión.

Lo primero se percibe porque se dice que la denominación de abogado corresponde "en exclusiva" a quienes están colegiados como ejercientes. Un requisito que, si se recuerda, es exigido en el art. 544.2 LOPJ solo para quienes desarrollan la dirección y defensa letrada ante los órganos jurisdiccionales.

Lo segundo, porque la función de estos abogados comprende, no solo las actuaciones que se desarrollan en un contexto judicial, sino que integra el asesoramiento jurídico y la defensa de los intereses legítimos de sus clientes en otras esferas extrajudiciales.

Como resultado de esta visión más moderna del profesional de la abogacía, parece claro que no puede denominarse abogado al colegiado no ejerciente. Este adelgazamiento de la calificación de abogado, no coincidente con lo ordenado en la LOPJ, introduce un factor de inseguridad nada deseable. Téngase en cuenta que, hasta ahora, las tareas de asesoramiento o consejo jurídico pueden ser realizadas por el colectivo de profesionales colegiados como no ejercientes (entre los que se podría encontrar, entre otros juristas, los abogados de empresa o abogados *in house*)[53]. Incluso, sin existir colegiación, hay otros perfiles profesionales que desarrollan una actividad consistente en la utilización de conocimientos y técnicas jurídicas. Tal es el caso de los asesores fiscales; en concreto, de aquellos profesionales que, habiendo realizado los estudios de Derecho, se han especializado en materia tributaria.

Pues bien, con la definición derivada del art. 4.1 y 2 del EGAE, no solo resultan excluidos aquellos que tienen una formación económica y contable u que aplican de forma cotidiana normas jurídicas, sino que también quedan excluidos juristas que realizan tareas de asesoramiento jurídico y defensa, entendida esta última en ese sentido amplio que admite tanto la asistencia en juicio como en el ámbito extrajudicial (piénsese en jóvenes abogados en formación que trabajan para un bufete sin estar colegiados, los académicos que realizan actuaciones de esta naturaleza mediante contratos de transferencia de resultados suscritos a través de la Universidad con los operadores jurídicos, etc.).

El efecto nocivo de esta nueva definición fue señalado por la Comisión Nacional de los Mercados y la Competencia en su informe al borrador del EGAE, de fecha 20 de junio de 2019, donde se llamaba la atención sobre las profundas implicaciones que tal concepto de abogados planteaba al introducir un factor de distorsión de la competencia.

Las discrepancias suscitadas durante la tramitación del Estatuto[54] quedaron sin resolver, tan solo se eliminó un último apartado, el tercero, del mencionado art. 4 EGAE, en el que, a modo de delimitación negativa, se establecía: "Los colegiados no ejercientes no podrán dedicarse a realizar actividades propias de la abogacía, ni utilizar la denominación de abogado o abogada".

Desde este punto de vista, no es baladí que la anteproyectada Ley Orgánica del Derecho de Defensa, en el art. 12, haga suya -eleve a rango de ley- la definición dada por la norma reglamentaria: "La asistencia letrada será prestada por los profesionales de la abogacía, que son aquellas personas que, estando en posesión del título profesional regulado en la normativa sobre el acceso a las profesiones de la abogacía y la procura, están incorporadas a un colegio de la Abogacía como ejercientes, y se dedican de forma profesional al asesoramiento

---

[53]   La colegiación obligatoria no es una exigencia del art. 36 de la Constitución, sino que se trata de una decisión del legislador al que tal precepto remite (SSTC 89/1989 y 3/2013). El TC en Sentencias 3/2013 y 69/2017, ha limitado la necesidad de colegiación a "aquellos casos en que se afecta, de manera grave y directa, a materias de especial interés público, como la protección de la salud y de la integridad física o de la seguridad personal o jurídica de las personas físicas, y la colegiación demuestre ser un mejor instrumento eficiente de control del ejercicio profesional para la mejor defensa de los destinatarios de los servicios".

[54]   Consejo de Estado, Dictamen 812/2020 sobre el proyecto de Real Decreto del Estatuto General de la Abogacía, de 5 de marzo de 2020 (https://www.boe.es/buscar/doc.php?id=CE-D-2019-812).

jurídico, a la solución de conflictos y a la defensa de derechos e intereses ajenos, tanto públicos como privados, en la vía judicial o extrajudicial".

Con esta Ley culmina el proceso de transformación del concepto de abogado iniciado por el EGAE, adaptado a las condiciones actuales de acceso a la profesión, en las que se requiere, además del título universitario (licenciatura o grado en Derecho), la superación del máster de acceso, la superación de la prueba de Estado y la colegiación como ejerciente.

Ahora bien, no se puede considerar que con ello quede zanjada la polémica apuntada en relación con la situación en la que se encuentran aquellos otros profesionales capacitados para realizar tareas de asesoramiento jurídico equivalentes a las de un abogado o abogada. En concreto, tal sería el caso de los asesores fiscales que, teniendo el título universitario en Derecho, desarrollan de forma profesional el asesoramiento tributario y la defensa de los intereses legítimos de los ciudadanos ante la Administración tributaria.

4.2. Alcance del secreto profesional

Los profesionales de la abogacía podrán hacer valer ante la Administración tributaria la prerrogativa de secreto profesional en los términos previstos, por una parte, en el art. 93.5, y, por otra, en las disposiciones adicionales vigésima tercera y vigésima cuarta de la LGT. En ambos casos se hace necesario acudir a la LOPJ para concretar el alcance de este privilegio profesional.

El art. 542.3 de la LOPJ impone a los abogados un deber de secreto que alcanza a "todo lo que tenga que ver con su actuación profesional". En armonía con este precepto, el EGAE, en el art. 21.1 establece que "la confianza y confidencialidad en las relaciones con el cliente imponen al profesional de la Abogacía, de conformidad con lo establecido en la Ley Orgánica 6/1985, de 1 de julio, del Poder Judicial, el deber y el derecho de guardar secreto de todos los hechos o noticias que conozca por razón de cualquiera de las modalidades de su actuación profesional, no pudiendo ser obligados a declarar sobre ellos".

A continuación, en el art. 22 se concretan algunos extremos relacionados con este derecho y deber de los abogados. Así, por ejemplo, se especifica que comprende "todos los hechos, comunicaciones, datos, informaciones, documentos y propuestas que, como Profesional de la Abogacía, haya conocido, emitido o recibido en su ejercicio profesional".

Esta formulación garantiza la confidencialidad de la relación abogado-cliente en los términos configurados por la jurisprudencia europea, tanto del TEDH como del TJUE. Es decir, admitiendo que el alcance del secreto comprende un contexto más amplio que el del proceso judicial, pero sin que la extensión de tal privilegio alcance a aquellas actuaciones que quedan fuera de las funciones esenciales de la abogacía.

En este sentido, a modo de delimitación negativa, el art. 24 del Estatuto dispone que no quedan amparadas en el secreto profesional "las actuaciones del abogado distintas de las propias de su ejercicio profesional y, en especial, las comunicaciones, escritos y documentos en que intervenga como mandatario representativo de su cliente y así lo haga constar". A pesar de la ambigüedad que presenta esta redacción, se puede entrever la influencia que en la misma han tenido las normas europeas al tratar el secreto profesional en materia de blanqueo de capitales, donde, si se recuerda, se exonera a los intermediarios de la obligación de informar sobre las sospechas referidas a sus clientes "en relación con la información obtenida antes, durante o después del proceso judicial, o en el momento de la determinación de la situación jurídica del cliente", dejando fuera las actuaciones realizadas por el profesional en las transacciones financieras e inmobiliarias, o bien en la creación y gestión de sociedades. Un deslinde que también está presente en la gestación de la DAC 6 a la hora de determinar los profesionales obligados a comunicar a las autoridades tributarias los mecanismos transfronterizos de planificación fiscal potencialmente agresivos.

Otro extremo que no ha de pasar inadvertido es que el abogado puede quedar liberado de este deber previa autorización expresa del cliente. Así lo dispone el art. 22.6 del EGAG: "El abogado quedará relevado de este deber, en lo que afecta o se refiere a su cliente, siempre que lo haya autorizado expresamente". No era esta la redacción propuesta en el anteproyecto, que decía todo lo contrario; si bien el Consejo de Estado, en su informe a dicho borrador, recomendó la modificación porque, en determinados escenarios, podría resultar más favorable a los intereses del cliente exonerar al abogado de esta obligación de confidencialidad[55]. Precisamente, es lo que sucede en el caso de las obligaciones derivadas de la DAC 6. Como se ha visto, la revelación de los mecanismos transfronterizos recae sobre los intermediarios y, solo cuando no existan o se amparen en la prerrogativa del secreto profesional, tal obligación se traslada al cliente. Cuestión distinta es si esta solución es la más adecuada desde el punto de vista de la efectiva protección de su derecho de defensa, o bien en términos de proporcionalidad.

---

[55]   Cabe señalar que el anteproyecto del Estatuto introducía como novedad que el abogado "no quedará relevado de sus deberes de secreto profesional por la autorización de su cliente" (apartado 7 del artículo 24). En este punto, se ha de señalar que el dictamen emitido por el Consejo de Estado, recomendó reconsiderar esta formulación debido a que "la ampliación del ámbito objetivo del secreto profesional respecto del previsto en el EGAE, unido a la previsión de que no quedará relevado de ello por la autorización del cliente, puede producir efectos no deseados"; que "cuando el interés protegido sea solo el del cliente, parece que debería poder ser levantado con su autorización" (Dictamen nº 1072/2019, aprobado el 5 de marzo de 2020, https://www.boe.es/buscar/doc.php?id=CE-D-2019-1072).

Piénsese que, si el abogado se ampara en el secreto profesional para no presentar la declaración en cuestión, se traslada la obligación de revelación al destinatario del mecanismo. Desde este punto de vista, la posibilidad de liberar al abogado del secreto profesional puede ser una solución razonable para aliviar al cliente en el cumplimiento de estas obligaciones tributarias. Cuestión distinta es la razonabilidad de la DAC 6, pues si su finalidad es poner fin a los mecanismos transfronterizos de planificación fiscal agresiva, tal vez hubiera sido suficiente con poner el acento en la identificación de tales mecanismos (sus señas distintivas) y sus destinatarios (obligados tributarios interesados).

La delimitación del alcance del secreto profesional realizada por el EGAE se refuerza en el anteproyecto de la LODD. En primer lugar, por evidentes razones de técnica jurídica, dado que el art. 36 de la Constitución reserva a la ley el desarrollo de los derechos fundamentales. Y, en segundo lugar, porque integra el deber de secreto como contenido de un derecho de los ciudadanos a una asistencia jurídica eficaz, cuya titularidad recae "en exclusiva" en los profesionales de la abogacía.

Así pues, en lo que aquí interesa, el anteproyecto recoge, entre las garantías de la abogacía que sirven a la realización del derecho de defensa de los ciudadanos, la "garantía de confidencialidad de las comunicaciones y secreto profesional".

El art. 15 de la anteproyectada LODD explicita la diferencia entre el deber de secreto y la confidencialidad de las comunicaciones, propia de la tradición jurídica anglosajona, en la que se diferencia el secreto profesional, como deber que incumbe al abogado, y la confidencialidad de las comunicaciones abogado cliente (*legal privilege* o *attorney-client privilege*), como derecho de este último. Dos dimensiones que, en puridad, constituyen las dos caras de una misma moneda, pues ambas sirven a la efectiva realización del derecho de defensa[56].

De esta manera, el precepto blinda la confidencialidad de la relación entre el abogado y su cliente, que solo podrá ser intervenida en los casos y con los requisitos expresamente recogidos en la ley. Y, a su vez, contempla la posibilidad de la relevación del contenido de las mismas en la medida en que haya sido autorizada conforme a la regulación profesional vigente.

En particular, el apartado 5 se refiere al secreto profesional, concretando sus manifestaciones:

"a) La inviolabilidad y el secreto de todos los documentos y comunicaciones del profesional de la abogacía, que estén relacionados con el ejercicio de sus deberes de defensa.

---

[56] Esta concepción de la confidencialidad y del secreto profesional es recogida en la STS de 27 de abril de 2012, caso STANPA.

b) La dispensa a prestar declaración ante cualquier autoridad, instancia o jurisdicción sobre hechos, documentos o informaciones de los que tuvieran conocimiento como consecuencia de su desempeño profesional, con las excepciones legales que puedan establecerse.

c) La protección del secreto profesional en la entrada y registro de los despachos profesionales respecto a clientes ajenos a la investigación judicial."

La prerrogativa de secreto profesional, como se puede apreciar, se concibe en términos amplios, poniéndose en relación con el derecho de defensa en todas sus dimensiones, esto es, tanto en las controversias que se dirimen frente a los órganos jurisdiccionales, como en las actuaciones de asesoramiento y consejo jurídico que quedan fuera de esta esfera, lógicamente encaminadas a prevenir el litigio.

5. A MODO DE CONCLUSIÓN

El deber de secreto de los abogados aparece ligado al derecho de defensa (art. 24 CE) y al derecho a la intimidad (art. 18 CE), creando una zona de protección infranqueable, incluso para la Administración tributaria cuando actúa en su misión de interés público encaminada a la eficaz aplicación de los tributos.

Es lógico que una pieza tan fundamental para el funcionamiento de una sociedad democrática avanzada encuentre protección en las normas supranacionales. Tanto en el Convenio Europeo de Derechos Humanos como en la Carta de Derechos Humanos de la UE, objeto de una importante construcción jurisprudencial por parte del TEDH y del TJUE.

Causa sorpresa que, en estas condiciones, el secreto profesional de los abogados resulte amenazado por las medidas adoptadas por la UE para alinearse con las recomendaciones de la OCDE en la cruzada contra el fraude fiscal internacional.

La Directiva de los intermediarios fiscales, o DAC 6, establece una singular obligación de suministro de información sobre determinadas prácticas de planificación fiscal etiquetadas como "potencialmente agresivas" que recae, no sobre el contribuyente, titular de la capacidad económica, sino sobre un conjunto indeterminado de personas, los intermediarios fiscales, que, cerca del contribuyente, aportan conocimientos técnicos para diseñar, ejecutar o poner en marcha unos indeterminados mecanismos transfronterizos de planificación fiscal potencialmente agresivos.

Este papel principal de los intermediarios hace necesario habilitar una dispensa respecto a la obligación de reporte de información para aquellos profesionales que, de conformidad con sus legislaciones nacionales, puedan ver comprometido el secreto profesional inherente a su oficio. Tal es el caso de los abogados.

Este precepto concentra los principales defectos de los que adolece esta regulación: incertidumbre, falta de proporcionalidad y daño reputacional para los profesionales de la abogacía y los asesores fiscales.

Estas deficiencias lastran la regulación con la que, en nuestro ordenamiento interno, se aborda la trasposición de la citada Directiva. La LGT recoge una dispensa con la que, aparentemente, queda protegido el secreto profesional de los abogados.

Pero, a poco que se profundiza en su estudio, se aprecia que existe una revelación de contenidos jurídicos propios de la profesión del abogado ya sea por vía directa, dando cumplimiento a los modelos de declaración del mecanismo, ya sea indirectamente, mediante la comunicación y traslado de tal obligación al cliente.

Y, por otra parte, la dispensa solo contempla el secreto profesional de los abogados colegiados como ejercientes, dejando fuera a otros profesionales que, al igual que los abogados, realizan actuaciones de asesoramiento legal sobre mecanismos de planificación fiscal en el marco de una relación confidencial con sus clientes.

6. BIBLIOGRAFÍA

ALDEA GAMARRA, A. "La planificación fiscal agresiva en el ámbito de la Unión Europea", *Quincena Fiscal*, n. 4, 2022 (BIB 2022, 442).

GARCÍA PRATS, F. A., *La transposición en España de la Directiva sobre Intermediarios Tributarios (DAC 6)*", Paper nº 14, AEDAF, 2019.

JIMÉNEZ-VALLADOLID DE L'HOTELLERIE-FALLOIS, D.J., "El deber de secreto de abogados y otros profesionales y la transposición de la DAC 6: ¿Una única solución frente a interferencias de distintos derechos?, en la obra colectiva *La protección de los derechos fundamentales en el ámbito tributario*, Wolters Kluwer, 2021 pp. 189-224.

MORENO GONZÁLEZ, S., "La Directiva sobre revelación de mecanismos transfronterizos de planificación fiscal agresiva y su transposición en España: transparencia, certeza jurídica y derechos fundamentales, *Nueva Fiscalidad*, n. 2, 2019.

MORÓN PÉREZ, C., *El secreto profesional del abogado ante la Administración tributaria*, Dykinson, 2021.

OCDE/G20, *Exigir a los contribuyentes que revelen sus mecanismos de planificación fiscal agresiva, Acción 12- Informe final*, OCDE, 2015.

SCOTT BRONSTEIN, J.; VASQUEZ, R., *Sociedades peligrosas. La historia detrás de los "Panama Papers"*, primera edición digital, Penguin Random House Grupo Editorial, 2017.

28.- TÉCNICAS *NUDGE* PARA FACILITAR EL CUMPLIMIENTO VOLUNTARIO. ¿INFORMACIÓN O MANIPULACIÓN DE LAS LIBERTADES FUNDAMENTALES DE LOS CONTRIBUYENTES?

EVA Mª GIL CRUZ

Universidad Pontificia Comillas

I.- PLANTEAMIENTO

Con el objetivo de reducir la conflictividad, cada vez son más las Administraciones de los distintos países, que están adoptando medidas que promuevan un compromiso colaborativo en el cumplimiento de las obligaciones fiscales.

En España, la AEAT ha desarrollado para los años 2020 a 2023 dos líneas de actuación. La primera, referida a la información y asistencia a los contribuyentes en su lucha contra el fraude fiscal, y de esta manera minimizar los costes indirectos, y una segunda encaminada a la detención, regularización y, en su caso, la sanción de los incumplimientos tributarios mediante actuaciones de control.

Lo que, en definitiva, se busca en el medio y largo plazo es el cumplimiento voluntario de las obligaciones para con el Fisco.

A nivel internacional, en la reunión plenaria de la *Tax Adminsitration European Union Summit (TADEUS)*, celebrada en septiembre de 2019, uno de los principales retos que se fijó fue la generación de confianza entre los contribuyentes y los órganos públicos, lo que redundaría en la mejora del cumplimiento al que aludíamos.

Para ello, ha de valorarse su evolución mediante dos enfoques, "*determinar la brecha de cumplimiento (tax gap) para observar su comportamiento en el tiempo o, alternativamente, comparar la evolución de las magnitudes tributarias más significativas con la evolución de las magnitudes macroeconómicas más directamente relacionadas con aquellas para, de forma indirecta, determinar si el cumplimiento tributario mejora con el tiempo, opción por la que ha optado la Agencia Tributaria."* [57]

La diferencia entre lo que se debería ingresar por un determinado tributo y lo que realmente se ingresa, se debe a diversos factores como el fraude, las diferencias interpretativas entre los criterios administrativos y los de los obligados tributarios, en base a la normativa aplicable ante un supuesto de hecho determinado, así como a insolvencias, o simplemente, por meros errores de tributación, según pone de manifiesto el Plan Estratégico de la AEAT 2020-2023.

Por el contrario, la voluntariedad, en el cumplimiento fiscal, depende de diferentes variables, entre las que cabe destacar, la conciencia fiscal referida al grado de adaptación del sistema tributario, es decir, normas claras que cumplan con los principios constitucionales, unido a la percepción por los ciudadanos que los ingresos por los tributos recaudados se destinan de forma eficaz, eficiente y transparente al gasto público.

Asimismo, es importante superar la tradicional confrontación entre la Administración y los contribuyentes para impulsar las buenas prácticas basadas en una relación real de cooperación, asentada en la buena fe y en la confianza legítima entre ambas partes de la relación jurídico tributaria, mediante la previsibilidad, las limitaciones de reiteraciones y la seguridad de los precedentes administrativos que respeten en todo momento los derechos fundamentales.

Uno de los instrumentos más utilizados por los distintos países para lograr tales fines es los *nudges* o "empujoncitos" en donde las autoridades tributarias, basándose en la teoría del comportamiento de los ciudadanos, orientan su conducta sin incentivos ni coacción alguna, hacia objetivos previamente definidos.

Si bien, estas técnicas están teniendo gran calado entre distintos sectores como el de la salud, el medio ambiente, o el tributario, no están exentos de traspasar en ocasiones los límites de los derechos fundamentales y libertades públicas como procedemos a exponer.

II.-DIGITALIZACIÓN DE LA IMPOSICIÓN PARA FACILITAR EL CUMPLIMIENTO FISCAL VOLUNTARIO

La digitalización y la transformación tecnológica de las Administraciones tributarias constituye uno de los elementos del modelo cooperativo y de buenas prácticas que busca un incremento en el cumplimiento voluntario, así como, reducir las cargas administrativas de los contribuyentes, y evitar de esta manera, las brechas fiscales.

---

[57]   AEAT (2020): *Plan estratégico de la AEAT 2020-2023,* https://www.agenciatributaria.es/, 20/01/2020

La evolución digital se ha visto acelerada como consecuencia del desafío que ha supuesto la pandemia de la COVID-19, al quedar restringidas las posibilidades de acceso presencial para realizar los trámites con la Administración y fomentarse así, las herramientas tecnológicas y las fuentes de datos y análisis de los mismos.

El primer paso, lo constituyó la Administración tributaria 1.0, basada en procedimientos manuales y en papel, para dar paso a la Administración tributaria 2.0, con la utilización de datos digitales y herramientas analíticas. El reto actual es la Administración 3.0 caracterizada por su total digitalización, integrándose los procesos administrativos con los utilizados por los contribuyentes, lo que permitirá una *"tributación fluida y sin fricciones, mejorando el cumplimiento y reduciendo drásticamente las cargas para los contribuyentes."*[58]

De hecho, el Comité para la reforma tributaria de 2022, pone el acento en la necesidad de impulsar la *"utilización de software que incorpore vínculos directos de los contribuyentes con la Administración tributaria."*[59]

Es lo que se conoce como el cumplimiento por diseño, cuyo principal país en integrarlo, en su sistema de gestión fiscal, ha sido el Reino Unido bajo la denominación de "digitalizar la imposición."

En España, se pretende continuar potenciando los servicios de información y asistencia a los contribuyentes, mediante sistemas telemáticos de colaboración y medios de identificación y de comunicación electrónicos, así como, a través de la inteligencia artificial, la modelización predictiva y el big data, lo que garantizará la realización de los trámites de una manera ágil y eficaz. En especial, se busca la modernización de programas y sistemas informáticos y electrónicos que conllevan los procesos contables de facturación y de gestión de empresarios y profesionales.

Métodos, que además de luchar contra el fraude fiscal, buscan su prevención, mediante el fomento voluntario del cumplimiento de las obligaciones tributarias, como a continuación veremos.

III.-ADMINISTRACIÓN TRIBUTARIA 3.0

La Administración tributaria 3.0 implica una gestión más inteligente del riesgo de cumplimiento, en el sentido de intervenir desde fases más tempranas, en

---

[58] OCDE (2022): *Nueva herramienta proporciona información sobre prácticas e iniciativas de digitalización para 76 Administraciones Tributarias* (Hamilton B., presidente del Foro sobre Administración Tributaria de la OCDE) , https://www.oecd.org/, 4/5/2022

[59] AA.VV. (2022): Libro Blanco sobre la reforma tributaria (presidente: D. Jesús Ruiz-Huerta Carbonell), pág. 203

lugar de una vez que el contribuyente haya presentado y liquidado el tributo en cuestión.

Para el correcto funcionamiento de la Administración Tributaria 3.0 es esencial establecer puntos de conexión con el contribuyente que van desde: *"interacciones cara a cara, llamadas telefónicas, sitios web multifunción, servicios electrónicos, hasta sistemas de gestión empresarial. Estos puntos de contacto con los contribuyentes ayudan a resolver las fricciones donde surgen, por ejemplo, falta de comprensión, circunstancias inusuales que requieren más discusión con la administración, procesos que no funcionan como deberían, etc."*[60]

Los órganos administrativos deben conocer y evaluar las necesidades de los contribuyentes, con el objetivo de introducir nuevos servicios electrónicos, y mejorar los ya existentes mediante el uso de tecnologías innovadoras.

En enero de 2022, precisamente, la OCDE publicó la actualización del plan de acción, *con el fin de orientar y establecer* los componentes clave de la futura administración tributaria, tanto en lo que respecta a reformas internas, como a posibles nuevas soluciones en el ámbito internacional.

Se trata de siete acciones. Las dos primeras referidas a las evaluaciones de madurez, la tercera, cuarta y quinta dedicadas a dar soluciones internacionales y, finalmente las dos últimas, sobre el desarrollo de capacidades e intercambio de información.

Para la OCDE, uno de los aspectos clave, es la identificación segura de los contribuyentes para el funcionamiento eficaz de las Administraciones tributarias actuales, posibilitando el acceso a la adecuación de los diferentes procedimientos (comunicación, presentación de declaraciones de impuestos, incorporación de otras fuentes de datos, opciones de autoservicio, etc.) a contribuyentes personas físicas y jurídicas.

Los contribuyentes demandan, cada vez en mayor medida, la prestación de servicios a través de medios digitales, por lo que las autoridades fiscales han de garantizar la seguridad correcta cuando se proceda a su identificación. Para lo cual, se han ido desarrollando identidades digitales únicas, con el fin de poder optar a la realización de los trámites fiscales de una manera segura. Ejemplo de ello, son las presentaciones de declaraciones en línea o la realización de los pagos de impuestos mediante el pre rellenado.

Con el incremento de la digitalización, se recopilan y utiliza una gran cantidad de información con trascendencia tributaria, tanto de los contribuyentes como de terceros, la cual requiere que sea fiable, precisa y de calidad. Se busca, en definitiva, mejorar la eficiencia y la velocidad de los procesos administrativos, así

---

[60]   OCDE (2020): *Tax Administration 3.0: The Digital Trasnformation of Tax Adminsitration*, Paris, http:// www.oecd.org, 8/12/2020

como, ayudar a proporcionar nuevos servicios, en algunos casos en tiempo real, como lo referido a la transferencia electrónica de documentos trascendentales del contribuyente, tales como las facturas.

Además, el uso cada vez más complejo, de análisis en conjuntos de datos en expansión, está dando lugar a una gestión de riesgos más precisa, y a la selección de una variedad de acciones de intervención, incluso a través de procesos automatizados.

Sin embargo, para lograr el éxito de la Administración tributaria 3.0, se requiere la unión de sistemas y procesos, en los sectores público y privado, así como a nivel internacional.

Igualmente, se prevé la creación de un marco estratégico más amplio que cubra tanto la digitalización como la transformación digital, al encontrarse las Administraciones tributarias en distintos contextos legales y sociales, y en consecuencia contar con diferentes prioridades.[61]

Con todo, existen nuevos retos tributarios, como el cumplimiento por diseño y las técnicas *nudge*, que tan buenos resultados está teniendo en Reino Unido.

De hecho, la AEAT pretende implantar "*la sistematización de la utilización de técnicas de "behavioural insights," incorporándolas como una herramienta más para la mejora del cumplimiento voluntario de las obligaciones fiscales, tanto en las comunicaciones con los contribuyentes como en las aplicaciones informáticas. Esta sistematización se llevará a cabo mediante la creación de un grupo de trabajo que localizará aquellas áreas más propicias para la utilización de dichas técnicas.*"[62]

IV.-PRÁCTICAS DE GESTIÓN FISCAL EN REINO UNIDO.

IV.1.-Cumplimiento tributario por diseño.

Tanto la OCDE como la UE engloban una serie de medidas para digitalizar la imposición, en un objetivo global que han llamado el "cumplimiento tributario por diseño."

Se trata de garantizar una conexión segura, económica y eficiente entre los contribuyentes y la Hacienda Pública dentro de un entorno digitalizado.

[61]   COLLOSA, A. (2022): *Transformación digital de las Administraciones Tributarias*, https://www.merco-juris.com/, Buenos Aires, 18/2/2022

[62]   Resolución de 26 de enero de 2022, de la Dirección General de la Agencia Estatal de Administración Tributaria, por la que se aprueban las directrices generales del Plan Anual de Control Tributario y Aduanero de 2022.

Su desarrollo pretende conseguir, dentro del medio plazo, un importante ahorro de los costes de cumplimiento, en particular del tiempo empleado, tanto en cumplir con las obligaciones con la Hacienda Pública, como en el pago de honorarios a los asesores fiscales.

Lo que se pretende, en definitiva, con la digitalización es mejorar el cumplimiento tributario y combatir el fraude.

País precursor, de la transformación digital de la Administración tributaria, lo constituye Reino Unido, en donde, desde 2019, se exige la presentación de las autoliquidaciones de IVA, así como el almacenamiento de datos y registros en relación con el mismo, mediante los requisitos exigidos en la normativa *Making Tax Digital (MTD)*.

La MTD es la iniciativa de las autoridades fiscales de Reino Unido para mejorar la tributación del IVA, en un intento de reducir la comisión de errores y agilizar las cargas administrativas de identificación y corrección de esos errores.

La digitalización de impuestos, como en el IVA, requiere que todas las empresas registradas mantengan registros digitalmente y presenten sus declaraciones utilizando un «software funcional compatible»

El software que utilizan las empresas debe ser capaz de:

- Llevar y mantener los registros especificados en los reglamentos.
- Preparar declaraciones de IVA utilizando la información mantenida en esos registros digitales
- Comunicarse con HMRC[63] (*Her Majesty's Revenue and Customs*) digitalmente a través de una plataforma de interfaz de programación de aplicaciones (API)[64]

Por tanto, el principal requisito es que, la transferencia de datos entre programas informáticos se realice mediante «enlaces digitales»,[65] siempre que una

---

[63] HMRC es un Controlador de datos bajo la Ley de Protección de Datos de 2018. Cuenta con información para los fines especificados en la notificación al Comisionado de Información, incluida la evaluación y recaudación de impuestos y aranceles, el pago de rentas y la prevención y detección de delitos, y podrá utilizar esta información para cualquiera de ellos. HMRC puede obtener información sobre un ciudadano de otras personas, o puede brindarles información a ellos. Government United Kingdom: VAT Notice 700/22: Making Tax Digital for VAT, https://www.gov.uk/, 1/4/2022

[64] *Ibidem*

[65] Un enlace digital "se produce cuando se realiza, o se puede realizar, una transferencia o un intercambio de datos por vía electrónica entre programas informáticos, productos o aplicaciones sin necesidad ni participación de ninguna intervención manual. La clave de este requisito es que, una vez introducidos los datos en el software de una empresa, no debe haber ninguna intervención manual para transferirlos a otro programa. Esto significa, que los datos no pueden transcribirse manualmente de un programa a otro. Además, utilizar una función de «cortar y pegar» para transferir datos no constituye un enlace digital. Por ejemplo, teclear o copiar manualmente la información de

empresa utilice varios programas informáticos para almacenar y transmitir sus registros y declaraciones del IVA, de conformidad con los requisitos de la MTD.[66]

La transferencia manual de datos, dentro o entre programas de software, productos o aplicaciones (que conforman un software funcional compatible) no es aceptable bajo MTD. Por ejemplo, no se deben anotar los detalles de una factura en un libro de contabilidad y luego, usar esa información escrita a mano, para actualizar manualmente otra parte del sistema de software funcional compatible con la empresa.[67]

De hecho, en el caso de que se produzca cualquier interferencia manual, procederá aplicar la correspondiente sanción.

Finalmente, existen casos que se encuentran exentos, al no ser práctico usar herramientas digitales para mantener los registros comerciales o enviar las declaraciones de IVA; esto puede deberse a razones como la edad, la discapacidad o la ubicación del autónomo, profesional o empresa, así como también, si el contribuyente estuviera sujeto a un procedimiento de insolvencia, o se tratase de una sociedad u orden religiosa cuyas creencias son incompatibles con el uso de comunicaciones electrónicas o el mantenimiento de registros electrónicos.

IV.2.-Técnicas nudge basadas en el enfoque behavioural insights

La teoría del *nudge*, también denominada teoría del "empujóncito", fue acuñada por el premio noble de economía Richard H. Thaler[68] y está basada en la economía conductal, aunque más que una teoría económica, se trata de una simbiosis entre economía y psicología.

Las técnicas *nudge*s se configuran, como herramientas útiles, utilizadas por las Administraciones Públicas, para encaminar las conductas de los ciudadanos

---

una hoja de cálculo en otra no cuenta como enlace digital, pero conectar las dos hojas de cálculo mediante una fórmula de enlace sí." DECKER, A. (2021): *Making Tax Digital en el Reino Unido: el 1 de abril pone fin al periodo de aterrizaje suave,* https://sovos.com/, 3/3/2021

[66]   Por ejemplo, "si una empresa almacena sus registros de IVA en su programa de contabilidad, pero luego presenta su declaración de IVA utilizando un software puente aprobado, los datos deben ser transferidos entre el software de contabilidad y el software puente a través de un enlace digital". DECKER, A. (2021): *Making Tax Digital en el Reino Unido...op. cit*

[67]   Government United Kingdom: VAT Notice...*op. cit*

[68]   Thales junto con Sunstein publicaron en 20008 el primer libro sobre nudge. Estos académicos norteamericanos definen el nudge "como cualquier aspecto de la arquitectura de la elección que modifica de forma previsible el comportamiento de la gente sin prohibir ninguna opción ni modificar de forma significativa los incentivos económicos", THALER, R y SUSTEIN.C. (2008): Nudge. Improving Decisions about Health, Wealth and Hapiness. Yale Universituy Press

hacia determinados objetivos sin utilizar para ello la coacción ni los incentivos económicos.[69]

Se trata, en definitiva, de un acicate para incentivar la conducta de los ciudadanos en la consecución de un fin concreto.

Las autoridades tributarias tratan de sistematizar estas técnicas, con el fin de mejorar el cumplimiento voluntario de las obligaciones fiscales, favoreciendo las propias decisiones voluntarias de los contribuyentes, adaptadas con las aplicaciones informáticas, comunicaciones y la información que los órganos públicos les aportan.

El objetivo es, modificar u orientar la conducta de los contribuyentes, sin prohibir ninguna opción ni otorgar incentivos económicos, para dirigirla hacia políticas más eficaces en la gestión pública.

Aunque la UE se decanta por implantarlas en distintos sectores públicos, es el Reino Unido el que se ha situado a la cabeza, partiendo de la creación del *Behavioural Insights Team* (BIT).

El BIT para poder aplicar estos *"insights"* desarrolló una metodología basada en la experiencia, en atención a estrategias fundadas en las conductas del comportamiento y evaluando que las herramientas utilizadas eran efectivas. Así, por ejemplo, el esquema utilizado por las autoridades públicas de Reino Unido "pague a medida que vaya ganando" implica asegurarse la recaudación fiscal sin que contribuyente deba realizar acción alguna, pues la opción predeterminada, al ser la más sencilla, ha supuesto un instrumento eficaz para obtener ~~loa~~ los resultados pretendidos.[70]

Los principios sobre los que parte el BIT, para promover un comportamiento que derive en el cumplimiento fiscal voluntario, es que el mismo ha de ser simple, atractivo, social, y a tiempo (EAST).[71]

Ejemplo de ello, es el "empujoncito" que las autoridades fiscales inglesas dieron a los contribuyentes morosos enviándoles misivas para que se pusieran al día de sus obligaciones tributarias, en donde se incluía el siguiente mensaje: *"Nueve de cada diez personas en Reino Unido pagan sus impuestos a tiempo. Usted está actualmente en la pequeña minoría de personas que no han pagado aún"*. El resultado fue un incremento de 5.1% en los 23 días de prueba.[72]

---

[69]   MOREU CARBONELL, E. (2018): "Integración de nudges en las políticas ambientales". Monografías de la *Revista Aragonesa de Administración Pública* XIX, Universidad de Zaragoza, 2018, pág. 451

[70]   AA.VV. (2018): *East. Cuatro maneras simples de aplicar las ciencias del comportamiento.* https://www.bi.team/, 12/2/2018, pág. 9

[71]   *Ibidem*, pág. 4

[72]   LINARES, S. y FREIDIN, E. (2017): "Ciencias del comportamiento y política: tiempo de "empujar" la conducta de los gobernantes". *Estudios económicos, 34* (69), 71–87. https://doi.org/10.52292/j.estudecon.2017.710, 19/07/2022

Es indudable que este tipo de políticas públicas suponen una perspectiva innovadora, a la vez que, ha quedado demostrado, que la relación costes-resultados es efectiva. Mediante el envío de estas cartas, en las que el mensaje que se transmite, es que los morosos están fuera de la norma social, la mayoría paga sus impuestos, sirviendo como acicate las normas sociales. Se trata de una actuación, sin prácticamente coste alguno, pero que, al afectar a las emociones, tiene unas consecuencias favorables muy significativas.[73]

El BIT, junto con las autoridades fiscales de Reino Unido, buscaron la creación de un sistema de pago más sencillo. Modificaciones simples que aumentará el cumplimiento del pago de los impuestos.

Al tener importantes efectos en los resultados finales, los órganos administrativos ingleses se han mostrado proclives a realizar pequeños cambios en el esfuerzo requerido para actuar.

Muestra de ello, lo constituye las modificaciones que se efectuaron en el link predeterminado, en las misivas que se dirigieron a los contribuyentes, en donde se les conducían al formulario que debían rellenar, en lugar de a la página donde podían descargarlo.

El incremento de la tasa de respuesta, a través de correcciones en el link predefinido, supuso que subiera en casi cinco puntos porcentuales la tasa de respuesta.

Uno de los factores de éxito, para que estas técnicas hayan logrado sus objetivos recaudatorios en el Reino Unido, es que el formato de las cartas y comunicaciones dirigidas a los ciudadanos es fácil de entender, lo que se ha conseguido simplificando los mensajes, y atrayendo la atención del ciudadano, mediante la personalización de los "empujoncitos."[74]

Al igual que el resto de herramientas con las que cuentan las autoridades públicas, el *nudge* no es un instrumento infalible, aunque en un principio puede resultar complementario y útil para modificar determinadas conductas.

Los *nudges* deben debatirse y compartirse para que se consigan los resultados pretendidos, de lo contrario, su uso rozaría la manipulación planteándose cuestiones éticas, pues el límite entre información, comunicación y manipulación es a veces difícil de definir.[75]

La principal objeción a la implantación de estas técnicas conductuales es que las autoridades fiscales marquen un camino único y no se limiten a orientar, sino

---

[73]   VALERO CARRERAS D. (2020). "El uso cotidiano de las ciencias del comportamiento." *Revista del Colegio Notarial de Madrid* (90), https://www.elnotario.es/, marzo-abril 2020

[74]   Ejemplo de ello lo constituye la inclusión, en las cartas envidas a los contribuyentes que no habían pagado el impuesto sobre vehículos, de una fotografía de su vehículo con el mensaje "paga tu impuesto o pierde tu vehículo". AA.VV. (2018): *East. Cuatro...op. cit* pág. 20

[75]   CESE (2016): Dictamen del Comité Económico y Social Europeo sobre "Integrar los nudges en las políticas europeas" 2017/C0756/05, DOCE 10/3/2017

a conseguir "*la maximización de la recaudación tributaria eliminando opciones y afectando a las libertades individuales.*"[76]

Al restringir el *nudge* las opciones decisorias del contribuyente, se cae, en opinión de PÉREZ POMBO, en un "paternalismo liberal" que podría poner en duda la libertad de elección, como presupuesto para exigir responsabilidades. Es decir, hasta qué punto se podría exigir responsabilidades a los contribuyentes por las acciones llevadas a cabo si han seguido las orientaciones de la Administración tributaria.[77]

En el Derecho Público, tal y como advierte MOREU CARBONELL,[78] es muy sencillo manipular la voluntad de los ciudadanos con el objetivo de satisfacer el interés general.

En base a ello, se hace imprescindible determinar las condiciones de utilización de los *nudges,* con el objetivo de evitar su impacto negativo y garantizar su aceptabilidad deontológica, y así, evitar desviaciones hacia objetivos no responsables.

Para lo cual, es imprescindible, según establece el CESE, el respeto con las siguientes cuatro condiciones: "la transparencia del proceso, la flexibilidad de los interesados, que siempre deben tener la opción de actuar en un sentido u otro, la fiabilidad de la información que reciben y la no culpabilización de las personas."[79]

V.-INCIDENCIA DE LOS *NUDGES* EN LOS DERECHOS Y LIBERTADES FUNDAMENTALES DE LOS OBLIGADOS TRIBUTARIOS

Las estrategias conductuales, en general, y las de carácter tributario, en particular, al incidir de manera imperceptible en el comportamiento humano, y

---

[76]   PÉREZ POMBO, E. (2022): *Harto de empujones tributarios,* https://fiscalblog.es/, 29/3/2022

[77]   PÉREZ POMBO, ejemplifica la restricción de opciones al contribuyente que las autoridades fiscales llevan a cabo de forma sutil en España, implantando casillas en el formulario de la declaración del IRPF, para declarar y liquidar el gravamen correspondiente a las criptomonedas y su tenencia, haciendo creer que existe una normativa vigente al respecto, cuando en realidad sólo se contiene en el Manual del IRPF. O la campaña informativa de la AEAT a las personas jurídicas en relación con las divergencias entre el importe de las ventas y las entradas y salidas de las cuentas bancarias, haciéndoles ver que existe un riesgo potencial de incumplimiento fiscal, de no tenerlo en cuenta. *Ibidem*

[78]   MOREU CARBONELL, E (2018): "Integración de nudges…*op. cit,* pág. 461

[79]   El Comité Económico y Social Europeo (CESE) propone la creación de una Carta de buenas prácticas a escala europea y que sea desarrollada por los Estados miembros. CESE (2016): *Dictamen de iniciativa sobre "integrar los nudges en las políticas europeas,"* (Ponente: Thierry LIBAERT) apartado 1.6 y 1.8, (2017/C 075/05) https://eur-lex.europa.eu/, 15/12/2016

modificarlo en uno u otro sentido, abren el debate sobre cuestionamientos constitucionales .

Uno de los temas más debatidos, que no el único, se circunscribe a la libertad de elección, cuando se plantea el uso de los acicates tributarios para lograr el objetivo del cumplimiento voluntario de los deberes fiscales, como acabamos de comprobar.

Y es que, dentro de los límites establecidos por una norma jurídica, el contribuyente tiene derecho a elegir entre las distintas "opciones fiscales" que el legislador le brinda, al influir de manera directa en la configuración de su situación jurídico-tributaria.

La economía de opción, basada en motivos económicos válidos, está reconocida jurisprudencialmente[80] al no afectar ni al principio de capacidad económica ni al de justicia tributaria.

Precisamente, es el elemento subjetivo de la obligación tributaria, el que permite diferenciar entre la posibilidad de que el contribuyente opte entre las diferentes alternativas válidas, por su reconocimiento legal, de la mera evasión o fraude fiscal.

El libre ejercicio de opción no puede verse restringido, aunque sea de manera sutil, o incluso indirecta por los estímulos, acicates o empujones de la Administración.

De hecho, el obligado tributario debe contar con la posibilidad de elección sin sentirse culpable por ello. En consecuencia, todas las opciones posibles deben ser presentadas con el mismo grado de información.

La opción propuesta como más conveniente por el órgano público, quizás puede que no lo sea para un individuo o grupo determinado por sus condicionamientos intrínsecos que habrán de ser valorados para dar cumplimiento al principio constitucional de igualdad en aplicación de la ley del art. 31.1 de la C.E.

Lo contrario, implicaría una coacción velada, al dejar patente las consecuencias especialmente económicas a las que el contribuyente se arriesga si su conducta es distinta de la sugerida por la Administración.

Adecuar la abstracción e indeterminación del ordenamiento jurídico, ante la existencia de varias posibilidades, a la situación que mejor incardine en la situación fiscal del sujeto pasivo, lo que busca es crear un sistema tributario más justo.

Asimismo, las estrategias basadas en los *nudges* deben respetar los requisitos deontológicos, que una norma con rango de ley debería contemplar para evitar que se conviertan en herramientas de manipulación conductal de los poderes

---

[80]   STS de 15 de diciembre de 2008, rec. Casación 5985/2005

públicos, encaminadas hacia un incremento recaudatorio mediante la influencia social y la restricción de la libertad personal.[81]

De ahí, la importancia que adquiere que el contribuyente cuente con la información completa y necesaria para garantizar su aceptabilidad ética, y así, evitar el diseño de algoritmos con un objetivo oportunista.

Los datos suministrados o captados pueden dar lugar a sesgos discriminatorios, ineficaces para evitar la incentivación del pago del tributo en periodo voluntario. O incluso, constituirse en inadecuados para la aplicación sistemática de la norma, al hacerlo de manera uniforme y unitaria.

Al tener los sesgos discriminatorios su origen en la información suministrada, la misma no debe ser masiva, sino de calidad y adecuadamente estructurada, de manera que se protejan los derechos fundamentales de la persona interesada en relación con la protección de los datos y la privacidad.

Los análisis predictivos asentados exclusivamente en macro datos pueden proporcionar una probabilidad estadística y, en consecuencia, no pueden predecir siempre con precisión la conducta individual.

De hecho, "*como consecuencia de los conjuntos de datos y sistemas de algoritmos que se utilizan al hacer evaluaciones y predicciones en las distintas fases del tratamiento de datos, los macro datos no solo pueden resultar en violaciones de los derechos fundamentales de los individuos sino, también, en un tratamiento diferenciado y en una discriminación indirecta de grupos de personas con características similares, en particular en lo que se refiere a la justicia e igualdad de oportunidades*"[82]

Por ello, el Parlamento Europeo solicitó a la Comisión, a los Estados miembros y a las autoridades de protección de datos que evaluasen, de manera específica, la necesidad, no solo de transparencia algorítmica, sino también de transparencia ~~en relación~~ con posibles sesgos en los datos de capacitación utilizados para hacer inferencias sobre la base de los macro datos.

Al obligado tributario debe asistirle la posibilidad efectiva de completar o rectificar la información que afecte a su intimidad personal y que obre en poder de la Hacienda Pública. Así como, conocer de dónde y cómo se recaban los flujos de datos.[83]

---

[81]   PÉREZ POMBO, E. (2022): *Harto…op. cit*

[82]   El Parlamento Europeo propone para evitar esta visión sesgada de la realidad la necesidad de normas científicas y éticas estrictas para gestionar la recopilación de datos y valorar los resultados de esos análisis. Resolución del Parlamento Europeo, de 14 de marzo de 2017, sobre las implicaciones de los macro datos en los derechos fundamentales privacidad, protección de datos, no discriminación, seguridad y aplicación de la ley (2016/2225(INI).

[83]   ARELLANO TOLEDO, W. (2019): "El derecho a la transparencia algorítmica en big data e IA" en *Revista General de Derecho Administrativo*, (50). Ed. Iustel

El impulso de este tipo de políticas públicas, para lograr el cumplimiento voluntario, conlleva sin duda un gran potencial, pero también riesgos significativos, concretamente en lo que se refiere a la protección de derechos fundamentales, como el derecho a la privacidad, la protección y la seguridad de los datos, además de la libertad de elección y la no discriminación, garantizados por la Carta de los Derechos Fundamentales y la legislación de la UE.

Las autoridades fiscales, en ningún caso, puede restringir tales derechos a su discreción.

Sólo se podrán aprovechar plenamente las perspectivas y oportunidades que brindan los macro datos en los que se fundamentan los *nudges* si la confianza pública se garantiza mediante la estricta observancia de los derechos fundamentales y el cumplimiento de la legislación vigente en materia de protección de datos, así como, la libertad personal de elección y la seguridad jurídica de todas las partes interesadas.

VI.- CONCLUSIONES

A partir del enfoque "*behavioural insights*" de la OCDE para la acción pública, es cada vez más frecuente, el uso de técnicas de análisis del comportamiento del contribuyente, que son utilizadas para el fomento del cumplimiento fiscal voluntario. Este tipo de estrategias, requieren una regulación normativa, que no se puede ni debe ir postergando, al entrar en juego los derechos fundamentales y las libertades individuales, como el derecho a la intimidad y la protección de datos del art. 18.4, la libertad de elección del art. 17.1 C.E o el derecho a la no discriminación del art. 14 y 31.1 C.E.

Aunque este tipo de políticas públicas suponen una perspectiva innovadora, a la vez que la relación coste -resultados es efectiva, la *nudge theory* no es una herramienta axiomática.

De hecho, los instrumentos basados en la economía conductal deben debatirse y compartirse para que se consigan los resultados pretendidos, de lo contrario, su uso rozaría la manipulación, planteándose tanto cuestiones éticas como de posible responsabilidad tributaria.

Por ello, es imprescindible, determinar sus condiciones de utilización, con el objetivo de evitar su impacto negativo y garantizar su aceptabilidad deontológica, y así, evitar desviaciones hacia objetivos no responsables, a la vez que, asegurar el pleno respecto a las libertades de los contribuyentes.

Sin embargo, es un camino de largo recorrido, que no ha hecho más que comenzar, desconociéndose los efectos y repercusiones que puedan tener en el medio y largo plazo al plantearse tanto cuestiones técnicas como legales.

Se hace preciso, pues, abordar la comprensión de los principios y la lógica de cómo funcionan los algoritmos y los procesos de toma de decisiones automatizadas, basadas en sesgos cognitivos, y cómo interpretarlos de forma significativa ante los inseguridades y limitaciones que su utilización presenta para el pleno ejercicio de los derechos fundamentales de los contribuyentes.

Consideramos esenciales, para alcanzar el objetivo del cumplimiento voluntario de los deberes fiscales mediante estas técnicas, la transparencia y la correcta información al público afectado para generar la confianza de la opinión pública y la protección de los derechos individuales.

Se hace apremiante la existencia de unas normas científicas y éticas estrictas, las cuales son esenciales para generar confianza en las soluciones basadas en los *nudges* que garanticen, en todo momento, los derechos fundamentales asociadas al uso del tratamiento y la analítica de datos por el sector público, así como, medidas adicionales de carácter jurídico como la responsabilidad por el software, tal y como se ha dejado patente en la UE.

VII.-BIBLIOGRAFÍA

AA.VV. (2018): *East. Cuatro maneras simples de aplicar las ciencias del comportamiento.* https://www.bi.team/, 12/2/2018

AA.VV. (2022): Libro Blanco sobre la reforma tributaria (presidente: D. Jesús Ruiz-Huerta Carbonell), Madrid, 2022. https://www.ief.es/

AEAT (2020): *Plan estratégico de la AEAT 2020-2023*, https://www.agenciatributaria.es/, 20/01/2020

ARELLANO TOLEDO, W. (2019): "El derecho a la transparencia algorítmica en big data e IA" en *Revista General de Derecho Administrativo*, (50). Ed. Iustel

CESE (2016): *Dictamen de iniciativa sobre "integrar los nudges en las políticas europeas,"* (Ponente: Thierry LIBAERT) apartado 1.6 y 1.8, (2017/C 075/05) https://eur-lex.europa.eu/, 15/12/2016,

COLLOSA, A. (2022): *Transformación digital de las Administraciones Tributarias*, https://www.mercojuris.com/, Buenos Aires, 18/2/2022

DECKER, A. (2021): *Making Tax Digital en el Reino Unido: el 1 de abril pone fin al periodo de aterrizaje suave*, https://sovos.com/, 3/3/2021

Government United Kingdom: VAT Notice 700/22: Making Tax Digital for VAT, https://www.gov.uk/, 1/4/2022

LINARES, S. y FREIDIN, E. (2017): "Ciencias del comportamiento y política: tiempo de "empujar" la conducta de los gobernantes". *Estudios Económicos, 34* (69), 71–87. https://doi.org/10.52292/j.estudecon.2017.710, 19/07/2022

MOREU CARBONELL, E. (2018): "Integración de *nudges* en las políticas ambientales". Monografías de la *Revista Aragonesa de Administración Pública* XIX, Ed. Universidad de Zaragoza, 2018

OCDE (2020): *Tax Administration 3.0: The Digital Trasnformation of Tax Adminsitration*, Paris, http://www.oecd.org, 8/12/2020

OCDE (2022): *Nueva herramienta proporciona información sobre prácticas e iniciativas de digitalización para 76 Administraciones Tributarias* (Hamilton B., presidente del Foro sobre Administración Tributaria de la OCDE) , https://www.oecd.org/, 4/5/2022

PÉREZ POMBO, E. (2022): *Harto de empujones tributarios*, https://fiscalblog.es/, 29/3/2022

THALER, R y SUSTEIN.C. (2008): *Nudge. Improving Decisions about Health, Wealth and Hapiness. Yale Universituy Press.* April, 2008

VALERO CARRERAS D. (2020). "El uso cotidiano de las ciencias del comportamiento." El notario del siglo XXI. *Revista del Colegio Notarial de Madrid,* (90), https://www.elnotario.es/, marzo -abril 2020.

29.- LOS DERECHOS DEL CONTRIBUYENTE EN INSPECCIONES CONJUNTAS Y SIMULTÁNEAS

ALEJANDRO JIMÉNEZ LÓPEZ

Abogado.
Doctorando en Derecho Financiero y Tributario en la Universidad de Barcelona.

1.- INTRODUCCIÓN

Desde unos años atrás existe una preocupación creciente por la lucha contra el fraude fiscal, lo que hace que aumente el compromiso por alcanzar este fin. Por ello, las administraciones tributarias necesitan de la cooperación para gestionar esta lucha, debido a que muchas de las causas de este problema se vinculan directamente a la globalización de las actividades económicas y a las nuevas formas de negocio a través de la economía digital. Si a eso le sumamos la presencia de multinacionales con negocios transfronterizos y esquemas de planificación fiscal agresiva, los cuales implican paraísos fiscales y/o jurisdicciones de nula o baja tributacióno no cooperativas, y si además añadimos el tema siempre complejo relativo a precios de transferencia, hace que se convierta en un escenario difícil de controlar.

A su vez, estos nuevos modelos de negocio originan mayores obligaciones tributarias y hacen más difícil la aplicación de las normas fiscales para los contribuyentes, aumentando así el incumplimiento de estas.

Este panorama hace que la colaboración con otros Estados sea un factor estratégico del control tributario. Tradicionalmente el mismo se ha articulado a través de los acuerdos bilaterales de intercambio de información, y más adelante se apostó por instaurar el intercambio automático en el marco de los convenios que siguen el modelo de la OCDE.

Ahora bien, la situación actual hace que el simple intercambio de información, por mucho que seaautomático, se antoje insuficiente para solucionar estos problemas. Por ello, entre otros organismos, la Comisión Europea o la propia OCDE, hace tiempo vienen trabajando en nuevas formas de cooperación administrativa mucho más invasivas en lo que a la esfera de derechos de los contribuyentes se refiere. Entre estos mecanismos, podemos encontrar controles bilaterales o multilaterales, incluidas inspecciones conjuntas, así como controlessimultáneos cuando resulte conveniente.

A nivel comunitario, la Unión Europea (UE) viene realizando sucesivas modificaciones dela Directiva 2011/16/UE del Consejo (DAC) a fin de mejorar la cooperación administrativa, dando entrada a nuevas formas de cooperación.

De momento, la última modificación ha sido a través de la Directiva (UE) 2021/514 del Consejo de 22 de marzo de 2021 por la que se modifica la Directiva 2011/16/UE relativaa la cooperación administrativa en el ámbito de la fiscalidad (DAC 7) que ha dado realidadjurídico-formal a las inspecciones conjuntas, puesto que, con anterioridad, las mismas se habían trabajo por la OCDE mediante sus informes, o bien a través de propuestas de la Comisión Europea, es decir, herramientas de *soft law*. A su vez, la DAC 7 impone la obligación acometer la regulación en el ordenamiento jurídico interno de las «inspecciones conjuntas» transponiendo el contenido del artículo 12 bis DAC, lo que supone una novedad en la imposición directa con mucha relevancia en la práctica.

Tal es esa trascendencia que, el COMITÉ DE PERSONAS EXPERTAS (2022, p. 199), destaca el énfasis que hace la AEAT en la necesaria intensificación de los controles simultáneos e inspecciones coordinadas para grandes grupos multinacionales.

Esta intensificación se plasma en la Resolución de 26 de enero de 2022, de la Dirección General de la Agencia Estatal de Administración Tributaria, por la que se aprueban las directrices generales del Plan Anual de Control Tributario y Aduanero de 2022, en dónde se incluyen las inspecciones conjuntas como actuaciones decomprobación relativas al control de tributos internos de grupos multinacionales, grandesempresas y grupos fiscales.

Aunque según esta Resolución la DAC 7 efectúa una mejora en el marco jurídico comunitario de las inspecciones conjuntas, lo cual supone un incentivo al mayor desarrollo de esta forma de actuación; a mi modo de ver, un procedimiento tan complejo como este, requiere un marco jurídico más avanzado y completo, pues no puede ser abordado por un único precepto en la DAC y otro en la legislación interna.

Si bien es cierto que existe una mejora respecto a la regulación anterior, dónde existía una evidente fragmentación de la regulación en cuanto a ciertos aspectos, como pusieron de manifiesto ČIČIN-ŠAIN, EHRKE-RABEL y ENGLISCH (2018, p. 592), continúa sin existiruna integración total al aplicarse una multiplicidad de sistemas jurídicos.

Sobre este aspecto incidió ČIČIN-ŠAIN (2020, p.158), quién propuso que de forma previa a la aprobación de la DAC 7, la regulación europea debería trazarse desde los institutos procedimentales comunes que compartan los EM en su propio procedimiento tributario interno, yde los principios codificados en la CDFUE y el CEDH.

Esto hace que, como expone VAN DER HEL-VAN DIJK (2011, p. 325), dependiendo del marco legal nacional aplicable, el alcance e intensidad de la protección de los derechos de los contribuyentes variará. Es decir, la implementación de los derechos es difusa, y según el EM dónde se realice, existirá una regulación más o menos garantista, planteando una distinta contexta jurídica en cuanto a derechos y deberes del contribuyente, así como facultades y potestades de la Administración de los distintos EM. Esto hace que como señala ROZAS VALDÉS (2022, p. 143) exista una diferente intensidad en la aplicación de los derechos. Para ello pone tres ejemplos muy ilustrativos de la diferente concepción y aplicación de los derechos y garantías de la cláusula *due process* (art.6 CEDH) en distintos EM, y de las posibles incidencias que surgirán por el cruce de diferentes regímenes jurídicos en el desarrollo de estas actuaciones.

En conclusión, y en consonancia con lo expuesto por ČIČIN-ŠAIN, EHRKE-RABEL y ENGLISCH (2018, p.593), si analizamos la conjunción entre los requisitos constitucionales, dónde se incluye la CDFUE o el CEDH y las garantías nacionales, se forma un conjunto bastante complejo de derechos del contribuyente.

El escenario expuesto hace que aparezcan desafíos específicos en el contexto de las inspecciones conjuntas, los cuales deben solventarse si se quiere conseguir un uso eficiente y eficaz de esta herramienta.

2.- MARCO JURÍDICO DE LAS INSPECCIONES CONJUNTAS

Si bien, y aunque sea de manera breve, antes de adentrarnos en el estudio de los derechos como tal en el procedimiento, debemos enfocar la cuestión exponiendo sucintamente el marco jurídico de las inspecciones conjuntas.

Como decíamos, la DAC 7 ha dado una realidad jurídico-formal a este instrumento, pues se ha plasmado por primera vez esta herramienta en una disposición jurídica vinculante para los EM en lo relativo a la imposición directa. Hasta la situación actual, la base jurídica de las inspecciones conjuntas a nivel europeo para los impuestos directos solía ser el art. 11 (2) DAC y la correspondiente legislación nacional aplicable.

A pesar de la nueva regulación dada por la DAC 7, que supone un paso en firme hacia una mayor facilidad en su aplicación, pues ofrece un marco jurídico más detallado acerca del inicio del procedimiento y ciertos aspectos de este, así como legislación nacional aplicable, parece que no acaba de combatir la inseguridad jurídica de esta herramienta, y en parte es por la falta de claridad en cuanto al derecho procesal.

Según ENGLISCH y ČIČIN-ŠAIN (2021), parece que de momento las inspecciones conjuntas seguirán rigiéndose, en gran medida, por las normas de procedimiento nacionales, especialmente en lo relativo a los derechos de los contribuyentes, lo que genera complejidad y ambigüedades.

Sólo ciertos aspectos del procedimiento se han armonizado completamente a través de la DAC 7, y como explican ENGLISCH y ČIČIN-ŠAIN (2021), aunque cualquier inspección conjunta debe respetar los derechos fundamentales y los principios generales del Derecho de la UE, como aplicación de este último, sus implicaciones y posibles limitaciones deben concretarse en disposiciones legislativas detalladas.

3.- LOS DERECHOS (FUNDAMENTALES) DEL CONTRIBUYENTE EN EL PROCEDIMIENTO TRIBUTARIOA NIVEL NACIONAL Y EUROPEO

Por los motivos indicados más arriba, es necesario examinar la conjunción entre los derechos a nivel nacional y a nivel europeo, pues intervienen una multiplicidad de EM, cada uno con su propio ordenamiento jurídico y procedimiento interno, lo cual hace que confluyan multitud de derechos y garantías, así como deberes u obligaciones.

3.1.- A nivel nacional

En el ordenamiento interno español, la Constitución otorga la condición de derecho fundamental a los regulados en los arts. 14 a 29 CE. Si bien, entre estos no se hace referencia expresa a la materia tributaria ni se articula explícitamente ningún "derecho fundamental tributario" como tal, sí que encontramos algunos vinculados directamente a esta materia como son el derecho a la igualdad, a la intimidad o a la inviolabilidad del domicilio, los cuales se pueden ver afectados por actuaciones en el seno de procedimientos tributarios[84]. Estos derechos se instauran para que el procedimiento inspector se cimiente sobre el equilibrio entre los derechos de los contribuyentes y las potestades de la Administración

Al igual que ocurre en el sistema español, cada país tiene su Constitución con sus respectivos derechos, lo que hace que, en el caso de actuaciones conjuntas con otros países, entren en juego todos los sistemas jurídicos implicados, pues en el marcoprocedimental entran los derechos y garantías.

---

[84] De manera más taxativa podemos señalar los siguientes derechos: seguridad jurídica e irretroactividad delas disposiciones sancionadoras no favorables o restrictivas de derechos [art.9 (3) CE]; igualdad en la aplicación de la ley (art.9 (2) CE] y ante la ley (art.14 CE); derecho a la intimidad (art.18 CE); tutela judicialefectiva (art.24 (1) CE] y presunción de inocencia [art.24 (2) CE] o justicia fiscal y principios de generalidad, capacidad económica e igualdad (art.31 CE).

3.2.- A nivel europeo

Pero además de las propias constituciones de los EM, debemos contar con la existencia de la Carta de los Derechos Fundamentales de la Unión Europea (CDFUE) o el Convenio Europeo de Derechos Humanos (CEDH), así como en otros convenios internacionales que han firmado los Estados de la UE.

Por ejemplo, dentro de la CDFUE, en el ámbito tributario destacan el derecho a una buena administración (art.41 CDFUE), el derecho de acceso a los documentos (art.42 CDFUE) o el derecho a la tutela judicial efectiva y a un juez imparcial (art.47 CDFUE)[85].

La CDFUE se encarga de recoger los derechos civiles, políticos, económicos y sociales y protege a los ciudadanos europeos de acciones de los EM que les afecten, pero únicamente cuando estos aplican normativa europea, y por ese motivo quizás se relaciona más en un ámbito procedimental que el CEDH, el cual se liga más con violaciones de derechos a nivel humanitario. Es cierto que como apunta MUÑOZ FREIRE (2021, p.2), normalmente se suele asociar la protección de los derechos humanos con el ámbito del derecho penal o procesal. Si bien esa asociación no es incorrecta, sí que es incompleta, pues los derechos humanos gozan de un carácter general y universal que permite su aplicación a todas las ramas del derecho de forma transversal.

Esto ha hecho que el TEDH tenga desde antiguo una postura rígida en cuanto a la aplicación del CEDH a la materia tributaria, pero que finalmente ha sido ratificada la aplicación de preceptos del CEDH y principios jurisprudenciales también al ámbito tributario.

Lo cierto es que únicamente el artículo 1 del primer Protocolo Adicional del CEDH abarca las relaciones entre el Estado y los contribuyentes amparando el derecho de propiedad. Sin embargo, la aplicabilidad de otros principios del CEDH al ámbito tributario es clara, como por ejemplo el art.6 CEDH que prevé el derecho a un proceso equitativo, principio que debe extenderse al procedimiento de inspección tributaria.

También aplica el art. 4, apdo. 1 del 7ª Protocolo Adicional que regula el derecho a no ser juzgado o condenado dos veces. El art.7 CEDH relativo al aforismo latino *nulla poena sine legem* también es extensivo al procedimiento tributario. Por

---

[85]   Estos se señalan como los más trascendentes, pero otros como presunción de inocencia y derecho de defensa (art.48 CDFUE), el principio de legalidad y proporcionalidad de los delitos y penas (art.49 CDFUE) o el derecho a no ser juzgado o condenado penalmente dos veces por la misma infracción (art.50 CDFUE) son igualmente relevante y plenamente aplicables. Aparte hay otros derechos como utilización de lenguas oficiales, ser tratado con el debido respeto, actuación menos gravosa, derecho a reconocimiento de beneficios fiscales y a formular quejas y sugerencias en relación con el funcionamiento de la administración tributaria que gozan de plena protección.

último, el art.8 CEDH regula el derecho al respeto a la vida privada y familiar, el art.13 CEDH prevé el derechoa un recurso efectivo y el art.14 CEDH prohíbe la discriminación, y desde luego todos son aplicables al ámbito del derecho tributario. Al final todos tienen un punto en común y es que se lleve a cabo su tutela jurisdiccional a cargo de los tribunales ordinarios.

4.- APLICABILIDAD DE LOS DERECHOS EN EL PROCEDIMIENTO DE INSPECCIÓN CONJUNTA

Como hemos anunciado anteriormente, la DAC 7 no detalla los derechos de los contribuyentes, en palabras de ENGLISCH y ČIČIN-ŠAIN (2021) de la propia Directiva sólopuede deducirse un conjunto rudimentario de derechos de los contribuyentes en el contexto de las inspecciones conjuntas. A esto hay que añadir que los textos existentes eneste ámbito se centran en exceso en las facultades de los inspectores durante el procedimiento, pero muy poco en los derechos de los contribuyentes[86].

El mismo parecer lo expone DEL FREDERICO (2010, p.222) en lo relativo al marco jurídicodel intercambio de información, por lo que es trasladable a las inspecciones conjuntas. Elautor italiano incide en las deficiencias en la tutela del contribuyente en estos procedimientos de cooperación administrativa, destaca especialmente el poco interés quesuscita el estándar de los derechos de los contribuyentes.

Esto lleva a una conclusión, y es que las inspecciones conjuntas tienen que gozar de un procedimiento todavía más garantista, pues hay una mayor intromisión en los intereses del contribuyente lo que hace necesaria una mayor regulación. Esta dejadez en cuanto alestándar de los derechos la indican también GIUSY DE FLORA (2017) o SCARCELLA (2019,p.679).

Los derechos reconocidos tanto en el CEDH, la CDFUE como en las legislaciones de los EM, si bien deben respetarse, pueden crear fricciones, puesto que, según el principio de autonomía procedimental de los EM, estos tienen competencia para adoptar normas procesales autónomas, las cuales no necesariamente tienen que estar armonizadas siempre que se respeten los derechos de la carta. Esto puede provocar que haya estados con una mayor protección o mayor alcance en la tutela de los derechos de los contribuyentes, aunque como

---

[86] Por ejemplo, podemos ver como en los considerandos 26 y 29 de la DAC 7, así como en el art.12 bis (2) 2 se hace referencia a «los derechos y obligaciones de los funcionarios», pero sin embargo no mencionanlos derechos de los contribuyentes ni las garantías aplicables en estos casos

expuso KAKOURIS (1997), los derechos derivados del derecho de la UE están salvaguardados[87].

Por ese motivo el TJUE desarrolló los principios de equivalencia y eficacia que operan como una limitación al principio de autonomía procedimental de los EM, pues estos exigen que las normas y procedimientos nacionales no pueden hacer imposible elejercicio de un derecho consagrado por la UE según CRAIG & DE BURCA (2015, p.226).

Con relación a este aspecto, merece traer a colación una reciente sentencia del TJUE de 22 de febrero de 2022, *Valsts ieņēmumu dienests*, C-175/20, EU:C:2022:124 analiza la coordinación entre las normas que regulan las potestades de obtención de informaciónde una Administración tributaria y el RGPD. Examinando brevemente el pronunciamiento en lo que aquí interesa[88], el TJUE hace referencia a que, si bien el Derecho nacional puedeintroducir límites por razones de interés público, estos mismos han de respetar los derechos y libertades fundamentales consagradas tanto en el Reglamento Europeo (RGPD en ese caso) como en la CDFUE[89]. Vemos así la aplicabilidad directa a este tipo de procedimientos, sin necesidad de hacer mención expresa. Por tanto, la ley nacional no puede omitirlos, sino que debe reconocer la aplicación directa de la normativa europea conforme al principio de proporcionalidad.

Ahora bien, en el caso de las inspecciones conjuntas, que de momento se siguen rigiendo por las normas procesales internas, especialmente en lo relativo a los derechos de los contribuyentes, si bien debe respetar los derechos fundamentales y los principios generales del derecho de la UE, susimplicaciones y posibles limitaciones deben elaborarse en disposiciones legislativas detalladas, pero la DAC 7 no abarca ese ámbito de aplicación sustantivo.

Como decimos, llama la atención la tendencia seguida por la DAC 7 en la aplicación de la legislación nacional, sin hacer prácticamente mención a la aplicación de normativa supranacional, infiriéndose únicamente una serie muy limitada de derechos de los contribuyentes de la propia Directiva.

---

[87] Esto abarca directamente a los derechos reconocidos directamente por normativa europea, los cuales tienen protección por el TJUE, pero los derechos a nivel interno de un EM no tendrán esa protección directa (mientras no esté reconocido a nivel europeo), sin perjuicio de tener tutela ante los tribunales, y los derechos que coincidan en ambas regulaciones si que gozarán de esa protección directa.

[88] Nuestro resumen parte de un análisis en profundidad de la sentencia realizado por DELGADO PACHECO (2022).

[89] La aplicabilidad directa de la CDFUE se desprende del Considerando 37 de la DAC 7 el cual decreta quela Directiva «respeta los derechos fundamentales y observa los principios reconocidos, en particular, en laCarta de los Derechos Fundamentales de la Unión Europea», invocándose así su aplicabilidad directa a lasinstituciones reguladas por esta norma además ha sido reconocido expresamente por el TJUE en numerosasocasiones.

Si bien la mención del art.51 (1) CDFUE relativa la aplicabilidad de la carta «únicamentecuando apliquen el Derecho de la Unión» puede provocar confusiones, la opinión de la Abogada General Kokott en sus conclusiones al Caso 469/18 y 470/18, IN & JM §41 y 42, indica que el significado del término «únicamente» debe interpretarse de forma amplia, abordando no sólo la materia sustancial del Derecho de la UE, sino todos los aspectos conectados a este por un vínculo causal.

Sin perjuicio de esta apreciación, no estaría de más establecer una serie de derechos a contemplar y regular explícitamente, pero que sin embargo se omiten en la regulación aprobada, puesto que no existe un marco regulatorio claro, según lo expuesto anteriormente. Esa falta de armonización en el ámbito de las inspecciones conjuntas provoca un doble efecto, por un lado, puede conllevar la duplicidad en cuanto al estándaraplicable de ciertos derechos[7], y por otro la ausencia de alguna garantía nacional en ciertosderechos en función de las administraciones implicadas.

Por lo que a nivel europeo se refiere, existe un conjunto de derechos comunes emanados de la CDFUE y del CEDH que garantizan la tutela a la esfera de derechos del contribuyente. En síntesis, parece que mínimamente habrá una aplicación más o menos uniforme de un marco garantista por los derechos recogidos tanto en el CEDH como en la CDFUE, y su desarrollo a través del *case law*, así como por el principio de reciprocidad existente entre EM. Seguidamente analizaremos una serie de derechos que deberían regularse en el ámbito de las inspecciones conjuntas por resultar plenamente aplicables a las mismas.

4.1- Derecho a solicitar el inicio de la inspección conjunta

Una cuestión interesante y que merece regulación a nivel europeo, es la posibilidad de que el contribuyente inste el inicio de una inspección conjunta. Un motivo, como indica VAN DER HEL-VAN DIJK (2016, p.196) podría ser para evitar futuros conflictos en relación con las operaciones transfronterizas que este desarrolle. Por ejemplo, Suiza permite, en función del impuesto, el inicio de una inspección conjunta a petición del contribuyente. Los motivos son varios, pues no solo es para solicitar una rectificación deuna liquidación o recibir una devolución de ingresos indebidos, sino también para acelerarel procedimiento y obtener seguridad jurídica de una manera más rápida como expone ČIČIN-ŠAIN[90] (2020, p.164).

---

[90]   Según ČIČIN-ŠAIN (2019, p.171) la duplicidad de este estándar puede tener efectos contraproducentes, y consecuentemente negativos, por la incidencia indirecta que puede tener sobre las normas establecidas paralos derechos y obligaciones de los contribuyentes en las inspecciones conjuntas en cuanto a los procedimientos nacionales.

De lo expuesto, se puede precisar que se trata de una herramienta de prevención de conflictos, y como tal, esta debería tener un carácter marcadamente cooperativo, y por consiguiente mejorar el cumplimiento voluntario. Por ello, si uno de los objetivos es que la inspección transcurra en dicho ambiente, un derecho que de manera clara e inexcusable debe reconocerse, es el derecho de los contribuyentes a solicitar el inicio de una inspección conjunta. Esto se asemeja a la posibilidad que concede el art.149 LGT al inspeccionado de solicitar una ampliación del alcance de las actuaciones de carácter parcial a un alcance general. Dicha solicitud ha de efectuarse en el plazo de 15 días desde la notificación del inicio del procedimiento.

En este sentido se pronuncia el COMITÉ DE PERSONAS EXPERTAS (2022, p. 495), pues señala como un punto importante, refiriéndose a los contribuyentes, «que estos puedan instar al Estado miembro de identificación a iniciar investigaciones administrativas sobre los importes declarados y, en caso necesario, llevar a cabo controles fiscales simultáneos o auditorías conjuntas». Con este derecho se posibilita al contribuyente lograr seguridad jurídica en la adecuación a la legalidad de su actuación a través de dicha inspección, obteniendo un pronunciamiento de las administraciones implicadas en la valoración de su situación tributaria.

A raíz de este análisis, surge la cuestión de si es posible iniciar una inspección conjunta tras una inspección unilateral efectuada por algún EM con los fines de recopilar más información. En principio esta opción parece inadmisible en el entorno comparado por el principio *ne bis vexari* derivado de su homónimo *non bis in idem*, pero existe una excepción ciertamente generalizada, que hace referencia al descubrimiento de nueva información relevante, por ejemplo, derivada de respuestas a solicitudes de intercambio de información.

Obviamente, el inicio de la inspección conjunta dependerá finalmente de la aprobación final de la Administración Tributaria en cuestión, basándose en los sistemas de selección[91] que tenga cada una de las administraciones implicadas, pero la posibilidad de solicitar el inicio se ha de reconocer.

4.2.- Derecho a una notificación de inicio completa

En relación con el inicio del procedimiento de inspección conjunta, otro derecho que debe ostentar el contribuyente es a conocer el ámbito y alcance de la inspección. Según expone ROZAS VALDÉS (2022, p. 139), la solicitud de inicio

---

[91]   Considero que el *International Compliance Assurance Program* (ICAP), puede ser una herramienta muy útil en cuanto al filtrado de contribuyentes a los cuales se les puede someter a una inspección conjunta, pues tiene unos parámetros estandarizados a nivel internacional y que la gran mayoría de Administraciones conocen y pueden aplicar de manera efectiva.

deberá especificar los elementos esenciales referentes a la identificación del ámbito y objeto de la actuación. Como sabemos, el derecho a ser informado al inicio de las actuaciones de comprobación o inspección abarca aspectos como la naturaleza y alcance de las mismas, así como de los derechos y obligaciones del contribuyente en el curso de tales actuaciones, lo encontramos regulado en el art.34 (1) ñ) LGT.

En cuanto a las actuaciones de inspección, el art. 147 (2) LGT establece expresamente el deber de la Administración tributaria a informar del inicio de la inspección, naturaleza y alcance de estas, e informar al contribuyente de sus derechos. Esto sirve como contraposición al derecho que ostentan los obligados tributarios, y que a su vez lo ensalza, pues como tal derecho subjetivo, debe reconocérsele desde el primer momento, y que su desconocimiento produce una limitación de derechos que han de preservarse en la ley, si no de forma explícita, si al menos clara y concluyente.

La gran mayoría de EM, entre ellos España, contemplan esta notificación como un requisito para el inicio de la inspección, sin desarrollarlo de manera muy extensa, mientras que otros países como Francia la regulan de manera muy detallada, tanto que la omisión de alguno de los requisitos legales (por ejemplo, señalar los derechos de los contribuyentes), conlleva la nulidad del procedimiento.

De lo anterior se puede extraer la conclusión de que es necesario que a nivel europeo se regule un contenido mínimo que debe especificar ese acuerdo de inicio como protección al contribuyente, y que, si se incumple, dará lugar a la existencia de un vicio en el procedimiento[92]. Entre el contenido mínimo, el acuerdo de inicio debe señalar los derechos del contribuyente inspeccionado para que el mismo tenga conocimiento de las garantías que le amparan en el procedimiento. Asimismo, otros elementos que debería contener serían lugar y fecha de la inspección, período e impuestos comprendidos en las actuaciones, motivación de la inspección, obligación de cooperar[93], así como consecuencias del incumplimiento de esta obligación.

---

[92] Por ejemplo, es muy interesante el tema del diferente periodo mínimo de notificación que analiza ČIČIN-ŠAIN (2019, p.166) pues algunos países exigen la notificación como mínimo 8 días antes (Croacia) o 2 días antes (Francia) del inicio, mientras que otras legislaciones como la germana se refieren a un tiempo apropiado antes del inicio de la inspección. Si bien establecer un tiempo concreto es una tarea difícil, la última opción puede generar inseguridad jurídica pues ese tiempo apropiado es un concepto jurídico indeterminado y que los tribunales de cada EM pueden interpretar de manera distinta.

[93] No podemos dejar de mencionar aquí que, aunque persista la obligación general de facilitar toda la información que esté a su alcance y sea relevante para el transcurso del procedimiento, esta obligación tiene límites como el derecho a no auto incriminarse (*nemo tenetur se ipsem accusare*). Ciertamente, el derecho a no auto incriminarse está ampliamente reconocido por la jurisprudencia del TJUE y forman parte del derecho a un procedimiento justo como destacan BAKER y PISTONE (2015, p.31).

En idéntico sentido debería incluirse el derecho a ser representado en el procedimiento de inspección conjunta para así hacer saber al obligado tributario la posibilidad de contar con la asistencia de un profesional especializado en la materia durante la tramitación del procedimiento. Esta posibilidad se adecua a un estándar de derechos del contribuyente que forma parte, en sentido amplio, del derecho a una buena administración consagrado en el art.41 CDFUE, y siendo un garante del principio de igualdad de armas de las partes. De esta manera lo reconoce el art.13 §2 de la Directiva (UE) 2017/1852 relativa a los mecanismos de resolución de litigios fiscales en la UE, disponiendo que las personas afectadas podrán «comparecer o hacerse representar ante la comisión consultiva o la comisión de resolución alternativa de litigios».

De idéntica manera se debe regular un contenido estandarizado para el informe final que concluye la inspección conjunta, pues, aunque como señala el EU-JTPF, Foro de Precios de Transferencia de la UE (2018, p.12), el mismo no goza de valor legal *per se*, sino que debe hacerse valer a través de la legislación nacional respectiva de cada país[94]; a pesar de no ser vinculantes, sí que dicho informe formará la base de los respectivos ajustes que practique cada Administración implicada como resultado de la inspección conjunta.

Además, aunque no ostente ese valor legal, la información recopilada en la inspección conjunta es susceptible de usarse posteriormente para el caso de un eventual MAP como identifica ČIČIN-ŠAIN (2020, p.169). Incluso aunque exista desacuerdo en los informes finales emitidos por las Administraciones implicadas, BECKER y ZIMMERL (2018, p.240), con quienes coincidimos, abogan por un documento uniforme que posteriormente podrá ser utilizado en procedimientos bilaterales, tales como un MAP o un APA.

Asimismo, como acto administrativo que es, debería cumplir con los requisitos legales de su contenido, como por ejemplo el pie de recursos, o la motivación del acto en consonancia con el principio de buena administración regulado en el art.41 (2) CDFUE. A modo de ejemplo, la STJUE de 8 de mayo de 2019, PI, C-230/18, EU:C:2019:383, señala que la notificación de la decisión final tiene que ser lo suficientemente específica y concreta para que la persona afectada lo entienda y pueda emprender las acciones oportunas, lo que a nuestro parecer significa que, si no se cumple ese requisito, ello puede generar indefensión al contribuyente, quien lo podrá hacer valer ante los tribunales de justicia competentes.

---

[94]   A mi modo de ver esta regulación es deficiente, pues los casos de doble imposición se pueden seguir produciendo al no ser vinculantes los informes finales. Una muestra de ese escaso valor que se le da es lo expresado por BECKER, KIMPEL, OESTREICHER y REIMER (2016, p.57) relativo a que el contribuyente no tiene posibilidad de hacer valer el resultado de la inspección conjunta en la liquidación que realice la Administración.

4.3.- Derecho a ser oído

El derecho a ser oído, como norma general, está instaurado en el ordenamiento jurídico de los EM, aunque de diferentes maneras y con distinto valor legal. Es decir, algunos EM lo regulan de manera expresa en sus constituciones (Alemania o Suecia), otros como España han optado por regularlo a nivel legal en el art.34 LGT, y mientras que como Francia entienden que forma parte de un derecho más amplio a un procedimiento equitativo, pero en cualquier caso plenamente aplicable pues proviene del CEDH. Asimismo, el TJUE en aplicación del art.41 (2) CDFUE, lo consagró como un principio general del derecho de la unión, aunque no se mencione expresamente en las respectivas legislaciones nacionales (STJUE C-349/07, as. Sopropé).

Así, sirviendo de ejemplo, se omite cualquier referencia a un trámite de alegaciones tanto previo como posterior al informe final, que bien podría haberse incorporado. Esto se dice a colación de lo establecido en el art.96 del Real Decreto 1065/2007, de 27 de julio, por el que se aprueba el Reglamento General de las actuaciones y los procedimientos de gestión e inspección tributaria y de desarrollo de las normas comunes de los procedimientos de aplicación de los tributos ("RGAT"), el cual prevé un trámite para formular las alegaciones e incorporar los documentos que se consideren pertinentes antes del trámite de audiencia para que sean tenidos en cuenta en la redacción de la propuesta de resolución o liquidación. Lo mismo debería ser preceptivo en el caso de las inspecciones conjuntas, pues en las alegaciones se pone en práctica el principio de contradicción, bajo el cual el contribuyente puede hacer valer sus intereses frente a los de la Administración, quién los deberá tener en cuenta a la hora de resolver.

En el seno de los procedimientos de inspecciones conjuntas, estas manifestaciones que realice el contribuyente, además de servir para la redacción del informe final definitivo, a mi parecer su mayor virtualidad práctica reside en que estas alegaciones o precisiones consten como efectuadas a efectos de fijar la posición del contribuyente en el caso eventual de un futuro MAP o procedimiento de arbitraje. ČIČIN-ŠAIN (2020, p.167) al exponer el caso holandés, matiza que, a pesar de no existir un derecho formal a ser escuchado, éste existe ya que su legislación prevé que las correcciones en relación con devoluciones tributarias se tienen que discutir con el contribuyente de manera previa y con la mayor antelación posible.

Bien en la DAC, bien en la normativa nacional de transposición, debería incorporarse un apartado en el cual se estipulase la posibilidad de que con carácter previo a la firma del informe final se concediera trámite de audiencia al interesado para que alegue lo que convenga a su derecho. Y de la misma manera, se debería fijar un plazo prudencial, de por ejemplo 15 días desde la fecha de notificación del informe final, para alegar lo que se considere oportuno, de idéntica manera a como ocurre en el caso de las actas firmadas en disconformidad *ex* art.157 (3) LGT.

Teniendo en cuenta que la intervención del contribuyente inspeccionado es "a demanda" de las administraciones participantes, pues se limita a facilitar la información y documentación solicitada por estas, este trámite se antoja más que necesario.

Es decir, la intervención activa del inspeccionado como tal, no se produciría hasta la notificación del informe final. Este extremo se podría subsanar con la instauración de una recomendación encaminada a establecer un diálogo constante entre todas las partes intervinientes. Así lo sugieren BECKER y ZIMMERL (2018, p.239) tras su análisis del proyecto piloto entre Alemania e Italia, quienes aluden a la necesidad de escuchar regularmente al contribuyente.

La doctrina encabezada por ČIČIN-ŠAIN, EHRKE-RABEL Y ENGLISCH (2018, p. 587) se ha referido al constante diálogo entre las Administraciones intervinientes como un factor que puede llevar a un mejor entendimiento de las implicaciones legales de las actividades transfronterizas en otras jurisdicciones y al hacer práctico de otros países.

Aun estando de acuerdo con esa postura, la misma debería completarse con la introducción de una mención necesaria al diálogo entre todas las partes (incluyendo también al contribuyente), pues es lo que vaa ayudar a entender realmente cual es el ánimo y objetivo de las transacciones transfronterizas, su contexto, así como el porqué de esa estructura de negocio, dejando manifestar a cada parte su postura, y exponer las dudas que tengan. Según SPENSBERGER, MACHO y ERICHSEN (2017, p.261) en las inspecciones conjuntas el contribuyente está constantemente informado sobre el procedimiento, puede participar en las reuniones e incluso presentar su opinión sobre los hechos discutidos[95]. Esta es la filosofía de actuación que debería imperar en el transcurso de las inspecciones.

Así, como exponen ENGLISCH y ČIČIN-ŠAIN (2021), esta participación permite que las administraciones implicadas conozcan la situación fáctica y jurídica del contribuyente en una fase temprana. Así, el propio procedimiento de inspección puede desembocar en acuerdos entre las partes, generando por tanto seguridad jurídica al permitir que el contribuyente pueda obtener un

---

[95]   Este aspecto también lo destacan VAN DER HEL-VAN DIJK (2015, p.495) y BECKER, KIMPEL, OESTREICHER y REIMER (2016, p.57) (2016, p.57). De ser así el procedimiento, ello permitirá al contribuyente exponer de manera clara y detallada su situación, focalizando el tema de discusión y pudiendo establecer su posición al respecto. Esto posibilita la formulación de aclaraciones, así como la realización de propuestas dirigidas al buen transcurso del procedimiento. Además, al no ser una decisión firme ni definitiva, permite la modificación sede manera previa a la aparición de problemas.

pronunciamiento temprano dónde la Administración expone su parecer acerca de la transacción o transacciones analizadas.

Por ello sería idóneo instaurar un "derecho a participar" durante la inspección para podersituar de manera clara y ordenada los hechos aplicables y hacer correcciones en ese mismo momento, lo que supondría evitar futuros malentendidos. Ahora bien, mientras no se recoja este derecho, lo que si debiera regularse como mínimo es el trámite de audiencia previo al informe final. Añadir que se debería garantizar, de maneraprevia a este trámite, el derecho de acceso a todos los documentos que afecten al contribuyente y que puedan ser tenidos en cuenta para la resolución de la Administración, en línea con el art.42 CDFUE y las SSTJUE de 9 de noviembre de 2017, Teodor Ispas, C-298/16, EU:C:2017:843,§§ 35-39 y de 16 de octubre de 2019, Glencore, C-189/18, EU:C:2019:861, §§ 51-58.

Esto sería una demostración práctica del derecho de los contribuyentes a una participación efectiva en el procedimiento, el cual viene auspiciado por la CDFUE, y lo ha expuesto CASTAGNARI (2022, p.9) en el ámbito de los mecanismos alternativos de resolución de conflictos.

Esto podría trasladarse *mutatis mutandis* al mecanismo de las inspecciones conjuntas, puesto que pueden catalogarse como una herramienta de prevención de conflictos[96]. El hecho de permitir al inspeccionado que exponga su situación fáctica y todoslos condicionantes de manera concreta, facilita a la Administración la posibilidad de dar un pronunciamiento individualizado sobre esa situación en concreto, actuando de manera *ex ante* a la aparición de la disconformidad, lo que conlleva una reducción de la conflictividad en instancias posteriores.

Para ČIČIN-ŠAIN (2020, p.168), las inspecciones conjuntas son una institución importante que podría ayudar a la reducción de disputas, y que deberá incorporarse como una herramienta en la potencial armonización de un procedimiento tributario europeo.

4.4.- *Derecho a una participación efectiva en el procedimiento*

En definitiva, como hemos anunciado, todo esto desemboca en la necesidad de reconocer explícitamente lo que se podría denominar derecho del contribuyente a una participación efectiva en el procedimiento[97]. Siguiendo lo expuesto

---

[96] A mi modo de ver, esta herramienta bebe de la influencia de la Acción 14 de BEPS y puede entrar bajo el alcance objetivo de la Directiva (UE) nº 2017/1852 del Consejo de 10 de octubre de 2017, relativa a losmecanismos de resolución de litigios fiscales en la Unión Europea, situándose dentro de su parámetro de aplicación.

[97] CASTAGNARI (2022) pone de manifiesto la necesidad de establecer un meditado equilibrio entre el derecho de las Administraciones Tributarias a aplicar adecuada y efectivamente las disposiciones destinadas a combatir los fenómenos de elusión o evasión fiscal internacional, y el adecuado reco-

por BECKER y ZIMMERL (2018, p.225), considerando la complejidad en la estructura de las grandes empresas, una cooperación más fluida y eficaz se antoja esencial, y como laspropias autoras señalan, y hemos indicado más arriba, las inspecciones conjuntas a diferencia de los MAPs y APAs, se caracterizan por una mayor involucración delcontribuyente en el procedimiento.

Como sabemos, las inspecciones conjuntas tienen una gran capacidad de reforzar el entendimiento de los hechos en operaciones transfronterizas por el contacto directo entrelos inspectores de los países implicados lo cual favorece el intercambio de información de manera directa. Así, CASTAGNARI (2022, p.11) indica que para que haya realmente una participación efectiva, se requiere ser escuchado por los órganos antes de que se tome unadecisión que afecte al obligado, tal y como precisa el art.41 CDFUE.

Si se planean reuniones periódicas con el contribuyente se facilitaría la resolución de cuestiones relativas a los hechos del caso, pues estas se contestarían de manera inmediata y sin retrasos. Como apuntan OERTEL, MERX y REIMANN (2015, p.231) con esta participación se reducen los riegos de errores, se acelera el procedimiento y la falta de información se detecta de manera cercana y rápida a tiempo real.

Si se da la posibilidad de que el contribuyente participe de forma efectiva y eficaz, lo quese traduce en que pueda aportar pruebas, documentos, aclaraciones y precisiones para ilustrar la legitimidad de su actuación, permite a las Administraciones implicadas comprender todo el contexto permitiendo que adopten una decisión motivada y satisfactoria para todas las partes implicadas.

Otra de las vías que ayudaría a garantizar la igualdad en el procedimiento de inspección conjunta sería establecer un procedimiento único para estas como hace el *working paper* del *Joint Transfer Pricing Forum* de la UE titulado *Multilateral Approach To Transfer Pricing Audits Within The EU* que proponía crear un marco común europeo de comprobaciones multilaterales de precios de transferencia según lo expuesto por CALDERÓN CARRERO (2018, p.28). Esto coadyuvaría a regular un marco común de normas procedimentales, régimen en el cual se incluiría lógicamente un apartado relativo a los derechos y obligaciones de los contribuyentes, así como las facultades de los funcionariosintervinientes de los EM. Por estos motivos, lo idóneo sería crear un Código europeo delcontribuyente, el cual unificase todos estos aspectos.

---

nocimiento de los derechos de del contribuyente implicado haciendo que el procedimiento sea transparente y accesible con la debida proporcionalidad entre partes.

5.- DE LA NECESARIA CODIFICACIÓN DE LOS DERECHOS

Como se ha expuesto, este escenario plantea un ensamblado complejo de derechos del contribuyente, planteando ello desafíos en el contexto de las inspecciones conjuntas. Trayendo a colación a SCARCELLA (2019, p.677), la unificación de las normas de procedimiento entre los EM podría ser beneficiosa para el ámbito cooperativo, especialmente en las inspecciones conjuntas por la incidencia en lo que a laesfera personal de derechos del contribuyente se refiere.

Esto es, el Derecho de la UE no regula detalladamente las relaciones tributarias ni establece un procedimiento tributario como tal, lo cual invita a pensar en la idoneidad deaprobar un Código europeo del contribuyente, el cual se encargue de regular toda la materia procesal tributaria a nivel europeo.

Esto lo han venido contemplando, entre otras instituciones, la COMISIÓN EUROPEA (2016) que elaboró un documento titulado *Guidelines for a Model for a European Taxpayer's Code* y a raíz de esas directrices, algunos autores como CADESKY, HAYES Y RUSSELL (2016) proponen un Modelo de Carta del Contribuyente.

De manera análoga a esta iniciativa, ČIČIN-ŠAIN, EHRKE-RABEL y ENGLISCH (2018, p. 592) proponen revisar todo el sistema legislativo de la UE sobre cooperación administrativa en materia fiscal con la finalidad de codificar los derechos de los contribuyentes a nivel europeo. Y más recientemente, en febrero de 2020, el Consejo emitió una Propuesta de Directiva relativa a la codificación de la cooperación administrativa en materia fiscal para proporcionar «seguridad jurídica respecto delDerecho aplicable en un determinado ámbito y momento».

Como vemos, este tema no es una cuestión baladí, pues recibe la atención tanto de doctrina como de instituciones de la UE, quienes tratan de sacar adelante unas iniciativas ambiciosas donde se concentrarían los derechos y obligaciones aplicables en las relaciones entre los contribuyentes y las administraciones tributarias.

Desde 2016 el *Observatory on the Practical Protection of Taxpayer's Rights* (OPT) viene trabajando en tratar de fijar un estándar global de protección efectiva de los derechos de los contribuyentes, basado en las mejores prácticas y estableciendo unos estándares mínimos de protección de los derechos monitorizando así el procedimiento tributario de manera uniforme.

En esta línea, ROZAS VALDÉS (2022, p. 146) precisa que con las actuaciones inspectoras conjuntas se abre un portillo, por ahora discreto, que podría conducir a una armonización espontánea o, por qué no, de Derecho de la UE secundario, del Derecho procesal tributariode los Estados miembros.

6.- CONCLUSIONES

Si bien creo que está clara la aplicabilidad tanto de los derechos recogidos en la CDFUE como en el CEDH al procedimiento tributario, falta todavía unificar el aspecto procedimental, que abarca los derechos, garantías y obligaciones de los contribuyentes y administraciones, para que los EM tengan un estándar de actuación claro y no haya un tratamiento diferenciado en cada territorio en que se realice la inspección.

Estas diferencias técnicas entre legislaciones pueden generar dificultades o tensiones en cuanto al desarrollo de la inspección conjunta se refiere. Esto abarca tanto al posterior cumplimiento de los resultados de la inspección, como al planteamiento de recursos contra sus conclusiones por la falta de armonización de aspectos procedimentales y derechos del contribuyente a nivel europeo. Con todo, existen argumentos a favor del establecimiento de un procedimiento armonizado que englobe todos estos derechos y garantías creando así un marco jurídico único aplicable a las inspecciones conjuntas.

Está claro que la regulación de un procedimiento único debe llevar consigo la refundición de los derechos y garantías que deben aplicarse al mismo, así como deberes y obligaciones, pues es una consecuencia inherente a toda regulación procedimental que lo idóneo es que esté unificada.

Si bien es cierto que cada EM que regularice la situación tributaria del contribuyente tras la inspección conjunta mediante la emisión de una liquidación aplicará su procedimiento y derecho nacional, durante el procedimiento de inspección conjunta debería de aplicarse un estándar común europeo.

No olvidemos que el colofón de la inspección conjunta es la emisión del informe final el cual dictamina dónde o como se debe tributar, pero no se realiza una liquidación ni ninguna propuesta, pues cada EM tiene la capacidad impositiva sobre la tributación directa, pues pertenece a su soberanía fiscal, y es quien decidirá si ese sujeto pasivo se somete a tributación en su territorio, y en caso de ser así, en qué condiciones a través de la propuesta de liquidación.

Por ello, parece que, si se sigue con la tendencia inherente al creciente desarrollo de inspecciones conjuntas, se abre el camino a una posible armonización del Derecho procesal tributario bajo una Carta del Contribuyente a nivel europeo en una primera instancia, y veremos si se expande más adelante.

7.- BIBLIOGRAFÍA

BAKER, P., y PISTONE, P. (2015). Generale Report. En *The practical protection of taxpayers' fundamental rights*, Cahiers de Droit Fiscal International, p.17-68.

BECKER, J., y ZIMMERL, I. (2018). Joint Audits in-between the German and Italian legal systems, *Rivista di Diritto Finanziario e Scienza delle Finanze. 2*, p.223-245.

BECKER, J., KIMPEL, G., OESTREICHER, A., y REIMER, E. (2016). Das Verfahrensrecht der Verrechnungspreise: Grundlagen, Erfahrungen und Perspektiven, Springer Gabler.

CADESKY, M. HAYES, I. y RUSSELL, D. (2016) *Towards Greater Fairness in Taxation: A Model Taxpayer Charter*. IBFD.

CALDERÓN CARRERO, J.M. (2018): El International (Tax) Compliance Assurance Programme (ICAP) desarrollado por la OCDE: ¿Hacia nuevos modelos multilaterales y cooperativos de control fiscal de grandes contribuyentes? *Revista de contabilidad y tributación. CEF*, 423, p.5-32.

CASTAGNARI, F. (2022). Taxpayer's right of effective participation in the procedure. A compared analysis among OECD Mutual Agreement Procedure (MAP), European Arbitration Convention (EAC) and EU Directive No. 1852/2017 on Alternative Dispute Resolution Mechanisms (EU DRD). *Diritto e Pratica Tributaria Internazionale, 1I.*

ČIČIN-ŠAIN, N., EHRKE-RABEL, T. y ENGLISCH, J. (2018). Joint Audits: Applicable Law and Taxpayer Rights. *World Tax Journal, 10 (4)*, p.585-631.

ČIČIN-ŠAIN, N. (2020). Joint Audits. En Kofler, G. (Ed.), Lang, M. (Ed.), Pistone, P. (Ed.), Rust, A. (Ed.), Schuch, J. (Ed.), Spies, K. (Ed.), Staringer, C. (Ed.), Pillet, P. (Ed.) *CJEU - Recent Developments in Value Added Tax 2019.* (1ªed. Vol.123, pp.109-123). Linde Verlag.

ČIČIN-ŠAIN, N. (2020). Joint and Simultaneous Audits. En Pistone, P. (Ed.) *Tax Procedures.* EATLP International Tax Series, v.18, IBFD.

COMITÉ DE PERSONAS EXPERTAS (2022). *Libro Blanco sobre la Reforma Tributaria.* https://www.ief.es/docs/investigacion/comiteexpertos/LibroBlancoReformaTributaria_2022.pdf

CRAIG, P., y DE BURCA, C. (2015). *EU Law: Text, Cases, and Materials.* (6ªed.). Oxford University Press.

DEL FEDERICO, L. (2010). Scambio di informazioni fra Autorità Fiscali e tutela del contribuente : profili internazionalistici, comunitari ed interni. *Rivista di diritto tributario internazionale, 1*, p.221-236.

ENGLISCH, J., y ČIČIN-ŠAIN, N. (22 de marzo de 2021). Joint audits under the new DAC 7. Kluwer International Tax Blog. <http://kluwertaxblog.com/2021/03/22/joint-audits-under-the-new-dac-7/>.

GIUSY DE FLORA, M. (2017). Protection of the Taxpayer in the Information Exchange Procedure, *Intertax, 45, (6/7)*, p.447-460.

KAKOURIS, C.M. (1997). Do the Member States Possess Judicial Procedural "autonomy". *Common Market Law Review, 34, 6*, p.1389-1412.

MUÑOZ FREIRE, S. (2021). Recopilación de jurisprudencia del Tribunal Europeo de Derechos Humanos sobre derechos y garantías de los contribuyentes, *Papers de treball de Dret tributari i Politica fiscal, 1*, [publicación en línea] UB.

OERTEL, E., MERX, M., y REIMANN, E. (2015). The International Tax Centre: a platform for efficient international administrative cooperation. *ISR – Zeitschrift für Internationales Steuerrecht, 4, (5)*, p. 153-155.

ROZAS VALDÉS, J.A. (2022). Colaboración social y coordinación tributaria en la DAC 7. En Alonso González, L.M. (Dir.) y Ferreiro Serret, E. (Coord.). *Tecnología y fiscalidad en el siglo XXI.* (1ª ed., pp. 123-148). Atelier.

SCARCELLA, L. (2019). The Multi-level Dimension of the Rule of Law in International Tax Cooperation. Cahier n°6 Jean Monnet "Ateliers Doctoraux 2019 - L'état de droit", Université degli Studi di Milano et de la European School of Law Tolouse,

SPENSBERGER, E., Macho, R., y Erichsen, L. (2017). „Joint Audit" – ein Erfolgsmodell im Internationalen Steuerrecht, *Internationale Steuer-Rundschau, Vol. 6, 7*, p. 261-267.

VAN DER HEL-VAN DIJK, E.C.J.M. (2011). *Intra-community Tax Audit*, (1ª ed.) IBFD.

VAN DER HEL-VAN DIJK, E.C.J.M. (2015). Joint audits: Next level cooperation between Germany and the Netherlands? *Intertax, 43 (8/9)*, p. 495-500.

30.- EL PAPEL DE LOS FACILITADORES FISCALES EN LA NUEVA PROPUESTA LEGISLATIVA DE LA COMISIÓN EUROPEA.

CAROLINA MONTALBÁN RAMÍREZ[98]

Profesora de Derecho Financiero y Tributario
Universidad Internacional de la Rioja

I. INTRODUCCIÓN

En los últimos años la Comisión Europea y los Estados miembros han puesto el foco en el control de las estructuras de planificación fiscal agresivas que los contribuyentes diseñan para, de forma artificiosa, evadir el pago de impuestos en los diferentes países en los que operan. Este control se ha materializado a través de diferentes Directivas que tienen como objetivo que los Estados miembros puedan recabar la información directamente de los contribuyentes. Así tenemos, por ejemplo, la Directiva (UE) 2018/822 del Consejo, de 25 de mayo de 2018, que modifica la Directiva 2011/16/UE, por lo que se refiere al intercambio automático y obligatorio de información en el ámbito de la fiscalidad en relación con los mecanismos transfronterizos sujetos a comunicación de información, más conocida como la DAC 6, cuya finalidad no es otra más que las Administraciones Tributarias de los Estados miembros puedan acceder a la información sobre los mecanismos de planificación fiscal que puedan resultar agresivos, de modo que puedan actuar para reducir o limitar su uso.

La DAC 6, traspuesta al ordenamiento jurídico español a través de la Ley 10/2020, de 29 de diciembre, por la que se modifica la Ley 58/2003, de 17 de diciembre, General Tributaria, introduce una obligación de informar sobre

---

[98]   ID orcid.org/0000-0001-6282-4062

cualquier mecanismo de planificación fiscal transfronterizo cuya finalidad sea producir un ahorro fiscal al obligado tributario. Dicha obligación recae sobre la figura de los intermediarios fiscales y, de forma subsidiaria, en los obligados tributarios. Por lo tanto, se comienza a poner el foco en los considerados como "intermediarios" como actores fundamentales en el diseño de estructuras de planificación agresivas.

No obstante, y a pesar de esta primera aproximación a establecer obligaciones no solo al contribuyente sino también al intermediario -ya sea fiscal o no-, la Comisión Europea considera que debe de haber un mayor control sobre la figura del intermediario o facilitador de estas estructuras de planificación fiscal. Es por ello que, a principios del mes de julio de 2022, ha abierto un periodo de consultas de una nueva propuesta legislativa cuyo objetivo es abordar el papel de los facilitadores implicados en el diseño y ejecución de estructuras de planificación fiscal que puedan resultar agresivas y perjudicial para los intereses de los Estados miembros.

La propuesta realizada por la Comisión Europea establece, a priori, tres vías de actuación que conllevan la delimitación de la figura del facilitador fiscal. Por lo tanto, los Estados miembros deberían tener definidos quiénes son esos intermediarios o facilitadores que estarían sujetos a las posibles obligaciones que, en futuro, resulten de esta Directiva.

En el caso de España, los abogados que ejerzan en el ámbito de la consultoría tributaria deben de estar colegiados y se encuentran, por lo tanto, sometidos al Código Deontológico de la Abogacía. Sin embargo, existen otros profesionales del ámbito fiscal que también intervienen, de forma activa, en la elaboración de estrategias de planificación fiscal que estén dentro del ámbito de obligación de información desarrollados en los últimos años y que actualmente no cuentan con una regulación específica de su profesión. Hablamos del caso de los asesores fiscales en España.

Así pues, en este trabajo vamos a analizar, en primer lugar, la situación actual del asesor fiscal en España y las propuestas de regulación que se han realizado en los últimos años.

En segundo lugar, vamos a profundizar en las posibles líneas de actuación establecidas por la Comisión Europea en esta nueva propuesta legislativa.

Finalmente, realizaremos una reflexión sobre las necesidades de regulación que existen en España ante los objetivos planteados por la Comisión Europea en relación con la figura del facilitador fiscal.

II. SITUACIÓN ACTUAL DE LA FIGURA DEL ASESOR FISCAL EN ESPAÑA

1. Ausencia de regulación de la profesión de asesor fiscal en España.

La profesión de asesor fiscal, a pesar de ser una de las profesiones más estudiadas dentro del ámbito de estudio del Derecho Tributario por la importancia que tienen en el correcto funcionamiento del sistema tributario español[99], carece actualmente en España de una regulación específica que establezca cuáles son los requisitos necesarios para el acceso a la profesión, las obligaciones que asume las consecuencias ante posibles conductas contrarias a las que se les puede exigir a un profesional dedicado a este ámbito profesional.

Como hemos señalado, la doctrina ha profundizado en la figura del asesor fiscal en España en numerosas ocasiones precisamente por el hecho de la falta de regulación que tiene esta profesión y la necesidad de establecer unos requerimientos mínimos de capacidad, conocimientos o deontología.

A la hora de definir qué es un asesor fiscal, partimos de la base de que nos encontramos con profesional liberal al considerarse como "alguien que ejerce de forma continuada, habitual y autónoma una actividad intelectual o técnica cualificada, para la que se requiere una preparación, y por la que se obtiene una ganancia o renta y se proporciona un beneficio a la sociedad en su conjunto" (PUEBLA AGRAMUNT, 2004).

Esta podría ser una de las definiciones que nos permite delimitar los requisitos mínimos que debe reunir un asesor fiscal como persona que realiza una actividad con un marcado carácter intelectual, que requiere una cualificación de alto nivel, y que están sometidas a una reglamentación profesional[100].

Sin embargo, y a pesar de que ha sido el Tribunal de Justicia de la Unión Europea el que, en su día, estableció unos requisitos mínimos de cualificación exigibles a este tipo de profesionales, nos encontramos con que en nuestro país no se ha regulado la formación mínima exigible a los profesionales de este ámbito.

Resulta especialmente sorprendente que nos encontremos con esta situación, que ha sido puesta de manifiesto por numerosos autores[101], ya que la aplica-

---

[99]   En este sentido, (DE LA CUERDA MARTÍN, 2021), señala, de forma muy acertada, que son las características de nuestro sistema tributario el que ha puesto al asesor fiscal en el centro del sistema al tratarse de un sistema sometido a continuos cambios, muy complejo y basado en las autoliquidaciones por parte del contribuyente.

[100] Véase, en este sentido, la STCE de 11 de octubre de 2001, en el asunto C-267/99.

[101] Entre otros, (ADAME MARTÍNEZ, 2013) en "*Responsabilidad civil y penal por delito fiscal de los asesores fiscales*" pone de manifiesto esta falta de regulación de la profesión del asesor fiscal en su trabajo sobre la responsabilidad del asesor fiscal en España.

ción e interpretación del sistema tributario español es especialmente compleja, más aún si tenemos en cuenta que no solo nos encontramos con sistema a nivel estatal, sino que, en el ámbito de sus competencias, cada Comunidad Autónoma tiene sus propios órganos de carácter tributario. Esto hace que el sistema tributario español, si bien no es uno de los más complejos que existen en el panorama de la fiscalidad a nivel internacional, sí que presente numerosas especialidades que hacen necesaria, para su correcto funcionamiento, de profesionales con un mínimo de forma exigible.

De hecho, si buscamos en la Ley 58/2003, de 17 de diciembre, General Tributaria cualquier mención a la profesión de asesor fiscal, solo encontramos dos referencias, una en el artículo 46.1[102], en el que se establece la posibilidad del contribuyente de actuar mediante asesor fiscal y, otra en el artículo 92.2[103], donde se regula la colaboración social, incluyendo "a los colegios y asociaciones de profesionales de la asesoría fiscal".

Nos hallamos, pues, con un escenario, a mi entender, totalmente contradictorio ya que la situación difiere mucho de otras profesiones, como son la de economistas o abogados, en las que sí se exigen unos requisitos mínimos de formación y cualificación para su ejercicio y que tienen sus propios estatutos y códigos deontológicos a los que se encuentran sometidos sus colegiados. El hecho de que este tipo de profesionales ejerzan labores de asesoramiento fiscal, en la misma medida que otros profesionales sin estar sujetos a estos requisitos, puede generar una situación de inseguridad en el contribuyente, y dificulta mucho la labor de control que pueda realizarse tanto a nivel administrativo como a nivel jurisdiccional de esta figura profesional.

2. El papel de las asociaciones de asesores fiscales en España

El ejercicio de la profesión de asesor fiscal en España no requiere la necesaria colegiación profesional como sí ocurre con otras profesiones afines a este sector. Esto supone una falta de control de quiénes son realmente esos profesionales que ejercen esta labor, así como de las competencias y formación que tienen las personas que llevan a cabo las funciones de asesoramiento fiscal en nuestro país.

Es cierto que, en el caso de los abogados, la Ley Orgánica del Poder Judicial exige su obligatoria colegiación para su actuación ante los Juzgados y

---

[102]   Art. 46.1 Ley 58/2003, de 17 de diciembre, General Tributaria: "*los obligados tributarios con capacidad de obrar podrán actuar por medio de representante, que podrá ser un asesor fiscal, con el que se entenderán las sucesivas actuaciones administrativas, salvo que se haga manifestación expresa en contrario*".

[103]   Art. 92.2 Ley 58/2003, de 17 de diciembre, General Tributaria

Tribunales[104], pero no se hace extensivo a aquellos abogados que ejerzan labores de asesoramiento fiscal. Sin embargo, en la práctica, todos los abogados que se dedican al asesoramiento tributario están, en su mayoría, colegiados en sus correspondientes colegios oficiales. Un ejemplo similar sería el caso de los Economistas o Graduados Sociales, es decir, profesionales que obligatoriamente tienen que estar colegiados para desempeñar algunas funciones, aunque no se le exijan, de forma concreta, para llevar a cabo un asesoramiento fiscal.

Los colegios profesionales encuentran su fundamento en el artículo 36 de la Constitución española de 1978 y en la Ley 2/1974, de 13 de febrero, sobre Colegios Profesionales[105]. Así, el artículo 1.1 de la Ley 2/0974 los define como corporaciones de Derecho Público cuyos fines específicos son, entre otros, la ordenación profesional, la representación institucional y la defensa de los intereses de los profesionales colegiados[106].

Es decir, los colegios profesionales se configuran como un mecanismo de control del ejercicio de determinadas actividades profesionales. Así, y siguiendo con el ejemplo de la abogacía, nos encontramos ante una profesión totalmente regulada, a través del Estatuto General de la Abogacía Española[107]. Asimismo, cuenta con un Código Deontológico[108], que contiene los principios de obligado cumplimiento para todo abogado en ejercicio. Y, por último, se organiza a través de los colegios profesionales de abogados, que son los encargados de velar por ordenación del ejercicio de esta profesión, de la formación de sus colegiados y de exigir el cumplimiento del código deontológico al que todo abogado está sometido y la aplicación del régimen disciplinario en caso de que sea necesario[109]. En definitiva, todos los abogados que se encuentren ejerciendo como

---

[104]   Artículo 544 Ley Orgánica 6/1985, de 1 de julio, del Poder Judicial: "*La colegiación de los Abogados, Procuradores y Graduados Sociales será obligatoria para actuar ante los Juzgados y Tribunales en los términos previstos en esta Ley y por la legislación general sobre colegios profesionales, salvo que actúen al servicio de las Administraciones públicas o entidades públicas por razón de dependencia funcionarial o laboral.*"

[105]   En este sentido, (GONZALEZ CUETO, 2017), en su artículo "*La colegiación del abogado es obligatoria*", trae a colación la Sentencia del Tribunal Constitucional, de 17 de enero de 2013, en la que se especifica que la colegiación no se desprende de la Constitución española, sino que encuentra su base en ese artículo 36, y que es el legislador el que, mediante Ley, exige esa obligatoriedad para el ejercicio de esta.

[106]   Art. 1.3 Ley 2/1974, de 13 de febrero, de Colegios profesionales: "*Son fines esenciales de estas Corporaciones la ordenación del ejercicio de las profesiones, la representación institucional exclusiva de las mismas cuando estén sujetas a colegiación obligatoria, la defensa de los intereses profesionales de los colegiados y la protección de los intereses de los consumidores y usuarios de los servicios de sus colegiados, todo ello sin perjuicio de la competencia de la Administración Pública por razón de la relación funcionarial.*"

[107]   Real Decreto 135/2021, de 2 de marzo, por el que se aprueba el Estatuto General de la Abogacía Española.

[108]   CÓDIGO DEONTOLÓGICO de la Abogacía Española Aprobado por el Pleno del Consejo General de la Abogacía Española el 6 de marzo de 2019.

[109]   Artículo 67 del Estatuto General de la Abogacía Española.

tales, independientemente de la rama del Derecho en la que lo hagan, están sometidos a los requisitos, reglas y consecuencias derivadas del ejercicio de su profesión.

Pero no solo cumple con esas funciones, sino que esta obligación de colegiación para los abogados supone la existencia de un censo de abogados a nivel estatal que permite conocer quién está ejerciendo la profesión en todo momento.

En el caso de asesoría fiscal en general, al no existir esta obligación de colegiación para el ejercicio de la profesión, hace mucho más complicado el control de las personas que ejercen como tales, así como poder garantizar el hecho de que la formación, conocimientos y competencias de estos profesionales son las adecuadas para realizar sus funciones.

Es por ello por lo que surgen las asociaciones de asesores fiscales en España. Estas organizaciones, amparadas en el artículo 22 de la Constitución Española, nacen con el objeto de poder ofrecer a sus asociados un lugar donde poder formarse debidamente, favorecer las relaciones con la Administración Tributaria o la defensa de los intereses del contribuyente.

Actualmente en nuestro país, son varias las asociaciones de asesores fiscales que ejercen esta labor, tanto a nivel nacional como a nivel autonómico. Sin embargo, y aunque son cada vez más los profesionales que se integran en estas asociaciones, no todos los asesores fiscales se encuentran recogidos en ella, lo que hace imposible conocer quiénes son todos los asesores que ejercen esta labor.

Por otro lado, cada asociación de asesores fiscales tiene su propia regulación, sus propios Estatutos e intereses. Es cierto que todas comparten el mismo fundamento, pero cada asociación responde a los intereses y fines por los que fue creada. Igualmente, cada asociación de asesores fiscales exige unos requisitos mínimos de formación distintos para adquirir la condición de socio.

Esta situación dificulta mucho el control de la labor de la asesoría fiscal en España. Los asesores fiscales se presentan como profesionales que desempeñan un papel fundamental a la hora de aplicar el sistema tributario[110], pero a los que no se les exige una formación concreta ni se les somete a ninguna norma específica, más allá de la diligencia que se le demanda a otro profesional[111]. Esta falta de regulación y reconocimiento va en dirección contraria a los objetivos de control tributario que, en los últimos años, se están estableciendo tanto a nivel estatal como a nivel europeo.

---

[110] De forma muy acertada, (GÓMEZ REQUENA, 2021), afirma que *"la figura del asesor fiscal es definitivamente una profesión no regulada con los perjuicios que ello puede ocasionar a los contribuyentes y, en última instancia, al propio sistema tributario, el cual precisa de estos profesionales para incentivar el cumplimiento de las obligaciones tributarias"*

[111] En este sentido, la responsabilidad en la que puede incurrir el asesor fiscal ha sido analizada por numerosos autores, véase entre otros a (ARMENTIA BASTERRA, 2020).

Es cierto que, dentro de nuestro país, se han dado algunos pasos para que los profesionales de este ámbito se adhieran a las iniciativas presentadas por la Agencia Tributaria Española, como son el Foro de Asociaciones y Colegios de Profesionales Tributarios o la aprobación de un Código de Buenas Prácticas de Asociaciones y Colegios Profesionales, que de alguna forma intentan favorecer que los asesores fiscales y las asociaciones y colegios profesionales se adhieran[112]. Independientemente de sus fines y de cuál ha sido su aceptación[113], la característica fundamental de ambas iniciativas es la voluntariedad de pertenecer y adherirse a ellos, por lo que, en nuestra opinión, sigue sin darse solución a esta falta de censo real de los asesores fiscales que ejercen actividad profesional en España.

3. La figura del asesor fiscal español ante las nuevas obligaciones de información sobre mecanismos de planificación fiscal agresivos.

El hecho de que en España no se produzcan avances a la hora de regular esta profesión, no impide que en los últimos años se estén llevando a cabo iniciativas para el control de la actividad que los asesores fiscales realizan. Así, de sobras es conocida la Directiva DAC 6, ya mencionada en este trabajo, entre cuyos objetivos se encuentra el control de los mecanismos de planificación fiscal agresivos a través de una nueva obligación por parte de los intermediarios fiscales, en cualquiera de sus profesiones, de declarar las operaciones que sean susceptibles de ser calificadas como instrumentos de planificación fiscal agresivos en el ámbito internacional.

Así, esta Directiva pone el foco en los intermediarios, independientemente de que sean fiscales o de cualquier otro ámbito, como sujetos obligados a informar de los mecanismos de planificación fiscal que se encuadren dentro de lo que la propia Directiva califica como agresivos. Como se puede observar, no se usa el concepto de asesor fiscal, sino de intermediario[114], entendiendo por tal "toda persona o entidad que diseñe, comercialice, organice, ponga a disposición para su ejecución un mecanismo transfronterizo sujeto a comunicación de información, o que gestione su ejecución" y "toda persona o entidad que conoce o razonablemente cabe suponer que conoce que se ha comprometido a prestar

---

[112]   (SOTO MOYA, 2019), recoge que aquellas Asociaciones y Colegios profesionales que se adhieran al Código de Buenas Prácticas, serán reconocidos por la propia Agencia Tributaria, lo que redundará en la mejora de la imagen de estas.

[113]   Cabe destacar que el Código de Buenas Prácticas de Asociaciones y Colegios Profesionales fue aprobado mediante el voto positivo de siete de las asociaciones y colegios que lo conforman, el Consejo General de la Abogacía votó en contra y la AEDAF se abstuvo.

[114]   Así, (GARCÍA PRATS, 2019), en su publicación "*La transposición en España de la Directiva sobre Intermediarios Tributarios (DAC6)*" realiza un análisis desde diferentes perspectivas sobre la figura del intermediario en relación con la aplicación de la DAC 6.

directamente o por medio de otras personas ayuda, asistencia o asesoramiento con respecto al diseño, comercialización, organización, puesta a disposición para su ejecución o gestión de la ejecución de un mecanismo transfronterizo sujeto a comunicación de información"[115]. Como se puede observar, el nuevo concepto de intermediario fiscal va más allá del simple asesor fiscal.

Por otra parte, la Directiva exige que para ser considerado intermediario en el sentido de que se le aplique esta obligación, será necesario estar inscrito en una asociación profesional relacionada con servicios jurídicos, fiscales o de consultoría en un Estado Miembro.

El problema que se plantea es cómo se configura la figura del asesor fiscal, tal y como la entendemos en nuestro país, con el concepto que la Directiva DAC 6 introduce de intermediario fiscal al exigir esa pertenencia a una asociación o colegio profesional, si tenemos en cuenta que en España no es requisito para poder ejercer las labores de la asesoría fiscal. Por lo tanto, nos encontramos con una clara falta de regulación específica de esta figura y de las obligaciones que debería llevar aparejada.

III. HACIA UNA NUEVA REGULACIÓN DE LOS FACILITADORES FISCALES EN LA UNIÓN EUROPEA

La obligación de información establecida en la Directiva DAC 6, tanto para los contribuyentes como para los intermediarios que intervengan en el diseño, organización o puesta en marcha de planificaciones fiscales agresivas a nivel internacional, ha supuesto un paso importante en el control que los Estados miembros deben realizar a esos intermediarios, entre los que se incluyen también a los asesores fiscales (aunque no todos los intermediarios en el sentido que recoge la Directiva lo sean)[116].

---

[115]   Art. 45.4.a) Real Decreto 1065/2007, de 27 de julio, por el que se aprueba el Reglamento General de las actuaciones y los procedimientos de gestión e inspección tributaria y de desarrollo de las normas comunes de los procedimientos de aplicación de los tributos, introducido por el Real Decreto 243/2021, de 6 de abril, por el que se modifica el Reglamento General de las actuaciones y los procedimientos de gestión e inspección tributaria y de desarrollo de las normas comunes de los procedimientos de aplicación de los tributos, aprobado por el Real Decreto 1065/2007, de 27 de julio, en transposición de la Directiva (UE) 2018/822 del Consejo, de 25 de mayo de 2018, que modifica la Directiva 2011/16/UE, por lo que se refiere al intercambio automático y obligatorio de información en el ámbito de la fiscalidad en relación con los mecanismos transfronterizos sujetos a comunicación de información.

[116]   (RODRÍGUEZ MARQUEZ, 2020), en su artículo "El secreto profesional y la trasposición de la DAC 6", ya se refirió a que la Directiva DAC 6 *parte de una concepción amplia de intermediario.*

Sin embargo, las medidas puestas en marcha en esta Directiva no se han considerado suficientes para conseguir un control efectivo de quiénes son los obligados a suministrar la información que se exige a los intermediarios en relación con las obligaciones de información. En este sentido, cabe destacar la falta de regulación que existe, tanto a nivel europeo como a nivel interno de los Estados Miembros, de la figura del intermediario fiscal y, de forma más concreta, del asesor fiscal. Es cierto que hay algunos países como Alemania que sí han introducido una regulación específica, pero en la inmensa mayoría no existe[117].

Esta situación ha llevado a la Comisión Europea a abrir, en el mes de julio de 2022, un periodo de consultas con el fin de elaborar una nueva Directiva, que complemente la Directiva DAC 6, y que aborde el papel de los facilitadores fiscales.

De forma concreta, los problemas que pretende abordar la iniciativa son los siguientes: "*abordar el papel que pueden desempeñar los facilitadores en el favorecimiento de mecanismos o estrategias que conduzcan a la evasión fiscal o a la planificación fiscal agresiva. Impedir que los facilitadores creen estructuras complejas en países no pertenecientes a la UR, cuyo objetivo sea erosionar la base imponible de los Estados miembros a través de la evasión fiscal y la planificación fiscal agresiva, es otra medida importante y necesaria en el compromiso constante de la Comisión de luchar contra estas actividades.*"

Como se puede observar, la Comisión tiene por objetivo principal continuar estableciendo mecanismos específicos para luchar contra las estructuras de planificación fiscal agresivas. En un primer momento puso el foco en la información que se debía de aportar a los Estados a través de la Directiva DAC 6; ahora se centra en el papel que juegan esos facilitadores en las planificaciones fiscales agresivas.

La consulta, abierta desde el 6 de julio hasta el 12 de octubre de 2022[118], propone tres líneas de actuación concretas, a valorar en función de los resultados obtenidos.

La primera de estas opciones es que todos los facilitadores lleven a cabo procedimientos específicos de diligencia debida. Esto supondría que los llamados facilitadores tendrían que realizar pruebas específicas para poder determinar si un mecanismo de planificación fiscal pudiese llevar a la evasión de impuestos, debiendo mantener registros concretos de todas las pruebas llevadas a cabo para verificar que se ha cumplido la diligencia establecida.

---

[117] Así lo refleja (ADAME MARTÍNEZ, La regulación de la profesión de asesor fiscal en la Unión Europea, 2022), en "La regulación de la profesión de asesor fiscal en la Unión Europea", trayendo a colación un estudio llevado a cabo en el seno de la UE, en relación con la regulación de la figura de los intermediarios fiscales, y en concreto, los asesores fiscales, destacando el importante papel que juegan, cada vez más, en la planificación fiscal del contribuyente.

[118] (Evasión fiscal y planificación fiscal abusiva en la UE: abordar el papel de los facilitadores, 2022)

La segunda opción planteada en la consulta es que los facilitadores tengan prohibido favorecer la evasión fiscal y la planificación fiscal agresiva en combinación con procedimientos de diligencia debida y el requisito de que los facilitadores se registren en la UE. Aquí ya se plantea, por primera vez, la existencia de un registro de facilitadores a nivel europeo. De forma específica, la opción que se plantea incluye que *"los facilitadores que ofrezcan asesoramiento o servicios de carácter fiscal a los contribuyentes o residentes de la UE estarían obligados a registrase en un Estado miembro de la UE"*, de tal forma que solo los facilitadores registrados podrían ofrecer este tipo de asesoramiento. Es decir, se exigiría a los facilitadores, entre los que se incluyen de forma específica a los asesores fiscales, que estuviesen registrados en los diferentes Estados.

Finalmente, la tercera opción supondría la existencia de un Código de conducta para todos los facilitadores, que les impida favorecer mecanismos y estructuras de planificación fiscal agresiva.

Como se puede observar, todas las iniciativas parten del hecho de conocer quiénes son los facilitadores de estas estructuras de planificación fiscal, para de una forma u otra, someterlos al control de su actuación. Por lo tanto, se hace absolutamente necesario que se conozca quiénes son los facilitadores de este tipo de mecanismos, lo que implica la necesidad de la existencia de un registro interno en cada país de dichos profesionales.

Como hemos venido analizando a lo largo de este trabajo, existen profesionales que se encuadrarían dentro de este concepto de facilitadores, como son los abogados, en los que es necesario la colegiación para el ejercicio como tal. En este caso, no habría problema a nivel español. El problema se plantea, como venimos advirtiendo, con la falta de registro y de control del resto de profesionales que ejercen su labor en la asesoría fiscal.

El hecho de que se esté planteando, en el seno de la Unión Europea, un registro de los facilitadores, haciendo hincapié en aquellos que se dedican al asesoramiento fiscal, deja patente la necesidad de regulación que existe y las dificultades que ahora mismo se plantean a la hora de controlar el ejercicio de esta actividad que tanta importancia ha adquirido en los últimos años. Además, si tenemos en cuenta que los esfuerzos tanto de los diferentes Estados como de las principales organizaciones internacionales están encaminados a establecer mecanismos preventivos en la lucha contra el fraude y la evasión de impuestos, conocer quiénes son los profesionales que intervienen en dichos procesos se configura como esencial.

En definitiva, la normativa europea avanza hacia mecanismos que suponen un mayor control de la actividad del asesoramiento fiscal, ya no solo centrándose en la figura del contribuyente, sino en el profesional que asesora, ayuda o propicia este tipo de planificaciones fiscales agresivas, que favorecen la evasión de impuestos en detrimento de los intereses recaudatorios de los Estados.

Entre los destinatarios de esta consulta pública, cabe destacar a las asociaciones empresariales, en particular aquellas que representan a personas que utilizan y ofrecen asesoramiento o servicios de carácter fiscal. Dentro de esta categoría, cobran especial importancia las asociaciones de asesores fiscales, no solo de España, sino también de otros Estados, ya que finalmente son las que agrupan, en la mayoría de las ocasiones, a todos aquellos profesionales dedicados al sector. Si bien es cierto que deberían jugar un papel importante en dicha iniciativa legislativa, a fecha de elaboración de la presente comunicación solo hay dos participaciones en este sentido de las 16 que hay emitidas.

IV. REFLEXIONES FINALES

La lucha contra el fraude y la evasión fiscal se ha manifestado como uno de los ejes principales o en los planes de control tributario a nivel nacional de prácticamente la mayoría de los Estados. En el ámbito europeo, la Comisión Europea ha puesto en marcha, en los últimos años, una serie de obligaciones de información que los Estados miembros han tenido que incorporar a sus ordenamientos jurídicos nacionales, traduciéndose en una serie de obligaciones de información destinadas a conocer cuáles son los mecanismos de planificación fiscal que pueden resultar agresivos a nivel internacional.

Estas exigencias de información se han centrado en el contribuyente, pero también en los llamados *intermediarios*, incluyendo en este término a todos los profesionales, ya sean del ámbito fiscal o no, que intervienen de forma activa en el diseño, organización o ejecución de las planificaciones fiscales agresivas objeto de control.

Sin embargo, esta nueva obligación puesta en marcha no ha resultado del todo suficiente para contribuir al objetivo fijado. Esto ha provocado que la Comisión Europea haya iniciado los pasos con nuevas propuestas legislativas, ahora en periodo de consultas, con el fin de poder identificar quienes son los facilitadores de dichas estructuras de planificación fiscal y poder someterlos, con carácter preventivo, al cumplimiento de una serie de diligencias de comprobación que permitan asegurar que los esquemas o mecanismos de planificación diseñados no llevan a un resultado que favorezca la evasión fiscal.

Cabe destacar el cambio de concepto que ha introducido la Comisión Europea en esta consulta, pasando de hablar de intermediarios a facilitadores. En mi opinión, el término de intermediario que se empleó para la Directiva DAC 6 quedó demasiado genérico, si tenemos en cuenta que incluía cualquier tipo de profesional que interviniese de forma activa o fuese conocedor de los mecanismos de planificación fiscal agresivos llevados a cabo.

Con este nuevo término de facilitadores, la Comisión Europea pretende cercar a los profesionales objeto de control preventivo, centrándose en los asesores fiscales. Y ello entendemos que es así porque la propia consulta establece como posible línea de actuación que los profesionales que lleven a cabo el asesoramiento fiscal deban de estar registrados en los Estados miembros de la Unión Europea, de tal forma que solo los que se encuentran inscritos podrían ejercer esta labor. Está claro, por lo tanto, que lo que pretende la Comisión Europea es la creación de un registro oficial de asesores fiscales en este sentido.

Este objetivo entra en colisión con la regulación interna, o más bien la ausencia de regulación interna, que la mayoría de los Estados miembros tienen de la figura del asesor fiscal. Como hemos puesto de manifiesto a lo largo de este trabajo, y centrándonos en el caso de España, la profesión de asesor fiscal no requiere ningún tipo de exigencia para su ejercicio, a diferencia de otras profesiones que se encuentran absolutamente regladas como es el caso de los abogados. Ni se exige un mínimo de formación necesaria, ni existe un control de su actuación ni existe un código deontológico al que deban someterse.

Está claro que la labor que las asociaciones de asesores tributarios fiscales realizan en España resulta fundamental ante la ausencia de regulación, al garantizar la práctica de la profesión con un mínimo de formación, el ofrecimiento de una formación continua a sus asociados, así como la exigencia del cumplimiento de la profesión de acuerdo a unas normas básicas de diligencia profesional.

Sin embargo, está claro que, si el objetivo que pretende la Comisión Europea es regular la profesión de asesor fiscal, se hace necesario que en nuestro país se comiencen a dar pasos para que se produzca una mínima regulación de esta actividad y dotar a nuestro sistema tributario de una mayor seguridad jurídica si tenemos en cuenta que la figura del asesor fiscal se ha configurado como esencial para el correcto funcionamiento de este.

No basta, por tanto, que se deje a criterios de los profesionales que ejercen esta labor, la decisión de asociarse o no, sino que debería establecerse un registro único en el que, al menos, se pueda comprobar que las competencias de dicho profesional son las idóneas para el ejercicio de su profesión.

V. BIBLIOGRAFÍA

ADAME MARTÍNEZ, F. (2013). Responsabilidad civil y penal por delito fiscal de los asesores fiscales. *Revista Técnica Tributaria* (100), 55-96.

ADAME MARTÍNEZ, F. (19 de 07 de 2022). *La regulación de la profesión de asesor fiscal en la Unión Europea*. Recuperado el 2022 de 09 de 06, de Taxlandia, blog fiscal y de opinión tributaria: https://www.politicafiscal.es/equipo/francisco-adame-martinez/la-regulacion-de-la-profesion-de-asesor-fiscal-en-la-union-europea

ARMENTIA BASTERRA, J. (2020). Responsabilidad del asesor fiscal. *Forum fiscal: la revista tributaria de Álava, Bizkaia y Gipuzkoa* (262).

DE LA CUERDA MARTÍN, M. (2021). La responsabilidad penal del asesor fiscal: un análisis comparado entre España e Italia. *Revista Forum Fiscal* (281).

Evasión fiscal y planificación fiscal abusiva en la UE: abordar el papel de los facilitadores. (2022). Recuperado el 2022 de 9 de 16, de Comisión Europea: https://ec.europa.eu/info/law/better-regulation/have-your-say/initiatives/13488-Tax-evasion-aggressive-tax-planning-in-the-EU-tackling-the-role-of-enablers/public-consultation_es

GARCÍA PRATS, F. A. (mayo de 2019). La transposición en España de la Directiva sobre Intermediarios Tributarios (DAC 6). *Paper nº 14 AEDAF.*

GÓMEZ REQUENA, J. A. (2021). El asesor fiscal en el cumplimiento cooperativo: presentación y últimas tendencias para limitar su responsabilidad. En M. J. Isaac, *El control de los riesgos fiscales en la empresa a través del compliance tributario* (págs. 243-263).

GONZALEZ CUETO, T. (2017). La colegiación del abogado es obligatoria. *Diario La Ley* (9079).

PUEBLA AGRAMUNT, N. (2004). Hacia una deontología del Asesor Fiscal. *Crónica Tributaria* (110), 107-117.

RODRÍGUEZ MARQUEZ, J. (2 de 6 de 2020). *El secreto profesional y la trasposición de la DAC 6.* Obtenido de elderecho.com: https://elderecho.com/secreto-profesional-la-trasposicion-la-dac-6

SOTO MOYA, M. D. (2019). Los códigos de buenas prácticas tributarias: beneficios de adhesión. *Forum fiscal: la revista tributaria de Álava, Bizkaia y Gipuzkoa* (258).

31.- EL MULTILINGÜISMO COMO ARMA DE DOBLE FILO: DERECHO FUNDAMENTAL O LÍMITE A LOS PRINCIPIOS DE LEGALIDAD, PROPORCIONALIDAD Y SEGURIDAD JURÍDICA.

MARÍA TERESA MARTÍNEZ-ESCRIBANO SERRANO

Ayudante de Investigación
Universidad Pontificia de Comillas (ICADE)

I. INTRODUCCIÓN.

La carencia de conceptualización uniforme en materia de fiscalidad internacional en el marco de la Unión Europea pone en jaque la eficacia de los principios de legalidad, proporcionalidad y seguridad jurídica. Por sus graves consecuencias socioeconómicas y tributarias, resulta de especial interés la falta de delimitación terminológica de los conceptos "fraude de ley tributaria", "evasión fiscal" y "elusión fiscal", en cuanto prácticas cuya existencia responde a carentes o cuestionables motivos económicos válidos, que ponen en riesgo el buen funcionamiento del mercado interior, el justo reparto de la carga tributaria y el sostenimiento de los caudales públicos.

Esta problemática terminológica viene determinada por el empleo indistinto de los conceptos mencionados, tanto por las instituciones como por los administrados. Una de las causas de esta falta de precisión es el multilingüismo propio de la Unión Europea, que supone la coexistencia de veinticuatro lenguas oficiales y la consecuente necesidad de realizar traducciones de actos y resoluciones. El multilingüismo está consagrado en el artículo 41.4 de la Carta de los Derechos Fundamentales de la Unión Europea, y garantiza que todo nacional de la Unión tiene derecho a utilizar cualquier lengua oficial para comunicarse con las instituciones, debiendo éstas responder en la misma lengua. A estos efectos, conviene recordar que la legalidad y la proporcionalidad también son principios fundamentales reconocidos en esta Carta, y por lo tanto gozan del mismo alcance que éste. Además, la deficiente claridad lingüística contraviene el principio europeo de seguridad jurídica, tal y como reconoce el propio Tribunal de Justicia de la Unión Europea[119.]

Así, se identifica como cuestión controvertida una pugna entre el multilingüismo y los principios fundamentales de legalidad, proporcionalidad y seguridad jurídica, que desemboca en una vulneración de los segundos, al prevalecer el multilingüismo sobre ellos. Se concluye la necesidad de promover y llevar a cabo una labor de conceptualización y delimitación terminológica en el seno de la Unión Europea que, respetando el rasgo multilingüístico, respete también los demás principios europeos, sin olvidar que, en materia lingüística, la cuestión problemática en la Unión consiste en lograr un equilibrio entre la garantía del respeto a la diversidad cultural, política y lingüística de los Estados Miembros que la conforman, y el diseño de una acción conjunta y unificada que sea eficaz.

II. CONFIGURACIÓN DE LOS PRINCIPIOS FUNDAMENTALES EN LA UNIÓN EUROPEA.

1. La naturaleza jurídica de la Unión Europea.

A día de hoy parece seguro afirmar que la Unión Europea constituye una *comunidad supranacional*, representando esa supranacionalidad *"una nueva forma de unión entre Estados, a medio camino entre un Estado en el sentido tradicional y una Organización internacional"*[120].

Para entender esta cuestión, conviene al menos enunciar los elementos conformadores de la misma, que son: (i) la personalidad jurídica pública independiente y diferenciada respecto de la de los Estados Miembros, reconocida en el artículo 281 del Tratado constitutivo de la Comunidad Europea; (ii) las amplias

---

[119]   STJCE de 3 de marzo de 1977, asunto C-80/76, *North Kerry Milk*, par. 11.
[120]   Ello implica que, no siendo un Estado, se limita a ejercer aquellas competencias cedidas por los Estados Miembros en régimen de exclusividad o compartidas, conservando éstos su derecho de separación como medio de recuperarlas.

competencias de carácter general que le son conferidas por los Estados en aras a la consecución de los fines que motivan su existencia; (iii) la configuración de una estructura organizativa triangular dotada de instituciones que vertebran cada uno de los tres pilares: legislativo, ejecutivo y judicial; y (iv) un ordenamiento jurídico propio, debiendo entender por tal un conjunto organizado de normas jurídicas con capacidad para crear derechos y obligaciones a los ciudadanos, con aplicabilidad directa para los ordenamientos internos, y con prevalencia sobre el derecho nacional.

La cuestión de la personalidad jurídica de la Unión Europea es crucial para entender el papel que ésta desempeña en el reconocimiento y protección de los derechos y principios fundamentales, puesto que, al integrarse en su ordenamiento jurídico, gozan de prevalencia sobre los ordenamientos nacionales, así como de garantías y mecanismos de protección. Con ello se pretende poner de relieve que la especial naturaleza de la Unión Europea, dotada de personalidad jurídica y, consecuentemente, de un ordenamiento jurídico propio, posibilita la existencia de principios rectores y derechos de obligado respeto, no sólo para sus instituciones, sino también para los Estados miembros y los ciudadanos.

2. Aproximación a los principios fundamentales en el marco europeo.

"Gracias a la jurisprudencia del Tribunal de Justicia, el Derecho de la Unión dispone asimismo de un vasto catálogo de principios de Estado de Derecho asimilables a los derechos fundamentales"[121]. Esta afirmación reconoce la indispensable labor llevada a cabo por el órgano jurisdiccional europeo, el cual ha configurado y desarrollado los principios fundamentales consagrados en la Unión, careciendo el Derecho Primario de un papel relevante en la cuestión[122]. Además, el reconocimiento de los derechos fundamentales como Principios Generales del Derecho Europeo también es un logro atribuible a la jurisprudencia, y este esfuerzo tiene su materialización en el reconocimiento expreso efectuado en el artículo 6.3 del Tratado de la Unión[123]. Gozar de esta naturaleza jurídica otorga a los principios fundamentales el mismo rango que a las disposiciones de los Tratados constitutivos,

---

[121] Disponible en: https://op.europa.eu/webpub/com/abc-of-eu-law/es/

[122] Las referencias efectuadas por el Derecho Primario consisten, primero, en la del Tratado de Maastricht al Convenio Europeo para la protección de los Derechos Humanos (CEDH) y al acervo constitucional común de los Estados miembros como Principios Generales del Derecho de la Unión, y, segundo, en la confirmación por el Tratado de Ámsterdam de los principios europeos que sirven de base para la Unión, a los cuales el Tratado de Lisboa se refiere como "valores" del artículo 2 del TUE.

[123] Los Principios Generales son aquellos mandatos no escritos que constituyen los elementos vertebradores del ordenamiento europeo y que actúan como reglas de racionalización en la labor interpretativa de sus disposiciones normativas. Son el resultado de la observancia y el análisis teleológico de los principios informadores de los sistemas jurídicos nacionales, del Derecho Europeo

situándolos en una posición jerárquica superior respecto de las normas emanadas de las instituciones europeas, es decir, del Derecho Derivado.

Siendo la Convención Europea de Derechos Humanos la herramienta básica de garantía de los derechos fundamentales en Europa[124], la Unión Europea han procurado incansablemente su adhesión, si bien a día de hoy este esfuerzo continúa en fase de negociación[125]. Paralelamente, las instituciones diseñaron un sistema de control judicial interno llevado a cabo por el Tribunal de Justicia de la Unión, si bien éste precisaba de un texto que recogiera una declaración de derechos y principios a consagrar. Así, en 2009 entra en vigor la Carta Europea de Derechos Fundamentales[126], y desde entonces, como reconoce el artículo 6.1 del Tratado de la Unión Europea, es fuente vinculante de Derecho Primario, desplegando efecto directo. No obstante su carácter generoso e innovador, el propio articulado de la Carta limita su ámbito de aplicación a los órganos europeos y a los Estados miembros cuando apliquen el Derecho Europeo.

El reconocimiento en la Carta a los valores fundamentales objeto de estudio tiene lugar de la forma que sigue: en primer lugar, el multilingüismo, reconocido en el artículo 41.4, incluido en el derecho a una buena administración, en el Capítulo denominado "Ciudadanía". En segundo lugar, los principios de legalidad y proporcionalidad están ubicados en el artículo 49, en el Capítulo titulado "Justicia". Sin embargo, ninguna mención expresa se hace respecto de la seguridad jurídica. Este principio, entendido como la certeza de que gozan los ciudadanos de conocer los derechos y las obligaciones que le son propias, constituye una de las bases sobre las que se construye el Estado de Derecho, el cual sí está reconocido en el Preámbulo de la Carta como principio sobre el que se funda la Unión[127][128].

---

124 Convenio Europeo para la Protección de los Derechos Humanos y las Libertades Fundamentales, firmado el 4 de noviembre de 1950 y en vigor desde el 3 de septiembre de 1953.

y del Derecho internacional, y su relevancia radica en la protección que dispensan a los derechos fundamentales.

125 En 2010, la UE inició negociaciones con el Consejo de Europa en relación con un proyecto de acuerdo de adhesión, que concluyó en 2013, año en que la Comisión requirió al Tribunal la elaboración de un dictamen sobre la compatibilidad del mismo con el Derecho Primario, el cual, un año más tarde, tuvo carácter negativo. Hubo que esperar a 2019 para que se retomaran las negociaciones entre la Unión Europea y el Consejo de Europa, las cuales a día de hoy continúan sin acuerdo.

126 Carta de los Derechos Fundamentales de la Unión Europea (2000/C 364/01), proclamada por primera vez en Niza en el año 2000, revisada y nuevamente proclamada en 2007.

127 Dice así: *"La Unión está fundada sobre los valores indivisibles y universales de la dignidad humana, la libertad, la igualdad y la solidaridad, y se basa en los principios de la democracia y el Estado de Derecho".*

128 La seguridad jurídica en la jurisprudencia europea se expresa bajo principios más concretos que coadyuvan a delimitar su alcance, si bien en ocasiones también se invoca de forma autónoma. Es por ello que este principio fundamental es predicable de cualquier Estado de Derecho, pero debe necesariamente ser concretado en otros principios jurídicos con carácter "ejecutable", tales como el de confianza legítima o de irretroactividad, y el mismo, *"por importante que sea, no tiene un valor*

III. EL RÉGIMEN LINGÜÍSTICO EN LA UNIÓN EUROPEA: EL MULTILINGÜISMO.

En el marco de las instituciones internacionales que aglutinan países con idiomas, culturas y sistemas jurídicos diferentes, es preciso diseñar estrategias lingüísticas que posibiliten la comprensión entre todos ellos. Así, en el contexto de disparidad lingüística actual, el entendimiento mutuo es requisito *sine qua non* para la cooperación. La Unión Europea, en tanto comunidad integrada por veintisiete Estados Miembros, coexisten veinticuatro lenguas[129], y todas ellas gozan del mismo estatuto y están recogidas en un Reglamento, que debe actualizarse con cada nueva adhesión[130]. Desde su fundación, en aras a la necesidad y voluntad de garantizar la igualdad entre los integrantes, se buscó un sistema multilingüe integral.

Son fácilmente imaginables las complicaciones que conlleva implantar un sistema que preserve la heterogeneidad lingüística, si bien esta constituye la más importante encarnación de la diversidad política, cultural e histórica, y es por ello que la Unión siempre le ha otorgado un tratamiento fundamental en su intento de construir una *comunidad supranacional*[131].

1. El proceso configurador del multilingüismo.

Desde su creación, la Unión Europea ha procurado instaurar el multilingüismo, y su configuración ha discurrido en paralelo a la evolución general de la misma. Con la creación de la Comunidad Económica del Carbón y del Acero mediante el Tratado de París de 1951, sin configurarse un régimen lingüístico claro, se reconocieron cuatro lenguas oficiales, la posibilidad de comunicarse en cualquiera de ellas con las instituciones, y la publicación del Diario Oficial en todas ellas. Es el Tratado de Roma de 1957 el que dota al actual multilingüismo de su configuración fundamental, garantizando en el artículo 248 que todas las lenguas coexistentes en aquel momento en la Comunidad gozaban del mismo

---

absoluto, sino que su aplicación debe conciliarse con la del principio de legalidad" STCE de 12 de marzo de 1961, en asuntos acumulados 42/59 Y 49/59, *SNUPAT vs Alta Autoridad de la CECA.*

[129] Las lenguas oficiales de la Unión Europea son: alemán, francés, italiano y neerlandés desde 1958, danés e inglés desde 1973, griego desde 1981, español y portugués desde 1986, finés y sueco desde 1995, checo, eslovaco, esloveno, estonio, húngaro, letón, lituano, maltés y polaco desde 2004, búlgaro, irlandés y rumano desde 2007, y croata desde 2013. Información obtenida de la página web del Parlamento Europeo

[130] Reglamento N°1 por el que se fija el régimen lingüístico de la Comunidad Económica Europea, DOCE N° 385/58, de 6 de octubre.

[131] Basada en la creación de sujeto supranacional con sistema institucional provisto de competencias que le permita crear un ordenamiento jurídico independiente capaz de vincular directamente a todos los ciudadanos, y pudiendo éstos invocarlo ante los órganos jurisdiccionales.

valor jurídico, lo cual se completa con la previsión de que será el Consejo el que, unánimemente, fije el régimen lingüístico de la Unión, sin perjuicio de lo que disponga el reglamento interno del Tribunal de Justicia[132].

En 1958 se aprobó el Reglamento N°1 por el que se fija el régimen lingüístico de la Comunidad Económica Europea (en adelante, Reglamento 1/58), que sentó las bases para la regulación lingüística en el seno de la Comunidad, pero que, desde su redacción hasta nuestros días, ha sufrido necesarias modificaciones debidas a las continuas incorporaciones de nuevos Estados con sus propias lenguas. Los posteriores tratados, que fueron adaptando la disposición institucional a la próxima incorporación de nuevos miembros, incluyeron la obligatoriedad de los organismos a dar al ciudadano una respuesta en la lengua en que hubiera sido formulada la cuestión[133]. Así, la Unión pasó de estar formada por seis miembros y cuatro lenguas oficiales, a veintisiete miembros y veinticuatro lenguas oficiales.

Conviene puntualizar que, aun estando consagrado el multilingüismo como derecho fundamental en el artículo 41.4 de la Carta Europea, en la actualidad, el sistema lingüístico europeo dista de ser perfecto, y existen cuestiones que dificultan su adecuada implementación. En primer lugar, se destaca la difícil concordancia entre la forma jurídica de la Unión Europea y su sistema lingüístico, puesto que es una *comunidad supranacional* en la cual los ciudadanos se ven inmediatamente afectados por su actuación. Así, el régimen lingüístico es una consecuencia inmediata del principio de eficacia directa del Derecho Europeo en el derecho nacional, lo cual obliga a que necesariamente sea comprensible por los ciudadanos en tanto destinatarios; de esta manera, ha de erigirse como una potente herramienta de protección de sus derechos[134], de forma tal que, *sensu*

---

[132]   El texto original fue redactado en las cuatro lenguas coexistentes en este momento, que eran francés, italiano, alemán y neerlandés. Para procurar el mayor rigor lingüístico y evitar la pérdida de literalidad con traducciones, se cita textualmente el artículo en su versión original italiana, puesto que es la guarda mayor semejanza con el castellano: *"La presente Convenzione redatta in unico esemplare in lingua tedesca, in lingua francese, in lingua itabana e in lingua olandese, i quattro testi facenti tutti ugualmente fede, sarà depositata negli archivi del Governo della Repubblica italiana che provvederà a rimetterne copia certmcata conforme a ciascuno dei Governi degb altri Stati firmatari"*.

   Por su parte, el artículo 217 del Tratado de Roma, en su versión original en italiano, reza así: "Il regime linguistico deUe istituzioni della Comunità è fissato, senza pregiudizio deUe disposizioni previste nel regolamento della Corte di Giustizia, dal Consiglio, che delibera all'unanimità".

[133]   Tratado de Ámsterdam, firmado en octubre de 1997, en vigor el 1 de mayo de 1999, y Tratado de Niza, firmado el 26 de febrero de 2001, en vigor desde el 1 de febrero de 2003.

[134]   Tal y como concreta DE ELERA-SAN MIGUEL HURTADO, A. en *Unión Europea y multilingüismo*, Revista Española de Derecho Europeo, Núm. 9 (2004), pp.85-135: *"Teniendo en cuenta los principios de transparencia y no discriminación, el ciudadano debe tener el absoluto derecho, no ya de comunicarse con la totalidad de la administración comunitaria en la lengua oficial que elija, lo que está asegurado en el TCE únicamente de manera parcial [refiriéndose al artículo 21.3], sino también de recibir toda la información de la UE en su idioma, y aquí el sistema falla estrepitosamente. En efecto, resulta incomprensible que un ciudadano*

contrario, la no imposición a algunos organismos del deber de comunicarse con la ciudadanía en la lengua oficial de preferencia, conlleva inmediatamente un quebranto de su derecho.

Y, en segundo lugar, conviene aludir a los problemas relativos a su regulación, sintetizables en la idea de dispersión y falta de claridad de que adolece la normativa. Ello es debido a la ausencia de un conjunto normativo coherente -en el sentido de partir del Derecho Primario y desarrollarlo con normas de Derecho Derivado-, conformando su reglamentación un batiburrillo de normas, puesto que cada institución de la Unión Europea posee su propio estatuto y en él prevé el régimen lingüístico aplicable, con diferente categoría jurídica cuyo contenido no siempre es armónico y raramente es claro[135].

2. La complicada tarea de implementar el multilingüismo.

La idea de que el acatamiento del multilingüismo posibilita instaurar un sistema de igualdad entre todas las lenguas empleadas por las instituciones europeas es cuanto menos cuestionable a la luz de las palabras de la profesora ESTEVE GARCÍA, que afirma que *"si bien las exigencias democráticas y políticas exigen tomar en consideración los legítimos intereses de los ciudadanos y la configuración de un sistema claro de derechos que preserve su seguridad jurídica, ello debe hacerse compatible con un sistema que permita un buen funcionamiento institucional"*, lo cual, en su opinión, *"exige asumir determinados límites que la eficacia organizativa exija, sin que en ningún caso pueda menoscabar el pleno respeto a la realidad plurilingüística que caracteriza al continente europeo"*[136].

La importancia del multilingüismo se fundamenta, en primer lugar, por la debida consideración que debe guardarse a la identidad y soberanía de cada Estado Miembro, constituyendo la lengua una de sus bases. Así, por identidad nacional debe entenderse la categoría jurídica central del Derecho Europeo que juega un papel fundamental en la articulación y diseño de un sistema jurídico propio caracterizado por la coexistencia e integración de los ordenamientos internos[137].

---

no pueda acceder a la información sobre la UE expuesta en las páginas web de ésta si no domina inglés, francés o alemán. [...] La participación democrática no puede hacerse sin información".

[135] Un ejemplo de ello es la (no) diferenciación entre lenguas oficiales y de trabajo en el Reglamento 1/58, lo cual, aunque pueda parecer una cuestión menor, está suponiendo un quebrantamiento de la legislación y una ineficiente atribución de medios. Compartiendo la opinión de DE ELERA-SAN MIGUEL, *"el resultado es que, si bien es cierto que todas las lenguas oficiales han tenido efectivamente este estatus, las lenguas de trabajo han sido seleccionadas de manera más o menos oculta por cada institución u órgano, en claro incumplimiento de la normativa"*. Vid. Nota 171, pág. 90.

[136] ESTEVE GARCÍA, F. *El nuevo estatuto jurídico de las lenguas cooficiales en España ante la Unión Europea*. Revista de Derecho Comunitario Europeo, núm. 24, (2006), pp. 438-480.

[137] Para más información sobre este tema consultar CRUZ MANTILLA DE LOS RIOS, P. *La identidad nacional de los Estados miembros en el Derecho de la Unión Europea*. Editorial Aranzadi, 2022.

Y, en segundo lugar, la garantía y efectividad de los principios de igualdad, pluralidad, democracia y respeto a la diversidad cultural y lingüística en la Unión Europea precisan la instauración de un sistema multilingüe.

Sin perjuicio de lo anterior, la realidad del multilingüismo dista de ser idílica, puesto que es de sobra conocido que existe una jerarquización o estratificación tácita de las veinticuatro lenguas, debido en gran medida a la previsión contenida en el artículo 6 del Reglamento 1/58, que faculta a las instituciones para determinar el régimen lingüístico de su funcionamiento interno[138]. En consecuencia, el inglés y el francés, seguidos del alemán, son las lenguas en que normalmente se trabaja en las instituciones europeas -fundamentalmente en la Comisión-, y aunque ello se pretenda explicar como una cuestión de agilización del trabajo, esta práctica, instaurada como dinámica habitual, carece de justificación por cuanto supone una vulneración de los derechos de los ciudadanos, y, en particular, de aquellos cuya lengua oficial no es ninguna de las tres mencionadas.

En conclusión, el multilingüismo parecer ser el único régimen lingüístico adecuado en la Unión Europea por cuanto su configuración, consistente en la adhesión de veintisiete Estados soberanos, precisa para su buen funcionamiento de un método que garantice la indemnidad de las identidades nacionales, ya que su mera existencia responde a la voluntad de sus miembros de integrarse y formar una *comunidad supranacional* para la consecución de objetivos comunes en términos de igualdad. Esto implica la no subordinación de unos países respecto de otros. Por ello, cabe afirmar que, si bien la implementación de este sistema multilingüe no es perfecta y todavía existen "discriminaciones" en el empleo de las lenguas, la gravedad política de la materia lingüística provoca una aceptación del *status quo*.

IV. APROXIMACIÓN A LOS PRINCIPIOS FUNDAMENTALES DE LEGALIDAD, PROPORCIONALIDAD Y SEGURIDAD JURÍDICA.

La cuestión lingüística en la Unión Europea nunca ha estado exenta de controversia, puesto que, aun siendo indiscutible su relevancia como instrumento integrador, la ausencia de delimitación de los principios rectores del funcionamiento de las instituciones europeas dificulta enormemente la configuración de un sistema estable y eficiente.

---

[138] En la versión española del Reglamento 1/58, el artículo 6 dispone literalmente: *"Las instituciones podrán determinar las modalidades de aplicación de este régimen lingüístico en sus reglamentos internos"*.

1. Principio de legalidad

La legalidad constituye el principio básico del Estado de Derecho, y consiste en el sometimiento de los poderes públicos y las instituciones al imperio de la ley. En el contexto de la Unión, el Estado de Derecho es uno de los valores consagrados en el artículo 2 del TUE, y constituye el requisito previo de la protección del resto de valores fundamentales, entre los que se encuentran derechos como la legalidad[139]. Este principio se reconoce en el artículo 49 de la Carta de Derechos Fundamentales de la Unión Europea, y garantiza que *"nadie podrá ser condenado por una acción o una omisión que, en el momento en que haya sido cometida, no constituya una infracción según el Derecho interno o el Derecho internacional"*.

El principio de legalidad debe configurarse conjuntamente con el principio de reserva de ley y de tipicidad, de manera que los cuatro elementos característicos son sintetizables en la expresión: *"nullum crimen, nulla poena sine lege scripta, praevia, stricta et certa"*, que se traduce como "no hay delito ni pena sin ley escrita, previa, estricta y cierta"[140]. Cuando se habla de ley escrita y previa se afirma la necesidad de que la conducta reprochable esté prevista por una norma con rango de ley debidamente aprobada y publicada con anterioridad a su realización. La exigencia de ley estricta es la interdicción de la analogía de las normas, debiendo por tanto éstas expresar con detalle el injusto reprochable. Finalmente, la previsión de certeza da cumplimiento al principio de taxatividad, y supone que un concreto acto será ilegal sólo en tanto se contenga en el precepto normativo una descripción precisa de aquellas conductas que están prohibidas, y cuya realización lleva aparejada la imposición de una sanción.

Ahora bien, en relación con el cumplimiento del principio de legalidad, debe necesariamente aludirse a la base jurídica del acto normativo, esto es, la directiva. Recordemos que las directivas son disposiciones normativas de resultado, es decir, que establecen objetivos que deben ser perseguidos por todos los Estados miembros pero gozando éstos de libertad de forma en su transposición al Derecho nacional. En mi opinión, dentro las materias de exclusiva competencia de

---

[139] El artículo 2 del Tratado de la Unión prevé que la misma *"se fundamenta en los valores de respeto de la dignidad humana, libertad, democracia, igualdad, Estado de Derecho y respeto de los derechos humanos [...]"*.

[140] En la actualidad, a la tradicional exigencia de *lex scripta* se le añade la de *lex parlamentaria,* lo cual implica que, además de ser la norma con rango de ley el único método admisible para el establecimiento de infracciones y sanciones, se exige la participación del Parlamento en el proceso legislativo, lo cual se traduce en la exigencia de una legitimación democrática directa.

Respecto a estas características, afirma PÉREZ DEL VALLE en *Derecho penal europeo, principio de legalidad y principio de proporcionalidad.* InDret, N° 4, Revista para el análisis del Derecho, 2008, que *"esta limitación responde a la doble consideración de que el derecho penal es el instrumento de represión más contundente de la comunidad política y que el hecho de que sea más contundente depende, en lo fundamental, de la posibilidad de imponer penas que impliquen una muy grave lesión a los derechos fundamentales"*.

la Unión Europea, la directiva debe identificar la conducta que considera sancionable, dejando a la legislación interna de cada país el diseño de la respuesta jurídica aplicable[141]. Ahora bien, al no ser la regulación de infracciones y sanciones una de estas competencias, se descarta este instrumento para la consecución del objetivo propuesto[142]. La pregunta que surge entonces es: ¿qué base jurídica puede al mismo tiempo dar una respuesta adecuada a la cuestión material y ser acorde con el principio de legalidad?. Lamentablemente a día de hoy no hay respuesta, y parece que hasta que se encuentre, la situación está abocada a continuar como hasta ahora.

2. Principio de proporcionalidad

Cabe definir este principio como aquel encargado de regular la forma en que las instituciones europeas ejercen sus competencias. Así, el artículo 5.4 del Tratado de la Unión Europea prevé que la proporcionalidad implica que, en la consecución de los objetivos fijados por los Tratados, la actuación de la Unión no excederá de lo estrictamente necesario[143]. Éste es un principio fundamental recogido en el artículo 49.3 de la Carta de Derechos Fundamentales de la Unión, que, en estrecha relación con la legalidad, supone que *"la intensidad de las penas no deberá ser desproporcionada en relación con la infracción"*.

Respecto a la naturaleza jurídica del principio de proporcionalidad, la jurisprudencia europea es pacífica en cuanto a su consideración como norma jurídica vinculante con efecto directo, lo cual supone la posibilidad de ser alegado por los ciudadanos ante los órganos jurisdiccionales, así como la obligación de su respeto y aplicación por éstos últimos. Como el resto de previsiones contenidas en la Carta de Derechos Fundamentales, tiene el mismo valor jurídico que los Tratados, es decir, forma parte del Derecho Originario, lo que, lo cual le faculta para interpretar o anular el Derecho Derivado.

---

[141] La legitimación de la directiva para conminar a los Estados a tipificar comportamientos constitutivos de delitos de peligro – y más concretamente, de peligro abstracto –, que precisan de un proceso de estandarización, sólo es posible cuando se esté ante competencias exclusivas para la Unión Europea, reconocidas en el artículo 3 del TFUE, y son relativas a las siguientes materias: (i) unión aduanera, (ii) normas de competencia para el funcionamiento del mercado interior, (iii) política monetaria, (iv) política pesquera común, y (v) política comercial común.

[142] Esta es una competencia compartida con los Estados miembros subsumible en el artículo 4.2.a) del TFUE, relativa a las cuestiones relativas al mercado interior, en tanto la determinación del fraude, la evasión y la elusión tributarias como prácticas ilícitas o reprochables y merecedoras de una sanción, inciden directamente en el funcionamiento del Mercado Interior, puesto que las devastadoras consecuencias socioeconómicas derivadas de su falta de regulación quebrantan la equidad en la tributación y fomentan una competencia indeseada entre Estados miembros.

[143] Los criterios para aplicar este principio se regulan en el Protocolo Nº 2 sobre la aplicación de los principios de subsidiariedad y proporcionalidad

El principio de proporcionalidad funciona como herramienta interpretativa del ordenamiento europeo, así como de las medidas internas que los Estados hubieran adoptado en ejecución de un mandato de la Unión. En este sentido, se comparte con GALETTA que *"el principio de proporcionalidad representa un parámetro esencial de valoración de la admisibilidad de aquellas intervenciones que inciden negativamente en la esfera de protección de los derechos fundamentales. El mismo principio sirve como instrumento de ponderación comparativa entre los derechos fundamentales reconocidos por el Derecho comunitario, de un lado, y, de otro, las limitaciones a aquéllos que resultan necesarias para perseguir la obtención del interés público"*[144].

3. Principio de seguridad jurídica

Para abordar la cuestión de la posible confrontación de este principio con el multilingüismo, debe comenzarse con esa máxima: *"las exigencias derivadas del principio de seguridad jurídica y el respeto a los deberes democráticos conducen al convencimiento de que la integración política europea sólo puede consolidarse si se respeta la diversidad política, lingüística y cultural de sus miembros, aun cuando ello acarree una mayor dificultad de gestión y funcionamiento en el proceso de unión de unos Estados cada vez más heterogéneos"*[145].

Para la configuración del principio de seguridad jurídica, la continua actividad del Tribunal de Justicia ha sido esencial y determinante. Así, su existencia fue reconocida en su sentencia de 22 de marzo de 1961[146], si bien su ámbito de aplicación ha ido sucesivamente ampliándose hasta lo que constituye hoy en día: un principio general del Derecho europeo. Además, el principio de seguridad jurídica se conoce como un *umbrella principle*, por cuanto en su contenido se incluyen otros principios como el de confianza legítima y el de irretroactividad.

El rol que el principio en cuestión desempeña en la Unión lo aclara el propio Tribunal cuando dice: *"procede recordar que los principios de seguridad jurídica (y de protección de la confianza legítima) forman parte del ordenamiento jurídico comunitario. Por lo tanto, en el ejercicio de las facultades que les confieren las directivas comunitarias, deben respetarlos las instituciones comunitarias, pero también los Estados miembros"*[147].

---

[144]	GALETTA, D-U. *El principio de proporcionalidad en el Derecho comunitario*, forma parte de la segunda parte de la monografía *"Principio di proporzionalità e sindacato giurisdizionale nel diritto amministrativo"*, Milán, 1998. Traducción de ELVIRA, A. y ROSADO, G.

[145]	Vid nota 173. ESTEVE GARCIA, F., pág. 439.

[146]	STJUE de 22 de marzo de 1961, en los asuntos acumulados 42/59 y 49/59, *Société nouvelle des usines de Pontlieu – Aciéries du Temple vs Alta Autoridad de la Comunidad Económica del Carbón y del Acero*.

[147]	STJUE de 10 de septiembre de 2009, asunto C-201/08, *Plantanol GmbH & Co. KG vs Hauptzollamt Darmstadt*, par. 43. Véanse también STJUE de 21 de septiembre de 1983, asuntos C-205/82 a C-215/82, *Deutsche Milchkontor y otros*, par. 30, y STJUE de 9 de octubre de 2001, asuntos C80/99 a C82/99, *Flemmer y otros*, par. 60. Conviene advertir no obstante que, el rango constitucional y la am-

En cuanto a su contenido, la jurisprudencia europea ha declarado en numerosas ocasiones que *"el principio de seguridad jurídica exige que las normas jurídicas
sean claras, precisas y previsibles en cuanto a sus efectos"*, debiendo por ello ser la
aplicación de las normas *"previsible para los sujetos"*[148]. Profundizando aún más, la
jurisprudencia viene declarando desde 1996 que *"los justiciables deben poder conocer,
sin ambigüedad, sus derechos y obligaciones, y adoptar las medidas oportunas en consecuencia"*, y desde 1998 que *"en particular, dicho principio de seguridad jurídica exige
que una normativa comunitaria permita a los interesados conocer con exactitud el alcance
de las obligaciones que les impone"*[149].

Basadas en este principio existen también reglas jurisprudenciales relativas
a la interpretación, concretables en la idea de que, ante la necesidad de interpretar una disposición normativa, habrá de prevalecer la interpretación más coherente con la seguridad jurídica, siempre que fuera posible. De esta forma,
habrá un quebranto del principio cuando se interpreten de manera diferente
dos disposiciones recogidas en un mismo precepto normativo redactadas de forma sustancialmente idéntica[150]. No puede negarse el alto riesgo que existe de
darse este supuesto cuando media una tarea de traducción, la cual, pese a los
mejores esfuerzos de los profesionales, puede desembocar en una interpretación
contradictoria a la dada en otra lengua. El quebranto está en las primeras fases
de la vida de una disposición normativa, en su proceso de elaboración, por lo
que ésta "nace viciada". Así pues, el sistema multilingüe reinante en la Unión
inevitablemente plantea problemas, pues *"cualquier interpretación divergente en el
ámbito nacional [de las mencionadas obligaciones de exención] no sólo perjudicaría a los
objetivos de la normativa comunitaria y a la seguridad jurídica, sino que también podría
crear desigualdades de trato entre los operadores económicos afectados"*[151].

---

plitud de carácter de este principio no guardan la proporción esperable con su aplicación y eficacia
práctica, las cuales son limitadas, poco claras, y, en ocasiones, hasta contradictorias.

[148]   STJUE de 15 de febrero de 1996, asunto C-63/93, *Duff y otros*, par. 20; STJUE de 18 de mayo de
2000, asunto C107/97, *Rombi y Arkopharma*, par. 66; y STJUE de 7 de junio de 2005, asunto C-17/03,
VEMW y otros, par. 80.

[149]   STJUE de 13 de febrero de 1996, asunto C-143/93, *Van Es Douane Agenten*, par. 27, y STJUE de 26
de octubre de 2006, asunto C-284/04, *Koninklijke Coöperatie Cosun*, C248/04, par. 79, y STJUE de 21
de junio de 2007, asunto C-158/06, *Stichting ROM-projecten*, par. 25.

STJUE de 13 de febrero de 1996, asunto C-143/93, *Van Es Douane Agenten*, par. 27, y STJUE de 26
de octubre de 2006, asunto C-284/04, *Koninklijke Coöperatie Cosun, C248/04, par. 79, y STJUE de 21 de
junio de 2007, asunto C-158/06, Stichting ROM-projecten, par. 25.*

[150]   STJUE de 20 de junio de 2002, asunto C-401/99, *Peter Heinrich Thomsen vs Amt für ländliche Räume
Husum*, par. 35.

[151]   STJUE de 1 de abril de 2004, asunto C-389/02, *Deutsche See-Bestattungs-Genossenschaft eG vs Hauptzollamt Kiel*, par. 21.

V. LA PROBLEMÁTICA DE LA CONCEPTUALIZACIÓN EN EL ÁMBITO DE LA FISCALIDAD INTERNACIONAL.

1. Contexto actual

En el panorama internacional actual, la calificación de las prácticas tributarias de "fraude", "evasión" y "elusión" continúa suscitando infinidad de dudas y conflictos, puesto que, al no ser clara su vertiente teórica, se plantea un caótico escenario en su aplicación práctica, tanto para los órganos jurisdiccionales como para los propios interesados[152]. En mi opinión, este problema terminológico del uso indiferenciado de los conceptos citados se debe a dos causas que se retroalimentan en el sentido de ser simultáneamente causa y consecuencia: el multilingüismo y la carencia de conceptualización y delimitación de las prácticas.

A continuación, se hace un breve análisis de cada una de las prácticas en el ámbito de la Unión Europea, y para ello se partirá de la clasificación efectuada por el Parlamento Europeo[153]: *"el fraude y la evasión fiscales constituyen una actividad ilegal de elusión de responsabilidades fiscales, mientras que, por otra parte, la elusión fiscal es una utilización legal pero indebida del régimen tributario para reducir o evitar responsabilidades fiscales".*

EL FRAUDE DE LEY TRIBUTARIA

Partiendo de la afirmación anterior, el fraude constituye una actividad ilegal, que la Comisión Europa define como *"una forma de evasión de impuestos deliberada que, en general, es sancionable penalmente [e] incluye situaciones en las que se presentan deliberadamente declaraciones falsas o se entregan documentos falsos"*[154]. La base jurídica en la lucha contra el fraude y cualquier otra actividad ilegal que afecte a los intereses financieros de la Unión Europea puede encontrarse en el artículo 325 del TFUE, el cual insta tanto a la propia Unión como a los Estados miembros a adoptar medidas de carácter disuasorio que protejan el presupuesto interno y comunitario. Además, el artículo 83.2 del TFUE, faculta al Parlamento y al Consejo para elaborar normas mínimas relativas a la definición de delitos y sanciones en

---

[152] Desde distintas organizaciones internacionales y entidades supranacionales ha habido importantes esfuerzos conceptualizadores, pero la realidad es que todavía no existe ninguna definición unánimemente aceptada y aplicada, lo cual parece explicarse únicamente por motivos de política económica. No obstante, al objeto de este trabajo, tales definiciones van a constituir el punto de partida de esta cuestión, y de ellos se procurará extraer una serie de características comunes que permitan construir los conceptos.

[153] Resolución del Parlamento Europeo, de 21 de mayo de 2013, sobre la lucha contra el fraude fiscal, la evasión fiscal y los paraísos fiscales (2013/2060(INI). P7 TA(2013)0205; pág. 2

[154] Comunicación de la Comisión al Parlamento Europeo y al Consejo sobre formas concretas de reforzar la lecha contra el fraude fiscal y la evasión fiscal, también en relación con terceros países. COM (2012) 351 final, pág. 2

los ámbitos armonizados, y sobre esta base se aprobó la Directiva 2017/1371 relativa a la lucha contra el fraude a los intereses financieros de la Unión mediante el Derecho penal[155].

PALAO TABOADA considera que el fraude a la ley tributaria tiene lugar cuando *"el acto o negocio jurídico realizado cuya consecución por los medios jurídicos normales acarrearía el nacimiento de la deuda tributaria, puede ser alcanzado indirectamente por otros medios jurídicos, que natural y primariamente tienden al logro de fines diversos, y que no están gravados o lo están en medida más reducida que aquellos medios usuales"*[156]. De esta afirmación cabe concluir que en el fraude de ley la característica esencial es la artificiosidad y/o el engaño. Ello es así porque, según defiende el autor, en esta figura se identifican dos normas: la *norma de cobertura*, en la que se ampara el contribuyente y cuya finalidad no se corresponde con el negocio jurídico llevado a cabo, y la *norma defraudada*, que es aquella que habría correspondido aplicar.

La línea divisoria de esta figura conviene trazarla con la simulación, y las diferencias entre ambas figuras se basan en de tres criterios: el número de negocios jurídicos realizados, el ánimo de ocultación y la realización del hecho imponible. Respecto del primero, en la conducta fraudulenta sólo hay un negocio jurídico, pero en la simulación hay dos: el aparente, que es el ejecutado, y el encubierto o simulado, que es el realmente querido por las partes. En relación con la ocultación, no es predicable del fraude en cuento el acto realizado se declara abiertamente, por cuanto es el querido por el sujeto; sin embargo, en la simulación se busca encubrir el acto realizado en tanto se pretende dar apariencia de otro. Finalmente, mientras que en la simulación sí se origina el hecho imponible, en el fraude no, ya que se realiza otro hecho no gravado que alcanza un resultado equivalente en condiciones fiscales más ventajosas. PONT CLEMENTE sintetiza la desemejanza con esta afirmación: *"en el fraude de ley tributaria los hechos queridos y realizados no han sido expresa y previamente tipificados por la ley tributaria, por lo que, por sí mismos, no dan origen al nacimiento de ninguna obligación tributaria de forma que el impago del tributo quedaría plenamente justificado"*[157].

LA EVASIÓN FISCAL.

---

[155]   La calificación de ilegal es deducible del propio artículo 1 de la Directiva en dos ocasiones, subrayadas en el texto: *"La presente Directiva establece normas mínimas relativas a la definición de las infracciones penales y de las sanciones relativas a la lucha contra <u>el fraude y otras actividades ilegales</u> que afectan a los intereses financieros de la Unión, con el fin de reforzar la <u>protección contra las infracciones penales</u> que afectan a dichos intereses financieros, en consonancia con el acervo de la Unión en este ámbito"*. Además, desde el 1 de enero de 2021 está en vigor el Reglamento (UE) 2021/785 del Parlamento Europeo y del Consejo, de 29 de abril de 2021, por el que se establece el Programa de la Unión de Lucha contra el Fraude y por el que se deroga el Reglamento (UE) n.o 250/2014. PE/20/2021/INIT.

[156]   PALAO TABOADA, C. *El fraude a la ley en derecho tributario*. Revista de Derecho Financiero y Hacienda Pública, 1966.

[157]   PONT CLEMENTE, J.F., *La economía de opción*. Marcial Pons, 2006.

Para la Comisión Europea, la evasión *"incluye planes ilegales para ocultar o ignorar la obligación de tributar, es decir, el contribuyente paga menos impuestos de los que está legalmente obligado a pagar, ocultando renta o información a las autoridades tributarias"*[158]. La propia definición reconoce expresamente la ilegalidad de la conducta, la cual consiste en un incumplimiento de la obligación legislativamente impuesta de declaración y tributación en el lugar de residencia. Este incumplimiento puede ser total o parcial, en función de que el sujeto pasivo oculte todas las rentas, los bienes, e incluso las obligaciones de que es titular, o sólo una parte.

Cuando se habla de *ocultación* no debe sólo pensarse en su forma pasiva, consistente en la ausencia de dar información, sino también en la activa, cuya principal manifestación es el desvío de rentas a los conocidos como "paraísos fiscales", que son aquellos territorios caracterizados por la escasa o nula tributación y la opacidad, debido a que sus tipos impositivos son bajos o inexistentes, no tienen suscritos convenios de intercambio de información con el resto de países, y sus procedimientos legales y societarios carecen de la más mínima transparencia. La operativa habitual es la siguiente: un sujeto pasivo residente en un Estado, con ayuda de expertos fiscalistas, desvía fondos a estas jurisdicciones a través de estructuras fiscales artificiosas, siendo el más típico la creación de sociedades fantasma o "shell companies" que, careciendo de motivos económicos válidos, existen exclusivamente para articular estas prácticas ilícitas de ahorro fiscal[159].

Así pues, cabe concluir que la evasión fiscal, junto con el fraude de ley tributaria, son prácticas ilícitas, que, alcanzando el requisito legal de la cuantía, son constitutivas de delito. Así, los artículos 305 y 306 del Código Penal español castigan a quienes, por acción u omisión, defrauden a la Hacienda Pública estatal o los presupuestos de la Unión Europea, cuando el importe defraudado sea igual o superior a ciento veinte mil, y cincuenta mil euros, respectivamente.

LA ELUSIÓN FISCAL.

La elusión fiscal en el marco de la Unión Europea es la práctica llevada a cabo por el contribuyente que consiste en aprovechar las lagunas legislativas con el objeto de minorar, o incluso evitar, la tributación. En otras palabras, es la utilización legal pero indebida del ordenamiento tributario por cuanto supone la aplicación de las normas de forma contraria a su espíritu, buscándose con ello la

---

[158]   Vid. Nota 191, pág. 2.

[159]   No todas estas entidades instrumentales carecen de motivos económicos válidos, y así lo reconoce la Propuesta de Directiva ATAD 3: Directive COM (2021) 565 final, de 22 de diciembre de 2021, laying down rules to prevent the misuse of shell entities for tax purposes and amending Directive 2011/16.

Ejemplos de estas actuaciones son los conocidos escándalos "LuxLeaks", los "papeles de Panamá", los "papeles del paraíso" o "Football Leaks".

minimización de las responsabilidades fiscales. Este concepto está íntimamente ligado al de planificación fiscal agresiva, que, según el Parlamento Europeo, consiste en *"aprovechar los aspectos técnicos de un sistema fiscal o las discordancias entre dos o más sistemas fiscales con el fin de reducir la deuda tributaria, y puede adoptar diversas formas"*[160].

No obstante, sí que tienen algo en común: *"tanto el fraude como la evasión fiscal se sitúan al margen de la ley, e implican la no declaración fiscal de bases o activos para evitar o minorar el pago de impuestos. En cambio, la elusión fiscal y la planificación fiscal agresiva se sitúan en los límites de la legalidad y suponen aprovechar los márgenes, incoherencias o debilidades de los marcos fiscales para pagar menos impuestos"*[161].

Esa afirmación es muy ilustrativa de la falta de concreción de cada una de las prácticas, tendiéndose a equiparar unas con otras y dotándolas de un tratamiento cuasi sinónimo. En términos de licitud, es clara la diferencia entre el fraude y la evasión con la elusión, por cuanto las dos primeras no lo son, pero es también importante trazar la línea divisoria entre la elusión y la planificación fiscal agresiva, puesto que estos se encuadran en una misma "categoría intermedia", en la comparten, en palabras del Profesor PISTONE, una "fricción entre forma y sustancia"[162] en aras a lograr un ahorro fiscal. Este autor considera que, aun compartiendo esta característica, la diferencia radica en que en la elusión tal fricción busca obtener una ventaja fiscal en el mismo Estado en el que se realiza, independientemente de que se siga un esquema internacional; por su parte, en la planificación fiscal agresiva *"el ahorro fiscal es fruto de las distintas formas que la misma sustancia puede asumir en diversos ordenamientos"*, puesto que se busca aprovechar las discordancias entre sistemas fiscales en el tratamiento aplicable a una misma operación transnacional[163].

---

[160] Recomendación sobre la planificación fiscal agresiva, de 6 de diciembre de 2012, (2012/772/UE).

[161] VÁZQUEZ TAÍN, M.A., *Fraude, evasión y elusión fiscal en la Unión Europea*, Administración & cidadanía: revista da Escola Galega de Administración Pública, Vol. 10, N°1, 2015, pp. 93-112.

[162] PISTONE, P.: *La planificación fiscal agresiva y las categorías conceptuales del Derecho tributario global*, Revista española de Derecho Financiero, N° 170 (abril-junio), 2016.

[163] *Ibidem*, pág. 15.

Es interesante también conocer la diferencia adicional apreciable por el profesor PISTONE: *"Es posible acudir a una diferencia adicional entre ambos fenómenos. En el caso de la elusión fiscal, la relevancia del elemento intencional puede asumir un importante papel como elemento esencial, en cuanto es necesario demostrar la existencia de la actitud de sortear la norma que, de otro modo, sería aplicable. En el caso de la planificación fiscal agresiva, el elemento intencional no se advierte, ya que la ventaja fiscal proviene de la explotación de las disparidades a nivel transnacional de modo que produzcan el "efecto desalineación" entre producción de riqueza y el ejercicio de la soberanía tributaria".*

2. Concretos problemas ocasionados por el multilingüismo.

En los supuestos suscitados por las prácticas tributarias estudiadas, la jurisprudencia no sigue una línea coherente y constante, careciendo sus resoluciones de una dogmática rigurosa, y resultando así perjudicados los principios de legalidad, proporcionalidad y seguridad jurídica. Este hecho responde a una dinámica simbiótica, puesto que, de un lado, el hecho de que no exista -o no se aplique- un criterio jurisprudencial homogéneo y/o armonizado es debido a que el Tribunal de Justicia de la Unión Europea no parece tener claras las líneas terminológicas fronterizas entre las figuras, y ello es debido a que la legislación europea que es competente para interpretar y aplicar no contiene preceptos claros y completos que se lo permitan. Así, la identificación y calificación de estas prácticas no resulta tarea sencilla, y la consecuente aplicación del régimen jurídico al supuesto concreto no sigue una regla uniforme. Y, de otro lado, tal ausencia de criterio jurisprudencial dificulta la configuración de estas prácticas de una forma análoga a como ha ocurrido con los principios generales, donde ha sido la actividad del TJUE la que ha determinado su reconocimiento y contenido.

La principal consecuencia que de ello se deriva es la proliferación de pronunciamientos injustos, que son tanto aquellos que dejan de sancionar una conducta reprochable, como los que penalizan aquella que no lo merece. La vulneración ocasionada por este *modus operandi* es, en primer lugar, respecto del principio de legalidad, siendo la infracción predicable de las tres figuras; así, la observancia de los elementos configuradores del principio (ley escrita, previa, estricta y cierta) se cumple, según el TJUE, *"cuando el justiciable puede saber, a partir del texto de la disposición pertinente y, si fuera necesario, con ayuda de la interpretación que de ella hacen los tribunales, qué actos y omisiones desencadenan su responsabilidad"*, algo que no ocurre en el supuesto planteado[164]. En segundo lugar, la conculcación del principio de proporcionalidad, directamente vinculada con la anterior[165], tiene lugar por cuanto en la imposición de una sanción se debe procurar causar el menor perjuicio posible, sin posibilidad de excederse de lo estrictamente necesario para la consecución del fin pretendido. Ello sin duda es complicado de acatar en aquellas situaciones en que el órgano jurisdiccional califica una conducta como infracción y le atribuye una sanción sin base en precepto normativo alguno, puesto que, si la atribución de un castigo no está motivada ni justificada, no podrá ser en ningún caso proporcional.

---

[164]   STJUE de 5 de diciembre de 2017, asunto C-42/17, *Corte Constituzionale italiana vs M.A.S., M.B.,* par. 56.

[165]   Vid. Nota 201, Par. 55: *"el Tribunal Europeo de Derechos Humanos ha declarado (...) las disposiciones penales deben respetar determinados requisitos de accesibilidad y de previsibilidad tanto en lo que respecta a la definición de la infracción como a la determinación de la (pena)".*

Por último, la vulneración del <u>principio de seguridad jurídica</u> es consecuencia directa de la inobservancia de los otros dos principios, por cuanto las exigencias de claridad, precisión y previsibilidad en la actividad legislativa son imposibles de cumplir cuando ni siquiera se conocen los conceptos a regular. Por tanto, hasta que no se delimiten y conceptualicen las figuras de fraude, evasión y elusión tributarias, este mandato no podrá ser obedecido.

VI. CONCLUSIONES.

Se concluye, pues, que la falta de delimitación y claridad terminológica en el ámbito de la fiscalidad internacional, además de las conocidas y preocupantes consecuencias socioeconómicas que acarrea, deriva en una conculcación de principios fundamentales.

Sin ánimo de señalar el multilingüismo como único o principal responsable de esta problemática, conviene no olvidar que la imperatividad de su reconocimiento en la Unión Europea, derivada tanto de su condición de derecho fundamental como de la propia configuración de ésta como comunidad supranacional, es tan real como la necesidad de configurar este régimen lingüístico de forma que respete los principios de legalidad, proporcionalidad y seguridad jurídica. La solución propuesta en este trabajo consiste en la conceptualización y delimitación precisas de las prácticas tributarias internacionales de "fraude", "evasión" y "elusión" fiscales en todas las lenguas oficiales de la Unión, de forma que sus significados sean equivalentes en todas ellas[166].

En mi opinión, analizados los antecedentes legislativos en materia de lucha contra estas prácticas[167], el instrumento jurídico apropiado para esta tarea es el reglamento, regulado en los artículos 33, 175 párrafo tercero y 325.1 y 4 del TFUE. Se propone el reglamento porque es el único acto legislativo europeo obligatorio en todos sus elementos y directamente

---

[166] Aunque no hayan sido objeto de análisis en el presente trabajo, el resto de prácticas tributarias que se emplean indistintamente con las estudiadas, tales como el "abuso del Derecho" y la "planificación fiscal agresiva", deben también incluirse en este glosario propuesto, puesto que, de no hacerse, la solución sólo sería parcial, perviviendo la incertidumbre terminológica.

[167] Reglamento 2021/785 de 29 de abril de 2021, por el que se establece el Programa de la Unión de Lucha contra el Fraude; Reglamento (UE) nº 250/2014, de 26 de febrero de 2014, por el que se establece un programa para promover actividades en el campo de la protección de los intereses financieros de la Unión Europea ("programa Hércules III"); Reglamento (UE) nº 1286/2013 de 11 de diciembre de 2013 por el que se establece para el período 2014-2020 un programa de acción para mejorar el funcionamiento de los sistemas fiscales de la Unión Europea.

aplicable en todos los Estados miembros, lo que lo convierte también en el único que puede lograr satisfactoriamente el objetivo unificador propuesto. En su redacción, se considera aconsejable incorporar un Considerando como el que sigue: *"Constituye el objetivo del presente Reglamento el establecimiento de una relación de conceptos necesarios para la mejora del funcionamiento y la justa competencia de los sistemas fiscales en el mercado interior, así como para la garantía del justo reparto de la carga tributaria entre los contribuyentes. No pudiendo éste ser alcanzado de manera suficiente por los Estados por cuanto el grado de cooperación y coordinación que se precisa es superior a sus posibilidades individuales, la Unión está facultada para aprobar este glosario, de acuerdo con los principios de subsidiariedad y proporcionalidad consagrados en el artículo 5 del Tratado de la Unión Europea".*

VII. BIBLIOGRAFÍA.

CRUZ MANTILLA DE LOS RIOS, P. *La identidad nacional de los Estados miembros en el Derecho de la Unión Europea.* Editorial Aranzadi, 2022.

DE ELERA-SAN MIGUEL HURTADO, A. en *Unión Europea y multilingüismo,* Revista Española de Derecho Europeo, Núm. 9 (2004), pp. 85-135.

ESTEVE GARCÍA, F. El nuevo estatuto jurídico de las lenguas cooficiales en España ante la Unión Europea. Revista de Derecho Comunitario Europeo, núm. 24, (2006), pp. 438-480.

PALAO TABOADA, C. El fraude a la ley en derecho tributario. Revista de Derecho Financiero y Hacienda Pública, 1966.

PÉREZ DEL VALLE en Derecho penal europeo, principio de legalidad y principio de proporcionalidad. InDret, N° 4, Revista para el análisis del Derecho, 2008.

PONT CLEMENTE, J.F., *La economía de opción.* Marcial Pons, 2006.

VÁZQUEZ TAÍN, M.A., *Fraude, evasión y elusión fiscal en la Unión Europea,* Administración & cidadanía: revista da Escola Galega de Administración Pública, Vol. 10, N°1, 2015, pp. 93-112.

Carta de los Derechos Fundamentales de la Unión Europea (2000/C 364/01), proclamada por primera vez en Niza en el año 2000, revisada y nuevamente proclamada en 2007.

Comunicación de la Comisión al Parlamento Europeo y al Consejo sobre formas concretas de reforzar la lucha contra el fraude fiscal y la evasión fiscal, también en relación con terceros países. COM (2012) 351 final.

Convenio Europeo para la Protección de los Derechos Humanos y las Libertades Fundamentales, firmado el 4 de noviembre de 1950 y en vigor desde el 3 de septiembre de 1953.

Recomendación sobre la planificación fiscal agresiva, de 6 de diciembre de 2012, (2012/772/UE).

Reglamento Nº1 por el que se fija el régimen lingüístico de la Comunidad Económica Europea, DOCE Nº 385/58, de 6 de octubre.

Resolución del Parlamento Europeo, de 21 de mayo de 2013, sobre la lucha contra el fraude fiscal, la evasión fiscal y los paraísos fiscales (2013/2060(INI). P7 TA (2013)0205.

STCE de 12 de marzo de 1961, en asuntos acumulados 42/59 Y 49/59, *SNUPAT vs Alta Autoridad de la CECA.*

STJUE de 22 de marzo de 1961, en los asuntos acumulados 42/59 y 49/59, *Société nouvelle des usines de Pontlieu – Aciéries du Temple vs Alta Autoridad de la Comunidad Económica del Carbón y del Acero.*

STJCE de 3 de marzo de 1977, asunto C-80/76, *North Kerry Milk.*

STJUE de 21 de septiembre de 1983, asuntos C-205/82 a C-215/82, *Deutsche Milchkontor y otros.*

STJUE de 13 de febrero de 1996, asunto C-143/93, *Van Es Douane Agenten.*

STJUE de 15 de febrero de 1996, asunto C-63/93, *Duff y otros.*

STJUE de 18 de mayo de 2000, asunto C107/97, *Rombi y Arkopharma.*

STJUE de 9 de octubre de 2001, asuntos C80/99 a C82/99, *Flemmer y otros.*

STJUE de 20 de junio de 2002, asunto C-401/99, *Peter Heinrich Thomsen vs Amt für ländliche Räume Husum.*

STJUE de 1 de abril de 2004, asunto C-389/02, Deutsche *See-Bestattungs-Genossenschaft eG vs Hauptzollamt Kiel.*

STJUE de 7 de junio de 2005, asunto C-17/03, *VEMW y otros.*

STJUE de 26 de octubre de 2006, asunto C-284/04, *Koninklijke Coöperatie Cosun.*

STJUE de 21 de junio de 2007, asunto C-158/06, Stichting ROM-projecten.

STJUE de 10 de septiembre de 2009, asunto C-201/08, *Plantanol GmbH vs Hauptzollamt Darmstadt.*

STJUE de 5 de diciembre de 2017, asunto C-42/17, *Corte Constituzionale italiana vs M.A.S., M.B.*